U0128384

萬卷樓工具書

國文天地300期總目暨分類目錄

林慶彰　主編

張晏瑞　張琬瑩　陳韋哲　編輯

林 序

　　一本期刊或雜誌，出版到相當的期數時，為服務讀者，往往編有總目和分類目錄。《國文天地》雜誌，創刊於一九八五年六月，到一九九〇年五月，出版五卷共六十期。為方便讀者檢索，於一九九一年七月，由擔任過社長的本人，督導當時的編輯編纂了《國文天地總目錄暨分類索引（第一～五卷）》，為《國文天地》編輯總目和分類目錄奠定了良好的基礎。一九九五年十一月，又由本人督導涂茂奇和黃瑄穎兩位學弟編纂第六卷到第十卷的《總目錄暨分類索引》。二〇〇二年八月，由顏瑞芳先生負責編輯第十一至十五卷的《總目錄暨分類索引》。這三次編輯，總共涵蓋了《國文天地》第一到十五卷，共一百八十期，難得的是，編輯工作人員雖有不同，但編輯體例是相當一致的。這可以看出各次目錄主其事的人有相當一貫的編輯理念。

　　此後由於編輯人力不足，一直沒有再編纂第四、第五次的總目錄暨分類索引。二〇一〇年五月，《國文天地》出版第二十五卷第十二期，總計已經出版三百期，編輯部門認為要進一步服務讀者並提供最方便的檢索方式，應該再繼續編纂總目錄暨分類索引，總經理梁錦興先生要求副總編輯張晏瑞學弟來統籌此事。由於前三次的編輯工作本人曾參與過兩次，所以張晏瑞學弟要求本人來指導編輯這三百期的總目錄和分類目錄的編輯工作，恰好陳韋哲和張琬瑩兩位學弟正在選修本人在東吳大學開設的「中國經學史專題研究」。有一天他們兩位到我家來，我提到曾經編纂過《經學研究論著目錄》的同學，對文獻理解的能力加強了不少，我告訴他們兩位，以後也可以試著編輯目錄，恰好《國文天地》要編輯三百期的目錄，我就把他們兩位介紹給張晏瑞副總編輯，他們兩位就開始了長達兩年的編輯工作。

　　由於他們兩位在大學部或碩士班一年級時都接受過文獻學比較嚴格的訓練，所以他們擬定了編輯的計畫，其中包括編輯的時程、分類的類目和著錄的方式，都相當有條理，編纂過程中他們兩位偶爾有疑問，我稍作提示。張晏瑞副總編輯說二十多年來國文天地的總目錄和編輯索引都是由我指導編纂，此次編輯還是要我掛名擔任主編，我再三推辭，他們並沒有接受，這是這本目錄由我擔任主編的由來。

　　這本目錄總共分為三編，上編為一到二十五卷（一到三百期）的總目次，可以得知每一卷中每一期的內容如何。中編為分類目錄，參考賴永祥增訂中國圖書分類法，將三百期中所收論文的條目分為總類、經學、哲學思想、宗教、自然與應用科學、社會科學、史地、語言文字、語文教學、文學等十類，每一類視實際需要再分為若干小類，綱舉目張，檢索起來非常的方便。下編為作者索引，是中編分類目錄的作者索引，按作者姓氏筆劃多寡排列，作者名下繫上每篇文章所代表的流水號，再根據流水號找到分類目錄中的篇目，每一作者有多少文章，都可以得到正確的數目。

　　許多期刊都編有它的總目或分類目錄，《國文天地》前三次編輯總目暨分類索引，此次編輯

所以不叫分類索引，是因為按類編排的條目不能稱為索引，為糾正以前大家觀念上的錯誤，所以改稱為目錄。不少學科目錄往往都誤稱為索引，只有漢學研究中心出版的學科目錄，如《經學研究論著目錄》、《兩漢諸子學研究論著目錄》、《魏晉玄學研究論著目錄》等，名稱最為正確，我所以在這裡特別強調這一點，是希望以後編輯目錄的人，不要再把書名弄錯。此一目錄如果有些許成就和創見，都是三位學弟努力編輯的功勞，如果有編輯上的缺失，本人應負督導不周之責。

二〇一三年十一月八日林慶彰
誌於士林磺溪街知魚軒

總目錄

第 1 卷 1 期（總 1 期） 1
第 1 卷 1 期（總 2 期） 1
第 1 卷 3 期（總 3 期） 2
第 1 卷 4 期（總 4 期） 4
第 1 卷 5 期（總 5 期） 5
第 1 卷 6 期（總 6 期） 6
第 1 卷 7 期（總 7 期） 7
第 1 卷 8 期（總 8 期） 8
第 1 卷 9 期（總 9 期） 9
第 1 卷 10 期（總 10 期） 11
第 1 卷 11 期（總 11 期） 12
第 1 卷 12 期（總 12 期） 13
第 2 卷 1 期（總 13 期） 15
第 2 卷 2 期（總 14 期） 16
第 2 卷 3 期（總 15 期） 18
第 2 卷 4 期（總 16 期） 19
第 2 卷 5 期（總 17 期） 20
第 2 卷 6 期（總 18 期） 21
第 2 卷 7 期（總 19 期） 22
第 2 卷 8 期（總 20 期） 23
第 2 卷 9 期（總 21 期） 25
第 2 卷 10 期（總 22 期） 26
第 2 卷 11 期（總 23 期） 27
第 2 卷 12 期（總 24 期） 29
第 3 卷 1 期（總 25 期） 31
第 3 卷 2 期（總 26 期） 32
第 3 卷 3 期（總 27 期） 33
第 3 卷 4 期（總 28 期） 34
第 3 卷 5 期（總 29 期） 35
第 3 卷 6 期（總 30 期） 36
第 3 卷 7 期（總 31 期） 37
第 3 卷 8 期（總 32 期） 38

第 3 卷 9 期（總 33 期） 39
第 3 卷 10 期（總 34 期） 41
第 3 卷 11 期（總 35 期） 42
第 3 卷 12 期（總 36 期） 43
第 4 卷 1 期（總 37 期） 45
第 4 卷 2 期（總 38 期） 46
第 4 卷 3 期（總 39 期） 47
第 4 卷 4 期（總 40 期） 48
第 4 卷 5 期（總 41 期） 49
第 4 卷 6 期（總 42 期） 50
第 4 卷 7 期（總 43 期） 52
第 4 卷 8 期（總 44 期） 53
第 4 卷 9 期（總 45 期） 54
第 4 卷 10 期（總 46 期） 55
第 4 卷 11 期（總 47 期） 57
第 4 卷 12 期（總 48 期） 58
第 5 卷 1 期（總 49 期） 61
第 5 卷 2 期（總 50 期） 62
第 5 卷 3 期（總 51 期） 63
第 5 卷 4 期（總 52 期） 64
第 5 卷 5 期（總 53 期） 66
第 5 卷 6 期（總 54 期） 67
第 5 卷 7 期（總 55 期） 68
第 5 卷 8 期（總 56 期） 69
第 5 卷 9 期（總 57 期） 71
第 5 卷 10 期（總 58 期） 72
第 5 卷 11 期（總 59 期） 73
第 5 卷 12 期（總 60 期） 75
第 6 卷 1 期（總 61 期） 77
第 6 卷 2 期（總 62 期） 78
第 6 卷 3 期（總 63 期） 79
第 6 卷 4 期（總 64 期） 80

第 6 卷 5 期（總 65 期）　　　　81
第 6 卷 6 期（總 66 期）　　　　82
第 6 卷 7 期（總 67 期）　　　　83
第 6 卷 8 期（總 68 期）　　　　84
第 6 卷 9 期（總 69 期）　　　　85
第 6 卷 10 期（總 70 期）　　　　86
第 6 卷 11 期（總 71 期）　　　　87
第 6 卷 12 期（總 72 期）　　　　89
第 7 卷 1 期（總 73 期）　　　　91
第 7 卷 2 期（總 74 期）　　　　91
第 7 卷 3 期（總 75 期）　　　　92
第 7 卷 4 期（總 76 期）　　　　94
第 7 卷 5 期（總 77 期）　　　　95
第 7 卷 6 期（總 78 期）　　　　95
第 7 卷 7 期（總 79 期）　　　　96
第 7 卷 8 期（總 80 期）　　　　97
第 7 卷 9 期（總 81 期）　　　　98
第 7 卷 10 期（總 82 期）　　　　99
第 7 卷 11 期（總 83 期）　　　　100
第 7 卷 12 期（總 84 期）　　　　102
第 8 卷 1 期（總 85 期）　　　　105
第 8 卷 2 期（總 86 期）　　　　105
第 8 卷 3 期（總 87 期）　　　　106
第 8 卷 4 期（總 88 期）　　　　107
第 8 卷 5 期（總 89 期）　　　　107
第 8 卷 6 期（總 90 期）　　　　108
第 8 卷 7 期（總 91 期）　　　　109
第 8 卷 8 期（總 92 期）　　　　109
第 8 卷 9 期（總 93 期）　　　　110
第 8 卷 10 期（總 94 期）　　　　111
第 8 卷 11 期（總 95 期）　　　　111
第 8 卷 12 期（總 96 期）　　　　112
第 9 卷 1 期（總 97 期）　　　　115
第 9 卷 2 期（總 98 期）　　　　115
第 9 卷 3 期（總 99 期）　　　　116
第 9 卷 4 期（總 100 期）　　　　116
第 9 卷 5 期（總 101 期）　　　　117
第 9 卷 6 期（總 102 期）　　　　118
第 9 卷 7 期（總 103 期）　　　　118
第 9 卷 8 期（總 104 期）　　　　119
第 9 卷 9 期（總 105 期）　　　　120
第 9 卷 10 期（總 106 期）　　　　121
第 9 卷 11 期（總 107 期）　　　　121
第 9 卷 12 期（總 108 期）　　　　122
第 10 卷 1 期（總 109 期）　　　　125
第 10 卷 2 期（總 110 期）　　　　125
第 10 卷 3 期（總 111 期）　　　　126
第 10 卷 4 期（總 112 期）　　　　127
第 10 卷 5 期（總 113 期）　　　　127
第 10 卷 6 期（總 114 期）　　　　128
第 10 卷 7 期（總 115 期）　　　　129
第 10 卷 8 期（總 116 期）　　　　130
第 10 卷 9 期（總 117 期）　　　　131
第 10 卷 10 期（總 118 期）　　　　131
第 10 卷 11 期（總 119 期）　　　　132
第 10 卷 12 期（總 120 期）　　　　133
第 11 卷 1 期（總 121 期）　　　　135
第 11 卷 2 期（總 122 期）　　　　135
第 11 卷 3 期（總 123 期）　　　　136
第 11 卷 4 期（總 124 期）　　　　137
第 11 卷 5 期（總 125 期）　　　　138
第 11 卷 6 期（總 126 期）　　　　139
第 11 卷 7 期（總 127 期）　　　　140
第 11 卷 8 期（總 128 期）　　　　141
第 11 卷 9 期（總 129 期）　　　　142
第 11 卷 10 期（總 130 期）　　　　143
第 11 卷 11 期（總 131 期）　　　　143
第 11 卷 12 期（總 132 期）　　　　144
第 12 卷 1 期（總 133 期）　　　　147
第 12 卷 2 期（總 134 期）　　　　147

第 12 卷 3 期（總 135 期）	148	第 15 卷 2 期（總 170 期）	179
第 12 卷 4 期（總 136 期）	149	第 15 卷 3 期（總 171 期）	180
第 12 卷 5 期（總 137 期）	150	第 15 卷 4 期（總 172 期）	181
第 12 卷 6 期（總 138 期）	151	第 15 卷 5 期（總 173 期）	182
第 12 卷 7 期（總 139 期）	151	第 15 卷 6 期（總 174 期）	182
第 12 卷 8 期（總 140 期）	152	第 15 卷 7 期（總 175 期）	183
第 12 卷 9 期（總 141 期）	153	第 15 卷 7 期（總 176 期）	184
第 12 卷 10 期（總 142 期）	154	第 15 卷 9 期（總 177 期）	184
第 12 卷 11 期（總 143 期）	154	第 15 卷 10 期（總 178 期）	185
第 12 卷 12 期（總 144 期）	155	第 15 卷 11 期（總 179 期）	186
第 13 卷 1 期（總 145 期）	157	第 15 卷 12 期（總 180 期）	187
第 13 卷 2 期（總 146 期）	157	第 16 卷 1 期（總 181 期）	189
第 13 卷 3 期（總 147 期）	158	第 16 卷 2 期（總 182 期）	189
第 13 卷 4 期（總 148 期）	159	第 16 卷 3 期（總 183 期）	190
第 13 卷 5 期（總 149 期）	160	第 16 卷 4 期（總 184 期）	191
第 13 卷 6 期（總 150 期）	160	第 16 卷 5 期（總 185 期）	191
第 13 卷 7 期（總 151 期）	161	第 16 卷 6 期（總 186 期）	192
第 13 卷 8 期（總 152 期）	161	第 16 卷 7 期（總 187 期）	193
第 13 卷 9 期（總 153 期）	162	第 16 卷 8 期（總 188 期）	194
第 13 卷 10 期（總 154 期）	163	第 16 卷 9 期（總 189 期）	195
第 13 卷 11 期（總 155 期）	164	第 16 卷 10 期（總 190 期）	196
第 13 卷 12 期（總 156 期）	164	第 16 卷 11 期（總 191 期）	196
第 14 卷 1 期（總 157 期）	167	第 16 卷 12 期（總 192 期）	197
第 14 卷 2 期（總 158 期）	167	第 17 卷 1 期（總 193 期）	199
第 14 卷 3 期（總 159 期）	168	第 17 卷 2 期（總 194 期）	199
第 14 卷 4 期（總 160 期）	169	第 17 卷 3 期（總 195 期）	200
第 14 卷 5 期（總 161 期）	170	第 17 卷 4 期（總 196 期）	201
第 14 卷 6 期（總 162 期）	171	第 17 卷 5 期（總 197 期）	201
第 14 卷 7 期（總 163 期）	171	第 17 卷 6 期（總 198 期）	202
第 14 卷 8 期（總 164 期）	172	第 17 卷 7 期（總 199 期）	203
第 14 卷 9 期（總 165 期）	173	第 17 卷 8 期（總 200 期）	204
第 14 卷 10 期（總 166 期）	174	第 17 卷 9 期（總 201 期）	204
第 14 卷 11 期（總 167 期）	175	第 17 卷 10 期（總 202 期）	205
第 14 卷 12 期（總 168 期）	176	第 17 卷 11 期（總 203 期）	206
第 15 卷 1 期（總 169 期）	179	第 17 卷 12 期（總 204 期）	207

第 18 卷 1 期（總 205 期）	209	第 20 卷 12 期（總 240 期）	231
第 18 卷 2 期（總 206 期）	209	第 21 卷 1 期（總 241 期）	233
第 18 卷 3 期（總 207 期）	210	第 21 卷 2 期（總 242 期）	233
第 18 卷 4 期（總 208 期）	211	第 21 卷 3 期（總 243 期）	234
第 18 卷 5 期（總 209 期）	211	第 21 卷 4 期（總 244 期）	234
第 18 卷 6 期（總 210 期）	212	第 21 卷 5 期（總 245 期）	235
第 18 卷 7 期（總 211 期）	213	第 21 卷 6 期（總 246 期）	235
第 18 卷 8 期（總 212 期）	213	第 21 卷 7 期（總 247 期）	236
第 18 卷 9 期（總 213 期）	214	第 21 卷 8 期（總 248 期）	237
第 18 卷 10 期（總 214 期）	214	第 21 卷 9 期（總 249 期）	237
第 18 卷 11 期（總 215 期）	215	第 21 卷 10 期（總 250 期）	238
第 18 卷 12 期（總 216 期）	215	第 21 卷 11 期（總 251 期）	239
第 19 卷 1 期（總 217 期）	217	第 21 卷 12 期（總 252 期）	239
第 19 卷 2 期（總 218 期）	217	第 22 卷 1 期（總 253 期）	241
第 19 卷 3 期（總 219 期）	218	第 22 卷 2 期（總 254 期）	241
第 19 卷 4 期（總 220 期）	219	第 22 卷 3 期（總 255 期）	242
第 19 卷 5 期（總 221 期）	219	第 22 卷 4 期（總 256 期）	243
第 19 卷 6 期（總 222 期）	220	第 22 卷 5 期（總 257 期）	243
第 19 卷 7 期（總 223 期）	221	第 22 卷 6 期（總 258 期）	244
第 19 卷 8 期（總 224 期）	221	第 22 卷 7 期（總 259 期）	244
第 19 卷 9 期（總 225 期）	222	第 22 卷 8 期（總 260 期）	245
第 19 卷 10 期（總 226 期）	223	第 22 卷 9 期（總 261 期）	246
第 19 卷 11 期（總 227 期）	223	第 22 卷 10 期（總 262 期）	246
第 19 卷 12 期（總 228 期）	224	第 22 卷 11 期（總 263 期）	247
第 20 卷 1 期（總 229 期）	225	第 22 卷 12 期（總 264 期）	247
第 20 卷 2 期（總 230 期）	225	第 23 卷 1 期（總 265 期）	249
第 20 卷 3 期（總 231 期）	226	第 23 卷 2 期（總 266 期）	249
第 20 卷 4 期（總 232 期）	226	第 23 卷 3 期（總 267 期）	250
第 20 卷 5 期（總 233 期）	227	第 23 卷 4 期（總 268 期）	251
第 20 卷 6 期（總 234 期）	227	第 23 卷 5 期（總 269 期）	251
第 20 卷 7 期（總 235 期）	228	第 23 卷 6 期（總 270 期）	252
第 20 卷 8 期（總 236 期）	228	第 23 卷 7 期（總 271 期）	253
第 20 卷 9 期（總 237 期）	229	第 23 卷 8 期（總 272 期）	254
第 20 卷 10 期（總 238 期）	230	第 23 卷 9 期（總 273 期）	255
第 20 卷 11 期（總 239 期）	231	第 23 卷 10 期（總 274 期）	255

分類目錄

1. 總類	1
1.1. 圖書學	1
1.1.1. 通論	1
1.1.2. 出版工作	1
1.1.3. 圖書整理	4
1.1.4. 古籍藏書	8
1.2. 圖書館學	8
1.2.1. 通論	8
1.2.2. 圖書館資源	8
1.2.3. 各地圖書館	8
1.2.3.1. 臺灣	9
1.2.3.2. 其他地區	9
1.3. 學術刊物	9
1.3.1. 通論	9
1.3.2. 期刊、學報	9
1.3.3. 以書代刊	10
1.4. 百科全書、辭書、類書、年鑑	11
1.4.1. 通論	11
1.4.2. 類書	12
1.4.3.	
1.4.4. 辭書	12
1.4.5. 年鑑	13
1.5. 叢書與論集	14
1.5.1. 通論	14
1.5.2. 古籍叢書	14
1.5.3. 新編叢書	14
1.5.3.1. 臺灣出版	14
1.5.3.2. 其他地區出版	15
1.5.4. 總集	17
1.5.5. 論文集	17
1.6. 治學方法	18
1.6.1. 讀書與治學	18
1.6.2. 資料檢索與利用	19
1.6.3. 論文及讀書報告寫作	21
1.6.4. 其他	22
1.7. 學術總論	23
1.8. 學界動態	26
1.8.1. 學術會議	26
1.8.2. 院所課程	30
1.8.3. 其他	30
1.9. 學術團體	32
1.9.1. 研究機構	32
1.9.2. 學校系所	32
1.9.3. 社團	34
1.10. 國際漢學	36
1.10.1. 通論	36
1.10.2. 亞洲地區	36
1.10.2.1. 日本	36
1.10.2.2. 韓國	39
1.10.2.3. 越南	39
1.10.3. 歐美地區	39
1.11. 大眾傳播	40
2. 經學類	43
2.1. 通論	43
2.1.1. 經學史	43
2.2. 易經	44
2.3. 尚書	46
2.4. 詩經	46
2.5. 三體	50
2.6. 春秋	53
2.7. 四書	54
2.8. 孝經	57
2.9. 讖緯、石經	57
3. 哲學思想類	59

3.1. 通論	59	6.4. 政治	91
3.2.		6.5. 經濟	93
3.2.1.		6.6. 軍事	93
3.2.2. 哲學史	60	6.7. 藝術	93
3.2.3. 先秦	60	6.7.1. 通論	93
3.2.4. 秦漢	66	6.7.2. 音樂	94
3.2.5. 魏晉	67	6.7.3. 書畫	95
3.2.6. 宋元明	67	6.7.4. 雕塑	98
3.2.7. 清代	68	6.8. 民俗、禮俗	98
3.2.8. 近現代	68	6.9. 文化	101
3.3. 西方哲學	69	7. 史地類	109
3.4. 美學	69	7.1. 歷史	109
4. 宗教類	71	7.1.1. 中國	109
4.1. 通論	71	7.1.1.1. 通論	109
4.2. 佛教	71	7.1.1.2. 通史	110
4.3. 民間宗教	75	7.1.1.3. 斷代史	111
5. 自然與應用科學類	77	7.1.2. 臺灣	112
5.1. 通論	77	7.1.3. 其他地區	112
5.2. 自然科學	77	7.2. 地理	113
5.2.1. 通論	77	7.2.1. 自然地理	113
5.2.2. 地球科學	77	7.2.1.1. 山	113
5.2.3. 物理	78	7.2.1.2. 水	113
5.2.4. 化學	78	7.2.2. 人文地理	114
5.2.5. 生物	78	7.2.2.1. 城市	114
5.2.5.1. 動物	78	7.2.2.2. 建築	114
5.2.5.2. 植物	78	7.3. 考古	115
5.3. 應用科學	79	7.4. 傳記	117
5.3.1. 通論	79	7.4.1. 通論	117
5.3.2. 電腦	79	7.4.2. 先秦	118
5.3.3. 器物	80	7.4.3. 秦漢	119
5.3.4. 醫藥	82	7.4.4. 魏晉南北朝	121
6. 社會科學類	85	7.4.5. 隋唐五代	122
6.1. 通論	85	7.4.6. 宋遼金元	123
6.2. 教育	86	7.4.7. 明代	125
6.3. 社會	89	7.4.8. 清代	125

7.4.9. 民國時期（1912-1949）	127	9.3.3. 文言與白話教學	191
7.4.10. 民國時期入新中國	129	9.4. 教材分析	191
7.4.11. 新中國（1950-）	133	9.4.1. 通論	191
7.4.12. 民國時期入臺灣	136	9.4.2. 國小	194
7.4.13. 臺灣	140	9.4.3. 國中	194
7.4.13.1. 清領時期	140	9.4.4. 國高中合論	199
7.4.13.2. 日治時期	140	9.4.5. 高中	199
7.4.13.3. 國民政府遷台以後	142	9.4.6. 文化教材	208
7.4.14. 其他地區	147	9.4.7. 大專院校	209
8. 語言文字學類	149	9.5. 作文教學	209
8.1. 通論	149	9.5.1. 通論	209
8.2. 語言學	149	9.5.2. 一般作文教學	211
8.3. 文字學	155	9.5.3. 應考作文教學	218
8.3.1. 通論	155	9.5.4. 應用文教學	221
8.3.2. 辨字辨詞	158	9.6. 考試相關	222
8.3.3. 說文解字	161	9.6.1. 通論	222
8.3.4. 文字改革	162	9.6.2. 試題分析	224
8.4. 聲韻學	163	9.6.2.1. 報考高中	224
8.4.1. 通論	163	9.6.2.2. 報考大學	227
8.4.2. 讀音辨正	164	9.6.2.3. 報考技職專科	232
8.4.3. 古聲韻學	166	9.6.2.4. 其他	232
8.4.4. 現代標音	167	9.6.3. 考試準備	233
8.5. 訓詁學	167	9.7. 華語教學	234
8.5.1. 通論	167	10. 文學類	235
8.5.2. 釋字釋詞	168	10.1. 通論	235
8.5.3. 釋句	173	10.1.1. 文學史	235
8.5.4. 文字通假	173	10.1.2. 臺灣文學	235
9. 語文教學類	175	10.1.3. 女性文學	240
9.1. 通論	175	10.1.4. 民間文學	241
9.2. 語文教學問題	178	10.1.5. 其他	245
9.2.1. 制度層面的問題	178	10.2. 中國古典文學	246
9.2.2. 教學實務上的問題	181	10.2.1. 通論	246
9.3. 教學方法	182	10.2.2. 詞賦	250
9.3.1. 通論	182	10.2.3. 文	252
9.3.2. 韻文教學	188	10.2.3.1. 通論	252

10.2.3.2. 創作 257

10.2.4. 詩 257

10.2.4.1. 通論 257

10.2.4.2. 創作 282

10.2.5. 詞 288

10.2.5.1. 通論 288

10.2.5.2. 創作 296

10.2.6. 散曲 297

10.2.6.1. 通論 297

10.2.6.2. 創作 297

10.2.7. 戲曲 298

10.2.8. 小說 302

10.2.9. 其他文類 309

10.2.9.1. 神話傳說 309

10.2.9.2. 寓言 310

10.2.9.3. 笑話 310

10.3. 近現代文學 311

10.3.1. 通論 311

10.3.1.1. 網路文學 311

10.3.1.2. 其他 312

10.3.2. 新詩 313

10.3.3. 散文 321

10.3.4. 小說 327

10.3.5. 戲劇 335

10.3.6. 電影 336

10.3.7. 歌詞 338

10.3.8. 兒童與青少年文學 338

10.3.9. 圖畫書 342

10.4. 外國文學 343

10.5. 文學批評 345

10.6. 辭章學 348

10.6.1. 通論 348

10.6.2. 文法 350

10.6.3. 修辭 354

10.6.4. 章法 361

10.7. 成語與典故、俗諺與謎語 367

10.7.1. 成語 367

10.7.2. 典故 369

10.7.3. 俗諺 371

10.7.4. 謎語 372

凡　例

一　《國文天地》是一本兼顧學術、普及與教學功能的雜誌，它創刊於一九八五年六月，以月刊的形式發行，至今已出版超過三百期，刊載了近萬篇的論文、札記或文學創作。為了梳理這二十多年來《國文天地》雜誌刊載的情況，並方便讀者檢索參考，爰編輯《國文天地總目錄暨分類目錄第 1-25 卷（1-300 期）》。

二　本目錄收錄自一九八五年六月（第 1 卷第 1 期，總第 1 期）至二○一○年五月（第 25 卷第 12 期，總第 300 期）間，刊載於《國文天地》雜誌之各類文章，惟各種「研討會資訊」、「出版書目廣告」和「無註明作者之補白短文」不在此列。

三　本目錄分為三個部分。第一個部分是「總目錄」，各條目依據刊載之卷期、頁數等順序排列，以呈現各期雜誌收錄之情況；第二個部分是「分類目錄」，方以類聚，物以群分，把議題相近的文章放在一起，方便讀者檢索運用；第三個部分是「作者索引」，將同一位作者在《國文天地》雜誌上發表之各篇文章的流水號放在一起，讓讀者可以利用流水號在「分類目錄」中找到需要的文章。

四　「總目錄」是以各卷期作為一個小標題，卷期後標記總期數和該期出版年月，各卷期下方依頁數排定各條目的先後順序，條目的著錄形式為：作者、篇名、頁數。

五　「分類目錄」的類目，主要是參考賴永祥增訂中國圖書分類法，再根據《國文天地》雜誌所收錄文章之特色，作一些類目上的調整。如《國文天地》歷來刊載過許多「經學類」的文章，因此本目錄特地把「經學類」從「總類」當中獨立出來；又《國文天地》以「文史哲」為主要刊載的主題，「科學類」的文章相對較少，因此便將「科學類」跟「應用科學類」合併，成為「自然與應用科學類」。此外，中小學教師之教學心得與教學資源的分享，是《國文天地》雜誌的一大特色，所以本目錄還增設了「語文教學類」來收錄這些文章。

六　「分類目錄」共有十個主要類目，分別是：總類、經學類、哲學思想類、宗教類、自然與應用科學類、社會科學類、史地類、語言文字學類、語文教學類、文學類。

七　「分類目錄」以類目為序，各個主要類目底下有一到三個層次的子分類，各個子分類中，又有隱性分類。隱性分類的標準不一而足（視該類目的需求而定），有的是按照文章中討論之人物
或作品的時代，有的則是根據文章的主題、性質，把相近議題的條目放在一起。最後，在各

個隱性分類中，再依據刊載之卷期、頁數決定先後，並以此編訂各條目之流水號。

八　以「互見」彌補分類的缺陷。一般的目錄在處理「綜合多個主題之文章」的分類時，往往會將它歸類在某一個主題，而忽略另一個主題的檢索需求。以〈啟蒙教材與讀經〉一文為例，它既是「社會科學類」當中「教育類」的文章，也是討論到「讀經與否」這樣有關「經學類」的議題。因此，不論將它放到哪一類，有另一類檢索需求的讀者便會找不到這篇文章。為了讓所有刊載在《國文天地》雜誌上的文章，都能夠讓需要它的讀者檢索到，本目錄特別嘗試一種新的編目方式──互見。讓一篇「綜合多個主題之文章」，能夠出現在所有有關該篇文章主題的分類當中，給有檢索需求的讀者，都能在他想要的主題中找到所有相關的文章。

九　「分類目錄」的著錄形式為：流水號、作者、篇名、卷期、總期數、頁數、出版年月。

十　「作者索引」是分類目錄的作者索引，根據各作者姓名筆劃多寡排列，各作者姓名之後有流水號，以此表示該作者刊載於《國文天地》雜誌上的各篇文章。一個流水號代表一篇文章，各流水號之間以「一個全形字空格」做為區隔，讀者可依流水號到「分類目錄」中找到該位作者的文章。流水號後有括號者，如「5951(8526)」，表示括號中之流水號（8526）與括號前之流水號（5951）為同一篇文章，因互見於兩個分類當中，所以有兩個流水號。又括號中有兩個流水號者，如「5627(5668　7910)」，則表示「5627」這篇文章，又互見於「5668」和「7910」兩個地方。

十一　本目錄共收錄了七七七六篇文章，因互見的關係，在「分類目錄」中共有八九二九個條目。其中「總類」九三四條、「經學類」三七六條、「哲學思想類」三〇五條、「宗教類」一五六條、「自然與應用科學類」一六三條、「社會科學類」五七一條、「史地類」九二二條、「語言文字學類」七二二條、「語文教學類」一三九八條、「文學類」三三八二條。

總目錄

第 1 卷 1 期（總 1 期）1985 年 6 月

蔣廉儒	「無愧身為中國人」	頁 6~7
蕭繼宗	釋名	頁 8~9
周　何	國語文教學與文化建設	頁 10~11
黃慶萱	怎樣編寫國文教科書	頁 12~16
吳　薇	對國內華語教學的反省與建議	頁 17
周純一	國文課堂內的新課題	頁 18~19
黃維樑	談寫作教學	頁 20~25
張克濟	從「猛志逸四海」到「採菊東籬下」——陶淵明的思想與詩風	頁 26~28
周彥文	高中國文第二冊出師表參考資料簡介	頁 29~31
鄭志明	淺談高中國文量錯論貴粟疏的思想教育	頁 32~33
無名氏	我的一位國文老師	頁 34~35
潘重規	五十年前的日記摘錄——戰時教學生活片段	頁 36~39
傅錫王	大學聯招主科加重計分之商榷	頁 40~43
梁桂珍	與考生談如何念好國文——舊學新知鎔一爐，讀書提筆興趣高	頁 44~45
劉兆祐	為什麼讀書要當心錯字？	頁 46~49
曾永義	說文解語	頁 50~53
楊振良	淺談象形文字中的趣味性	頁 54~55
羅肇錦	語詞的約定與本質	頁 56~57
竺家寧	古人伐木的聲音	頁 58~59
王仁鈞	到掉鑰匙的地方找鑰匙——注意文法	頁 60~61
戴璉璋	中國語法中語句分析的商榷	頁 62~69
段醒民	何必一邊涼快去？——信封收件人的寫法	頁 70~71
王夢鷗	關於「唐人小說校釋」	頁 72~75
李正治譯	詮釋學導論	頁 76~81
范月嬌	國際漢學鳥瞰	頁 82~83
鄭明娳	認識工具書	頁 84~85
王國良	國立中央圖書館簡介	頁 86~88
魏子雲	虞姬的姓名	頁 90
王文進	火車（子敏）	頁 91~93

第 1 卷 2 期（總 2 期）1985 年 7 月

| | 編輯手記 | 頁 5 |

黃永武	「碧空盡」與「碧山盡」那個對？	頁 6
蔡信發	究竟是「報」還是「報」？	頁 6~7
顏崑陽	「孤蓬」與「孤篷」何者正確？	頁 7
竺家寧	三個「之」字的詞性問題	頁 7
周益忠	日常生活與報紙標題	頁 8~9
朱邦彥	編輯的困惑——莫衷一是的字	頁 10~11
劉君祖	文字問題與問題文字	頁 12~14
高寶琳	使用成語豈能不小心？	頁 15
	「考試前夕談國中生如何讀好國文」座談會	頁 16~20
陳信元	朱自清與清華——兼談「背影」「荷塘月色」二文	頁 22~25
潘重規	五十年前日記摘錄——戰時教學生活片段	頁 26~29
顏元叔	我的國文老師	頁 30~33
陳冠甫	談國學要籍的圈點及其他	頁 34~36
蘊 苑	如果我們看不懂文言文——白話文運動的另一種考察	頁 37~39
竺家寧	「入聲」滄桑史	頁 40~43
蔡夢珍	鬚眉之間——談男人的鬚	頁 45
羅肇錦	「詞」的結構	頁 46~47
楚 戈	巫字的原始——文字學的美學資料之一	頁 48~51
王仁鈞	欸乃一聲山水綠——從原始的呼喊到語言的產生	頁 54~55
吳輝榮	什麼是「風馬牛不相及」？	頁 56~57
高安澤	于右任的名和字——高中國文第三冊的兩個錯誤	頁 58~59
劉君燦	羅盤的濫觴——司南杓	頁 60~61
王 樾	有時文字像女人——從廣告的標題談起	頁 62~63
龔鵬程	孟姜女研究	頁 64~65
黃秋芳	雨霖鈴／醉別	頁 66
黃秋芳	臨江仙／紅顏	頁 67
李少白譯	東西方美學之「精神價值」的觀念	頁 68~73
范月嬌	國際漢學鳥瞰	頁 74~75
鄭明娳	認識圖書館	頁 76~77
呂正惠	中國文學中的兩種基本精神	頁 78~79
高大威	高中國學概要經學章新舊兩本的比較	頁 80~82
顏崑陽	中國文學藝術之「虛」及其與老莊思想的關係	頁 83~93
王文進	被夢魘攫住的鬱金香——談雷馬克「奈何天」	頁 94~96

第 1 卷 3 期（總 3 期）1985 年 8 月

陳文華	「山窮水盡」的出處	頁 8
陳慶煌	荊軻傳「無事」	頁 8
呂正惠	怎樣選擇中國文學史？	頁 9
蔡英俊	怎樣讀李賀詩	頁 9~10
陳萬益	「鄒忌諫齊王」的時序問題	頁 10
林翠華	訪吳宏一教授談國文教科書的編撰	頁 11~13
劉　真	為什麼要重視國文	頁 14~16
朱銘源	「風馬牛不相及」的風	頁 17
李威熊	誤上高樓迷天涯──我讀中文的心路歷程	頁 18~19
張起鈞 戴　玉整理	漫談昔日老北大	頁 20~25
黃秋芳	玉樓春／舊歡	頁 25
劉兆祐	我的國文老師──黃念容先生	頁 26~29
邱財貴	掌老師與我	頁 30~35
李　端主講 陳廖安記錄	「國文教授論報紙標題」座談會	頁 36~43
戴璉璋校訂 賴麗蓉分析	語法分析舉隅──「兒時記趣」國中國文第一冊第八課	頁 44~47
楊振良	眼如秋水鬢如雲──談「髮」	頁 48
周虎林	「某某校長吾兄如晤」──學生作文不通怎麼辦？	頁 49~51
史墨卿	應用文中的一些問題──從訃聞談起	頁 52~55
竺家寧	華視「每日一字」音讀商榷	頁 56~58
劉君燦	指南魚與烤肉	頁 59
朱正茂	談近體詩的聲調結構	頁 60~61
王仁鈞	駕八龍之婉婉兮 載雲旗之委蛇──「實詞」、「虛詞」以及詞類區分	頁 62~65
羅肇錦	龍的傳人──從易乾卦爻辭談起	頁 66~68
黃沛榮	易學辭典	頁 69~71
潘重規	我探索紅樓夢的歷程	頁 72~79
范月嬌	國際漢學鳥瞰：《唐代社會文化史研究》、《隋唐小說研究》	頁 80~81
李正志譯	東方美學對主體的注重	頁 82~85
殷善培	陶淵明的琴到底有沒有弦	頁 86~87
王文進	盛唐之音的前奏曲──談張若虛「春江花月夜」	頁 88~90
曾玉明	辭典部首淺說	頁 91
林慶彰	國立中央圖書館台灣分館	頁 92~93
蔡怡儂	孔子何嘗小天下？──「孔子登東山而小魯，登太山而小天下」（孟子盡心篇上）	頁 94

第 1 卷 4 期（總 4 期）1985 年 9 月

張文彬	「審慎」與「精敏」	頁 8
周　何	「分」與「份」的用法	頁 8~9
李威熊	論語的「論」字該讀陽平或去聲	頁 9
周　何	古代的冰做什麼用？	頁 9
王仁鈞	什麼是副詞	頁 10
張夢機	「強」與「彊」都不是本字	頁 11
陳信元	影響琦君一生的國文老師——浙東詞人夏承燾	頁 11~15
林佩芬專訪	畢生貢獻國文的蘇雪林	頁 16~19
王熙元 陳益源記錄	中等學校詩詞教學答客問	頁 20~24
謝淑年	理想的國中國文教材	頁 25
余　明	國中國文第一冊第一課國歌參考資料	頁 26~27
戴璉璋校訂 賴麗蓉分析	語法分析舉隅——「兒時記趣」國中國文第一冊第八課	頁 28~31
陳正榮	高中國文注釋疑義舉例	頁 32~33
魏子雲	國文教學的義理問題——訓有未安，義理求之	頁 34~37
尉天驄	為什麼國文程度低落？——從「任卓宣少年習作手搞」談起	頁 38~41
張仁青	不滿 60 分，一概不取——國文科應考須知	頁 42~45
郭麗華	由生活裡的詩情畫意談寫作	頁 46~47
黃慶萱	談字典——一種最重要的工具書	頁 48~53
陳文華	近體詩聲調結構的一些重要觀念	頁 54~57
竺家寧	揭開古音奧秘的利器——語音學	頁 58~61
楊振良	宜春髻子恰憑闌——談髻	頁 62
黃沛榮	易學辭典	頁 63~65
羅肇錦	語言是個大騙子——「說的」和「想的」	頁 66~68
王仁鈞	借庖丁之刀，解萬載之牛——辨別句類‧句型和主語‧謂語	頁 69~71
王生更	雷根的老婆叫南茜？——由錯別字談到唸錯音	頁 72~74
張素貞	楚靈王好男人細腰	頁 75~77
劉君燦	磁偏角與羅盤	頁 78
周純一	王小玉說的到底是什麼書？	頁 79~81
Richard E. Palmer 著 李正治譯	詮釋學的三十個論題	頁 82~87
范月嬌	國際漢學鳥瞰：《中國文學史》、《政治與戰亂》、《中國古典詩總說》	頁 88~89

| 王文進 | 漢魏古詩式的散文──析論「失根的蘭花」 | 頁 90~91 |
| 鄭明娳 | 紅樓夢中的夢 | 頁 92~93 |

第 1 卷 5 期（總 5 期）1985 年 10 月

賴金男 湯廷池	「資訊時代的國語文」座談會	頁 8~15
陳瑞貴	資訊社會中的國語文教育	頁 16~19
蔡錦昌	中國學術語言的出路	頁 20~23
賴金男	法國推行的「國文第一」政策	頁 24
王鎮華	我辦兒童文化班	頁 25~27
鄭生仁	都是情書大全惹的禍	頁 28~31
任菊家專訪	「超級校對」何容	頁 32~35
高 儒	閱「頑皮」卷	頁 36~39
魏子雲	國文教學的義理問題──訓有未安，義理求之	頁 40~42
楊鴻銘	教學示例──顧炎武「廉恥」	頁 43~47
李 春	「荷塘月色」表現了什麼？	頁 48~49
陳金池	美酒與佳肴──高中生作文十病	頁 50~51
喬衍琯	是大一國文還是高四國文？	頁 52~55
竺家寧	聽聽古人的聲音──聲韻學的效用和目的	頁 56~57
蔡孟珍	詩詞吟唱的新趨向──從蘇州彈詞「木蘭辭」談起	頁 60~62
楊振良	菱花照面淺勻眉──談「眉」	頁 63
黃基正	詩經中的「齊侯之子」究竟是誰？	頁 64
黃基正	禹貢的錯簡	頁 64~65
黃基正	白道	頁 65
黃基正	何謂八份？	頁 65
傅錫任	國殤是描寫人頭祭嗎？	頁 66~67
簡錦松	唐詩三百首裡為什麼沒有陶淵明詩？	頁 67
簡錦松	南朝的寺廟	頁 67
黃沛榮	齊人的模樣	頁 67~68
周鳳五	洗馬的「洗」該怎麼唸？	頁 68~69
莊雅州	同義詞的辭典有那些？	頁 69
黃沛榮	千金之子	頁 69
黃宗義	墨跡、法書、碑帖、搨本──幾個書法名詞的商榷	頁 70~73
葉世景	怎樣學好四角號碼檢字──最快速的檢字方法	頁 74
呂正惠	史提芬・歐文的「盛唐詩」	頁 75

黃沛榮	易學辭典	頁 76~79
于 淵	雞鳴、蛙鳴與蒼蠅鳴——詩經的一首情詩	頁 80~81
蔡英俊	一本真正的「文學理論導論」	頁 82~83
鄭志明	白蓮教是不是真的會妖法？	頁 84~85
卜問天	冷眼看「武俠」	頁 86~87
博亨斯基著 陳明福譯	當代方法學中的一些基本術語	頁 88~91
唐復光	「邂齋閑覽」抄本	頁 92~93

第 1 卷 6 期（總 6 期）1985 年 11 月

周鳳五	「誰適為容」的適該怎麼唸？	頁 8
蔡孟珍	「木蘭辭」的曲譜	頁 9
胡楚生	「足下」與「閣下」的區分	頁 9
黃慶萱	「說文解字」寫於那一年？	頁 10
周鳳五	過秦論的「誰何」	頁 10~11
白先勇 黃秋芳整理	我的國文老師	頁 12~15
戴 玉記錄	熊秉明談書法、論國文	頁 16~19
楊振良	明眸流盼橫波來——談眼	頁 20
呂 凱	盧師聲伯的聲影與往事	頁 21~23
溥 瑛記錄	我們真的不配讀經嗎？ （蔡英俊 林安梧 鄭志明 王樾 林建宏 孟玄 龔鵬程講）	頁 24~31
邱財貴	童蒙養正——怎樣教小孩子讀古書	頁 32~35
錢 穆	廣與深的人生藝術——從雞鳴犬吠談起	頁 36~41
任菊家	算一算「情書大全」的糊塗賬	頁 42~45
劉君祖	得體為難——再論編輯工作中的文字問題	頁 46~48
龔鵬程	為什麼要讀專家詩？	頁 49~51
竺家寧	是鳥？還是馬？	頁 52
孔仲溫	陳蘭皋的「皋」	頁 52
萬愛珍	美輪美奐	頁 53
羅肇錦	「中央」與「未央」	頁 53
姚榮松	餿	頁 52~53
王文進	「曲終人不見，江上數峰青」——談「伊豆的踊子」中最後出現的老人	頁 54~55
林良 林櫻 林琪 林瑋	我與「爸爸的十六封信」、〈我的爸爸〉——我所認識的子敏先生、我所認識的爸爸、爸爸這個人	頁 56~59
劉君燦	我怎樣譯愛因斯坦——「人類存在的目的」	頁 60~61

黃慶萱	談辭典	頁 62~66
吳炎途	胡適之先生晚年談話錄	頁 67~69
王仁鈞	芃芃棫樸，薪之槱之──賓語和一些有關現象	頁 70~72
魏子雲	國文教學的義理問題──訓有未安，義理求之	頁 73~77
林玿玲	談「鍊字」──國中國文教學的一點心得	頁 78~80
閻以炤	替諸葛亮照相	頁 81
葛芳譚	新編高中國文第二冊的一些問題	頁 82~85
愷扉	為有源頭活水來──高中國文教學的反省	頁 86~87
鄭生仁	同性戀是不是舶來品？──中國同性戀的相關語辭與書籍	頁 88~90
老馬	江城子／述夢	頁 91
博亨斯基著 陳明福譯	當代方法學中的一些基本術語	頁 92~94

第 1 卷 7 期（總 7 期）1985 年 12 月

	瑜珈與瑜伽	頁 8
	「再嫁者」到底嫁誰？	頁 8~9
	揚名立萬	頁 9~10
	「摽梅之年」是什麼年？	頁 10
	案是桌子還是盤子？	頁 10~11
	陸遊詩	頁 11
黃秋芳專訪	數學系的國學大師──教、學不倦的毛子水	頁 12~13
戴玉專訪	遠方的燈火──馬漢茂談德國漢學	頁 14~18
王北岳	國文與我	頁 19
劉述先	長夜漫漫路迢迢──述先述學	頁 20~21
蔣勳	萍水相逢──我與中國文學	頁 22~27
黃永武	珍珠船裏──有趣的國文天地	頁 28~32
洛夫 洪淑苓記錄	語言的魔力──談詩語言的特色	頁 33~37
黃敏柔	你不得不讀下去──精彩的開場白	頁 38~41
陳益源記錄	「語文法」面面觀：劉兆祐、羅肇錦、詹宏志、高大鵬	頁 42~48
編輯部	天地人	頁 49
陳如是	國文程度江河日下──評閱國文試卷感言	頁 50~51
新	國文不好，別想進聯合報	頁 51
周益忠	滷菜乎？魯菜乎？	頁 52
萬愛珍	赤嵌樓	頁 53
簡恩定	綠林／月見冰、八寶冰、青蛙下蛋冰／理髮／鉛筆／糖霜	頁 54~55

梁桂珍	無奈的灑脫——談阮籍的性情	頁 56~57
羅肇錦	文明的魔杖——文字在文明演進所扮演的角色	頁 58~59
楊振良	數點梅花天地心——談梅	頁 60
竺家寧	反切的故事	頁 61~63
劉君燦	中國的時間與空間	頁 64~65
陳士全	什麼是亭、榭、橋、廊？	頁 66~69
蕭繼宗	我說孟浩然詩	頁 70~73
竺家寧	「盜」是兩點？還是三點？	頁 74
姚榮松	美「元」與日「圓」	頁 74
朱銘源	「邂齋閑覽」的作者	頁 75
陳正榮	為什麼會一字多義？	頁 76~78
鄭雪花	七姑姑的美——「火鷗鴇鳥」的修辭技巧	頁 79~81
周幹家	怎樣實施國語文教育	頁 82~85
曾忠華	怎樣教朱自清的「春」——語體文教學實例	頁 86~89
郭鶴鳴	「外儲說左上四則」試探——高中國文第五冊中的四個小故事	頁 90~93
李金蓮	質性自然的牧師作家——訪殷穎先生	頁 94~95

第 1 卷 8 期（總 8 期）1986 年 1 月

龔鵬程	怎樣讀專家詩？	頁 9~10
王熙元	嫁娶何人？	頁 10
唐亦男	凡事豫則立	頁 10~11
謝一民	「坐」的詞性	頁 11
黃秋芳	虎年談虎印	頁 12~13
黃敏柔	中國虎的造型	頁 14~15
羅宗濤	從詩歌看中國人的倫理觀	頁 16~19
隱　地	關心我們的書架	頁 20~21
胡天蘭	國文，在海外	頁 22~23
莊惠琴	歌詩傳唱開心顏——博嘉國小的國文教育	頁 24~29
簡恩定	生活語典：灑米去邪／玻璃、琉璃／檳榔穿耳／熨斗／形象、偶象	頁 30~32
曾榮汾	用心可免錯別字	頁 34
竺家寧	土「著」的念法	頁 34
	天地人	頁 35
楊振良	湘江竹上知何限——談竹	頁 35
曾榮汾	火鍋？火□？	頁 36~37
萬愛珍	啤酒屋的問題字	頁 37~39

黃沛榮	陰／陽／陽卦／奇耦／陰爻／陽爻／卦畫／畫卦／重卦／八卦／八卦取象歌／經卦／別卦／正卦／偏卦／純卦／交卦	頁 40~43
黃基正	五谷不分	頁 44
林覺中	對比的典範	頁 45
劉憲雄	從小說「衝突」之元素鑑賞「背影」及「田單復國」二文	頁 45~46
何　依	「常用國字標準字體」？	頁 47
鄭圓鈴	學而時習之	頁 47
羅肇錦	打死老婆——從動物名稱看方言的幾個現象	頁 48~49
劉君祖	長安城的春光——「楊貴妃・安祿山」	頁 50~51
羅斯著鄭曉村譯	哲學在文學中的角色	頁 52~57
范月嬌	中國祭祀戲劇研究／唐代社會文化史研究／中國古代宗教與文化	頁 58~59
周純一	什麼是陽關三疊？	頁 60~63
魏子雲	大陸的金瓶梅研究	頁 64~67
姚榮松	訓詁不是大烤爐——也談「風馬牛不相及」	頁 68~71
曾榮汾	為編輯釋惑	頁 72~75
廖文彬圖	螳螂捕蟬	頁 75
宋　裕	大學聯考國文科命題趨勢與應考對策（一）——成語測驗的準備方向	頁 76~78
郭慶珠	國文教師的困惑，國文教育的忱痌	頁 79
陳海雄	你一開口就讀錯嗎？	頁 82~83
陳忠本	高中國文新教材第三冊疏誤訂正	頁 84~85
陳桂昆	學生作文毛病出在那裡？	頁 85~87
羅悅玲	親嘗與會意	頁 88~89
郭麗華	怎樣教「桃花源記」	頁 91~95

第 1 卷 9 期（總 9 期）1986 年 2 月

呂　凱	關於「盧師聲伯的聲影與往事」	頁 10~11
何淑貞	語詞多重選擇的方法	頁 11
莊耀郎	「典論論文」中的氣	頁 11~12
莊耀郎	「上樞密韓太尉書」中的氣	頁 12~13
吳立甫	〈大惑不解集〉：「再嫁者」之疑義	頁 13
許紹明	〈大惑不解集〉：「十」字可讀平聲	頁 13
傅錫壬	老虎與屈原——虎年談虎圖騰的後裔	頁 14~16
戴　玉整理	窮千里目，看漢文學史——訪陳慶浩	頁 17~21
廖文彬圖	盲人騎瞎馬／破釜沈舟／奇貨可居	頁 51

游淑靜	一生沒進過學堂的人──為中國古籍傳薪的楊家駱先生	頁 22~25
徐微哲	證道成仙──談臺灣的民間講經	頁 26~29
鄭志明	醒世文要點醒什麼？	頁 30~31
黃秋芳專訪	文學和藝術牽手──訪「拾閒詩社」	頁 32~36
曾昭旭	延續孔門講學傳統──鵝湖文化講座	頁 37~39
蔡木生	「樣子里」「樣子里」？	頁 40
蔡德良	「漂」字錯在那裡？	頁 40~41
曾榮汾	讀音上常有的疏忽	頁 41
簡恩定	魯男子／文定／饅頭／當歸／撲滿／死人覆面	頁 42~43
陳紀瀅	中學時代的國文	頁 44~45
劉君燦	光學材料	頁 46
楊振良	百草山中第一香──談蘭	頁 47
陳宏勉	印章上的吉祥語	頁 48
王仁鈞	曉山眉樣翠，秋水鏡般明──中心語、加語、副語、補語	頁 49~51
吳客禮	報紙標題的錯誤	頁 52
黃基正	武王伐紂紀事	頁 52~53
鄭圓鈴	巧言、令色、鮮矣仁	頁 53
蔡世明	台南市立圖書館	頁 54~57
范月嬌	古代中國之諸神──古代傳說研究／中國中世紀社會語共同體／中國戲曲戲劇研究	頁 58~59
陳慶煌輯	近代學人手札	頁 60~63
	天地人	頁 63
余手民	評《中國文學批評資料彙編》	頁 64~65
戴璉璋校訂 賴麗蓉分析	論語論學選──國中國文第一冊第十八課	頁 66~67
曾榮汾	為編輯釋惑	頁 68~70
宋 裕	大學聯考國文科命題趨勢與應考對策（二）──常識測驗的準備方向	頁 71~75
楊鴻銘	高中聯考國文科命題趨勢與應考對策（一）	頁 76~77
曾忠華	怎樣教朱自清的「春」──語體文教學示例	頁 78~81
闕世榴撰 黃慶萱校訂	試論朱自清先生「匆匆」的修辭技巧	頁 82~83
高安澤	我看新編高中國文第三冊	頁 84~85
劉南二	高中國文的「所以」	頁 86~88
張幼農	大學國文選的幾個問題註釋	頁 89
陳益源	訪吳晟・談「負荷」	頁 90~93

| 周幹家 | 教師教學態度 | 頁 94~95 |
| 楊永英 | 孔子是說客嗎？ | 頁 95~96 |

第 1 卷 10 期（總 10 期）1986 年 3 月

王甦	什麼是寓言？	頁 9~10
王甦	須需、絕決、燥躁、的得	頁 10~11
連清吉	什麼是六藝？	頁 11~12
吳輝榮	大惑不解集：「施施」之音樂	頁 12~13
孫振志	「坐」、「眛」的詞性	頁 13
童言伍	老虎來了！	頁 14~17
李猷	春風舊事零星說	頁 18~21
羅宗濤	詩歌中的親子倫理	頁 22~25
周鳳五	敦煌寫本辯才家教卷子	頁 26~30
趙鈺環	中國人的幽默感	頁 31
高大威	玄之又玄——老子「玄」字解釋	頁 32~35
陳啟佑	唐代山水小品中的名勝	頁 36~39
呂興昌	再談陶淵明的無弦琴	頁 40~45
曾榮汾	為編輯解惑	頁 46~47
齊衛國	走了樣的女暴君——從「討武曌檄」談「一代女皇」	頁 48~49
劉潔	字斟句酌	頁 50~55
黃秋芳專訪	字寫在泥土上——從王百祿先生的表現方式看陶與文字	頁 56~57
晏亦程	怎樣教人文社會學科？	頁 58~59
編輯部	天地人	頁 60
張靖遠	懸淵沈之鯵鰡——「鰡」不是問題字	頁 61
馬各	烏鰡不是泥鰍	頁 62~63
黃基正	姓氏與舜的祖先	頁 64~65
許紹明	蓋	頁 65
劉君燦	孔恩對西方傳統的衝擊	頁 66~68
鄭圓鈴	客愁	頁 69
姚榮松	看廣告，改錯字	頁 70
竺家寧	中國古代的「字母」和奇妙的「等韻圖」	頁 71~75
羅肇錦	對上眼了——從連文看漢語詞義的相對現象	頁 75~77
宋裕	大學聯考國文科命題趨勢與應考對策（三）——文意測驗得準備方向	頁 78~81
楊鴻銘	高中聯考前四個月的精讀法	頁 82~83
魏靖峰	一字不漏背注釋	頁 83

張火慶	救一救大一國文	頁 84~85
陳振忠	談「我所知道的康橋」的修辭	頁 86~88
楊如晶	楊喚「夏夜」詩的賞析	頁 89~91
劉正幸	看電影，學國文	頁 92~93

第 1 卷 11 期（總 11 期）1986 年 4 月

黃秋芳記錄	要走更遠的路──年終編輯委員會議	頁 8~11
游淑靜專訪	他編了第一套國文教科書──訪高明教授	頁 12~15
胡煥	國文與我	頁 16
	天地人	頁 17
陳慶煌	千山萬樹與燕子烏孫	頁 18
陳慶煌	關於「現代學人手札」	頁 19
陳文華	「柳暗花明」的作者問題	頁 19~20
高明誠	「國殤」的音韻問題	頁 20~21
曾榮汾	「年輕」與「年青」	頁 21~22
趙□颺	〈大惑不解集〉：信封的寫法	頁 22
牽 山	〈大惑不解集〉：是「終身」，不是「終生」	頁 22~23
楊文璞	從孟子走進新聞界──我的老師張客公	頁 24~26
黃慶萱	科學的中文	頁 27~30
李 豐	成語中的科學──垂涎三尺‧饞涎欲滴	頁 30~32
劉君燦	氧是氣體還是液體？──科學教育中的國語文問題	頁 32~34
呂應鐘	翻譯與科學中文化	頁 35~37
	教育界	頁 37
龔鵬程	周棄子手批賈島詩集注	頁 38~41
范月嬌	中國古代宗教史研究／魏晉南北朝的貴族制度／春秋學論考	頁 42~43
劉 潔	字斟句酌	頁 44~45
黃基正	「打死老婆」的方言問題	頁 46~47
陳益源	研究所考前三十分──命題型式與應考對策	頁 48~50
江煜坤	面對聯考，從容應戰──談國文科的準備策略	頁 51~53
陳國鈞	最近十年大學聯考常識測驗──作者人物部分的總整裡	頁 54~58
楊振良	一盞寒泉薦秋菊──談菊	頁 59
前野直彬作 吳璧雍譯	「小說」	頁 60~63
許金亭	事秦？事晉？	頁 64
許紹明	一首詩，幾個問題──看杜甫「後出塞」	頁 65~67

袁顯相	孟子書中「舉」字用法的探討	頁 68~70
林政華	讀錯字報	頁 71~73
賴哲信	命意須新警：岳陽樓記	頁 74~75
林清標	「行道樹下」的忱思──談詠物文章的寫作	頁 76~77
潘明富	「活的死人」和「死的活人」	頁 78~79
王炳炎	寫日記、學國文	頁 79~80
劉天發	天空的星辰，海灘的沙粒──成語面面觀	頁 81~85
董文昭	翻譯──文言文教學的重頭戲	頁 86~87
黃沛榮	卦體／卦德／掛象／卦名／卦義／下卦上卦／內卦外卦／貞／悔／本卦／之卦	頁 88~89
楊永英	《高中國文課本析評》讀後	頁 90~91
張火慶	尋訪西歐漢學家	頁 92~93

第 1 卷 12 期（總 12 期）1986 年 5 月

林政華	近期報紙副刊文字的疑誤	頁 0
編輯部	年度報告──國文天地的遠景	頁 8~9
黃永武	一個字，無限魅力──文章字句的鍛鍊	頁 10~13
林慶彰	詩經學的重要書目	頁 14~15
張仁青	筍籠薛鳳	頁 15
王熙元	司馬青衫，太上忘情	頁 16
張仁青	怎樣學作文言文	頁 15~16
周志文	信念與迷思──初期的白話文學運動	頁 18~19
陳慶煌	傳統文學式微了？	頁 20~24
許清雲	古籍能不能今譯？	頁 24~28
呂正惠	他改寫了文學史──白話文學史六十年後	頁 28~31
夏瑞紅	艱鉅而寂寞的工作──現代文學史料的整理與運用	頁 32~33
廖運範	醫學中文化的途徑──讓醫學說中國話	頁 34~36
吳立甫	零陵縣變成○○縣──談漢字簡化的問題	頁 36~39
李明德	走在地雷上──評《柏楊版資治通鑑》	頁 40~43
周幹家	《白話論語》譯注的問題	頁 44~46
王景華	高中國文全譯本的錯誤	頁 47
楊振良	亭亭淨植水雲鄉──談蓮	頁 48
竺家寧	有趣的複聲母	頁 49~51
陳益源記錄	這樣的師專課程合理嗎？	頁 52~57
蔣慶儒	中國字的美感與趣味	頁 58~59

劉　潔	從部長先生口誤說起	頁	60~61
黃耀斌輯	近代學人手札	頁	62~65
黃沛榮	之掛／爻題／八卦方位／六十四掛／帛書六十四掛	頁	66~67
前野直彬作 吳璧雍譯	「小說」	頁	68~69
洪淑苓	比較文學理論與實踐／韓非的法治思想與及其歷史意義／儒學與現代世界／桃謝詩之比較	頁	70~72
林政華	近期報紙副刊文字的疑誤	頁	73~75
楊文振	也談黑鰡與泥鰍	頁	76
王國良	敦煌寫本辯才家教卷子補說	頁	77~79
劉君燦	哈雷彗星造訪之際談七曜、三垣、二十八宿	頁	80~81
楊永英	作文如何得高分？	頁	82~85
梁桂珍	高中國文第六冊「曹丕與吳質書」探析	頁	86~89
林韻梅	愛與期待──細讀「鳴機夜課圖記」	頁	90~91
張火慶	電視機前的好學生　空大國文選修課程的反省	頁	92~93

第 2 卷 1 期（總 13 期）1986 年 6 月

竹間工作坊攝影	國學大師毛子水	頁 3
章益新	走得更穩健	頁 6~7
龔鵬程	徜徉在國文的新天地裡	頁 8~9
編輯部製作	不薄英文愛國文──梁實秋答客問	頁 10~11
梁實秋	雅舍小品合訂本後記	頁 12~13
林慶彰	駢文的源流	頁 14
周鳳五	「尉」的讀音	頁 14
張仁青	華誕、壽誕	頁 15
周 何	裝潢與裝璜	頁 15
王熙元	「呀」的讀音	頁 15
呂正惠	「無時無刻」是否合適	頁 15~16
陳新雄	無可與語的「語」	頁 16
余忠慶	我喜歡國文	頁 17
鄭松維圖	指桑罵槐／戴盆望夫／家賊難防	頁
黎 谷	藤風書屋中的長者──戴君仁先生	頁 18~19
郭小莊 林慧峯整理	我的國文老師──一代戲劇宗師俞大綱先生	頁 20~22
編輯部製作	為流行歌詞打分數	頁 24~29
趙燕客	誰是評審歌詞專家	頁 30
杜奇榮	從「明天會更好」談起	頁 31~33
江靜芳	作詞的人這麼說──訪慎芝、陳克華、陳桂珠	頁 34~37
夏 雲	聽歌的人這麼說	頁 38~39
黃榮村	從社會與心理的變遷看流行歌詞	頁 40~42
陳瑞貴 龔鵬程	第三波的旋風──革國語文教育的命？	頁 44~47
王邦雄	山谷的空靈妙用──老子道德經第六章的現代詮釋	頁 48~49
廖文彬圖	舐犢情深	頁 49
劉 潔	一句古話引起困擾	頁 50~51
顏元叔	英文也是象形文字	頁 52~53
林政華	讀錯字報	頁 54~56
顧頡剛 陳廖安輯	寶樹園雜記	頁 57~61

許世瑮	近代學人手札	頁 62~63
蔡佩玲 蘇精	浙東天一閣藏書卅萬	頁 64~65
劉兆祐	中國最大的一套叢書——四庫全書	頁 66~68
高寶琳	中國的第一本文學史	頁 69
曾榮汾	怎樣寫自傳推薦自己	頁 70~72
王輔羊	賣房子有學問	頁 74
黃英烈	當前的文字污染	頁 75
李 邁	火車廂內的標語	頁 75
葉 峰	杜甫後出塞詩辨正	頁 76~77
若 水	「讀錯字報」也有錯	頁 77
許紹明	「臺」「台」有別	頁 78
瞿 毅	何謂小姐？	頁 79
前野直彬作 吳壁雍譯	「小說」（下）	頁 80~81
張廣慶	文化的綠洲——澎湖縣立圖書館	頁 82~83
夏瑞紅	誰來蓋新的國文教室？——訪六位有心的年輕人與他們的「創造思考性教學」	頁 84~87
蕭麗華	為國文教學走出一條活路	頁 88~89
陳 香	詩中的怪誕借喻	頁 95
陳炳良	語言或文學——一個教學上的難題	頁 96~98
編輯部製作	天地人	頁 99
簡恩定	吃茶／殺青／陽春麵／萬歲／桃符	頁 100~101
蕭 蕭	如何以卅天道貫四書	頁 102~105
王文進	秋空下的旅人——談鄭愁予的「編秋草」	頁 106~108

第 2 卷 2 期（總 14 期）1986 年 7 月

竹間工作坊 攝影	王夢鷗教授	頁 1
高明誠	鄭玄師事第五元	頁 4~5
羅宗濤	六博、投壺、雙六局	頁 5~6
周 何	逗號、分號的用法	頁 6~7
竺家寧	再談「女紅」的讀音	頁 7
編輯部製作	共赴心靈與知識的饗宴——本刊周年慶特別報導	頁 8~11
楊樹清	一支文學的進香隊伍——記國文天地的信徒們	頁 11~13
黃秋芳採訪	南北相異的兩個人——糜文開、裴溥言教授	頁 14~15

何依採訪	只有合作、沒有怨言──李殿魁、鄭向恆教授	頁 16~17
何聖芬採訪	桃林中伴讀論古──方祖桑、黃麗貞教授	頁 17~19
陳淑宜採訪	各作各的，互相留意──張以仁、周富美教授	頁 19~21
陳惠操採訪	無悔的選擇──張孟機、田素蘭教授	頁 21~23
陳季蔓採訪	坐擁書城，樂在其中──黃沛榮、林玫儀教授	頁 23~25
許湛採訪	天羅地網──王淮、唐亦男教授	頁 25~27
編輯部製作	天地人	頁 27
許佑生教授	以古典題材入詩──史紫忱教授	頁 28~29
何聖芬採訪	馳騁在詩的王國──黃永武教授	頁 29~31
何聖芬採訪	渡吧，渡過氣流──邱燮友教授	頁 31~32
陳益源	掌握自然的音律──林炯陽教授	頁 32~35
廖文彬圖	望塵莫及／道不拾遺	頁 36
羅肇錦	相對的妙用──談修辭技巧之一	頁 36~38
劉兆祐	為流失海外的古籍傳書種──《古逸叢書》	頁 39~41
王安祈	南戲／雜劇／宋雜劇／院本元雜劇／明雜劇／清雜劇	頁 42~43
顧頡剛 陳廖安輯	寶樹園雜記	頁 44~47
王邦雄	生有涯而知無涯嗎？	頁 48~50
陳宏勉	最早的三方印	頁 51
鄭明娳	新說西遊記圖像	頁 52~55
曾永義	舊詩的體製規律及其原理（上）	頁 56~61
竺家寧	古音的化石	頁 62~65
羅悅珠	相承與更新	頁 66~68
朱銘源	為《中國圍棋》解惑	頁 69
黃沛榮	掛序／上下經掛名次序歌／分宮掛象次序歌／覆、變／錯、綜／覆掛／對掛／旁通／往來、進、上／四正之掛／四隅之掛	頁 70~71
劉君燦	中國的生態思想	頁 72~73
黃基正	詩經中的兒歌	頁 74
孫振志	「不屑」的分解結合	頁 74~75
王紹文	「以往」及「已往」的正反訓	頁 75~76
陳書金	「東門行」二首	頁 76~77
梁桂珍	高中國學概要艱深難懂	頁 77
史墨卿	入土不安──疑問重重的訃告	頁 78~81
傅錫王	白川靜的《中國神話》	頁 82~83
張春榮	現代散文的六大特色	頁 84~87

劉　潔	「大家一起來」的話題：曹操寵愛過虞姬嗎？魏明帝和虞妃的故事	頁 88~89
江超平	高普考論文公正寫作要領	頁 90
喻復新	朗朗（琅琅）上口	頁 91
陳雪珠	「鄙人」、「敝人」？	頁 91
編輯部製作	天地魚雁	頁 92

第 2 卷 3 期（總 15 期）1986 年 8 月

竹間工作坊攝影	陳槃教授	頁 1
陳慶煌	好一幅南宮畫	頁 4
張仁青	懷抱思今古	頁 4
張仁青	迺出牛背上	頁 4~5
陳慶煌	千秋師弟美雙盧	頁 5
黃慶萱	培養查原典的習慣	頁 5
張火慶	自由來去，弘法未了──記李炳南老居士	頁 6~10
沈清松	國文教育的新方向	頁 12~14
鄭志明	大一國文能否負起文化傳承的責任？	頁 14~16
汪　淳	吐不完的苦水	頁 16~19
林慧峰記錄	「問題重重的大學國文」座談會	頁 19~24
羅鳳珠　李美燕採訪	各行其是──系主任訪談	頁 25~29
陳義棟採訪	第四片土司麵包──訪社會人士談大一國文	頁 29~32
編輯部製作	國文教育診斷書──誰來根治十大疑難雜症？	頁 32
蔡錦昌	觀今察古，兼容並蓄──理想教材的預擬（元之　劉君燦　黃俊傑　陳勝崑　洪惟助）	頁 33~39
鄭志明	大學國文教學範例──墨子經說下篇的光學知識	頁 40~41
王邦雄	人生能如天地一般的長久嗎？──老子道德經第七章的現代詮釋	頁 42~44
蔡英俊譯述	《詩歌鑑賞方法論》導言	頁 45~49
廖文彬圖	千鈞一髮／安步當車／望梅止渴	頁
王三慶	「敦煌學國際研討會」快訊	頁 50~51
沈曼雯譯	顧頡剛晚年工作規畫書	頁 52~54
劉兆祐	實用與善本並重的《四部叢刊》	頁 55~57
曾永義	舊詩的體製規律及其原理(下)	頁 58~63
張啟超	變文：目連救母變文／降魔變文／伍子胥變文／孟姜女變文／王昭君變文	頁 64~65

張仁青	信封的寫法	頁 66~68
高寶琳	什麼是功夫茶？	頁 69
朱邦彥	「的」「得」大混戰	頁 70
林政華	古代文字通用之一例——答若水先生談「暴」字	頁 71
林明德	韓國最大的一套野史——《大東野乘》	頁 72~74
編輯部	天地人	頁 75
沙 笛	一朵又美又真的山水仙——訪燈屋裡的蓉子	頁 76~79
陳賢俊	讀國文教育翻翻觔斗——一群國中生給我的當頭棒喝	頁 80~87
宋 裕	七十五學年度大學聯考國文科試題解析	頁 88~89
郭麗華	從命中率百分之九十八談起——高中聯招國文試題的省思	頁 90~92

第 2 卷 4 期（總 16 期）1986 年 9 月

竹間工作坊 攝影	鄭騫教授	頁 1
張光宇	張琨院士的語言學世界	頁 6~9
編輯部製作	沒有遺憾的新聞人——第一位報界女性總編輯盧申芳	頁 10~11
呂興昌	何謂悉如外人	頁 12
陳慶煌	傳統文學式微了？	頁 12~13
呂興昌	誰是韓荊州？	頁 13~14
李豐楙	何謂圖騰？	頁 14
沈秋雄	匯字不作滙	頁 14~15
沈秋雄	詞、辭有別	頁 15
林政華	談近期報紙副刊上的訛誤	頁 17~19
康來新等	建立一個中國文學理論體系——會評劉若愚《中國文學理論》	頁 20~24
陳宏勉	秦代的印章	頁 25
楊振良	十年一覺揚州夢——說「夢」	頁 26~27
劉兆祐	聚珍倣宋版《四部備要》	頁 28~31
姚榮松	方言與考古	頁 32~35
陳新雄	詩經中的楊柳意象象徵什麼？	頁 36~39
陳怡良	陶淵明的無絃琴與有絃琴——敬答呂興昌先生	頁 40~44
王孝廉	關於白川靜《中國神話》的中文翻譯——敬答傅錫壬先生	頁 45~47
廖文彬圖	一箭雙雕／紙上談兵	頁 48
羅肇錦	可逆的神奇——談修辭技巧之二	頁 48~50
周純一	從殺人強盜到行者武松	頁 51~55
高大威	顧頡剛的學術路向問題	頁 56~57

顧頡剛 陳廖安輯	寶樹園雜記	頁 58~63
顏元叔	星期命名的由來	頁 64~65
蔡英俊譯述	語言、經驗與詩的表現（上）	頁 66~68
林明德	韓國的漢文典籍名著──《桂苑筆耕集》	頁 69~71
黃沛榮	爻象／爻德／剛柔／九六／爻位／五位／六爻／中爻／天位、尊位、地位	頁 72~73
宋美瑩	長短句：詩餘／小令／慢詞／片／過片	頁 74~75
劉 潔	再談曹操和「虞姬」	頁 76~79
鄭毓瑜	《比與物色情景交融》	頁 80~82
編輯部	天地人	頁 83
梁桂珍	大家來編教科書	頁 84~87
林春蘭	歡躍的情思──析古詩「客從遠方來」	頁 88~91
編輯部	天地魚雁	頁 92

第 2 卷 5 期（總 17 期）1986 年 10 月

竹間工作坊 攝影	高明教授	頁 1
高明誠	字的讀音和語音	頁 4
林礽乾	何謂秣不擇粟	頁 4~6
李豐楙	山海經的特質	頁 6~7
方祖燊	品質與素質	頁 7
許悼雲口述 沙笛整理	一株長青的感恩樹──訪許悼雲先生	頁 8~11
林慧峰採訪	一個中國的生活家──訪法國文化科技中心主任戴文治	頁 12~14
鄭明娳	如何選擇好字典──從《超群國語字典》談起	頁 18~20
魏子雲	工具書與參考書──兼談大陸版的《文史辭源》	頁 21~23
林慶彰	《大辭典》的一些疏失	頁 24~31
黃忠慎	評《故鄉實用成語》	頁 32~37
楊祚德	有趣的字典序和附錄	頁 38~39
江靜芳採訪	我編工具書──訪王熙元、劉兆祐、邱燮友、繆天華教授	頁 40~42
張素卿 呂妙芬採訪	勤學的金針──訪楊家駱、程元敏、周良亭教授談辭書、類書、索引	頁 43~46
潘正德採訪	你用過工具書嗎？──訪一般社會人士	頁 46~49
姚榮松	芭樂／龍眼／檨仔	頁 50~52
繆天華	究竟是誰向蘇軾求書？	頁 53

龔鵬程	傳奇與傳說之間──顧頡剛和顧頡剛的筆記	頁 54~59
唐復光	清光緒六年私刊本《王竹舫先生遺集》	頁 60~61
劉兆祐	彙集善本的《百衲本二十四史》	頁 62~65
許世瑮	近代學人手札	頁 66~67
何懷碩	誘人出錯的應用文──關於應用文的現代化	頁 68~69
史墨卿	再談「信封的寫法」	頁 70
陳宏勉	喬大壯的印	頁 71
蔡英俊譯述	語言、經驗與詩的表現（下）	頁 72~75
劉君燦	光與鏡	頁 76~77
王邦雄	水的高貴就在它承擔卑下	頁 78
廖文彬圖	口若懸河	頁 79
林政華	「第五元先」就是「第五元先生」	頁 80
董彬森	「嫁娶何人」的再議	頁 81
潘明富	「囝」字的讀音	頁 81
洪淑苓	小說：志怪／志人小說／傳奇／話本／詩話、詞話、評話／擬話本／章回小說	頁 82~83
劉　潔	青年同業驚人的一問	頁 84~85
楊振良	豐容倩飾話教學──從表情上更新大一國文的教法	頁 86~89
蔡孟珍	中風與水果──今年三專閱卷後記	頁 90~91
蔡木生	「她的老父」？「他的老父」？──新國中國文第四冊「居里夫人小傳」	頁 92~93
編輯部	天地人	頁 94

第 2 卷 6 期（總 18 期）1986 年 11 月

竹間工作坊攝影	王叔岷教授	頁 3
竺家寧採訪	跟語言老大說話──訪李方桂先生	頁 6~9
黃秋芳採訪	作一個領路的人──席慕容談國文老師	頁 10~13
黃慶萱	區區之心的含義	頁 14
高明誠	「赤壁賦」弦外之音	頁 14~15
王熙元	青衫是便福還是官服	頁 15
林二白	志士不飲盜泉之水──臺灣的古籍點校	頁 18~21
許清雲	重整古籍的門面──目前臺灣的古籍整理	頁 21~29
徐少知	龐大的集體分工──中國大陸的古籍整理	頁 29~31
蔡源煌	洋古典也有一脈書香	頁 32~33

蕭麗華	鎖在書庫裡的文話	頁 34~36
林瑜文	替他們打打氣	頁 37~40
姚榮松	(辶日)(辶月)／相唉	頁 41~43
熊秉明	春風又綠江南岸	頁 44~47
蔡英俊	意象	頁 48~50
陳宏勉	王壯為先生的酒印	頁 51
陳益源採訪	千里之行，始於足下——訪陳慶浩簡介「中國域外漢籍國際學術會議」暨「編纂中國域外漢籍聯合書目座談會」	頁 52
林明德	韓國漢文小說的舞臺背景與中國的關係	頁 56~57
林政華	近期報紙副刊上的訛誤文字	頁 58~59
許紹明	不可隨處都用「憤」字	頁 60
趙赫炎	兔兒搗對？兔兒搗碓？——電視戲劇語文方面的訛誤	頁 60~62
屺翁	只能吃月餅，怎可插茱萸——中國時報一則標題錯了！	頁 62
廖文彬圖	無妄之禍／強詞奪理	頁 63
洪維仁	臺灣婚俗名諺〈嫁翁篇〉	頁 63~65
楊振良	江湖夜雨十年燈——說「燈」	頁 66~67
黃永武	敦煌本唐詩校勘舉例——試校敦煌伯二五五五號卷子中的二十七首唐詩	頁 68~76
林聰舜	現實世界之外的人物——天才將領李廣	頁 77~79
劉潔	梅妻鶴子林和靖	頁 80~81
黃沛榮	爻義／中／剛中／正、得正、當位、正位／中正、正中、中直／失位、不當位／應、有與／敵、敵應、不相與、未有與／剛柔接、剛柔際、剛柔節	頁 82~84
余佩瑾	畫蘭不畫土的鄭思肖	頁 85~87
劉圓	玲瓏愛纖姿——梁實秋「鳥」的修辭技巧	頁 88~91
周鳳五	讀《修訂本辭源》	頁 92~93

第 2 卷 7 期（總 19 期）1986 年 12 月

竹間工作坊攝影	潘重規教授	頁 1
陳慶煌	近代傳統文學入門書目	頁 6
陳慶煌	生男能做飛將軍	頁 6~7
陳慶煌	一寸江山一寸血	頁 7
楊鴻銘	如何準備國文科聯考	頁 7~8
周何	鄭康成之師「第五元」無誤	頁 8~9

陳文華	近體詩的正格與變格	頁 9
龔鵬程	張眉叔先生手批蒼虬閣詩集	頁 10~16
黃忠慎	誰在戕害文字？──廣告文字的污染	頁 18~21
陳瑞貴	廣告──現代社會的註腳	頁 22~27
何懷碩	廣告的反智宣傳	頁 27~28
陳益源	把自己推銷出去	頁 28~30
溥心文 邇玉攝影	被人遺忘的小角落──您認得幾位大師題字？	頁 31~38
瑞 之	招牌文字有話要說	頁 39~42
葉嘉瑩	論溫庭筠、韋莊、馮延巳、李煜四家詞	頁 44~48
編輯部	天地人	頁 49
林政華	近期報紙副刊上的訛誤文字	頁 50~51
楊振良	一曲搖琴清雅韻──說琴	頁 52~53
魏子雲	怎能忽略歷史因素──從大陸學人研究《金瓶梅》說起	頁 54~57
林聰舜	褒貶紛紜的漢家儒宗叔孫通	頁 58~62
范月嬌	楚辭研究／中國中世紀文學研究／宋代儒學的禪思想研究／中國倫理學史研究	頁 63~65
姚榮松	飼囝、搖囝仔歌──兼談「囝」字的讀音	頁 66~69
黃沛榮	什麼是旋風葉？	頁 70~73
孫振志	再談「得」、「的」、「地」在語文中的角色	頁 74~75
竺家寧	如果韓愈和孔子對話──談先秦上古音和唐宋中古音	頁 76~79
劉文清 盧貞玲	前七子／後七子／童心說／三袁／公安派／竟陵派／晚明小品	頁 80~81
詹海雲	周振甫的《文章例話》	頁 82~85
劉兆祐	吉光片羽的《玉函山房輯佚書》	頁 86~89
劉 潔	記者‧作家‧文藝獎	頁 90~92
編輯部	天地魚雁	頁 92

第 2 卷 8 期（總 20 期）1987 年 1 月

竹間工作坊 攝影	施之勉教授	頁 1
高明誠	「女有歸」如何解？	頁 6
陳慶煌	米芾真跡被秦檜父子押了印	頁 6~7
王熙元	流字的正確寫法	頁 7
黃慶萱	獻糧與養馬的報酬	頁 7~8
邱燮友	夂部和夊部	頁 8~9

曾永義	趨之若「鶩」？「鶩」？	頁 9
沙　笛	嘔心瀝血述史漢──訪施之勉教授	頁 10~14
瑞　之	第二屆國際漢學會議快訊	頁 15
勁　士	破天荒的命名／編輯的幽默	頁 16~17
張夢機	杜詩	頁 18
周　何	禮記	頁 19
李威熊	漢書	頁 19
劉兆祐	說文解字	頁 20
王熙元	論語	頁 21
黃慶萱	易經	頁 21
龔鵬程	他們的文字為什麼差勁？	頁 22~23
高大鵬	生活化的經典教育──兼論「孝弟忠信」的時代意義	頁 24~28
龔鵬程	讀書宜春夏秋冬	頁 28
劉兆祐	古書的標點符號	頁 29~31
顏崑陽	你是你自己	頁 32~33
元　之	周棄子的文集	頁 33
康來新	金針刺在肋骨上──偏心的賈母	頁 34~37
林聰舜	曠世英雄韓信的小市民性格	頁 38~40
陳宏勉	中國古代的封條──封泥	頁 41
黃秋芳	惹草拈花多少事──古代的園藝世界	頁 42~45
溥心整理	現代散文縱橫論	頁 46~48
溥心整理	至情祇可酬知己	頁 48~49
溥心整理	科技時代的人文教育	頁 49~50
茶　餘	讀報偶拾	頁 50
林素清	「旋風葉是什麼」有問題	頁 51~54
林　萌	我信佛／孔子不寫作業	頁 56
吳宏一	晚明的詩壇風氣	頁 56~63
曹之冠	「中國結」何不叫「錦絛」？	頁 64
法　天	「殺戮」與「戰場」？	頁 65
周鳳五	仰視千七百二十九鶴齋叢書	頁 66~68
元　之	字典的定義方式	頁 69
林　葉	錯別字造成混亂	頁 70~72
龔鵬程	大處著眼	頁 72
姚榮松	翁相／擘箸捧碗	頁 73~75

羅肇錦	有無的互補——修辭技巧之三	頁 76~78
黃忠天	春去秋復來，相思幾時歇——試評高中國文第一冊「長千行」詩	頁 79~83
林二白	古文與現實的距離太遠——談「多爾袞、史可法致答書」及鄭成功「與荷蘭守將書」	頁 84~89
蔡木生	第一集《字斟句酌》的一些疏失	頁 90

第 2 卷 9 期（總 21 期）1987 年 2 月

竹間工作坊攝影	成惕軒教授	頁 1
編輯部	正月月令圖	頁 5
王熙元	萬里江山	頁 6
劉兆祐	優雅的語文	頁 7
黃慶萱	生機與活力	頁 8
毛子水	保持經典的精潔	頁 9
張夢機	博愛萬物	頁 10
潘重規	幽香不斷	頁 11
高 明	春聯	頁 12
羅宗濤	春聯	頁 13
廖文彬	狡兔三窟	頁 13
羅 尚	不只為妝點門面——新春談聯語	頁 14~15
李豐楙	兔子——智慧的原型	頁 15~18
陳益源	從前，有一隻兔子……	頁 19~23
傅錫壬	卡拉ＯＫ打群架？	頁 24
董金裕	「唧唧」是嘆息聲嗎？	頁 24~25
王 甦	「躍」字的正確寫法	頁 25
劉兆祐	「決」「絕」二字的分別和用法	頁 25~26
黃慶萱	俄有使使止之	頁 26
亓婷婷	「寄子書」中的「畫」意	頁 26~27
夏瑞紅採訪 邱勝旺攝影	用「興趣」管理自己的管理員——訪畢長樸先生	頁 28~32
呂正惠	白話文的病根在那裡？	頁 34~35
勁 士	標點大有文章／拆字遊戲人間	頁 36~37
葉嘉瑩	論晏殊詞	頁 38~41
劉 潔	感謝與說明——敬答蔡木生先生	頁 42~43
元 之	錢牧齋寫校李商隱詩集	頁 43

林聰舜	虛矯的豪傑與怙勢凌人的權臣——魏其武安兩外戚	頁 44~49
楊振良	萬金寶劍藏秋水——說「劍」	頁 50~51
傅佩榮	現代人所需要的儒家人性理解	頁 52~54
林　萌	弄璋誌喜	頁 55
羅　蘭	長風萬里送秋雁	頁 56~57
姚榮松	好額‧散赤／讀冊‧捌字	頁 58~60
茶　餘	話「題」	頁 60
陳宏勉	印中別格——過年用的紀年印	頁 61
康來新	誰是孩子的母親？——灰蘭外的兩婦人	頁 62~66
林政華	「九德」何所指？	頁 67
馮珍芝採訪	游遍宇宙的旅行者	頁 68~70
林玟玲	南北合套	頁 71
蔡英俊	修辭語言（一）明喻與隱喻	頁 72~75
黃忠慎	ㄌㄨㄣˋ語還是ㄌㄨㄣˊ語？	頁 76
趙赫炎	似是而非的「界邊兒」	頁 77
陳　香	疊字詞語入詩句	頁 78~79
黃郁文	「斗牛」之正解	頁 79~80
黃基正	黑水與三危	頁 80~81
陳兆南	梁山好漢魯智深	頁 82~85
蕭麗華	陋室何陋？——劉禹錫「陋室銘」的內涵	頁 87~89
江煜坤	過了棧道便是康莊——從「禮運三世說」談起	頁 90~92

第 2 卷 10 期（總 22 期）1987 年 3 月

竹間工作坊攝影	楊雲萍教授	頁 1
編輯部	十二月令圖（二月）	頁 4
沈秋雄	幾個成語的字義	頁 6
高明誠	宰予「晝寢」有三解	頁 7
劉兆祐	小錯誤‧大問題	頁 7~8
楊祖漢	孟子中的「氣」	頁 8~9
莊雅州	系或是糸？	頁 9
黃俊郎	規「撫」的讀音	頁 9
洪淑苓	廿五讀杜詩兩首	頁 10~11
葉嘉瑩	論歐陽修詞	頁 12~16
陳益源記錄	應用文，如何應用？——「應用文現代化」座談會	頁 18~23

劉兆祐	現代應用文舉例	頁 24~26
周韶華採訪	出了什麼毛病？	頁 26~29
馮珍芝採訪	要適應現代社會	頁 30~31
蔡英俊	文字世界的混亂，其實是內心世界的混亂	頁 32~34
葛芳譚	請勿斲喪文化命脈——評高中新編本《中國文化基本教材》	頁 35~41
康來新	失嬰記——論李瓶兒與祥林嫂之死	頁 42~47
編輯部	天地人	頁 47
林聰舜	恩恩相報的溫馨世界——信陵君和他的門下客	頁 48~51
廖文彬	夜郎自大	頁 51
劉兆祐	藏書章的故事	頁 52~55
周鳳五	湜喜齋叢書	頁 56~61
顧頡剛 陳廖安輯	寶樹園雜記	頁 62~65
江應龍	踽踽獨行三十年	頁 66~70
林 萌	台灣國語	頁 70
黃基正	古書中的錯字	頁 71
楊振良	梨花一枝春帶雨——說「淚」	頁 72~73
蔡木生	齊騁村先生著《別字辨正手冊》的一些疑誤	頁 74~75
龔鵬程	顧炎武、王國維主張文體進化嗎？	頁 75
劉 潔	「強棒出擊」的問題	頁 76~78
羅悅玲	詠物與抒懷	頁 79~81
蔡芳定	朱自清為什麼偏愛秦淮河的船？——「槳聲燈影的秦淮河」的歷史憧憬	頁 82~84
蕭麗華	開鑿心靈的活泉——訪陳龍安教授談創造思考教學	頁 85~88
陳賢俊 葉秋枝	樂在教學——《國文教育動動腦》的回響	頁 89~91
	天地魚雁	頁 92

第 2 卷 11 期（總 23 期）1987 年 4 月

竹間工作坊 攝影	臺靜農教授	頁 1
編輯部	十二月令圖（三月）	頁 4
黃慶萱	再論獻糧與養馬的報酬	頁 8~9
王仁鈞	料虎頭、編虎須	頁 9
賴明德	兩個「其」字的詞性	頁 9~10
賴明德	惟其義盡，所以仁至	頁 10

周鳳五	何謂「五祭」？	頁 10~11
龔鵬程	語詞的顛倒運用	頁 11
賴明德	「慈烏復慈烏」如何解？	頁 11
安　立	不平凡的平凡長者	頁 12~15
毛子水	論語三則	頁 15~16
吳敏而	由娛樂中學習——從美國的兒童節目「芝麻街」談起	頁 18~20
瑞之撰 遲玉攝影	真的需要雙語教育嗎？	頁 21~25
陳木城	作文頭痛症候群——國小作文教學實況	頁 26~29
姚榮松	意念表出的流程——評介杜萱《國小作文教學探究》	頁 30~33
黃秋芳	遊戲心與想像力——林加春老師灌溉童詩、童心	頁 34~36
郭立誠	傳統童蒙教材敘錄	頁 37~39
蕃　衍	你滿意這樣的小學教科書嗎？	頁 40~43
黃忠慎	談談我們的兒童讀物	頁 44~47
溥　心	讓它漂亮地站起來！	頁 48~49
周鳳五	鑿壁偷光談白話	頁 50~51
羅肇錦	肉麻當有趣——論走偏鋒的語文競賽	頁 52~53
葉嘉瑩	論南唐中主李璟詞	頁 54~60
王仁鈞	從嘴邊飛掉的八寶鴨	頁 62~63
楊振良	傳燈續火不寒食——說「火」	頁 64~65
劉　潔	狙、擊、狙而未擊？	頁 66~67
何丙郁	科學與文學	頁 68~75
陳益源	不到黃河心不死	頁 76~78
廖文彬	兔死狐悲	頁 78
林聰舜	伯夷叔齊怨邪非邪？——天道的破產與正義法則的追尋	頁 80~83
郭鶴鳴	「夫婦有別」與「男女有別」	頁 84~88
茶　餘	話「題」	頁 88
	天地人	頁 89
張麗伽	珍惜不可磨滅的聲音	頁 90
鮑鎮威	排斥與接納——對新詩教學的探討	頁 92~95
駱　梵	唧唧不是嘆息聲	頁 95
黃忠慎	詩經是戰國中期的出產品嗎？	頁 96~97
張靖遠	「檳榔」和「狗不理」	頁 97
王關仕	高中應用文編者的回響	頁 98~99

天地魚雁　　　　　　　　　　　　　　　　　　　　頁 100

第 2 卷 12 期（總 24 期）1987 年 5 月

竹間工作坊攝影	曹秋圃先生	頁 1
編輯部	十二月令圖：四月	頁 4
張建富	台灣古典書法的終結者——曹秋圃	頁 10~11
黃慶萱	「之」的用法	頁 12~13
楊振良	「闃」字的寫法	頁 13
許錟輝	「叮」字的讀音	頁 13~14
楊振良	「大唐中興頌」的字數	頁 14
黃慶萱	「癌」的讀音	頁 14~15
黃慶萱	成語不可任意顛倒	頁 15
馬守倫	「保持經典的精潔」讀後	頁 16
邱燮友	品詩與吟詩	頁 18~21
李殿魁	為中國音樂循根	頁 22~26
魏子雲	詩文吟誦的問題	頁 27~31
李國俊	樂趣無窮，問題重重	頁 32~33
周純一	吟唱出千萬種不同的聲音	頁 34~38
蔡孟珍	「詩詞吟唱」對話錄——訪紀棟	頁 39~43
鄭明娳	大家來關心文學批評	頁 44~45
溫德文	應改進國字部首簡字法——從教育部擬另編《國語辭典簡編》說起	頁 46~47
陳啟佑	唐代莊園的真相	頁 48~51
林　萌	打成一片	頁 51
史墨卿	一字成誤不為詩	頁 52
劉　潔	湖南省「地處中原」嗎？	頁 53
楊振良	含情疏雨有聲詩——說「雨」	頁 54~55
陳宏勉	曾紹杰其人其印	頁 56
陳益源	千里送鵝毛	頁 57~59
姚榮松	飣、麼、□、泔	頁 60~62
竺家寧	蠶食的海棠葉——遭外版地圖私自割除的中國邊土	頁 63~67
郭立誠	傳統童蒙教材敘錄 1	頁 68~73
葉嘉瑩	論晏幾道詞	頁 74~81
張夢機	白雲軒茗話賦呈同席	頁 82
王邦雄	銳利驕慢保不住自己——老子道德經第九章的現代詮釋	頁 83

第 3 卷 1 期（總 25 期）1987 年 6 月

編輯部	十二月令圖：五月	頁 1
龔鵬程	中國學術語言有沒有生路？	頁 8~9
高安澤	修改「中國文化基本教材」之淺見	頁 10~13
竺家寧	「旁」唸ㄆㄤˊ還是ㄅㄤˋ	頁 14
莊萬壽	何謂「塗之人」？	頁 14~15
何淑貞	「使」「使」二字的詞性	頁 15
簡宗梧	散文、小說的分界	頁 15~16
趙芳藝	語言學巨擘周法高教授	頁 18~22
周鳳五	為現代漢語辭典催生	頁 24~26
野 渡	現代的中文辭典	頁 27~30
姚榮松	小小台灣，語言爆炸	頁 31~38
劉兆祐	淺論外來語	頁 39~43
思 果	基本中文	頁 44~45
湯廷池	國語語法研究——過去、現在與未來	頁 46~49
竺家寧	國語不是北平話	頁 50~53
劉 潔	「四足」能「鼎立」嗎？	頁 54~55
楊振良	水能性澹為吾友——說「水」	頁 56~57
陳益源	三人共五目	頁 58~59
陳麗卿	「狗不理」？「苟不理」？	頁 60
李 獻	談胡樸安先生的樸學齋叢書及其詩集	頁 61~65
簡 媜	漢廣	頁 66~67
康來新	誰之過？〈女兒篇〉	頁 68~73
林聰舜	布衣鄉相背後的辛酸——游士范睢的悲劇	頁 74~79
林玟玲	散曲	頁 79
楊振良	外內不相及——對尼姑思凡的說明	頁 80~81
陳忠本	也談——鄭玄之師第五元	頁 81
何寄澎	真幻之際，物我之間（上）——林文月散文中的生命觀照及胞與情懷	頁 82~86
茶 餘	話題	頁 86
陳宏勉	厭勝系列——剛卯	頁 87
蔡根祥	張ㄗㄞˋ（載），還是張ㄗㄞˇ	頁 88~90
林 萌	室內樂團	頁 90
顧大我	語文教學應以賞析情意為重——以國小國語課文「爸爸捕魚去」為例	頁 91~93

| 文　燈 | 高中聯考作文的全壘打 | 頁 94~97 |
| 張靖遠 | 醉翁之意不在酒──醉翁亭記的王道思想 | 頁 98~100 |

第 3 卷 2 期（總 26 期）1987 年 7 月

編輯部	十二月令圖：六月	頁 1
駱　梵	挑燈高照論白話	頁 7
陳嘉宗	為什麼選這種文章	頁 8~10
適　生	什麼是判斷句	頁 11
王熙元	「翳」作何解	頁 12~13
王基倫	「志壹則動氣」作何解	頁 13~14
姚榮松	讀音語音的用法	頁 14~15
周　何	「聖則吾不能」，「則」作何解	頁 15
臺靜農	記波外翁喬大壯先生	頁 16~20
李文茹	心中自有好風景──楚雲談廣播語文的魅力	頁 22~23
李為之	朱天文談小說與電影	頁 24~25
鄭黛瓊	賴聲川的舞台創作	頁 26~28
劉小梅	為廣播劇本把脈	頁 30~32
蔡登山	劇本──文字視聽	頁 32~33
謝鵬雄	編劇現代化	頁 34~35
馬驥伸	電視劇對話上幾個現象探討	頁 35~37
楊月蓀	連續劇，難看	頁 37~39
李幼新	算電影語文的帳	頁 39~44
楊孝濚	影視傳播對兒童及社會的影響	頁 45~48
陳宏勉	黃神越章──厭勝之二	頁 49
蔡信發	景帝是個好皇帝嗎？──從史記論景帝之為人	頁 50~52
鄭松維	對牛彈琴	頁 52
高寶琳	現代與反現代──幾篇早期女作家的小說	頁 53~56
魏靖峰	惱人的「帖」	頁 56
趙允琳	閑話詩鐘	頁 57
林宗宏	詩經傳統意（上）──解析與重建	頁 58~63
楊振良	如何寫自傳推薦自己	頁 64~66
何寄澎	真幻之際‧物我之間（下）──林文月散文中的生命觀照及胞與情懷	頁 68~71
方　瑜	深情無悔──略說李義山與王靜安	頁 72~74
陳書金	瓜的意趣	頁 76
編輯部	天地人	頁 77

羅肇錦	客家話	頁 78~80
林明德	我編韓國漢文小說全集	頁 82~86
林慶彰	論《國語活用字典》	頁 88~91
王以安	《紅樓夢》秦氏之死	頁 92~95
張靖遠	「十思」是「九德」嗎？	頁 96~98
林　萌	專家	頁 98
林義烈	我們一直在默默的「蓋」──為「台北國民中學國文科創造思考教學參考資料編輯小組」說幾句話	頁 99~103

第3卷3期（總27期）1987年8月

編輯部	十二月令圖：七月	頁 1
黃慶萱	實事求是，以獲真知──為丁肇中・劉述先教授格物致知之論進一解	頁 6~7
周鳳五	「甲申日記」的語譯──缺乏漢語史認識所造成的問題	頁 8~10
王輔羊	兔起鶻落	頁 11
陳新雄	「吟誦」和「唱」的區別	頁 12~13
葉國良	「慢藏」與「冶容」	頁 13
王關仕	何謂「天上石麟」	頁 13~14
黃志民	「少康不忘出竇之辱」二句的典故	頁 14
魏子雲	致語	頁 15~16
駱　梵	顛倒有別	頁 16
林明德	多關心中文電腦	頁 18~23
陳瑞貴	迎接嶄新的時代──中文電腦對出版業的衝擊	頁 24~27
謝清俊	讓電腦說中國話	頁 28~32
羅鳳珠	探一探文史資料自動化的路	頁 33
張仲陶口述	電腦界與文史界的結合	頁 34~35
周何口述	〈文史界・經部〉亟待訓詁資料的整理	頁 36~37
毛漢光口述	〈文史界・史部〉文史界負責九份工作	頁 38~39
王邦雄口述	〈文史界・子部〉不能失去人的主導地位	頁 40~41
王熙元口述	〈文史界・集部〉周密設計，深入問題	頁 42~43
楊振良	待得鵲橋年年渡──說「橋」	頁 44~45
鄭明娳	情趣理趣兼容的小品散文	頁 46~48
黃基正	《搜神記》斷句有誤	頁 49
林宗宏	詩經傳統意識（下）──解析與重建	頁 50~55
李殿魁	買書的喜悅與懊悔	頁 56~59
應鳳凰	溫故知新小經典	頁 60~61

郭立誠	傳統童蒙教材敘錄 2	頁 62~65
陳宏勉	鳥蟲印	頁 66
陳益源	對牛彈琴	頁 67~70
鄭松維	相依為命	頁 70
孔仲溫	宋代的文字學	頁 73~79
朱秀娟	詩心詞意	頁 80~82
吳廣定	談「四足鼎立」的問題	頁 83
周純一	細說──中國舞台劇劇本（上）	頁 84~89
林　萌	貴族	頁 89
陳益源記錄	「國文美感教學」座談會	頁 90~94
吳秀餘	譬喻與比擬在國文美感教學上的展開	頁 95~100

第 3 卷 4 期（總 28 期）1987 年 9 月

編輯部	十二月令圖：八月	頁 1
普　光	對國文教育的幾點想法	頁 6~9
毛子水	論語三則	頁 10~11
史墨卿	探微居聯話──龍門式	頁 12
郭健二	高中國文「教材分量與授課時數」的商榷	頁 13
王國良	「掃瞄」還是「掃描」？	頁 14
顏崑陽	「啟」「收」的用法	頁 14
黃慶萱	修辭學問惑	頁 15
王邦雄	「赤壁賦」的人生悲感與宇宙情懷	頁 16~17
李文憲	王維「出塞作」的瑕疵及課本編選之不當	頁 18~19
簡恩定	王維「出塞作」問題釋疑	頁 19~20
陳郁夫	孔子的畫像──出自宋儒之手	頁 22~25
劉文起	弟子的禮讚	頁 26~28
顏天佑	生命的輝映──司馬遷和孔子	頁 29~31
賴炎元	儒家思想轉變的關鍵人物──董仲舒的天人感應說	頁 32~37
杜松柏	以孔子的「成己」適應今日社會	頁 38~40
傅武光	儒家思想與中國現代化	頁 41~43
廖慶洲	儒家思想在日本社會	頁 44~45
邱各容	為婦女讀書運動推波──東方媽媽讀書會	頁 46~49
陳宏勉	傳國璽	頁 50
徐漢昌	由國營事業存廢之爭看西漢儒者的思想──讀「鹽鐵論」札記	頁 51~54
鄭松維	李代桃僵	頁 54

沈秋雄	梅聖俞「秋日家居」詩賞析	頁 55
許錟輝	中國文字的特質	頁 56~58
竺家寧	談齊國的一次洩密事件——上古音知識的應用	頁 59~61
羅　門	詩的追蹤	頁 62~66
傅武光選輯 李為之語譯	糟糠妻不下堂、張詠諫友	頁 67
楊振良	橫看成嶺側成峰——說「山」	頁 68~69
張光宇	閩南方言研究導論	頁 70~74
編輯部	天地人	頁 75
周純一	細說——中國舞台劇劇本	頁 76~80
林聰舜	酷吏群相——「緣飾以儒術」的真相	頁 81~85
劉　潔	再談「四足鼎立」	頁 86
駱　梵	經文不宜晦澀	頁 87
朱錦娥	如何引導青少年走進新詩的園地	頁 88~89
許紹明	對國中國文第三冊第四課的幾點商榷	頁 90~91
陳滿銘	談主旨見於篇外的幾篇課文	頁 92~96
	天地魚雁	頁 97
傅武光	職官典	頁 98~99

第 3 卷 5 期（總 29 期）1987 年 10 月

編輯部	十二月令圖：九月	頁 1
詹海雲	震古鑠今一通儒——顧炎武的學術思想	頁 6~10
鮑國順	不信鬼神信自己——荀子的天人思想	頁 11~13
姚榮松	破音字「食」，詞性不同，讀音不同	頁 14~15
張仁青	「秦穆飲盜馬」二句的典故	頁 16
陳文華	「摧」還是「衰」？	頁 16~17
邱燮友	大學聯考試題問惑	頁 17
陳慶煌 龔鵬程	秋思	頁 18
陳滿銘	遊歐小吟	頁 19
傅武光旁白 蔡素芬語譯	宰相須用讀書人	頁 20
陳益源記錄	「民間文學」座談會	頁 22~28
黃志民	讓她回歸中國文學的大家庭吧！	頁 29~30
鄭阿財	唐代民間故事	頁 31~35

王國良 朱鳳玉輯	中國民間文學書目——簡例	頁 36~40
編輯部	天地人	頁 41
廖振富	西施哪裡去了——談西施故事的演變及其下落之謎	頁 42~51
林 萌	「賓」館	頁 51
陳慶浩	漢文化整體研究的起點——《越南漢文小說叢刊》	頁 52~56
鄭松維	不可同日而語	頁 56
許錟輝	中國文字的功能與價值（上）	頁 57~59
孫振志	木蘭詩中的「扶將」	頁 99
孔仲溫	《中文大辭典》巡禮	頁 60~62
楊振良	癡情只可酬知己——說「癡」	頁 63~65
竺家寧	善變的嘴巴——漢語音演化的幾個模式（上）	頁 66~69
劉 潔	蔣廷黻回憶錄的啟示	頁 70~71
鄭靖時	金源「一代坡仙」——趙秉文	頁 72~77
林 玲	讓鑼鼓聲依舊響起	頁 78~83
李麗霞	國小兒童寫作教學（一）	頁 84~87
黃義郎	國中國文語法試析——第三冊第十課「老馬識途」	頁 88~92
葛芳譚	從今年大學聯考國文科命題談起	頁 93~99
傅武光	職官典	頁 100~102
	天地魚雁	頁 102

第 3 卷 6 期（總 30 期）1987 年 11 月

編輯部	十二月令圖：十月	頁 1
邱德修	當仁，不讓於師	頁 6~7
王更生	《典論》的篇數	頁 7
戴璉璋	「靜聽不聞雷霆之聲」	頁 7~8
王基倫	讀古文，從何下手？	頁 8
陳益源記錄	「海峽兩岸學術交流與中國的統一」座談會	頁 10~17
林玉體	民主下的學術交流與中國統一	頁 18~20
杜松柏	與大陸學人一席談之一：「兩極」的學術交流	頁 21~24
傅武光	與大陸學人一席談之二：海峽兩岸學人的一次情感交流會	頁 25~29
黃沛榮	大陸儒林傳（一）	頁 30~33
楊振良	石不能言最可人——說石	頁 34~35
邱燮友	中國詩詞古譜蒐集與整理	頁 36~43
郭立誠	傳統童蒙教材敘錄三	頁 44~48

尤信雄	西堂詩稿	頁 49
王讚源	現代教師的角色	頁 50~53
江應龍	風流儒雅一奇才——袁枚與隨園	頁 54~59
林慶彰	經學史研究的基本認識	頁 60~63
蘇偉貞	一一風荷舉	頁 64~65
黃秋芳	每天都要寫些東西——溫柔懇切的畢璞	頁 66~67
許錟輝	中國文字的功能與價值（下）	頁 68~71
竺家寧	善變的嘴巴——漢語音演化的幾個模式（下）	頁 72~75
賈紹英	他山之石可以攻錯？	頁 75
羅肇錦	距離的運用——談修辭技巧之四	頁 76~80
編輯部	天地人	頁 80
陳宏勉	漫談收藏印	頁 81
龔顯宗	許地山筆下的台灣風土與人物	頁 82~86
駱 梵	「梓行」與「藏版」之異	頁 87
野 渡	「端的」之「的」非語助詞	頁 87
陳滿銘	談主旨見於篇末的幾篇課文	頁 88~91
莊耀郎	讀典論論文的沈思	頁 92~95
吳順令	今年北區五專作文題目析評	頁 96~98
傅武光	職官典	頁 99~101

第 3 卷 7 期（總 31 期）1987 年 12 月

編輯部	為您說月令：十一月	頁 1
編輯部	編輯手記	頁 5
劉文起	楊朱果真自私自利？	頁 6~7
王明通	「美輪美奐」？還是「美侖美奐」？	頁 7
胡萬川	「蝙蝠」何以為吉祥語？	頁 8~9
張高評	「齒如編貝」形容美或醜？	頁 9
陳品卿	「行」之辭性與字義	頁 10
駱 梵	誰攪扶木蘭爺孃回家？	頁 11
周鳳五	收藏緩慢乎？	頁 12
葉國良	「不謹」與「緩慢」——回周文	頁 12~13
王國良	漢桓帝與馮貴人	頁 13~14
	歷史的錯誤	頁 15
陳益源記錄	「高中中國文化基本教材的檢討」座談記錄	頁 16~27
廖隆盛	歷史的錯誤——談王安石頒行三經新義的背景與影響	頁 28~30

林慶彰	中國文化基本教材舉誤——第一冊	頁 31~33
陳郁夫	中國文化基本教材舉誤——第二冊（一）	頁 34~36
易麗君	中國文化基本教材舉誤——第二冊（二）	頁 36~37
林政華	中國文化基本教材舉誤——第三冊	頁 38~42
范長華	中國文化基本教材舉誤——第四冊	頁 42~45
古清美	中國文化基本教材舉誤——第五冊	頁 45~48
莊萬壽	中國文化基本教材舉誤——第六冊	頁 48~51
編輯部	稿約	頁 51
羅鳳珠	讀中文系的人——訪林文月教授	頁 52~55
龔顯宗	現代詩人中的先聖鬼	頁 56~61
許紹明	臨危受命乎	頁 61
黃沛榮編撰	大陸儒林傳（二）：王力	頁 62~65
丘秀芷	隨意最好	頁 66~67
楊振良	千條萬縷送行色——說柳	頁 68~69
黃盛雄	人間有情託神仙——李義山的神仙詩	頁 70~71
沈秋雄	七絕六首	頁 72~73
劉　潔	神來之筆，大文章	頁 74
江國貞	燕子樓佳人關盼盼	頁 75~79
齊騁邨	夫妻反目	頁 79
鄭靖時	金代文學說略（上）	頁 80~82
許錟輝	中國文字的起源和創作	頁 83~85
楊祚德	從部首檢字談起——那宗訓「部首改良芻議」讀後	頁 86~89
編輯部	更正啟事	頁 88~89
黃志民	恭賀新禧——教您寫賀卡	頁 90~91
李麗霞	老師，我可以這樣寫嗎？	頁 92~93
許紹明	國中國文課文商榷	頁 94~95
陳滿銘	談主旨見於篇首的幾篇課文	頁 96~98
傅武光	職官典	頁 99~100

第 3 卷 8 期（總 32 期）1988 年 1 月

編輯部	十二月令圖（十二月）	頁 1
編輯部	編輯手記	頁 5
林慶勳	「炁」「□」之辨	頁 6~7
王家儉	何謂「青衣」「發社」	頁 7
黃志民	啟封詞用法	頁 7~8

李　籬	楊柳有別	頁 8
陳立夫	為高中中國文化基本教材事答客問	頁 8~10
	天涯共此心——訪中華文化思想的傳播者岡田武彥、傅偉勳、愛蘭娜	頁 11
傅武光採訪 孫慧娟整理	聞君一席話，勝讀十年書——與日本漢學家岡田武彥一「夕」談	頁 12~16
傅武光採訪 高　祥整理	為海外中國哲學思想爭席位——訪傅偉勳教授	頁 17~21
蔡素芬採訪	在南美洲為中華文化插秧——訪愛蘭娜	頁 21~25
范文芳	我們有喜劇嗎？	頁 26~33
何金蘭	巴黎「高等研究實踐學院」簡介	頁 34~35
徐淑玲	別有天地在人間——簡介國文天地文化講座	頁 36~37
鮑國順	荀子的嫉憤、孟子的委屈——孟荀人性論平議	頁 38~44
鄭松維	杜門卻掃	頁 44
顏天佑	典雅通俗同本色——析論盧摯的兩首「沉醉東風」	頁 45~47
杜松柏	工夫全從誦背來	頁 48~51
鄭靖時	金代文學說略（下）	頁 52~55
陳慶煌	心月樓近作	頁 56
許錟輝	中國文字的演進（上）	頁 57~61
張光宇	漢語音韻學緒論	頁 62~65
姚榮松	翻譯與文法	頁 66~69
畢　璞	塞上長城空自許	頁 70~71
楊振良	酒與紅茶——《有趣的中國字》序	頁 72
謝秀麗	燈前的故事——訪琹涵	頁 73~75
周　何	今禮古義：一定要新郎親自迎娶，為甚麼？	頁 76~77
葉　繁	桌上「燒尾」席前涎——唐人的食譜	頁 78~80
孔仲溫	重編國語辭典巡禮	頁 81~83
傅武光旁白 蔡素芬語譯	開卷有益	頁 84
邱各容	青史留鴻爪——請重視兒童文學史料	頁 85~87
郭立誠	傳統童蒙教材敘錄四	頁 88~93
倪兆雄	高中國文課文商榷	頁 94
陳郁夫	師者所以傳道、授業、解惑嗎？	頁 95~97
陳滿銘	談主旨見於篇腹的幾篇課文	頁 98~101
蔡曼鈴	「稍加更動」豈兒戲？	頁 102

第 3 卷 9 期（總 33 期）1988 年 2 月

編輯部	為您說花令：一月梅花	頁 1
編輯部	新春聯語賀吉祥	頁 4
	編輯手記	頁 5
黃俊郎	「俯仰一世」與「迎置曲阿」釋義	頁 6~7
魏培泉	飽餐的「餐」不當名詞解	頁 7~8
李周龍	「硜硜自守」小人貌	頁 8
孫振志	木蘭詩裏的「相」	頁 9~10
劉廣定	續談方鼎與「四足鼎立」	頁 10~12
王熙元	經國先生的文學風格	頁 13~14
	打開地下博物館的鎖鑰——竹帛篇	頁 15
莊萬壽	地下博物館大觀——近四十年中國大陸的考古工作與新出土的竹帛文字史料	頁 16~20
嚴靈峰	馬王堆帛書老子開拓了研究新境界	頁 21~25
戴璉璋	出土文物對易學研究的貢獻——談數字卦	頁 26~29
左松超	談春秋事語	頁 30~32
余崇生	從雲夢秦簡看秦律	頁 33~36
王關仕	武威漢簡儀禮	頁 37~40
文幸福	阜陽漢簡詩經	頁 40~44
魏汝霖	大陸出土的孫臏兵法和孫武兵法	頁 45~47
張素卿 呂妙芬	矢志整合中國學術——訪楊家駱教授	頁 48~49
陳慶煌	迎新春，話對聯	頁 50~54
駱 梵	修辭學未討論的省略法	頁 55
楊振良	龍年話龍——龍蟠虎踞帝王州	頁 56~57
游志誠	談典故	頁 58~63
廖振富	西施、范蠡舟泛何方？	頁 64~65
黃沛榮	大陸儒林傳（三）：唐蘭	頁 66~71
尹雪曼	問世間情是何物	頁 72~73
吳立甫	茹「毛」飲「血」的困擾	頁 73
周 何	婚前的新娘教育	頁 74
許錟輝	中國文字的演進（二）	頁 75~79
張光宇	中國的語言——少數民族的語言	頁 80~83
姚榮松	字義、詞義與語義——訓詁學的語言學之一	頁 84~86
杜松柏	為文方法的獲得（上）	頁 87~89
王三慶	越南漢文筆記小說	頁 90~94

蔡素芬語譯 傅武光旁白	先行師弟禮，後行君臣禮	頁 95
鄭淑華	請聽聽執教者的意見！	頁 96~97
陳滿銘	演繹法在詩詞裡的運用	頁 98~101
許紹明	對國中國文課文的幾點商榷	頁 102

第 3 卷 10 期（總 34 期）1988 年 3 月

編輯部	為您說花令：二月杏花	頁 1
	編輯手記	頁 5
胡楚生	史跡「班班」或「斑斑」？	頁 6~7
謝一民	「伏案」是端盤或扶桌？	頁 7
王仁鈞	「相養」「相生」釋義	頁 8
莊雅州	「板蕩識誠臣」的謬誤	頁 8
	古典新女性──古代的政治女子與文學女子	頁 9
李威熊	大男人背後的女人──呂后與虞姬	頁 10~12
莊萬壽	中國第一個女皇帝──武則天	頁 13~19
王文發	一代紅妝照汗青──楊貴妃	頁 20~24
廖隆盛	統治中國半世紀，斷送清祚三百年──慈禧太后	頁 25~29
田素蘭	大家出名門──班婕妤與班昭	頁 30~33
邱燮友	一曲胡笳欲怨誰──蔡琰	頁 34~36
黃盛雄	高才薄命雙賢媛──謝道韞與劉令嫻	頁 37~40
張仁青	唐代詩壇兩紅顏──薛濤與魚玄機	頁 41~49
徐信義	黃花清瘦，漱玉揚芬──李清照	頁 50~54
林玫儀	誰識此情腸斷處──朱淑貞	頁 55~58
江應龍	猗歟彤管，麗矣香奩──袁枚女弟子	頁 59~64
陳郁夫	迎接理性時代的來臨	頁 65~66
編輯部	簡訊	頁 66
曾忠華	詩文中的音樂性	頁 67~71
張瑞穗	「引文」的用法	頁 72~73
駱 梵	我們需要一部人人可用的句法典	頁 74~75
野 渡	「帶」字不作口戴解	頁 75
許錟輝	中國文字的演進（三）	頁 76~79
張光宇	中國的語言──漢語方言	頁 80~84
鄭松維	延陵掛劍	頁 84
姚榮松	字源與詞源──訓詁學的語言學基礎之二	頁 85~87

杜松柏	為文方法的獲得（下）	頁 88~91
周　何	婚禮「攝盛」的意義	頁 92
孔仲溫	辭源巡禮	頁 93~95
藍若天	兩篇空大課本關鍵字義誤註	頁 96~99
林義烈	「主旨」不是「大意」──從一則競試的題目談起	頁 100~102

第 3 卷 11 期（總 35 期）1988 年 4 月

編輯部	為您說花令：三月桃花	頁 1
編輯部	編輯手記	頁 5
胡楚生	何謂「是而不可見悔故也」？	頁 6
孔仲溫	那本工具書較實用？	頁 7
王文顏	「絕不」、「決不」如何區分？	頁 7~8
張正男	「角色」的迷惑	頁 8
瞿海源	校園民主化是政治發展的基礎	頁 9
	沉重的十字架	頁 10
劉　渼記錄	「現今中學國文教學的難題」座談會	頁 11~24
劉正幸	數十年如一日──高中國文教學	頁 25~27
高志敏	為什麼我們不能有活潑充實的國文課本？	頁 27~29
林怡仲	往下銜接國小，往上連貫高一──改革現行國中國文教材	頁 30~32
溫德文	重建教科書的權威性	頁 32~34
郭健二	作文一定要用毛筆嗎？	頁 34~36
編輯部	學人書藝：汪中	頁 37
高令印	弘一在福建	頁 38~43
陳文華	盤舍詩稿	頁 44
王文發	不畏豪強的執法者──張湯	頁 45~47
竺家寧	改變學術史的一次聲韻研討會	頁 48~50
鄭松維	人言可畏	頁 50
蔡信發	說文答問（一）	頁 51~55
廖振富	三種典型，三種風範──記林哲庸、楊德英、胡楚卿老師	頁 56~59
編輯部	新書上架	頁 59
黃忠天	校園流行詞彙探究（上）	頁 60~62
王德明	荒漠綠地──小太陽成人讀書會	頁 63~65
杜松柏	神妙「運思力」的形成	頁 66~68
駱　梵	胡娜之「娜」不可發「那」音	頁 68
羅肇錦	寓言的玄機──修辭技巧之五	頁 69~73

周 何	「合巹」的意義	頁 74
黃沛榮	大陸儒林傳（四）：高亨	頁 75~77
台 平	為閱讀現代散文導遊──評介《現代散文類型論》	頁 78~79
江國貞	光明漢宮，遠嫁匈奴──王昭君	頁 80~85
吳 當	楊喚童詩欣賞：春天在哪兒啊	頁 86~87
李 邁	孔子「無服過宋」嗎？──探微	頁 88
李麗霞	誰能在冷淡的教室中創作？──談師生交互作用	頁 89~95
適 生	「留侯論」文章風格	頁 96~98
陳滿銘	歸納法在詩詞裡的運用	頁 99~102

第 3 卷 12 期（總 36 期）1988 年 5 月

編輯部	為您說花令：四月牡丹	頁 1
編輯部	編輯手記	頁 5
魏培泉	「予」的正確讀音	頁 6~7
黃敬欽	桃花源人衣式一穿五百年嗎？	頁 7~8
王基倫	匡章何以不厚葬母親？	頁 9
李振興	「薄海」宜用在哀悼詞中嗎？	頁 9~10
史墨卿	對國家元首的稱謂和抬頭	頁 10
讀 者	升學主義下的國文教學	頁 11
傅武光	只聞忠於民，不聞忠於領袖，更不聞忠於黨	頁 13~14
	照亮生命的光源──母親節獻頌	頁 15
張高評	萱草春暉聖母恩──孔母與孟母	頁 16~19
王基倫	畫荻剌字見慈暉──歐母、蘇母與岳母	頁 20~22
周志文	若不孝者，何以安吾母──顧炎武之母	頁 23~24
王文顏	最早的慈母頌──詩經中的母親	頁 24~26
黃盛雄	莫教我兒飢且寒──樂府詩中的母子情	頁 27~30
顏崑陽	仰望陽光的小草──古典詩歌中的母親	頁 30~34
曹淑娟	溫潤之情與清明之理──古典散文中的母愛	頁 34~38
范長華	母在子不寒──古典戲曲中的後母	頁 39~41
編輯部	學人書藝：王仁鈞書法	頁 42~43
王讚源	思想史的拓荒者──汪榮祖教授訪問錄	頁 44~51
黃英烈	與胡適之先生談白話文──聽他一番話，勝讀十年書	頁 53~55
賈順先	楊慎的文學思想	頁 56~60
張夢機	師橘堂詩	頁 61
編輯部	新書上架	頁 62

第 4 卷 1 期（總 37 期）1988 年 6 月

編輯部	為您說花令：五月榴花	頁 1
林慶彰	我們的理想和期望——《國文天地》的再出發	頁 6~7
邱德修	「豁然開朗」的詞性	頁 8~10
曾忠華	從《顏氏家訓・終制篇》看之推出仕的苦衷	頁 10~11
	突破大陸學術資料流通的禁忌	頁 12
劉　漢記錄	大陸學術資料流通問題——學者專家座談會	頁 13~25
陳芳汶記錄	大陸學術資料流通問題——研究生座談會	頁 26~33
沈清松	用學術的標準衡量大陸出版品	頁 34
	各主要圖書館大陸藏書介紹	頁 35
編輯部	各主要圖書館大陸藏書介紹：中央研究院歷史語言研究所傅斯年圖書館	頁 36~37
編輯部	各主要圖書館大陸藏書介紹：中央研究院近代史研究所圖書館	頁 37~39
編輯部	各主要圖書館大陸藏書介紹：國際關係研究中心圖書館	頁 39~40
編輯部	各主要圖書館大陸藏書介紹：漢學研究中心資料組	頁 41~42
編輯部	各主要圖書館大陸藏書介紹：清華大學圖書館特藏室	頁 42~43
編輯部	學人書藝：曹愉生書法	頁 44~45
林其泉	李贄是怎麼評朱熹的	頁 46~49
鄭松維	偃旗息鼓	頁 49
鄭金川	道家的美育思想	頁 50~52
周　何	古禮今義：「提字仔」和「合婚」	頁 53
求放子	回到孔子時代的校園倫理：「博學於文，約之以禮」的校園倫理建設之道	頁 54~56
李文茹記錄	雜誌編輯的角色認知	頁 57~65
適　生	〈尚節亭記〉文章風格	頁 66~67
張高評	體物華妙見清真——周邦彥〈六醜〉詞欣賞	頁 68~71
黃志民	濃霧斜陽與暗月——詞的造境和寫境	頁 72~73
駱　梵	打開「噢」字注音困局	頁 73
許紹明	閩南語多遠古音	頁 74
許錟輝	細說中國文字：中國文字的演進（四）——秦漢時期	頁 75~79
張光宇	聲韻經緯：漢語的音節結構	頁 80~84
王輔羊	關懷我們的兒童文學吧	頁 85
張曉生	近代知識分子考察西方的歷史——鍾叔河的《走向世界》	頁 86~88
黃文吉	研究中國古典文學的一座指標——談《中國古典文學研究論文索引》	頁 88~90

李光筠	研讀詩經之津梁──向熹《詩經詞典》評介	頁 91~93
許明鎮	新聞局編《推介中小學生課外讀物清冊》評析	頁 96~97
朱介凡	喜見朱炳海《氣象諺語》	頁 98
陳正治	從〈美麗的蝴蝶姑娘〉看目前國小國語課本的價值	頁 99~101

第 4 卷 2 期（總 38 期）1988 年 7 月

編輯部	為您說花令：六月荷花	頁 1
蔡信發	晉太子「申生」為何不能繼立為君？	頁 8
林聰舜	「三綱」的說法，起自何人？	頁 9
王國良	〈愚公移山〉的「北山」「山北」是指方位嗎？	頁 9~10
文幸福	「昊天罔極」該採何種解釋較宜？	頁 10
黃慶萱	「驚天地、泣鬼神」是擬人法嗎？	頁 10~11
黃義郎	「需要」還是「須要」？	頁 11
莊雅州	「若能離更合，覆水定難收」作何解？	頁 11
	大學及高中聯考國文的臨考戰術／期待高中《中國文化基本教材》的新面貌	頁 12
楊　棟	從省聯與北聯「綜合測驗題」看出題趨勢	頁 13~16
曾士良	「閱讀測驗」分析與預測	頁 16~18
林瑞娟	高中及專科聯考作文應如何命題	頁 19~21
丹　巖	作文得高分的要訣	頁 22~24
王新華	作文如何拿高分	頁 24~26
	一分心意，萬千關懷──為烈陽下的考生而作	頁 26~27
林寶芬	從趵突泉到一線天──談作文中想像力的迸射	頁 27~29
呂榮華	「頭」「頭」是道	頁 29~30
鄭柳燕	平時、平實的作文教學	頁 30~31
江寶釵	漫談少年習作	頁 31~33
厲　揭	「翻譯題」的答題技巧	頁 33~36
張高評	借箸代籌──談大學聯考作文題目的設計	頁 36~39
陳滿銘	怎樣寫好命題作文──向大學聯招考生叮嚀幾句話	頁 39~41
邵曼珣記錄	如何重編高中《中國文化基本教材》座談會	頁 42~49
翁燈上	期待一部具多元性與前瞻性的文化基本教材	頁 50~52
李元治	寧拙勿巧──我對重編文化基本教材的看法	頁 52~54
林崇智	對重編文化基本教材的幾點意見	頁 55~56
曾淑芬	我們需要一部怎樣的文化基本教材	頁 57~59
王開府	為改編文化基本教材進一言	頁 59~61

晚　晴	「誠」纔是最高的政治藝術	頁 62
范文芳	我也贊成依法嚴辦	頁 63
羅肇錦	請善待方言	頁 64~65
蔡素芬記錄	鄭名娳、簡媜對談散文創作	頁 66~74
林覺中	新詩的反省	頁 76~77
吳　當	楊喚童詩析賞——家	頁 78~79
鄭定國	〈小重山〉當年	頁 80~81
張靖遠	儉，德之共也——有關〈訓儉示康〉一文的商榷	頁 82~83
黃亦真	從《詩經》尋找大自然的真趣	頁 84~87
周　何	古禮今義：「門第」觀念的真諦	頁 88
詹海雲	研究中國哲學史的一套名著	頁 89~93
洪邦隸	語文教師手記：如此「範文」	頁 96~97
葛芳譚	為憐松竹引清風（上）——評現行高中國文課本	頁 98~102

第 4 卷 3 期（總 39 期）1988 年 8 月

編輯部	為您說花令：七月秋葵	頁 1
楊鴻銘	「期月」是滿一月或滿一年？	頁 6
黃志民	「不可理喻」的用法	頁 7
王國良	何謂「說部」？	頁 7
許清雲	〈古意呈喬補闕知之〉詩解	頁 7
林聰舜	父母犯法，子女能否「大義滅親」？	頁 8
林聰舜	「耳順」和「不惑」有什麼不同？	頁 8
	關懷青年文學環境	頁 9
張曉生記錄	「當前青年文學環境」座談會	頁 10~18
編輯部製作 周幼蘭執行	誰來鼓勵閱讀？——中學生的閱讀取向	頁 19~21
編輯部製作 周幼蘭執行	新鮮人之後——閱讀取向的轉變	頁 22~23
呂正惠	夏日炎炎書解悶——好書推薦：現代小說書單	頁 24~26
陳信元	夏日炎炎書解悶——好書推薦：現代散文書單	頁 27~29
孟　樊	夏日炎炎書解悶——好書推薦：現代詩書單	頁 29~31
鄭明俊記錄	權力架構與現代詩的發展——張錯與林燿德對談	頁 32~39
方祖燊	寫實主義及其流派	頁 40~45
吳　當	楊喚童詩析賞：下雨了	頁 46~47
林聰舜	史記人物論：奇蹟的創造——田單復國	頁 48~49

楊宗瑩主講 高金美整理	由〈廬山草堂記〉談白居易的轉變	頁 50~53
蔡仁厚	表裏如一，始終不二的梁漱溟先生	頁 54~56
周 何	今禮古義：來賓是婚禮的見證人	頁 57
葉 峰	蜀道之難難於上青天——淺析〈蜀道難〉	頁 58~61
王基倫	歐陽脩〈縱囚論〉的「言」與「意」	頁 62~65
邱德修	《左傳》是劉歆偽造的嗎？	頁 66~68
龔鵬程	擁護新法的北宋詞人周邦彥？	頁 69~71
古清美	良知工夫常快活	頁 72~73
辛冠潔	漫說明清實學思潮（上）	頁 74~78
廖慶洲	澀澤榮一和他的《論語與算盤》	頁 79~81
黃文吉	近三年來中國古典文學討論會概述——一九八五年部分	頁 84~87
張廣慶	《周予同經學史論著選集》簡介	頁 88~90
吳福助	《戰國秦漢史論文索引》簡介	頁 90~91
葛芳譚	為憐松竹引清風（下）——評現行高中國文課本	頁 92~97
楊 格	本年高中北聯國文科試題析評	頁 98~100
陳素美	本年高中省聯國文科試題析評	頁 101~102

第 4 卷 4 期（總 40 期）1988 年 9 月

編輯部	為您說花令：八月桂花	頁 1
林聰舜	何謂「上律天時，下襲水土」？	頁 6
陳素素	「飲」與「從」的音義	頁 6~7
王國良	〈桃花源記〉的六朝口語	頁 7
李金城	「而其末可乘」與「而其勢未可乘」的區別	頁 7~8
王偉勇	「籠系」「籠鈎」的真面貌	頁 8
	大學聯考國文科評分總檢討	頁 9
邵曼珣記錄	「作文評分的公正性與高中語文教學」座談會	頁 10~16
李威熊	聯考作文的缺失與評分的客觀化	頁 17~19
陳滿銘	今年大學聯考國文試題評析	頁 20~22
姚榮松	倉皇雜湊——聯考翻譯的錯誤	頁 22~25
林政華	淺俗與高明——由聯考作文命題到教學	頁 26~28
林慶彰	什麼是「摘要」？	頁 29
編輯部	學人書藝：陳瑞庚書法	頁 30~31
楊雅惠	王羲之的心靈世界	頁 32~33
謝佩芬記錄	臺灣文學批評思潮的遞變——張漢良與廖咸浩對談	頁 34~41

龔顯宗	三十年代文壇回顧：忠實於時代的艾青	頁 42~47
徐惠隆	影響我最深的人——杜顯揚老師	頁 48~51
孫劍秋	子路是怎麼死的？	頁 50~51
劉昭明	東坡在黃州	頁 52~57
黃沛榮	大陸儒林傳——楊樹達	頁 58~61
駱 梵	教育是引導不是塑造	頁 60~61
鮑國順	讀書等身一字無假的閻若璩	頁 62~64
洪邦棣	語文教師手記：為何不讓未來等一等	頁 64
廖隆盛	古代的考試	頁 66~68
周 何	古禮今義：回門	頁 69
曾昭旭	曾皙為什麼能得到孔子的嘆賞？	頁 70~71
辛冠潔	漫說明清實學思潮（中）	頁 72~75
孫劍秋	子夏是怎麼失明的？	頁 75
王冬珍	墨子兼愛說	頁 76~78
蔡信發	說文答問（三）	頁 80~84
張光宇	漢語方言的語音系統	頁 86~90
孔仲溫	工具書架：辭海巡禮	頁 91~93
徐漢昌	從《管子學刊》的出版談大陸的管子研究	頁 96~97
孫秀玲	我讀《劉大杰古典文學論文選集》	頁 98~99
浮 田	舜為何不告而娶？	頁 103
黃文吉	近三年來中國古典文學討論會概述——一九八六年部分	頁 100~103
林慶勳	形聲字在教學應用上的幾個問題	頁 104~106

第 4 卷 5 期（總 41 期）1988 年 10 月

編輯部	為您說花令：九月菊花	頁 1
徐漢昌	何謂「名田」？	頁 6
林聰舜	商襲夏禮的損益	頁 6~7
李振興	「拿喬」或「拿翹」？	頁 7
林聰舜	何謂「執中無權」？	頁 7~8
莊萬壽	古代知識分子結社的起源	頁 8
	白話文學在教室	頁 9
吳美幸	被冷落的白話文選	頁 10~12
林貴真	不敢輕舉妄動——談國中白話文教學	頁 12~15
蕭 蕭	講授一首現代詩的準備	頁 15~17
王 蘭	如何講授白話文	頁 17~19

陳憲仁	談作文教學	頁 20~23
簡宗梧	談品賞白話散文	頁 23~26
編輯部製作 周幼蘭執行	白話文教學的現況	頁 27~32
林紫慧記錄	八○年代臺灣小說的發展——蔡源煌與張大春對談	頁 33~39
吳　當	楊喚童詩析賞：美麗島	頁 40~42
浮　田	孟子出妻？	頁 42
王文發	漢代的基層治安人員——亭長	頁 43~44
周　何	古禮今義：鋪房——佈置新房	頁 45
王安祈	由弋陽腔在戲曲上的成就談起	頁 46~47
張高評	岑參〈白雪歌送武判官歸京〉賞析	頁 48~49
賴橋本	《琵琶記·糟糠自厭》的格律	頁 50~56
黃景進	永恒的悲劇——〈公無渡河〉的結構與象徵意義	頁 57~59
張又齡	夢是怎樣編成的？	頁 59
傅武光訪問 劉　漢記錄	學政縱橫談——訪勞思光	頁 60~65
廖隆盛	歐陽脩的家庭與戚友	頁 66~69
楊惠南	水月小札：打殺釋迦	頁 70
楊惠南	水月小札：見法即見佛	頁 71
辛冠潔	漫說明清實學思潮（下）	頁 72~75
姚榮松	語詞的還鄉——同源詞和方言詞溯源	頁 77~79
蔡信發	說文答問（四）	頁 80~84
林　楰	淺論建立歷史比較文字學	頁 85~87
李紀祥	儒學與佛學的最後爭辯——評介《熊十力與劉靜窗論學書簡》	頁 88~89
李光筠	讀陳鐵鑌著《詩經解說》	頁 92~93
邱德修	《中國詩歌藝術研究》簡介	頁 94~95
張又齡	關雲長所看何書？	頁 95
黃文吉	近三年來中國古典文學討論會概述——一九八七年部分	頁 96~99
林政華	〈靈丘丈人〉文中「期月」一語試訓	頁 100~101
楊連樹	學文法有什麼用？	頁 102~103
吳力甫	「螓首蛾眉」之女美乎？	頁 103
喬衍琯	大一國文教材芻議	頁 104~106

第 4 卷 6 期（總 42 期）1988 年 11 月

| 編輯部 | 為您說花令：十月芙蓉花 | 頁 1 |

張文彬	「合」「和」的區別	頁 6~7
江應龍	「一股」是否為「一枝」？	頁 7
顏天佑	「汎」「泛」辨名	頁 7~8
劉正浩	姓氏的來源和區分	頁 8
	中國名都文化之旅	頁 9
晚　晴	六朝如夢鳥空啼——南京	頁 10~15
戴璉璋	儒學教育困境下的省思——以台灣中等學校的《四書》教育為例	頁 102~106
陳　倉	屏障中原關盛衰——北平	頁 16~21
傅亦介	秦中自古帝王州——西安	頁 22~25
童　心	含真藏古一天堂——蘇州	頁 26~30
小　照	淡妝濃抹總相宜——杭州	頁 31~34
陳　芳	無水無山不入神——桂林	頁 35~39
編輯部	學人學藝：王靜芝書法	頁 40~41
鄭明娳	溫潤如玉——汪中老師其人其書	頁 42~43
楊雅惠	內擪與外拓——兩種筆意的永恆對照	頁 44~45
王文發	大儺——古代的打鬼逐疫儀式	頁 47~48
周　何	今禮古義：新娘的三朝祭拜	頁 49
管成學	中國古代的漏刻記時器	頁 50~51
蔡秀露	「差一字」教育	頁 51
劉君燦	博物與本草——中國傳統的分類學	頁 52~53
陳季蔓	一曲琵琶彈至今——昭君故事的歷史面貌	頁 54~57
王　祥	搬磚砸腳的廣告詞	頁 56~57
劉昭明	東坡與昭雲	頁 58~63
蔡根祥	文天祥獄中的天空	頁 64~67
周兆祥	山水駢文的佳作——讀吳均〈與宋元思書〉	頁 68~69
朱守亮	親情無極的〈蓼莪〉詩	頁 70~72
徐遠和	儒學的反思與吸收西方文化	頁 73~75
王開府	孔子的心願	頁 76~77
楊惠南	水月小札：老母見佛	頁 78
楊惠南	水月小札：親疏之間	頁 79
林葉連	還「拜」字真面目	頁 80~83
王輔羊	「圳」字的讀音	頁 84
施炳華	翻版書誤人——大陸版與藝文版的《經學歷史》	頁 85~87
犁　牛	我對新版文化基本教材的看法	頁 87

連文萍	一卷在握，鳥瞰全局——《複印報刊資料》的學術價值	頁 90~91
衣若芬	顏回為何白頭髮？	頁 91
黃文吉	文學史的歷史——談《中國文學史書目提要》	頁 92~94
陳益源	第九屆中國古典文學會議	頁 95
本　社	發揚傳統文化，兩岸共譜新曲——本刊與《文史知識》合作會談紀實	頁 96~97
曾錦坤	文言譯白話底探討	頁 98~101

第 4 卷 7 期（總 43 期）1988 年 12 月

編輯部	為您說花令：十一月山茶	頁 1
劉君燦	古人秉什麼「燭」夜遊	頁 6~7
董金裕	王之渙的生卒年	頁 7
顏崑陽	「烏鵲」是什麼鳥？	頁 7~8
羅肇錦	閩南、福佬、河洛話的區別	頁 8
	革新大一國文教育	頁 9
衣若芬記錄	「革新大一國文教育」座談會	頁 10~17
簡宗梧	革新大一國文教學之我見	頁 18~19
王文顏	大一國文的加減問題	頁 20~21
張雙英	論今日「大一國文」的必要性	頁 21~25
編輯部製作 為之執行	來自學生的聲音——大一學生心中的國文	頁 26~28
陳毓璞記錄	文學與出版市場——葉步榮與東年對談	頁 29~33
杜　萱	現代散文的古典源頭	頁 34~35
周　何	同姓不婚	頁 36
廖隆盛	古代的考試	頁 37~39
管成學	中國古代的記時器	頁 40~41
劉君燦	蟲豸書——中國傳統的動物分類	頁 42~43
龔鵬程	愛情與政治之間——李商隱之人格與評價	頁 44~50
江國貞	兵家之仙韓信——他真的謀反了嗎？	頁 51~57
洪春柳	無心入境，有意問津——〈桃花源記〉賞析	頁 58~61
袁行霈	憤激的呼喊——淺析陳子昂〈登幽州台歌〉	頁 62~63
洪邦棣	兔走觸株，折頸而死	頁 63
連清吉	戰國縱橫家說話的技巧——以〈觸讋說趙太后〉為例	頁 64~66
沈秋雄	雲在盫近詩	頁 68~69
黃基正	月夜感懷	頁 69~70
張澄仁	倚風樓詞稿：攬勝咏懷	頁 70~71

余培林	釋「天地不仁，以萬物為芻狗」	頁 72~73
杜　若	日近？日遠？	頁 73
楊惠南	水月小札：丹霞燒佛	頁 74
楊惠南	水月小札：呵佛罵祖	頁 75
編輯部	漢學研究資源國際研討會	頁 76
編輯部	陽明學學術討論會	頁 77
吳福助	「研究報告」寫作要則	頁 78~80
吳福助	「讀書報告」寫作要則	頁 81
陳慶煌	如何寫好學術論文	頁 82~86
許明瑲	「的」「地」「得」在語言中的角色	頁 87~89
浮　田	「看見鬼」的七種說法	頁 89
蔡根祥	美哉！蠑首蛾眉	頁 90~93
邱德修	《唐五代兩宋詞選釋》簡介	頁 94~95
劉崇義	國中文言文分析句子的原則	頁 98~99
王輔羊	醞釀不是蘊釀	頁 99
為　成	教學筆記	頁 100~101
何永清	「作對子」和國文教學	頁 102~104

第 4 卷 8 期（總 44 期）1989 年 1 月

編輯部	為您說花令：十二月水仙	頁 1
王仁鈞	文天祥為何被囚在不堪之處？	頁 6~7
莊耀郎	《典論》的篇數	頁 7
楊鴻銘	何以文以「氣」為主？	頁 7~8
簡恩定	「潤格」等同於「潤資」、「潤毫」？	頁 8
	漢唐可再，黃河可清——名家論「河殤」	頁 9
李清筠記錄	「何殤的衝擊與省思」座談會	頁 10~21
傅武光採訪 劉　渼記錄	訪牟宗三先生談「河殤」	頁 21~24
王家儉	從歷史看「河殤」	頁 24~26
瞿海源	「河殤」的悲劇性格與改革的困境	頁 27~28
張鎮邦	「河殤」的爭議	頁 28~32
楊仲揆	日本儒學與日本現代化	頁 32~37
編輯部	「河殤」在臺日誌	頁 38~41
林安梧	儒學是什麼？——評余敦康〈什麼是儒學〉	頁 44~47
衣若芬	老子教訓孔子？	頁 46~47

陳益源	東方文學的比較研究──與高麗大學丁奎福教授一夕談	頁 48~50
楊惠南	水月小札：即心是佛	頁 51~52
楊惠南	水月小札：殺佛殺祖	頁 52~53
張克偉	研究宋明理學的新書	頁 54~59
許政雄	官學教育制度下的奇葩──「中國文化書院」及其出版計畫	頁 60~62
孫振志	〈張釋之執法〉中「行」的詞性	頁 63
張光宇	漢語發展史與古音重建	頁 64~67
蔡信發	說文答問（五）	頁 68~73
高明誠	「樂極悲生」還是「樂極生悲」？	頁 73
王幼華	被韓愈驅逐出境的鱷魚那裏去了？	頁 74~77
周 何	古代冠禮中的「服備」	頁 78
杜升雲	司馬遷筆下的星漢世界	頁 79~81
劉君燦	草木詠──中國傳統的植物分類	頁 82~83
黃明理	論杜甫〈丹青引〉之韓幹畫馬	頁 85~87
魏子雲	詩也講究章句嗎？	頁 88~91
杜 萱	現代散文的特質與賞析	頁 92~95
吳 當	楊喚童詩析賞：七彩的虹	頁 96~97
彭金龍	高中國文自學輔導法教學的嘗試	頁 98~101
晏亦程	靈感來自力學──兼談學生作文問題	頁 102~103
曾錦坤	論說方式與批改原則	頁 104~106

第 4 卷 9 期（總 45 期）1989 年 2 月

編輯部	為您說名山：東嶽泰山	頁 1
王開府	「三省」的解釋	頁 6~7
許錟輝	「行已過」的「行」讀音為何？	頁 7
朱守亮	〈蓼莪〉篇的韻腳	頁 7
劉瀚平	孟子談人格修養的六大進境	頁 7~8
董金裕	「科頭」作何解釋較妥？	頁 8
	賞詩品曲過新年	頁 9
陳慶煌	賞詩品曲過新年	頁 10~13
江應龍	談春聯	頁 13~16
丁 武	燈節話元宵	頁 17~21
林政言	土牛今日來「鞭春」	頁 18~21
曾子良	談新年歌	頁 22~25
吳順令	年節的由來與成型	頁 25~28

劉 渼	魏晉南北朝和隋唐的年俗記要	頁 28~31
李清筠	宋元明清的年俗采風	頁 31~34
林保淳	蛇年談蛇在中國的象徵意義	頁 34~37
陳福康	保衛中華文獻的鬥士——紀念鄭振鐸先生	頁 38~39
黃錦珠	一代紅妝照汗青——陳圓圓的傳奇遭遇	頁 40~42
陳一凡	豈容普遍誤讀亂正音	頁 43~45
駱 梵	「角色」的發音問題	頁 46~47
林其賢	也談「文言文譯白話」	頁 48~50
吳清淋	為「革新大一國文教育」進一言	頁 50~51
姚榮松	第二屆世界華文教學研討會記要	頁 52~53
鄭志明	「唐君毅思想國際會議」後記	頁 54~55
林帥月	民俗學導讀——《中國民俗與民俗學》讀後	頁 56~58
吳福助	《秦都咸陽》評介	頁 58~60
陳逢源	研究中國哲學的期刊	頁 61~63
牟宗三主講 邱財貴整理	「陽明學學術討論會」講話	頁 64~69
丁 煌	身懷六甲	頁 66~69
林慶彰	中國哲學研究的重鎮——訪辛冠潔教授	頁 70~72
楊惠南	水月小札：百尺竿頭	頁 73
楊惠南	水月小札：不是心・不是佛・不是物	頁 74
李如鸞	短小、精粹、雋永——劉禹錫〈陋室銘〉賞析	頁 75~77
潘麗珠	畫風手與繪雨師	頁 77~79
范長華	元曲散套中的珍品——上高監司套	頁 80~83
汪 中	雨盦詩稿	頁 84
李 猷	游美續稿——戊辰六月至八月	頁 85
潘亞暾	向心靈世界掘進——羅門詩歌淺析	頁 86~89
龔顯宗	冰心——同情和愛戀	頁 90~93
黃憲作	舜篡堯位	頁 92~93
邱德修	《中國古典文學名著題解》簡介	頁 94~95
曾錦坤	文學與文學語言	頁 98~102
杜松柏	鍊意與立意（上）	頁 103~106

第 4 卷 10 期（總 46 期）1989 年 3 月

| 編輯部 | 為您說名山：南嶽衡山 | 頁 1 |
| 劉正浩 | 古代女子之命名 | 頁 6~7 |

蔡崇名	「犢鼻褌」是什麼樣的褲子？	頁 7
楊鴻銘	何謂「區區」？	頁 7~8
黃慶萱	「算學」和「地理」是什麼學問？	頁 8
艾弘毅	「不毛」即「八莫」？	頁 8
	知識就是責任——中國知識份子的社會關懷	頁 9
莊萬壽	申張正義批評不義，是中國知識份子的傳統	頁 10~11
黃翰祥	中國社會與知識份子	頁 12~15
王文發	兩漢士人對社會的關懷	頁 16~19
李威熊	絳帳授徒的馬融與鄭公鄉	頁 20~22
廖隆盛	宋代太學生的時代關懷	頁 23~26
林麗月	「道」「勢」之間——明末東林黨的政治抗爭	頁 26~30
楊龍立	梁啟超對政治與社會的關懷	頁 30~34
郭鶴鳴	當今知識份子對社會的關懷——讀《知識份子與中國》有感	頁 34~37
吳東權	在傳播歷程中成長的漢字（上）	頁 38~41
竺家寧	有關「韻書」的常識	頁 42~45
趙赫炎	報刊文字錯誤之檢討	頁 44~45
林義烈	「有使」一定要解作「又使」嗎？	頁 46~47
楊鴻銘	去除國文教育的七大心態	頁 48~49
甘克誠	大陸高級中學語文課本淺探	頁 50~53
楊惠南	水月小札：胡漢俱隱時	頁 54
楊惠南	水月小札：一物不將來時	頁 55
林益勝	《周易》趨吉避凶的功能	頁 56~60
李仲均	我國古代的治黃水利工程	頁 61~64
劉君燦	金石錄——中國傳統的礦物分類	頁 64~67
周 何	成年禮中的特別來賓	頁 68
許錟輝	什麼是兵馬俑？	頁 69~72
浮 田	孔子見南子	頁 72
范長華	明末英雄夏完淳及其散曲	頁 73~75
黃 克	小令中的天籟——〈天淨沙〉	頁 76~77
陳慶煌	《西廂記》的賓白之美	頁 78~83
編輯部	學人書藝：李猷書法	頁 84~85
楊雅惠	涉樂方笑，言哀已歎	頁 86~87
韓中慧	《詩人主客圖》淺述	頁 88~89
張克偉	研究目錄學的新書	頁 92~97

連文萍	大陸出版的文學年鑑（上）	頁 98~99
蔡美端	「宋代文學與思想研討會」記要	頁 100~101
杜　若	孔門鬧派系	頁 101
王國昭	七十七年國語科師範學院教授座談會	頁 102
編輯部	香港大學將舉辦「章太炎、黃季剛國際學術研討會」	頁 103
杜松柏	鍊意與立意（下）	頁 104~106

第 4 卷 11 期（總 47 期）1989 年 4 月

編輯部	為您說名山：西嶽華山	頁 1
編輯部	編輯手記	頁 5
劉文起	「四十而不惑」和「四十不動心」有何不同？	頁 6~7
李振興	「嬉笑」？「嘻笑」？	頁 7~8
梅　廣	「ㄅㄛ、ㄆㄛ、ㄇㄛ」和「ㄅㄨㄛ、ㄆㄨㄛ、ㄇㄨㄛ」	頁 8
	思凡爭議的省思	頁 9
林政言記錄	「思凡爭議的省思」座談會	頁 10~21
編輯部	「思凡」曲文	頁 22~24
賴橋本	崑曲「思凡」的來源	頁 25~28
王安祈	「思凡」與「下山」的表演藝術	頁 29~32
張啟超	借問靈山多少路──崑劇「思凡」的文學話題	頁 33~37
景　翔	藝術創作不容外力干擾──談「基督的最後誘惑」	頁 38~39
李錦全	讀東坡詩詞記蘇軾的人生旨趣	頁 40~43
編輯部	「民間文學國際研討會」公開徵求學術論文	頁 43
林覺中	矯矯不群鄭板橋	頁 44~48
黃憲作	太甲殺伊尹	頁 46~48
鹿憶鹿	浴火再生的鳳凰──訪問蕭兵教授	頁 49~51
吳東權	在傳播歷程中成長的漢字（中）	頁 52~56
蔡信發	說文答問增補	頁 57~61
王輔羊	「居功厥偉」的商榷	頁 61
蔡哲茂	周原甲骨簡介（上）	頁 62~68
林繼生	國中生如何寫好論說文	頁 69~71
劉操志	浮雲白──〈文天祥獄中的天空〉之迴響	頁 72~73
浮　田	莊子和惠施抬槓	頁 73
史墨卿	應用文的特性	頁 75~77
余培林	論老子的弱道哲學	頁 78~81
李漢偉	南師舉辦國語文學術研討會	頁 81

徐漢昌	節儉乎？侈靡乎？──讀《管子》隨筆	頁 82~85
周　何	古代加冠時的祝辭	頁 86
李　李	中國人對龜的看法──以廣義的民間故事為佐證	頁 87~89
柴劍虹	聲情搖曳，意味無窮──南朝民歌〈西洲曲〉賞析	頁 90~91
簡恩定	杜甫〈丹青引〉：「幹惟畫肉不畫骨，忍使驊騮氣凋喪。」	頁 92~93
張雙英	西洋人眼中的現代中國文學──以〈現代中國文學裏的國家主義〉一文為例	頁 94~97
吳　當	楊喚童詩析賞：眼睛	頁 98~99
黃文吉	詞學論評的總匯──增訂本《詞話叢編》評介	頁 100~103
林政言	柳下惠坐懷不亂	頁 103

第 4 卷 12 期（總 48 期）1989 年 5 月

編輯部	為您說名山：北嶽恆山	頁 1
編輯部	編輯手記	頁 5
顏元叔	「蔣故總統經國先生逝世」？	頁 8
王更生	「徐幹時有齊氣」解析	頁 6~8
	海峽兩岸論五四	頁 10~11
董俊彥等	春雷一聲風雲動──五四的回顧：五四文化自覺的產生，有何內因與外緣？（陳來　徐遠和　鮑國順）	頁 12~15
潘富恩等	春雷一聲風雲動──五四的回顧：五四的精神是什麼？（李錦全　徐遠和　范文芳　張永儁　包遵信　莊萬壽　瞿海源　陸寶千　王家儉　沈清松　蒙培元　楊惠南　陳來）	頁 15~23
陳　來等	春雷一聲風雲動──五四的回顧：五四怎樣看待儒家？（林安梧　蒙培元　鮑國順　徐遠和）	頁 23~26
林玉體等	盱功衡過辨是非──五四的評價：有人認為五四促成共產主義進佔中國，您贊同嗎？為什麼？（包遵信　李錦全　王家儉　蒙培元　李明輝）	頁 27~30
陸寶千等	盱功衡過辨是非──五四的評價：對於五四之批判傳統，您有什麼新的看法（陳來　楊惠南　王開府　李錦全　范文芳）	頁 30~32
莊萬壽等	盱功衡過辨是非──五四的評價：對陳獨秀、胡適、李大釗，您有何評價？（包遵信　張永儁　葛榮晉）	頁 32~36
林玉體等	盱功衡過辨是非──五四的評價：五四所提倡的民主，您認為七十年來海峽兩岸各實現了多少？還有那些尚待努力之處？（辛冠潔　龔鵬程　包遵信　楊惠南　葛榮晉）	頁 36~38
劉君燦等	盱功衡過辨是非──五四的評價：五四所提倡的科學，您認為七十年來海峽兩岸各做到了多少？還有那些尚待努力之處？（辛冠潔）	頁 38~39
徐漢昌等	盱功衡過辨是非──五四的評價：五四藉民主與科學以提高人的價值，您認為七十年來海峽兩岸各做到了什麼程度？（包遵信　劉君燦　林玉體）	頁 40~42
葛榮晉等	盱功衡過辨是非──五四的評價：您認為七十年來海峽兩岸儒學的升降如何？（徐漢昌　賈順先　李明輝　湯一介）	頁 42~44

王開府等	繼繼繩繩開新運——今後的展望：五四接受科學而不接受宗教，現在呢？（賈順先　楊惠南　湯一介　葉仁昌　高令印）	頁 45~48
賈順先等	繼繼繩繩開新運——今後的展望：「河殤」事件是否可視為五四的後續發展？（王家儉　湯一介　王開府　辛冠潔　鮑國順）	頁 48~51
高令印等	繼繼繩繩開新運——今後的展望：五四對海峽兩岸還會發生什麼樣的影響？（陸寶千　張立文　鮑國順　湯一介）	頁 51~52
傅武光採訪	訪湯志鈞教授談康有為、章太炎與五四運動	頁 53~55
劉昭明	蘇東坡在御史臺獄	頁 56~61
王翠萍	中國第一位兼具畫家與傳教士的文人——吳歷	頁 62~66
許政雄	從佛教、道教到中西文化學——訪中國文化書院院長湯一介教授	頁 67~69
蔡哲茂	周原甲骨簡介（下）	頁 70~72
吳東權	在傳播歷程中成長的漢字（下）	頁 73~77
林韻梅	為文化基本教材教法進管見	頁 78~80
晏亦程	國文教育革新之我見——兼談所謂「七大心態」	頁 81~83
林繼生	好的開始是成功的一半——談論說文開頭的方法	頁 83~87
王輔羊	問記者所司何事？——論氈與毯、尢與尪	頁 85~86
林耀洞	「君君、臣臣、父父、子子」的詮釋——謹就教於胡佛教授	頁 88~90
黃憲作	紂王的罪惡	頁 90
古清美	說羅近溪之「破除光景」義	頁 91~95
謝佩芬	莊子「鼓盆而歌」	頁 92
張高評	〈木蘭詩〉賞析	頁 96~98
沈秋雄	一首喜心翻倒的詩——杜甫〈聞官軍收河南河北〉賞析	頁 98~99
陳仲奇	一曲情至無文的千年絕唱——讀韓愈〈祭十二郎文〉	頁 100~102
林邦鈞	山水有靈，當驚知己於千古——淺談柳宗元的〈永州八記〉	頁 103~105
陳慶煌	三十年代文學研討會	頁 105
傅武光	〈愛蓮說〉的弦外之音	頁 106~107
編輯部	近年出版有關五四的著作	頁 108~113
唯　碧	子貢調戲女生？	頁 110~111
王開府	國民中學國文教學論文研討會記要	頁 116
王國昭	臺灣區省市立師範學院七十七學年度兒童文學學術研討會	頁 117

第 5 卷 1 期（總 49 期）1989 年 6 月

編輯部	為您說名山：中嶽嵩山	頁 1
編輯部	編輯手記	頁 5
林慶勳	「禁不起」和「經不起」	頁 6
王基倫	蘇軾「不幸」和張琥同年？	頁 6~7
黃志民	「歐陽修」？「歐陽脩」？	頁 7
鮑國順	〈正氣歌〉末段的翻譯	頁 8
高明誠	「實式憑之」的解釋	頁 8
陳素素	「余從狄君以田渭濱」的「以」字用法	頁 8
	重建美好的兒童文學世界	頁 9
潘麗珠採訪 陳毓璞記錄	在月光下織錦的人——訪林良先生談兒童文學	頁 10~15
雷僑雲採訪	訪旅美兒童文學家葉詠琍女士	頁 16~19
徐守濤	兒童文學在師範院校的未來發展	頁 20~22
林政華	落實兒童文學教育方法的芻議	頁 23~25
陳木城	當前兒童文學的大趨勢	頁 26~28
吳 當	兒童的文學欣賞與寫作	頁 29~31
李漢偉	我們都是白雪公主？——對當前童話教學的一些省察	頁 32~35
邱各容	他山之石，何以攻錯	頁 36~39
愷 扉	論說文結構公式	頁 40~43
王輔羊	「牛山濯濯」與「童山濯濯」	頁 43
林義烈	高中及五專聯考作文出題的趨勢	頁 44~47
林繼生	美麗的休止符——談論說文結尾方法	頁 47~50
陳滿銘	怎樣教〈詞遠〉——李煜的「清平樂」與蘇軾的「念奴嬌」詞	頁 51~55
王 祥	錯誤百出的唱片廣告	頁 55
劉長林	我們需要陽明精神——訪龍場有感	頁 56~59
楊惠南	長空不礙白雲飛	頁 60
楊惠南	見山見水	頁 61
劉笑敢	河殤與西化思潮（上）	頁 62~67
周 何	服喪適度	頁 68~69
吳立甫	禮器「俎豆」	頁 69~70
徐公持	出師一表真名世——說諸葛亮的〈出師表〉	頁 72~74
蔡崇名	〈桃花谿〉一首是張旭的詩嗎？	頁 75~77

蔡淑娟	許由、巢父不熱中權勢	頁 76
郭鶴鳴	也談杜甫〈丹青引〉之韓幹畫馬	頁 78~82
江蓮碧	伯夷叔齊不食周粟	頁 79
陳秀端	三百篇之遺音——〈兵車行〉賞析	頁 83~85
鄭明娳	現代散文中的意象	頁 86~88
簡政珍	新世代詩人陳克華	頁 90~91
林文寶	臺灣地區兒童文學論述譯著書目（民國三十八年～七十七年）（上）	頁 93~95
馮增銓	大陸將舉行「孔子誕辰二五四〇週年紀念與學術討論會」	頁 98~99
黃憲作	「五四文學與文化變遷學術研討會」後記	頁 100
姚榮松	香港大學「章太炎、黃季剛國際學術研討會」記實	頁 101~104
釋昭慧	昭慧尼師來函	頁 103
姚榮松	第七屆全國聲韻學研討會在靜宜召開	頁 104~105

第 5 卷 2 期（總 50 期）1989 年 7 月

編輯部	為您說名山：廬山	頁 1
編輯部	編輯手記	頁 5
陳素素	「誰以易之」的文法問題	頁 6
黃基正	「少康出竇」的故事	頁 7
莊雅州	莊周「怨悱形於簡冊」？	頁 7~8
莊萬壽	「兩金」價值為何？	頁 8
黃盛雄	「嘈嘈」、「切切」的注解是否切當？	頁 8
	漢字也要現代化？——漢字簡化面面觀	頁 10
陳益源記錄	「文字簡化面面觀」座談會	頁 11~18
左松超	漢字簡化的檢討	頁 19~21
汪學文	中共簡化漢字之挫折與混亂	頁 22~24
黃沛榮	漢字的簡化與繁化	頁 25~27
傅武光採訪	訪北京師範大學副校長許家璐先生談中國文字的簡化	頁 28~33
楊祚德	正視大陸簡化字	頁 30~33
編輯部	有關大陸文字改革的著作	頁 34~39
蔡根祥	談《詩經·蓼莪》之押韻問題	頁 40~41
劉崇義	對〈「的」、「地」、「得」在語文中的角色〉一文的兩點疑義	頁 42~44
陳一凡	〈桃花源記〉中「不足」的釋義	頁 43
許名瑲	且談字音異讀	頁 45~47
王輔羊	看一則宣傳海報	頁 47
莊銀珠	也談白話文教學	頁 48~49

雷僑雲	中國沒有兒童文學嗎？——屬於中國人的傳統兒童文學	頁 50~53
陳郁夫	宋明理學是思想史上的濁流？	頁 54~57
周明華	子路殺孔子？	頁 56~57
劉笑敢	河殤與西化思潮（下）	頁 58~63
楊惠南	白澤之圖	頁 64
楊惠南	庭前殘雪	頁 65
莊萬壽	社會要有知識份子的聲音，人民要有選擇政府的權力——聲援中國的民主運動	頁 66~67
周　何	招魂的「復」禮	頁 68~69
王俊嵘	夫差並非闔廬之子	頁 70~73
張高評	「左氏浮誇」的歷史意義——《左傳・晉景公夢大厲》鑑賞	頁 74~75
黃進德	說蘇洵的〈六國論〉	頁 76~78
曾永義	「人家」與「平沙」——馬致遠〈天淨沙〉的異文及其意境	頁 79~80
楊雅惠	書史中古體與今體間的抉擇	頁 83~85
林政言	原憲教訓子貢	頁 85
編輯部	陳樹衡書藝	頁 86~87
張春榮	「載不動許多愁」的修辭	頁 88~89
車潤豐	文學中的剛柔	頁 90~91
林文寶	臺灣地區兒童文學論述譯者書目（下）	頁 92~94
連文萍	大陸出版的文學年鑑（下）	頁 95~97
陳慶浩	來自民間，回到民間——推介《中國民間故事全集》	頁 98~100
陳益源	「中國民俗學會」重振旗鼓	頁 104
辛冠潔	中國孔子基金會——一個提倡自由思考和民主討論的學術團體	頁 105~106

第 5 卷 3 期（總 51 期）1989 年 8 月

編輯部	為您說名山：黃山	頁 1
編輯部	編輯手記	頁 5
傅武光	〈大學〉〈中庸〉何時獨立成書？	頁 6~7
高明誠	從「吹牛」談到「腠」字	頁 7
洪惟仁	「眭澔平」姓ㄒㄩˇ或姓ㄙㄨㄟˊ？	頁 7~8
黃慶萱	「瓢囊」是否屬「借代」？	頁 8
姚榮松	「老芋仔」是什麼意思？	頁 8
余培林	回歸清靜淳樸的世界——老子的棄智與守愚	頁 10~12
傅武光	替老子的政見會助講——《道德經》今解舉隅	頁 12~14
徐漢昌	做個聰明快樂的現代人——從「自知者明」、「知足者富」談起	頁 15~17

田居儉	心跡雙寂寞——詼諧風趣的哲人莊周	頁 18~21
王仁鈞	穹蒼萬里任遨遊——《莊子》內篇的人生啟示	頁 22~25
莊耀郎	短命的天才哲學家王弼——兼論「聖人體無」的人生哲理	頁 25~27
李渝福	山水詩人謝靈運	頁 28~31
郭 明	覺賢與那提——紀念中國佛教史上遭受排擠的兩位外國譯師	頁 32~36
編輯部	淡江大學「文學與美學學術研討會」後記	頁 33
趙制陽	〈詩大序〉評議——〈關雎〉詩旨問題	頁 37~41
鄭卜五	呂不韋的推銷奇貨術	頁 40~41
蒯 亮	古典文學與現代傳播的結合——中文系開設新聞傳播課程概況	頁 42~46
王策宇	唱片爆發？心情爆發	頁 43
林覺中	也談「盧山煙雨浙江潮」	頁 46
杜 萱	國小作文批改的有關問題	頁 47~51
楊惠南	(羊靈)羊無蹤	頁 52
楊惠南	夾路桃花風雨後	頁 53~54
李甦平	論朱舜水的實踐哲學思想	頁 54~57
丁原基	繆鉞教授的學思歷程	頁 58~61
臧克家	重讀〈岳陽樓記〉	頁 63~65
何永清	〈喜雨亭記〉的文章特色	頁 66~67
王大方	唐人小說中的三對眷侶	頁 68~72
盧明瑜	論《紅樓夢》裏的平兒	頁 73~77
吳 當	楊喚童詩析賞：夏夜	頁 78~81
潘亞暾	求真、從善、揚美——蓉子短詩賞析	頁 82~86
劉萬梓	王維〈出塞作〉中的「重用字」	頁 87~89
陳慶煌	詞要如何用典？	頁 90~93
陳文豪	大陸研究秦漢史的論文集	頁 94~97
石守謙	《中國美術辭典》出版的學術意義	頁 98~100
杜榮琛	一本值得細讀的兒童文學論著——《現代兒童文學的先驅》	頁 101~104
鄭卜五	「高雄師院國文研究所第一屆所友學術討論會」記要	頁 105~106
謝武彰	謝武彰的話	頁 106

第 5 卷 4 期（總 52 期）1989 年 9 月

編輯部	為您說名山：峨眉	頁 1
編輯部	編輯手記	頁 5
劉兆祐	「八股文」的比法	頁 6
洪惟仁	大「行」山的讀音	頁 7

邱燮友	「土之居者」是「士之居者」？	頁 7
林安梧	何謂「體」？何謂「用」？	頁 8
謝一民	「端陽」二字如何解釋？	頁 8
	儒家的過去‧現在與未來	頁 9
曾昭旭	孔子的寂寞與堅持	頁 10~13
張高評	億則屢中的企業家——端木賜子貢	頁 14~15
李威熊	漢代獨尊儒術的平議	頁 16~20
傅武光	漢儒的革命火花	頁 21~22
古清美	談談幾位理學家之實踐	頁 23~25
王開府	志伊尹之所志、學顏子之所學——談宋明儒者的出處風範	頁 26~28
林安梧	儒家與現代化的反思片段——解開所謂「道德思想意圖的謬誤」	頁 29~32
陳郁夫	當代儒者的志事與展望——明體致用才是真儒	頁 32~36
戴盛虞	從「大同」理想的再現看中華民族政治發展與文化復興的新機運	頁 36~40
王邦雄	從儒學的原罪與苦業談儒學的未來	頁 41~42
鍾柏生	念金祥恆師	頁 44~45
李光筠	菡萏池旁設絳帳‧葩經堂上沐春風——將《詩經》通俗化的裴普賢教授	頁 46~49
杜 若	劉邦的厚黑心腸	頁 51
許政雄	從經學到史學——湯志鈞教授的學思歷程	頁 51~53
楊鴻銘	談臨場寫作方法——以七十八年大學聯考作文「論虛心」為例	頁 54~56
胡 調	殷如何有「三仁」？	頁 56
林繼生	避「重」就「輕」，換湯不換藥——今年北市高中聯考國文試題分析	頁 57~58
林秀珠	七十八學年度臺灣省暨高雄市立高中聯招國文科試題解析	頁 59~61
顏天佑	有關《史記‧孔子世家》的一些問題——答讀者魏華東問	頁 61~63
楊惠南	水月小札：枯木寒巖	頁 64
楊惠南	水月小札：文殊藥草	頁 65
詹海雲	中國哲學史學會會長張岱年先生	頁 66~69
周 何	「哭」的限制	頁 70~71
李 李	中國人對蛇的看法——以廣義的民間故事為佐證	頁 72~74
潘麗珠	「七夕節」的由來與習俗	頁 75~77
李渝福	從《文心雕龍》批評論的觀點看謝靈運詩二首	頁 78~80
梁錫華	也撥〈錦瑟〉絃	頁 81~87
林政言	舜的孝子形象	頁 87
王熙元	江南風光與故國情懷——試析李珣〈南鄉子〉與朱敦儒〈相見歡〉	頁 88~90

謝佩芬	孔子誅少正卯？	頁 90
黃憲作	淡江大學三次學術研討會的觀察	頁 92~93
編輯部	「孔子誕辰二五四○週年紀念與學術討論會」照常舉行	頁 93
編輯部	紀念范仲淹一千年誕辰國際學術研討會	頁 94~95
陳益源	「中國飲食文化學術研討會」本月召開——兼介主辦單位「中國飲食文化圖書館」	頁 96~97
歐子陵	佛教出版世界的開拓者——專訪藍吉富先生	頁 98~101
編輯部	中文學界的人與事	頁 101
王志成	目錄學入門書簡介	頁 104~106

第 5 卷 5 期（總 53 期）1989 年 10 月

編輯部	為您說名山：武夷山	頁 4
編輯部	編輯手記	頁 5
編輯部	余冠英、繆鉞等	頁 6
劉兆祐	是「兵書」？還是「素書」？	頁 7
洪惟仁	ㄌㄜˋㄙㄜˋ？ㄌㄚㄐㄧ？	頁 7~8
何淑貞	無時無刻與時時刻刻	頁 8
王國良	八字沒一撇	頁 9
	七十歲的ㄅㄆㄇㄈ——我們需要怎樣的注音符號？	頁 9
羅肇錦	文化、方言、ㄅㄆㄇ——從保存方言文化看注音符號	頁 10~13
姚榮松	替注音符號ㄅㄚˇㄇㄞˋ	頁 14~20
林慶勳	注音符號的回顧——漢字標音方式的發展	頁 21~25
竺家寧	用ＡＢＣ學國語？	頁 26~30
張光宇	注音符號與拼音方案	頁 31~35
游勝冠	公孫杵臼營救趙氏孤兒	頁 35
編輯部製作 陳毓璞執行	國語教師和外籍學生看注音符號	頁 36~41
顧大我	ㄅㄆㄇㄈ的名稱問題	頁 41~44
謝佩芬	混沌之死	頁 44
虞兩花	ㄅㄆㄇㄈ音名爭論小注	頁 45~47
王世華	「讀書種子」方孝孺	頁 48~52
王輔羊	關說與行賄	頁 52
楊伯峻	我的治學大要	頁 53~55
張光宇	古文獻材料與古音重建	頁 56~59
陳安桂	「老芋」就是「老五」	頁 60

高梅憶	「京兆五日」乎？	頁 61
劉萬梓	談「張釋之執法」的幾個問題	頁 62~63
楊禮義	孔曰？孟說？	頁 63
陳正家	淺談七十八年大學聯考國文科試題	頁 64~69
林韻梅	章法、作文、課外閱讀的同步教學	頁 70~72
編輯部	〈神童詩〉公開徵答	頁 72
楊鴻銘	高中國文百種章法修辭釋例（上）	頁 73~77
喬　之	也談太「行」山的讀音	頁 77
劉君燦	地圓？地方？	頁 78~81
袁清林	中國古代的環境保護	頁 82~85
吳立甫	「垂涎」為何有「三尺」之長？	頁 84~85
麥穗歧	「端陽」與「冬至」	頁 86~87
李建民	中國古代民俗中的啄木鳥	頁 88~89
陳文華	澎湃昂揚的軍聲——說盧綸〈和張僕射塞下曲〉	頁 90~91
連文萍	啞啞思親曲・苦苦勸世歌——白居易〈慈烏夜啼〉賞析	頁 92~93
許逸民	不戚往年・憂世不治——讀曹操〈秋胡行〉二首	頁 94~97
李　渡	我們不需要拼裝車——《唐詩新賞》的資料來源	頁 98~101
陳益源	「民間文學國際研討會」呼籲搶救臺灣民間文學	頁 104~105
編輯部	「中華民族宗教國際學術會議」後記	頁 106

第 5 卷 6 期（總 54 期）1989 年 11 月

編輯部	為您說名山：九華山	頁 4
編輯部	編輯手記——「文化森林」的再造	頁 5
編輯部	李獻璋、徐靜波等	頁 6
朱守亮	「視不己若者，不比於人」應作何解？	頁 7
陳文豪	一里是三百六十步？	頁 8
孫秀玲	「七先生」是否姓「七」？	頁 9
王國良	「跳入黃河也洗不清」如何解釋？	頁 9
	古典文學往下紮根——中、小學古典文學教育的檢討	頁 11
江蓮碧記錄	「中小學古典文學教育的檢討」座談會	頁 12~28
陳慶煌	學詩的孩子不會變壞——國小古典文學教育之檢討	頁 29~34
陳滿銘	從現行國中國文課本看我國當前古典文學教育	頁 35~38
蕭　蕭	我對高中國文「古典文學」教材編選的看法	頁 39~42
楊淑娟	古典文學往下紮根——淺談目前中小學古典文學讀物的出版現況	頁 43~47
孟繁舉	蒙古郝經使宋始末	頁 48~51

陳益源採訪　從外文到中文，從臺大到清華——王秋桂教授治學與教學的心路歷程　頁 52~56

編輯部　　　「玻璃圈」公開徵答　　　　　　　　　　　　　　　　　　　　頁 56

鄭雅霞
黃居仁　　　成語的語法表達形式與自然語言剖析　　　　　　　　　　　　頁 58~62

蔡淑娟　　　劉安謀反　　　　　　　　　　　　　　　　　　　　　　　　頁 62

竺家寧　　　國際語——人類共同的聲音　　　　　　　　　　　　　　　　頁 63~65

游勝冠　　　劉晨、阮肇驚艷記　　　　　　　　　　　　　　　　　　　　頁 65

楊鴻銘　　　高中國文百種章法修辭釋例（下）　　　　　　　　　　　　　頁 66~69

胡言周　　　馬融之道東矣　　　　　　　　　　　　　　　　　　　　　　頁 69

王策宇　　　陶淵明逃跑？　　　　　　　　　　　　　　　　　　　　　　頁 70~72

楊惠南　　　水月小札：倩女離魂　　　　　　　　　　　　　　　　　　　頁 73

曾錦坤　　　莊子用腳後跟呼吸　　　　　　　　　　　　　　　　　　　　頁 74~75

趙仁珪　　　結構巧妙、意境高遠——辛棄疾〈青玉案〉（東風夜放花千樹）賞析　頁 76~77

蔡君逸　　　世路如今已慣，此心到處悠然——淺介張潮及其《幽夢影》　　頁 78~81

范伯羣　　　鴛鴦蝴蝶——《禮拜六》派　　　　　　　　　　　　　　　　頁 82~88

王大方　　　說夢猜夢讀《紅樓》　　　　　　　　　　　　　　　　　　　頁 89~90

林玫儀採訪　詞學的現代觀——葉嘉瑩教授訪問記　　　　　　　　　　　　頁 91~97

編輯部　　　大陸出版文淵閣《四庫全書》影印本　　　　　　　　　　　　頁 98~99

林文寶　　　從必讀書目談起——師院生必讀書目　　　　　　　　　　　　頁 100~103

編輯部　　　紀念孔子誕生二五四〇年國際學術討論會在北京舉行　　　　　頁 106

第 5 卷 7 期（總 55 期）1989 年 12 月

編輯部　　　為您說名山：武當山　　　　　　　　　　　　　　　　　　　頁 4

編輯部　　　編輯手記　　　　　　　　　　　　　　　　　　　　　　　　頁 5

楊鴻銘　　　「察收」？「查收」？　　　　　　　　　　　　　　　　　　頁 6

詹海雲　　　何謂「七藝」？　　　　　　　　　　　　　　　　　　　　　頁 6~7

賴明德　　　選賢與能？選賢舉能？　　　　　　　　　　　　　　　　　　頁 7

林安梧　　　何謂「形象思維」？　　　　　　　　　　　　　　　　　　　頁 7~8

竺家寧　　　「薄」唸ㄅㄛˊ還是ㄅㄨㄛˊ？　　　　　　　　　　　　　　頁 8

編輯部　　　「海上」公開徵答　　　　　　　　　　　　　　　　　　　　頁 8

胡載陽　　　神童詩大家談（王國良　郭冠英　黃碧珍）　　　　　　　　　頁 9~11

編輯部　　　繆鉞等　　　　　　　　　　　　　　　　　　　　　　　　　頁 12

　　　　　　中國古代選舉面面觀　　　　　　　　　　　　　　　　　　　頁 13

姚喁冰　　　選舉皇帝？——談「禪讓」及其歷史變幻　　　　　　　　　　頁 14~17

吳慧蓮　　　九品官人法——魏晉南北朝時期選用官吏的方式　　　　　　　頁 18~21

廖隆盛	帝王的牢籠術——我國科舉制度概述	頁 22~28
劉海峰	身、言、書、判——唐代銓選文官標準述評	頁 29~31
簡錦松	唐人以詩取士嗎？	頁 32~35
高　陽	科舉趣事漫談	頁 36~37
莊　練	號舍風光——科舉考試時代的考場生活	頁 38~42
胡萬川	碰上的秀才——談科舉考試的作弊	頁 43~47
董國炎	考場上的常敗將軍——談狐說鬼蒲松齡	頁 48~51
陳福康	木鐸之聲，長在人心	頁 52~53
許世瑮	教績孔彰——紀念先兄許世瑛先生八十冥誕	頁 54~55
陳賢俊	「三代同堂」趣味教學連環炮	頁 56~60
林政言記錄	「專科學校國文教育何去何從」座談會	頁 62~67
蔡信發	學人書藝——陳維德的書法	頁 68~69
楊惠南	水月小札：牛過窗櫺	頁 70~71
黃沛榮	「易學研究中心」在臺北成立	頁 71
林耀潾	儒家思想的三個屬性	頁 72~74
李　李	「應聲蟲」是什麼蟲？	頁 74
連文萍採訪	把真理還給中國哲學——成中英教授訪談記	頁 75~79
周　何	葬	頁 80
楊元忠	農曆——陰曆正名	頁 81~84
潘亞暾	演化而常新——楊牧近期的新詩	頁 85~89
南　堅	讚美青春與愛情的歌——析敦煌曲子詞〈竹枝子〉	頁 90~91
陳貽鈺	水經注傳譯新風格的新嘗試——經北屈、龍門砥柱至五戶灘注記今譯	頁 92~94
宋　定	壯志飢餐胡虜肉，笑談渴飲匈奴血——漫談〈滿江紅〉與民族意識	頁 94~95
吳安蘭	漫談秦可卿——賈寶玉難以啟口的第一次	頁 96~98
杜榮琛	小小魔袋、變化萬千——淺介《中國現代寓言選》	頁 102~105
游勝冠	齊桓公暴屍六十七天？	頁 105
編輯部	「清代思想與文學研討會議」後記	頁 106

第 5 卷 8 期（總 56 期）1990 年 1 月

編輯部	為您說名山：長白山	頁 4
編輯部	編輯手記——最尊貴的鏡子	頁 5
竺家寧	詩韻的訂定	頁 6
詹海雲	「馬帥」是什麼人	頁 6~7
黃沛榮	「杞」人憂天？「耜」人憂天？	頁 7
葉程義	「刑不上大夫」說	頁 7~8

賴橋本	〈曲藻序〉一席話如何解釋？	頁 8
編輯部	神童詩大公開	頁 9~10
	歲暮爐暖話帝王	頁 11
莊　練	從「狸貓換太子」說起——漫談古代皇子的誕生	頁 12~15
林麗月	皇帝的接班人——談帝制中國的皇位繼承	頁 16~18
李　李	誰愛「掉書袋」？	頁 18
連　子	太子求學記——漫談皇太子的養成教育	頁 19~21
田　夫	繼承得人，天下更新——東漢皇帝的登基儀式	頁 22~23
李甲孚	皇帝的結婚典禮	頁 24~27
李甲孚	蘭殿千秋節，稱名萬壽觴——皇帝萬壽的故事	頁 28~32
莊吉發	一人有慶，兆民賴之——滿清皇帝過新年	頁 34~37
游勝冠	女色・征伐・財寶——漫談皇帝的「最愛」	頁 38~39
李豐楙	符籙・齋醮・煉丹術——漫談中國皇帝與道教	頁 40~42
簡恩定	帝王之尊・文士之藝——漫談皇帝的詩詞創作	頁 43~46
李俊輝	書畫皇帝	頁 47~50
蔡君逸	願生生世世・無復生帝王家——末代皇帝的悲慘境遇	頁 51~55
季　進	一代宗師——錢鍾書	頁 56~60
丁原基	只是實事求是而已——與周振甫先生談他的治學經驗	頁 61~64
楊惠南	水月小札：布袋下事	頁 66~67
楊惠南	水月小札：合歡梧桐花	頁 67
許抗生	莊與禪	頁 68~70
魏　怡	中國大陸中學語文教學概說	頁 71~73
林繼生	國中生如何寫好論說文——做好布局結構的工作	頁 74~77
趙天行	古老的年	頁 78~80
趙赫炎	拐子馬的發明與破解	頁 81
朱仲玉	中國古代皇帝有多少稱謂	頁 82~85
水　晶	快樂的墮落——羅敷與沈瓊枝所透露的「女性」訊息	頁 86~91
袁行霈	陶淵明的自然之義	頁 92~94
編輯部	崇禎自縊，槐樹有罪	頁 94
編輯部	香港舉辦「中國學術研究的承傳與創新國際研討會」	頁 95
龔顯宗	霜天夜雨說盧隱	頁 96~100
郭明福	歲月來去總關情——讀《花房之歌》	頁 101~103
周　秦	不讓古人專美於前——《清詩紀事》編纂情況追記	頁 104~105
編輯部	首屆中國文字學學術研討會召開	頁 108

第 5 卷 9 期（總 57 期）1990 年 2 月

編輯部	為您說樂器：鐘	頁 1
編輯部	編輯手記——不再心有千千結	頁 5
編輯部	錢仲聯、李行之等	頁 6~7
楊鴻銘	「忽視」等同「輕視」？	頁 8
王偉勇	「惠請」多予利用？	頁 8~9
竺家寧	東、冬、嶸字的讀音	頁 9
許錟輝	何謂「蝌蚪文」？	頁 9
黃文吉	張可久〈水仙子〉曲的疑義	頁 10
黃永武	「涇以渭濁」當作何解？	頁 10
編輯部	《神童詩》的另一種版本	頁 11~12
	科技新貴與古籍佳人的結合——中國古籍電腦化	頁 13
羅彬榮	「全文檢索」是啥玩意？	頁 14~16
葉曉珍採訪	電腦搖身，古籍一變——訪中研院談古籍全文檢索系統	頁 16~21
陳郁夫	「龍泉」初淬——「嶺月中英全文處理檢索系統」開發記	頁 22~24
孫秀玲	孔子的大門牙	頁 25
周柏蓮採訪	讓電腦「動手動腳找資料」——訪《全唐詩》檢索系統的開發者欒貴明教授	頁 26~28
楊允敬	用電腦說文解字——大型詞書電腦化的嘗試	頁 28~29
張衛東	讓古籍插上電腦之翼高飛——從「帶領《紅樓夢》進入電腦」說起（黃賢 趙原璧）	頁 30~33
李 李	冬烘先生的祖師爺是誰？	頁 33
彭昆侖	闖入神奇的知識王國——「電腦紅學」研究的甘苦談	頁 34~38
何志華	為漢學研究開展新局——「漢及以前全部傳世文獻電腦化資料庫」計劃簡介	頁 38~40
編輯部	古籍電腦化成果一覽表	頁 42~43
編輯部	古籍電腦化工具一覽表	頁 43
許世瑮	魯迅與許壽裳	頁 44~45
藍吉富	一代佛學大師——呂澂	頁 46~50
游勝冠	韓信忍辱褲下	頁 50
吳 澤	我的治學歷程	頁 52~57
蔡信發	說文答問（六）	頁 58~62
黃憲作	吳王濞造反	頁 62~63
孫振志	「遷就」與「牽就」	頁 63

羅門郎	再從「腠」字談「畫虎臟」	頁 64~65
張力中	「畫虎腠」的再商榷	頁 65
楊鴻銘	談作文拓境的方法──以七十六年大學聯考作文「論同情」一題為例	頁 66~68
張靖遠	託遺響於悲風──對〈赤壁賦〉注解的幾點商榷	頁 69~71
周 何	奠與祭	頁 72
成 東	漫話十八般兵器	頁 73~75
楊惠南	水月小札：夜夜抱佛眠	頁 76
楊惠南	水月小札：鎮海明珠	頁 77
成中英主講 許淑美記錄	臺灣經驗與中國管理	頁 78~81
陳如江	一洗五代舊習──談王安石詞	頁 82~84
李錦全	有心救世，無力回天──讀龔定庵詩詞誌感	頁 85~88
定 衡	漢武帝金屋藏嬌	頁 88
蔡根祥	聞道長安似奕棋	頁 89
賴麗蓉	陋室何以不陋？	頁 90
劉淑爾	佛經故事的一些文學特色	頁 92~95
王大方	薛寶釵的管理哲學	頁 96~99
陸 華	大陸刊行《道藏精華錄》	頁 102
陳逢源	研究中國哲學的工具書	頁 103~105
朱國藩	香港中文大學出版《中國語文通訊》	頁 106

第 5 卷 10 期（總 58 期）1990 年 3 月

編輯部	為您說樂器：磬	頁 4
編輯部	溫情迴盪──《國文天地》答客問（代編輯手記）	頁 5~7
陳素素	急征「暴」賦如何解釋？	頁 8
陳素素	〈陳情表〉中的「遠」和「聽」字	頁 8
黃文吉	「柴」門一任絕車馬如何讀？	頁 9
賴明德	何謂「文膽」？	頁 9
鮑國順	黃庭堅考二次舉人？	頁 9~10
劉君燦	關於〈天工開物卷跋〉	頁 10
林妙勳	「海上」即「上海」考	頁 11~13
編輯部	湯一介、賈順先等	頁 14
	天地一笑場，奇文共欣賞	頁 15
林文寶	雖屬小道，不無學問──閒話「笑話」	頁 16~18
劉兆祐	古代笑話知多少？	頁 19~22

王溢嘉　心有所領，意有所會──笑話的心理分析　　　　　　　　　　頁 23~24

清　華　笑話如何使人想笑？──從中國古代笑話的藝術特質和寫作技巧談起　頁 25~28

蔡君逸　笑話中的眾生百態　　　　　　　　　　　　　　　　　　　　頁 29~32

陳清俊　世間情萬種，盡付一笑中──談古代笑話的功能和價值　　　　頁 33~36

王國良　《歷代笑話集叢刊》計劃書　　　　　　　　　　　　　　　　頁 37~39

龔鵬程　《笑林廣記》是淫書嗎？　　　　　　　　　　　　　　　　　頁 40~41

李　栖　遊戲人間一板橋　　　　　　　　　　　　　　　　　　　　　頁 43~45

裴普賢　胡小石先生傳略　　　　　　　　　　　　　　　　　　　　　頁 46~47

陳慶煌　花落春常在──成惕軒老師二三事　　　　　　　　　　　　　頁 48~51

吳義勤　巴蜀維揚九十星霜──曲學大師任中敏教授訪談記　　　　　　頁 52~55

錢仲聯　以專帶博，以博輔專──錢仲聯先生自傳　　　　　　　　　　頁 56~61

劉君燦　丁文江和〈天工開物卷跋〉　　　　　　　　　　　　　　　　頁 62~64

秦賢次　章錫琛其人其事　　　　　　　　　　　　　　　　　　　　　頁 65~68

融　武　竹林七賢與〈竹林七賢圖〉　　　　　　　　　　　　　　　　頁 69~71

楊惠南　水月小札：輾損師腳　　　　　　　　　　　　　　　　　　　頁 72

楊惠南　水月小札：負柴上山　　　　　　　　　　　　　　　　　　　頁 73

鍾來因　大熊上樹？──什麼是「熊經」　　　　　　　　　　　　　　頁 74

劉笑敢　莊子後學三派的演變（一）：莊子後學中的述莊派　　　　　　頁 75~80

周　何　「杖期夫」與「不杖期夫」　　　　　　　　　　　　　　　　頁 81

羅哲文　中國古代建築中的廊（廡、副階）　　　　　　　　　　　　　頁 82~85

林覺中　詩人筆下的歷史　　　　　　　　　　　　　　　　　　　　　頁 86~88

甘克誠　試譯〈阿房宮賦〉　　　　　　　　　　　　　　　　　　　　頁 89~91

簡恩定　再談唐人以詩賦取士嗎？──兼論「詩賦」在唐代進士科考中的地位　頁 92~94

方北辰　筆端變化自多姿──讀〈滕王閣序〉　　　　　　　　　　　　頁 95~96

竺家寧　聽聽各種「聲音」──漫談語言與傳訊　　　　　　　　　　　頁 97~99

陳文豪　研究司馬遷與《史記》的幾本著作　　　　　　　　　　　　　頁 100~103

許淑美採訪　國立歷史博物館入藏大陸版圖書　　　　　　　　　　　　頁 106

第 5 卷 11 期（總 59 期）1990 年 4 月

陳國強　「臺灣」名稱的由來　　　　　　　　　　　　　　　　　　　頁 6~7

臧振華　考古出土的臺灣古史　　　　　　　　　　　　　　　　　　　頁 8~11

孔　立　臺灣開發者的歷史足迹　　　　　　　　　　　　　　　　　　頁 12~16

張崇根　孫吳對臺灣的經營　　　　　　　　　　　　　　　　　　　　頁 17~20

鄧衍原　清代臺灣的移民高潮　　　　　　　　　　　　　　　　　　　頁 21~24

連文萍　臺灣大事略表　　　　　　　　　　　　　　　　　　　　　　頁 25~27

施聯朱	中華民族在臺灣的抗侵禦侮史	頁 28~31
許良國	《馬關條約》與臺灣民眾的抗日戰爭	頁 32~36
鄧孔昭	毀譽參半的鄭芝龍	頁 37~39
陳三井	赤手擎天，柱撐半壁河山——淺談臺灣對鄭成功的看法和評價	頁 40~44
孫秀玲	梁啟超遊臺北	頁 44
顏章炮	大陸學者如何評價鄭成功	頁 45~48
實 之	臺灣十八世紀的林爽文起義	頁 49~51
張炎憲	開臺第一位進士——鄭用錫	頁 52~55
吳密察	劉銘傳與臺灣	頁 56~58
許木柱 詹琪芬	浪漫的蠻荒探險者——臺灣的民族學研究	頁 59~61
宇 曉	四十年來中國大陸的臺灣民族學研究	頁 62~64
石 磊	臺灣土著民族	頁 65~70
徐福全	臺灣的婚喪禮俗	頁 71~77
陳國強	閩臺民俗談	頁 78~82
林衡道口述 許淑美記錄	淺談臺灣書院的發展	頁 83~86
曾永義	細數臺灣歌仔戲的發展腳步	頁 87~90
鄭志明	新例無設，舊例無滅——臺灣民間宗教概說	頁 91~93
周世躍	海上女神媽祖與媽祖崇拜	頁 94~96
劉還月	亦神亦祖敬義民——略述客家義民爺的產生及義民節盛況	頁 97~99
林慶文	嘉慶君遊臺灣？	頁 100~101
羅肇錦	臺灣語言的過去、現在、未來	頁 102~105
姚漢秋	十三省難得尋——漫談臺灣舊日俚諺	頁 106~108
林煥彰	童謠和遊戲——臺灣早年流傳的童謠	頁 109~110
阮昌銳	從月亮逃婚說起——淺介臺灣漢族及原住民的神話故事	頁 111~114
林政言	中山先生在臺灣	頁 114
周先慎	思鄉念國兩情深——說丘逢甲〈得頌臣臺灣書卻寄〉	頁 115~117
宇文卒	相思樹底說相思，多情應解思公子——讀梁啟超〈臺灣竹枝詞〉	頁 118~120
賈 寧	陳第與《東番記》	頁 121~122
李秉乾	清代的幾部《臺灣府志》	頁 123~125
楊旻瑋	臺北孔廟的建築與祭孔大典	頁 126~127
游勝冠	臺灣藝術殿堂——鹿港龍山寺	頁 128~129
蔡君逸	百戰忠魂，千秋恨事——霧社事件爆發始末	頁 130~132

第 5 卷 12 期（總 60 期）1990 年 5 月

編輯部	為您說樂器：琴	頁 4
編輯部	編輯手記──尋俠啟事	頁 5
編輯部	讀者來函	頁 6~7
劉君燦	何謂「木罍」？	頁 8
胡楚生	曾國藩主張「病不服藥」？	頁 9
黃文吉	「月照西鄉」典故為何？	頁 10
王國良	謝安如何訓戒子姪？	頁 10
	永遠的中國俠	頁 12
張　英	中國古代的俠	頁 13~16
莊　練	武林大俠何處尋？	頁 17~20
編輯部	「易經系統入門」講座即將開課	頁 20
陳葆文	一逐孤雲天外去──短篇小說中的女俠形象探討	頁 21~24
呂正惠	風流仗劍，慷慨賦詩──古典詩詞中的游俠與英雄	頁 25~27
龔鵬程	美人如玉劍如虹──漫說清末儒俠的俠骨與柔情	頁 28~31
葉洪生	武林盟主與九大門派──速寫近代武俠小說中之「俠變」	頁 32~35
田毓英	榮譽、仁義、武士精神──中外俠士精神的真面目	頁 36~38
莊吉發	從劍俠談起──中國古代名劍面面觀	頁 39~42
謝明勳	疽發背死？──歷史上幾位重臣的死因探索	頁 43~46
編輯部	中國聲韻學第八屆學術研討會在輔大舉行	頁 46
季　進	美學泰斗朱光潛	頁 47~51
黃憲作	從高中國文看新詩教育	頁 52
蔡信發	說文答問（七）	頁 53~57
鍾榮富	從現代音韻學看ㄅㄆㄇㄈ的缺失	頁 58~60
姚榮松	老虎獅子？虎子老獅？	頁 61
周延燕	部伍各見招──杜甫〈後出塞〉詩疑義探析	頁 62~63
林韻梅	服是不服？	頁 64~65
張麗芬	「老師，作文真好玩」──國中創意作文作業設計	頁 66~69
楊惠南	水月小札：野狐禪與赤鬚胡	頁 70~71
楊惠南	水月小札：喫馬祖踏	頁 71
金谷治	《管子》研究近況	頁 72~73
胡　平	經書是糟粕？	頁 73
周　何	代哭	頁 74
柯　楊	洮岷「花兒」與農家生活	頁 75~78

第 6 卷 1 期（總 61 期）1990 年 6 月

編輯部（連文萍）	「天地派」狂想曲	頁 4
編輯部	柴劍虹、張仁健等	頁 6~7
王熙元	「叔梁紇」姓名的奧秘	頁 8
王耀庭	「揚州八怪」是何許人也？	頁 8
竺家寧	「國語」的來源	頁 9
王更生	《文心‧頌讚》中的一段話	頁 9
編輯部	月升月落談新月	頁 10
白　靈	處處回眸的天鵝——漫談新詩流派	頁 11~18
編輯部	新月詩派與新月派	頁 18
編輯部	沙揚娜拉——贈日本女郎	頁 19
王宏志	新月派綜論	頁 20~25
秦賢次	新月詩人二十六家（上）	頁 26~30
吳奔星	一群詩人的樂窩——新月詩派新評	頁 32~37
卞之琳	繽紛的花雨——我看徐志摩的詩	頁 38~43
呂正惠	聞一多的成就有多少？	頁 44~48
李瑞騰	蹣跚於曠漠之原中——試探朱湘的詩之主題	頁 50~54
吳奔星	不讓胡笳篡奪琴和瑟的光榮——饒孟侃的詩論與詩風	頁 55~61
陳子善	大雨元帥——淺談孫大雨的新詩成就	頁 62~66
朱細林	流浪詩人劉夢葦	頁 67~72
楊惠南	水月小札：打地和尚	頁 73
牟小東	黎錦熙談齊白石	頁 74~78
陸永品	莫道桑榆晚，微霞尚滿天——紅學大師俞平伯先生的近況	頁 79~83
楊鴻銘	談談作文布局的方法	頁 84~85
許淑美採訪	淡在喜中——訪作家艾雯女士	頁 86~88
康來新提供	《紅樓夢》機智問答	頁 89
康來新	問學應憶江東路——明清小說金陵研討記	頁 90~92
胡以周	晉文公燒森林，該判何罪	頁 93
王熙元	將軍與僕人	頁 94~95
編輯部	為您說樂器：箜篌	頁 98
劉如仲	明代南京市民的飲食生活——讀明人繪《南都繁會圖卷》	頁 100~104
鄭良樹	云誰之思，涕泗滂沱——《詩經》總詩賞析	頁 105~109

黃啟方　　　不俗的詩人——黃庭堅　　　　　　　　　　　　　　頁 110~111

第 6 卷 2 期（總 62 期）1990 年 7 月

編輯部　　　星期天的約會　　　　　　　　　　　　　　　　　　頁 4
（連文萍）

王保珍　　　「簽書判官」大還是「法曹」大？　　　　　　　　　頁 6~7

莊吉發　　　皇宮像安樂椅？　　　　　　　　　　　　　　　　　頁 7

鮑國順　　　「素書」的性質是「兵書」嗎？　　　　　　　　　　頁 8

編輯部　　　韓理洲、錢仲聯、陳瞑　　　　　　　　　　　　　　頁 9

編輯部　　　文學瀚海中的聚寶盆　　　　　　　　　　　　　　　頁 10

劉兆祐　　　挖掘文學聚寶盆——我國編纂文學總集的回顧與展望　頁 11~15

曾棗莊　　　不讓清人專美——談中國最大的斷代文章總集《全宋文》頁 16~19

張高評　　　研究宋詩的方便之門——《全宋詩》編纂與宋詩研究　頁 20~24

孫欽善　　　巧合的「英雄所見」——大陸《全宋詩》編纂概況　　頁 25~28

章培恒　　　從先進走向落後——談明代文學及《全明詩》的編纂　頁 29~32

張　璋　　　速寫詞談先趨的面貌——談唐五代詞及《全唐五代詞》的編纂　頁 33~36

張　璋　　　聽我說句公道話——論明代的詞及《全明詞》的編纂　頁 37~41

張宏生　　　再創詞學新境界——《全清詞》編纂述略　　　　　　頁 42~45

謝伯陽　　　搶救全明散曲——談《全明散曲》的編纂　　　　　　頁 46~50

唯　碧　　　孔融如何一登龍門　　　　　　　　　　　　　　　　頁 50

連文萍　　　構建中國文哲研究的重鎮——訪吳宏一教授談中研院中國文哲研究所　頁 51~54

秦賢次　　　新月詩人二十六家（中）　　　　　　　　　　　　　頁 55~59

楊鴻銘　　　作文公式——以「戰勝自己」一題為例　　　　　　　頁 60~62

劉重日　　　五十金的價值——由〈左忠毅公軼事〉談明代的貨幣制度　頁 63~65

范文芳　　　從環保觀念看傳統文化與老莊哲學　　　　　　　　　頁 66~71

楊惠南　　　水月小札：入也打，不入也打　　　　　　　　　　　頁 72

康來新提供　《紅樓夢》機智問答　　　　　　　　　　　　　　　頁 73

王碧蘭　　　用文字作畫——中國詩詞中的顏色應用　　　　　　　頁 74~77

沈　謙　　　古詩、樂府三問　　　　　　　　　　　　　　　　　頁 78~79

編輯部　　　為您說樂器：排簫　　　　　　　　　　　　　　　　頁 82

郭明福　　　在誤解與苛求之間——我對散文的一些看法　　　　　頁 85~88

錢仲聯　　　斷指生的故事　　　　　　　　　　　　　　　　　　頁 90~91

劉如仲　　　和古人共飲——由《南都繁會圖卷》談明代南京市民的飲酒風尚　頁 92~96

劉兆祐　　　周公叫「姬旦」？還是「周旦」？——談中國古代的姓氏　頁 98~100

趙瑞民　　　請問芳名——談中國女性名字的特徵　　　　　　　　頁 101~104

陳文華	名、字、號中藏玄機——古人名、字、號如何分別	頁 104~106
李威熊	皇帝老爺的稱號	頁 107~110
蔡希芹	愛人同志？——古代夫妻間的稱謂	頁 110~111

第 6 卷 3 期（總 63 期）1990 年 8 月

編輯部（連文萍）	子不語	頁 4
蕭水順	織綠茵如陳酒的秦淮水	頁 5
王更生	《文心・銘箴》中的一段話	頁 6
林平和	不「遺」父母惡名如何解？	頁 6
程元敏	先秦古籍與口語	頁 6~7
王耀庭	何謂「雨過天青色」？	頁 7
編輯部	王武、吳質彬等	頁 8~9
連文萍	豆棚瓜架下的傳奇	頁 10
孫廣平	正「鬼」	頁 11~12
林安梧	中國人的靈魂觀	頁 13~17
王溢嘉	恐懼與渴望——人對鬼的矛盾雙情	頁 18~21
司馬中原	鬼的感情世界——陽世有什麼樣的人，陰間就有什麼樣的鬼	頁 22~25
葉慶炳	蒲松齡筆下的甄后——奸瞞之纂子，何必有貞婦？	頁 26~28
施順生	荊軻行刺記	頁 28
李 李	《經律異相》中鬼的世界	頁 29~33
賴芳伶	狐仙的傳奇	頁 34~37
袁行霈	鬼愛吟詩其句多悲——關於鬼詩的考索	頁 38~42
林明德	六朝志怪的魅力	頁 43~45
馬健君	永遠不會死的怪鬼——瑪麗雪萊的「科學怪人」	頁 46~50
秦賢次	新月詩人二十六家（下）	頁 51~55
常正光	徐中舒與傳統史學的發展	頁 56~61
劉笑敢	莊子後學三派的演變——莊子後學中的無君派	頁 62~67
楊惠南	水月小札：黃葉隕時風骨露	頁 68
周 何	齋戒	頁 69
何維欽	如何讓學生不再昏昏欲睡？——古典文學教學經驗談	頁 70~72
沈玉雯	我對中小學古典文學教育的看法	頁 73~74
康來新提供	《紅樓夢》機智問答	頁 75
葉大沛	「臺灣專號」求疵篇	頁 76~79
編輯部	相遇已成過去	頁 80

編輯部	為您說樂器：筝	頁 82
編輯部	「敦煌學國際研討會」後記	頁 85
江寶釵	從史詩的角度讀〈木蘭詩〉——兼談南北樂府詩之情調差異	頁 86~87
邱燮友	漁歌・樵唱・元散曲——元曲的音樂與吟唱	頁 88~92
孫 遜	頌讚與哀歌——大觀園裡的春天	頁 93~95
林麗月	中正路、中山路，古代皇帝的名字可以當路名嗎？——談傳統中國的避諱	頁 96~99
曾文瓊	梵、漢、蒙、藏、滿文的大結合——達賴、班禪名號小釋	頁 99~102
楊振良	鵬程萬里，定國安邦——中國人的命名哲學	頁 102~104
康來新	追隨亞當——古典小說的人物命名	頁 105~107
竺家寧	中國聲韻學國際學術研討會簡訊	頁 108~109
邱德修	燃燒自己，照亮別人的事業——簡介《簡明中國古典文學辭典》	頁 112~114

第 6 卷 4 期（總 64 期）1990 年 9 月

編輯部（連文萍）	成長	頁 4
林慶彰	點燈——賀國文天地關係企業的誕生	頁 5~6
編輯部	張英、王輔羊	頁 7
張雙英	歐陽修之父如何判人死罪？	頁 8~9
陳郁夫	古人如何占卜	頁 9
戴璉璋	「之」、「焉」如何解？	頁 9
林文寶	關於「蒙求」	頁 10
許淑美	家家有本教兒經	頁 11
林文寶	通古才足以變今——傳統啟蒙教育鳥瞰	頁 12~15
張崇根	甘丹赤巴的主兒——我國少數民族傳統啟蒙教育管窺	頁 16~19
澹臺惠敏	康熙、雍正辦幼稚園——清代北京地區嬰幼事業探源	頁 20~24
蘇尚耀	漢唐兒童讀什麼書——試談漢唐兩代的啟蒙教材	頁 25~29
林隆盛	敦煌所藏的童蒙讀物	頁 30~33
王國良	《千家詩》淺探	頁 34~38
江應龍	且說私塾	頁 39~44
編輯部	古代塾師有話說	頁 40~43
雷僑雲	偶然為汝父，未免愛吾兒——試探中國「神童」的形成背景	頁 45~47
孔 立	可憐一卷茶花女，斷盡支那蕩子腸——介紹翻譯家林紓	頁 48~51
柴劍虹	通達真哲人——記啟功先生指導我治學	頁 52~57
吳清淋	作文獨立——為國中作文教學闢一條活路	頁 58~59

康來新提供	《紅樓夢》機智問答	頁 59
林繼生	期望與失望之間──七十九年臺北區公立高中聯招國文科試題分析	頁 60~62
陳玉麟	國語的來源	頁 63~64
編輯部	為您說樂器：壎	頁 67
編輯部	清雅秀逸──馬企昕小姐的書畫	頁 68~69
夏元瑜	俠客‧刺客‧老蓋仙	頁 70~73
葛榮晉	「實學」是什麼？（上）	頁 74~78
楊惠南	水月小札：大雄山下有大蟲	頁 79
潘重規	徐復觀〈文心雕龍的文體論〉商榷	頁 80~82
方　介	道統與文統	頁 83~84
張伯偉	杜甫〈江村〉詩心說──兼評傳統的說詩方法	頁 85~89
張　健	魯迅的精神與文學業績──《魯迅全集》谷風版序	頁 90~92
簡政珍	沉默和眾聲喧嘩	頁 92~94
蕭遙天	僻、怪、惡、醜──古代命名中的一些特例	頁 96~98
李豐楙	綽號、渾號、號	頁 98~101
龍建國	「千金」不是小姐──古今稱謂趣談	頁 102~103
閻紀宇	媒人的故事	頁 104~106
衣若芬	黑色婚禮	頁 107~108
編輯部	關於《三刻拍案驚奇》	頁 110~111

第 6 卷 5 期（總 65 期）1990 年 10 月

編輯部	共飲臺灣水	頁 4
編輯部	方正、蕭水順	頁 5
黃景進	唐代「水部」所司何事？	頁 6
黃慶萱	關於〈與元微之書〉	頁 6~7
許錟輝	生民塗炭與百姓困苦	頁 7
張雙英	「為善無不報，而遲速有時」如何解？	頁 8
編輯部	臺灣樸素藝術專輯	頁 9
連文萍採訪	樸素藝術大家談	頁 10~14
施淑宜翻譯	原始、民俗與現代	頁 15~18
蘇振明執筆	樸拙之美，雅俗共賞──樸素藝術的探源與臺灣素人美術的省思	頁 19
蘇振明	樸素藝術釋名	頁 20~23
蘇振明	樸素藝術的源流與精神	頁 24~27
蘇振明	國際現代樸素藝術的風潮	頁 28~30
蘇振明	臺灣的現代樸素藝術	頁 31~36

蘇振明	海峽兩岸的樸素藝術	頁 37~38
蘇振明	臺灣樸素藝術的省思	頁 39~41
許淑美採訪	創東創西真趣味——走訪頑石老人林淵	頁 42~45
編輯部	淵仔伯講古	頁 44~45
陳曉怡採訪	我的圖就是我的鄉土——客家阿婆的臺灣歷史見證	頁 46~53
陳益源採訪	畫圖唸歌詩——張李富的生活故事	頁 54~57
盧明瑜採訪	大地情懷——從蘇楊扼的藝術創作過程談起	頁 58~61
編輯部	湖北宜城發現春秋時楚國車馬坑等	頁 62
連文萍	冰心印象記	頁 64~66
竺家寧	向周法高教授請益問學	頁 67~69
蔡 紡	由〈運動家的風度〉一文談起——何謂「健康的主題」？	頁 70~71
朱令峪	虔誠的傳教士——談方孝孺的〈深慮論〉	頁 72~73
葛榮晉	「實學」是什麼？（中）	頁 74~79
楊惠南	水月小札：老婆心切	頁 80~81
周 何	事死者如事生	頁 82
張維用	中國象棋源流淺考	頁 83~86
范伯群	簡論冰心的散文精品——為冰心九秩壽誕而作	頁 87~91
易俊傑	奇山異水，天下獨絕——吳均〈與宋元思書〉賞析	頁 92~95
張以仁	大陸行雜詠	頁 92~95
編輯部	「丟丟銅仔」如何解？	頁 95
楊仲揆	古代反話共欣賞	頁 96~98
王申培	中國文字與人工智慧	頁 99~103
林慧真	瓜瓞綿綿——談中國的祈子習俗	頁 104~107
編輯部	國文科教學新方法動動腦	頁 107
游勝冠	弄璋弄瓦皆歡喜——談中國古人的慶生儀式	頁 108~110
林政言	添壽向誰求？——掌管人間壽命的神祇傳說	頁 111~112

第 6 卷 6 期（總 66 期）1990 年 11 月

編輯部	虛幻與真實	頁 4
胡品清	關於《給阿貝拉的書簡》	頁 6
方 瑜	曾經滄海難為水，除卻巫山不是雲	頁 7
戴璉璋	「此其中」「這其中」的用法	頁 7
編輯部	侯米玲、曹正文等	頁 8~9
編輯部（陳曉怡）	紅樓夢人物圖像大展	頁 10

康來新	畫夢錄	頁 11
	之一‧插圖	頁 12~20
	之二‧冊頁	頁 21~36
	之三‧連環畫	頁 37~39
劉述先	五年來的學思	頁 40~44
編輯部	夏志清教授在成大演講等	頁 44
林劍鳴	江河依舊枕寒流，人生幾回傷往事——我的治學經歷	頁 45~47
林其賢	提要讀書法——以〈諫逐客書〉為例	頁 48~51
鍾淑芬	〈瀧岡阡表〉為誰而作？	頁 52~53
鄭聰明	書法教材須周全——國中國文第三冊〈學習書法的要點〉一文質疑	頁 54~56
楊惠南	水月小札：摘楊花與偷趙州筍	頁 58~59
葛榮晉	「實學」是什麼？（下）	頁 61~63
蒙培元	王陽明龍場悟道	頁 64~68
編輯部	中研院文哲所舉辦研究生論文會等	頁 68
尤雅姿	我國古代的修正液－雌黃丸	頁 69
顏子魁	儒家思想對日本經濟的影響	頁 70~73
李 栖	《聲畫集》所收黃庭堅三首佚詩的討論	頁 74~77
陳安桂	〈赤壁賦〉與蘇東坡的人生哲學	頁 78~79
李殿魁	牙牌酒令	頁 80~84
陳 詔	紅樓夢花卉與人物——《紅樓夢群芳圖譜》臺灣版序	頁 81~83
康來新提供	《紅樓夢》機智問答	頁 84~85
杜 萱	張開想像的羽翼——談「物性化」轉化法在童詩創作上的運用	頁 86~92
吳 當	水果們的晚會——楊喚童詩賞析	頁 92~95
文 聯	周歲抓周卜未來——漫談舊日的抓周習俗	頁 96~97
周明儀	祝壽為什麼要用壽桃——由孫悟空偷吃蟠桃說起	頁 98~99
陳益源	傻女婿拜壽故事三部曲	頁 100~102
姚漢秋	約定成俗談禮俗	頁 102~105
盧明瑜	慘無人道話殉葬	頁 105~107
劉重日	散錢與索子	頁 108~109
劉操志	好仁不好學，其蔽也愚——讀〈孔子誅少正卯？〉有感	頁 110~111
孫振志	習見「查收」，未見「察收」	頁 112
黃 遑	尾生高的死亡約會	頁 112

第 6 卷 7 期（總 67 期）1990 年 12 月

編輯部	還他一個本來的面目	頁 4

編輯部	唐德剛、傅偉勳等	頁 5
季維龍	胡適的感情世界	頁 6~12
陳儀深	胡適與蔣介石	頁 13~18
陳漱渝	胡適與毛澤東	頁 19~23
呂實強	憶胡適最後的一次講話	頁 24~29
趙潤海	胡適生平及其著作簡表	頁 30~34
陳郁夫	胡適與中國哲學	頁 36~39
項退結	胡適先生的哲學立場	頁 40~43
莊萬壽	胡適對民主政治的言論與實踐之重新評價	頁 44~50
萬麗鵑	胡適與國民政府時期的學生運動	頁 51~56
趙潤海	胡適與《水經注》	頁 57~62
劉君燦	科學・中國・胡適	頁 64~69
瞿海源	胡適的宗教態度和宗教研究	頁 70~74
耿雲志	胡適與國語運動	頁 75~80
羅肇錦	胡適的國語定義解析	頁 81~84
張高評	胡適的古典詩學述評	頁 85~89
呂正惠	「詩人」胡適	頁 90~93
易竹賢	談胡適的小說考證	頁 94~97
呂啟祥	胡適與「紅學」	頁 98~103
黎活仁	香港近四十年有關胡適的評論──兼談港版胡適著作	頁 104~109
秦賢次	大陸近十二年來胡適著作鳥瞰（上）	頁 110~113
許政雄	日本地區對胡適研究的回顧	頁 114~118
李又寧	簡介兩本關於胡適的英文專著	頁 119~121
劉述先	胡適的迴響	頁 122~126
雷 頤	青山依舊在，幾度夕陽紅──大陸胡適研究十年述評	頁 127~132
施 丁	假如胡適還活著	頁 133~134

第 6 卷 8 期（總 68 期）1991 年 1 月

編輯部	請飲一杯文人茶	頁 4
編輯部	陳淑芬、劉潔等	頁 5~6
劉崇義	苔痕上階綠，草色入簾青	頁 7
呂士朋	史可法的兄弟有幾人？	頁 7~8
古清美	進一步查考「實學」人物	頁 8
曾昭旭口述 陳曉怡採訪	我的飲茶經驗──淺酌淡飲一杯茶	頁 10~11

蔡榮章口述 朱雲艷採訪	茶緣	頁 11~12
羅　蘭	香片與我	頁 13~15
袁行霈	茶趣	頁 15~16
章培恒	茶餘雜談	頁 16~17
張宏庸	中國的文人茶	頁 18~22
安平秋	文人與茶	頁 23~26
張宏庸	中國文人品茶	頁 27~31
叢中笑	摩挲寶愛，不啻掌珠──漫談文人賞壺	頁 32~36
大　愚	儒家茶文化	頁 37~41
王邦雄	道家思想與茶道境界	頁 42~43
劉玉才	茶禪一味──淺談茶與佛教	頁 44~47
廖寶秀	品茶藝術與情趣	頁 48~54
吳智和	小說與茶	頁 56~61
連文萍採訪	王志維先生口述歷史──回憶與胡適先生的一段機緣	頁 62~65
顧頡剛撰	清初學者的政治思想	頁 66~73
編輯部	「會診國文課本」行動（一）：我有話要說──建中學生談高中國文課本	頁 74~79
陳曉江	〈與荷蘭守將書〉涉及的貿易背景	頁 80~83
吳奔星	胡適與中國新詩	頁 84~88
黎活仁	悲秋的詞──黃侃詞的時間意識研究（上）	頁 89~93
林政言	由喪葬服飾看中國人的死亡觀	頁 94~96
鹿憶鹿	彼岸的約會──少數民族的喪葬習俗	頁 97~99
宋兆麟	什麼是「圖騰」	頁 100~102
吳曉華	動物與祭祀	頁 103~105
秦賢次	大陸近十二年來胡適著作鳥瞰（下）	頁 106~110
正　言	打翻醋罈子的悲劇	頁 111

第 6 卷 9 期（總 69 期）1991 年 2 月

編輯部 （連文萍）	麻雀變鳳凰	頁 4
編輯部	林治平、蔡木生等	頁 5
黃慶萱	誰說了「先天下之憂而憂」？	頁 7
劉兆祐	釋「禮失而求之野」	頁 7
呂　凱	別有情味的隱語	頁 8

莊萬壽	三千宮女胭脂面，幾個春來無淚痕──帝王宮闈多妻制的批判	頁 10~14
莊吉發	一朝選在君王側，從此宮闈繫君德──介紹清代皇后的冊立制度	頁 15~20
李甲孚	皇后如何母儀天下？	頁 21~24
蔡學海	國史上的外戚	頁 25~30
莊 練	嫉妒是女人的天性？──善妒皇后的心路歷程	頁 31~36
潘深亮	三宮六院在那裡？	頁 36
黃文吉	一種蛾眉明月夜，南宮歌管北宮愁──談皇后的文學創作	頁 37~42
蔡信發	最毒婦人心？──呂后析論	頁 43~47
林維紅	中國歷史上唯一的女皇帝	頁 48~51
連文萍採訪	是黯淡還是璀璨？──國內中文系所的檢討與展望	頁 52~54
編輯部	「會診國文課本」行動（二）：國文課奇想曲──國三學生談國中國文課本	頁 55~61
蘇清守	什麼是「題庫」？	頁 61
李占領	從「整理國故」談胡適對傳統文化的態度	頁 62~67
周 何	忌日	頁 68
謝正光	寂寞的鐵琴銅劍樓──記藏書家瞿鳳起先生的晚年	頁 69~75
連文萍採訪	文章千古事，富貴一陣風──訪積極致力國文教育的學者劉真教授	頁 76~79
盧錦堂撰文 顧力仁選輯	年畫──用圖像演出的賀歲戲	頁 81~84
許世瑮	懷念臺靜農教授	頁 85~86
錢 遜	人生自古誰無死，留取丹心照汗青──中國傳統人生價值學說	頁 87~90
楊惠南	水月小札：偏界不曾藏	頁 91
黎活仁	悲秋的詞──黃侃詞的時間意識研究（下）	頁 92~95
王水照	茶話──與君共聽水沸聲	頁 96~97
李 李	日進千鄉寶，時招萬里財──談財神爺	頁 98~100
陳益源	金童玉女，才子佳人	頁 100~103
游勝冠	陳摶老祖的長眠	頁 103~105
馬書田	八仙故事	頁 106~107
王震邦	臺灣近三十年來的胡適研究──傳記類專著部分	頁 108~111

第 6 卷 10 期（總 70 期）1991 年 3 月

編輯部 （連文萍）	告讀者同胞書	頁 4
編輯部	陳慧英、段憲文等	頁 5~6
胡楚生	「物外之趣」及其他	頁 7
劉昭明	朝雲是錢塘名妓？	頁 8

許錟輝	「拂通弼」乎？	頁 8
陳新雄	關於躊躇及容與	頁 9
齊衛國	探寶山，用秘訣，不作五板先生——國文科教法的取與捨	頁 11~15
葛芳譚	「講光抄」落伍了——談雙向溝通的國文教學	頁 16~19
莊銀珠	文言文教學——請把教學活動的舞臺讓給學生	頁 20~23
楊鴻銘	抓住作者的巧意慧心——利用寫作原理教學	頁 24~28
林韻梅	組織國文科「教學團」——高一國文協同教學舉例	頁 29~34
蕭湘鳳	留得仲夏與暮冬的書心——談寒暑假作業教學	頁 35~37
洪邦棣	猜謎——國文教學中的腦筋急轉彎	頁 38~46
馮 聞	創新國文教學之前——一位國中老師的心聲	頁 47~50
俞為民	我的老師——錢南揚教授	頁 52~55
王聖宗	「丟丟銅仔」考	頁 56~58
鄭自立	我看「丟丟銅仔」	頁 58~60
徐惠隆	斷絃試問誰能曉——「丟丟銅仔」民謠探源	頁 60~63
洪惟仁	「丟丟銅」的來源與語源	頁 63~66
姚榮松	還給民歌素樸的本色——從頭解讀「丟丟銅」	頁 66~68
司 琦	中國文字的特色、問題及展望——兼述中國統一與中國文字改革的途徑	頁 69~73
楊惠南	水月小札：大慧竹篦	頁 74
葛芳譚	為憐松竹引清風——續評現行高中國文課本（上）	頁 75~80
編輯部	請來逛逛舊貨攤——國、高中國文古器物圖解（一）	頁 81~84
陳文華	古詩、樂府、新樂府	頁 85~87
浦忠成	韓愈〈秋懷詩〉十一首試解	頁 88~92
林 美	關於胡適先生的政治立場——我看《海峽兩岸論胡適專號》	頁 93
張啟超	疏懶人間大丈夫——鍾離權的前世今生	頁 94~97
陳麗宇	提笊籬不認椒房——曹國舅	頁 97~100
李豐楙	騎驢白髮老仙翁——介紹張果老的成仙經過	頁 101~103
陳益源	被狗咬的神仙——呂洞賓	頁 103~105
劉建宏	我也有話要說	頁 106
王震邦	臺灣近三十年來的胡適研究——專論類專著部分	頁 107~111
編輯部	中國人工培植水稻的考古新發現	頁 111

第 6 卷 11 期（總 71 期）1991 年 4 月

編輯部（連文萍）	波斯灣戰爭剛結束	頁 4
編輯部	戴璉璋、許幼珊等	頁 5~6

戴璉璋	強自取柱，柔自取束	頁 7~8
編輯部	查閱古文疑難的辭書	頁 8
洪惟仁	「ㄎㄠˋㄅㄟ」的來源和寫法	頁 8~9
顏崑陽	〈登鸛雀樓〉詩有否夸飾？	頁 9
朱伯崑	請來認識《易經》	頁 11~16
黃沛榮	中國人的排列組合遊戲——揭開易卦的秘密	頁 17~23
成中英	《易經》的方法思維	頁 24~29
陳郁夫	完成「元亨利貞」的生命——《周易》的人生哲學	頁 30~34
徐芹庭	《易經》與算命	頁 35
游志誠	《易經》是不是文學？	頁 36~42
黃沛榮	遨遊《易經》的天地——初學者如何研讀《易經》	頁 43~49
呂天行	〈扁豆〉的印象	頁 50
艾 雯	聆聽那鴿兒的通訊	頁 50
重 提	鼓勵	頁 50~51
趙筱梅	兩個巧合	頁 51
應未遲	廿五年的黃曆緣	頁 51
蘇雪林	蘇雪林教授答客問	頁 52~55
陳高志	固執率真的孔子弟子——宰我	頁 56~58
楊惠南	水月小札：無位真人	頁 59
葛芳譚	為憐松竹引清風——續評現代高中國文課本（下）	頁 60~64
王熙元	如何編選理想的國文教材	頁 65~68
黃忠天	取下國文教學的兩道緊箍兒——談目前大專國文教學的困境及解決之道	頁 69~70
編輯部	比一比，看一看——大陸中學生讀什麼樣的語文課本？	頁 71~79
朱言明	孔子以貌取人	頁 79
編輯部	請來逛逛舊書攤——國、高中國文古器物圖解（二）	頁 81~84
邱燮友	歌盡桃花扇底風——詞的音樂與吟唱	頁 85~90
黃美鈴	東坡論張良——試評蘇軾〈留侯論〉	頁 91~93
姚漢秋	武夷茶成貢品馳名天下	頁 94~95
李 李	「解造逡巡酒，能開頃刻花」的韓湘子	頁 96~99
盧明瑜	何仙姑成仙記	頁 99~101
陳益源	跛腳神仙鐵拐李	頁 102~105
江武昌	男女老幼不分，生旦淨丑有份——八仙戲中永遠的配角	頁 105~108
吳興文	國人最早使用的藏書票	頁 112
王 翎	臺灣藏書票的旗手——潘元石先生	頁 113~114

第6卷12期（總72期）1991年5月

閔宗述	文士、樂工倚聲填詞有何不同？	頁 7~8
許錟輝	「賽」和「寶」為什麼不在同一部首？	頁 8~9
黃慶萱	某人「接掌」XX機關？	頁 9
李威熊	文史家風千古揚——班固、班昭兄妹的文才與史才	頁 11~15
鄭向恒	胡笳曲韻悲憤詩——蔡邕、蔡琰父女的悲情故事	頁 16~20
洪順隆	建安風骨領騷壇——曹氏父子的文學成就	頁 21~26
陳弘治	洛陽紙貴文章價——左思、左芬兄妹的詩賦才情	頁 27~31
柯先生	試答「獨柳之禍」	頁 31
王偉勇	人生長恨水長東——南唐中主、後主的淒美詞境	頁 32~36
陳滿銘	落花微雨燕歸來——晏氏父子詞中的花與燕	頁 37~41
王保珍	不廢江河萬古流——三蘇的文學天地	頁 42~47
王熙元	人比黃河瘦幾分——李清照與趙明誠的生活情趣	頁 48~52
沈　謙	浮生堪記閨房樂——沈三百與陳芸的藝術性情	頁 53~57
林保淳	歷史上的學運（上）——東漢太學生的清議運動	頁 59~63
黃康顯	五四運動在香港	頁 64~69
楊惠南	水月小札：神會的佛性	頁 70
蔡孟珍	一顆種子，一個希望——高中國文資優生甄選記實	頁 71~72
楊振良	一曲琵琶訴到今——崑曲〈糟糠自厭〉的教學設計	頁 73~75
李殿魁	糠和米本一處飛——「喫糠」卡帶代序	頁 75~76
編輯部	高中國文資優生徵選錄取名單	頁 76
楊鴻銘	作文公式（二）——以七十九年大學聯考作文「愛國愛鄉愛人愛己」一題為例	頁 77~79
編輯部	請來逛逛舊書攤——國、高中國文古器物圖解（三）	頁 81~84
洪邦棣	不信東風喚不回（上）——評現代國中國文課本選文的六大缺失	頁 85~89
陳麗明記錄	關心專科學校的國文教材	頁 90~93
鄭良樹	思君令人老，軒車來何遲——《詩經》戀詩賞析	頁 94~98
蔡君逸	絲路佛教遺跡——大像山的大佛像	頁 100~103
劉還月	蒼茫暮色王爺影——臺灣客家人信仰的三山國王	頁 103~106
張啟超	轟動武林，驚動萬教——鬼谷子的神秘傳奇	頁 106~109
吳如嵩	兵學鼻組，戰略奇才——孫武和他的《孫子兵法》	頁 109~111

第 7 卷 1 期（總 73 期）1991 年 6 月

白　靈	什麼是「商籟十四行體」	頁 7~8
胡楚生	是母鹿還是小鹿？	頁 8~9
張文彬	複詞詞素的區分	頁 9
曾永義	關於〈四塊玉〉	頁 9~10
呂正惠	中國新詩裡的現代主義詩派	頁 13~15
吳奔星	中國象徵詩派的祖師爺──李金髮其人其詩	頁 16~22
呂興昌	用殘損的手掌觸摸殘損的江山──戴望舒的生平與作品	頁 23~27
黃維樑	新月派、現代派和卞之琳	頁 28~33
吳兆朋	永遠的九葉──九葉詩人與現代詩派	頁 34~39
呂正惠	不朽的風旗──中國現代主義詩歌的貢獻與成就	頁 40~45
陳信元	落葉悲歌──現代主義詩派在中國大陸之悲情命運	頁 46~53
趙天儀	「移植之花」遍地開──臺灣現代派與大陸現代派的關係	頁 54~58
陳鼓應	莊子的悲劇意識和自由精神	頁 59~64
編輯部	詩人入畫來	頁 65
連文萍採訪	蔡信發教授談人物畫	頁 65~68
孫　遜	孫遜教授談詩人畫	頁 68~69
游國慶	一簑煙雨任平生──洪惟助教授人書俱清	頁 70~71
蔡信發	不是猛龍不過江──簡介畫家鄭百重先生	頁 72~73
楊惠南	磕破鐘樓	頁 74~75
林保淳	歷史上的學運（下）──滿清末年的「公車上書」	頁 76~81
簡恩定	逐退群星與殘月──帝王的象徵‧太陽	頁 82~83
楊振良	落月遙情滿江樹──中國文人筆下的月光	頁 84~85
莊吉發	為政以德，熒惑退舍──中國古代的二十八宿	頁 86~89
李威熊	迢迢牽牛星，皎皎河漢女──牛郎織女的故事	頁 90~92
謝佩芬	關於〈孔子誅少正卯？〉的幾點說明	頁 93
王志成	對《國文教師手冊》「註解」部分的期許	頁 96~99
洪邦棣	不信東風喚不回（下）──評現代國中國文課本選文的六大缺失	頁 100~104
秦賢次	〈山陰道上〉作者徐蔚南	頁 105~107
編輯部	比一比，看一看──香港中學生讀什麼樣的語文課本？	頁 108~113
編輯部	「中國文字的未來」學術研討會及座談會計畫書	頁 113

第 7 卷 2 期（總 74 期）1991 年 7 月

楊惠南	「佛曰不可說」有何深意？	頁 7~8
周 何	廟號與諡號	頁 8~9
黃景進	為誰風露立中宵	頁 9
編輯部	禪與人生	頁 11
聖嚴法師	時時建設佛國，處處見到淨土	頁 11~12
顏宗養口述 黃千修整理	用全生命投入，與佛法通個消息	頁 12~13
李元松口述 陳曉怡整理	八萬四千法門，門門都是解脫門	頁 13~14
楊惠南	禪宗的思想與流派	頁 15~20
明復法師	識得來時路——中國古人生活的禪趣	頁 21~24
杜松柏	行到水窮處，坐看雲起時——唐詩中的禪趣	頁 25~30
林清玄	也知造化有深意，故遣佳人在空古——蘇東坡與禪	頁 31~36
熊 琬	明代理學與禪	頁 37~42
古清美	無立足境，方是乾淨——漫談紅樓夢中的情與禪	頁 43~47
陳清香	禪文化中的藝術奇葩——禪餘水墨畫舉隅	頁 48~53
鄭石岩	聆聽禪的智慧訊息——禪與現代生活	頁 54~57
高明口述 張廣慶記錄	在中國文字研究的大道上前進——中國文字學會的回顧與前瞻	頁 58~61
戴盛虞	「大同」思想在臺灣	頁 62~67
鄧仕樑	說俠義——試論中國文學裡的俠義精神	頁 68~73
葉洪生	為大陸史學界「盲俠」看病開方（上）	頁 74~78
袁行霈	如夢似幻的夜曲——張若虛〈春江花月夜〉賞析	頁 79~82
連文萍採訪 陳曉怡整理	先作通人，再求專精——李田意教授的治學歷程和期勉	頁 83~86
王鳳池	南北相映兩趣聯	頁 86
賈麥明	介紹幾面漢代文字瓦當	頁 87~89
姚漢秋	「丟丟銅仔」是小賭博	頁 90~91
柯友稚	回顧南管戲曲遺存民俗——談「丟丟銅仔」與臺灣早期流行歌淵源	頁 91~94
編輯部	高中國文十大傑出課文金像獎票選結果	頁 97~101
陳慧英	親愛的，是誰讓國文病倒了？——細說高中國文症候（上）	頁 102~106
編輯部	比一比，看一看——三十年代中學生讀什麼樣的國文課本	頁 107~110
蔡 紡	學生眼中的五柳先生	頁 111~113

第 7 卷 3 期（總 75 期）1991 年 8 月

陳立夫	如何達到「世界大同」？	頁 7

陳滿銘	「惟」字的讀音	頁 7~8
黃文吉 許清雲	文嘉的〈明日詩〉	頁 8
朱守亮	排「比」的唸法	頁 8
安平秋	勤懇紮根，歡慶豐收──大陸高校古籍整理研究的現狀與展望	頁 11~15
孫欽善	北京大學古文獻研究所	頁 15~17
章培恒	復旦大學古籍整理研究所	頁 17~19
李修生	北京師範大學古籍整理研究所	頁 19~21
周勛初	南京大學古典文獻研究所	頁 21~23
董治安	山東大學古籍整理研究所	頁 23~25
林澐	吉林大學古籍研究所	頁 25~26
劉琳	四川大學古籍整理研究所	頁 27~28
劉烈茂	中山大學中國古文獻研究所	頁 28~30
黃永年	陝西師範大學古籍整理研究所	頁 30~32
李國祥	華中師範大學歷史文獻學研究所	頁 32~33
楊忠	弘揚民族燦爛文化，培養古籍整理人才──大陸高校古籍整理人才培養概況	頁 34~37
倪其心	北京大學中文系古典文獻專業	頁 38~39
祝鴻熹	杭州大學中文系古典文獻專業	頁 40~41
吳金華	南京師範大學中文系古文獻專業	頁 41~43
范能船	上海師範大學古典文獻專業	頁 43~44
劉玉才 顧歆藝	大陸高校古籍整理研究成果概覽	頁 45~53
林安梧	讀《孟子》四帖	頁 54~57
陳智超	史學大師陳垣教授的青少年時代	頁 58~62
王輔羊	樓子與漏子	頁 62
楊惠南	庭前栢樹子	頁 63
邱燮友	小窗風雨碎人腸──賀鑄〈西江月〉賞析	頁 64~65
陳滿銘	綠楊歸路，燕子西飛去──賀鑄〈點絳唇〉賞析	頁 65~67
黃文吉	相思成病底情懷──賀鑄〈芳草渡〉賞析	頁 67~69
李春	有關詩詞朗誦、吟詠、譜曲、演唱之某些理念	頁 70~72
姚漢秋	現代的「刻木事親」	頁 72
陳德富	我國古代的省油燈	頁 73~75
葉洪生	為大陸史學界「盲俠」看病開方（下）──論羅立群《中國武俠小說史》之得失	頁 76~77
梁淑芳	無形巨網與恭順思辨──評井上靖的《孔子》	頁 78~82

曾進民	「熟悉」的陌生人──《孔子》一書讀後感	頁 82~83
阮小芳	現代與古代的一場時空對話──我讀《孔子》	頁 83~84
王志成	教科書內容設計觀摩（上）──以朱自清〈背影〉一文為例	頁 87~96
陳慧英	親愛的，是誰讓國文病倒了？（下）──細說高中國文症候	頁 97~101
編輯部	十大傑出課文金像獎──國中國文票選結果	頁 102~104
晏亦程	「會診國文課本」讀後	頁 106~107
楊鴻銘	作文立意的方法──以八十年大學聯考作文「根」一題為例	頁 108~109
何三本	殺傷語言競賽公平性的兩個問題	頁 110~113
林政言	鈞弋夫人	頁 113

第 7 卷 4 期（總 76 期）1991 年 9 月

江應龍	密圈與密點	頁 7~8
秦賢次	關於徐蔚南的《水面落花》	頁 8~9
洪惟仁	「誰」字的讀音	頁 9
朱守亮	「塞向墐戶」是否為當句對	頁 9
秦賢次	魯迅與台灣青年	頁 11~17
陳文豪	「中國簡牘學國際學術研討會」紀要	頁 17
林瑞明	石在，火種是不會絕的──魯迅與賴和	頁 18~24
陳漱渝	柏楊談魯迅	頁 25~28
林淑芬記錄	解嚴前後的魯迅	頁 29~34
陳信元	地下的魯迅	頁 35~39
編輯部	出版《魯迅全集》業者有話要說	頁 36~38
編輯部	中文學界人事異動	頁 39
尉天驄	魯迅與中國之強	頁 40~43
方美芬	臺灣近年來魯迅研究論文索引（上）	頁 44~53
黃文吉	從詩到曲，一代宗師──鄭因百先生	頁 54~58
陳昭容	給後輩一個優美的示範──李孝定先生訪談記	頁 59~66
尤雅姿	由「波霸」的登陸談漢語中的外來詞	頁 68~70
鄭明娳	陸沈的夢──關於陸蠡散文集	頁 73~77
王志成	教科書內容設計觀摩（下）──以朱自清〈背影〉一文為例	頁 78~85
林繼生	瑕瑜互見，美中不足──八十年臺北區公立高中聯招國文科試題分析	頁 86~88
蕭湘鳳	怎麼教〈秦晉殽之戰〉	頁 89~92
楊鴻銘	宋濂〈送東陽馬生序〉比較教學法	頁 93~95
編輯部	請來逛逛舊書攤－－國、高中國文古器物圖解（四）	頁 97~100
陳滿銘	插敘法在詞章裡的運用	頁 101~105

| 師大附中六七三班 | 是夢還是真？──探究黑澤明的「夢」 | 頁 107~114 |

第 7 卷 5 期（總 77 期）1991 年 10 月

編輯部	饒宗頤教授	頁 1
陳瑞庚	「書法」課程的價值	頁 7~8
陳滿銘	攀條折其榮，將以遺所思	頁 8
賴橋本	何謂過曲？	頁 8~9
陳文華	關於「想多、情多人語」	頁 9
彭瑞金	打下第一鋤，撒下第一粒種籽──賴和與臺灣新文學	頁 12~16
呂興昌	文章千古事，得失寸心知──評王昶雄〈奔流〉的校訂本	頁 17~22
施 淑	在前哨──讀楊守愚的小說	頁 23~28
莊淑芝	宿命的女性──論龍瑛宗的〈一個女人的記錄〉和〈不知道的幸福〉	頁 29~34
許素蘭	「幻影之人」翁鬧及其小說	頁 35~39
張恆豪	追風及其小說〈她要往何處去〉	頁 40~44
陳萬益	張文環的小說藝術	頁 45~47
葉瓊霞	走充滿荊棘的苦難之道──讀王詩琅的小說	頁 48~51
黃耀堃	「京」「華」舊夢──閒話京都大學中文系	頁 52~57
王國良	鍥而不捨，金石可鏤──介紹神話研究專家袁珂	頁 58~63
楊惠南	百草頭邊祖師意	頁 64
賴漢屏	疏朗點染，別具風情──讀孔尚任〈傍花村尋梅記〉	頁 65~67
王敏東	大阪大學博士生徵求學術協助	頁 69
方美芬	臺灣近年來魯迅研究論文索引（下）	頁 72~73
黃英哲	許壽裳與戰後初期臺灣的魯迅文學介紹	頁 74~78
陳文豪	大陸點校古籍不能輕信	頁 79~80
滿元龍	習見「查收」，亦見「察收」	頁 81~82
王志成	「巧合」太多了──對《國文教師手冊》「課文分析」部分的期許（上）	頁 83~90
編輯部	國文教材的再檢討──北區高中國文教師研習會學員心聲	頁 92~96
編輯部	請來逛逛舊書攤──國、高中國文古器物圖解（五）	頁 97~101
胡品清	漫談阿爾豐斯‧都德	頁 102~103
秦賢次	一位大器晚成的學人──夏濟安的一生及其對文學的貢獻	頁 104~108
劉若緹	先秦諸子整頓交通──《漢書‧藝文志‧諸子略》的課程設計	頁 109~111
陳滿銘	談詞章主旨、綱領與內容的關係	頁 112~114

第 7 卷 6 期（總 78 期）1991 年 11 月

| 賴明德 | 中央圖書館官書展的一則標題 | 頁 9 |

陳滿銘	東坡「赤壁」三問	頁 9~10
陳滿銘	「攻守之勢異也」如何解釋？	頁 10
姚榮松	當代臺灣語言生態展	頁 11
羅肇錦	鬧熱滾滾──大眾傳播語的分合	頁 12~15
黃宣範	普查四合院──臺灣語言社會學的一些觀察	頁 16~22
曹逢甫	正字標記，從何貼起──標準國語的重新釐定此其時矣	頁 23~27
姚榮松	外來語──廉價的朱古力？或入超的舶來品？	頁 28~36
鄭良偉	主流派的融合與互動──從臺灣當代小說的詞法看漢語語法的演變	頁 37~45
陳侃章	王冕在那裡隱居？	頁 47~51
鄭向恒	大陸的兩千萬富翁──博學宏文的王利器教授	頁 52~56
林詩哲	窺探「錢學」的堂奧	頁 57~60
黃亦真	一本妙語如珠的口才學──淺介《戰國策》書中的語言	頁 61~64
筧文生	日本唐代散文研究概況	頁 65~69
楊惠南	喫粥與洗鉢	頁 70
李威熊	「夏山」的呼喚	頁 71~73
盧美貴	打開生動、活潑的學習之門──評論《夏山學校》	頁 73~75
蔡 紛	一顆會滋長的種子──《夏山學校》讀後感	頁 76
編輯部	研究生論文擬目／學界動態	頁 79~80
編輯部	請來逛逛舊書攤──國、高中國文古器物圖解（六）	頁 81~84
葛芳譚	試評高中《國學概要》課本	頁 85~89
編輯部	黃禍	頁 89
王志成	如何編寫理想的「課文分析」──對《國文教師手冊》「課文分析」部分的期許（下）	頁 90~92
陳秀端	超脫達觀的「淪落人」──〈始得西山宴遊記〉與〈赤壁賦〉的比較	頁 93~96
朱令峪	擅長採蜜的老先生──靈丘丈人	頁 97~99
胡萬川	〈孔明借箭〉有什麼時代意義？	頁 100~103
鄭阿財	唐人豪俠小說名篇〈虯髯客傳〉	頁 104~107
編輯部	國文老師的課外活動	頁 108~113

第 7 卷 7 期（總 79 期）1991 年 12 月

曾榮汾	「辭典」、「詞典」那個正確？	頁 8
莊吉發	清代的史書《聖武記》	頁 8~9
黃慶萱	「東西」是名詞或代名詞？	頁 9
古國順	「塵念」係指何種念頭？	頁 9
劉兆祐	臺灣編纂字、辭典工作的檢討與展望	頁 11~15

黃沛榮	眾裡尋他千百度——談漢字的部首與歸部問題	頁 16~19
王志成	透視字、辭典音讀的「戰國時代」——談字、辭典的音讀問題	頁 20~28
黃文吉	必也正名乎——談「鑑賞辭典」	頁 29~36
洪惟仁	臺語辭典知多少？——歷來閩南語辭書簡介（上）	頁 37~43
許錟輝	工具書的試金石——選用字、辭典應注意什麼？	頁 44~48
林慶彰等	名家推薦字辭典（周何 周慶林 許錟輝 黃啟方 梅新 劉兆祐）	頁 49~61
陳文華	自然合道的汪中老師	頁 63~66
楊秀芳	國語的「著」是怎麼來的？	頁 67~70
康來新策劃	紀念程甲本刊行二百週年特輯	頁 71
康來新	兩百週年的獻禮	頁 72
康來新	兩百週年的獻禮	頁 72~73
劉廣定	為「程高本」辯冤	頁 73~75
黃碧端	烏托邦文學與回鄉夢	頁 75
張欣伯	雪芹應誕生於康熙五十五年	頁 76
陳萬益	為高中國文課本〈劉老老〉選文進一言	頁 76~79
周汝昌	大觀園的情思	頁 79~86
范文芳	臺、港兩地中學語文教材比較舉隅（上）	頁 93~96
編輯部	請來逛逛舊貨攤——國、高中國文古器物圖解（七）	頁 97~100
童元方	海內問知己，天涯抑比鄰——文言文教學在哈佛	頁 101~107
徐茂瑋	晉武帝中了李密的兩刀論	頁 108~110
李炳南	正氣歌——完美人格的註解	頁 111~114

第 7 卷 8 期（總 80 期）1992 年 1 月

秦賢次 林瑞明	《勿忘臺灣落花夢》的相關疑惑	頁 7~8
羅宗濤	「乃必有偶」的解釋	頁 8
蔡崇名	〈送東陽馬生序〉中的小疑問	頁 8~9
張曉風	背誦詩詞沒有用？	頁 9
黃景進	如何區別「暗喻」與「借喻」	頁 9
林明德	文人與酒——酒的傳奇篇	頁 11
楚 戈	中國酒的起源——略論新石器時代尖底容器的用途	頁 12~16
曾永義	忽與一觴酒，日夕歡相持——漫談古人飲酒的觀念和習俗	頁 17~22
編輯部	奇酒共品嘗	頁 22~23
朱瑞玲	酒——心情的改變劑	頁 24~26
章景明	臺灣原住民的嚼酒文化	頁 27~30

曾永義	飛揚跋扈酒杯中	頁 31~34
程元敏	漢代第一位經學大師伏生	頁 36~45
王晉光	王安石憐愛女性之言行	頁 46~51
宋鎮豪	中國甲骨學界泰斗胡厚宣先生	頁 52~58
編輯部策劃	詩人黃遵憲特輯	頁 59
吳小如	黃遵憲的詩歌成就	頁 59~60
鄭子瑜	黃遵憲與新文化運動	頁 61~63
張堂錡	夏晨荷葉上的露珠——讀黃遵憲〈山歌〉九首	頁 63~65
洪惟仁	臺語辭典知多少？——歷來閩南語辭書簡介（中）	頁 66~68
胡萬川	關於《醒世姻緣傳》的成書年代	頁 69~74
楊惠南	百年鑽故紙	頁 75~76
張以仁	臺大晨運戲為四絕句等	頁 76
悠哉讀書會提供 江煜坤整理	黃禍讀後札記	頁 77~78
編輯部	研究生論文擬目暨學界動態報導	頁 79~80
古清遠	來自臺灣大學的現代詩講義——評張健的《中國現代詩》	頁 81~84
王更生	常態分班芻議	頁 87~88
張文彬	關於「相」字的詞性	頁 89~90
賴橋本	馬致遠〈題西湖〉套的曲譜	頁 91~94
王淑蘭	為什麼是桃花	頁 94~96
編輯部	請來逛逛舊貨攤——國、高中國文古器物圖解（八）	頁 97~100
范文芳	臺、港兩地中學語文教材比較舉隅（下）	頁 101~105
崔仲璋	心靈的交會	頁 107~110
許明鎮	二林國中「國文科圖書櫃」歡度五週年	頁 111~113
蔡豐村	省立臺東高中二三事	頁 113~114

第 7 卷 9 期（總 81 期）1992 年 2 月

王熙元	孫叔敖的名字	頁 6
戴璉璋	「之」字的詞性	頁 6~7
黎建寰	均鑒、鈞鑒如何分別？	頁 7~8
劉兆祐	中國古代的「避君諱」	頁 8~9
張崇根	「壯族」名稱的由來	頁 9
林明德	詩經中的酒文化	頁 11~14
李豐楙	嘯歌、彈琴與酒	頁 15~17
何寄澎	將進酒，君莫停——唐人的飲酒氣氛	頁 18~20

黃啟方	東坡酒量	頁 21~25
王安祈	酒醉鴻氍觝——談幾齣醉酒戲曲	頁 26~29
莊伯和口述 林淑芬整理	酒酣之際的墨戲	頁 30~32
薛平南	書法與酒	頁 33~37
許常惠	音樂家與酒	頁 38~39
瘂弦	現代詩人與酒——飲者點將錄	頁 40~48
葉維廉演講 曾秀華記錄	有效的歷史意識與中國現代文學	頁 50~57
潘重規	《經典釋文韻編》成書記	頁 58~60
楊丙玉	一幅珍貴的元代戲曲壁畫	頁 61~62
洪惟仁	臺語辭典知多少？——歷來閩南語辭書簡介（下）	頁 64~67
陳慧英	中國的最後，最後的中國	頁 68~69
陳之藩演講 連文萍整理	兩個小故事——陳之藩教授演講記錄	頁 76~79
連文萍整理	陳之藩教授答學生問	頁 79~81
李怡慧記錄	我們對國文課本的期望——臺東地區國文教師座談會記錄	頁 82~86
馮聞	如何使理想教學落實——以〈愛蓮說〉為例	頁 87~90
林素蘭	假使〈愛蓮說〉這樣教	頁 91~94
王更生	曾鞏的〈墨池記〉	頁 95~99
邱燮友	詩歌朗誦教學之探討	頁 100~104
王志成	關於古文賞析的書籍	頁 105~109
編輯部	國文老師給學生的寒假作業	頁 110~114

第 7 卷 10 期（總 82 期）1992 年 3 月

王保珍	蘇詩中的「蔬筍氣」如何解？	頁 7
賴明德	「作賤」、「作踐」何者為是？	頁 7~8
陳滿銘	「我獨何害」與「便當」的解釋	頁 8
曾榮汾	「絕」、「絕」何者正確？	頁 8~9
竺家寧	兩個讀音的辨正	頁 9
蔡崇名	文不對題的作文如何下評語	頁 9
編輯部	三月份課文解析之論文索引	頁 10
王熙元	推動中文學術教育的搖籃——國內中研所的現狀與展望	頁 12~13
臺灣大學中 研所提供	臺灣大學中文研究所	頁 14~15
邱燮友	臺灣師範大學國文研究所	頁 15~17

簡宗梧	政治大學中文研究所	頁 17~19
歐陽炯	東吳大學中文研究所	頁 20~21
王文進	淡江大學中文研究所	頁 21~22
包根弟	輔仁大學中文研究所	頁 22~24
蔡信發	中央大學中文研究所	頁 24~26
陳萬益	清華大學文學所	頁 26~27
楊承祖	東海大學中文研究所	頁 27~29
莊雅洲	中正大學中文研究所	頁 29~31
葉政欣	成功大學中文研究所	頁 31~32
王忠林	高雄師範大學國文研究所	頁 33~34
徐漢昌	中山大學中文研究所	頁 35~36
編輯部	世界性的中國學	頁 36
黎活仁	京都大學的中國語學和中國文學研究	頁 36~38
村山吉廣	早稻田大學及其中國學	頁 38~40
何金蘭	巴黎第七大學東亞研究所的人才培養	頁 40~42
王叔岷	八斗才	頁 43~45
劉起釪	中國現代史學奠基者顧頡剛先生	頁 46~53
黃文吉	曹操殺楊修，如何處理善後？	頁 54~58
林 玲	湯顯祖筆下的杜麗娘——兼談〈驚夢〉的搬演	頁 59~63
吳 傑	大陸梁啟超研究情況述評	頁 64~68
陳祚龍	加強中歐文化交流之我見	頁 70~73
楊惠南	烏龜變作鱉	頁 74
林明德	梁啟超的散文風格	頁 78~83
龔顯宗	一位學博才高的異人——介紹清代學者洪亮吉	頁 84~87
編輯部	新學期作文強棒特輯	頁 88
楊鴻銘	作文逆折公式	頁 88~89
陳啟佑	散文寫作的技巧	頁 91~94
蔡宗陽	擊出作文的全壘打——如何準備大學聯考的作文	頁 95~98
汪少華	〈燭之武退秦師〉中的「說」字	頁 99~100
王淑蘭	深究鑑賞篇——魯智深大鬧桃花村	頁 101~104
陶芳辰	我怎樣教高二國文	頁 105~109
林覺中	博識善喻之外	頁 110
林章坊	淺論高中國文教材之改編	頁 111~112

第 7 卷 11 期（總 83 期）1992 年 4 月

許錟輝	「腹有詩畫氣自華」出自何人詩句	頁 5
蔡崇名	「元方入門不顧」不禮貌？	頁 5
賴橋本	末曲是否就是尾聲？	頁 5~6
陳滿銘	「多情」如何解？	頁 6
黎建寰	「足下」、「閣下」可否用來稱呼女性？	頁 6~7
賴明德	「防治」與「防制」	頁 7
李怡慧採訪	「星星俠」家族的故事──小野和他的童話書	頁 11~13
吳　當	給孩子一把詩的鑰匙	頁 14~21
簡上仁	從自我承諾到播下音樂種籽	頁 22~24
林淑芬採訪	讓孩子也有選擇權──蔡志忠談漫畫	頁 25~27
姚配義	我愛《七龍珠》	頁 28~30
編輯部	租書店即景	頁 29~30
劉笑敢	莊子後學三派的演變（三）──莊子後學中的黃老派	頁 33~38
許郢昭	謁訪梁漱溟先生	頁 39~43
編輯部	學界動態	頁 43
吳宏一口述 連文萍記錄	一條無怨無悔的長路	頁 44~46
王熙元	卻顧所來徑──我讀書與治學的歷程	頁 46~49
鄭明娳	開拓中文研究生的思考領域	頁 50~52
張雙英	他山之石可以攻錯──淺談中、美兩國中文研究所的異同	頁 52~54
黎活仁	緯書對文心雕龍的影響	頁 55~58
徐漢昌	文心雕龍辨騷篇淺析	頁 59~62
編輯部	學界動態	頁 62
張以仁	美加之行雜詠	頁 63~64
楊元忠	他她，你妳，俄娥？	頁 65~66
楊振良	望鄉心與雁南飛──《琵琶記》中蔡伯喈的性格	頁 67~69
林劍鳴	商鞅徒木賞金的故事	頁 70~71
楊惠南	鼓聲歘破我七條	頁 72~73
楊惠南	焦尾大蟲・遼天俊鶻	頁 74~75
董金裕	國中國文課本是怎麼編出來的──兼對若干問題作澄清	頁 79~86
楊鴻銘	佳句運用公式	頁 87~89
林韻梅	文化基本教材教學活動設計（上）	頁 90~93
周幹家	運用之妙・存乎一心──國中國文教學雜談	頁 94~97
胡萬川	關於〈孔明借箭〉的一點補充資料	頁 98~99
林繼生	從極短篇小說觀點看孟子〈齊人〉章	頁 100~103

| 郭惠娥 | 善用國文教材，化解師生尷尬 | 頁 104~106 |
| 喬衍琯 | 讀中研所現況專輯之我見 | 頁 108~112 |

第 7 卷 12 期（總 84 期）1992 年 5 月

陳滿銘	「白」日依山盡如何讀？	頁 5
董金裕	什麼是「名言錦句」	頁 5
賴橋本	詞比近體詩自由嗎？	頁 6
編輯部	「相撲」起源於中國	頁 6~7
艾 雯	讓一切美，閃爍著我的愛	頁 10~11
陳幸蕙	任爾東西南北風——記一個心靈自由的人鄭板橋	頁 12~15
蓉 子	隱逸的芬芳——陶淵明作品的魅力	頁 16~17
廖玉蕙	雖不能至，然心嚮往之——記一個強靭不屈的靈魂	頁 18~19
劉小梅	活出李白的李白	頁 20~21
劉詠聰	中國古代文學作品中智取功名的女性	頁 22~24
李炳南	王國維的人間滋味	頁 25~32
許政雄採訪 許淑美整理	勇於向自己挑戰的開拓者——叩訪夏東元教授談近代史的研究	頁 33~36
鄧仕樑	從「崔顥題詩在上頭」說起——試析幾首唐宋黃鶴樓詩	頁 37~43
朱言明	威武不屈的寧戚	頁 44
邱燮友	水邊燈火漸人行	頁 46~47
陳滿銘	聽徹梅花弄	頁 47~49
王保珍	任是無情也動人	頁 50~52
林玫儀	飛紅萬點愁如海	頁 52~55
畢長樸	怎樣發表你的學術高見	頁 56~59
吳福助	論文資料積累的利器——卡片	頁 58~59
楊惠南	牛帶寒鴉過遠村	頁 60~61
王輔羊	少用錯、別、俗字	頁 61
劉如仲	明代南京市民的飲茶習俗——讀明人繪《南都繁會圖卷》	頁 62~65
吳奔星	錢玄同恭賀末代皇帝遷升之喜	頁 66~67
范毓周	甲骨文中的合文字	頁 68~70
編輯部	研究生論文擬目暨學界動態報導	頁 71~72
林韻梅	文化基本教材教學活動設計（下）	頁 75~83
楊斐芬	限時專送我的愛——「情意教學」活動設計與探討	頁 84~88
魏子雲	可悲歎的韻文教育	頁 89~91
劉崇義	試比較海峽兩岸國（初）中國語文教材編選的差異	頁 92~94

第 8 卷 1 期（總 85 期）1992 年 6 月

陳萬益	解除緊箍咒──給國文教學一條活路	頁 5~6
傅武光	國文兩百分	頁 7~8
林慶彰	學術會議與論文集	頁 9~10
黃沛榮	當速食麵碰上方便麵──兩岸生活用語的比較	頁 12~15
姚榮松	葉爾欽ＶＳ葉利欽──兩岸外國人名地名漢譯分歧初探	頁 16~23
吳列能	繁與簡的魔術──兩岸中文電腦文件的轉換	頁 24~27
周純一	兩岸用語的差異現象探討	頁 28~30
高令印	大陸朱子學研究近況	頁 31~36
鍾彩鈞	中研院文哲所舉行國際朱子學會議	頁 37~38
林慶彰	朱子學研究成果的總匯──談《朱子學研究書目》	頁 39~41
朱 焰	遠古歌謠及神話傳說	頁 42~45
余崇生	謫仙醉草嚇蠻書──從神仙傳說到意識轉化	頁 46~48
凌德祥	試論華夏民族「鑽木取火」的傳說	頁 49~53
張維用	八仙過海──關於八仙	頁 54~58
何滿子	月亮神話的漫談	頁 59~62
許景重	達摩的畫像	頁 63~64
陳秀端	濁酒三杯沈醉去──吳敬梓的悲情	頁 65~68
李紹崑	梁漱溟先生訪問錄	頁 69~75
許政雄	夜深無語對銀缸──悼光筠兄	頁 76~77
陳勝吉	相逢何必曾相識──白居易琵琶行探微	頁 78~82
王更生	詩的特質和走向──從古典到現代	頁 83~90
簡恩定	胸襟與才力──論當代三位古典詩家	頁 91~93
李志林	論中國傳統思維方式的兩重性──對中國傳統文化反思的一個重要側面	頁 94~102
嚴定暹	不廢江河萬古流──《貞觀政要》簡介	頁 103~106
張淑霞	三春有成	頁 107~111
編輯部	「第一屆臺灣地區國語文教學研討會」紀實	頁 112

第 8 卷 2 期（總 86 期）1992 年 7 月

王熙元	「陽九」何以喻厄運？	頁 6~7
許錟輝	左史記言或記事？	頁 7
王熙元	以活水注入文化內涵	頁 8~9
林安梧	多一點公民社會的倫理、少一點宗教的救贖	頁 10~11

季　進	闡釋之循環──錢鍾書初論	頁 12~25
蒙培元	淺談范仲淹的易學思想	頁 26~31
王利器	詁杜三題	頁 32~39
繆　鉞	冰繭庵札記──填詞經驗兩篇	頁 40~43
李　猷	辛苦擘詩六十年	頁 44~47
李　栖	敦煌曲子詞簡介	頁 48~55
蔡信發	史記合傳析論	頁 56~60
劉祥安	雨巷中的尋夢者──略論抒情詩人戴望舒	頁 61~66
林幸謙	唐三彩的美學風格及其藝術精神	頁 67~74
丁言昭	翻開中國木偶史	頁 75~79
詹文豪	弱勢者的困境解脫──從談判策略與技巧看〈陳情表〉	頁 80~88
黃沛榮	《三字經》導讀──獻給孩童的父母	頁 91~99
陳滿銘	談詞章的兩種作法──泛寫與具寫	頁 100~104
李正治	《文心雕龍》札記──辭訓之異，宜體於要	頁 105~107
劉崇義	「徵於色，發於聲，而後喻」三句的主語是誰？	頁 108~110

第 8 卷 3 期（總 87 期）1992 年 8 月

陳滿銘	〈五柳先生傳〉的分段問題／「黔婁之妻有言」或「黔婁有言」／「茲若人之儔乎」之語法結構	頁 4~5
王熙元	「大絃」之音是高急還是低沉？	頁 5
莊萬壽	「變」！待變的語文教育──台灣語文教育的新展望	頁 6~9
黃沛榮	政府應從速規畫未來的語文政策──為超部會的語文工作機構催生	頁 10~11
邢義田	《太平經》對善惡報應的再肯定──承負說	頁 12~16
袁信愛	《尚書‧洪範》之形上思想論析	頁 17~21
衣若芬	從唐人詩畫中馬的意象看盛唐風光	頁 22~31
趙　宏	中國猴文化與瓷器中的猴	頁 32~36
宋　輝	最後一頁滄桑──從《桃花扇‧入道》看孔尚任的悲劇意識	頁 37~41
曹　虹	說「不歌而誦謂之賦」	頁 44~49
林淑芬	一般心情兩樣情懷──賞析〈醉翁亭記〉、〈岳陽樓記〉	頁 50~57
張高評	從結構對列之研究論中學作文改善之道	頁 58~71
何維欽	如何教導學生作文出新意	頁 72~76
王紹文	現行高中國文的反訓詞	頁 78~80
柴劍虹	悼光筠君	頁 82~84
胡仲權	真誠就擁抱了一生的孤寂──悼光筠	頁 85
蔣美珍	書法家系列介紹之一──訪李猷老師	頁 87~89

許政雄	訪尚書學家劉起釪先生	頁 90~95
周寅賓	談文言小說中的「雜錄」	頁 96~99
沈　寬	漢文字起源的再認識	頁 100~108

第 8 卷 4 期（總 88 期）1992 年 9 月

王開府	「子曰」是否為「孔子說」？	頁 4~5
許錟輝	悖、背二字是否相通？	頁 5
洪惟助	花落春猶在——當代延續崑劇薪火的六大崑劇團	頁 7~14
張啟超	源遠流長，燦爛輝煌——崑劇緣起話從頭	頁 15~18
蔡欣欣	崑曲名劇簡介	頁 19~24
劉有恒	崑曲——音樂文學的極致	頁 25~28
周純一	近代崑曲表演態勢略述	頁 29~30
周　秦	往日崎嶇還記否——蘇州大學中文系崑曲班的回顧與展望	頁 31~35
王定一 王希一	崑曲詞曲唱作欣賞之一——〈琴挑〉	頁 36~38
張惠新	崑曲詞曲唱作欣賞之二——《鐵冠圖·刺虎》	頁 39~42
蔡孟珍	一派輝煌絢麗的雅正之聲——崑曲	頁 43~45
編輯部	坊間可購得之崑曲資料簡目	頁 46~49
林耀椿	《太上感應篇》的社會教化功能	頁 50~52
葉嘉瑩講 安易整理	《陶淵明詩》講錄之一（第一講、第二講）	頁 53~63
余培林	《邶風·燕燕》非「莊姜送歸妾」之詩	頁 64~68
蔡華同	自然見真情——詩歌語言藝術漫談之一	頁 70~73
林伯謙	〈思舊賦〉寫得不倫不類？	頁 74~79
張雪松	陸游的婚姻悲劇	頁 80~83
陳滿銘	凡目法在高中國文課文裡的運用（上）	頁 84~88
北一女國文 教學會提供	北一女師生也為國文教材把脈	頁 90~96
張尤麗 古秀如	國語略語之構詞規則	頁 97~100
楊　光	愴然涕下隨時去，後有來者追前人——大陸陳子昂國際學術交流會即將召開	頁 102~103
岳　珍	首次陳子昂國際學術討論會綜述	頁 103~108

第 8 卷 5 期（總 89 期）1992 年 10 月

| 王作榮講 蔡孟珍整理 | 假如我現在是個大學生（王作榮部長與師大國文系新生的一席話） | 頁 4~14 |

荒木見悟著 連清吉譯	宋明思想史概觀	頁 15~17
陳德述	孔子知識論的現實價值	頁 18~21
葉嘉瑩講 安 易整理	《陶淵明詩》講錄之二（第三講）	頁 22~33
王熙元	中國情詩之美	頁 34~40
方北辰	模山範水有吳均──讀〈與顧章書〉	頁 42~44
伏俊連	沉重苦澀的人生之旅──讀《史記‧蕭何、曹參‧萬石君傳》	頁 45~49
周兆祥	數點梅花亡國淚，二分明月故臣心── 讀全祖望的〈梅花嶺記〉	頁 50~54
高國藩	一顆憂傷而徬徨的心──析敦煌詞〈破陣子〉	頁 56~59
戴尚文	盧綸〈塞下曲〉詩義	頁 60~61
李以莊	耐人尋味的「閃回鏡頭」	頁 62~63
徐傳勝 林蔚蘭	委婉含蓄，餘味無盡── 《古詩十九首‧冉冉孤生竹》賞析	頁 64~68
王叔岷	《故國行》絕句廿二首	頁 69~71
仇小屏	談辛棄疾的「中秋詞」	頁 72~75
張谷平	張潮論藝術美	頁 76~79
徐傳武	「楊」和「柳」	頁 80~82
袁 武	說鳳談凰	頁 83~85
俞為民	孟姜女的哭與她哭倒的城	頁 86~87
陳滿銘	凡目法在高中國文課文裡的運用（下）	頁 88~99
楊如雪	語言學、語法、文法	頁 100~103
林劍鳴	為伊消得人憔悴──答臺灣諸師友	頁 104~106

第 8 卷 6 期（總 90 期）1992 年 11 月

許錟輝	解惑篇	頁 4~5
林慶彰	提昇經學史研究的水平── 《中國經學史論文選集》出版的意義	頁 6~8
王世德	蘇軾的文藝美學思想	頁 9~19
鍾來因	蘇軾的崇道名作〈赤壁賦〉	頁 21~29
解靖仁	贊蘇軾的婉約詞	頁 30~37
葉憶如	東坡「渡海詩」淺析	頁 38~43
趙永康	楊慎題蘇軾〈瀟湘竹石圖卷〉考	頁 44~49
李 李	坡公號老泉考	頁 50~52
葉嘉瑩講 安易整理	《陶淵明詩》講錄之三（第五講）	頁 54~62

孫移泰	畫筆驚風雨　題詩泣鬼神—— 杜甫題畫詩〈奉先劉少府新畫山水障歌〉賞析	頁 63~68
李以莊	空鏡頭不空	頁 69~70
呂明修	風雨飄零紅妓淚——談《老殘遊記》裡的翠環	頁 71~75
曾忠華	談大一國文教材教法	頁 76~88
楊如雪	婆婆、媽媽 VS 婆婆媽媽　手足 ≠ 手&足？——國語的構詞法	頁 89~95
蔡信發	說文答問（八）	頁 96~100
李亞明	闡揚漢民族傳統文化真諦——論訓詁研究的價值系統取向	頁 102~105
楊晉軾	漫談館閣體書法	頁 106~108

第 8 卷 7 期（總 91 期）1992 年 12 月

王熙元	中國文化的薪傳——追懷高師仲華先生	頁 4~7
林慶彰	大學教授操賤業	頁 8~9
黃沛榮	掌握並開創漢學研究的契機	頁 10~12
方祖猷	萬斯大的經學	頁 13~18
李淳玲	試解紅樓夢中史湘雲結局疑案	頁 20~32
沈福煦	詩詞與景觀擷談	頁 33~38
金鐘吾	兩個不同層次的文學定義	頁 39~44
陳秀端	景語？情語？——李白〈長干行〉	頁 45~50
謝玉潔	悼	頁 51
蔡孟珍	始悟南崑勝北崑——兼記兩岸的一段崑曲因緣	頁 52~54
沈惠如	〈醉鄉記〉與〈桃花源〉	頁 55~59
王開府	認知取向在《中國文化基本教材》教學的應用	頁 63~74
劉醇鑫	海峽兩岸高中聯考作文試題之探討	頁 76~90
黃忠天	謎語在國文教學上的應用	頁 92~100
陳雪晴	高一上學期國文科教材連貫性簡析	頁 101~107

第 8 卷 8 期（總 92 期）1993 年 1 月

林慶彰	《全宋詩》爭議的省思	頁 4~5
姚榮松	要有民主的前景，先有自尊自重的校園文化	頁 6~7
莊萬壽	從日本「時代祭」談台灣歷史教育與民俗慶典的結合	頁 8~10
蔡宗陽	〈與陳伯之書〉的修辭技巧	頁 12~19
李運瑛 何 必	豪華落盡見真淳——〈與陳伯之書〉名句賞析	頁 20~22
楊鴻銘	丘遲〈與陳伯之書〉的對偶方法	頁 23~25
張 舜	妙語服敵將，一信勝萬夫—— 淺析丘遲〈與陳伯之書〉的說服人藝術	頁 26~29

高梅憶	〈與陳伯之書〉對比技巧之分析	頁 30~35
牟小東	經學大師俞曲園	頁 36~40
郭鶴鳴	性善與性惡	頁 42~47
王 棟	愛君憂國孤臣淚，臨水登山節士心——辛棄疾〈水龍吟〉登建康賞心亭	頁 48~50
宗 鷹	觀志比德——中國文學品賞的性質論	頁 51~54
張 覺	較短論長——詩詞賞析漫議之一	頁 55~56
張小平	辛棄疾〈西江月〉之誤解	頁 57~60
張以仁	哭母詩并序	頁 61~62
蔡正發	〈孔雀東南飛〉中的「相」	頁 63~64
郭存孝	話說太平天國玉璽	頁 65~67
陳滿銘	凡目法在國中國文課文裡的運用	頁 69~81
楊如雪	詞類的區分及實詞的本用	頁 82~92
林繼生	大同小異，萬變不離其宗——八十一年台北區公立高中聯招國文科試題分析	頁 93~97
竺家寧	《詩經・蒹葭》的韻律之美	頁 98~102
蔡信發	說文答問（九）	頁 103~106

第 8 卷 9 期（總 93 期）1993 年 2 月

傅武光	教育部誤人子弟	頁 4~6
黃志民	把它廢了	頁 7~8
儲海雲	由老舍《茶館》看茶的文化人生	頁 9~11
	茶館溯古	頁 12~15
	龔于堯的茶人、茶興與茶味	頁 16~18
辛 鬱	順興茶館所見	頁 18~19
	別了，順興茶館	頁 20~21
儲海雲	茶茶之辨	頁 22~28
	茶的古往今來文明史脈	頁 29~31
傅鐵虹	文化視野：《茶經》中道家美學思想及影響初探	頁 32~43
程啟坤 姚國坤	從傳統飲茶風俗談中國茶德	頁 44~48
谷昆	茶與祭祀	頁 49~51
陳佩芳	用茶摻食話古今	頁 52~55
儲海雲	木柵張丁頂與正欉鐵觀音	頁 56
	珍藏普洱，謹防離婚	頁 57
	茶是氣焙火是流	頁 58~59

茶人之趣：李黨的茶藝生態 頁 60~61

張維用　西嶽詩徵　頁 62~66

馬欣來　詩的梅花　梅花的詩　頁 67~69

徐傳勝　以微見著　含蓄精深──說杜牧〈過華清宮絕句〉（其三）　頁 70~72

孔慶茂　〈江上漁者〉新析　頁 72~74

朱曉露　萬紫千紅香燭具──明代滇詩人李元陽詠花詩賞介　頁 76~81

宗　鷹　感心移性──中國文學品賞的功能論　頁 82~85

嚴不臣　鳳是一種絕種了的鳥　頁 86~89

宗廷虎　十年來大陸的漢語修辭學　頁 90~95

余崇生　謝枋得與《文章軌範》　頁 96~99

蔡俊生　簡述文字的形成　頁 100~108

第 8 卷 10 期（總 94 期）1993 年 3 月

劉廣定　也談《全宋詩》的出版事件　頁 4~5

陳孟麟　《墨辯》邏輯三範疇的含義　頁 6~11

王　甦　舉世無比的漢字　頁 12~17

李　耕　珍惜兩岸文字統一的契機──寫在「兩岸文字統一的法律基礎」赫然出現之後　頁 18~25

王興佳　努力促進海峽兩岸文字改革政策的統一　頁 26~30

許錟輝　關於識繁寫簡的我見　頁 32~35

王熙元　兩岸文字統一的呼聲──陳著《替海峽兩岸中文字統一試擬方案》序　頁 36~39

黃克東　書同文？書同文！書同文？──從 ISO 10646 看「書同文」的問題　頁 40~45

黃沛榮　記一段師生緣──懷念魯實先教授　頁 46~47

宗　鷹　入情締構──中國文學品賞的特徵論　頁 48~50

畢萬忱　話說建安三國賦的新變　頁 51~61

杜　濤　〈蒹葭〉何以美　頁 62~67

黃益元　詩人的夢和夢中的詩人──陸游紀夢詩解析　頁 68~80

魏耕祥　從歷史方位觀照廓開〈伐檀〉新視野　頁 81~86

王賽時　唐代的舞馬與舞犀象　頁 87~90

山　民　狐魅崇拜論綱　頁 91~104

姚榮松　第一屆臺灣語言國際研討會三月下旬將在師大舉行　頁 105~107

第 8 卷 11 期（總 95 期）1993 年 4 月

王熙元　理想的大學校長　頁 4~5

杜忠誥　「天下第一行書」──王羲之蘭亭敘的書法藝術　頁 6~11

李銘宗	翰墨風流話「脩禊」	頁 12~15
黃　時	歷史上的二王	頁 16~19
方北辰	惠風清氣洗人心——春夜讀〈蘭亭集序〉	頁 20~23
黃文吉	衣帶漸寬終不悔—— 我編《詞學研究書目》（一九一二～一九九二）	頁 24~27
張　健	高啟的五絕	頁 28~31
馬寶蓮	王勃〈寒梧棲鳳賦〉與唐代律賦發展	頁 32~39
毛文芳	風光細膩的薛濤	頁 40~42
江國貞	萬里橋邊女校書－－薛濤（她真的是所謂的樂妓嗎？）	頁 43~51
范長華	元雜劇裡的徇內式人物	頁 52~56
俞為民	別情依依愁思長——《西廂記・長亭送別》賞析	頁 57~61
仇小屏	試論《牡丹亭》的愛情觀	頁 62~65
萬福曾	風流千古說紅樓／有關曹雪芹遺物——一對書箱	頁 66~68
江寶釵	神話、仙話與鬼話	頁 69~72
王開府	孟子的抱負	頁 73~77
王更生	國中國文教材面面觀	頁 78~86
廖吉郎	國中國文的教學評量	頁 87~95
楊如雪	語的結構	頁 96~104
劉崇義	兩首〈登鸛鵲樓〉詩之比較	頁 105~108

第 8 卷 12 期（總 96 期）1993 年 5 月

李振興	利令智昏	頁 4~5
黃沛榮	有關江澤民對於語文工作的三點意見	頁 6~7
王熙元	芬芳高潔的期許——〈離騷〉中香草的隱喻意義	頁 8~13
王宏仁	〈九歌〉詮釋的另一視野	頁 14~19
高秋鳳	一首奇特的問題詩——《楚辭・天問》	頁 20~25
黃耀堃	楚樂新探	頁 26~37
褚斌杰	〈離騷〉「正則」、「靈均」解—— 兼論對屈〈騷〉構思的理解	頁 38~41
王開府	道性善	頁 42~51
王明居	武松打虎的美	頁 52~55
徐斯年	可以知世，可以論文，可以娛人——關於近代通俗小說的斷想	頁 56~60
陳益源	《情義奇姻》與《劉方三義傳》	頁 62~67
鄭鐵生	《三國演義》回目的創立及其演進	頁 68~73
傅武光	哲理散文鑑賞（一）——〈前赤壁賦〉	頁 74~76
楊如雪	句子的基本類型	頁 78~86

第 9 卷 1 期（總 97 期）1993 年 6 月

林慶彰	請建立中南部學術資料中心	頁 4~5
楊龍立	通識理念下的高中新課程評析	頁 6~7
王志成	四十年來大陸高考（大學聯考）作文試題鳥瞰	頁 8~32
范文芳	語文教育‧作文教學‧命題作文——從四十年來中、台兩地大學聯考作文命題談起	頁 34~39
梁桂珍	飛越大學聯考作文的險關	頁 40~44
林繼生	千磨萬擊還堅勁，任爾東西南北風——談北聯國文應考之道	頁 46~53
曾士良	高中聯考話國文	頁 54~65
陳慶煌	一般考試閱卷作文評分得失利弊之探討	頁 66~69
王開府	四書的智慧——辨義利	頁 70~75
張以仁	旅美詩草／親友篇	頁 75
李淳玲	再解史湘雲結局疑案（上）	頁 76~87
曾守正	唐初史官的文學折衷論	頁 88~93
葉嘉瑩	論繆鉞先生在詩詞評賞與詩詞創作方面之成就	頁 94~101
張以仁	旅美詩草／親友篇	頁 101
王更生	從文藝欣賞看國文科《論語》選教學	頁 102~109
蔡宗陽	中學修辭講座——設問的解說與活用	頁 110~118
劉崇義	代詞是否受修飾	頁 120~123
林耀椿	錢鍾書研究的里程碑——序《錢鍾書研究書目》	頁 124~129
李清筠	走過一季春——八十一學年度高中國文資優保送甄試側記	頁 130~133
潘麗珠	復興劇團推出京崑傳奇〈關漢卿〉	頁 134~137
潘麗珠	嘗一泓清淨水，結善緣——訪〈碧沈西瓜〉作者陳幸蕙	頁 138~141

第 9 卷 2 期（總 98 期）1993 年 7 月

林慶彰	誰願意申請國科會的人文研究計畫？	頁 4~5
楊龍立	包青天連續劇透露的文化特質	頁 6~7
王開府	四書的智慧——孟子論涵養	頁 8~18
高柏園	論《孟子》書中的楊朱思想	頁 19~23
藍若天	《詩經‧關雎》鑑賞	頁 24~29
傅武光	哲理散文鑑賞（二）——〈養生主〉	頁 30~31
閻振益	賈誼和他的政論文	頁 32~37
李淳玲	再解史湘雲結局疑案（下）	頁 38~46
江寶釵	試論民間故事之定義與特色	頁 48~52

王志成	大陸高考（大學聯考）作文評改方式的突破	頁 53~63
蔡宗陽	中學修辭講座──類疊的解說與活用	頁 64~70
楊如雪	我的機車很「法拉利」／詞類活用（一）：名詞的活用	頁 72~79
廖振富	以近取譬，滿室生春──巧用學生姓名製燈謎	頁 80~85
許清雲	讀〈兩首登鸛鵲樓詩之比較〉迴響	頁 86~87
黃忠慎	古書的標點問題──從一次國文科教材教法研討會談起	頁 88~90
張永儁	一本力作──《中國哲學範疇導論》	頁 91~93
黃文吉	從詞學界的「北山」談學術交流	頁 94~97
林耀椿	從錢鍾書「退」的人生觀看「錢學」的發展	頁 98~100
張以仁	旅美詩草／賞遊篇	頁 102~103
潘麗珠	溫潤如玉、昕昕有光──訪〈行道樹〉作者張曉風	頁 104~107

第 9 卷 3 期（總 99 期）1993 年 8 月

楊龍立	包青天正義行為裡的品格因素	頁 4~5
王熙元	令人著迷的隱語──說謎語的趣味及其教學應用	頁 6~10
王朝聞	謎語、歇後語的藝術效果	頁 11~14
江應龍	聯語文學	頁 16~24
黃沛榮	有趣的文字遊戲	頁 25~31
楊振良	作傳奇者、善驅睡魔──古典戲曲中的語文趣味	頁 32~36
王者寧	由方言看漢民族的融合	頁 38~45
陳剩勇	漢字五千年歷史有新證──五十年來中國文字起源的考古發現和研究	頁 46~51
王開府	四書的智慧──孟子論教學	頁 52~57
龔鵬程	克己復禮的路向──晚明思潮的再考察	頁 58~66
俞允堯	安得猛士兮守四方？──西漢樂府與其著名歌曲	頁 68~69
陳明恩	論科舉試詩與唐詩發展的關係──一個新的理解角度	頁 70~77
彭元岐	〈祭十二郎文〉的感性與邏輯	頁 80~84
陳秀端	心在天山，身老滄洲──談放翁詞	頁 86~92
畢長樸	「不毛」與「八莫」	頁 93~95
蔡宗陽	中學修辭講座──辭格的辨析	頁 96~99
龔亞元	讓中學生從自己作品裡發掘寶藏	頁 100~103
何維欽	瑣談培養學生的自學能力	頁 104~107
張屏生	專訪大陸學者李永明先生──談漢語方言的調查與研究	頁 108~117
潘麗珠 黃思維	新詩的守護神和永遠的青鳥──訪燈屋裡的羅門與蓉子	頁 118~127

第 9 卷 4 期（總 100 期）1993 年 9 月

曹泰山	論信	頁 4~5
張 覺	為「全譯」辯護	頁 6~7
王開府	四書的智慧——孟子論治道	頁 8~16
葛榮晉	道家文化的科學價值	頁 17~25
藍若天	《詩經‧行露》篇鑑賞	頁 26~32
陳益源	一部未受注意的明代小說——《雙卿筆記》	頁 33~39
傅武光	古文鑑賞（三）——〈復菴記〉	頁 40~41
張高評	談詩歌語言與言外之意（上）	頁 42~46
曹 爽	中國古代神童詩	頁 47~52
劉培翃	「行有餘力，則以學文」乎？——從大學聯考國文試題談起	頁 53~57
林繼生	蕭規曹隨，難易適中——台北區八十二年高中聯考國文科試題分析	頁 58~63
王志成	考完聯考之後——大陸高考（大學聯考）作文檢討的省思	頁 64~74
陳滿銘	談文章作法賞析——以國中國文課文為例	頁 76~82
蔡宗陽	中學修辭講座——誇飾的解說與活用	頁 83~87
楊如雪	奔向「羅曼蒂克」、飛進浪漫歐洲／詞類活用（二）——形容詞的活用	頁 88~93
羅肇錦	拼音與注音	頁 94~96
羅鳳珠	探一探以多媒體觀念製作國文教材的路——「紅樓夢多媒體系統」介紹	頁 97~103
許維萍 馮曉庭整理	劉起釪教授的經學研究歷程	頁 104~110

第 9 卷 5 期（總 101 期）1993 年 10 月

楊龍立	中國社會的髒與亂	頁 4~5
曹泰山	昂貴的濫情	頁 6~7
李翠瑛	現實的與浪漫的——沈從文鄉土散文之主要藝術特色	頁 8~15
李欽業	品梁實秋散文《雅舍小品》	頁 16~23
吳 當	楊喚童詩析賞——森林的詩	頁 24~26
林幸謙	流亡的悲愴——白先勇小說中的放逐主題	頁 27~30
何雲鈞	解開千古之謎——河圖與洛書	頁 31~36
王開府	四書的智慧——孟子尚論古人	頁 37~42
魏子雲	〈野有死麕〉淫詩也	頁 44~47
夏傳才	論曹操	頁 48~52
徐傳武	絕代紅顏土一堆——談談楊妃墓及有關的詩文	頁 53~56
陳青生	漢奸文學，怎麼界定？——兼談劉心皇的錯誤標準	頁 57~61
陳滿銘	談詞章剪裁的手段——以周敦頤〈愛蓮說〉與賈誼〈過秦論〉為例	頁 62~66

蔡宗陽	中學修辭講座——摹寫的解說與活用	頁 67~73
彭元岐	〈琵琶行〉「掩抑」二字的釐清與演奏者心境的探討	頁 74~77
歐陽宜璋	輻射式聯考作文的全方位思考——以北一建中補校聯招作文〈掌聲〉為例	頁 78~84
侯亮宇	談冒號句中「總承」、「總記」及「引語」的作用	頁 85~89
王熙元	撥雲霧而見青天——《解惑篇》序	頁 90~91
林鶴宜	台灣地區「中國古典戲曲研究」博、碩士學位論文寫作概況（民國四十五～八十二）（上）	頁 92~97

第 9 卷 6 期（總 102 期）1993 年 11 月

曹泰山	孔子的價值何在？	頁 4~5
楊龍立	犀牛角的使用與傳統觀點的尊重	頁 6~7
連文萍	專題前言：培育學術研究的種子——中研所研究生如何開拓學術空間	頁 9
李威熊	中（國）文研究生未來何處可用武	頁 10~12
林慶彰	對研究生拓展學術空間的一些看法	頁 13~15
喬衍琯	中文所畢業生如何更上層樓	頁 16~18
王熙元	中研所研究生自行舉辦研討會的幾個方向	頁 19~22
連文萍整理	中研所研究生如何開拓學術空間——研究生座談會	頁 23~29
戴璉璋	孔子思想與當前中國社會的人文建設	頁 30~39
王開府	四書的智慧——《論語》論學	頁 40~45
藍若天	《詩經・野有死麕》篇鑑賞	頁 46~51
張高評	談詩歌語言與言外之意（下）	頁 51~57
陳秀端	晶瑩的明珠——義山「無題」詩	頁 58~63
陳麗桂	古意柬帖——十二版帖	頁 64~65
竺家寧	談國中國文課本中的幾個音讀問題	頁 66~68
蔡宗陽	中學修辭講座——引用的解說與活用	頁 69~74
楊如雪	悼歌驚起「睡」鴛鴦／詞類活用（三）——動詞的活用	頁 75~80
劉崇義	敬覆許清雲教授——補充說明兩首〈登鸛鵲樓〉詩的作者問題	頁 81~83
謎 徒	啞謎早已人猜破——略說「古詩文的斷章式歇後法」	頁 84~88
翁以倫	藝術化的中國字「眾」與「眾」——淺談古字與初文	頁 90~93
劉紹楨	語言的實相與幻相——台灣語言運動之析判	頁 94~100
竺家寧	國際漢語言文化學術研討會紀要	頁 101
林鶴宜	台灣地區「中國古典戲曲研究」博、碩士學位論文寫作概況（民國四十五～八十二）（下）	頁 102~109
潘麗珠	樂在生活、樂在教育的工作者——建中國文教師陳美儒	頁 112~115

第 9 卷 7 期（總 103 期）1993 年 12 月

劉淑爾	《紅樓夢》真的要反清復明嗎？－－讀〈續談紅樓夢的發端〉所給我的觸發	頁 4~8
羅賢淑	小論《紅樓夢》書中的世事洞明與人情練達	頁 9~20
莊宜文	大觀景備，雅集詩才──大觀園中的詩社活動	頁 22~33
陳妮昂	由《紅樓夢》及其續書探討賈寶玉之角色變遷	頁 33~41
張麗芬	古典的現代人──《紅樓夢》人物紅玉淺析	頁 42~49
王開府	四書的智慧──《論語》論仁	頁 50~58
黃忠天	《論語》「君子疾沒世而名不稱焉」釋疑	頁 60~63
藍若天	《詩經・卷耳》篇鑑賞	頁 64~68
傅武光	古文鑑賞（四）──〈小國寡民〉	頁 69~72
范長華	淺探《霸王別姬》的悲劇美	頁 74~81
劉揚烈	羅門詩中卓越的詩才與自覺的選擇	頁 82~87
陳滿銘	談國中的詞曲教學	頁 88~95
張春榮	二分法與修辭	頁 96~100
蔡宗陽	中學修辭講座──對偶的解說與活用	頁 101~105
彭元岐	「變」之與「異」──「互文」及「錯綜」修辭界說之釐清	頁 106~112
李康馨	高中國文課本第六冊第三課〈天工開物跋〉的一些錯誤	頁 114~118
王輔羊	同音字與破音字──從簡媜的〈天生商腦〉說起	頁 120~121
張以仁	旅美詩草／賞遊篇	頁 122~123
林慶彰採訪 侯美珍整理	中國文學的耕耘者──訪北京大學中文系費振剛教授	頁 124~128
張金城	一盞燈火──迎浙江崑劇團來台公演	頁 129~130

第 9 卷 8 期（總 104 期）1994 年 1 月

劉昭妹	語言的遊戲場	頁 4~5
鹿　玉	斯文淪喪，水準焉能不低落？	頁 6~7
賴橋本	四十年來台灣的崑曲活動	頁 8~13
吳新雷	南京大學的曲學薪傳	頁 14~17
俞為民	古代戲曲史上的南北曲	頁 18~23
魏子雲	舞台上的藝術家──兼談張繼青女士的崑曲藝術	頁 24~28
胡　忌	張繼青──崑曲藝術的驕傲	頁 28~31
楊振良	欲明曲理、須先唱曲──崑曲研究的「學」與「術」	頁 32~36
蔡孟珍	傳古人之神方為上乘──談崑曲的咬字	頁 37~42
王開府	四書的智慧──《論語》論孝	頁 44~46
林吳三英	孔門六弟子形象	頁 47~55
鍾吉雄	《呂氏春秋》的教育思想	頁 56~59

藍若天	《詩經‧雄雉》篇鑑賞	頁 60~65
文幸福	〈野有死麕〉淫詩乎？	頁 66~70
潘麗珠	好戲報知音（一）——元劇《漁樵記》和崑劇《朱買臣休妻》、《爛柯山》	頁 71~76
許長謨	一字如箭	頁 76~77
陳滿銘	談近體詩的欣賞——以國中國文課本所選作品為例	頁 78~84
蔡宗陽	中學修辭講座——排比的解說與活用	頁 85~91
楊如雪	習之中人「甚」矣哉／詞類活用（四）——副詞及其他實詞的活用	頁 92~97
潘君言	教學短打——高中國文第三冊〈燭之武退秦師〉	頁 98~99
李 猷	癸酉游美詩卷	頁 100~103
張以仁	旅美詩草／讀詞篇	頁 104~108
馮曉庭 許維萍	日本學者研究經學的總帳冊——編輯《日本研究經學論著目錄》之經過	頁 108~111

第 9 卷 9 期（總 105 期）1994 年 2 月

	美學專輯：美感世界與道的追尋	頁 4
李正治	開出「生命美學」的領域	頁 5~7
蕭振邦	中國美學的儒道釋側面解讀	頁 8~17
陳昌明	「形——氣——神」——中國人獨特的美學思維	頁 18~22
曹淑娟	體道與審美的綜合經驗——《醉古堂劍掃》	頁 23~30
陳旻志	晚鐘棲隱、逆旅驚塵——色相與空靈之間的川端美學層境	頁 32~44
王開府	四書的智慧——《論語》論道德修養	頁 46~52
黃美娥	《禮記‧經解》篇中「溫柔敦厚」一義之商榷	頁 53~57
唐文德	文學創作與象徵表現	頁 58~61
林吳三英	從漢與六朝樂府詩試探當時的社會型態	頁 62~69
吳曉華	詞畫如一的〈行香子〉——「過七里瀨」	頁 70~73
黃文錫	杜麗娘性格發展淺析	頁 74~78
沈惠如	假鳳虛凰、倒轉乾坤——古典戲曲中忽男忽女的舞台趣味	頁 79~84
羅鳳珠	攜手同行古籍自動化的路——兼談電腦輔助教學（一）	頁 85~88
蔡宗陽	中學修辭講座——互文的解說與活用	頁 90~93
劉廣定	回應與挑戰：也談《天工開物》的書名與版本	頁 94~97
連文萍	回應與挑戰：大一新鮮人談兩岸大學聯考（高考）作文試題	頁 98~103
游福生	作文思路的培養	頁 104~105
稟 真	教學短打——我對臺灣國文教育的看法	頁 106~107
林帥月	艱困環境下的學術生命力——東吳大學中文系所師生訪問大陸觀感	頁 108~111
編輯部	讀者接招——大家來論「新古詩」	頁 112~113

第 9 卷 10 期（總 106 期）1994 年 3 月

劉昭妹	從麵包到面包	頁 4~5
楊龍立	研究深度的開發	頁 6~7
黃麗貞	常用易混修辭格的辨析	頁 8~15
蔡宗陽	中學修辭講座——頂針的解說與活用	頁 16~20
張春榮	轉折與修辭	頁 20~25
翁以倫	是春華秋實？還是峰峰相接？——略談對偶與排比之分際	頁 26~28
江奇龍	楊牧《一首詩的完成》的幾種修辭格	頁 29~35
劉麗娟	具體、抽象和比喻法在童詩教學中的運用	頁 36~41
王開府	四書的智慧——《大學》略論（一）	頁 42~48
林志孟	《論語》「慎終追遠」本義之商榷	頁 50~53
余培林	瞭解《詩經・卷耳》篇的幾個關鍵字	頁 54~57
藍若天	《詩經・靜女》篇鑑賞	頁 58~63
葉憶如	辛棄疾〈西江月〉（夜行黃沙道中）析探	頁 64~69
潘麗珠	好戲報知音——美哉越劇《西廂記》	頁 70~74
莊惠綺	看戲之人參湯——試論鄭恆之作用	頁 76~80
吳立甫	楚王所好的是女人的「細腰」嗎？	頁 81~82
陳啟佑	欲把金針度與人——如何教學生寫新詩	頁 83~91
老志鈞	背誦——國文教學之重要環節	頁 92~99
楊如雪	教我如何不想他——致使句和致動用法（上）	頁 100~105
求放子	約定俗成——成語別用的始作俑者	頁 106~109
張麗芬	教學短打——與高中生猜課文謎語	頁 109~112
汪　中	雨盦詩選	頁 113
陳文華	繼青女史蒞臺爨演《牡丹亭》感賦四絕奉呈留念	頁 113
魏光霞記錄	「中文所的現況與辦學理念」座談紀錄	頁 114~120
魏光霞記錄	「中文研究所的定位與展望」座談紀錄	頁 121~131
編輯部	構築詩國的理想——訪「高雄市古典詩學研究會」	頁 132~134

第 9 卷 11 期（總 107 期）1994 年 4 月

王開府	四書的智慧——《大學》略論（二）	頁 4~8
鍾吉雄	荀子的教育理論	頁 9~13
姚喁冰	從〈蘭亭序〉談「曲水流觴」	頁 14~15
簡光明	但識琴中趣，何勞弦上音——談陶淵明的無弦琴	頁 16~19
詹文豪	建構桃花源	頁 20~28

周慶華	敦煌文學在研究上運用的問題	頁 29~31
賴橋本	張繼青到臺灣傳播崑曲藝術	頁 32~37
曾心怡	從修辭角度看席慕蓉《寫給幸福》	頁 38~44
陳滿銘	談幾種非傳統的作文命題方式	頁 46~64
蔡宗陽	中學修辭講座——回文的解說與活用	頁 66~69
潘麗珠	詩歌「吟、唱、誦、讀」的觀念及要領	頁 70~75
邱順明	教學短打——到底誰孤獨？	頁 76~77
陳慶煌	前總統嚴公挽詞	頁 78
陳慶煌	丁似盦〈治磐〉百齡冥誕紀念	頁 78
蔡長林	「本意尊聖、乃至疑偽」——評介王汎森著《古史辨運動的興起》	頁 80~85
林耀椿	錯誤的循環——台灣偽書誤導大陸學者	頁 86~88
白　堅	弘揚民族優秀傳統是詩人的職責——范著〈新古詩序〉商兌	頁 89~93
陳慶煌	論「新古詩」	頁 94~95
高明誠	論「新古詩」	頁 95
仲　彭	對范光陵教授推行「新古詩」有感	頁 96
文　方	大家來論「新古詩」建言	頁 97
管仁健	「新古詩」真的新嗎？——一個中文系學生的質疑	頁 98
林秋華	論新古詩	頁 98
李幼良	我對「新古體詩」的淺見	頁 99

第 9 卷 12 期（總 108 期）1994 年 5 月

編輯部	編輯冊頁	頁 1
編輯部	前言	頁 4
鄭美俐	復於禮，游於藝，撒播人文生命種子；興於詩，嫻於文，培成鄉土宇宙情懷	頁 5~9
羅悅玲	心正氣和濡墨香——書法組	頁 10~13
洪澤南	歌到放懷唱不休——詩歌組	頁 14~20
鄭柳燕	大塊假我以文章——作文組	頁 21~24
王開府	四書的智慧——《論語》論士	頁 26~28
邱敏捷	維摩一室原多病，賴有天花作道場	頁 29~31
張　健	詩詞曲中的人生比喻	頁 32~39
陳啟佑	文學在選舉文宣上的運用	頁 40~48
江澄格	高陽生平行事紀要	頁 49~60
江國貞	廣大教化主——白居易：他以詩文謁況了嗎？	頁 61~64
鄭芳郁	張曉風《步下紅毯之後》的四種修辭格試探	頁 66~75

蔡宗陽	中學修辭講座——映襯的解說與活用	頁 76~78
朱榮智	人文教育與國文教學	頁 80~84
楊如雪	明月別枝「驚」鵲，清風半夜「鳴」蟬——致使句和致動用法（下）	頁 85~90
林繼生	積學以儲寶——做好作文平常的涵養工夫	頁 91~95
彭元岐	從「與孫季述書」的原典引用談注釋引典	頁 96~99
杜明德	漢語詞彙雙音節化初探	頁 100~106
陳慶煌等	龜山朝日唱和集	頁 107~111
陳　遼	評權著《型世言研究》	頁 112~113

第 10 卷 1 期（總 109 期）1994 年 6 月

林積萍	女性主義帶來的詮釋新向度——以葉兆言的《綠色陷阱》為演練實例	頁 4~13
魏光霞	試觀男性文化典律下昭君形象的扭曲	頁 14~26
曾恆源	從女性立場看王安憶《三戀》中的女性	頁 27~35
吳淑慧	《救風塵》的衝突結構——巧計與自覺	頁 36~47
法　天	「優先觀察名單」，何「優」之有？	頁 47
葉嘉瑩講 安　易整理	古詩十九首講錄	頁 48~58
戴寶珠	清淡與弱勢——淺論李商隱詩中的逸品	頁 60~65
潘麗珠	好戲報知音——蘭陽戲劇團的歌仔戲《錯配姻緣》	頁 66~69
周志煌	台灣北管「子弟班」所反映的社群分類現象——以西皮福祿及軒園之爭為中心的探索	頁 70~75
簡綉玉	從〈馮諼客孟嘗君〉一文看馮諼與孟嘗君	頁 76~80
翁以倫	「眾以為殃」注釋之商榷——〈大同與小康〉一文之我見	頁 82~85
蔡宗陽	中學修辭講座——層遞的解說活用	頁 86~89
王開府	四書的智慧——《論語》論君子	頁 90~95
陳耀安	雅舍曲稿	頁 95
藍若天	《詩經・桑中》篇鑑賞	頁 96~100
陳美雪	傳統戲曲和曲藝研究的寶庫——《清蒙古車王府藏曲本》簡介	頁 101~105
周幹家	我對《國文天地》的祈請	頁 109~113

第 10 卷 2 期（總 110 期）1994 年 7 月

葉嘉瑩講 安　易整理	古詩十九首講錄（第二講）——行行重行行	頁 4~10
魏旭妍	有關孟姜女敘事詩的探究	頁 11~19
高碧蓮	談《隋史遺文》——秦叔寶的冷靜與衝動	頁 20~30
霍國玲原著 詹宇錦修訂	反照風月寶鑑——試論《紅樓夢》的主線	頁 32~41
張文軒	蘭州話中的歇後語	頁 42~46
蔡根祥	〈與孫季述書〉注釋的辨議	頁 47~50
老志鈞	兩種有利於漢字教學的方法——分析比較	頁 51~55
蔡宗陽	中學修辭講座——轉化的解說與活用	頁 56~59
楊如雪	「眾人皆以奢靡為榮，吾心獨以儉素為美」——意謂句和意動用法(上)	頁 60~69
金榮華	越南華僑華文教育之現況及瞻望	頁 70~79
李素珍	最後的叮嚀——作文如何得高分	頁 80~86
王開府	四書的智慧——《孟子・齊人》析論	頁 87~91

竺家寧	中國語言學和中文系	頁 92~98
林慶彰	大陸資料蒐藏與利用的困難及解決之道	頁 99~102
林耀椿	吳宓的友人與人生觀	頁 103~106
古遠清	「一種清清楚楚的曖昧」——評張健的詩集《神秘的第五季》	頁 107~109
張　健	〈植物人生〉自詮	頁 110
白　堅	甲午之戰人物八詠——為甲午百年紀念作	頁 112~113
素榮齋	迴響與反應	頁 114

第 10 卷 3 期（總 111 期）1994 年 8 月

楊龍立	全國ＸＸ會議	頁 4~5
魯樞元	說（SHUI）魚上樹——精神生態與人類困境	頁 6~9
連文萍	專輯前言	頁 10
張　健	創見・偽創見與反創見	頁 11~14
岑溢成	國學論文的寫作方法	頁 15~17
王熙元	學術論文的認知與寫作	頁 18~22
連文萍	前言	頁 24
張廣慶	動手動腦找題目	頁 25~27
盧景商	如何擬定大綱	頁 28~29
周慶華	資料的收集及解讀	頁 30~31
陳逢源	論文時間的掌控	頁 32~33
盧明瑜	論文寫作的心理調適	頁 34~35
連文萍	指導教授在哪裡？	頁 36
葉嘉瑩講 安　易整理	古詩十九首講錄（第三講）——〈青青河畔草〉、〈今日良宴會〉	頁 37~43
龔嘉英	我從杜詩中發現「詩有三動」	頁 44~46
陳滿銘	談作文命題的原則	頁 47~54
	好酷的〈一場及時雨〉——八十三年高中聯招作文管窺（郭美美導航 歐陽宜璋撰述）	頁 55~59
林繼生	意料之中與意料之外——台北區八十三年高中聯考國文科試題分析	頁 60~66
蔡宗陽	中學修辭講座——錯綜的解說與活用	頁 68~71
林政華	李白黃鶴樓詩的兩個異文	頁 72~73
王開府	四書的智慧——孔子之為人	頁 76~81
龔鵬程	佛學與學佛	頁 82~90
車錫倫	曹寅（棟亭）藏書《書史紀原》上的「雪芹校字」	頁 91~95
邱順明	我們真的很需要鼓勵——請拉中學老師一把	頁 96~97
彭元岐	迴響與反應	頁 98

第 10 卷 4 期（總 112 期）1994 年 9 月

古遠清	讀者投書	頁 0
龔鵬程	歷史的與社會的語文學	頁 2~3
	專題前言	頁 6
劉靜娟	肯定正面人性・提昇生活品味	頁 7~9
張堂錡	涓滴細流終成江海──中央日報「長河版」六年來的回顧與未來走向	頁 10~12
蘇偉貞口述 黃思維整理	孜孜耕耘的《聯合報・讀書人》	頁 13~14
張正義	細說從頭──為一好節目注音	頁 15~16
張啟超	讓生命的花朵每日綻放	頁 17~19
謝若男	「媽咪寶貝」的「圖書館」	頁 20~21
蔡根祥	談「平成」	頁 22~25
周簡段	大陸飲食業店名趣談	頁 26~27
葉嘉瑩講 安易整理	古詩十九首講錄（第四講）──〈西北有高樓〉	頁 28~36
段美華	白娘子形象的歷史嬗變	頁 37~39
陳誠中	唱作俱佳的福州戲──聆賞福州閩劇院一團來花公演有感	頁 40~43
羅 門	詩在人類世界中的永恆價值	頁 44~49
陳滿銘	談作文批改的原則	頁 50~56
翁以倫	鏡頭下的巧思／讀書心得的作法──寫於「我最喜歡的一本書」之前	頁 57~60
蔡宗陽	中學修辭講座──拈連的解說與活用	頁 62~65
楊如雪	「常人『貴』遠『賤』近，向聲背實」──意謂句和意動用法（下）	頁 66~71
彭元岐	不聞機杼聲──「唧唧」究竟狀何聲？	頁 72~74
孫秀玲	給國文科教師新鮮人的一些建議	頁 76~81
連文萍	國文課的新天地──關於國文教法的一些體議	頁 82~85
宋 裕	中學國文作家趣聞掌故──明初文宗宋濂	頁 86~88
藍若天	《詩經・氓》篇鑑賞	頁 90~96
王開府	四書的智慧──《論語》論詩禮樂	頁 97~102
潘重規	從曹雪芹生卒談紅樓夢的作者	頁 103~109
林慶彰	什麼是學術論文？	頁 110~113
江煜坤	也談佛學與學佛	頁 114~117

第 10 卷 5 期（總 113 期）1994 年 10 月

許錟輝	一位褓母的話──《國文天地》十週年感言	頁 4~6
葉嘉瑩講	古詩十九首講錄（第五講）──〈東城高且長〉	頁 7~13

安易 楊愛娣
整理

張　健	蘇舜欽的七絕	頁 14~19
霍國玲原著 詹宇錦修訂	曹雪芹的生辰年月	頁 20~32
張展源	對新詩美學的一些反省	頁 33~40
宋　裕	中學國文作家趣聞掌故──寧死不屈的方孝孺	頁 41~43
蔡宗陽	中學修辭講座──示現的解說與活用	頁 44~47
陳啟佑	渡也與竹	頁 48~52
老志鈞	「進行」之濫用	頁 53~55
柯友稚	河洛人	頁 56~58
王開府	四書的智慧──《論語》論教育	頁 60~71
王樹人	道心詩魂繫太湖──海峽兩岸玄學討論會印象	頁 72~75
周慶華	混沌與秩序──民間文學研究的困境及其化解途徑	頁 76~87
熊明陶	「霸王別姬」究竟在何處？──兼談兩個虞姬墓之謎	頁 88~92
李　明	《古文真寶》及其版本	頁 94~98
曹繼曾	淺析「絮與蓬」	頁 99~103
孫振志	〈木蘭詩〉裡的「唧唧」是機杼聲	頁 104
曾妙云	讀者迴響	頁 105~106
許紹明	招字旗幟解的補述	頁 107~108
陳慶煌	秋闈衡鑑憶　曾公──記霽虹先生二三事	頁 109~111
小　小	寫詩給孩子	頁 112
王輔羊	希爾頓賣月餅	頁 113
郭燕橋自撰 編輯部節錄	書畫天地樂無窮──郭燕橋書畫展	頁 114~118

第 10 卷 6 期（總 114 期）1994 年 11 月

陳慶煌	陶淵明被拒於詩人大會門外	頁 4~5
吳瑞青	漢聲電影「妙妙世界」──小朋友的快樂天堂	頁 6~7
楊宗潤	今夜星光燦爛──「良夜星光」話從頭	頁 8~10
余遠炫	問渠哪得清如許，為有源頭活水來──台廣「耕讀園」	頁 10~11
方雪莉	「談天說地」樂無窮	頁 12~13
王熙元	談李白的小詩〈靜夜思〉	頁 14~16
江國貞	醉翁之意不在酒‧在乎山水之間也──歐陽修在滁州何以自稱為「翁」？	頁 17~21
李立信	試析歸有光〈項脊軒志〉	頁 22~26

黃麗娜	充滿社會關懷的利筆——談許達然的散文集《水邊》	頁 28~33
林覺中	文學流派的試析	頁 34~36
何永清	「文章」一詞的探討	頁 37~39
熊道麟	文學作品中的「窺浴」趣談	頁 40~43
陳滿銘	談詞章的義蘊與運材之關係	頁 44~50
宋　裕	中學國文作家趣聞掌故——六一居士歐陽修	頁 51~55
蔡宗陽	中學修辭講座——借代的解說與活用	頁 56~60
楊如雪	「別有幽愁闇恨生，此時無聲勝有聲」——有無句遞繫式及其相關問題（上）	頁 61~65
王紹文	〈為學一首示子姪〉「之」字詞性的辨正	頁 66~67
陳　玄	教老外讀「四聲成語」	頁 68~69
藍若天	《詩經‧有狐》篇鑑賞	頁 70~75
王開府	四書的智慧——《論語》論政治	頁 76~83
王礽福	馮友蘭的人生哲學	頁 84~95
張以仁	旅美詩草——〈親友篇〉	頁 96~100
曹繼曾	唧唧可狀蟲鳴聲嗎？	頁 102~104
邱敏捷	佛學與學佛關係的省思——對龔教授〈佛學與學佛〉一文的迴應	頁 105~107

第 10 卷 7 期（總 115 期）1994 年 12 月

編輯部	前言	頁 5
魏子雲	難以言詮的梅家舞台藝術	頁 6~9
馬少波	梅蘭芳的藝術道路	頁 10~15
徐城北	梅蘭芳與花衫	頁 16~21
言慧珠	平易近人、博大精深——談梅派唱腔特點	頁 22~26
施議對	敏求居說詩：「窈窕淑女，君子好逑」《詩經‧周南‧關雎》賞析	頁 27~28
李　栖	魏晉清談的場面——以《世說新語》為例	頁 30~37
霍國玲原著 詹宇錦修訂	《紅樓夢》中隱入了何人何事	頁 38~57
陳碧月	白先勇小說人物所揭示的社會意義	頁 58~63
素榮齋	鯉魚就是鯉魚	頁 63
龔韻蘅	現代詩與現代畫	頁 64~68
鄭向恒	從儒家仁愛思想談文學使命	頁 69~71
蔡宗陽	中學修辭講座——對偶與排比的比較	頁 72~75
宋　裕	中學國文作家趣聞掌故——盛享文名的帝王作家曹丕	頁 76~82
邱敏捷	東坡〈赤壁賦〉中的哲思	頁 84~85
彭元岐	以記為名之文的文體辨議——從〈墨池記〉主旨談起	頁 86~91

王開府	四書的智慧——《論語》論古今人物	頁 92~95
何畫瑰	煥然精粹的美麗與哀愁——魏晉時期的審美自覺	頁 96~101
張以仁	旅美詩草	頁 102~104
陳耀安	雅舍詩稿	頁 106~107
小 小	寫詩給孩子	頁 108~109
洪 濤	論雪芹生卒與《紅樓夢》作者	頁 110~111
妙 云	佛學與學佛孰重？	頁 112~114
蘇美鳳	讀〈中學國文作家趣聞掌故〉有感	頁 115

第 10 卷 8 期（總 116 期）1995 年 1 月

施議對	敏求居說詩：少男少女三月三——《詩經‧鄭風‧溱洧》賞析	頁 4~5
黃浴沂	盛唐詩文王維——兼析其〈輞川閑居贈裴秀才迪〉詩	頁 6~12
王熙元	詞中的移情作用	頁 13~20
簡光明	莊子在小說中的形象——淺談王應遴的《逍遙游》	頁 22~27
陳雅莉	電影「鋼琴師和她的情人」美學	頁 28~33
徐傳武	「新官上任三把火」源於何事	頁 33~34
蔡宗陽	中學修辭講座——譬喻與轉化的比較	頁 35~39
宋 裕	中學國文作家趣聞掌故——山水田園詩人王維	頁 40~43
趙公正	從柔性智慧談蘇軾〈留侯論〉	頁 44~46
許逸之	三友齋文法集談（一）：教科書文法質疑	頁 47~50
空 空	從國中生常用詞辭彙談起	頁 51~55
江澄格	淺談「束修」	頁 56~59
陳耀安	雅舍詩稿	頁 59
王開府	四書的智慧——孔門弟子（一）	頁 60~67
馬寶蓮	從〈殽之戰〉略談遊說與諫諍之道	頁 67~75
王宜瑗	輕舉與回歸——魏晉遊仙詩人的心態	頁 76~80
張稔穰 牛學恕	儒家倫理道德與古代小說藝術形象	頁 81~87
蔡芳定	葉德輝及其學術活動概述	頁 88~93
張 健	《蘇軾論稿》序	頁 94~95
張惠淑	國內整理古籍的奠基石——簡介《姚際恆著作集》	頁 96~99
張以仁	旅美詩草——〈風土篇〉	頁 99~101
陳慶煌	心月樓近詩	頁 102~103
陳慶煌	來函照登	頁 103
孫振志	唧唧、促織與蟋蟀經驗談	頁 104~105

彭元岐	讀者來函	頁 106
詩人大會秘書處	讀者來函	頁 107

第 10 卷 9 期（總 117 期）1995 年 2 月

龔鵬程	紅樓情史	頁 4~15
魏子雲	治學考證根腳起——從《春柳堂詩稿》的曹雪芹說起	頁 16~20
霍國玲原著 詹宇錦修訂	試論《紅樓夢》一書的寫作目的（一）	頁 21~27
周慶華	紅樓夢與「紅樓夢」	頁 28~30
俞辰文	紅學界最近新說：大觀園原型在天津	頁 31~32
謝春彥	戴敦邦與《紅樓夢群芳圖譜》	頁 34~35
林憶雯	晴雯的人物性格及其悲劇性之探討	頁 36~44
朱歧祥	悲情與哲思——王國維《人間詞》選評（一）	頁 45~49
張麗芬	笑問鴛鴦二字怎生書——古典詩詞中的鶼鰈笑語	頁 50~56
陳誠中	《天鵝宴》與《孟麗君》——介紹兩齣福州的名戲	頁 57~59
羅宏益	擬古與創新——評林文月擬古散文之創作	頁 60~66
蔡宗陽	中學修辭講座——象徵的解說與活用	頁 67~71
宋 裕	中學國文作家趣聞掌故——先天下之憂而憂的范仲淹	頁 72~78
楊如雪	「有朋自遠方來，不亦樂乎」——有無句遞繫式及其相關問題（下）	頁 79~84
空 空	現行國中國文教師手冊評估	頁 85~87
王開府	四書的智慧——孔門弟子（二）	頁 88~93
李葆嘉	天問：華夏漢語祖先安在——論華夏漢語的混成發生與推移演變	頁 94~105
林初乾	「海陵紅粟」辨正	頁 106~115
陳新雄	鍥不舍齋詩稿	頁 116~119
張以仁	旅美詩草——〈感懷篇〉	頁 120~122
管仁健	誰識紅樓夢裡人？——〈反照風月寶鑑〉讀後感	頁 123~124

第 10 卷 10 期（總 118 期）1995 年 3 月

編輯部	我們提供什麼讓學生深入地學習呢？關於國文	頁 5
江玉美	國中國文第一冊散文篇目會診（李玲語 黃瑞美尤惠漓 羅婉嫻劉信玉 莊春蘭蘇女真 鍾桂英 劉媛蓉 賴薏芬 李瑞琦）	頁 6~12
賴翠華	國中國文第三冊散文篇目會診（楊昭瑾 張秀惠 陳素美 張璧芬 陳怜嫻 陳素雲 吳英純 涂惠珍 劉瑞美）	頁 13~17
陳惠瑩	國中國文第五冊散文篇目會診（趙彥芬 麥祥 黃蓮英 王月琇 白弘乾 鄭淑華 吳連珠）	頁 18~26
余宗宏執筆	高級中學國文科課文篇目會診（一、三、五冊）	頁 27~34

施議對	敏求居說詩：「靜女奇姝，俟我於城隅」——一個生動的幽會場面	頁 36~37
鄭晃昇	謝靈運童年期的人格發展	頁 38~47
戴朝服	「報本返始」的孝思與孝情——讀李密〈陳情表〉	頁 48~50
朱歧祥	悲情與哲思——王國維《人間詞》選評（二）	頁 51~53
黃忠慎	關於《容齋隨筆》中的〈嚏嚏趣談〉	頁 54~56
宋　裕	中學國文作家趣聞掌故——千古風流蘇東坡（上）	頁 58~63
蔡宗陽	中學修辭講座——譬喻與象徵的比較	頁 64~67
張麗芬	視聽媒體在高中國文教學的現況與發展	頁 68~74
素榮齋	談〈虯髯客傳〉的兩則注釋	頁 75
劉冠仲	試談筆形編碼檢字	頁 76~80
藍若天	《詩經・君子于役》篇鑑賞	頁 81~85
王開府	四書的智慧——《中庸》略論	頁 88~91
王礽福	復歸於無——老子對語言世界的批判及解決的方法	頁 92~103
林慶彰	我在九州大學的學術活動	頁 104~111
林登昱	逐漸抬頭的大陸新經學（一）	頁 112~117
曹繼曾	為什麼孔子對老朋友以杖叩脛	頁 118~119

第 10 卷 11 期（總 119 期）1995 年 4 月

施議對	敏求居說詩：「漢有游女，不可求思」——崇高的愛情寄託	頁 4~5
朱歧祥	悲情與哲思——王國維《人間詞》選評（三）	頁 6~8
陳益源	《紅樓夢》裡的同性戀：與世界對話——甲戌年（一九九四）世界紅學會議	頁 10~25
張春榮	補詞與辭格	頁 26~33
渡　也	新詩補給站	頁 34~36
林怡芳	有以與人的採蓮女子——張曉風的散文世界	頁 37~45
羅鳳珠	攜手同行古籍自動化的路（二）：不廢江河萬古流——DIY 唐詩多媒體網路系統規劃理念	頁 46~51
蔡宗陽	中學修辭講座——兼格的修辭	頁 52~55
楊如雪	蓋追先帝之殊遇，欲「報之於陛下」：介賓結構之一——表示受事或授事對象的次賓語	頁 56~62
許逸之	三友齋文法集談（二）：中文文法書之難讀	頁 63~69
宋　裕	中學國文作家趣聞掌故——千古風流蘇東坡（下）	頁 70~74
周延燕	現行高中國文第一冊問題商榷	頁 75~78
陳春旭	〈岳陽樓記〉「越明年」一詞考釋	頁 79~81
邱順明	「常」、「長」、「差不多」爭辯幾時休？	頁 82~84
歐陽宜璋	創意題型設計——驛動的心	頁 85~87

范曉雯	高中教學活性化	頁 88~89
林慶彰	談目錄的編輯與利用	頁 90~93
吳盛青	浮生若夢——由中國敘事文學的一個課題所引發的思考	頁 94~100
林登昱	逐漸抬頭的大陸新經學（下）	頁 101~107
謝春聘	起承轉合	頁 107
陳新雄	伯元倚聲（一）	頁 108~111
左秀靈	也談〈虯髯客傳〉的注釋	頁 112~113
宋滌姬	三點意見	頁 114
曹繼曾	蟲鳴聲亦進行式	頁 115~117

第 10 卷 12 期（總 120 期）1995 年 5 月

潘麗珠採訪 黃思維整理	訪黃錦鋐教授談國文課本的編撰	頁 4~7
俞牡丹	〈蘭亭集序〉之奧	頁 8~11
陳慶煌	李白〈靜夜思〉為甚麼會有文字上的差異？	頁 13~14
黃慶祥	巴峽、巫峽、襄陽、洛陽——談杜甫的歸鄉路	頁 15~19
吳建華	淺談元曲小令的押韻及襯字	頁 20~22
宗　鷹	涵詠玩索——中國文學品賞的方法論	頁 23~27
霍國玲原著 詹宇錦修訂	試論《紅樓夢》一書的寫作目的（二）	頁 28~32
王志成 溫光華	古文選讀指津	頁 33~46
彭元岐	李白〈長干行〉詩意索隱	頁 47~50
蔡根祥	從范仲淹〈岳陽樓記〉「越明年」談起	頁 51~57
曹金華	〈留候論〉中「彼其能有所忍也」之「其」字音義考	頁 58~61
宋　裕	中學國文作家趣聞掌故——諷刺小說巨匠吳敬梓	頁 62~65
楊台山	國中國文課本內容之檢討	頁 66~67
謝春聘	作文教學現況之檢討與改進建議	頁 68~72
老志鈞	「存在」與「有」用法之分野	頁 73~76
蔡明富	有「養」書法——談書法教育的附加價值	頁 76~79
左秀靈	國小國語教科書第十一冊指瑕	頁 80~84
藍若天	《詩經・柏舟》篇鑑賞	頁 85~91
張少中	辨《呂氏春秋・貴公》篇為道家後學之作	頁 92~97
龔鵬程	晚明思潮的新探索——《晚明思潮》自序	頁 98~110
陳新雄	伯元倚聲	頁 111~115
陳耀安	雅舍詩稿：八十三年台中縣書法研習心得六首	頁 116

第 11 卷 1 期（總 121 期）1995 年 6 月

趙其鈞	略論抒情詩的興旺與唐絕句的敘事藝術	頁 4~8
王熙元	古典詩鍊字的構思方向	頁 9~14
黃奕珍	自我的進入與退出——四靈詩的視野	頁 15~19
余力文	龔自珍的詩情與愛情	頁 20~23
潘麗珠	豪華落盡見真淳——鄭愁予〈寂寞的人坐著看花〉	頁 24~26
陳大為	析論卞之琳《十年詩草》的敘述策略	頁 27~31
	讓想像的翅膀飛翔——蕭蕭談現代詩教學（蔡長林 鍾怡雯採訪 鍾怡雯整理）	頁 32~35
張瑞芬	大師的第一堂課——辜鴻銘、魯迅和沈從文	頁 36~40
朱歧祥	悲情與哲思——王國維《人間詞》選評（四）	頁 41~43
田中正美著 林慶彰譯	日本近代漢學家（一）：那珂通世（一八五一～一九〇八）	頁 44~49
林翠鳳	中國傳統蒙書敘說	頁 50~55
葉國良	詩文與禮制（一）：勸君莫惜金縷衣	頁 56~61
徐夢林	中外逃獄秘笈——談《連城訣》與《基度山恩仇記》	頁 62~67
陳美雪	古典戲曲研究的總帳冊——談莊一拂編《古典戲曲存目彙考》	頁 68~71
胡厚宣	偽書誤導又一例	頁 72~73
袁義明	公孫布被探微	頁 74~77
許逸之	三友齋文法集談（三）：詞品是怎麼定的	頁 78~84
楊如雪	誰習計會能為文收責於薛者乎：介賓結構之二——表示關切對象的次賓語	頁 85~88
張振成	我們心目中的理想國語科教科書	頁 89~93
左秀靈	國中國文教科書指瑕	頁 94~97
宋 裕	中學國文作家趣聞掌故——悲情賣命的宰相李斯	頁 98~104
羅鳳珠	攜手同行古籍自動化的路（三）：不廢江河萬古流——DIY 唐詩多媒體網路系統架構設計	頁 105~111
林慶彰	文化中心出版品應廣為流傳	頁 112~113
黃俊傑	為大學教育招魂	頁 114~115
許錟輝	解國文天地讀者郭宇虹先生問有關文字之惑二條	頁 116~117
高明誠	何謂「藍尾酒」？	頁 118~119

第 11 卷 2 期（總 122 期）1995 年 7 月

鍾怡雯	全方位的交流，新視界的拓展——「兩岸暨港新中小學國語文教學國際研討會」側記	頁 4~7
黃忠慎	對於「第二屆中華文化學術研討會」的一些意見	頁 8~9

黃俊傑	大學教育的「資本主義困境」	頁 10~11
高明誠	何謂「頂真格」？	頁 12~13
謝春聘	「每下愈況」與「每況愈下」	頁 14~15
葉嘉瑩講 安　易整理	嘉瑩談詩：詩歌的感發（第一講）	頁 16~21
林伯謙	佛學的智慧（一）：掃帚的教誨	頁 22~27
葉國良	詩文與禮制（二）：唐宋人如何喝茶	頁 28~32
鎌田正著 林慶彰譯	近代日本漢學家（二）：林泰輔（一八五四～一九二二）	頁 33~39
張維用	關於玻璃的故實	頁 40~45
何永清	《神童詩》中對聯	頁 46~49
胡曉翔	書法藝術的異化	頁 50~51
陳民珠	韋莊詩詞中「月」的意境	頁 52~59
朱歧祥	悲情與哲思——王國維《人間詞》選評（五）	頁 60~63
高光惠	閒說《莊子・養生主》「帝之縣解」	頁 64~65
施議對	敏求居說詩：采采卷耳，不盈頃筐——一種特殊的結構方法	頁 66~67
程國賦	漫談〈崑崙奴〉及其嬗變作品的敘事視角	頁 68~70
黃錦鋐演講 鍾怡雯記錄	國語文教學的新方向	頁 72~77
鍾吉雄	師院生看師院國文	頁 78~82
戴朝福	立法從寬，執法從嚴——歐陽修的〈縱囚論〉	頁 83~85
左秀靈	高中國文教科書指瑕——〈琵琶行〉如何「當心畫」？	頁 86~87
邱敏捷	從〈始得西山宴遊記〉看柳宗元遭貶心境的轉化歷程	頁 88~89
趙公正	八十四年台北市高中第一次聯合模擬考作文「窗」之剖析	頁 90~95
宋　裕	中學國文作家趣聞掌故——商而優則仕的呂不韋	頁 96~99
歐陽宜璋	用「掌聲」搭一座「橋」——輻射式聯考作文過招	頁 100~101
邱燮友	大陸紀遊	頁 102~103
張以仁	滬遊雜詠	頁 104~106
陳正雄	野人獻曝——讀《晚學齋文集》	頁 108~110
黃文吉	無邊光景一時新——張高評主編《宋代文學研究叢刊・創刊號》評介	頁 111~115
素榮齋	肢離破碎不該乎！	頁 116
林純芬	為〈虯鬚客傳〉正名	頁 117

第 11 卷 3 期（總 123 期）1995 年 8 月

王熙元	經學的精神與價值	頁 4~5
高柏園	論教育改革的全方位性	頁 6~7

繆天華	十二闌干	頁 8
王偉勇	「恭請」、「敬請」、「謹請」如何使用？	頁 9
編者按	現代小說教學	頁 10
鍾怡雯	期待更寬廣的文學空間——「現代小說教學經驗」座談會	頁 11~19
編輯部整理	小說家看中文系的小說課	頁 20~24
編輯部整理	全國各大學中文系「現代小說」課程開設概況	頁 25~27
方祖燊	有關小說的一張書目	頁 28~31
吳達芸	華年的刻印——教學生寫小說	頁 32~37
呂正惠	關於「現代小說」課程的幾點考慮	頁 38~39
周芬伶	誰是小說終結者？	頁 40~44
張曉風	小說教室	頁 45~48
葉嘉瑩講 安　易整理	嘉瑩談詩：詩歌的感發（第二講）	頁 49~55
周　何	經典的智慧（一）：「禮」從何來	頁 56~59
林伯謙	佛學的智慧（二）：永遠不會太遲	頁 60~64
葉國良	詩文與禮制（三）：中國式的生魚片——膾	頁 65~69
中島敏著 林慶彰譯	近代日本漢學家（三）：市村瓚次郎	頁 70~75
陳滿銘	談詞章主旨的顯與隱——以中學國文課文為例	頁 76~81
金榮華	國文課對你有幫助嗎？	頁 82~83
楊鴻銘	文章縮寫的方法——以豐子愷〈車廂社會〉為例（限一百二十字）	頁 84~86
彭元岐	而風何與焉——淺析〈黃州快哉亭記〉章法轉折之妙	頁 87~93
范培松	梁實秋《雅舍小品》的概括藝術	頁 94~97
張　覺	重振古籍譯註的學術風範與地位	頁 98~99
汪少華	古人乘車為什麼尚左？	頁 100~106
梁銘越	蔡肇祺的「自通」歌曲與台灣文化營運中心	頁 107~109
陳文華	《夢窗詞選再箋》：序	頁 110
黃麗月	《夢窗詞選再箋》：（一）〈絳都春〉——燕亡久矣，京口適見似人，悵然有感	頁 111~114
蔡長林採訪 曹美秀整理	訪陳其南談文化建設	頁 115~119

第 11 卷 4 期（總 124 期）1995 年 9 月

編輯部記錄 整理	天地十年，薪傳不止——《國文天地》十周年社慶座談會	頁 4~15
簡恩定	為大地留些綠意	頁 16~17

吳蜀魏	莫棄國故如敝屣──向理工科同學進一言	頁 18~19
王開府	七十二賢與顏淵後代	頁 20~21
惠恩華	「儼然」辨析	頁 22~23
葉嘉瑩講 安 易整理	嘉瑩談詩：詩歌中形象與情意的關係（第一講）	頁 26~33
周 何	經典的智慧（二）：「約束」不好嗎？	頁 34~37
林伯謙	佛學的智慧（三）：腳跟下轉法輪	頁 38~42
葉國良	詩文與禮制（四）：六朝名士的道具──麈尾	頁 43~47
松村潤著 林慶彰譯	日本近代漢學家（四）：白鳥庫吉（一八六五～一九四二）	頁 48~53
林繼生	守成與創新之間──八十四年台北區公立高中聯招國文科試題分析	頁 54~60
楊鴻銘	排比作文的方法──以今年夜大國文作文「歲月的痕跡」為例	頁 61~63
江澄格	為「東坡」尋註求解	頁 64~66
楊如雪	秦伯說，「與鄭人」盟：介賓結構之三──表示交與關係的次賓語	頁 67~75
陳慧英	怎樣讀好高中國文──給高一的新鮮人	頁 76~82
傅 貴	皇帝菩薩──蕭衍	頁 84~89
侯美珍	事非經過不知難──編輯《經學研究論著目錄（一九八八～一九九二）》的幾點感想	頁 90~96
易俊傑	妙批趣話	頁 97~99
鍾怡雯	〈謀殺〉的後設陷阱──論韓少功的小說〈謀殺〉	頁 100~106
何根海	《詩經・北山》「率土之濱」辨義	頁 107~109
郭燕橋	國畫落款小常識	頁 110
徐遠祥	再談〈靜相思〉	頁 112~115
陳慶煌	〈靜相思〉的體式與格律	頁 116~118

第 11 卷 5 期（總 125 期）1995 年 10 月

楊昌年	人生荒涼與人性蒼涼──由張愛玲創作中的「月」意象談起	頁 4~8
王熙元	博士班入學筆試不宜廢除	頁 10~11
唐翼明	大學中文系應開設大陸文學課程	頁 12~13
楊如雪	文法結構辨析	頁 14~15
梅 廣	「框」的音讀？	頁 16
王關仕	曾國藩其貌不揚乎？	頁 17
傅武光	老莊散論（一）：老子說：中共應該讓步（大者宜為下）	頁 18~19
周 何	經典的智慧（三）：禮主於減	頁 20~23
葉嘉瑩講 安 易整理	嘉瑩談詩──詩歌中形象與情意的關聯（第二講）	頁 24~32

葉國良	詩文與禮制（五）：蠟炬成灰淚始乾	頁 34~37
林伯謙	佛學的智慧（四）：印度來的驢子	頁 38~42
溝上瑛著 林慶彰譯	日本近代漢學家（五）：內藤湖南（一八六六～一九三四）	頁 44~49
陳滿銘	從軌數的多寡看凡目法在詞章裡的運用——以國、高中國文課文為例	頁 50~57
楊鴻銘	作文教室（一）：轉遞作文的方法——以「秋」為例	頁 58~61
宋滌姬	淺談〈黃河結冰記〉所提到的星辰	頁 62~67
左秀靈	榖與穀——續談《古文觀止》的錯誤	頁 68~69
熊道麟	七、八聯用成語所表現的「亂」象	頁 70~76
蔡長林採訪 曹美秀整理	訪黃俊傑教授談大學通識教育	頁 77~81
徐傳武	「矮」「射」談趣	頁 84~85
陳美雪	元明清戲曲作家生平資料總匯——《方志著錄元明清曲家傳略》評介	頁 86~90
施議對	敏求居說詩：〈將仲子〉中的「牆」——不可踰越的愛情阻隔	頁 91~93
沈寬	淺釋「奔走」	頁 94~96
朱歧祥	悲情與哲思——王國維《人間詞》選評（六）	頁 97~101
高明誠	談〈赤壁賦〉	頁 102~105
吳國英	吃茶粥	頁 106~109

第 11 卷 6 期（總 126 期）1995 年 11 月

李正治	走向台灣美學的研究	頁 4~5
郭鶴鳴	我們還能相信誰	頁 6~8
賴橋本	「扶箕」何所指？	頁 10
王開府	「子曰」是否孔子所言？	頁 11
楊昌年演講 汪惠蘭記錄	現代詩的創作與欣賞	頁 12~19
唐翼明演講 鍾怡雯記錄	大陸當代小說概況	頁 20~26
陳滿銘	唐宋詞拾玉（一）：李白的〈菩薩蠻〉	頁 28~29
傅武光	老莊散論（二）：莊子說：族群平等，應互相尊重	頁 30~32
葉嘉瑩講 安易整理	嘉瑩談詩：詩體的演變（第一講）	頁 33~41
周何	經典的智慧（四）：禮為大防	頁 42~45
林伯謙	佛學的智慧（五）：一文錢	頁 46~52
葉國良	詩文與禮制（六）：可憐夜半虛前席	頁 53~59
雲藤義道著 林慶彰譯	日本近代漢學家（六）：高楠順次郎（一八八六～一九四五）	頁 60~65

俞允堯　　回到文學現場（一）：拳拳慈父心，縷縷父子情——南京浦口車站與　頁 66~69
　　　　　朱自清的〈背影〉

鍾怡雯　　中學國文課文作家近況報導（國中第一冊第十課）：隨興讀書，自在　頁 70~72
　　　　　生活——張曉風用單純的心經營每一天

楊如雪　　當時余心之悲，蓋不能「以寸管」形容之：介賓結構之四——表示憑　頁 73~77
　　　　　藉關係的次賓語（上）

楊鴻銘　　作文教室（二）：譬擬作文的方法——以「春」為例　　　　　　　頁 78~81

宋　裕　　中學國文作家趣聞掌故——文采斐然的建安七子　　　　　　　　　頁 82~85

陳慧英　　近六年來日大國文試題評析　　　　　　　　　　　　　　　　　　頁 86~91

潘重規　　線裝書的回憶：談藏書　　　　　　　　　　　　　　　　　　　　頁 92~94

趙志遠　　司馬遷曾想自殺？　　　　　　　　　　　　　　　　　　　　　　頁 95~97

吳禮權　　創意造言的藝術——蘇軾與劉攽的排調語篇解構　　　　　　　　　頁 98~101

徐傳武　　連累推及的一種詞語　　　　　　　　　　　　　　　　　　　　　頁 102~103

梁存信　　我國古代的泳術　　　　　　　　　　　　　　　　　　　　　　　頁 104~107

第 11 卷 7 期（總 127 期）1995 年 12 月

陳德和　　校園倫理的解鈕與重構　　　　　　　　　　　　　　　　　　　　頁 4~5

黃俊傑　　當前大學「校園民主」的貧困　　　　　　　　　　　　　　　　　頁 6~7

王熙元　　「龔」字的正確讀音、「代自序」的意義　　　　　　　　　　　　頁 8

張正男　　「趙趄」的音讀　　　　　　　　　　　　　　　　　　　　　　　頁 9

傅武光　　老莊散論（三）：老子說：有一種人老虎不吃　　　　　　　　　　頁 12~15

周　何　　經典的智慧（五）：毋不敬　　　　　　　　　　　　　　　　　　頁 16~19

林伯謙　　佛學的智慧（六）：把溫情留駐人間　　　　　　　　　　　　　　頁 20~24

高山龍三著　近代日本漢學家（七）：河口慧海（一八六六～一九四五）　　　頁 25~31
林慶彰譯

葉國良　　詩文與禮制（七）：鴻門宴的坐次　　　　　　　　　　　　　　　頁 32~37

葉嘉瑩講　嘉瑩談詩：詩體的演變（第二講）　　　　　　　　　　　　　　頁 38~45
安　易整理

陳滿銘　　談〈與宋元思書〉與〈溪頭的竹子〉二文在結構上的異同　　　　頁 46~51

張堂錡　　回到文學現場（二）：湖水依舊在——「白馬湖作家群」的遺風餘韻　頁 52~56

鍾怡雯.　中學國文課文作家近況報導（國中第一冊第十三課）：筆耕不輟、童　頁 57~59
　　　　　心依然——周素珊珍惜生命中的每一次感動

周幹家　　「為嚴將軍頭」請疑　　　　　　　　　　　　　　　　　　　　　頁 60~61

楊如雪　　當時余心之悲，蓋不能「以寸管」形容之：介賓結構之四——表示憑　頁 62~66
　　　　　藉關係的次賓語（下）

宋　裕　　中學國文作家趣聞掌故——變法失敗的古文家王安石　　　　　　　頁 67~71

楊鴻銘　　作文教室（三）：動化作文的方法——以「夏」為例　　　　　　　頁 72~75

魏子雲　　線裝書的回憶：逛舊書攤肆——搶我眼者線裝書　　　　　　　　　頁 76~79

張雙英	高雅的獨白——談現代詩未能普及的原因	頁 80~84
姜　宇	「歸」與「不歸」——從《東坡樂府》看蘇軾的遊子心態	頁 85~89
趙以武	古詩唱和體說略	頁 90~94
易俊傑	漫說筷子文化	頁 96~101
朱歧祥	由我愛中國文字說起	頁 102~105
左秀靈	再談「矮」、「射」	頁 106~107

第 11 卷 8 期（總 128 期）1996 年 1 月

唐翼明	引幾個數字來看看——談中文系的現代文學課程	頁 4~5
王金凌	國文能力與國文試題	頁 6~7
王關仕	「坐、請坐、請上坐」、「茶、好茶、泡好茶」出處解疑	頁 8
梅　廣	介而馳，初不甚「疾」	頁 9
周　何	經典的智慧（六）——和為貴	頁 10~13
傅武光	老莊散論（四）：莊子說：別笑，我就是差不多先生	頁 14~16
宇野精一著 林慶彰譯	近代日本漢學家（八）：服部宇之吉（一八六七～一九三九）	頁 17~23
葉國良	詩文與禮制（八）：跪與拜	頁 24~29
林伯謙	佛學的智慧（七）：讀書的妙喻	頁 30~34
張維用	回到文學現場（三）：萬古雄渾唱大風——劉邦的故鄉豐邑	頁 38~41
楊如雪	太陽從山巔昇起，展開在無涯際的海面：介賓結構之五——表示處所的次賓語（上）	頁 42~45
鍾怡雯	中學國文課文作家近況報導（國中第一冊第十八課）：山水為伴，以酒佐文——容易被美所感動的張騰蛟	頁 46~49
楊鴻銘	作文教室（四）：提問作文的方法——以「是與非」為例	頁 50~53
張炳陽	也談《論語》之「自行束脩以上」	頁 54~58
侯亮宇	引語的表現形式及其語法探討	頁 59~63
陳滿銘	唐宋詞拾玉（二）：李白的〈憶秦娥〉	頁 64~66
葉嘉瑩講 安　易整理	嘉瑩談詩：詩體的演變	頁 67~77
劉若緹	新新人類讀小說	頁 78~83
吳禮權	英雄俠義小說與中國人的阿Q精神	頁 84~87
林耀椿	錢鍾書與《學文》月刊	頁 88~92
盧錦堂	線裝書的回憶：藏書章・善本情	頁 94~97
左秀靈	趣談「竊玉偷香」	頁 98
劉　潔	大米「幹飯」是什麼？	頁 99
翁以倫	戲言	頁 100~101

| 楊逢彬 | 釋一組擬聲字 | 頁 102~105 |
| 甘克誠 | 俚語正寫 | 頁 106~107 |

第 11 卷 9 期（總 129 期）1996 年 2 月

陳　星	回到文學現場（四）：天堂裡的風雨茅廬	頁 0
林政華	「臺灣閩南話」定名的建議	頁 4~5
高大鵬	除舊佈新大和解	頁 6~7
左秀靈	「縣人」何解？	頁 8~9
黎建寰	詞義辨析：敦倫、揚名立萬、投機倒把、官倒、民倒	頁 10~11
周　何	經典的智慧（七）：歸其本	頁 12~15
傅武光	老莊散論（五）：楊逍和范遙的世界	頁 16~19
狩野直禎著 林慶彰譯	近代日本漢學家（九）：狩野直喜（一八六八～一九四七）	頁 20~26
葉國良	詩文與禮制（九）：長揖歸田廬	頁 27~29
林伯謙	佛學的智慧（八）：生命管理	頁 30~35
陳滿銘	談崔顥〈黃鶴樓〉與李白〈登金陵鳳凰臺〉二詩的異同	頁 36~43
陳　星	回到文學現場（四）：天堂裡的風雨茅廬	頁 44~47
蔡根祥	〈正氣歌〉「為嚴將軍頭」釋疑	頁 48~53
楊如雪	太陽從山巔昇起，展開在無涯際的海面：介賓結構之五──表示處所的次賓語（中）	頁 55~57
鍾怡雯	中學國文課文作家近況報導（國中第六冊第三課）：翻山越嶺，只為文學──創作是陳啟佑一生的事業	頁 58~61
宋　裕	中學國文作家趣聞掌故──北宋格律派詞人周邦彥	頁 62~66
黃　梁	新詩點評（一）：半夜深巷琵琶	頁 68~69
黃　梁	新詩點評（一）：末日	頁 70~71
葉嘉瑩講 安易 楊愛娣 整理	嘉瑩談詩：建安詩歌講錄（第一講）	頁 72~79
彭元岐	桃源不遠歸去來──從「心形對比」與「內外之別」看陶公兩篇名作旨意	頁 80~85
施議對	敏求居說詩：「野有蔓草、零露漙兮」──一首意象縹緲的愛情詩	頁 86~87
李立信	線裝書的回憶──書失求諸「野」	頁 90~93
陶　緯	談西洋人名的中譯	頁 94~97
鍾　鍾	周瑜	頁 98~101
謝春聘	都是「貪」惹的禍──由「新科」一詞談起	頁 102~103
張榮明	說「約法三章」	頁 104~105
陳新雄	北京天祥祠重修記	頁 106~108

第 11 卷 10 期（總 130 期）1996 年 3 月

張雙英	生活豈能不「留白」？	頁 4~5
趙衛民	美與真理	頁 6~7
王熙元	謝枋得詩句中的疑義	頁 8~9
高明誠	七十二烈士為虛數乎？	頁 10
周 何	經典的智慧（八）：禮中有親情	頁 12~15
傅武光	老莊散論（六）：漢水亦應西北流	頁 16~19
白鳥芳郎著 林慶彰譯	近代日本漢學家（十）：鳥居龍藏（一八七〇～一九五一）	頁 20~25
葉國良	詩文與禮制（十）——中國式的握手禮	頁 26~29
林麗娟	隨處看山隨處樂——談王陽明詩中的閒適之樂	頁 30~33
林伯謙	佛學的智慧（九）：快即是美？	頁 34~40
欒梅健	回到文學現場（五）：詩韻鐘聲話楓橋	頁 42~45
楊鴻銘	作文教室（五）：作文多向訓練的方法——以「舊、新、舊與新」為例	頁 46~48
邱敏捷	談「花」和尚魯智深	頁 49~51
楊如雪	太陽從山巔昇起，展開在無涯際的海面：介賓結構之五——表示處所的次賓語（下）	頁 52~55
鍾怡雯	中學國文課文作家近況報導（國中第四冊第十八課，第六冊第十二課）：文學要從非文學處來——陳幸蕙把生活看成是一種創作	頁 56~59
陳美玲	可愛的媒婆——分號	頁 60~63
陳滿銘	唐宋詞拾玉（三）：張志和的〈漁夫〉	頁 64~66
葉嘉瑩講 安易 楊愛娣 整理	嘉瑩談詩：建安詩歌講錄（第二講）	頁 67~73
黃 梁	新詩點評（二）：寄之琳	頁 74~75
黃 梁	新詩點評（二）：深閉的園子	頁 76~77
王盈芬	居舍清韻——文人家居的營造	頁 78~80
翁以倫	何以尤物稱美女——從「尤」字字形談起	頁 84~87
簡光明	勸諫的技巧	頁 88~93
陳巍仁	用歷史寫小說——從秦晉韓之戰比較《左傳》與《東周列國志》的戰爭敘述	頁 94~98
譚錦家	古文朗讀略談	頁 99~105
何繼承	漏窗風姿	頁 106

第 11 卷 11 期（總 131 期）1996 年 4 月

張高評	指導教授的名與實	頁 4~5

黃盛雄	克己復禮與逍遙自適	頁 6~7
許錟輝	「初」的部首是那一部？	頁 8
黃義郎	「好整以暇」之語法解析	頁 9~10
傅武光	老莊散論（七）：老子反對仁義嗎？	頁 12~14
葉國良	詩文與禮制（十一）：官銜淺說	頁 15~19
吉田紹欽著 林慶彰譯	近代日本漢學家（十一）：鈴木大拙（一八七〇～一九六六）	頁 20~25
林柏謙	佛學的智慧（十）：食糧	頁 26~34
陳滿銘	凡目法在蘇辛詞裡的運用（上）	頁 36~44
傅 貴	回到文學現場（六）：醉翁、醉翁亭、〈醉翁亭記〉	頁 46~50
楊鴻銘	作文教室（六）：作文多向訓練的方法——以「變」為例	頁 51~53
鍾怡雯	中學國文課文作家近況報導（國中第二冊第十八課）：一條不寂寞的路——艾雯自一切事物中發現真與美	頁 54~58
宋 裕	中學國文作家趣聞掌故——中年發憤成名的蘇老泉	頁 59~63
嚴慧寧	孟子「臣請為王言樂」音義辨正	頁 64~67
葉嘉瑩講 安易 楊愛娣 整理	嘉瑩談詩：建安詩歌講錄（第三講上）	頁 68~74
施議對	敏求居說詩：宛在水中央——一種崇高的愛情追求	頁 75~77
陳新雄	蘇詩賞析（一）：舟中夜起	頁 78~83
朱歧祥	悲情與哲思：王國維《人間詞》選評（七）	頁 84~87
黃 梁	新詩點評（三）：雪夜	頁 88~89
黃 梁	新詩點評（三）：音塵	頁 90~91
李殿魁	線裝書的回憶：千辛萬苦讀「匪書」——讀書、藏書的坎坷路	頁 94~96
劉 濤	吹墜天花是寫意——蘇軾與書法	頁 97~101
汪少華	釋「萬人空巷」的「巷」	頁 102~103
老志鈞	專家學者談背誦	頁 104~107

第 11 卷 12 期（總 132 期）1996 年 5 月

葉海煙	是找「人」的時候了	頁 4~5
簡恩定	直率與含蓄	頁 6~7
葉國良	「植杖」作何解？	頁 8
賴橋本	薩都剌〈雨傘〉詩釋疑	頁 9
編者按（傅）	專題：含苞五千年——傳統政權轉移的理論與實際	頁 10
傅武光	含苞五千年——傳統政權轉移的思想進路	頁 11~16
蔡信發	漢高祖是政權奪取與穩固的奇才	頁 17~23

王文發	「某之業」──剖析漢高祖劉邦打天下的心態	頁 24~28
毛文芳	中國政權越俎代庖的合法化──略論魏晉六朝的「勸進」模式	頁 29~34
雷家驥	狐媚偏能惑主──從「武媚娘」到「則天大聖皇帝」	頁 35~43
葛紹歐	軍人出身的好皇帝──宋太祖趙匡胤	頁 44~47
朱 鴻	赤裸裸的武力奪國──明代君位繼承制度與「靖難」事件	頁 48~53
陳滿銘	凡目法在蘇辛詞裡的運用（下）	頁 56~65
胡恩厚	回到文學現場（七）：敦煌莫高窟	頁 66~69
楊鴻銘	作文教室（七）：作文多幅訓練的方法──以今年大學甄試作文「樹」為例	頁 70~73
林繼生	飛越論說作文的第一關──審題（上）	頁 74~79
編輯部	台北市國中國文教學輔導研習會報導	頁 80~81
葉嘉瑩講 安易 楊愛娣 整理	嘉瑩談詩：建安詩歌講錄（第三講下）	頁 82~89
黃 梁	新詩點評（四）：還魂草	頁 90~91
黃 梁	新詩點評（四）：吠月的犬	頁 92~93
陳新雄	蘇詩賞析（二）：淡妝濃抹	頁 94~95
李 李	韓愈〈送董邵南序〉賞析	頁 96~98
施議對	中國當代詞壇解放派首領胡適	頁 100~107
朱歧祥	五四憶胡適	頁 108~110
左德成	台？臺？治學御史？──談宋濂〈秦士錄〉注釋的小問題	頁 111~112
金 屯	「一中同長」話周率	頁 113~116

第 12 卷 1 期（總 133 期）1996 年 6 月

游　喚	理論旅行——海峽兩岸古代文論研究的觀念突破	頁 4~5
高大威	一個人文教師的省思	頁 6~7
黃義郎	「恢復疲勞」？好奇怪的詞語！	頁 8~9
高明誠	清明節的典故	頁 10~11
傅武光	老莊散論（八）：絕仁棄義，所為何來？	頁 12~14
葉國良	詩文與禮制（十二）：官名別稱	頁 15~19
林伯謙	佛學的智慧（十一）：永恆的鐸聲	頁 20~27
礪波護著 林慶彰譯	近代日本漢學家（十二）：桑原騭藏（一八七一～一九三一）	頁 28~34
林麗娟	談王陽明詩中的悟道之樂	頁 35~39
俞允堯	回到文學現場（八）：秦淮明月歷滄桑——「十里珠簾」與杜牧的〈泊秦淮〉	頁 40~44
林瑞景	由名家小詩孕育少年詩	頁 46~51
林繼生	飛越論說文作文的第一關——審題（下）	頁 52~55
楊鴻銘	作文教室（八）：引導作文的寫法——以「兩代之間」為例	頁 56~59
楊如雪	自小牧羊，不習仕宦：介賓結構之六——表示時間的次賓語（上）	頁 60~65
陳滿銘	唐宋詞拾玉（四）：辛棄疾的〈賀新郎〉	頁 66~69
陳新雄	蘇詩賞析（三）：成嶺成峰	頁 70~71
唐翼明	試用新批評理論解讀王昌齡〈閨怨〉	頁 72~76
葉嘉瑩講 安易 楊愛娣 整理	嘉瑩談詩：建安詩歌講錄（第四講上）	頁 77~85
黃　梁	新詩點評（五）：無聲的話	頁 86~87
黃　梁	新詩點評（五）：女犯監獄	頁 88~89
羅宗濤	線裝書的回憶：線裝書與我	頁 92~95
向生榕	建陽麻沙書坊	頁 96~98
左德成	是虞「候」不是虞「侯」	頁 99~101
王輔羊	「鳳毛麟角」辨正	頁 102
林覺中	讀詩的困擾	頁 103~105

第 12 卷 2 期（總 134 期）1996 年 7 月

陳昭瑛	原住民文學與國文教學	頁 4~5
廖玉蕙	學習是為了讓生活更容易——談國文教學中的情意開發	頁 6~7
黃義郎	「即便」還是「即使」？	頁 8
孔仲溫	「決擇」不是「抉擇」	頁 9

朱守亮	景「行行」止的讀音	頁 10~11
福田襄之介 著 林慶彰譯	近代日本漢學家（十三）：岡井慎吾（一八七二～一九四五）	頁 12~18
葉國良	詩文與禮制（十三）：非官名	頁 19~21
方金雅	孔子之樂樂何如？	頁 22~26
林麗娟	「隨處風波只晏然」──從龍場事變談王陽明詩中的灑落胸懷	頁 27~31
傅貴	回到文學現場（九）：滁州西澗尋幽	頁 32~36
張愷輝	談閱讀與寫作指導	頁 37~39
劉俊廷	姑蘇江楓	頁 40~41
楊鴻銘	作文教室（九）：作文拉長篇幅的方法──以「窗」為例	頁 42~45
楊如雪	自小牧羊，不習仕宦：介賓結構之六──表示時間的次賓語（中）	頁 46~51
林義烈	試析「怨不在大，可畏惟人」	頁 52~56
沈謙	線裝書的回憶：有限書房的無限溫馨	頁 60~64
黃梁	澄明詩歌發展的客觀因素──簡辯〈讀詩的困惑〉一文	頁 65
老志鈞	從「驕傲」說起	頁 66~69
林淑貞	漫畫所引發的青少年效應	頁 70~76
翁以倫	年羹堯擅改成語惹禍	頁 77~78
朱歧祥	悼念甲骨的長城──金師祥恆先生	頁 79~81
陳新雄	蘇詩賞析（四）：澄黃橘綠	頁 82~85
陳素雲	余光中詩中的台灣關懷──民國七十四年定居高雄之後（上）	頁 86~92
黃梁	新詩點評（六）：信鴿	頁 93~95
黃梁	新詩點評（六）：金屬性的雨	頁 96~97
葉嘉瑩講 安易 楊愛娣 整理	嘉瑩談詩：建安詩歌講錄（第四講下）	頁 98~101
張覺	韓愈發牢騷的技巧──〈進學解〉「詭道」發微	頁 102~104

第 12 卷 3 期（總 135 期）1996 年 8 月

宋柏蓉	中文人的出路（之一）──新聞主播：專訪盧秀芳小姐	頁 0
周質平	朝夕與千秋	頁 4~5
衣若芬	考試是一把梯子	頁 6~7
孔仲溫	「花稍」「花俏」同源自「花哨」	頁 8
楊如雪	釋「大勝」與「大敗」	頁 9~11
周何	經典的智慧（九）：克己復禮	頁 12~14
張維用	臨濟宗與「棒喝」	頁 15~17
傅武光	老莊散論（九）：老子晚年行蹤	頁 18~19

林伯謙	佛學的智慧（十二）：你有什麼貢獻？	頁 20~25
葉國良	詩文與禮制（十四）：官員的服色	頁 26~31
溝上瑛著 林慶彰譯	近代日本漢學家（十四）：津田左右吉（一八七三～一九六一）	頁 32~38
王窸賢	教學集錦（一）：比讀書更重要的事——做一個有責任感的人	頁 40~45
邱敏捷	〈司馬季主論卜〉義蘊之探究	頁 46~47
楊鴻銘	作文教室（十）：作文舉例的方法——以今年大學聯考國文作文「自由與自律」為例	頁 48~50
劉志清	〈蘇武傳〉裡的和親——王昭君其人與其事	頁 51~53
楊如雪	自小牧羊，不習仕宦：介賓結構之六——表示時間的次賓語（下）	頁 54~57
何根海	李白〈長干行〉中之「長風沙」在那裡？	頁 58~59
顏進雄	談中國文字行成由右向左直行書寫的原因	頁 62~66
林瑞景	回響‧感謝‧解惑——兼試解〈讀詩的困惑〉	頁 67~69
謝春聘	談驕傲二字的錯用	頁 70~71
左秀靈	源濁流混——教育部頒布了錯誤的部首「左」	頁 72~73
凌鼎年	〈畫蛇添足篇〉添足	頁 74~75
胡昌明	「高陽」、「太平」不是公主的名字	頁 78~79
陳滿銘	唐宋詞拾玉（五）：白居易的〈長相思〉	頁 80~83
陳新雄	蘇詩賞析（五）：海棠心聲	頁 84~86
黃　梁	感於哀樂，緣事而發——梅新近作的詩學簡論	頁 88~93
葉嘉瑩	嘉瑩談詩：建安詩歌講錄（第五講上）	頁 94~100
陳素雲	余光中詩中的台灣關懷——民國七十四年定居高雄之後（下）	頁 101~105

第 12 卷 4 期（總 136 期）1996 年 9 月

李瑞騰	從《老殘遊記》的版本談起	頁 4~5
霍晉明	道德教育何去何從？	頁 6~7
陳滿銘	孔子的仁智觀	頁 8~15
王歡餘	一位高中教師心目中的孔子	頁 16~19
傅武光	老莊散論（十）：老子是陰謀家嗎？	頁 20~21
葉國良	詩文與禮制（十五）：官員的假期	頁 22~27
藪內清著 林慶彰譯	近代日本漢學家（十五）：新城新藏（一八七三～一九三八）	頁 28~34
張維用	回到文學現場（十）：百年淫艷猶如許——蒲松齡在崂山寫〈香玉〉	頁 36~41
林義烈	「晉獻」與「發焉」	頁 42~48
楊鴻銘	歐陽修〈醉翁亭記〉析評	頁 49~53
林國鐘	〈檀弓選〉中「雖」「發」兩字注釋的探討	頁 54~55

王窕賢	教學集錦（二）：今夜看雪去	頁 56~63
陳新雄	蘇詩賞析（六）：春江水暖	頁 66~69
黃 梁	新詩點評（七）：溶化的風景	頁 70~72
葉嘉瑩講 安易 楊愛娣 整理	嘉瑩談詩：建安詩歌講錄（第五講下）	頁 73~79
黃雅莉	談溫詞幽隱的藝術技巧	頁 80~84
陳貴麟	談「倒三救」在近體詩中拗律的妙用	頁 85~87
張崇琛	古酒為何多名「春」	頁 88~90
鹿憶鹿	線裝書的回憶：從台北到雲南	頁 91~93
林覺中	讀詩淺識——敬答黃梁先生	頁 94~95
孫振志	「吊兒郎當」溯源	頁 96
王興佳	漢語文的交際功能	頁 98~101
馬可欣	中文人的出路（之二）——公職人員：專訪陳火生先生	頁 102~105

第 12 卷 5 期（總 137 期）1996 年 10 月

王道偉	中文人的出路（之三）：報業——專訪蕭淑分小姐	頁 0
傅武光	王熙元先生行狀	頁 5~8
魏子雲	悼王熙元世兄	頁 9~10
許錟輝	他是我們班上第一名——悼王熙元教授	頁 11~13
陳滿銘	優游詩歌天地——悼王熙元教授	頁 14~17
林玫儀	王熙元老師的長者風範	頁 18~19
林慶彰	悼王熙元教授——兼悼李光第先生	頁 20~24
周 何	經典的智慧（十）：禮之行始於孝	頁 28~31
林伯謙	佛學的智慧（十三）：迷信新銓	頁 32~39
葉國良	詩文與禮制（十六）：一日能織幾許布	頁 40~43
上山大峻著 林慶彰譯	近代日本漢學家（十六）：大谷光瑞（一八七六～一九四八）	頁 44~50
傅 貴	回到文學現場（十一）：好一條富春江	頁 52~56
林繼生	美麗與爭議——台北區八十五學年度高中聯招國文科試題分析	頁 57~63
楊鴻銘	作文教室（十一）：限題引導作文的寫法——以今年夜大聯招國文作文「轉捩點」為例	頁 64~66
王窕賢	教學集錦（三）：那顆燦爛在修辭夜空的天津四——令人讚嘆的比喻（一）	頁 67~71
陳新雄	蘇詩賞析（七）：鏗然曳杖聲	頁 72~75
葉嘉瑩講 安易 楊愛娣	嘉瑩談詩：建安詩歌講錄（第六講上）	頁 76~85

整理

蔡雲雀	淺談《聊齋》的愛情理念	頁 86~89
黃　梁	新詩點評（八）：山水詩	頁 90~92
孫移泰	考古辨真大散關	頁 96~97
黃　梁	新詩的多元美學——議論〈讀詩淺識〉	頁 98~99
王孟亮	猶太觀點的「師說」	頁 100~102

第 12 卷 6 期（總 138 期）1996 年 11 月

黎活仁	碩士博士論文是否需要有理論？	頁 4~5
張子樟	大陸小說何去何從	頁 6~7
傅武光	老子主張愚民政策嗎？	頁 8~9
吳金娥	「覺」字的讀音	頁 10~12
周　何	經典的智慧（十一）：禮不下庶人刑不上大夫論	頁 16~18
興膳宏著 林慶彰譯	近代日本漢學家（十七）：鈴木虎雄（一八七八～一九六三）	頁 20~25
葉國良	詩文與禮制（十七）：白居易的家有多大	頁 26~29
林伯謙	佛學的智慧（十四）：遠離顛倒夢想	頁 30~37
陳滿銘	談補敘法在詞章裡的運用	頁 38~43
董金裕	〈檀弓選〉中若干問題的商榷——敬答林義烈、林國鐘兩位先生	頁 44~49
陳美桂	思維與夢想——談新詩教學（上）	頁 50~54
王窈賢	教學集錦（四）：「舊酒沒，新醅潑」該怎麼說	頁 55~59
楊鴻銘	劉基〈司馬季主論卜〉析評	頁 60~67
黃　梁	新詩點評（九）：招魂的短笛	頁 70~72
黃　梁	新詩點評（九）：蟹爪花	頁 73~74
葉嘉瑩講 安易 楊愛娣 整理	嘉瑩談詩：建安詩歌講錄（第六講下）	頁 75~79
陳新雄	蘇詩賞析（八）：輕打五更鐘	頁 80~83
張　兵	遺民心態的絕妙展示——論歸莊〈萬古愁〉曲	頁 84~89
古遠清	「一面小旗，滿天風勢」——評張健的詩集《春夏秋冬》	頁 90~93
吳禮權	觸景生情的語言機趣——陶穀與錢俶的外交語言文本解構	頁 94~97
林保淳	便作釣魚人，也在風波裡——讀《笑傲江湖》（上）	頁 98~103
楊夢茹	驚世駭俗 各不相讓——《今古奇觀》與歌德	頁 104~109
老志鈞	歐化以後詞尾「們」的發展與濫用	頁 110~113

第 12 卷 7 期（總 139 期）1996 年 12 月

林思涵記錄 整理	從體制到讀本——現代文學教學座談會	頁 4~13
傅武光	老莊散論（十一）：老子和孔子誰高？	頁 14~17
梅原郁著 林慶彰譯	近代日本漢學家（十八）：加藤繁（一八八〇～一九四六）	頁 18~23
葉國良	詩文與禮制（十八）：廉頗的飯量	頁 24~26
林麗娟	何以當歌——談王陽明詩中的歌謠觀念	頁 27~33
陳美桂	思維與夢想——談新詩教學（下）	頁 36~44
胡恩厚	回到文學現場（十二）：玉門關與陽關	頁 46~49
楊鴻銘	作文教室（十二）：寓言引導作文的寫法——以「名」為例	頁 50~53
王窓賢	教學集錦（五）：那顆燦爛在修辭夜空的天津四——令人讚嘆的比喻（二）	頁 54~59
陳滿銘	唐宋詞拾玉（六）：溫庭筠的〈菩薩蠻〉	頁 60~63
黃　梁	新詩點評（十）：滿臉梨花詞	頁 64~65
黃　梁	新詩點評（十）：雪	頁 66~67
陳新雄	蘇詩賞析（九）：天容海色	頁 68~71
葉嘉瑩講 安易 楊愛娣 整理	嘉瑩談詩：建安詩歌講錄（第七講）	頁 72~81
亞　俠	清寒瑩骨肝膽醒 一生思慮無由邪——談韓愈詩中的李花	頁 82~86
金宏達	徐訏話鬼	頁 92~94
林保淳	便作釣魚人，也在風波裡——讀《笑傲江湖》（中）	頁 95~99
王永泉	王羲之智激謝安	頁 100~104
林家成	「即使」與「即便」之辨正	頁 105~108

第 12 卷 8 期（總 140 期）1997 年 1 月

欒梅健	大陸焦點學人（一）：標新立異的學界猛將——章培恆教授印象	頁 4~10
陳滿銘講 楊麗玲記錄	談中庸的思想體系（上）	頁 11~17
周　何	經典的智慧（十二）：孔氏不喪出母論	頁 18~21
傅武光	老莊散論（十二）：最好的政治	頁 22~23
葉國良	詩文與禮制（十九）：會心不遠	頁 24~28
小野山節著 林慶彰譯	近代日本漢學家（十九）：濱田耕作（一八八一～一九三八）	頁 30~35
林保淳	便作釣魚人，也在風波裡——讀《笑傲江湖》（下）	頁 36~39
余崇生	孫德謙與《六朝麗指》	頁 40~44
陳新雄	蘇詩賞析（十）：雪泥鴻爪	頁 45~49

周懋昌	消瘦的身影 沉重的心靈——李清照〈醉花陰〉、〈武陵春〉比較	頁 50~53
葉嘉瑩講 安易 楊愛娣 整理	建安詩歌講錄（第八講）	頁 54~64
陳明群	迂迴的長廊——政大長廊詩社之過去、現在、未來	頁 65~67
楊昌年	新文藝名家名作析評（一）：凝鍊的沉黯——魯迅散文	頁 69~73
林春美	東南亞華文文學（一）：近十年來馬華文學的中國情節	頁 74~86
黃 梁	台灣新生代作家（一）：詩與詩的演出——劉季陵〈日課表〉的結構分析	頁 87~94
邱敏捷	豐子愷〈漸〉一文的哲思	頁 96~98
楊鴻銘	鄭愁予〈錯誤〉析評	頁 99~103
王窈賢	教學集錦（六）：〈水經江水注〉一課幾個注釋的探討（一）	頁 104~109
左秀靈	倒楣？倒眉？倒霉？	頁 110
林金龍	走向世界——從幾則事例談漢字的發展潛勢	頁 111~116

第 12 卷 9 期（總 141 期）1997 年 2 月

葉國良	「穿堂」還是「川堂」？	頁 4
朱歧祥	「安詳」之「詳」何解？	頁 5~6
李 彬	大陸焦點學人（二）：積學深功的後起之秀——體大思精的楊義教授	頁 8~13
陳滿銘講 楊麗玲記錄	談中庸的思想體系（下）	頁 14~20
間野英二著 林慶彰譯	近代日本漢學家（廿）：羽田亨（一八八二～一九五五）	頁 21~27
周 何	經典的智慧（十三）：制禮的原則	頁 28~33
傅武光	老莊散論（十三）：統治者的條件	頁 34~35
葉國良	詩文與禮制（廿）：何處是「長安」？	頁 36~38
林伯謙	佛學的智慧（十五）：再見，水白鶴（上）	頁 39~43
陳新雄	蘇詩賞析（十一）：荔支情懷	頁 44~48
葉嘉瑩講 安易 楊愛娣 整理	嘉瑩談詩：建安詩歌講錄（第九講）	頁 49~57
張 覺	〈青冢〉賞析——邊塞傑作鑑賞	頁 58~59
蔡雲雀	從《浮生六記》一窺沈三白的夫妻生活	頁 60~61
陳鵬翔	台灣現代文學（一）：跨世紀的星群——新生代詩人論	頁 62~77
楊昌年	新文藝名家名作析評（二）：冷與澀味——周作人散文	頁 78~80
鍾怡雯	大陸當代文學（一）：歷史文本的影像化——余秋雨散文的敘事策略	頁 81~89
黃 梁	新詩點評（十一）：再見，遠方——舊金山「紅木林」偶得	頁 90~91

黃 梁	新詩點評（十一）：乞丐	頁 92~94
黃宣穎	關於眾神的紀事——台大詩文學社	頁 95~97
徐景洲	范仲淹為何不記岳陽樓	頁 98~100
王窈賢	教學集錦（七）：〈水經江水注〉一課幾個注釋的探討（二）	頁 101~105
左秀靈	「會稽」之正音	頁 106~107
李 栖	《史記‧滑稽列傳》的寫作手法	頁 108~113

第 12 卷 10 期（總 142 期）1997 年 3 月

錢錫生	大陸焦點學人（三）：尋美的旅人——訪著名詞學專家楊海明教授	頁 4~10
葉國良	詩文與禮制（廿一）：七夕曝書？	頁 11~13
原田種成著 林慶彰譯	近代日本漢學家（廿一）：諸橋轍次（一八八三～一九八二）	頁 14~19
周 何	經典的智慧（十四）：孔子所惡者	頁 20~25
林伯謙	佛學的智慧（十五）：再見，水白鶴（下）	頁 26~32
陳滿銘	唐宋詞拾玉（七）：溫庭筠的〈更漏子〉	頁 34~36
陳新雄	蘇詩賞析（十二）：取仁行違	頁 37~41
葉嘉瑩講 安易 楊愛娣 整理	嘉瑩談詩：建安詩歌講錄（第十講）	頁 42~49
江國貞	漠漠水田飛白鷺，陰陰夏木囀黃鸝——王維取用了李嘉祐的詩句嗎？	頁 50~55
廖彥博	山陵上的美麗詩殿——文大華岡詩社的歷史和將來	頁 56~57
楊昌年	台灣現代文學（二）：翹首天南看五新－評介九十年代五位散文新銳	頁 58~70
楊小濱	大陸當代文學（二）：瘋狂與荒誕——徐曉鶴小說中的文本政治	頁 71~82
黃 梁	新詩點評（十二）：裸的先知	頁 83~86
楊鴻銘	作文教室（十三）：文章仿寫的作法——以「不亦快哉」為例	頁 91~93
王窈賢	教學集錦（八）：臨安府行用，準參百文省	頁 94~99
馮浩菲	論群籍訓解與辭書編制	頁 100~103
侯亮宇	從文句使用者的立場及情境——談「相」字的作用	頁 104~108
謝輝煌	〈靜夜思〉中的「牀」事	頁 110~113
汪少華	論「床前明月光」的「床」	頁 114~118

第 12 卷 11 期（總 143 期）1997 年 4 月

孔仲溫	「羋」就是「羊」的古文	頁 4~5
黃盛雄	踏破賀蘭山缺之「缺」字何解？	頁 6
季 進	大陸焦點學人（四）：面向世界的對話者——記樂黛雲教授	頁 8~14
金谷治著 林慶彰譯	近代日本漢學家（廿二）：武內義雄（一八八六～一九六六）	頁 15~19

林伯謙	佛學的智慧（十六）：寶藏瓔珞（上）	頁 20~23
周　何	經典的智慧（十五）：禮法之別	頁 24~27
劉慧媛	淨土與人間	頁 28~31
葉嘉瑩講 安易 楊愛娣 整理	嘉瑩談詩：正始詩歌講錄（正始詩人簡介上）	頁 32~35
張維用	盪胸生層雲──杜甫〈望嶽〉	頁 36~40
陳新雄	蘇詩賞析（十三）：荔枝情懷──食荔枝二首之二	頁 41~45
何根海	「杏花村」新辨	頁 46~49
張　覺	明應暗合 破而後立──試析〈始得西山宴遊記〉藝術構思之妙	頁 50~54
唐翼明	大陸當代文學（三）：我看大陸當代先鋒小說	頁 55~69
李瑞騰	東南亞華文文學（二）：新加坡五月詩社的發展歷程	頁 70~78
楊昌年	新文藝名家名作析評（三）：濃麗華美──徐志摩的詩與散文	頁 79~83
孫梓評	隨身攜帶的迷宮	頁 84~87
陳滿銘	國文科測驗題命題的一般原則──以大學考試題為例	頁 88~92
楊鴻銘	林冷〈不繫之舟〉析評	頁 93~97
薛良元	〈段太尉逸事狀〉一文之篇旨探討	頁 98~104
林瑞景	作文課像記者會──「老師的秘密」探訪記	頁 105~109
王窈賢	教學集錦（九）：樗蒲錦背元人畫	頁 110~115
文　方	鄉下人談詩	頁 116~118

第 12 卷 12 期（總 144 期）1997 年 5 月

欒梅健	大陸焦點學人（五）：讓文學女神雙翼翱翔──記范伯群教授	頁 4~9
王邦雄	算命算死了，看命看活了──《莊子‧應帝王》「用心若鏡」的現代詮釋（上）	頁 10~15
水谷真成著 林慶彰譯	近代日本漢學家（廿三）：青木正兒（一八八七～一九六四）	頁 16~20
林伯謙	佛學的智慧（十六）：寶藏瓔珞（下）	頁 21~25
傅武光	老莊散論（十四）：名	頁 26~27
周　何	經典的智慧（十六）：禮的起源	頁 28~32
吳岱穎	流自天堂的銀泉──師大噴泉詩社翦影	頁 33~35
施議對	中國當代詞壇「胡適之體」正名	頁 36~41
陳滿銘	唐宋詞拾玉（八）：韋莊的〈菩薩蠻〉（一）	頁 42~45
葉嘉瑩講 安易 楊愛娣 整理	嘉瑩談詩：正始詩歌講錄（正始詩人簡介下）	頁 46~51
陳新雄	蘇詩賞析（十四）：董卓詩意──董卓	頁 52~55

王兆鵬 劉尊明	視野宏通的詞家研究——評黃文吉《北宋十大詞家研究》	頁 56~59
楊昌年	新文藝名家名作析評（四）：唯美與真誠——郁達夫的詩與文	頁 60~67
辛金順	台灣新生代作家（二）：歷史曠野上的星光——論陳大為的詩	頁 68~79
黃 梁	大陸當代文學（四）：滅了頂的我和我們——探索楊煉〈水〉詩四首	頁 80~86
王 聿	現代文學名家的第二代（一）：朱自清的兒女	頁 88~91
楊鴻銘	作文教室（十四）：引導作文與文章分析的寫法——以 86 年大學甄試國文作文題為例	頁 92~97
王窈賢	教學集錦（十）：〈虯髯客傳〉幾個小問題的探討（一）	頁 98~103
蔡麗玲	率性的藝術家——袁宏道〈西湖雜記〉新詮	頁 104~109
李梁淑	不慣嬉戲的糜先——《四十自述》與胡適的幼年時代	頁 110~118
潘承玉	會稽山之得名、廣狹義與「會」之本音——關於〈「會稽」之正音〉一文的補充	頁 119~120

第 13 卷 1 期（總 145 期）1997 年 6 月

琦　君	「撮一撮」之讀音	頁 4
徐國源	大陸焦點學人（六）：周汝昌的「紅樓」夢	頁 6~11
王邦雄	算命算死了，看命看活了——《莊子・應帝王》「用心若鏡」的現代詮釋（中）	頁 12~15
和田久德著 林慶彰譯	近代日本漢學家（廿四）：石田幹之助（一八九一～一九七四）	頁 16~20
林伯謙	佛學的智慧（十七）：走在成佛路上（上）	頁 21~27
吳國英	功過是非話糧票	頁 28~33
葉嘉瑩講 安易 楊愛娣 整理	嘉瑩談詩：正始詩歌講錄（第一講）	頁 34~42
陳新雄	蘇詩賞析（十五）：白衣仙人——雨中游天竺靈感觀音院	頁 43~51
程國賦	唐代小說研究述評	頁 52~54
熊明陶	漫話〈霓裳羽衣曲〉	頁 55~57
蕭　蕭	情采鄭愁予	頁 58~65
林　綠	鄭愁予〈錯誤〉的傳統訊契	頁 66~68
丁威仁	〈錯誤〉的因式分解	頁 69~70
楊昌年	新文藝名家名作析評（五）：具象與情緒——夏丏尊散文	頁 71~74
張堂錡	台灣現代文學（三）：現代散文的新趨向	頁 75~89
丁威仁	詩壇的拓荒者——淡江拓詩社	頁 91~93
林中正	現代文學名家的第二代（二）：以喜悅的心分享父親的榮耀——台灣文學名家吳新榮克紹箕裘的孩子們	頁 94~99
王窈賢	教學集錦（十一）：〈虯髯客傳〉幾個小問題的探討（二）	頁 100~107
楊鴻銘	作文教室（十五）：新詩創意的寫法——以「秋」為例	頁 108~110
劉若緹	從「八十六年大學入學甄選考試國文科試題」——看國文教學的新方向	頁 111~113
余昭玟	電影在國文教學上的運用——以「春風化雨」為例	頁 114~119
左秀靈	門神	頁 120

第 13 卷 2 期（總 146 期）1997 年 7 月

王　堯	大陸焦點學人（七）：永遠的詩——關於謝冕的幾個側面印象	頁 4~9
林伯謙	佛學的智慧（十七）：走在成佛路上（下）	頁 10~17
周　何	經典的智慧（十七）：〈檀弓〉篇中論葬事	頁 18~21
林祥徵	學術論文寫作的引路燈——評林慶彰《學術論文寫作指引》	頁 22~25
王邦雄	算命算死了，看命看活了——《莊子・應帝王》「用心若鏡」的現代詮釋（下）	頁 26~30

張躍西	論中國佛教文化中的竹文化	頁 31~35
陳滿銘	唐宋詞拾玉（九）：韋莊的〈菩薩蠻〉（二）	頁 36~39
葉嘉瑩講 徐曉莉整理	嘉瑩談詩：正始詩歌講錄（第二講）	頁 40~47
陳新雄	蘇詩賞析（十六）：暮靄山孤──望湖亭	頁 48~53
李東洪	沒有結局的故事──讀《古本水滸傳》	頁 54~59
唐 捐	縱一葦之所知──讀林泠的〈不繫之舟〉	頁 60~63
楊宗翰	刺人的黃昏──林泠〈不繫之舟〉的一種讀法	頁 64~66
楊昌年	新文藝名家名作析評（六）：鄉土與氛圍──沈從文和他的《邊城》	頁 67~76
向 陽	台灣現代文學（四）： 被忽視者的重返──小論知性散文的時代意義	頁 77~89
吳元暉	醫學院裡一片文學的天空	頁 90~92
季 默	現代文學名家的第二代（三）：和天使一起飛翔──曹禺和他的女兒萬方	頁 94~97
王窈賢	教學集錦（十二）：坐、跪、跽、踞及相關事物	頁 98~105
楊鴻銘	作文教室（十六）：新詩過峽的寫法──以「冬」為例	頁 106~108
魏光霞	從本文翻譯談創作──另一種作文形式	頁 109~113
張力中	淺談《三國演義》〈空城計〉、〈草船借箭〉之相關史實	頁 114~116
龔嘉英	杜詩〈春望〉題解	頁 117~119

第 13 卷 3 期（總 147 期）1997 年 8 月

廖隆盛	清朝太學生簡介	頁 4~5
鄭阿財	「祭」和「季」有何區別	頁 6
張仲謀	大陸焦點學人（八）：傅璇琮先生的治學與為人	頁 8~13
周 何	禮記的成書	頁 14~19
鮑延毅	《意拾喻言（伊索寓言）》問世的意義及影響	頁 20~24
徐守濤	別有洞天的禪宗境界	頁 25~29
焦慧蘭	重讀作家，長留身影	頁 30
蔡登山	夢中人語──關於「作家身影」	頁 31~33
陳新雄	蘇詩賞析（十七）：鶴林神女	頁 34~37
洪淑苓	兩情若是久長時──談七夕詩歌之美	頁 38~40
葉嘉瑩講 徐曉莉整理	嘉瑩談詩：正使詩歌講錄（第三講）	頁 41~47
王力堅	多情而婉麗──蕭繹〈燕歌行〉解析	頁 48~52
楊昌年	新文藝名家名作析評（七）：樸素與真誠──豐子愷的散文	頁 53~56
黃錦樹	大陸當代文學（五）：意識型態的物質化──論王安憶《紀實與虛構》中的虛構與紀實	頁 57~69

陳大為	台灣現代文學（五）：羅門都市文本的「雄渾」氣象	頁 70~79
楊澤龍	星光的聚落——東吳大學白開水詩社	頁 80~83
陳滿銘	談詞章主旨在凡目結構中的安排	頁 84~92
楊鴻銘	作文教室（十七）：文章描寫的方法——以八十六年大學聯考國文作文「街景」為例	頁 93~95
康　原	現代文學名家的第二代（四）：愛的追尋——楊守愚和他的親人	頁 96~101
王窈賢	教學集錦（十三）：〈教戰手策〉是進策還是對策？	頁 102~108
李景遠	唐代字樣著作所呈現的正字觀	頁 109~113
侯亮宇	互「相」句主語的構造與表現	頁 114~117
左秀靈	琵琶來自胡中？——高中國文課本指瑕	頁 118~119

第 13 卷 4 期（總 148 期）1997 年 9 月

周嘉慧記錄整理	「俗文學教學與研究」座談會	頁 6~17
曾永義	民間文學、俗文學、通俗文學命義之商榷	頁 18~29
鹿憶鹿	中國南方民族的洪水神話	頁 30~33
曾子良	與朱一貴抗清事件有關的俗文學作品	頁 34~39
洪淑苓	描繪玲瓏的姿影——巧女故事的類型與深層結構	頁 40~43
丁肇琴	包公為什麼是黑臉——兼談包公的一些傳說	頁 44~48
葉欣欣	活躍於宮廷民間的百戲雜技	頁 49~53
張仲謀	大陸焦點學人（九）：中國近代文學研究第一人——記郭延禮教授	頁 56~61
林伯謙	佛學的智慧（十八）：尊重生命的呼籲	頁 62-69
張維用	「琉璃」名字考	頁 70~73
吳國英	天子吃狗肉及其他	頁 74~77
陳靜瑋 林德俊	荒原上流浪的人面詩身——死詩人社	頁 78~80
陳滿銘	唐宋詞拾玉（十）：馮延巳的〈謁金門〉	頁 82~84
陳新雄	蘇詩賞析（十八）：國色天香	頁 86~89
龍建春	曾國藩兩伎聯辨析	頁 90~93
張濤甫	現代文學名家的第二代（五）：哭溼枕頭的父愛——讓張恨水一生掛念的十個兒女	頁 94~96
王窈賢	教學集錦（十四）：讓生命更豐美——作文教學的範本分析	頁 97~103
林繼生	規矩與繩墨之外——台北區公立高級中學八十六學年度聯合招生國文科試題分析	頁 104~109
楊鴻銘	作文教室（十八）：作文審題的方法	頁 110~111
梅新林	眼光・功力・涵養——評陳益源新著《從嬌紅記到紅樓夢》	頁 112~114
朱歧祥	《陳寅恪的最後二十年》讀後	頁 115~117

第 13 卷 5 期（總 149 期）1997 年 10 月

周嘉慧記錄 整理	從《學術論文寫作指引》談中文學界的論文規範	頁 4~10
林淑貞	為有源頭活水來──論國中之現代散文教學	頁 11~33
仇小屏	新詩天地的首航	頁 34~43
林瑞景	在雨港來一場很有詩情的邂逅	頁 44~49
劉澤友	大陸焦點學人（十）：從劫難中奮起──記錢理群教授	頁 52~57
林伯謙	佛學的智慧（十九）：叩鐘（上）	頁 58~65
鮑國順	近代學者對荀子的評價	頁 66~72
林佳靖	不知道命運而獨自高興──關於《自閉兒》的「小話」	頁 74~77
葉嘉瑩講 徐曉莉整理	嘉瑩談詩：正始詩歌講錄（第三講）	頁 78~88
陳新雄	蘇詩賞析（十九）：傷鴻戢翼	頁 89~91
楊昌年	新文藝名家名作析評（八）：濡沫與自棄──老舍的《駱駝祥子》	頁 92~100
楊鴻銘	作文教室（十九）：童詩的寫法──以楊翼琪〈暑假〉為例	頁 101~103
陳滿銘	談三疊法在詞章裡的運用	頁 104~111
欒梅健	現代文學名家的第二代（六）：至善至美至誠──記葉聖陶的兒女	頁 112~115
王窈賢	教學集錦（十五）：蘇軾兄弟考制科（一）	頁 116~120

第 13 卷 6 期（總 150 期）1997 年 11 月

陳滿銘	談國文天地的誕生──悼第一任社長梅新先生	頁 4~5
林伯謙	佛學的智慧（十九）：叩鐘（下）	頁 6~13
周　何	經典的智慧（十八）：禮之內涵（上）	頁 14~19
張力中	宰我果不仁乎	頁 20~21
高婉瑜	緣起不滅──高雄師大風燈詩社	頁 24~26
陳滿銘	唐宋詞拾玉（十一）：馮延巳的〈蝶戀花〉（一）	頁 28~31
吉廣輿	一種曉寒殘夢──《納蘭詞》鑑賞之一	頁 32~37
陳新雄	蘇詩賞析（二十）：誠懸筆諫──柳氏二外甥求筆跡二首	頁 38~40
葉嘉瑩講 徐曉莉整理	嘉瑩談詩：正始詩歌講錄（第四講）	頁 41~47
楊昌年	新文藝名家名作析評（九）：艱危的肯定與疲乏──徐訏的《風蕭蕭》	頁 48~58
蔡登山	現代文學名家的愛情（一）：「不盡的情河」──魯迅與許廣平十年 攜手共艱危	頁 59~66
李瑞騰	東南亞華文文學（三）：馬華詩壇七字輩──詩獎與詩選的考察	頁 67~75
黃錦樹	台灣現代文學（六）：詞的流亡──張貴興和他的寫作道路	頁 76~89
葉昊謹	現代文學名家的第二代（七）：劉知甫願作父親龍瑛宗的知己	頁 90~94

楊鴻銘	作文教室（廿）：作文加意審題的方法	頁 95~97
王窈賢	教學集錦（十六）：蘇軾兄弟考制科（二）	頁 98~104
周碧香	〈桃花源記〉「外人」另釋	頁 105~110
李梁淑	頑童生涯——《從文自傳》逃學紀實	頁 111~116
楊惠南	兩首有關臺灣僧人抗清的詩作	頁 117~120

第 13 卷 7 期（總 151 期）1997 年 12 月

陳滿銘	補記《國文天地》誕生前後二三事	頁 4~5
王關仕	《紅樓夢》、《西遊記》之命名	頁 6
左秀靈	莫「名」其妙？莫「明」其妙？	頁 7
江涌	大陸焦點學人（十一）：重建象牙塔的文學評論家——我看陳思和教授	頁 8~13
林伯謙	佛學的智慧（廿）：禮讚大空王（上）	頁 14~21
周何	經典的智慧（十九）：禮之內涵（中）	頁 22~24
葉嘉瑩講 徐曉莉整理	嘉瑩談詩：正始詩歌講錄——第五講（阮籍五上）	頁 26~31
陳新雄	蘇詩賞析（廿一）：謀道不計身——陸龍圖詵挽詞	頁 32~36
倪芳芳	《論語》的文學價值	頁 37~41
張以仁	涵怡集（并序）（上）	頁 42~45
焦桐	現代文學（七）：意識型態拼圖——兩報副刊在鄉土文學論戰中的權力操作	頁 48~58
蔡登山	現代文學名家的愛情（二）：只怕情多累美人——郁達夫和他的情人（上）	頁 59~65
楊昌年	新文藝名家名作析評（十）：澀味與優美——廢名的散文	頁 66~73
林春美	東南亞華文文學（四）：女生境地——論九十年代潘雨桐小說的「女」「性」	頁 74~79
許惠玟	靜態與動態並重——中正大學蟲魚鳥獸詩社簡介	頁 80~82
陳滿銘	談詞章章法的主要內容（上）	頁 84~93
傅光明	現代文學名家的第二代（八）：好好學門手藝——舒乙不忘父親老舍的殷殷期許	頁 94~100
傅武光	〈用奇謀孔明借箭〉鑑賞	頁 102~103
王窈賢	教學集錦（十七）：蘇軾兄弟考制科（三）	頁 104~111
楊鴻銘	作文教室（廿一）：作文錯落的寫法——以八十六年北區夜大國文作文「分享」為例	頁 112~114
林玲	「宮調、曲牌及其他」——寫在師大附中劇曲研討會之後	頁 115~118
王同書	「師道」兩岸情——讀魏子雲《教國文》	頁 119~120

第 13 卷 8 期（總 152 期）1998 年 1 月

| 張高評 | 「華」字之音讀 | 頁 4~5 |

劉澤友	大陸焦點學人（十二）：卓爾不群的王曉明	頁 6~11
陳益源	為你說民俗（一）：「上大人」的來歷	頁 12~14
林伯謙	佛學的智慧（廿）：禮讚大空王（下）	頁 15~20
周　何	經典的智慧（廿）：禮之內涵（下）	頁 21~26
陳新雄	蘇詩賞析（廿二）：矯矯龍之姿——隆中	頁 28~30
葉嘉瑩講 徐曉莉整理	嘉瑩談詩：正始詩歌講錄——第五講（阮籍五下）	頁 31~37
張玲瑜	中國戲曲的旦角——你一半是女人，一半是夢	頁 38~42
張以仁	涵怡集（并序）（中）	頁 43~46
梅　新	大陸當代文學（七）：山村的「一天」，歷史的「一天」	頁 47~51
楊昌年	新文藝名家名作析評（十一）：移情與深密——茅盾的散文	頁 52~57
莊宜文	台灣現代文學（八）：在君父的城邦——三三文學集團研究（上）	頁 58~70
陳大為	東南亞華文文學（五）：感官與思維的冷盤——九〇年代馬華新詩裡的都市影像	頁 71~83
朱文華	現代文學名家的第二代（九）：新聞與文學——鄭小箴、鄭爾康與父親鄭振鐸志同道合	頁 86~91
蔡登山	現代文學名家的愛情（二）：只怕情多累美人——郁達夫和他的情人（下）	頁 92~99
王窈賢	教學集錦（十八）：有關歐陽修〈縱囚論〉（一）	頁 100~104
陳滿銘	談詞章章法的主要內容（下）	頁 105~117
楊鴻銘	作文教室（廿二）：各類作文審題的方法	頁 118~120

第 13 卷 9 期（總 153 期）1998 年 2 月

林伯謙	對〈叩鐘〉一文的幾點疑惑	頁 4~7
楊如雪	釋「選中」、「射中」之「中」	頁 8~10
劉澤友	大陸焦點學人（十三）：灑脫機敏的當代學人——記陳平原教授	頁 12~17
陳益源	為你說民俗（二）：箱底畫——惡補用的性教材	頁 18~20
張維用	琉璃與琉璃瓦	頁 21~23
吳立甫	中國最早的春聯——桃符	頁 24~25
陳滿銘	唐宋詞拾玉（十二）：馮延巳的〈蝶戀花〉（二）	頁 28~31
葉嘉瑩講 徐曉莉整理	嘉瑩談詩：正始詩歌講錄——第六講（阮籍六）	頁 32~40
陳新雄	蘇詩賞析（廿三）：凱風吹盡——胡完夫母周夫人挽詞	頁 41~45
邱宜文	採芳遺珮——試談《詩經》、《楚辭》中男女贈物之寄託意涵	頁 46~51
張以仁	涵怡集（并序）（下）	頁 52~54
楊昌年	新文藝名家名作析評（十二）：自然與寫實——曹禺的《原野》與《日出》	頁 55~61

莊宜文	台灣現代文學（八）：在君父的城邦——三三文學集團研究（下）	頁 62~75
劉恆興	台灣現代文學（九）：王禎和《玫瑰玫瑰我愛你》中的諷刺特徵——兼論中國傳統文學中的諷刺技巧	頁 76~88
蔡登山	現代文學名家的愛情（三）：多情無情心自明——風流才子郭沫若的情愛糾葛	頁 89~97
王窈賢	教學集錦（十九）：有關歐陽修〈縱囚論〉（二）	頁 98~104
林于弘	新風貌與舊傳統——談國立編譯館國文第一冊八十五年版與八十六年版之興革	頁 105~111
楊鴻銘	作文教室（廿三）：綜合審題的方法	頁 112~113
沈衛威	現代文學名家的第二代（十）：兒子開會去了——茅盾讓兒女們走自己的道路	頁 114~117
邱順明	「以閩南語輔助國文教學」舉隅	頁 118~120

第 13 卷 10 期（總 154 期）1998 年 3 月

蔡正發	「吹煦」試釋	頁 4~5
楊如雪	〈師說〉釋疑	頁 6~9
季　健	大陸焦點學人（十四）：文化旅人——記余秋雨教授	頁 12~18
凌鼎年	「死」字趣談	頁 19~21
陳益源	為你說民俗（三）：金門「雞頭魚尾」禮俗	頁 22~25
張心怡	書中日月長——古人如何記月記日	頁 26~29
陳滿銘	唐宋詞拾玉（十三）：李璟的〈攤破浣溪沙〉	頁 30~33
陳新雄	蘇詩賞析（廿四）：前後三游——遊三游洞	頁 34~35
儲大泓	禪僧不識衣冠	頁 36~37
葉嘉瑩講 徐曉莉整理	嘉瑩談詩：正始詩歌講錄——第七講（嵇康一上）	頁 38~42
王力堅	曹植《雜詩》（其一）母題解讀	頁 43~46
劉進寶	敦煌變文	頁 47~52
楊昌年	新文藝名家名作析評（十三）：錯置與桃源——徐訏的中篇小說	頁 54~62
田應國	大陸當代文學（八）：九十年代散文的主體人格形象淺論	頁 63~71
奚　密	台灣現代文學（十）：台灣現代詩論戰——再論「一場未完成的革命」	頁 72~81
蔡登山	現代文學名家的愛情（四）：茅盾——相思欲訴又彷徨	頁 82~90
林繼生	上窮碧落下黃泉——國文科出題方式面面觀（一）	頁 91~97
劉滌凡	國文教學金針：核心概念及其邏輯步驟的推演在高中國文教學上的運用（一）	頁 98~102
楊鴻銘	作文教室（廿四）：有關人的寫法——以陳生「我的老師」為例	頁 103~105
王窈賢	教學集錦（廿）：「錄大辟囚」的「錄」字作何解？	頁 106~111
譚達先	論析深入，新穎獨創——讀陳益源著《民俗文化與民間文學》	頁 112~117
陳智德	只是想呼吸而已	頁 118~120

第 13 卷 11 期（總 155 期）1998 年 4 月

王關仕	「嫣然一笑」典故之由來	頁 4
葉國良	「桑梓」、「鄉梓」與「鄉里」	頁 5
蔣蘇岑	大陸焦點學人（十五）：散文研究新銳王堯	頁 6~11
陳益源	為你說民俗（四）：台灣原住民「不吃狗肉」的習俗——兼介李福清著《從神話到鬼話》	頁 12~15
張維用	「武帝使人入海市璧琉璃」考	頁 16~19
張茂榮	蒲松齡的四方印章	頁 20~22
葉嘉瑩講 徐曉莉整理	嘉瑩談詩：正始詩歌講錄——第七講（嵇康一下）	頁 26~31
王啟屏	珊瑚撐月——試析李白〈黃鶴樓送孟浩然之廣陵〉	頁 32~37
陳新雄	蘇詩賞析（廿五）：瘦馬殘月	頁 38~42
張來芳	《離騷》雄渾悲壯的藝術美	頁 43~47
王清源	杜牧和他的詩	頁 48~51
林家驪	釋「四聲八病」	頁 52~55
楊昌年	新文藝名家名作析評（十四）：純真與反諷——馮至的散文	頁 56~57
丁威仁	大陸當代文學（九）：趙樹理文藝思想初探	頁 58~71
李癸雲	台灣現代文學（十一）：現實底下的潛航——馮青詩研究	頁 72~82
蔡登山	現代文學名家的愛情（五）：骨肉流離道路中——陳獨秀的家庭悲劇	頁 84~90
楊鴻銘	作文教室（廿五）：短語引導作文的寫法——以今年大學甄試國文作文「追求流行，表現自我」為例	頁 91~94
王窈賢	教學集錦（廿一）：單字題命題作文的寫作方法	頁 95~101
林繼生	上窮碧落下黃泉——國文科出題方式面面觀（二）	頁 102~108
李梁淑	百草園的天空——從《朝花夕拾》看魯迅的童年生活	頁 109~113
劉滌凡	國文教學金針——核心概念及其邏輯步驟的推演在高中國文教學上的運用（二）	頁 114~120

第 13 卷 12 期（總 156 期）1998 年 5 月

蘇　北	大陸焦點學人（十六）：樹立起一個新的里程碑——范培松和他的散文研究	頁 4~8
鍾　年	中國文史裡的寡婦	頁 9~13
陳益源	為你說民俗（五）：民雄五穀王廟的祈子習俗與求雨傳說	頁 14~17
周　何	經典的智慧（廿一）：如何讓舊有的禮教發揮現代的社會功能	頁 18~21
楊儒宏	由古史論人性——商鞅作法自斃	頁 22~23
陳滿銘	唐宋詞拾玉（十四）：李煜的〈相見歡〉	頁 26~28
劉廣定	〈清明〉詩的作者與「杏花村」的地點	頁 29~31
劉　石	蘇詩比喻淺說	頁 32~37

陳 強	野雲有跡，白石無瑕——小議姜夔的詞風	頁 38~42
孫移泰	漫遊西周宮殿	頁 43~45
葉嘉瑩講 徐曉莉整理	嘉瑩談詩：正始詩歌講錄——第八講（嵇康二上）	頁 46~51
儲大泓	借寫景以言情	頁 52~53
何啟治	面向時代、面向讀者的《當代》雜誌	頁 54~57
	屹立在文學的高崗上——「中文人與創作」座談會（方瑜主持　廖輝英　陳幸蕙　簡媜　曾陽晴　陳大為主講　魏月萍記錄整理）	頁 58~68
呂素端	台灣現代文學（十二）：佛洛伊德〈作家與白日夢〉之理論檢討與應用——以七等生小說〈我愛黑眼珠〉為例	頁 69~78
蔡登山	現代文學名家的愛情（六）：偏留綺思繞雲山——瞿秋白的生死戀	頁 80~86
林繼生	上窮碧落下黃泉——國文科出題方式面面觀（三）	頁 87~92
冰花樓主	簡化字與漢字規範化	頁 93~95
汪少華	「濫觴」正義	頁 96~99
彭元岐	對策乎？進策乎——〈教戰手策〉文體辨議	頁 100~106
楊鴻銘	作文教室（廿六）：人物主觀的寫法——以「我的公主」為例	頁 107~109
王窈賢	教學集錦（廿二）：掌握深度與長度的作文教學（一）	頁 110~115
劉滌凡	國文教學金針——核心概念及其邏輯步驟的推演在高中國文教學上的運用（三）	頁 116~120

第 14 卷 1 期（總 157 期）1998 年 6 月

曹貞吉 王國隆	都市桃花源—— 東吳中研所介紹	頁 5~9
嚴逢君 蔡伊達	兼融並蓄的學術領域—— 中央大學中研所專訪	頁 10~15
黃婷珊 徐詩淵	一個山水與文學對話的地方—— 暨大中文所介紹	頁 16~19
隋嘉惠 顏美娟	風簷展書讀，古道照顏色—— 優游於先秦兩漢的輔仁中文所	頁 20~25
劉澤友	大陸焦點學人（十七）：坐京望海，人間情懷—— 記吳福輝教授	頁 26~31
陳益源	為你說民俗（六）：大廊花鼓凝聚鄉情	頁 32~35
王更生	楊明照和他的《抱朴子外篇校箋》	頁 36~38
吉廣興	一往情深深幾許——《納蘭詞》鑑賞之二	頁 40~45
王力堅	謝靈運〈石壁精舍還湖中作〉情景理之間的關係	頁 46~49
蔡登山	現代文學名家的愛情（七）：一雙名劍天下揚—— 錢鍾書與楊絳	頁 50~57
陳明柔	台灣現代文學（十三）：楊牧詩作〈禾〉之語意分析	頁 58~66
陳滿銘	李煜〈清平樂〉詞賞析	頁 70~73
傅武光	〈貴公〉篇容易誤解的地方	頁 74~75
王窈賢	教學集錦（廿三）：掌握深度與長度的作文教學（二）	頁 76~84
顏崑陽	試析東坡〈念奴嬌〉及幾個相關問題	頁 85~91
林繼生	上窮碧落下黃泉—— 國文科出題方式面面觀（四）	頁 92~97
劉滌凡	國文教學金針—— 核心概念及其邏輯步驟的推演在高中國文教學上的運用（四）	頁 98~102
編輯部	永遠的《萌芽》	頁 103~105
姚 拓	語重心長說《蕉風》	頁 106~109
許迪鏘	誰會聽這樣的故事？—— 關於《素葉》	頁 110~112

第 14 卷 2 期（總 158 期）1998 年 7 月

廖婉利等	台灣文學的新天堂—— 靜宜中文（余劍英 朱瑞麟）	頁 4~7
蔡琇雀 陳富雅	在古色古香中陶冶中文素養—— 東海中研所介紹	頁 8~11
黃資惠 許淑貞	多采多姿的學府—— 成大中研所簡介	頁 12~19
王開府	燈前禪影（一）：禪與心靈改革	頁 20~21
陳益源	為你說民俗（七）：四川的陽戲	頁 22~25

周　何	經典的智慧（廿二）：恩理節權—— 制定喪服輕重的四大原則	頁 26~29
楊遠岷	表示先民生活進步的周易繫辭下傳	頁 30~32
丁原植	郭店竹簡《老子》的出土及其特殊意義	頁 33~41
葉嘉瑩講 徐曉莉整理	嘉瑩談詩：正始詩歌講錄——第八講（嵇康二下）	頁 43~48
陳新雄	蘇詩賞析（廿六）：萬歲郿塢	頁 49~52
陳滿銘	唐宋詞拾玉（十五）：李璟的〈攤破浣溪沙〉	頁 53~56
吉廣興	一種煙波各自愁—— 《納蘭詞》鑑賞之三	頁 57~64
鍾　年	可憐薄命作君王—— 歷史上的角色錯位現象	頁 65~69
朱嘉雯	從曹雪芹到瓊瑤，愛情本質不變—— 論現代作家瓊瑤與古典小說《紅樓夢》的關係	頁 70~76
蔡登山	現代文學名家的愛情（八）：嬿婉同心六十年—— 俞平伯的婦唱夫隨	頁 77~84
朱榮智	《土氣與洋味》——紐西蘭移民側記（自序）	頁 85~86
翁廷辰	論語言文字與漢語漢文的發展	頁 87~89
彭忠德	古代誓辭中「有如某某」新解	頁 90~93
林繼生	上窮碧落下黃泉—— 國文科出題方式面面觀（五）	頁 94~99
林瑞景	永生難忘的「恐怖箱」	頁 100~105
劉寶珠	一點點的探索——關於國文教學	頁 106~109
楊鴻銘	作文教室（廿八）：閱讀引導作文的寫法—— 以今年大學甄試「八面玲瓏」為例	頁 110~112

第 14 卷 3 期（總 159 期）1998 年 8 月

鍾龍珠 洪少萍	學風自由、博大精深—— 政大中研所簡介	頁 4~8
林雯淑 陳維貞	古城暮色—— 淡江大學中文研究所採訪	頁 9~12
陳雅齡 邱蕙婷	一個有夢就有希望的地方—— 逢甲中研所專訪	頁 13~19
王開府	燈前禪影（二）：七佛的共同校訓	頁 20~22
陳益源	為你說民俗（八）：婁子匡近況及其龜俗研究	頁 23~26
周　何	經典的智慧（廿三）：服術有六	頁 27~30
朱美郁	捨生取義——從歷史人物的選擇談起	頁 31~34
姚榮松	您的複數用法	頁 34
葉嘉瑩講 徐曉莉整理	嘉瑩談詩：正始詩歌講錄——第九講（嵇康三上）	頁 36~39
陳新雄	蘇詩賞析（廿七）：君門九重	頁 40~44

羅敬之	從《聊齋》詩——看蒲松齡的自適生涯	頁 45~48
周慶華	《紅樓夢》中的自殺事件	頁 49~51
郭娟玉	試析〈調笑〉詞之藝術特色	頁 52~56
陳靜宜	論蕭颯外遇小說	頁 58~71
蔡登山	現代文學名家的愛情（九）：離情只訴夢魂中——詩人朱湘與霓君	頁 72~78
老志鈞	中文的「性」氾濫	頁 79~82
蘇美鳳	繁弦急管探成語	頁 83~87
楊鴻銘	命題限意引導作文的寫法——以今年大學聯考國文作文「慚愧」為例	頁 90~92
何永清	八十七年度大考國文科文法題解析	頁 93~95
林瑞景	創意味覺作文——口齒留香的萬巒豬腳	頁 96~101
王窈賢	教學集錦（廿四）：字句移位和結構重組的作文教學	頁 102~109
劉鎮傳	指導孩子作文是家長不可推卸的責任	頁 110~112

第 14 卷 4 期（總 160 期）1998 年 9 月

	看招——八十七年大學及高中聯招國文科試題會診	頁 4
陳滿銘	今年大學聯招國文科試題試析	頁 5~21
陳慧英	淺論今年度大學聯考國文科試題	頁 22~28
陳惠齡	請端出一盤看得見「牛肉」的佳餚——談大學聯招國文科試題的淺俗化	頁 29~34
林繼生	顛覆與傳統之間——八十七年度大學聯考國文試題分析	頁 35~40
林繼生	理想與現實之間——台北區公立高級中學八十七學年度聯招國文試題分析	頁 41~46
曾士良	今年台省高中聯招國文科試題分析	頁 47~51
周 何	經典的智慧（廿四）：宗法簡述	頁 52~55
王開府	燈前禪影（三）：兩岸猿聲啼不住	頁 56~59
陳益源	為你說民俗（九）：大觀園裡的飲食男女——寫在「紅樓夢文化藝術展」之前	頁 60~63
葉嘉瑩講 徐曉莉整理	嘉瑩談詩：太康詩歌講錄——第一講（潘岳上）	頁 64~67
張健軍	歌盡桃花扇底風——秦淮名妓李香君	頁 68~70
蔡登山	更幾度人間風雨——戴望舒的苦戀與仳離	頁 72~79
楊宗翰	現代詩劇，休走！——從楊牧《吳鳳》談起	頁 80~88
林瑞景	一場水果詩的饗宴	頁 89~95
黃春貴	〈差不多先生傳〉賞析（國中國文第三冊第二課）	頁 96~100
黃春貴	〈黃州快哉亭記〉賞析（高中國文第三冊第一課）	頁 101~106

編輯部	教學錦囊—— 本月可供國文教學參考之作品	頁 107
楊舒雅	國中國文第一冊第一課「夏夜」教學活動設計	頁 108~112

第 14 卷 5 期（總 161 期）1998 年 10 月

傅武光	「全陪」的話——經、史、子、集的由來	頁 4~9
胡楚生	給你一支萬能 KEY—— 從目錄學進入中華學術的殿堂	頁 10~12
周 何	既可暫時擁有，又可天長地久—— 經學的種類與價值	頁 13~16
廖隆盛	源遠流長的大河—— 中國史學的發展與特色	頁 17~22
陳郁夫	洞悉人性與天道的智慧—— 中國哲學通覽	頁 22~27
李日章	我像我自己—— 中國哲學的特徵	頁 27~30
呂正惠	方塊字堆砌的藝術—— 宏觀中國文學	頁 31~34
陳新雄	治國學的利器—— 綜觀小學	頁 34~36
楊振良	徜徉民俗綠野—— 花蓮師院「民間文學研究所」	頁 38~41
林文寶	給關心兒童文學的你	頁 42~44
馬祥來	台東師院兒童文學研究所簡介	頁 45~47
葉嘉瑩講 徐曉莉整理	嘉瑩談詩：太康詩歌講錄——第一講（潘岳下）	頁 48~52
陳新雄	蘇詩賞析（廿八）：畫馬公案	頁 53~57
莊宜文	是超越還是陷溺——從《鶯鶯傳》看傳統女性的愛情困境	頁 58~64
古遠清	散文的野味—— 讀張健的《請到二十世紀的台北來》	頁 65~68
蔡登山	江湖寥落爾安歸—— 李金髮的異國情緣	頁 69~75
王興佳	漢字文化圈淺識	頁 76~80
左秀靈	稱謂——委座與公	頁 81
黃 靖	「爸爸」、「媽媽」是外來語嗎？	頁 82~85
陳慧英	八十七年度大學聯考作文題作法舉隅	頁 86~89
楊鴻銘	明示段意引導作文的寫法—— 以今年大學聯考國文作文「等待」為例	頁 90~92
林瑞景	配合課文教學的創意作文—— 課文名言佳句啟示錄	頁 93~97
蔡根祥	〈宮之奇諫假道〉「輔車相依」疑議	頁 98~103
黃春貴	國文教材賞析—— 與宋元思書(國中國文第五冊第八課)	頁 104~110
編輯部	教學錦囊——本月可供教學參考之作品	頁 111

第 14 卷 6 期（總 162 期）1998 年 11 月

傅武光	千里鶯啼綠映紅——「全陪」的話	頁 4~6
簡宗梧	生鏽的文學主環——賦	頁 7~11
黃盛雄	萬古鮮新的奇葩異卉——詩	頁 11~14
陳文華	源自婉轉歌喉的綺麗世界——詞	頁 14~18
顏天佑	琵琶弦上說相思——曲	頁 18~21
張高評	文苑長青樹——古文	頁 21~25
張仁青	落霞與孤鶩齊飛，秋水共長天一色——駢文	頁 26~31
沈 謙	文學的審美者——文學批評	頁 31~36
張 健	百卉齊發的新圃——現代文學	頁 36~39
徐傳武	關於「兩頭蛇」	頁 40~42
陳益源	為你說民俗（十）：檳榔傳情——兼介《越南傳說故事與民俗風情》	頁 43~46
王開府	燈前禪影（四）：EQ 之外	頁 47~49
鍾 鍾	魏延	頁 50~53
林麗娟	「平生忠赤有天知」——談王陽明詩中的忠愛精神	頁 54~57
葉嘉瑩講徐曉莉整理	嘉瑩談詩：太康詩歌講錄——第二講（張華）	頁 58~62
陳新雄	蘇詩賞析（廿九）：入峽喜巉巖	頁 63~70
蔡登山	人間但有真情在——黎烈文的兩次婚姻	頁 71~76
李梁淑	舊夢重溫——從周作人《兒童雜事詩》談起	頁 77~82
余力文	案頭山水心中園林——淺析張潮之《幽夢影》	頁 83~85
黃春貴	國文教材賞析——〈始得西山宴遊記〉賞析（高中國文第一冊第九課）	頁 86~97
林瑞景	看電影‧寫影評——第一次當小小影評人	頁 98~103
陳滿銘	高中國文〈散曲選〉課文結構分析	頁 104~107
編輯部	教學錦囊	頁 108~110

第 14 卷 7 期（總 163 期）1998 年 12 月

傅武光	人生智慧的源頭活水——「全陪」的話	頁 4~7
王邦雄	中華學術的大動脈——儒家	頁 8~12
林聰舜	活出自己來——道家	頁 12~15
史墨卿	和平兼愛的實踐家——墨家	頁 16~19
謝大寧	馬，白馬，白馬非馬？——名家	頁 19~23

呂　凱	天人合一的韻律——陰陽家	頁 24~27
徐漢昌	古代的帝王學——法家	頁 28~31
徐文助	運籌帷幄之中，決勝千里之外——兵家	頁 32~36
王開府	燈前禪影（五）：祖師西來意	頁 37~38
陳益源	為你說民俗（十一）：民俗美食與小說——從「射鵰英雄宴」講起	頁 39~41
朱歧祥	談學術	頁 42~44
徐公超	讀者回應：我所見過的「兩頭蛇」	頁 45~46
鍾　年	採菊東籬下，悠然見南山——談中國歷史上的隱士	頁 47~52
陳金現	蘇軾號「東坡居士」的原因	頁 53~60
徐傳武	黑旋風與小旋風	頁 61~62
葉嘉瑩講 徐曉莉整理	嘉瑩談詩：太康詩歌講錄——第三講（左思一上）	頁 63~68
陳新雄	蘇詩賞析（卅）：出峽愛平曠	頁 69~74
蔡欣欣	國光「台灣三部曲」之《鄭成功與台灣》	頁 75~77
蔡信發	《說文》失收字之商兌	頁 78~80
王興佳	古代漢字的規範化	頁 81~84
侯亮宇	「歷歷如繪」的語法商榷	頁 85~86
陳滿銘	高中國文〈近體詩選〉（一）課文結構分析	頁 87~89
李文憲	由格律談崔顥之〈黃鶴樓〉詩	頁 90~92
黃春貴	〈為學一首示子姪〉賞析	頁 93~99
林瑞景	菁莪山莊上的一場新詩饗宴	頁 100~111
編輯部	教學錦囊	頁 112

第 14 卷 8 期（總 164 期）1999 年 1 月

傅武光	聖地取經——全陪的話	頁 4~6
黃慶萱	經典中的經典，根源裏的根源——周易	頁 7~11
許錟輝	古代帝王嘉言懿行的最早紀錄——尚書	頁 11~13
余培林	真善美的化身——詩經	頁 14~17
周　何	各種典禮的節目表——儀禮	頁 17~20
黃俊郎	古代的國民生活需知——禮記	頁 20~23
汪中文	周朝的政事法——周禮	頁 23~26
王開府	燈前禪影（六）：日日是好日	頁 27~29
陳益源	為你說民俗（十二）：「關三姑」的儀式與歌謠	頁 30~32
韓廷一	古人訪談（一）：治世之能臣‧亂世之奸雄——曹操訪問記	頁 33~41

范伯群	永生在「快活林」中的嚴獨鶴	頁 42~46
葉嘉瑩講 徐曉莉整理	嘉瑩談詩：太康詩歌講錄——第三講（左思一下）	頁 47~52
陳滿銘	唐宋詞拾玉（十六）：李煜的〈相見歡〉	頁 53~56
鍾　鍾	民歌的故事	頁 57~59
葉經柱	曹樸與孽海花	頁 60~70
蔡登山	相愛苦短成永訣——蔣光慈的愛情	頁 71~76
李梁淑	寂寞的童年——蕭紅《呼蘭河傳》裡的小女孩	頁 77~82
李運瑛	一字定主腦，片語通經絡——「巧置文眼」例說	頁 83~86
趙天行	中國的文言文（上）	頁 87~91
楊鴻銘	有關事的寫法——以今年北區夜大國文作文「同學會」為例	頁 92~94
王窈賢	教學集錦（廿五）：談立意與取材的作文教學	頁 95~103
黃春貴	〈新五代史伶官傳序〉賞析（上）	頁 104~109
左秀靈	國小國語課本指瑕——〈賈人渡河〉白話譯文商榷	頁 110~112

第 14 卷 9 期（總 165 期）1999 年 2 月

陸寶千	公羊傳	頁 5~9
周　何	穀梁傳	頁 9~12
張高評	左氏傳	頁 12~15
莊雅州	經學的新生地——大戴禮記	頁 16~20
傅武光	中華的聖經——論語	頁 21~25
王基倫	人性的光輝——孟子	頁 26~29
朱榮貴	哀哀父母生我劬勞——孝經	頁 30~33
王開府	燈前禪影（七）：理入與行入	頁 34~36
陳益源	為你說民俗（十三）：土地公雲嘉傳奇	頁 37~39
段建民	拜年	頁 40~41
韓廷一	古人訪談（二）：呂不韋訪問記——訪一位曠世大導演	頁 42~51
鮑延毅	宋江的字與號	頁 52~53
葉嘉瑩主講 安易 楊愛娣 整理	嘉瑩談詩：太康詩歌講錄——第三講（左思二上）	頁 54~59
陳鶯萍圖 編輯部文	徐娘半老	頁 59
陳新雄	蘇詩賞析（卅一）：不老孤松	頁 60~63

陳滿銘	談《大學》中所謂的「誠意」	頁 64~68
郭存孝	革故鼎新 中西融合—— 太平天國楹聯瑣談	頁 69~72
蔡登山	天妒良緣同死生—— 傅雷夫婦的情深與共	頁 73~79
余力文	賽珍珠的中國情結	頁 80~85
趙天行	中國的文言文（下）	頁 86~89
許長謨	聲韻與選舉—— 國臺語的世紀交會	頁 90~93
左秀靈	宋體字	頁 94
蕭　蕭	新文藝教學設計（一）：哲學家皇帝	頁 95~98
楊鴻銘	甄試與聯考新詩解題的方法	頁 99~106
黃春貴	〈新五代史伶官傳序〉賞析（下）	頁 107~112

第 14 卷 10 期（總 166 期）1999 年 3 月

丁原植 郭梨華	最老的老子——竹簡老子	頁 4~7
傅武光	遊的哲學——《莊子》	頁 7~10
陳麗桂	圖強稱霸的寶典——《管子》	頁 10~12
鮑國順	我國首位社會學家——《荀子》	頁 13~15
高秋鳳	楚人的浪漫——《楚辭》	頁 16~18
王開府	燈前禪影（八）：報怨與隨緣	頁 19~21
張維用	「真假琉璃」之說	頁 22~27
韓廷一	古人訪談（三）：司馬遷訪問記	頁 28~36
鮑延毅	「闡人」李逵	頁 37~39
伏家芬	革命詩人——黃興	頁 40~41
葉嘉瑩主講 安易 楊愛娣 整理	嘉瑩談詩：太康詩歌講錄——第三講（左思二下）	頁 42~44
陳新雄	蘇詩賞析（卅二）：久立蒼茫	頁 45~47
傅武光	陶淵明的〈飲酒〉詩	頁 48~53
鍾　鍾	說書和施耐庵的水滸傳	頁 54~57
黃崇期	〈三言〉中的妓院愛情及其意蘊	頁 58~61
蔡登山	患難與共見真情—— 梁宗岱的反叛與追尋	頁 62~67
李梁淑	天真的禮讚—— 豐子愷圖文並茂的兒童世界	頁 68~73
老志鈞	新興短語「……之一」用法淺議	頁 74~77
翁廷辰	豆芽紋與方塊紋的比較	頁 78~80

翁以倫	我看中共簡體字	頁 81~84
陳鶯萍圖 編輯部文	紙上談兵	頁 85
陳滿銘	蘇軾〈留侯論〉結構分析	頁 86~89
蕭　蕭	新文藝教學設計（二）：國中現代詩教學設計（欣賞篇）── 以〈車過枋寮〉、〈一枚銅幣〉、〈竹〉為例	頁 90~94
吳曉華	「一枚銅幣」之賞析	頁 95~97
高旖璐	「生活的藝術」教學活動設計	頁 98~102
梁曙娟	老婦之音宛如少女？── 蒲松齡〈口技〉文意釋疑	頁 103~105
鄭立中	〈六國〉一文之相關問題芻議	頁 106~108
編輯部	教學錦囊	頁 109~110
陳文華	詩眼	頁 111~112

第 14 卷 11 期（總 167 期）1999 年 4 月

王冬珍	守道行義的鉅子──墨子	頁 4~7
傅武光	統一後新王朝的治國藍圖──呂氏春秋	頁 8~10
陳麗桂	先秦漢初思想的終結者──淮南子	頁 11~13
范長華	聲徹閨閣的雜劇作家──鄭光祖	頁 14~17
孔仲溫	中文系的看家本領──聲韻學	頁 18~21
王開府	燈前禪影（九）：無所求與稱法行	頁 22~24
陳益源	為你說民俗（十四）：越南水木偶的秘密── 寫在「一九九九雲林國際偶戲節」之前	頁 25~27
韓廷一	古人訪談（四）：不為五斗米折腰，且學五柳樹飄搖── 陶淵明訪問記	頁 28~34
黃盛雄	白居易的〈琵琶行〉應屬樂府詩還是新樂府詩？	頁 34
鮑延毅	「花和尚」的「花」	頁 35~36
俞允堯	文士舌，武夫色── 明末清初的說書大家柳敬亭	頁 37~39
葉嘉瑩主講 安易 楊愛娣 整理	嘉瑩談詩：太康詩歌講錄──第三講（左思三）	頁 40~47
圖：陳鶯萍 文：編輯部	分道揚鑣	頁 47
陳新雄	蘇詩賞析（卅三）：飄蕩何求	頁 48~49
陳滿銘	唐宋詞拾玉（十七）：李煜的〈浪淘沙〉	頁 50~53
黃雅淳	從〈將進酒〉看李白	頁 54~58
張靖遠	淺探〈琵琶行〉的構篇	頁 59~65
蔡登山	訴盡前生不了情──	頁 66~71

	陸晶清的深情無悔	
莫　渝	覃子豪〈追求〉賞析	頁 72~73
何曉名	室名與堂名	頁 74~76
凌鼎年	說手	頁 77~78
蕭　蕭	新文藝教學設計（三）：國中現代詩教學設計（習作篇）——以〈車過枋寮〉、〈一枚銅幣〉、〈竹〉為例	頁 79~83
阮淑芳	「散戲」一文的章法與文學手法	頁 84~89
張力中	連橫名字及其里籍辨正	頁 90~94
蔡信發	《春秋》是斷代史之祖嗎？	頁 94
范曉雯	高中國文第二冊十一課——「道德的勇氣」課堂實錄	頁 95~100
楊鴻銘	作文教室：國小作文教學思考	頁 101~110
編輯部	教學錦囊	頁 111~112

第 14 卷 12 期（總 168 期）1999 年 5 月

張素貞	歷久彌新的政治管理學——韓非子	頁 4~7
王更生	震古鑠今的文苑樞機——文心雕龍	頁 7~10
呂武志	詩文的淵藪——昭明文選	頁 10~12
田博元	中華文化的接枝——佛學	頁 12~16
冰花樓主	史學的另類園地——方志	頁 16~18
周　何	曾子大孝（大戴禮記）篇闡義	頁 19~21
王開府	燈前禪影（十）：慧可與楞伽禪	頁 22~24
陳益源	為你說民俗（十五）：台北風水傳說	頁 25~27
韓廷一	古人訪談（五）：唐朝豪放女——武則天訪問記	頁 28~36
徐傳武	「豹子頭」什麼樣子？	頁 37~38
葉嘉瑩主講安易 楊愛娣整理	嘉瑩談詩：太康詩歌講錄——第四講（左思四上）	頁 39~44
陳新雄	蘇詩賞析（卅四）：百步洪二首	頁 45~51
李惠綿	才子佳人與酷哥辣妹的對話（一）	頁 52~57
郭玉雯	才子佳人與酷哥辣妹的對話（二）	頁 58~61
黃雅莉	情感與現實的矛盾——談蘇軾悼亡詞的藝術感染力	頁 62~66
翁以倫	文以氣為主——略談孟子的文氣觀	頁 67~71
蔡登山	同心永結一甲子——羅洪的文學與愛情	頁 72~77
莫　渝	人與土地悲苦的側顏——談鍾喬的散文	頁 78~80

第 15 卷 1 期（總 169 期）1999 年 6 月

黃春貴	〈國殤〉賞析	頁 4~11
林瑞景	週三進修創作出「最美的容顏」	頁 12~21
蘇秀錦	由賞析「散文詩」引導初學者寫詩	頁 22~26
楊鴻銘	新詩琢磨的方法	頁 27~29
周 何	《禮運》篇〈大同小康〉章闡義	頁 30~32
林珍瑩	談《禮記・曲禮》中的人際處理	頁 33~36
王開府	燈前禪影（十一）：斷臂與得髓	頁 37~39
韓廷一	古人訪談（六）：帝王如冀土・天地一窟窿——老子訪問記	頁 40~50
車 輪	歷史人物評傳：歷事三帝之霍光	頁 51~54
黃 強	明武宗未必最荒淫	頁 55~57
陳鶯萍圖 編輯部文	阮囊羞澀	頁 58
葉嘉瑩主講 安易、楊愛娣 整理	嘉瑩談詩：太康詩歌講錄——第四講（左思四下）	頁 59~62
陳新雄	蘇詩賞析（卅五）：人生無離別 誰知恩愛重	頁 63~68
陳滿銘	唐宋詞拾玉（十八）：范仲淹的〈蘇幕遮〉	頁 69~71
黃坤堯	讀《淮陰侯烈傳》	頁 72~76
蔡登山	結婚十年原是夢——蘇青的夢醒時分	頁 77~82
張 健	隔海的文學觀察——評介古遠清《台灣當代文學理論批評史》	頁 83~84
石曉楓	楊牧〈野櫻〉的主題意涵——兼論其散文創作的理論與實踐	頁 85~92
莫 渝	鐵窗的吶喊	頁 93~97
文 方	國語注音符號與漢語拼音較論	頁 98~102
蔡謀芳	敘事觀點的跳換——示現與呼告	頁 103~107
王興佳	漢民族共同語溯源	頁 108~111
編輯部	教學錦囊	頁 112

第 15 卷 2 期（總 170 期）1999 年 7 月

黃春貴	房中保健的現代意義	頁 5~13
魏子雲	食色性也	頁 14~19
林振良	攜雲握雨，非以宣淫——古典戲曲中幽雅的情愛描寫	頁 20~24
陳有昇	靈肉合一的性文學——再論《夢紅樓夢》	頁 25~29
黃 強	金瓶梅與飲食養生	頁 30~34
周 何	《禮記・儒行》闡義	頁 35~38

王開府	燈前禪影（十二）：說通與宗通	頁 39~41
韓廷一	古人訪談（七）：無產階級的代言人——墨子訪問記	頁 42~48
徐傳武	「花和尚」與「武行者」	頁 49~50
葉嘉瑩主講 徐曉莉整理	嘉瑩談詩：太康詩歌講錄——第四講（陸機一）	頁 51~57
陳新雄	蘇詩賞析（卅六）：每求神倦	頁 58~61
顧柔利	論北宋理趣賦的意境	頁 62~65
葉經柱	李百川的《綠野仙蹤》（上）	頁 66~71
余力文	映日荷花別樣紅——楊萬里與詠花詩	頁 72~73
蔡登山	守著陽光守著妳——巴金的永遠戀人	頁 74~79
莫 渝	新詩賞析：秋	頁 80~81
張 敏	《孫子》成語初探	頁 82~86
韓曉光	絕句中常見的句法形式	頁 87~92
劉君燦	己、已、巳三字含義的試詮	頁 93~94
林繼生	活潑與媚俗，傳統與古板之間——八十七學年度大學入學考試學科能力測驗國文科試題分析	頁 96~99
卓翠鑾	另類的作文教室——試探電影「鐵達尼號」文學創作技巧的運用	頁 100~103
蘇秀錦	淺談如何指導學生寫有創見的文章——善用反向思維	頁 104~109
陳昭銘	略談有關〈琵琶行〉的幾個問題	頁 110~112

第 15 卷 3 期（總 171 期）1999 年 8 月

許錟輝	新團隊，新風貌	頁 1
傅武光	暫停征棹——卸任總編輯敬致作者與讀者諸君	頁 2~3
劉 渼	協同整合與本位教學——談本刊有關國語文教學編輯的新方向	頁 4~5
陳滿銘	八十八年度大學聯招國文科試題略析	頁 9~21
林繼生	平實中見瑕疵——八十八學年度大學聯招國文科試題分析	頁 22~26
楊如雪	「追亡逐北」與「茹冰飲雪」——本年度大學、北區高中聯考國文科二大語法題	頁 27~31
楊鴻銘	聯想作文的寫法——以今年大學聯考作文「車站」為例	頁 32~33
陳慧英	一大一小三選一——試說八十八年度大學聯考作文題	頁 34~39
林繼生	末代餘光——台北區公立高中八十八學年度聯招國文科試題分析	頁 40~44
林聆慈	傾聽大自然「不同」的聲音——談今年北區高中聯招作文兩種作法	頁 45~48
柯萬成	今年二技聯招作文閱卷有感	頁 49~51
周 何	《禮記・坊記》闡義	頁 52~54
陳益源	為你說民俗（十六）：廣西京族「哈節」民俗采風（上）	頁 55~57
黃春貴	教師強身保健之道——運動之王：爬樓梯	頁 58~59

韓廷一	古人訪談（八）：考場老將韓愈訪問記	頁 60~70
魏子雲	金瓶梅閒話：西門慶這個人物	頁 71~74
葉嘉瑩主講 徐曉莉整理	嘉瑩談詩：太康詩歌講錄——第五講（陸機二上）	頁 76~80
陳新雄	蘇詩賞析（卅七）：石鼓之歌	頁 81~91
葉經柱	李百川的《綠野仙蹤》（下）	頁 92~94
蔡登山	生來相愛不容易——朱生豪的事業與愛情	頁 95~100
莫　渝	讓世界在穩定發光——談洪志明的詩	頁 101~102
潘麗珠	從多元智慧理論談關漢卿〈閨適〉的吟誦教學	頁 104~107
洪澤南	大家來吟詩	頁 108~110
吳麗琳	我學吟詩的心路歷程	頁 111~112

第 15 卷 4 期（總 172 期）1999 年 9 月

王更生	陳少松和他的《古詩詞文吟誦研究》——總往代絕學，開吟誦新運	頁 5~6
林文寶	談朗誦的基本腔調	頁 7~13
蔣治中	木蘭詩導誦札記	頁 14~17
呂榮華	揚聲縱詩情——漫談新詩朗誦	頁 18~23
程美鐘	關於現代詩朗誦的看法	頁 24~26
張英聲	風景迤邐入窗——新詩朗誦帶給學生的情意陶冶	頁 27~30
蔣治中講 劉漢採訪記錄	朗誦詩的美感經驗——兼談香港詩歌朗誦社的成立	頁 31~36
李宗焜	介紹甲骨文	頁 37~40
徐文助	孫臏兵法述要	頁 41~46
柯萬成	司馬遷與《史記》	頁 47~50
林慶彰	通向中華文化之路——推介《中華文化寶庫》	頁 51~55
陳益源	為你說民俗（十七）：廣西京族「哈節」民俗採風（下）	頁 56~58
韓廷一	古人訪談：教主訪談記——與孔子談宗教	頁 59~62
鮑延毅	虎・登徒子・艾豭——小議王英	頁 63~64
葉嘉瑩主講 徐曉莉整理	嘉瑩談詩：太康詩歌講錄——第五講（陸機二下）	頁 65~73
陳滿銘	唐宋詞拾玉（十九）：張先的〈天仙子〉	頁 74~76
黃春貴	名詞的前綴和後綴	頁 77~85
張高評	〈黃岡竹樓記〉賞析	頁 86~89
張高評	〈岳陽樓記〉賞析	頁 90~94
許俊雅	生動的尖山農家耕作圖——賞讀鍾理和的〈做田〉	頁 95~98

劉德玲	關於〈桃花源記〉的兩個問題	頁 99~101
郭鶴鳴	沈尹默的〈三弦〉	頁 102~105
陳佩筠	重現往日風華——記中華美食展中的「金瓶梅宴」	頁 106~108
魏子雲	濃粥與雞尖湯——《金瓶梅》中的吃喝	頁 109~112

第 15 卷 5 期（總 173 期）1999 年 10 月

劉崇義等	開放欲限制——範文編選的時間限制與設計模式的空間限制（周寤竹 王春梅 林聆慈講 劉渼採訪記錄）	頁 4~9
林清標	期待國文教學的春天——新課程新教材新挑戰新契機	頁 10~15
劉崇義	誰來把關新教材——以八十八學年高中國文第一冊為例	頁 16~18
林聆慈	高中國文的最愛與不愛——談一綱多本的選編	頁 19~29
陳益源	為你說民俗（十八）：台灣歲時唸謠〈正月正〉——兼介康原《台灣農村一百年》	頁 30~32
韓廷一	古人訪談（十）：為張睢陽齒——張巡‧許遠訪問記	頁 33~39
葉嘉瑩主講 徐曉莉整理	嘉瑩談詩：太康詩歌講錄——第六講（傅玄一）	頁 40~44
陳新雄	蘇詩賞析（卅八）：神品與妙品——王維吳道子畫	頁 45~50
朱歧祥	有無之境——談王國維《人間詞話》的境界	頁 51~53
蔡登山	詩人本是多情種——艾青的感情生活	頁 54~59
張春榮	極短篇的主題意涵	頁 60~64
陳滿銘	談篇章結構（上）——以中學國文教材為例	頁 65~75
陳佳君	情景法的理論與應用——以中學詩歌課文為例	頁 76~80
黃春貴	韓愈〈師說〉精講（上）	頁 81~88
張高評	高中國文課文賞析：〈留侯論〉賞析、〈黃州快哉亭記〉賞析	頁 89~97
向 陽	期待具有創意的學習之旅——我看八十八學年度大學聯考國文科非選擇題試題	頁 98~100
宋 裕	台灣現代詩教學書目指引	頁 101~109
楊鴻銘	記敘文構思的方法	頁 110~112

第 15 卷 6 期（總 174 期）1999 年 11 月

林孝璘	指導閩南語演講比賽幾個常見的問題	頁 4~7
蘇秀錦	閩南語朗讀競賽——拆招（上）——句讀部分	頁 8~13
周 何	《禮記‧曲禮》篇闡義	頁 14~17
陳益源	為你說民俗（十九）：台灣原住民的地震傳說	頁 18~21
葉嘉瑩主講 徐曉莉整理	嘉瑩談詩：太康詩歌講錄——第六講（傅玄二上）	頁 22~26
陳新雄	蘇詩賞析（卅九）：蘇黃首次唱和	頁 27~33

王力堅	一種相思 兩處閑愁──歐陽修〈踏莎行〉析評	頁 34~37
陳必正	無我之境與著我之景──論王維《輞川集》與錢起《藍田溪雜詠》	頁 38~41
蔣力餘	詩歌禪境美感特徵初探	頁 42~47
蔡登山	他生未必更情深──張恨水的三次婚姻	頁 48~53
張春榮	極短篇的多重結局	頁 54~56
陳滿銘	談篇章結構（下）──以中學國文教材為例	頁 57~66
仇小屏	談章法在國中國文課文裡的應用	頁 66~76
黃春貴	韓愈〈師說〉精講（中）	頁 78~84
張高評	高中國文課文賞析：〈教戰守策〉賞析、〈遊褒禪山記〉賞析	頁 85~89
鄭源發	散戲之後──論洪醒夫〈散戲〉之敘事結構、人物塑造與象徵	頁 90~95
趙公正	解讀高中國文──洪醒夫的〈散戲〉	頁 96~100
陳益源	「扦擔」與「扁擔」	頁 100
陳佩筠	撫摸歷史的傷痕──談余秋雨《文化苦旅》與鍾阿城《棋王樹王孩子王》中的文化省思	頁 101~103
黃肇基	文化現場的思考──柳侯祠	頁 104~105
閔秋英	文明的點燈者──淺介余秋雨先生的「人文山水」	頁 106~110
宋滌姬	文化省思	頁 111~112

第 15 卷 7 期（總 175 期）1999 年 12 月

王安祈	傳統與創新的迴旋折衝之路──台灣京劇五十年	頁 4~11
蔡忠道	古典的深情與現代的浪漫──讀〈長千行〉	頁 12~18
段莉芬	從〈歸去來辭〉看陶淵明的精神在現代社會的意義	頁 19~23
朱嘉雯	將傳統融入現代──論白先勇與《紅樓夢》的關係	頁 24~31
周 何	《禮記·祭義》篇闡義	頁 32~35
徐文助	吳起思想探究	頁 36~39
丁原植	《文子》──道家思想的嫡傳	頁 40~46
譚達先	務實、新穎、深刻、獨到──讀陳益源著《台灣民間文學採錄》	頁 47~53
陳益源	為你說民俗（廿）：台灣三國故事與寺廟彩繪──寫在「三國演義文化藝術展」之前	頁 54~56
葉嘉瑩主講 徐曉莉整理	嘉瑩談詩：太康詩歌講錄──第六講（傅玄二中）	頁 57~60
陳滿銘	唐宋詞拾玉（廿）：張先的〈青門引〉	頁 61~63
卜國光	漫談詩文妙趣	頁 64~66
陳文華	「左拾遺」還是「右拾遺」？	頁 67
蘇秀錦	閩南語朗讀競賽──拆招（中）──語氣、節奏部分	頁 68~75
楊如雪	漫談四音節熟語的結構	頁 76~81

劉君燦	有物有則	頁 82
許秀美	敘論法的理論及其在高中國文教材裡的應用	頁 83~91
詹秀惠	「一味」還是「一味」？	頁 92
黃春貴	韓愈〈師說〉精講（下）	頁 93~101
蔡根祥	「酬觴賦詩」與「啣觴賦詩」	頁 102~104
范曉雯	咬詞嚼句——好的造詞與造句使得摹寫更細膩	頁 105~109
吳文薰	太平天國——歷史的另類書寫	頁 110~112

第 15 卷 8 期（總 176 期）2000 年 1 月

江煜坤	政治人物的宿命——從《左傳》兩篇文章談起	頁 4~15
左德成	「輔」與「車」要如何相依？——〈宮之奇諫假道〉析疑	頁 16~23
勞思光	中國哲學的回顧與展望	頁 24~28
黃錦鋐	《論語》「吾道一以貫之」意義的發展	頁 29~31
周 何	孔子之談鬼神	頁 32~34
全寅初	試探《龍飛御天歌》的敘事內涵	頁 35~41
葉嘉瑩主講 徐曉莉整理	嘉瑩談詩：太康詩歌講錄——第六講（傅玄二下）	頁 42~45
陳新雄	蘇詩賞析（四十）：剛健婀娜	頁 46~48
曹順慶	《詩經》解說三題	頁 49~52
陳友冰	在濃縮中開拓昇華——談三首思鄉詩的繼承和創新	頁 53~57
楊維仁	古典詩創作在網際網路上的概況	頁 58~63
巫小黎	女性欲望與男性權威的建構——張資平戀愛小說的敘事模式及其文化闡釋	頁 64~69
蔡登山	地老天荒一寸心——蕭軍的深情懷念	頁 70~77
蘇秀錦	閩南語朗讀競賽——拆招（下）——語音部分	頁 78~85
陳滿銘	談篇章結構分析的切入角度	頁 86~94
仇小屏	談詩歌中的「時空交錯」結構	頁 95~99
黃睿弘 呂美怡	〈遇見一株樹〉的悸動	頁 100~102
張子樟	懷舊與關懷——簡介「台灣兒童文學一百」中的少年小說	頁 103~104
徐錦成	《阿輝的心》——少年小說里程碑	頁 105~107
黃肇基	從〈夏之絕句〉談簡媜的文心	頁 108~109
蔡雲雀	簡媜的有惑	頁 109~111

第 15 卷 9 期（總 177 期）2000 年 2 月

陳滿銘	東坡詞與陶淵明——從一首〈江城子〉詞談起	頁 5~11

羅秀美	蘇東坡的和陶詩	頁 12~20
陳益源	為你說民俗（廿一）：萬榮七十二爭笑話	頁 21~24
黃福鎮	成語十二生肖	頁 25~28
韓廷一	古人訪談（十一）：和平、奮鬥、救中國——中山先生訪問記	頁 29~37
葉嘉瑩主講 安易 楊愛娣 整理	嘉瑩談詩：永嘉詩歌講錄——第一講（劉琨一）	頁 38~41
劉君燦	閒話數量化	頁 42
冷　草	王之渙與文學	頁 43~46
莫　渝	清朗和平靜——談謝霜天的散文	頁 47~52
王　健	黃金枷鎖桎梏的兩條女性生命——曹七巧與蟬阿姨形象評析	頁 53~57
黃玉蘭	緬懷冬陽——謝冰瑩《小冬流浪記》簡介	頁 58
陳麗紅	中國文學聲情之美——談文言文、白話文的朗讀	頁 59~64
鮑延毅	詞語新探：「春」，酒的一個動人異名	頁 65~66
黃春貴	蘇洵〈六國論〉疑難詞句精講（上）	頁 67~74
陳友冰	三篇〈六國論〉比較	頁 75~82
林孝璘	〈不驚田水冷霜霜〉的鄉土教學資料	頁 83~85
林聆慈	讓我們更愛台灣——〈台灣通史序〉創意教學	頁 86~90
洪正玲	談主旨安置於篇末的謀篇方式——以高中國文課文為例	頁 91~100
范曉雯	尚還粗糙，卻令人心喜的實驗室一隅——心得感想的寫作	頁 101~106
	天地讀書會會訊：欲罷不能！	頁 107
賴嘉麒	凡塵中的明珠——閱讀《水問》	頁 108~109
韓佩錦	最初的葡萄——閱讀《水問》	頁 110~111

第 15 卷 10 期（總 178 期）2000 年 3 月

林聆慈	新編國文教材試用報告	頁 4~7
賴哲信	斷層掃描——談高中國文新課文	頁 8~14
陳惠齡	談高中國文現代文學教材的編選	頁 15~20
林繼生	從狹義的編輯觀點淺析新版高中國文課本	頁 21~24
王開府	燈前禪影（十三）：楞伽禪的先驅——求那跋陀羅	頁 25~26
陳益源	為你說民俗（廿二）：田裡說春——關於雲林陳錫根講述的葷笑話	頁 27~30
史墨卿	營造美好的未來——科聖的愛情觀	頁 31~37
鮑延毅	林沖與折（摺）扇	頁 38~39
徐傳武	「沒遮攔」與「小遮攔」	頁 40~41
葉嘉瑩主講 安易 楊愛娣	嘉瑩談詩：永嘉詩歌講錄——第一講（劉琨二）	頁 42~46

整理

陳新雄	蘇詩賞析（四一）：竹西好語	頁 47~59
陳滿銘	唐宋詞拾玉（廿一）：晏殊的〈浣溪沙〉	頁 60~62
林麗娟	王陽明詩中的美人意象	頁 63~67
林中斌講	中國「統整、迂變」觀念的現代啟示──兼談《核霸》一書從中國古代兵法解讀中共核武（劉漢記錄整理）	頁 68~75
朱歧祥	近十年在台甲骨學回顧	頁 76~80
陳正中	談同字為訓	頁 81~83
翁以倫	古今殊品談風流	頁 84~86
夏薇薇	賓主法的理論與應用──以高中國文課文為例	頁 87~93
黃春貴	蘇洵〈六國論〉疑難詞句精講（下）	頁 94~97
錢玉蘭	蘇洵〈六國論〉篇旨探析	頁 98~104
劉榮嫦	多樣化的國文教學	頁 105~107
楊鴻銘	限選作文的寫法──以八十八年大學聯考作文題為例	頁 108~110
吳聲淼	航向美麗的未來──黃海《奇異的航行》簡介	頁 111

第 15 卷 11 期（總 179 期）2000 年 4 月

陳欣欣	編輯部手記	頁 0
陳滿銘	改革有成──談大考中心八十九學年度學科能力測驗國文科「非選擇題」的命題與閱卷	頁 5~18
李清筠	高三生的語文鑑賞與表達能力──由「非選擇題」答案卷談起	頁 19~24
楊鴻銘	文章「唯最」的寫法──以作文題「我最投入的事」為例	頁 25~27
林繼生	守成有餘──國文科試題分析	頁 28~34
蘇秀錦	甄試中從不缺席的「重組題」解題妙招	頁 35~41
王開府	燈前禪影（十四）：如來清淨禪	頁 42~45
朱榮智	苦僧與佛珠	頁 46~47
韓廷一	古人訪談（十二）：有用之用，是無用；無用之用，乃大用──莊子訪問記	頁 48~54
鮑延毅	殘酷的「親善」之舉──「賺上梁山」	頁 55~56
管傑雄	諾貝爾物理獎得主──崔琦教援	頁 57~60
葉嘉瑩	從文本之潛能與讀者之詮釋談令詞的評賞（上）	頁 61~67
簡錦松	今宵燈下渾多事，臥看從前小字書（上）	頁 68~74
李昌年	枯荷聽雨的審美情調──李義山〈宿駱氏亭懷崔雍崔袞〉詩的主題商榷	頁 75~80
蔡登山	天上人間魂夢牽──端木蕻良的生死相伴	頁 81~87
賈福相	瑞秋‧卡森──從一個詩心的少女到一個天心的戰士	頁 88~93
郭中一	遠鐘沈響緣雲濕	頁 94~96

蔡澤興	佛學網路及電子化佛學資源介紹	頁 97~103
林瑞景	一堂可以上電視的作文課	頁 104~108
邱子寧	閃閃的淚光——鍾肇政的《魯冰花》	頁 109
林聆慈	人格的尊嚴與追求——談黃春明小說中的社會意識	頁 110~111
蔡雲雀	從〈死去活來〉談社會的省思	頁 111~112

第 15 卷 12 期（總 180 期）2000 年 5 月

蔡登山口述 陳佩筠整理	自在飛花輕似夢——徐志摩的如戲人生	頁 5~7
馬　森	徐志摩的美學傾向	頁 8~12
楊昌年	四月述情	頁 13~18
林于弘	憧憬的追尋與幻滅——談徐志摩的愛與詩	頁 19~26
劉慧珠	真愛的追尋	頁 27~30
韓廷一	詩人・情人・中國的拜倫——徐志摩訪問記	頁 31~40
周　何	《禮記・三年問》篇闡義	頁 41~43
顧關元	漫話古代的祭文	頁 44~45
葉嘉瑩	從文本之潛能與讀者之詮釋談令詞的評賞（下）	頁 46~51
陳新雄	蘇詩賞析（四二）：縱橫多態	頁 52~56
簡錦松	今宵燈下渾多事，臥看從前小字書（下）	頁 57~61
張高評	王安石〈明妃曲〉及其寫作特色	頁 62~67
陳昭瑛	吳濁流《亞細亞的孤兒》中的儒學思想	頁 68~73
陳碧月	張潔〈祖母綠〉的女性意識	頁 74~76
溫光華	排偶修辭綜論	頁 77~80
張　覺	學習的生命在於探索——我是怎樣學習古漢語的	頁 81~84
劉崇義	解惑篇（一）：「式」「憑」二字之義；蘇軾〈留侯論〉句讀；柳宗元〈始得西山宴遊記〉「縈青繚白」釋義	頁 85
黃春貴	句子的語氣分類和作用	頁 86~89
劉崇義	解惑篇（二）：洪醒夫〈散戲〉「悠哉悠哉」、「漸自」二詞釋義	頁 89
楊鴻銘	文章賞析的方法——以今年學科能力測驗文章賞析題為例	頁 90~92
劉崇義	解惑篇（三）：蘇軾的〈留侯論〉「此其所以為子房歟」之「其」的解釋	頁 92
陳嘉英	相逢何必曾相識　〈琵琶行〉裡知音惜	頁 93~102
陳光明	「一夕自恨死」的焦令諶究竟死了沒有？	頁 103~104
史墨卿	應用文的現代化之一——電子郵件（E-mail）	頁 105~107
范曉雯	腦內 V8 開麥拉——記敘文的寫法	頁 108~111
洪曉菁	心靈的追溯之旅——《再見天人菊》	頁 112

第 16 卷 1 期（總 181 期）2000 年 6 月

陳欣欣	編輯部手記	頁 0
王更生	《文心雕龍》國際學術研討會在鎮江召開紀盛	頁 5~10
黃維樑	讓「雕龍」成「飛龍」──略記體大慮周、情采兼備的鎮江市《文心雕龍》國際研討會	頁 11~13
李金坤	劉勰故鄉逢盛事 千禧龍年探「龍」珠──鎮江《文心雕龍》國際學術研討會紀實	頁 14~20
王開府	燈前禪影（十五）：橋流水不流	頁 21~23
陳滿銘	談《中庸》的一篇體要（上）	頁 24~29
陳麗桂	楚越出土文物與漢代南方文明──寫在「漢代文物大展」之後	頁 30~35
陳新雄	蘇詩賞析（四三）：名花幽獨	頁 36~43
吳禮權	中國古典言情小說模式與中國傳統文化心理	頁 44~48
周慶華	天譴、人譴與無常譴──《紅樓夢》治「淫」有妙方	頁 49~51
簡繡鈺	我看李靖	頁 52~53
張春榮	大酒席與水果盤──短篇小說與極短篇的異同	頁 54~58
凌性傑	愛慾寶鑑──虹影《K》中的「真相」與「想像」	頁 59~61
王忠愈	現代散文化抒情小說──王蒙與魯迅、郁達夫的一脈相承	頁 62~68
陳友冰	〈木蘭詩〉與〈木蘭歌〉	頁 69~76
左秀靈	詞語探源：華夏	頁 77
劉榮嫦	國語文競賽之指導經驗談	頁 78~82
仇小屏	談幾種章法在新詩裡的運用	頁 83~90
賈福相	無以人滅天	頁 91~93
劉渼	國文教學與網路──網站介紹篇	頁 94~103
謝蓮芬	聯考作文的「首與尾」	頁 104~111
林宛宜	歲月紀實──《老三甲的故事》	頁 112

第 16 卷 2 期（總 182 期）2000 年 7 月

周何	《禮記‧少儀》闡義	頁 4~10
陳滿銘	談《中庸》的一篇體要（下）	頁 11~14
朱榮智	地藏菩薩的夢	頁 15~16
郭瑩	「敲竹槓」溯源	頁 17~18
葉嘉瑩主講 曾慶雨整理	嘉瑩談詩：唐詩系列講座	頁 19~23
陳新雄	蘇詩賞析（四四）：倒瀉瓊魂	頁 24~25
陳美玲	到「瓦舍」一觀──論宋、元「說話」藝術中陽剛之美的表現	頁 26~30
蔡登山	一生兩世誠可哀──路翎的悲慘人生	頁 31~36

楊宗翰	典範的生成？——關於台灣文學史「再現賴和」之檢討	頁 37~43
趙爾宛	綺霞麗天 輝映半壁——「海外華文女作家協會」及創作述論	頁 44~50
韓廷一	古人訪談（十三）：自古帝王多流氓‧從來英雄出無賴——劉邦訪問記	頁 51~61
陳光明	日常語言的修辭技巧	頁 62~63
鮑延毅	詞語新探：「龍生九子」說起於何時？	頁 64~68
蘇秀錦	多元智慧理論在國文科紙上試題的運用（上）	頁 69~73
楊鴻銘	李白〈春夜宴從弟桃花園序〉析評	頁 74~78
仇小屏	談詩文中的「眾寡」結構	頁 79~85
郭中一	山色有無「晴」「雨」中	頁 86~89
劉渼	國文教學與網路——應用篇	頁 90~99
遙光	再一次，開天、闢地——「傳統中國文學」網站與古典文學新生	頁 100~104
高秋鳳	網路問答：舒位「七律三變說」的變化依據	頁 105~106
范曉雯	站在巨人的肩上——傳記閱讀與作文	頁 107~111
林芳妃	奇異的時空之旅——《少年噶瑪蘭》	頁 112

第 16 卷 3 期（總 183 期）2000 年 8 月

蔡振豐	八十九年大學聯招國文科試題略論	頁 5~10
林繼生	矯枉過正，大而瑣細——八十九年大學聯招國文科試題分析	頁 11~18
楊鴻銘	短文的寫法——以今年大學聯考的作文題為例	頁 19~20
陳慧英	「時間或金錢」的付出與擁有——八十九年大學聯考作文	頁 21~26
林淑芬	作文學習單——〈晏子列傳〉仿作練習	頁 27
洪淑苓	七夕——女性的民俗嘉年華	頁 29~31
高莉芬	落入人間的仙子——論漢魏詩歌中的織女	頁 32~36
洪順隆	六朝詩歌中的七夕民俗意象	頁 37~42
黃水雲	會稀別遠、意滿情長——談方苞〈七夕賦〉	頁 43~45
周何	《禮記‧文王世子》闡義	頁 46~54
陳益源	為你說民俗（廿三）：魯凱族的百步蛇崇拜	頁 55~57
陳新雄	蘇詩賞析（四五）：汲江煎茶	頁 58~60
陳滿銘	唐宋詞拾玉（廿二）：晏殊的〈踏莎行〉	頁 61~64
趙公正	絕妙散文——解讀簡媜〈夏之絕句〉	頁 65~69
易俊傑	劉半農與教我如何不想「她」	頁 70~71
杜淑貞	從廣告談修辭藝術	頁 72~75
左秀靈	詞語探源：名片	頁 76
蘇秀錦	多元智慧理論在國文科紙上試題的運用（中）	頁 77~83

陳素英	主題教學的設計與探討	頁 84~90
林佳樺	泛具法在詞章裡的運用	頁 91~99
賴貴三	網路問答：孟子與告子的不動心究竟有何不同？	頁 100~102
范曉雯	為學生安排文學的秀場——心得感想的寫作	頁 103~111
楊 絢	女性勇者的塑像——《小婉心》	頁 112

第 16 卷 4 期（總 184 期）2000 年 9 月

魯瑞菁	屈原、宋玉與月亮	頁 4~7
陳清俊	童詩中的月亮	頁 8~14
浦忠成	原住民的月亮神話	頁 15~17
王開府	燈前禪影（十六）：觀心空王	頁 18~20
王元軍	六朝書家的題壁之風	頁 21~24
朱歧祥	董作賓與甲骨學	頁 25~33
蘇建洲	也談「輔車相依」——兼論〈小雅‧正月〉的「輔」	頁 34~38
吳禮權	照花前後鏡，花面交相映——論中國文學中的雙關修辭模式	頁 39~43
戴尚文	我國最早的愛國女詩人	頁 44~46
張 健	漂泊者的尋覓與思考——評介《漂泊與尋覓》	頁 47~48
謝奇峰	人性的頹靡——莫言〈猿酒〉初探	頁 49~53
韓廷一	古人訪談（十四）：成仁取義萬骨枯？——方孝孺訪問記	頁 54~59
林繼生	是開始也是結束——台北區公立高中八十九學年度聯招國科試題分析，兼論基本學力測驗	頁 60~64
莊秋媛	八十九學年度台北區公立高中聯招國文科試題解析	頁 65~66
陳智弘	令人沉重的「心動」	頁 67~70
韓佩錦	臨去秋波——試談台灣省八十九年高中聯招國文試題	頁 71~73
蘇秀錦	多元智慧理論在國文科紙上試題的運用（下）	頁 74~78
陳惠齡	現代散文教學情境設計（上）	頁 79~87
李運瑛	事事關情 語語入情——〈祭妹文〉賞析	頁 88~91
王開府	網路問答：宋明和先秦的儒學有什麼不同	頁 92
陳滿銘	談蘇東坡的幾首清峻詞	頁 93~100
王希杰	讀仇小屏博士的《文章章法論》	頁 101
林孝璘	台灣俗語的智慧	頁 102~103
蔣力餘	略論《易經》的比興	頁 104~108
遙 光	千古風流人物：孤傲的青松——陶淵明	頁 109~112

第 16 卷 5 期（總 185 期）2000 年 10 月

| | 台灣文學專輯 | 頁 4 |

鍾肇政	台灣文學的坎坷歲月——從葉石濤的榮耀說起	頁 5~9
葉石濤	戰前的台灣小說	頁 10~15
羊子喬	戰前的台灣新詩	頁 16~25
李 喬	戰後台灣小說的文化批評	頁 26~33
游適宏	十八世紀的台灣風土百科——王必昌的〈台灣賦〉	頁 34~38
呂新昌	《台灣文藝》與台灣文學	頁 39~44
錢鴻鈞	戰後台灣文學的小窗——從鍾肇政書簡看兩大「台叢」	頁 45~53
莊萬壽	《莊子》的特質與發展及其研究的新方向	頁 54~56
朱榮智	嘿！嘿！彌勒佛	頁 57~58
陳滿銘	唐宋詞拾玉（二三）：歐陽修的〈踏莎行〉	頁 59~62
饒少平	一首被誤解了的送行名作	頁 63~65
蔡登山	珍重再見勿忘我——阿壠的生死戀	頁 66~70
劉乃慈	新「聊」齋誌「異」——論袁瓊瓊的《恐怖時代》	頁 71~76
林淑貞	抉擇的智慧——讀重耳出亡始末有感	頁 77~80
老志鈞	中文主語的用和不用	頁 81~84
左秀靈	詞語探源：東北	頁 85
賴哲信	一起教國文——中山女中協同教學實錄	頁 86~91
陳惠齡	現代散文教學情境設計（下）	頁 92~99
蒲基維	談兩宋「臺閣名勝記」（上）——以高中國文課文為例	頁 100~107
陳智弘	從這隻豬，我們看到什麼？	頁 108~110
郭鍠莉	戰火浮生——《小英雄與老郵差》	頁 111

第 16 卷 6 期（總 186 期）2000 年 11 月

李敏勇	關於一首詩的形成	頁 4~6
吳清員	我如何教「詩歌改寫」	頁 7~12
林瑞景	創意新詩教學——看水果寫新詩	頁 13~18
陳嘉英	在排列組合中尋找詩——新詩創作教學示例	頁 19~26
仇小屏	試談中學生新詩習作的批改	頁 27~32
劉滌凡	從語言學看現代詩神思的效用	頁 33~39
王開府	燈前禪影（十七）：性在作用	頁 40~41
陳滿銘主講 田啟文記錄	微觀古本與今本《大學》	頁 42~49
陳益源	為你說民俗（二四）：婁子匡民俗學論著舉隅	頁 50~52
	訪朱介凡先生談諺語之蒐集與研究（曾子良等採訪 黃婪變 高皓庭等整理）	頁 53~59
葉嘉瑩主講	唐詩系列講座：初唐詩人之一（上）——說王績詩一首	頁 60~66

曾慶雨整理

陳新雄	蘇詩賞析（四六）：世世為兄弟	頁 67~73
張春榮	網路問答：鴛鴦蝴蝶派小說與才子佳人小說之關係	頁 74
高明誠	解惑篇：雎鳩是什麼鳥	頁 75
王基倫	閱讀選文——從《古今文選》出刊一千期談起	頁 76~79
黃水雲	第四屆文選學國際學術研討會側記	頁 80
黃水雲	2000 年魏晉南北朝文學與文化國際學術研討會側記	頁 81
蒲基維	談兩宋「臺閣名勝記」（下）——以高中國文課文為例	頁 82~90
杜淑貞	認識「拈連法」之妙用	頁 91~97
賴麗蓉	在教改活動中教師應如何自我定位	頁 98~101
丁旭輝	讓〈錯誤〉更美麗	頁 102~107
陳智弘	當 Y 世代碰到八股文	頁 108~111
蔡雲雀	閱讀《小王子》	頁 112

第 16 卷 7 期（總 187 期）2000 年 12 月

張高評	以詩為詞，開創豪放詞風——蘇軾〈念奴嬌赤壁懷古〉鑑賞	頁 4~7
邱敏捷	從〈後赤壁賦〉看東坡被貶後內在心境之轉化	頁 8~10
方慶雲	〈記承天寺夜遊〉的聲調技巧	頁 11~12
高聖峰	似花非花還客淚——蘇軾〈楊花詞〉題旨索繹	頁 13~17
王璧寰	「西北望，射天狼」解疑——談東坡詞的小失誤	頁 18~22
陳正榮	是「東望武昌」或是「西望武昌」？——蘇軾〈前赤壁賦〉之方位問題	頁 23~25
周　何	《禮記·孔子閒居》闡義	頁 26~30
	《十大集成志書》與兩岸文化交流——專訪中國藝術研究院薛若琳副院長（劉美採訪整理）	頁 31~34
顧關元	《續修四庫全書》與《四庫全書》	頁 35~36
王錦慧	「詞」解心「虛」是我師———一本值得推薦的《古代漢語虛詞辭典》	頁 37~38
林慶彰	滄桑的十年，不變的理想——回顧「萬卷樓」的艱辛路	頁 39~40
葉嘉瑩主講 曾慶雨整理	唐詩系列講座：初唐詩人之一（下）——說王績詩一首	頁 41~49
陳秀端	妙處可識不可誇——丘葵〈次放翁梅花韻〉	頁 50~52
冷　風	庭院深深 問花不語——說歐陽修〈蝶戀花〉	頁 53~55
施懿琳	台南府城古典文學概述（上）	頁 56~60
彭瑞金	戰後的台灣小說	頁 61~67
黃惠禎	壓不扁的玫瑰花——臺灣新文學家楊逵	頁 68~72
楊昌年	天人之際？——析評高行健的〈絕對信號〉	頁 73~80

王興佳	外籍人的漢語拼音研究	頁 81~84
陳慧珍	從日文的羅馬拼音看通用拼音與漢語拼音之爭	頁 85~91
史墨卿	應用文現代化的取向	頁 92~96
宋　裕	作文書目舉要	頁 97
張正男	「食」字的音讀	頁 98
蔡宗陽	「一葦」在修辭上屬借代或借喻	頁 99
陳滿銘	談縱橫向疊合的篇章結構	頁 100~106
范曉雯	沖泡一杯討喜的三合一咖啡——雜感文章的寫法	頁 107~111
怡　禎	世紀戲說——與歌仔戲藝術的對話	頁 112
	跨世紀書藝發展國際學術研討會	頁 112
	王昶雄文學會議	頁 112
	東坡逝世九百年紀念學術研討會	頁 112

第 16 卷 8 期（總 188 期）2001 年 1 月

陳欣欣	一場教材盛宴——各家高中國文編者座談會	頁 4~12
徐美加	各家高中國文篇目對照表	頁 13~18
楊振良	審查就是這樣嗎？——向國立編譯館國文教科書審查進一言	頁 19~22
莊耀郎	「庖丁解牛」——論《莊子》的養生觀	頁 23~27
吳惠玲	《墨子‧法儀》的文章藝術	頁 28~31
張　濤	凝視秦俑系列一——打井挖出了秦俑	頁 32~36
葉嘉瑩主講 曾慶雨整理	唐詩系列講座：初唐詩人之二（上）——說杜審言詩一首	頁 37~41
蕭麗華	從神話原型看李杜詩中的神鳥意象	頁 42~50
王者馨	由李白詩的色彩淺探其人格特質	頁 51~56
施懿琳	台南府城古典文學概述（下）	頁 57~61
廖振富	台灣中部地區的古典詩人及其作品（上）	頁 62~67
邱敏捷	豐子愷〈阿難〉一文的生命觀	頁 68~69
卓翠鑾	另類的鄉情書寫——淺析楊牧的〈山谷記載〉	頁 70~72
王關仕	網路問答：中國古典小說中「有詩為證」的手法究竟有什麼意義	頁 73
王冬珍	網路問答：墨子的神鬼觀會不會與他的「節葬」「天志」「非命」牴觸	頁 74
林麗雲	缺乏時代意識與命題理念——八十九年大學聯考國文科試題評議	頁 75~82
林繼生	語文表達能力測驗——大學入學考試的新神主牌？	頁 83~90
黃士蔚	關於「語文表達能力測驗」座談	頁 91~94
張高評	《左傳》外交辭令的典範——〈燭之武退秦師〉文章鑑賞	頁 95~98
宋　裕	修辭書目舉要	頁 99

陳滿銘	卻顧所來徑——《章法學新裁》代序	頁 100~105
林瑞景	誰最偉大？小小劇場——教你怎樣編寫劇本	頁 106~109
張玉明	「宋」往迎來——第七屆全國中國文學研究所研究生論文研討會	頁 110~111
張金蘭	第四屆國際《金瓶梅》學術研討會	頁 110
王怡禎	紀念錢穆先生逝世十週年國際學術研討會	頁 110
張玉明	「兵馬俑——秦文化」特展	頁 111
王怡禎	在世紀的分水嶺上——華文文學面面觀	頁 111
郭鈴惠	笑看人間悲喜劇——《落鼻祖師》	頁 112

第 16 卷 9 期（總 189 期）2001 年 2 月

許又尹等	傳統燈謎與鄉土謎猜（洪慧鈺 陳品君 詹小楠 呂宛蓁 連育仁 吳佩熙 蕭丹襌）	頁 4~15
黃慶祥	校園燈謎	頁 16~18
蘇秀錦	震撼式的一堂——化整為零的課外閱讀指導	頁 19~22
陳智弘	超現實閱讀之旅	頁 23~28
范曉雯	遊戲王——強迫閱讀的胡蘿蔔	頁 29~33
陳益源	為你說民俗（二五）：台灣「藝閣」春秋	頁 34~36
劉君燦	天干與地支	頁 37~39
張 濤	凝視秦俑系列二——究竟誰先發現秦俑坑	頁 40~42
甘訓賓	壺裡乾坤——讀《茶藝學》的心得	頁 43~45
葉嘉瑩主講 曾慶雨整理	唐詩系列講座：初唐詩人之二（下）——說杜審言詩一首	頁 46~51
余力文	一塊純美的水晶——《浮生六記》的藝術觀照	頁 52~53
顧關元	話說「京語小說」	頁 54~55
廖振富	台灣中部地區的古典詩人及其作品（下）	頁 56~60
黃美娥	北台灣傳統文學發展概述——清代至日治時代（上）	頁 61~68
許錟輝	文字形體結構與音義的關係	頁 69
唐翼明	沒有主義的高行健	頁 70~75
陳大為	走進詩的版圖	頁 76~78
丁旭輝	一首令人絕倒的圖象詩——賞析管管的〈車站〉	頁 79~80
蔡謀芳	譬喻、比擬與轉化	頁 81~87
鮑延毅	「撲朔」、「迷離」本義說	頁 88~89
張覺	從古詩文選篇的調整看大陸中學語文教學的改革	頁 90~97
仇小屏	下在我眼眸裡的雪——八十九學年度成功高中文藝新詩獎評介	頁 98~105
江錦珏	今昔法在古典詩歌的應用（上）——以高中國文課文為例	頁 106~110
	「台灣鄉土猜謎」謎底	頁 111

第 16 卷 10 期（總 190 期）2001 年 3 月

王　堯	關於余秋雨散文創作的再思考	頁 4~9
欒梅健	杯葛余秋雨的來龍去脈（上）	頁 10~16
陳秉貞	余秋雨的散文創作觀——對散文主題和內涵的思索	頁 17~23
凌性傑	當他也成為長者——余秋雨的人生哲學與文化思維	頁 24~27
周　何	《禮記・仲尼燕居》闡義	頁 28~32
李南杰 胡　超	〈橘頌〉所頌是柚不是橘	頁 33~38
張　濤	凝視秦俑系列三——秦兵馬俑坑知多少？	頁 39~43
國立編譯館 高中國文類 科教科用書 審查委員會	尺有所短，寸有所長——敬覆各書局高中國文科編纂委員兼答楊振良教授	頁 44~48
葉嘉瑩主講 曾慶雨整理	唐詩系列講座：初唐詩人之三（上）——王勃	頁 49~53
陳滿銘	唐宋詞拾玉（二四）：歐陽修的〈木蘭花〉	頁 54~56
蔡雲雀	《聊齋》中所呈現的童趣童話	頁 57~58
黃美娥	北台灣傳統文學發展概述——清代至日治時代（下）	頁 59~66
江寶釵	雲嘉地區的民間文學管見	頁 67~71
韓廷一	古人訪談（十五）：人生自古誰無死，留取丹心照汗青——文天祥訪問記	頁 72~78
魏子雲	《金瓶梅》（詞話）的語言——抽樣指出三幾字	頁 79~82
劉崇義	「青衫」與「為之駕」	頁 83
潘麗珠	〈匆匆〉的教學活動設計	頁 84~88
溫光華	傳記散文的別格——談蘇軾〈方山子傳〉的傳記寫作藝術	頁 89~91
陳惠齡	也談〈台灣通史序〉的創意教學	頁 92~95
江錦玨	今昔法在古典詩歌的應用（下）——以高中國文課文為例	頁 96~99
諸葛俊元	略論網路文學創作之現況	頁 100~105
范曉雯	學習當個欣賞者	頁 106~111
洪美珍	變調的親情——《我的爸爸是流氓》	頁 112

第 16 卷 11 期（總 191 期）2001 年 4 月

鍾鐵民	鍾理和的文學生活	頁 4~24
鍾怡彥	關於祖父鍾理和	頁 25~27
林聆慈	寬厚的心，樸實的筆——鍾理和作品的內容	頁 28~33
趙公正	解讀鍾理和〈做田〉	頁 34~40

呂新昌	訪鍾理和的長子——鍾鐵民同學	頁 41~47
朱榮智	中國傳統文人的三種生命情調——以屈原、陶淵明、蘇東坡為例	頁 48~54
顧關元	瑯琊山與〈醉翁亭記〉	頁 55~56
葉嘉瑩主講 曾慶雨整理	唐詩系列講座：初唐詩人之三（下）——王勃	頁 57~60
周安邦	驗明正身——破譯《紅樓夢》卷首之兩則神話	頁 61~67
徐錦成	龔自珍的「童心」	頁 68~69
欒梅健	杯葛余秋雨的來龍去脈（中）	頁 70~74
方慶雲	〈再致母親〉主題探索	頁 75~78
賴哲信	借推甄試題，畫教育願景——給大考中心等出題單位進一言	頁 79~86
陳慧英	活潑有機趣，創意留斧痕——九十年推甄國文試題評議	頁 87~91
郭美美	從文字過渡到文學——對九十年度學力測驗國文試題的建言	頁 92~94
蘇秀錦	閩南語朗讀競賽的幾個問題	頁 95~99
張春榮	「像霧像雨又像風」屬何類譬喻？	頁 100~101
	第三次「兩岸古籍整理研究」研討會	頁 101
潘麗珠	〈故鄉的桂花雨〉教學活動設計	頁 102~105
陳智弘	添枝加葉，化簡單為豐繁——談「擴寫」	頁 106~111
	紀實與浪漫——《史記》國際研討會	頁 112
王怡禎	「二十世紀台灣代表性人物」講座	頁 112
賴悅珊	故宮鈞窯特展	頁 112

第 16 卷 12 期（總 192 期）2001 年 5 月

陳蒲清	用故事啟迪智慧——試談寓言教學	頁 4~12
吳秋林	母語教育中的寓言	頁 13~19
吳福相	寓言與國文教學	頁 20~27
鮑延毅 鮑　欣	引蒙「香草」易為功（上）——寓言與童蒙教育初探	頁 28~34
黃秀雲	「寓言」在國小教學上的應用	頁 35~39
陳益源	為你說民俗（二六）：地方傳說與歷史記憶、民俗風情——《台中縣地方傳說讀本》導論	頁 40~43
鍾　年	粉墨生涯話優伶	頁 44~47
葉嘉瑩主講 曾慶雨整理	唐詩系列講座：初唐詩人之四（上）——駱賓王	頁 48~52
陳滿銘	唐宋詞拾玉（二五）：柳永的〈雨霖鈴〉	頁 53~56
黃清順	魚書與燈花——談〈偶成〉一詩中的兩個典故	頁 57~63
欒梅健	杯葛余秋雨的來龍去脈（下）	頁 64~68

第 17 卷 1 期（總 193 期）2001 年 6 月

戴維揚	求同化異、觸類旁通：探索語流音變與語文教學	頁 4~7
曾金金	九年一貫課程中的閩南語教材教法	頁 8~13
張美煜	國語、客語、閩南語詞彙對應轉換及教學（上）	頁 14~20
浦忠成	原住民語言教學──歌謠教學範例	頁 21~28
張慧玲	執行統整課程教學的實務之後	頁 29~33
朱榮智	九年一貫國語教材編輯理念、內涵與特色──以仁林版為例	頁 34~37
董金裕	相悅以解，提昇語文能力──康軒版國中國文教科書的特色	頁 38~41
徐道彬	〈離騷〉──夢幻式的抒情詩	頁 42~46
溫光華	標放言之致──談〈卜居〉的創作意識與寫作藝術	頁 47~50
簡明勇	詩歌吟唱教學	頁 51~56
潘麗珠	現代詩的聲情教學之我見	頁 57~63
陳啟佑	新詩賞析策略（上）	頁 64~70
周 何	人文學術發展的寶藏──《十三經注疏分段標點》序	頁 71~74
羅敬之	甄后與曹丕兄弟是否有「三角」關係──讀〈洛神甄宓戀歌傳奇〉後	頁 75~78
葉嘉瑩主講 曾慶雨整理	唐詩系列講座：初唐詩人之四（下）──駱賓王	頁 79~81
陳新雄	蘇詩賞析（四七）：春夢無痕（上）──兼論東坡疊韻詩	頁 82~85
黃憲作	花蓮地區的傳統文學（下）	頁 86~89
蒲基維	談修辭格的聯貫作用（下）──以高中國文課文為例	頁 90~93
葉政欣	關於《左傳》「以亂易整，不武」的解釋	頁 94~95
鮑延毅 鮑 欣	引蒙「香草」易為功（下）──寓言與童蒙教育初探	頁 96~100
張春榮	「她紅紅的臉好像是紅蘋果一樣」屬「明喻」或「隱喻」？	頁 101
林瑞景	教改路上用心走──國三學生參加全國基本學力測驗的心聲	頁 102~106
黃金玉	舊瓶新酒，掌握原作菁華（下）──談「仿寫」	頁 107~112

第 17 卷 2 期（總 194 期）2001 年 7 月

羅肇錦	台灣文學、客家文學與客家民間文學	頁 4~9
黃恆秋	何謂客家文學	頁 10~13
彭維杰	台灣客家歌謠的文化面向探討──以《苗栗縣客語歌謠集》為例	頁 14~22
陳秀琪	客語民間故事的跨國性	頁 23~29
石鐘揚	乾嘉學派的現代版──陳益源治學印象	頁 30~32
巫小黎	李金髮名字的由來	頁 33~34
葉嘉瑩主講	唐詩系列講座：陳子昂詩講錄（一）	頁 35~41

曾慶雨整理

陳新雄	蘇詩賞析（四七）：春夢無痕（下）——兼論東坡疊韻詩	頁 42~46
江國貞	可憐夜半虛前席・不問蒼生問鬼神——李義山對漢文帝的譏諷合理嗎？	頁 47~49
陳啟佑	新詩賞析策略（下）	頁 50~56
丁旭輝	從蘇紹連的〈七尺布〉談起	頁 57~60
韓廷一	古人訪談（十六）：謫仙下凡的羅密歐——李白訪問記	頁 61~68
林文寶	我們的台灣文學——《台灣文學》序	頁 69~73
陳正平	台灣歌謠聯想曲——從「菅芒花」到「蒹葭」	頁 74~76
王昌煥	夏丏尊〈生活的藝術〉的修辭策略	頁 77~81
張美煜	國語、客語、閩南語詞彙對應轉換及教學（下）	頁 82~89
林鍾勇	專訪黃文吉教授談高中國文注釋的編輯過程	頁 90~92
鄭韶風	漢語詞章學四十年述評	頁 93~97
張春榮	拓植與深化——陳滿銘《章法學新裁》	頁 98~100
郭中一	雨絲風片孤煙直	頁 101~103
范曉雯	改頭換面，造型設計 DIY——談改寫型作文	頁 104~110
廖素珠	我是白癡？	頁 111
顧關元	「不求甚解」考說	頁 112

第 17 卷 3 期（總 195 期）2001 年 8 月

邱燮友	唐代長沙窯茶壺詩初探	頁 4~10
鹿憶鹿	洪水傳說中的石獅子	頁 11~18
曾子良	基隆俚諺之蒐集及其內容（上）——自然俚諺介紹	頁 19~25
溫秀雯	李文炷與邱罔舍	頁 26~32
楊振良	花師民間文學研究所的課程規劃	頁 33~36
馬衛中	中國文學與西方思想的橋樑——王國維	頁 37~40
譚家健	魯褒的〈錢神論〉及其影響（上）	頁 41~44
許秀美	「桃」的民俗信仰與文化意義	頁 45~49
葉嘉瑩主講 曾慶雨整理	唐詩系列講座：陳子昂詩講錄（二）	頁 50~55
陳滿銘	唐宋詞拾玉（二六）——柳永的〈八聲甘州〉	頁 56~58
陳大為	從猛禽特寫探討自然寫作的讀者意識（上）	頁 59~63
黃秋香	「栗社」概說	頁 64~67
鄭圓鈴	基本學力測驗對國文教學與評量的影響	頁 68~75
王盈芬 陳嘉英	九十年度高中甄選語文測驗題分析	頁 76~83

林繼生	今夕的餘暉，明朝的曙光——從末代大學聯考國文試題談未來的學力測驗	頁 84~88
潘麗珠	〈麥當勞午餐時間〉的教學活動設計	頁 89~92
曾 春	九年一貫國中國文教材編選原則	頁 93~95
左秀靈	曹雪芹身世的探討——高中國文課本注釋之商榷	頁 96~97
江錦珏	凡目法在古典詩歌的應用——以高中國文課文為例	頁 98~105
陳智弘	故事的糖衣——談「寓言寫作」	頁 106~111
半 蠹	「朝飛暮捲，雲霞翠軒」的曲意	頁 112

第 17 卷 4 期（總 196 期）2001 年 9 月

溫光華	唐宋八大家之散文及其風格——以現行高中國文課文為例	頁 4~10
陳光明	〈師說〉中的修辭技巧——Ｙ叉句法	頁 11~13
黃淑貞	從大小法探析歐陽修二記的美感效果——〈醉翁亭記〉與〈豐樂亭記〉	頁 14~18
林鍾勇	高中國文各版本〈六國論〉注釋之比較	頁 19~23
林慧雅	論蘇軾散文的「設問」手法——以高中課文為例	頁 24~29
黃惠君	蘇轍〈上樞密韓太尉書〉的養氣說	頁 30~33
陳益源	為你說民俗（二七）：《雲林縣民間文學集》的內容與運用	頁 34~37
譚家健	魯褒的〈錢神論〉及其影響（下）	頁 38~41
顧關元	師子林與獅子林考說	頁 42
葉嘉瑩主講 曾慶雨整理	唐詩系列講座：陳子昂詩講錄（三）	頁 43~47
陳新雄	蘇詩賞析（四八）：洗兒戲作	頁 48~49
侯作珍	唐代文人的仕途與詩歌創作（上）	頁 50~53
陳大為	從猛禽特寫探討自然寫作的讀者意識（下）	頁 54~58
周杏芬	從〈髻〉看琦君洞達世情的人生體悟	頁 59~60
鄭圓鈴	國高中學力測驗的指標與範例（一）——能說出字詞的相關知識	頁 61~66
陳欣欣	技職體系下的國文教育	頁 67~77
曾子良	基隆俚諺之蒐集及其內容（中）——人文俚諺介紹	頁 78~83
潘麗珠	親愛的，我把國語文課變有趣了——《國語文教學活動設計·自序》	頁 84~85
黃福鎮	成語教學初探	頁 86~90
張春榮	以簡御繁——修辭觀念的調整	頁 91~96
吳 曉	詩歌的平易美及其語言策略	頁 97~100
陳滿銘	論辭章章法的四大律	頁 101~107
范曉雯	閱讀新主張	頁 108~111

第 17 卷 5 期（總 197 期）2001 年 10 月

劉典嚴	一樣題目，兩樣文字——水滸故事中雷同類型的巧妙處理	頁 4~5
程美鐘	英雄好漢來相聚——我如何教施耐庵的《水滸傳》	頁 6~9
林聆慈	劉姥姥究竟幾進榮國府	頁 10~12
林心暉	命運與情愛之糾葛——〈虯髯客〉人物心裡探索	頁 13~18
李金松	金聖嘆對小說敘事觀點的採索	頁 19~23
朱歧祥	談中國文字的起源	頁 24~25
彭荷成	《文心雕龍》一個重要版本的考察——王惟儉《文心雕龍訓故》	頁 26~30
邱素雲	深爐敲火炙新茶——從唐宋茶聯談飲茶文化	頁 31~35
葉嘉瑩主講 曾慶雨整理	唐詩系列講座：陳子昂詩講錄（四）	頁 36~41
陳滿銘	唐宋詞拾玉（二七）：蘇軾的〈水調歌頭〉	頁 42~45
侯作珍	唐代文人的仕途與詩歌創作（下）	頁 46~50
魏 赤	眼因淚而清明，心因憂患而溫厚——論琦君的散文（上）	頁 51~54
景 尼	〈溫情〉不溫情？——張秀亞〈溫情〉中的作者為何袖手旁觀	頁 55~57
曾子良	基隆俚諺之蒐集及其內容（下）——基隆俚諺與其他地區俚諺之關係	頁 58~63
杜淑貞	標點符號 V.S 文學作品的「張力效應」	頁 64~67
王昌煥	標點符號在散文中的妙用——以余光中〈聽聽那冷雨〉為例	頁 68~73
丁旭輝	標點符號在現代詩中的意義與節奏功能	頁 74~77
鄭圓鈴	國高中學力測驗的指標與範例（二）——能說出句子的相關知識	頁 78~83
楊如雪	是判斷句？還是表態句？——答賓玉玫老師問	頁 84~87
張春榮	執正馭奇——評斷修辭的三個標準	頁 88~92
李 鍌	《左傳》「以亂易整，不武」葉解之商榷	頁 93~97
謝春聘	從《莊子‧人間世》談問題學生的管教方式	頁 98~99
仇小屏	論「圖底」章法的空間結構——以幾首唐詩為例	頁 100~104
陳智弘	再接再厲‧補缺空為完整——談「補寫」	頁 105~111

第 17 卷 6 期（總 198 期）2001 年 11 月

鄭源發	陶淵明的變身手段——陶詩中的酒與鳥	頁 4~10
蘇秀錦	一本現代詩習作教學的左右手——《一首詩的誕生》	頁 11~16
仇小屏	情詩二三	頁 17~21
程美鐘	我如何教這一課——余光中的〈白玉苦瓜〉	頁 22~25
杜淑貞	用「形象思維」打破寫詩僵局——如何教兒童寫詩	頁 26~32
馬衛中	西方文學思想的湧入衝擊——近代詩歌流派繁榮原因探尋	頁 33~38
陳益裕	請問杜牧‧「杏花村」在那裡？	頁 39~43
葉嘉瑩主講	唐詩系列講座：陳子昂詩講錄（五）	頁 44~50

曾慶雨整理

李昌年	柳宗元「禪語詩」疑義辨析	頁 51~56
陳嘉英	閱讀〈項脊軒志〉裡的空間	頁 57~64
魏 赤	眼因淚而清明，心因憂患而溫厚——論琦君的散文（下）	頁 65~68
丁旭輝	標點符號在現代詩中的圖像與情意暗示	頁 69~74
呂新昌	鍾理和的懊悔與信心——懊悔連累妻兒吃苦，堅信作品終必傳世	頁 75~79
韓廷一	古人訪談（十七）：先天下之憂而憂，後天下之樂而樂——范仲淹訪問記	頁 80~86
鄭圓鈴	國高中學力測驗的指標與範例（三）——能說出段落的相關知識	頁 87~91
王基倫	舉足涉水，已非前水——評張春榮《修辭新思維》	頁 92~93
鍾玖英	語法雙關	頁 94~96
朱榮智	籌設中華語文教學學會的緣起	頁 97~98
李靜修	建構一個科學化的國文教科書編纂學	頁 99~103
陳滿銘	論章法與情意的關係	頁 104~108
陳薏安	顏色的無限想像——談創意聯想	頁 109~112

第 17 卷 7 期（總 199 期）2001 年 12 月

蔡信發	正視文字學，老實念中文	頁 4~7
姚榮松	談九年一貫課程本國語文閩南語第一階段的兩種教學策略——以康軒版與光復版國小第一冊（一上）為例	頁 8~15
羅肇錦	客語教學的擋路石	頁 16~21
張屏生	當前母語教育實施的困境	頁 22~27
張 覺	通假與同源的關係	頁 28~31
陳益源	為你說民俗（二八）：口湖風情：「牽水(車藏)」與「甩採茶」	頁 32~34
顧關元	漫話「書香」	頁 35
葉嘉瑩主講 曾慶雨整理	唐詩系列講座：論張九齡詩	頁 36~42
陳新雄	蘇詩賞析（四九）：無耐能開頃刻花	頁 43~50
李 揚	艷：一個宋代詞學批評的「精靈」	頁 51~54
陳碧月	看大陸作家池莉為「灰色」的新寫實小說換裝	頁 55~58
陳惠齡	鑄一座女性苦難紀念碑——老舍《駱駝祥子》中的虎妞、小福子	頁 59~63
李栩鈺	科技心、文藝情——發明中文打字機的幽默大師林語堂	頁 64~69
鄭圓鈴	國高中學力測驗的指標與範例（四）——題組型閱讀理解能力（一）	頁 70~76
張春榮	愛亞〈打電話〉與余光中〈天國地府〉	頁 77~79
楊如雪	「忘懷」是不是偏義複詞？——從構詞法看「忘懷」的構詞方式	頁 80~83
胡其德	結構與詞韻——也論〈春江花月夜〉	頁 84~88

魏子雲	〈歸去來兮辭〉三解	頁 89~90
葉政欣	再論《左傳》「以亂易整不武」的解釋——敬答李鋈教授「商榷」一文	頁 91~96
陳佳君	蘇轍〈黃州快哉亭記〉結構分析	頁 97~100
郭中一	目窮千里更登樓	頁 101~103
辛麗珍	成語動動腦——填字遊戲	頁 104~105
范曉雯	景則映簾而入，文則指間瀉出——寫景文章略說	頁 106~111
許錟輝	關於「親」、「故」的詞性與「玩」的讀音	頁 112

第 17 卷 8 期（總 200 期）2002 年 1 月

許錟輝	《國文天地》二○○期感言——我們的光輝與期盼	頁 4~8
陳滿銘	《國文天地》與國語文教學	頁 9~11
林慶彰	中日文史通俗雜誌	頁 12~14
戴維揚	歐美雜誌可資借鑑的組構	頁 15~17
張素貞整理	台灣文學理論先驅——葉石濤先生台灣師大人文講席側記	頁 18~24
朱歧祥	甲骨學百年的展望	頁 25~30
廖學隆	意造無法的東坡書法——由〈石蒼舒醉墨堂〉詩談起	頁 31~36
陳滿銘	唐宋詞拾玉（二八）：蘇軾的〈賀新郎〉	頁 37~39
亓婷婷	談陳本禮注釋之〈李憑箜篌引〉	頁 40~42
李金坤	「丰神情韻」與「筋骨思理」——從同題〈詠柳〉看唐宋詩風格之差異	頁 43~48
陳大為	另類章回：論香港武俠漫畫的蛻變	頁 49~59
邱敏捷	談高行健《八月雪》	頁 60~65
韓廷一	古人訪談（十八）：第一個放眼世界的中國人——林則徐訪問記	頁 66~75
蘇秀錦	從指定考科參考試卷看修辭題新趨勢	頁 76~80
楊鴻銘	譯文修飾的方法——以大考中心測試題為例	頁 81~82
何洵怡	談中文科漫畫教學	頁 83~88
龔彥士	也由崔顥〈黃鶴樓〉詩談格律問題	頁 89~91
鮑延毅	讀書獻疑二則	頁 92~95
鄭圓鈴	國高中學力測驗的指標與範例（五）——題組型閱讀理解能力（二）	頁 96~102
莊姜	網路罪人羅貫中寫爛了孔明？——兼公佈孔明的「十大罪」	頁 103~106
范曉雯	記物文章略說	頁 107~111

第 17 卷 9 期（總 201 期）2002 年 2 月

陳益源	「民俗與環保」專題前言（第四屆國際亞細亞民俗學會論文選刊）	頁 4
陶立璠	民俗文化保護與民俗學研究——中國城市發展帶來的破壞性建設問題	頁 5~13

丘桓興	客家民居風水習俗與自然環境	頁 14~20
渡邊欣雄	溫州的墓地營造和「青山白化」的問題	頁 20~23
樋口淳	地球環境與民俗故事	頁 24~28
金善豐	歲時禮俗中的環境觀	頁 28~35
武光仲	環境保護問題與鄉約	頁 35~38
謝春聘	人人是天才，物物是寶器──《莊子·逍遙遊》中的有用無用之辯	頁 39~41
邱素雲	千卷藏書一盞茶──元、明、清三代的茶聯	頁 42~48
陳怡如	從《儀禮》、《禮記》推論古人方位尊卑	頁 49~53
葉嘉瑩主講 曾慶雨整理	唐詩系列講座：孟浩然詩講錄（一）	頁 54~60
李英華	「白髮永無懷橘日，六年怊悵荔支紅」──漫談黃庭堅詩中的荔枝	頁 61~64
徐傳武	說「大蟲」──《水滸》小札	頁 65~66
楊宗翰	猶待兩岸倡「雙黃」──文學史家黃人與黃得時	頁 67~70
陳秉貞	余秋雨的散文創作觀──對散文形式和效果的注重	頁 71~76
張春榮	極短篇的比喻	頁 77~79
方慶雲	〈觸讋說趙太后〉對話技巧分析	頁 80~82
魏子雲	〈燭之武退秦師〉的尾語杜註	頁 83~84
侯亮宇	《世說新語》「難之」的解釋	頁 85~86
孫蓉蓉	傷心秦漢 懷古嘆世──張可久〈賣花聲·懷古〉賞析	頁 87~89
許恬怡	鄭愁予〈小小的島〉評析	頁 90~93
陳滿銘	論時空與虛實──以幾首唐詩為例	頁 94~98
鄭圓鈴	國高中學力測驗的指標與範例（六）──選擇型語文表達能力	頁 99~105
陳嘉英	味之魔術	頁 106~112

第 17 卷 10 期（總 202 期）2002 年 3 月

游勝冠	我不幸為俘因，豈關種族他人優──由歷史的差異性看賴和不同於魯迅的啟蒙立場	頁 4~8
陳建忠	反殖民文學的文學形式──論賴和小說中的對話性敘事	頁 9~16
施家雯	〈惹事〉與〈浪漫外紀〉的流氓形象	頁 17~22
陳淑娟	頭顱換得自由身，始是人間一個人──賴和漢詩中的人本思想	頁 23~29
楊振良	懷念中國民間文學巨擘──悼鍾敬文教授	頁 30~32
林淑雲	始知鎖向金籠聽，不及林間自在啼──《大紅燈籠高高掛》電影賞析	頁 33~40
邱素雲	無一物中無盡藏──古今茶莊、茶葉行應用聯	頁 41~45
葉嘉瑩主講 曾慶雨整理	唐詩系列講座：孟浩然詩講錄（二）	頁 46~51
陳滿銘	唐宋詞拾玉（二九）：蘇軾的〈念奴嬌〉	頁 52~55

林聆慈	古典詩詞中的月意象	頁 56~61
張堂錡	清唱的魅力──略論王堯的散文研究（上）	頁 62~66
敬　賢	關於陳忠實及其《白鹿原》	頁 67~69
戴景尼	黃春明小說中鄉土人物的世界	頁 70~76
鮑延毅	劉邦與「文化」及文士	頁 77~79
張春榮	鄭愁予〈厝骨塔〉與鄒敦怜〈同學會〉──兼談「改寫」	頁 80~84
程培元 鍾玖英	新理論・新視野・新理念──評王希杰先生《修辭學導論》	頁 85~87
丁旭輝	〈再別康橋〉的永恆魅力	頁 88~93
潘明富	從「蓑衣」和「行潦」說起──國中國文課本問題商榷	頁 94~95
孫蓉蓉	遊子的愁思──馬致遠〈天淨沙・秋思〉賞析	頁 96~98
鄭頤壽	台灣辭章學研究述評	頁 99~107
仇小屏	新式作文評改（一）	頁 108~112

第 17 卷 11 期（總 203 期）2002 年 4 月

劉　渼	國語文「網路探索式學習」──以新詩教學為例	頁 4~10
陳智弘	古典與科技牽手──資訊融入國文科教學	頁 11~16
張世聰	資訊融入國文教學舉隅	頁 17~24
林聆慈	中小學國文教學優質網站介紹	頁 25~35
鍾　年	從《創世紀》說開去──談談中國各民族的人類起源神話	頁 36~39
郭　瑩	「光棍」臉譜	頁 40~43
蔡雲雀	勇敢的殘疾──閱讀《五體不滿足》	頁 44
葉嘉瑩主講 曾慶雨整理	唐詩系列講座：孟浩然詩講錄（三）	頁 45~48
陳新雄	蘇詩賞析（五十）：宛丘先生	頁 49~55
吳　曉	詩的空靈美與空靈境界	頁 56~59
張堂錡	清唱的魅力──略論王堯的散文研究（下）	頁 60~63
陳碧月	淺談兩岸的女性愛情小說	頁 64~66
戴景尼	閩南語裡古音保留的現象	頁 67~71
鄭頤壽	漫步向「文藝辭章學」百花園的佳作──張春榮《修辭新思維》評介	頁 72~74
蘇秀錦	逆向譬喻創造名言錦句	頁 75~78
王昌煥	九十一年學科能力測驗語文表達能力解析──選擇型語文表達能力	頁 79~86
蔡根祥	〈讀「嗟來食」獻疑〉之疑	頁 87~89
劉崇義	韓愈〈祭十二郎文〉注釋商榷	頁 90~91
詹秋蕙	我如何教〈與荷蘭守將書〉	頁 92~96

陳裕鑫	文學鑑賞的意義與價值	頁 97~99
陳滿銘	論篇章的「點染」結構	頁 100~104
仇小屏	新式作文評改（二）	頁 105~109
張春榮	望向創作與學術的天空——范曉雯等著《新型作文瞭望台》	頁 110~112

第 17 卷 12 期（總 204 期）2002 年 5 月

邱燮友	前言	頁 4
謝登旺	大學「應用文」課程之基礎與發展	頁 5~12
邱燮友	詩歌教學與應用	頁 13~20
徐富美	「寧可聽蘇州人吵架，也不願聽寧波人講話」——吳語社會學的探討	頁 21~26
江弘毅	應用中語系《易經》之教學與應用	頁 27~36
陳　龍	他山之石可以攻錯——試論大陸新聞學教學中的思辨能力的培養	頁 37~42
汪少華	與余英時先生論鴻門宴坐次尊卑	頁 43~46
趙奎生	溫州江心寺名聯	頁 47~48
葉嘉瑩主講 曾慶雨整理	唐詩系列講座：孟浩然詩講錄（四）	頁 49~54
何海燕	陶詩在唐宋的顯晦及其文化探因——從錢鍾書《談藝錄》中的〈陶淵明詩顯晦〉談起	頁 55~60
鍾怡雯	從莫言《會唱歌的牆》論散文的暴露與雄辯	頁 61~68
陳光明	「美玉出藍田」與「藍田出美玉」的語法分析	頁 69~70
戚曉杰	多音字的表達藝術	頁 71~72
李　李	李後主〈菩薩蠻〉詞賞析	頁 73~75
左秀靈	〈陋室銘〉中的「金經」何指？	頁 76~77
天涼無心	現代人的「眾生相」——電影《神隱少女》的線索與思考	頁 78~84
仇小屏	新式作文評改（三）	頁 85~89
陳欣欣	邁向更好的未來——「國中國文教材座談會」開展出美麗境界	頁 90~98
朱榮智等	創意教學與創新教材的仁林版（文幸福 劉渼 王基西 許若韞 賓玉玫）	頁 99~103
李清筠 周姚萍	深化語文根基，拓展學習視野——光復版國中國文教材特色介紹	頁 104~108
許錟輝 林　芝	理念與實踐——青新版新編國中國文內容說明	頁 109~114
莊秋媛	巧婦易為有米之炊——南一國文教科書特色	頁 115~118
董金裕 譚蕙婷	康軒版國文教材的編輯理念及編寫原則介紹	頁 119~122
梁桂珍	翰林國中國文——一本最理想的教科書	頁 123~127

第 18 卷 1 期（總 205 期）2002 年 6 月

張春榮	擴寫與創造性思考	頁 4~7
楊振良	赤兔之死——由大陸高考國文榜首作文省思國文教育	頁 8~10
范曉雯	有關新型作文	頁 11~16
陳嘉英	打翻一缸染料——顏色的渲染與跳躍	頁 17~22
蘇秀錦	兩文一較開思辨寫作之路——〈小書〉與〈風箏〉	頁 23~27
陳智弘	提煉情采，從詩出發	頁 28~32
劉寶珠	章法學運用在作文教學之操作實例	頁 33~39
范培松	二十世紀中國散文批評概觀（上）	頁 40~44
陳弘學	文言教育之養成——談台灣本土文學發展下文言文的價值及其時代意義	頁 45~49
葉嘉瑩主講 曾慶雨整理	唐詩系列講座：孟浩然詩講錄（五）	頁 50~55
陳新雄	蘇詩賞析（五一）：孤山孤絕	頁 56~63
陳大為	當代泰華文學的湄南圖象（上）	頁 64~68
韓廷一	古人訪談（十九）：有所為，有所不為；無所求，無所不求——胡適訪問記	頁 69~77
鄧聲國	從「奴」字看事物的別稱	頁 78~80
李晗蕾	名名並列式標題的修辭分析	頁 81~86
黃志傑	《史記‧滑稽列傳》析探（上）	頁 87~91
何永清	〈岳陽樓記〉「吾誰與歸」的句解	頁 92~95
陳滿銘	論篇章的「敲擊」結構	頁 96~101
陳佳君	昆明大觀樓長聯章法探析	頁 102~105
林瑞景	「公辦民營」研習 綻放出美妙詩葩	頁 106~111

第 18 卷 2 期（總 206 期）2002 年 7 月

王家倫	關於語文教學的思考	頁 4~8
張修齡	古代文學教學縱橫談	頁 9~17
朱棟霖	中國現代文學對傳統的認同	頁 18~26
廖大國	關於高校文科寫作教學的思考	頁 27~32
楊新敏	創造愉悅氛圍 實現愉悅創造——論教學中的智力激活	頁 33~38
范培松	二十世紀中國散文批評概觀（中）	頁 39~44
詹宗祐	從柳宗元的〈捕蛇者說〉談唐代幾個有關蛇的問題	頁 45~49
蔣長棟	中國韻文格律的美學趣尚	頁 50~57
吳品著	由〈哀箏〉一詩看李商隱對心靈世界的深層挖掘	頁 58~63
陳蘭行	王船山〈玉連環〉與逍遙境界	頁 64~70

王　健	痛不可擋的身體和寂寞發狂的心——重讀繁漪	頁 71~74
陳大為	當代泰華文學的湄南圖象（下）	頁 75~79
賴美惠	台灣文學的點燈人——葉石濤先生專訪（上）	頁 80~86
方慶雲	「宗定伯」角色心理分析	頁 87~88
顧關元	京都 京師 京畿	頁 89~90
黃志傑	《史記・滑稽列傳》析探（下）	頁 91~95
孫蓉蓉	馬致遠《漢宮秋》賞析——〈牧羊關〉與〈新水令〉	頁 96~99
張春榮	答修辭三問	頁 100~101
陳滿銘	論篇章的「偏全」結構	頁 102~105
張春榮	故事續寫	頁 106~112

第 18 卷 3 期（總 207 期）2002 年 8 月

馮曉庭	查尋古代典籍的方法	頁 4~9
陳恆嵩	檢索方志中人物傳記資料的方法	頁 10~14
王清信	查尋歷代人物圖像的方法	頁 15~19
翁敏修	出土文獻的檢索與利用	頁 20~24
蕭開元	現有文史資料庫選介	頁 25~30
范培松	二十世紀中國散文批評概觀（下）	頁 31~37
周安邦	孟子良知學說新釋	頁 38~45
陳新雄	蘇詩賞析（五二）：江心炬火	頁 46~50
亓婷婷	詩歌與音樂——李賀〈李憑箜篌引〉析論（上）	頁 51~55
吳聰敏	攀越靈山而見日出——論高行健《靈山》的小說藝術（上）	頁 56~60
賴美惠	台灣文學的點燈人——葉石濤先生專訪（下）	頁 61~66
戴景尼	黃春明小說中的台灣俚語	頁 67~73
王希杰	已經結婚的和尚	頁 74~75
吳禮權	吞吐之間，蓄意無窮——留白的表達策略	頁 76~78
魏子雲	齊伯率諸侯伐楚——「齊桓公伐楚盟屈完」章名之誤	頁 79~80
蘇秀錦	以逆向思考創製科目整合的謎猜	頁 81~86
張娣明	中國古人對「戰爭」之解讀	頁 87~92
鄭頤壽	中華文化沃土，辭章學圃奇葩——讀陳滿銘的《章法學新裁》及其相關著作	頁 93~100
陳滿銘	《章法叢書》序	頁 101~103
張春榮	嫩蕊商量細細開——《作文新饗宴》自序	頁 104~106
仇小屏	新詩習作（一）：自畫像——學生新詩寫作練習	頁 107~111
徐千嵐	生活藝術之美——瓷枕	頁 112

第 18 卷 4 期（總 208 期）2002 年 9 月

鄭圓鈴	國文指定考科試題分析	頁 4~10
李清筠	斷裂性與模式化——非選擇題答案卷的現象觀察	頁 11~16
王昌煥	91 年指定科目考試非選擇題解析	頁 17~24
陳慧英	看似尋常最奇崛，成如容易卻艱辛——試論 91 年指考三道題組及其他	頁 25~32
鮑延毅	第一個伊索寓言白話漢譯本——新發現的另一種《海國妙喻》	頁 33~37
謝春聘	從渾沌之死談子女的教育方式	頁 38~40
亓婷婷	詩歌與音樂——李賀〈李憑箜篌引〉析論（下）	頁 41~44
陳嘉英	赤壁詞賦間的對話	頁 45~52
劉楚荊	熱烈執著的璩秀秀與心直口快的李翠蓮——漫談話本小說裡兩個叛逆的女性	頁 53~59
羅夏美	擎起黑暗的閘門——論陳映真的三篇小說新作	頁 60~66
吳聰敏	攀越靈山而見日出——論高行健《靈山》的小說藝術（下）	頁 67~70
柯榮三	兩張「台灣文學史年表」中的小問題——關於吳漫沙《莎秧的鐘》，兼談其戰後遭到查禁	頁 71~76
韓廷一	古人訪談（二十）：以今日之我與明日之我戰——梁啟超訪問記	頁 77~85
陳正榮	龜毛先生最龜毛——台語「龜毛」的語源	頁 86~87
張 覺	從對比中來學習研究古漢語——談「乎」與「哉」的本質屬性	頁 88~90
朱歧祥	中小學老師宜認識的一批象形字	頁 91~93
孫蓉蓉	傲殺人間萬戶侯的「漁夫」——白樸〔沉醉東風〕〈漁夫〉賞析	頁 94~96
謝明輝	李商隱〈流鶯〉一詩解析	頁 97~101
陳滿銘	論篇章的「圖底」結構	頁 102~105
仇小屏	新詩習作（二）：抓住你了——詠物詩寫作練習	頁 106~111

第 18 卷 5 期（總 209 期）2002 年 10 月

王昌煥	鍾怡雯〈芝麻開門〉的思維圖景	頁 4~7
林欣怡	阿盛散文中的社會變遷	頁 8~15
楊宗穎	不安的顫抖——林燿德散文中的「焦慮書寫」	頁 16~22
戴景尼	黃春明小說中的象徵意義——以《放生》為例	頁 23~29
郭鵬飛	立破之間——《韓非子・難勢》論析	頁 30~33
吳俐雯	俗諺、歌曲、寶卷中的土地公	頁 34~40
陳滿銘	唐宋詞拾玉（三十）：晏幾道的〈臨江仙〉	頁 41~43
陳嘉英	由居室看文人的生活情韻——以廬山草堂、黃州竹樓為例	頁 44~47
何海燕	樂天心相與淵明形神——白居易〈效陶潛體詩〉與陶詩之比較	頁 48~52
歐宗智	絕望的愛戀及其象徵意義——以吳濁流、鍾肇政、東方白日據時代背景小說為例	頁 53~62

楊顯榮	永遠的青鳥——蓉子成就初探	頁 63~68
侯亮宇	判斷句的解讀——以九十一年第一次國中國文科基本學力測驗為例	頁 69~74
陳叔敏	換湯不換藥——有趣的「同素異序詞」	頁 75~76
林軒鈺	《說文》與國中國文科的文字教學	頁 77~82
陳光明	從「狗」說起	頁 83~85
楊景堯	中國大陸小學語文教科書之研究（上）	頁 86~91
王希杰	章法學門外閑談	頁 92~101
黃　梁	點評梅新〈今年生肖屬狗〉	頁 102~103
李若鶯	胡適詩賞析	頁 104~106
仇小屏	新詩習作（三）：畫畫又寫寫——談圖像詩的寫作	頁 107~111
徐千嵐	細膩生動的人物畫——顧閎中的《韓熙載夜宴圖》	頁 112

第 18 卷 6 期（總 210 期）2002 年 11 月

洪惟仁	母語教學的意義與方法	頁 4~15
羅肇錦	客話教學的路	頁 16~21
江惜美	文字學在小學國語教學上的運用	頁 22~25
柯雅藍	文字學在高中國文教學上的應用	頁 26~29
王紫瑩	開拓國文教學中的應用文字學	頁 30~33
鍾名誠	思想與語文同一，文言與歐化兼取——朱光潛的語文現代化思想析探	頁 34~39
許淑婷	由谷崎潤一郎《麒麟》淺談孔子思想	頁 40~43
胡小石講 裴普賢記錄	杜詩研究筆記（上）	頁 44~49
陳新雄	蘇詩賞析（五三）：美仁破顏・驚塵濺血	頁 50~53
何美諭	〈孔雀東南飛〉與〈木蘭辭〉婦女處境之比較	頁 54~62
巫小黎	張資平早期小說與客家山歌	頁 63~65
黃玉蘭	神話故事與少年小說之間——談《永遠的狄家》一書	頁 66~68
遊適宏	九十一年四技二專統一入學測驗國文科試題評析	頁 69~73
楊如雪	語法教學活動設計篇	頁 74~80
賴溫如	「紅」與「綠」在《小山詞》中的作用	頁 81~84
陳水雲	漢語與山水詩的造境	頁 85~89
楊景堯	中國大陸小學語文教科書之研究（下）	頁 90~95
陳忠信	國中國文雙關修辭創意教學法——以 2002 年世足賽各大報紙新聞標題實作練習為例	頁 96~99
曾家麒	朗讀教學訓練架構剖析	頁 100~103
李若鶯	賴和相思古今情	頁 104~108
仇小屏	新詩習作（四）：反過來說——談正反法在新詩寫作中的運用	頁 109~112

第 18 卷 7 期（總 211 期）2002 年 12 月

邱子寧	試說「青少年文學」	頁 4~9
黃秋芳	黃易從歷史真實跨向武俠虛構	頁 10~15
林德姮	圖畫書的滋味	頁 16~24
吳慧茹	上網看童詩——台灣地區網路的童詩現象初探	頁 25~33
鄭慶君	老子的語言思想解析	頁 34~40
劉君燦	水火即濟未濟別論	頁 41~45
胡小石講 裴普賢記錄	杜詩研究筆記（下）	頁 46~52
陳正平	人性的實驗室——看唐人傳奇〈杜子春〉中呈現的人性	頁 53~55
陳嘉英	展開時間膠卷與過去對話——談楊牧的三本文學自傳	頁 56~63
何亭慧	流浪在物質世界——論張惠菁散文的新世代風格	頁 64~66
戶田一康	不可名狀的悲哀——從日本人的眼裡看賴和	頁 67~70
楊如雪	追趕跑跳蹦——認識「動詞」	頁 71~76
趙奎生	對聯運用比喻修辭舉隅	頁 77~80
王昌煥	樸實清暢、深情至性——林文月〈給母親梳頭髮〉一文賞析	頁 81~87
龔于芬	庾信的〈怨歌行〉	頁 88~93
陳滿銘	論「因果」章法的母性	頁 94~101
張春榮	喻寫題型	頁 102~106
仇小屏	新詩習作（五）：填空遊戲——談一種新詩習作的訓練方式	頁 107~112

第 18 卷 8 期（總 212 期）2003 年 1 月

林淑貞	古典詩學資料的檢索與利用	頁 4~12
連文萍	詩話資料的檢索與利用	頁 13~20
黃文吉	詞學資料的檢索與利用	頁 21~27
陳美雪	散曲資料的檢索與利用	頁 28~33
陳蕙文	戲曲資料的檢索與利用	頁 34~39
鄭誼慧	古典小說資料的檢索與利用	頁 40~46
謝明輝	姓名學與儒家精神	頁 47~50
車潤豐	人不到筆到無不到	頁 51~52
葉嘉瑩主講 曾慶雨整理	唐詩系列講座：王維詩（一）	頁 53~57
陳新雄	蘇詩賞析（五四）：瓊雷隔海・許遙相望	頁 58~61
顧關元	朱起鳳發憤編《辭通》	頁 62~63
廖冰凌	悲壯審美與內在人格的整合——試論蘇雪林前期作品中的男性角色	頁 64~69

（上）

洪珊慧	拒絕長大的「放逐歷程」——重讀《麥田捕手》	頁 70~72
高麗敏	「鄉土教育」美哉！桃仔園——從桃園縣傳說故事看其歷史文化與思想特色	頁 73~80
楊如雪	名詞的親密朋友——認識「形容詞」	頁 81~87
侯亮宇	從「格語法」的觀點解讀「擬人化詞彙」——以九十一年第一次基本學力測驗題為例	頁 88~93
康世統	談譯音字的音讀——「可汗」音「克寒」嗎？「可」絕不音「克」！	頁 94~99
何永清	「風」言「風」語——〈白馬湖之冬〉析賞	頁 100~102
張春榮	辭格的會通	頁 103
莊建國	我國現代文學史料數位化典藏與服務（上）	頁 104~110

第 18 卷 9 期（總 213 期）2003 年 2 月

廖國棟	古典辭賦的主題與技巧	頁 4~15
廖美玉	古典詩的主題與技巧	頁 16~27
王偉勇	古典詞的主題與技巧——以唐宋詞為論述核心	頁 28~43
張高評	古典散文的主題和技巧——以唐宋古文為論述核心	頁 44~51
王三慶	古典小說中的書寫主題及技巧	頁 52~70
林淑妙	淺談清代「臥碑」的時代意義	頁 71~75
鮑延毅	采擷「無字書」二則	頁 76~78
廖冰凌	悲壯審美與內在人格的整合——試論蘇雪林前期作品中的男性角色（下）	頁 79~84
仇小屏	從主謂句的角度看以句構篇的幾首新詩	頁 85~90
朱歧祥	論王念孫以古形訓今字的方法	頁 91~93
陳智弘	高中國文教學的美麗新境界	頁 94~97
陳滿銘	論章法與層次邏輯	頁 98~104
莊健國	我國現代文學史料數位化典藏與服務（中）	頁 105~111
宋　裕	中文字典、詞典舉要	頁 111~112

第 18 卷 10 期（總 214 期）2003 年 3 月

耿秋芳	談白馬湖作家——夏丏尊的散文風格	頁 4~15
古慧芬	琦君及其筆下童年時期的人物	頁 16~26
余椒雪	林文月散文中的重要意象	頁 27~37
鄒依琳	簡媜《女兒紅》中的女性形象剖析	頁 38~46
王秋文	眩惑語言下的逆向思維——談老子的語言風格及其思維特色	頁 49~53
顧關元	〈楓橋夜泊〉詩碑軼話	頁 54~56
葉嘉瑩主講	唐詩系列講座：王維詩（二）	頁 57~63

曾慶雨整理

周惠泉	論元好問	頁 64~70
文曉村	一盞小燈，永恆的追尋	頁 71~73
歐宗智	東方白大河小說《浪淘沙》俗諺之運用探析	頁 74~78
韓廷一	古人訪談（二一）：以戲劇為武器的文學鬥士——關漢卿訪問記	頁 79~84
陳滿銘	談章法結構的節奏與韻律——以幾首詩詞為例	頁 85~90
莊健國	我國現代文學史料數位化典藏與服務（下）	頁 91~97
王昌煥	談「窗外」一文的引導寫作	頁 98~104
蒲基維	變調的閱讀計畫與走味的「悲」文——九十二年大學學測國文科非選擇題考生答題現象分析	頁 105~112

第 18 卷 11 期（總 215 期）2003 年 4 月

許維萍	研究《周易》的重要入門書	頁 4~8
陳恆嵩	研究《尚書》的重要入門書	頁 9~16
林慶彰	研究《詩經》的重要入門書	頁 17~21
林素英	研究《禮記》的重要入門書	頁 22~31
馮曉庭	研究《春秋三傳》的重要入門書	頁 32~38
王希杰	就左和右說語言和文化關係的複雜性（上）	頁 39~40
王良友	戲談《蓬萊大仙》李鐵拐	頁 41~47
葉嘉瑩主講 曾慶雨整理	唐詩系列講座：王維詩（三）	頁 48~53
陳新雄	蘇詩賞析（五五）：千山鱗甲・萬谷笙鐘	頁 54~57
黃雅莉	從顏崑陽〈窺夢人〉談現代散文中的寓言與象徵	頁 58~65
蔡雲雀	「天生我才必有用」——閱讀《用腳飛翔的女孩》	頁 66
張春榮	形象思維造句——擬人篇	頁 67~69
曲彥斌	方言的韻味與麻煩	頁 70~72
陳嘉英	唐詩與新詩的轉譯	頁 73~80
徐耀民	試談《說文解字》的有部無字問題	頁 81~84
陳志哲	小學「限制式寫作」情境式命題教學探究——以第二階段兒童為實施對象（上）	頁 85~88
仇小屏	近十年大學升學考試新詩考題分析	頁 89~98
王昌煥	92 年大考學測作文題解析與範例（上）	頁 99~105
林曉筠	萬戶搗衣聲——宋徽宗摹張萱〈搗練圖〉	頁 106~107
林瑞景	燃起高職老師新詩創作教寫的火種	頁 108~112

第 18 卷 12 期（總 216 期）2003 年 5 月

| 游珮芸 | 真摯地一路走來——台東師院兒童文學研究所的過去、現在與未來 | 頁 4~8 |

陳瀅如	追尋現實與虛幻中的波拉農──宮澤賢治《傳說中的廣場與波拉農》	頁 9~14
鄭如晴	集中營文學裡的鬼魅──松谷美代子《閣樓裡的秘密》	頁 15~18
盧貞穎	童話空間的發生──工藤直子《大海》《草原》的朋友	頁 19~25
紀采婷	擺盪在新與舊之間──角野榮子《魔女宅急便》	頁 26~29
林詩屏	演奏生命的五個樂章──湯本香樹實《夏之庭》	頁 30~34
王韻明	勇敢的面對死亡──湯本香樹實《白楊樹之秋》	頁 35~37
王希杰	就左和右說語言和文化關係的複雜性（下）	頁 38~43
周春健	〈召南・野有死麕〉主題辨析	頁 44~49
葉嘉瑩主講 曾慶雨整理	唐詩系列講座：王維詩（四）	頁 50~56
蕭嫻慈	薛寶釵〈臨江仙〉淺探	頁 57~59
戴景尼	〈忠孝公園〉裡的藝術手法	頁 60~64
董金裕 楊如雪	介詞 VS.助詞──淺談名詞或代詞後的「之」與「的」的詞性	頁 65~67
仇小屏	一句詩──談如何以判斷句寫詩	頁 68~72
陳志哲	小學「限制式寫作」情境式命題教學探究──以第二階段兒童為實施對象（下）	頁 73~77
宋　裕	理想為眉，現實為睫──介紹《上課十五分鐘文學・現代文學篇》	頁 78~80
張高評	論文選題與學術研究	頁 81~95
陳滿銘	蘇軾〈超然臺記〉篇章結構分析	頁 96~100
王昌煥	92 年大考學測作文題解析與範例（下）	頁 101~105
陳嘉英 陳美娟	聲音的舞蹈──一則聲音的作文教學法（上）	頁 106~112

第 19 卷 1 期（總 217 期）2003 年 6 月

鄭圓鈴	二技統一入學測驗國文科試題分析	頁 4~11
游適宏	技專統測語文表達能力測驗淺析	頁 12~17
李新霖	92 年四技二專統測國文科試題特色說明	頁 18~23
陳美蘭	從二技入學測驗國文考科的試題變革談專科國文教學的調整	頁 24~29
張素靜	92 學年度四技二專統一入學測驗國文科試題評析	頁 30~32
江國貞	孟姜女哭倒了長城？——故事的流變與省思	頁 33~36
顧關元	寺廟辨異考	頁 37~38
葉嘉瑩主講 曾慶雨整理	唐詩系列講座：王維詩（五）	頁 39~45
李金坤	「其葉沃若」、「其黃而隕」喻旨正解	頁 46~48
林淑貞	魏徵〈述懷〉用典之美感意涵	頁 49~52
張鴻愷	淺談新月派格律理論	頁 53~57
蔡雲雀	文學紀實——汪洋中的一條船	頁 58
陳正平	台灣歌謠聯想曲——從〈相思海〉到〈有所思〉	頁 59~61
陳蕙安	創意廣告招牌設計	頁 62~66
徐耀民	試論許慎氏的假借觀	頁 67~70
仇小屏	新詩藝術論之一——從修辭（含煉詞）與文法切入	頁 71~74
范曉雯	人生有夢——為夢想繪出藍圖	頁 75~79
張秋娥	謝枋得評點中的「章法」觀	頁 80~84
陳嘉英	教師甄選的武林秘笈	頁 85~91
徐千嵐	生日的祝賀——龍舟競渡圖	頁 92~93
張春榮	創意造句擂台賽（名詞篇）	頁 94~99
陳嘉英 陳美娟	聲音的舞蹈——一則聲音的作文教學法（下）	頁 100~104
邱燮友	走過半世紀的出版業老店——三民書局	頁 105~107
陳滿銘	三民與我	頁 108~110
傅武光	初日照高林——三民書局創業五十週年紀念	頁 111~112

第 19 卷 2 期（總 218 期）2003 年 7 月

潘麗珠	一九八一～二〇〇一年的台灣現代詩研究略論——以中（國）文研究所博、碩士論文為例	頁 4~10
黃芬絹	余光中與廈門街	頁 11~16
羅任玲	周夢蝶詩中的二元對立與和諧——以《十三朵白菊花》、《約會》為例	頁 17~29
林怡君	羅門都市詩中「窗」、「玻璃大廈」的意象探析	頁 30~36

曾家麒	《莊子‧逍遙遊》的思想結構	頁 37~40
顧關元	閒話《百家姓》	頁 41~42
葉嘉瑩主講 曾慶雨整理	唐詩系列講座：王維詩（六）	頁 43~48
徐宗潔	無意不可入，無事不可言──淺談馬致遠敘事、詠物類散曲	頁 49~53
張林川 周春健	《左傳》引《詩》的文獻學考察	頁 54~58
施忠賢	《魔戒──首部曲》與《西遊記》之中西魔性對照（上）	頁 59~63
鍾名誠	朱光潛的作文觀及其啟示	頁 64~69
施佳瑩	戰後台灣文學史的建構與女作家小說（上）	頁 70~74
王良友	河洛歌仔戲對於歇後語的援引狀況──以雙關式為例	頁 75~78
洪芸琳	試論新聞標題──從文法角度切入	頁 79~83
林淑貞	〈憶秦娥〉蒼茫悲壯的歷史意象	頁 84~88
仇小屏	新詩藝術論之二──從主題與意象切入	頁 89~93
倪正芳	一群「衣冠禽獸」──動物擬人化別稱漫談	頁 94~96
王昌煥	這一題，真的很難作答嗎？──兼論海峽兩岸有關詩的作文題	頁 97~106
張春榮	創意造句擂台賽（動詞篇）	頁 107~112

第 19 卷 3 期（總 219 期）2003 年 8 月

施淑婷	東坡「文理自然，姿態橫生」之美學風格	頁 4~11
許育嘉	論朱光潛「美感經驗分析」的方法	頁 12~18
吳宥潔	鍾嶸《詩品》「滋味」說的品鑑美學	頁 19~26
朴炫坤	論《世說新語》之人物美學的形體美	頁 27~33
洪如薇	從類書看中元普渡祭典的由來	頁 34~37
詹宗祐	從阿富汗的羊皮帽談中國的鹿胎冠	頁 38~40
徐錦成	「一味」與「三昧」	頁 41
葉嘉瑩主講 曾慶雨整理	唐詩系列講座：王維詩（七）	頁 42~48
陳滿銘	唐宋詞拾玉（三一）：晏幾道的〈鷓鴣天〉	頁 49~51
顧功銘	此中有真意‧欲辯已忘言──談〈桃花源記〉中的關鍵字「忘」	頁 52~57
施忠賢	《魔戒──首部曲》與《西遊記》之中西魔性對照（下）	頁 58~63
施佳瑩	戰後台灣文學史的建構與女作家小說（下）	頁 64~69
張 覺	古漢語中名詞作動詞的鑑別標誌	頁 70~74
仇小屏	新詩藝術論之三──從題目、章法（結構）與風格切入	頁 75~79
周 雯	英雄造時勢，時勢造英雄──略談杜甫何以為「詩聖」	頁 80~84
孫蓉蓉	對天地的控訴──〈竇娥冤〉第三折[端正好][滾繡球]賞析	頁 85~86

鄭頤壽	辭章學研究的回顧與前瞻	頁 87~97
楊顯榮	繆思最鍾愛的右手——余光中詩作評析	頁 98~103
范文鳳	讓課本變劇本〈記承天寺夜遊〉（現代版）	頁 104~107
莊紫蓉	詩人・釣者——羅浪訪問記	頁 108~112

第 19 卷 4 期（總 220 期）2003 年 9 月

鄭圓鈴	九十二年第一次國中基測國文科試題分析	頁 4~12
游適宏	從閱讀評量看九十二年國中基本學力測驗國文科試題	頁 13~18
陳慧英	大醇小疵，拍案驚奇——淺談九十二年國文科指考選擇題	頁 19~26
汪文祺 林淑雲	「猜」不完的故事——九十二學年度大學指定科目考試國文科寫作題答題現象分析	頁 27~33
王昌煥	九十二學年度指定考科國文作文題解析	頁 34~41
陳德富	論中國瓷器的崇玉傳統	頁 42~49
吳聯益	〈太一生水〉的宇宙生成觀	頁 50~55
葉嘉瑩主講 曾慶雨整理	唐詩系列講座：李白詩（一）	頁 56~62
魏子雲	《三國志》正史說	頁 63~66
吳麗珠	從《四庫全書總目提要》看紀昀的小說觀	頁 67~72
羅中琦	凌叔華小說中的群芳圖——新舊交替中的女性世界	頁 73~79
歐宗智	再現逝去的時代及地域風情——論東方白《浪淘沙》小說環境的掌握與表現	頁 80~85
周日安	勝與敗：一對特殊的反義、同義詞	頁 86~88
高 群	說固定格式「失之……」與「有失……」	頁 89~91
陳滿銘	談命題作文的分項指引	頁 92~97
仇小屏	新詩藝術論之四——從聲律與句子長短切入	頁 98~101
林 廣	生命中最甜蜜的負荷——〈負荷〉評析	頁 102~105
鄭頤壽	含「篇法」的「辭章章法學」的發展——評介陳滿銘《章法學論粹》及其相關論著	頁 106~112

第 19 卷 5 期（總 221 期）2003 年 10 月

陳瓊薇	陶淵明〈桃花源記〉篇章結構分析	頁 4~10
黎俐均	陶淵明〈歸園田居・其三〉之篇旨集章法分析	頁 11~17
李麗英	陶淵明〈飲酒詩之五〉篇旨探析	頁 18~23
曾素珍	蘇東坡〈記承天寺夜遊〉用材探析	頁 24~29
戴忞臻	蘇東坡〈水調歌頭〉詞篇旨探析	頁 30~35
鄧絜馨	蘇東坡〈念奴嬌〉詞篇旨探析	頁 36~41
陳怡君	魏晉嫂叔禮制之辯探析	頁 42~47

蘇曼如	魏晉民歌與物色之間的互動關係——以〈子夜四時歌〉為例	頁 48~53
葉嘉瑩主講 楊愛娣整理	唐詩系列講座：李白詩（二）	頁 54~59
李金坤	「滿地黃花堆積」句意辯說	頁 60~61
顧關元	《桃花扇》傳奇的誕生	頁 62~63
陳允元	末日預言——陳克華的末日意象與都市詩（上）	頁 64~67
石木南	有人在嗎？——析論台灣現代詩裡「都市人」的存在形象	頁 68~74
簡婉姿	重新認識台灣——論劉克襄的自然旅記	頁 75~82
胡習之	試說「定中重複」的判別	頁 83~86
鍾玖英	論雙關的文學功能	頁 87~92
仇小屏	新詩藝術論之五——從分行、圖象與標點符號切入	頁 93~96
陳滿銘	從意象看辭章之內涵	頁 97~103
陳智弘	作文課·開心玩	頁 104~108
鄭頤壽	文藝辭章學的新著——評介張春榮《作文新饗宴》	頁 109~112

第 19 卷 6 期（總 222 期）2003 年 11 月

王希杰	對稱反射法——造詞與轉義	頁 4~5
李玄玉	人體名詞和「上」「下」	頁 6~12
李亞明	漢語詞語的休眠、復甦與新陳代謝	頁 13~17
凌鼎年	容易誤用的幾個辭彙	頁 19~20
楊如雪 林鑾英	語法教學記實	頁 21~28
張春榮	把字句與辭格	頁 29~36
曲彥斌	名字的質量——人名感言三題	頁 37~39
蔡惠芳	周敦頤《通書》的「誠」說	頁 40~43
葉嘉瑩主講 楊愛娣整理	唐詩系列講座：李白詩（三）	頁 44~51
黃雅莉	珠圓玉潤的思致美——晏殊〈浣溪沙〉賞析	頁 52~54
陳允元	末日預言——陳克華的末日意象與都市詩（下）	頁 55~58
黃沛勤	跳跳歷史的房子——論《西西詩集》中的英雄與帝王	頁 59~64
韓廷一	紅樓人物訪談：一把辛酸淚·滿紙荒唐言——曹雪芹訪問記	頁 65~72
張輝誠	資訊融入高中國文科教學實例——從教師主導到學生自主學習	頁 73~79
羅文華	〈竇娥冤〉中的竇娥形象	頁 80~85
陳滿銘	章法風格中剛柔成份之量化	頁 86~93
陳智弘	刀鏟鍋爐間的魔法術——談「飲食文學」的閱讀與寫作-	頁 94~97
劉漢	台灣網路詩的超越性——超文類與超時空（上）	頁 98~102

| 鄭頤壽 | 播種詩心苗紅紫——仇小屏新詩辭章理論與實踐述評 | 頁 103~112 |

第 19 卷 7 期（總 223 期）2003 年 12 月

許錟輝	九十二年大考中心指定科目國文作文中錯別字探析	頁 4~18
李佳信	高中生錯別字彙編淺析——以屏東女中為例	頁 19~35
顏智英	高中生作文錯別字分析	頁 36~43
張雯華 顏瓊雯	國一生錯別字簡析	頁 44~50
劉桂芳	莊子「自化」與荀子「制天」的內在意涵	頁 51~55
鮑延毅	「三孔」碑刻中的唯一：「白話碑」	頁 56~58
葉嘉瑩主講 楊愛娣整理	唐詩系列講座：李白詩（四）	頁 59~65
徐錦成	談唐、宋詩中的「搖落」	頁 66~70
戶田一康	葉石濤與芥川龍之介——十字架的問題	頁 71~75
邱燮友	謝一民教授其人其書	頁 76~78
林淑貞	究竟何人樓上愁？——〈菩薩蠻〉「平林漠漠煙如織」試詮	頁 79~81
劉怡伶	豐子愷〈窮小孩的蹺蹺板〉分析	頁 82~86
范曉雯	怪與不怪無所謂——台北區高中下學期第三次國文模擬考作文題的淺見	頁 87~92
林瑞景	與高中老師來一場海闊天空的新詩教寫	頁 93~99
劉渼	台灣網路詩的超越性——超文類與超時空（下）	頁 100~107
林大礎 鄭娟榕	台灣辭章學研究的又一新秀新作——陳佳君《虛實章法析論》評介	頁 108~111
王嵐	飛「羽觴」而醉月——蔓草鴛鴦紋銀羽觴	頁 112

第 19 卷 8 期（總 224 期）2004 年 1 月

林淑貞	李白〈宣州謝朓樓餞別校書叔雲〉「抑揚格」結構與生命之頓挫	頁 4~7
羅賢淑	朱敦儒〈西江月〉賞析	頁 8~11
潘銘基	誰是荊軻的知己——兼論陶淵明〈詠荊軻〉的注釋問題	頁 12~16
李金坤	同寫客愁 各臻妙境——〈楓橋夜泊〉與〈題金陵渡〉對讀	頁 17~21
林淑慧	李商隱〈無題〉二首舊箋商榷及詩作賞析	頁 22~28
林翠華	關懷民生的新樂府——白居易〈賣炭翁〉與林雙不〈賣菜〉	頁 29~34
章正忠	孟子駁諸子考	頁 35~40
鮑延毅	于右任先生與敦煌學	頁 41~43
葉嘉瑩主講 楊愛娣整理	唐詩系列講座：李白詩（五）	頁 44~51

汪少華	「縣古槐根出，官清馬骨高」出處之謎	頁 52~55
魏子雲	杜忠誥的博士論文──〈《說文》篆文譌形研究〉讀後	頁 56~58
陳惠鈴	論夏宇詩的遊戲特徵	頁 59~64
王任君	腳下的地理 有情的人生──黃春明先生訪談錄（上）	頁 65~70
王希杰	「病關索」和「病大蟲」之「病」	頁 71~73
王良友	河洛歌子戲團的戲謔風格	頁 74~78
李永勃	《晏子春秋》修辭四題	頁 79~82
章綺霞	親近文學 親近土地──淺談《筆記濁水溪》的教學引導與設計	頁 83~85
吳叔樺	鍾理和〈草坡上〉之藝術特色	頁 86~92
陳滿銘	從意象看辭章之內容成分	頁 93~98
張春榮	「愛情」喻寫	頁 99~103
林大礎 鄭娟榕	台灣辭章學苑的燦爛新花──仇小屏《文章章法論》評介	頁 104~107
荀　潔	女性「一間自己的屋子」──從社會性別角度看中國目前的女性網站	頁 108~112

第 19 卷 9 期（總 225 期）2004 年 2 月

陳麗桂	母語教學的特質與困境	頁 4~6
姚榮松	漢字在母語（閩南語）教學上的角色	頁 7~16
張美煜	大家相召來學客家話──客家話好學乎難學乎？不試怎麼知道！	頁 17~22
林瑜一	教學有計畫，上課快樂多！──以閩南語為例，淺談鄉土語言課程規畫與實施	頁 23~38
吳世旭	諧音與民俗	頁 39~42
柯榮三	《臺灣漢語傳統文學書目》封底書影說明之商確	頁 43~47
葉嘉瑩主講 楊愛娣整理	唐詩系列講座：李白詩（六）	頁 48~53
林曉筠	談白居易感傷詩（上）	頁 54~59
林宗毅	談《霸王別姬》電影中傳統劇目的運用	頁 60~62
陳虹霖	老饕的私房雜燴──逯耀東飲食散文的構成元素	頁 63~68
鮑延毅	「子」作尊稱揭秘	頁 69~70
白金銑	借師言道──論韓愈〈師說〉的側面意涵（上）	頁 71~74
朱美黛	試探《文化苦旅・酒公墓》的悲劇性反諷結構	頁 75~81
林大礎	開創辭章學燦爛的明天──中國修辭學會辭章學研究會第一次學術年會開幕詞	頁 82~84
陳滿銘	科學化章法學體系之建立	頁 85~96
陳嘉英	「看不見，卻依然存在」的精靈：氣味（上）	頁 97~102
林　廣	平凡與厚實──〈土〉評析	頁 103~106

| 王任君 | 腳下的地理 有情的人生──黃春明先生訪談錄（下） | 頁 107~112 |

第 19 卷 10 期（總 226 期）2004 年 3 月

歐宗智	東方白大河小說《浪陶沙》次要女性角色之塑造	頁 4~11
陳 誠	「你放下了，也就放下了」──從《八月雪》看高行健的禪劇哲思	頁 12~16
林淑貞	淺論曹禺《雷雨》「欲求反失」與「人倫位階錯置」之悲劇	頁 17~21
岳 峰	論《到燈塔去》的「非個人化」	頁 22~27
陳大為	當代馬華文學的三大板塊	頁 28~43
張 平	試論徐渭的逌媚觀	頁 44~51
顧關元	「和尚」考說	頁 52~53
葉嘉瑩主講 楊愛娣整理	唐詩系列講座：李白、王昌齡詩	頁 54~58
林曉筠	談白居易感傷詩（下）	頁 59~62
王希杰	語文隨筆	頁 63~66
王輔羊	「分」與「份」──談兩個易混淆的字	頁 67~69
王天星	借代的自然基礎與內在機制	頁 70~74
白金銑	「借師言道」──論韓愈〈師說〉的側面意涵（下）	頁 75~80
姚榮松	閩南語漢字書寫的檢討與文字化的方向	頁 81~86
曾金金	各縣市推動鄉土語言教學的具體策略與做法〈教材教學篇〉	頁 87~93
陳滿銘	論章法的秩序律與思考訓練	頁 94~97
陳嘉英	「看不見，卻依然存在」的精靈──氣味（下）	頁 98~102
陳正平	台灣歌謠聯想曲──從〈望春風〉到〈子夜歌〉	頁 103~104
李晗蕾	重讀《漢語修辭學》	頁 105~111

第 19 卷 11 期（總 227 期）2004 年 4 月

鄭圓鈴	九十三年大學學科能力測驗國文考科試題分析	頁 4~11
黃培青	人與蛙的聯想、失業者的悲歌與鬍子變奏曲──九十三年大學學測作文現象探析	頁 12~23
王基西	應考作文教學	頁 24~27
潘麗珠	從學測閱卷談我對「閱讀」的一些看法	頁 28~33
盛愛萍	從溫州地名看科舉制度與文化教育	頁 34~44
魏向東	再論「師子林」與「獅子林」	頁 45~46
葉嘉瑩主講 楊愛娣整理	唐詩系列講座：王昌齡、王之渙詩	頁 47~53
陳嘉英	幽賞蘭亭 暢敘情懷──記一場文人聚會	頁 54~57
裴 文	語言流變的時空觀解釋（上）	頁 58~62

蔡根祥	〈「子」作尊稱揭秘〉讀後	頁 63~65
林慧君	金聖嘆教你讀《水滸》——淺談金批《水滸》與讀者的關係	頁 66~69
黃雅莉	對未知的探索與等待的熱情——讀季季的〈小草之未知〉	頁 70~76
仇小屏	「限制式寫作」題組之設計與實作——鎖定譬喻能力	頁 77~85
陳滿銘	論章法的變化律與思考訓練	頁 86~90
沈惠如	董狐筆，魯迅風——一身傲骨的劇作家吳祖光	頁 91~94
陳麗桂	如何做一個成功的中文教師	頁 95~102
李昊青	一次作文教學之經驗分享	頁 103~112

第 19 卷 12 期（總 228 期）2004 年 5 月

孫劍秋	研讀《易經》的現代意義	頁 4~12
陳恆嵩	研讀《尚書》的現代意義	頁 13~17
侯美珍	研讀《詩經》的現代意義	頁 18~23
黃智信	研讀《禮記》的現代意義	頁 24~30
馮曉庭	研讀《春秋三傳》的現代意義	頁 31~37
陳慧文	一窺書法藝術的堂奧——《書論》、《筆勢論》中的書法美學	頁 38~43
王岫林	由《世說》中的人物品評看六朝嗜美之風	頁 44~51
葉嘉瑩主講 楊愛娣整理	唐詩系列講座：高適詩（上）	頁 52~55
高旖璐	探討《幽夢影》的審美手法	頁 56~61
楊景堯	是朱熹錯？還是孔子錯？：「始作俑者」辭意辨析	頁 62~64
裴 文	語言流變的時空觀解釋（下）	頁 66~71
陳滿銘	對成立「國語文教學學會」的期待	頁 72~73
仇小屏	「限制式寫作」題組之設計與實作——鎖定修辭能力（移覺格、倒反格）	頁 74~82
鄭 軍	外國科幻小說與中國	頁 83~90
劉慧珠	「惡」的書寫——《金閣寺》讀後	頁 91~92
鄭頤壽主講 田家瑄記錄	漫談辭章學——在台灣師大國文系的演講	頁 93~100
聶 焱	王希杰的學術研究及其修辭思想研究現狀（上）	頁 101~107
張春榮	看圖造句的視覺智能	頁 108~111

第 20 卷 1 期（總 229 期）2004 年 6 月

林哲璋 王宇清	陳素宜少年小說中的台灣少女——不是問題少女，卻有少女問題……	頁 4~13
陳素宜	試論林滿秋的少年小說創作作品	頁 14~22
王麗櫻	「大頭春系列」中的青少年形象	頁 23~33
陳雅慧	少年小說中的原住民形象——以李潼《少年噶瑪蘭》、《博士・布都與我》為例	頁 34~45
張春榮	吳晟新詩〈野餐〉的修辭問題	頁 46
黃信榮	雄黃酒及其由來	頁 47~55
顧關元	國學・國故・國粹	頁 56~57
葉嘉瑩主講 楊愛娣整理	唐詩系列講座：高適（中）	頁 58~62
林淑貞	李義山〈嫦娥〉之「言內意」與「言外意」	頁 63~68
鐘玖英	新鮮話語「長」出來	頁 69~72
王希杰	「南朝鮮」與「北韓」	頁 73~74
宋裕	《國語一字多音審訂表》讀音探析	頁 75~82
仇小屏	「限制式寫作」題組之設計與實作——鎖定取材能力	頁 83~92
李翠瑛	論創意組合與一首新詩的完成	頁 93~98
聶焱	王希杰的學術研究及其修辭思想研究現狀（下）	頁 99~105
蕭水順	台灣文學的共構關係與交疊現象	頁 106~109
張春榮	看圖作文三部曲	頁 110~112

第 20 卷 2 期（總 230 期）2004 年 7 月

林文寶	啟蒙教材與讀經	頁 4~13
梁敏兒	從三、百、千看中國的蒙學	頁 14~22
李貴生	傳統家訓與現代兒童教育	頁 23~32
白雲開	中國傳統蒙學的教學方法初探——以《童蒙急務》為例	頁 33~44
韓廷一	燈謎淺探（一）	頁 45~49
潘洪鋼	雍正蛋民陸居令	頁 50~55
葉嘉瑩主講 楊愛娣整理	唐詩系列講座：高適（下）	頁 56~59
林翠華	古今禪思——比較王維〈過香積寺〉與洛夫〈金龍禪寺〉	頁 60~63
李翠瑛	以「重複」為基礎的修辭技巧論新詩的節奏變化	頁 64~73
張覺	「輕聲」只是一種變調嗎？	頁 74~75
鄭圓鈴	九十三年二技統一入學測驗試題分析	頁 76~85
仇小屏	論九十三年國中基本學力測驗國文科試題——從辭章學知識與國語文	頁 86~90

能力之養成切入

方慶雲	〈始得西山宴遊記〉寫作技巧分析	頁 91~94
蔡孟娟	析沈從文〈月下小景〉中的心理距離	頁 95~100
陳滿銘	鄭頤壽教授在辭章學研究上的成就——序《辭章學導論》、《辭章學新論》	頁 101~103
鍾 華	柳宗元〈江雪〉的章法和辭格的綜合運用簡析	頁 104~105
黃高憲	二十世紀易學研究的重要著作——《黃壽祺論易學》評述	頁 106~111

第 20 卷 3 期（總 231 期）2004 年 8 月

鄭圓鈴	九十三年大學指考國文科試題分析	頁 4~15
仇小屏	論九十三年指定考科國文試題——從辭章學知識與國語文能力之養成切入	頁 16~21
溫光華	「偶像」文化現形記——九十三年大學入學指定科目考試國文科非選擇題答題現象評析	頁 22~28
林繼生	風雨中的考題——九十三年大學指定考試國文科試題分析	頁 29~39
陳慧英	上錯舞台唱錯腔——漫談九十三年指考國文考科	頁 40~47
韓廷一	燈謎淺說 （二）	頁 48~52
徐 梓	塾師的社會地位和社會形象	頁 53~62
葉嘉瑩主講 楊愛娣整理	唐詩系列講座：岑參詩	頁 63~69
王 萱	與東風有約——談蘇軾〈正月二十日出東門詩〉三首	頁 70~75
張瑋儀	以「德充」與「德符」再論〈德充符〉	頁 76~80
王希杰	「實話實說」與「實話虛說」	頁 81~82
孟憲愛	諧音的方方面面（一）	頁 83~85
陳滿銘	國文科資優生讀寫的指導與評量	頁 86~94
游適宏	九十三年四技二專統一入學測驗國文科試題評析	頁 95~101
林大礎 鄭娟榕	當代漢語辭章學的三個時期及其主要標誌（上）	頁 102~109
張春榮	極短篇〈蛻變〉賞析	頁 110~111
黃明理	「掌上明珠」的使用對象與時機	頁 112

第 20 卷 4 期（總 232 期）2004 年 9 月

陳滿銘	辭章學在「讀」與「寫」教學中的運用	頁 4~18
張春榮	修辭學在「讀」與「寫」教學中的運用	頁 20~26
楊如雪	文法學在「讀」與「寫」教學中的運用	頁 27~38
仇小屏	章法學在「讀」與「寫」教學中的運用	頁 39~50
韓廷一	燈謎淺說（三）	頁 51~58
顧關元	夷場・彝場・洋場	頁 59~60

王更生	什麼是古典詩詞吟唱藝術	頁 61~62
王 萱	與東風有約——談蘇軾〈正月二十日出東門詩〉三首（下）	頁 63~69
劉靜敏	疊音式人名的聲調	頁 70~72
孟憲愛	諧音的方方面面（二）	頁 73~77
鄭圓鈴	九十三年國中基本學力測驗國文科試題分析	頁 78~86
陳貴麟	本國語文網路輔助教學課程資源之製作成果說明與檢討	頁 87~90
張詩宜	戰後初期女性創作中婚戀自主的呈現——以林海音、潘人木、徐鍾珮為例	頁 91~98
林大礎 鄭娟榕	當代漢語辭章學的三個時期及其主要標誌（下）	頁 99~104
傅耀珍	超文本文學的美學探討與未來危機——以台灣超文本文學為例	頁 105~111

第 20 卷 5 期（總 233 期）2004 年 10 月

林淑貞	宛如盲女遊走探尋的人生行旅——幾米《地下鐵》繪本所透顯的人世況味	頁 4~13
黃雅莉	一段因戰火而早凋的童稚幼戀——談王鼎鈞〈紅頭繩兒〉的情感意蘊	頁 14~23
丁鳳珍	在卑屈的生存中遇見生命的感動——論洪醒夫小說中「田庄讀冊人的形象」	頁 24~33
陳姿妃	論賴和〈一桿「稱仔」〉之反殖民主義觀	頁 34~39
李玄玉	漢、韓民族的得體性與文化背景研究	頁 40~47
黃文榮	三國版本知多少	頁 48~50
林翠華	無盡情意傳唱古今——從《詩經・蒹葭》到陳義芝〈蒹葭〉	頁 51~53
吳鈞堯	〈張中丞傳後序〉的小說性	頁 54~59
柯佩君	《童年往事》——阿孝咕與空間的關係	頁 60~65
孟憲愛	諧音的方方面面（三）	頁 66~70
傅含章	聲情韻美評詩歌——以聲韻學角度析論〈One Night In 北京〉	頁 71~79
陳滿銘	辨語文能力與辭章研究之關係——以「多」、「二」、「一（○）」的螺旋結構切入作考察	頁 80~91
仇小屏	從「能力」角度看九十三年第二次國中基本學力測驗	頁 92~97
詹雅筑	劉基《郁離子・狙公》篇旨及章法結構	頁 98~105
范曉雯	玉綴成錦織就——欣見智弘學姊廿年成品	頁 106~107
陳嘉英	與世界親密接觸的作文課——觸覺的描寫（上）	頁 108~112

第 20 卷 6 期（總 234 期）2004 年 11 月

邱燮友	從美學角度看詩歌吟唱教學	頁 4~7
王更生	古典詩詞的「吟」和「唱」	頁 8~10
黃冠人	河洛漢詩吟唱	頁 11~23
洪澤南	如何引導學生「感覺」平仄？七絕平仄起的制約訓練	頁 24~31

楊惟仁	古典詩詞吟唱教材與資源簡介	頁 32~39
彭菏成	文宗閣藏書樓今昔	頁 40~48
成家徹郎	用考古資料解開屈原的生日（上）	頁 49~55
陳怡良	中國古典美學講座：楚騷美學——以屈原作品為論述主軸（一）	頁 56~60
王秋文	姑妄言之姑聽之？——試論《閱微草堂筆記》的實證精神	頁 61~65
孟建安	得體性原則的層次觀（上）	頁 66~71
唐雪凝 傅　寧	從認知角度看網絡新聞的隱喻運用——以網絡媒體對 2004 年美國總統的競選報導為例	頁 72~76
閔秋英	走入新詩美麗的園地——新詩創作教學的幾個策略	頁 77~83
鍾　年	黃鶴樓的故事與詩文	頁 84~89
陳滿銘	迎接辭章學「花團錦簇」的明天——從兩岸學術交流談起	頁 90~94
倪　沫	另一種亞當，另一種夏娃——解讀反性別刻板印象的電視廣告	頁 95~100
陳嘉英	與世界親密接觸的作文課——觸覺的描寫（下）	頁 101~104
方美芬	文化地理學思考下的閩奧地區——台灣文學研究特性分析	頁 105~112

第 20 卷 7 期（總 235 期）2004 年 12 月

黃雅莉	擦肩而過，卻在心頭住了下來——談張愛玲〈愛〉的蒼涼與無奈	頁 4~10
石曉楓	情愛中的雅俗演繹與人性表現——張愛玲〈紅玫瑰與白玫瑰〉試析	頁 11~14
吳鈞堯	論張愛玲小說〈傾城之戀〉的「四在效果」	頁 15~19
翁靚苂	張愛玲短篇小說中男性主體的失落	頁 23~~28
龔嘉鎮	華夏民族的姓氏及其文化影響	頁 29~40
成家徹郎	用考古資料解開屈原的生日（下）	頁 41~48
陳怡良	中國古典美學講座：楚騷美學——以屈原作品為論述主軸（二）	頁 49~58
陳嘉英	〈永州八記〉——柳宗元尋找自我的影像	頁 59~69
孟建安	得體性原則的層次觀（下）	頁 70~74
羊芙葳	量詞的反覆‧量詞的重疊	頁 75~80
洪惟仁	中師台語系的成立與展望	頁 81~84
陳忠信	電視廣告在國中國文情意教學之應用——以親情主題為例	頁 85~88
陳一弘	三讀〈李龍眠畫羅漢記〉	頁 89~92
王更生	古典詩詞吟唱的幾個觀念	頁 93~95
陳滿銘	層次邏輯與辭章意象系統	頁 96~102
王昌煥	作文診療室——讀書生涯感想	頁 103~109
林佳蓉	白酒頻斟當啜茶——說朱熹之酒興	頁 110~112

第 20 卷 8 期（總 236 期）2005 年 1 月

| 林文寶 | 前言 | 頁 4 |

陳素宜	女兒心・女兒情・《女兒泉》	頁 5~7
陳慧鎂	小小的期待，小小的滿足——《媽媽，買綠豆》	頁 8~9
陳靜儀	心境與空間的連續體驗——《逛街》	頁 10~11
梁雅琪	韻律十足的韻律書——《起床了，皇帝！》	頁 12~13
張瓊文	輕鬆學習地景知識——《咱去看山》	頁 14~15
吳婷琲	饒富哲學興味的巧思——《我變成一隻噴火龍了！》	頁 16~17
王宇清	對自身意識型態的反照——《黑白村莊》	頁 18~19
梁麗雯	不一樣的水鳥圖鑑——《穿紅背心的野鴨》	頁 20~21
鐘尹萱	胖胖的希望——《我要大公雞》	頁 22~24
謝忻汝	接納有缺陷的自我——《皇后的尾巴》	頁 25~27
鄭雅馨	吐出顆顆會心一笑的木瓜仔——《子兒，吐吐》	頁 28~30
紀千惠	僬僥神話	頁 31~36
周春健 張友彬	「《詩經》發展史」與「《詩經》研究史」漫議	頁 37~42
林朝成	中國古典美學講座：禪思與審美體驗——禪宗美學的探索（上）	頁 43~47
林淑貞	杜甫〈哀江頭〉中的歷史事件與自我圖像	頁 48~51
王岫林	「綺靡以傷情」——談劉勰在《文心・辨騷》中對〈九歌〉之批評	頁 52~57
李翠瑛	現代詩中「懸想示現」疆域的擴張——多種修辭格之綜合呈現	頁 58~65
王輔羊	「今非昔比」的考證	頁 66
陳佳君	兒童動畫《嘰哩咕與女巫（KiriKou and Sorceress）》的敘事結構	頁 67~69
王慧茹	重生與再出發的可能——簡媜〈貼身暗影〉評析	頁 70~76
陳滿銘	談因果律與層次邏輯	頁 77~80
簡培如	論三毛旅行散文中的浪漫召喚	頁 81~88
王更生	古典詩詞吟唱的價值	頁 89~92
陳益源	台灣黃海岱布袋戲與金庸《倚天屠龍記》	頁 93~100
楊顯榮	不盡長江滾滾來：詩壇重鎮，一代風範——羅門研究	頁 101~111
張春榮	歐陽修〈采桑子〉中「晴日催花暖欲然」的修辭手法	頁 112

第 20 卷 9 期（總 237 期）2005 年 2 月

陳冠甫	喜占東風第一枝	頁 4~18
余德泉	春聯的由來與寫作	頁 19~25
林 潛	有趣的字謎加減法	頁 26~29
黎 蘭	春燈謎上話古今	頁 30~36
陳瑀軒	從《掃迷帚》論晚清蘇杭「迷信」風俗	頁 37~45
王慧茹	道家型的管理哲學	頁 46~52

林朝成	中國古典美學講座：禪思與審美體驗——禪宗美學的探索（下）	頁 53~57
羅賢淑	說項廷紀詞三首	頁 58~63
蔡根祥	「雁止衡陽」說探源——兼論黃庭堅〈寄黃幾復〉詩中的問題	頁 64~69
顧關元	「吳儂軟語」與「京片子」	頁 70~71
蘇子敬	欲亡其國，先去其文——國文教育何去何從	頁 72~73
黃絢親	台灣諺語的結構與教學運用——台灣情、俗語美	頁 74~77
謝明輝	談王建詩對婦女之關懷	頁 78~83
王希杰	章法三論	頁 84~89
朱美黛	流動的空間，憂傷的記憶——試探《遊園驚夢》主人翁的憂傷意識	頁 90~94
洪惟仁	祖先智慧的寶石——哲諺	頁 95~100
王更生	古典詩詞吟唱前的準備工作	頁 101~104
陳滿銘	讀《近三百年名家詞選》	頁 105~111
		頁 112

第 20 卷 10 期（總 238 期）2005 年 3 月

潘麗珠	錯把「穴烏」當「穴鳥」，復將「失去」改另題——今年大考中心學測國文科非選擇題閱卷之我見	頁 4~7
鄭圓鈴	九十四年學測國文科試題分析	頁 8~18
仇小屏	論九十四年學科能力測驗國文科試題——從國語文能力切入	頁 19~25
徐國能	淺探中學生寫作能力之提升——從九十四年大考學測國文非選擇題的一些問題談起	頁 26~30
林恭祖	天干是嬰兒先天與後天的象形字	頁 31~37
王岫林	六朝志怪小說中的報應觀	頁 38~46
王樹林	一篇元代散文「論述」之作者懸案釋疑	頁 47~50
周玉珠	從《詩經・豳風・伐柯》看周人「共牢合巹」之婚俗	頁 51~54
	推陳創新語壇典範 博大精深三一特色——《王希杰修辭思想研究》及王希杰學術思想座談紀要（鄭慶君 譚琳 向瓊整理）	頁 55~63
謝奇峰	略談漢魏樂府及古詩中的頂真修辭	頁 64~67
鍾 敏	「教師」非「老師」——小議「教師」與「老師」的區別	頁 68~70
王昌煥	雷同？相同？——大考考題出問題了？（上）	頁 71~77
李素真	我們正在寫歷史 ——「搶救國文教育聯盟」成立因緣	頁 78~83
陳冠甫	文化心旅——余秋雨《文化苦旅》閱讀導引（上）	頁 84~90
曾潔明	一本厚厚的大書——論吳晟詩文中的母親形象	頁 91~102
張春榮	看圖作文的展望	頁 103~105
王更生	古典詩詞吟唱的三點要素	頁 106~109
陳正平	台灣歌謠聯想曲——從〈西北雨〉到〈關雎〉	頁 110~112

第 20 卷 11 期（總 239 期）2005 年 4 月

傅雪芬	陶淵明〈五柳先生傳〉篇章結構探析	頁 4~11
李昊青	李白〈春夜宴從弟桃花園序〉篇章結構探析	頁 12~18
徐惠玲	柳宗元〈捕蛇者說〉篇章結構探析	頁 19~26
倪薇淳	周敦頤〈愛蓮說〉篇章結構探析	頁 27~33
蔡怡婷	柳宗元〈江雪〉篇章結構探析	頁 34~39
陳姵君	杜甫〈聞官軍收河南河北〉篇章結構探析	頁 40~47
梁秀中	彩言墨舞‧悠遊天地──七十個展自序	頁 48~49
陳正平	唐代的舞獅遊藝	頁 50~55
王妙純	從《世說新語》看魏晉人的尚情特質	頁 56~60
徐耀民 徐　婷	也談《說文解字》的注音	頁 61~63
李子榮	論發展中的「四個世界」理論	頁 64~71
王昌煥	雷同？相同？──大考考題出問題了？（下）	頁 72~78
林繼生	題形不變，爭議迭起──九十四年大學學測國文試題分析	頁 79~83
李素真	我們正在寫歷史──「搶救國文教育聯盟」成立因緣（下）	頁 84~88
孟建安	培育了強大的研究隊伍，取得了豐碩的科研成果──「陳滿銘對辭章章法學研究的貢獻」系列研究之一	頁 89~93
陳冠甫	文化心旅──余秋雨《文化苦旅》閱讀引導（下）	頁 94~101
王更生	古典詩詞吟唱的技法之（一）	頁 102~108
祝克懿 霍四通	評鄭頤壽的《辭章學導論》	頁 109~112

第 20 卷 12 期（總 240 期）2005 年 5 月

林慶彰	讓國文天地成為中文人的共同資產	頁 4~5
許錟輝	國文天地二十周年慶頌辭	頁 6~7
連文萍	恍若珍藏的舊夢──國文天地二十周年感言	頁 8~10
傅武光	開春理常業 歲功聊可觀──國文天地創刊二十周年紀念感言	頁 11~13
鍾怡雯	從國學到現代文學的轉向	頁 14~16
潘麗珠	國文長命，天地遨遊	頁 17~19
劉　渼	任重而道遠──國文天地的金三角歲月	頁 20~21
顏瑞芳	引水灌田二十年	頁 22~24
張來芳 楊曉斌	從頤和園看「樣式雷」的園林美學思想	頁 25~28
陳育民	從《老子》版本的比較中看「心」在老子思想的重要性──以通行本《老子‧第三章》為例	頁 29~33

蘇子敬	伯夷列傳析詮（上）	頁 34~39
陳弘學	「山濤薦代嵇康為吏部郎」說糾謬	頁 40~47
張春榮	辭格會通	頁 48~54
李子榮	論普遍語用學的「四個世界」說——兼與修辭學的「四個世界」比較	頁 55~61
劉慧珠	詩與散文之間——吳晟文學生命的抉擇	頁 62~66
紀千惠	當俄國形式派遇上中國古典詩	頁 67~71
林敬文	脫胎換骨後的王冕——以正史和小說人物作對照的淺探	頁 72~74
孟建安	闡釋了新穎的章法思想，解決了重大的理論問題（上）——「陳滿銘對辭章章法學研究的貢獻」系列研究之二	頁 75~81
黃淑貞	從「因果」法談蘇軾〈稼說送張琥〉	頁 82~85
王金城	馮青詩論——女性與人生的現代訴求	頁 86~89
朱崇科	邊緣童話——諫言(建言)香港：淺論西西的故事新編小說	頁 90~94
莊仁傑	對蘇童〈妻妾成群〉的評析	頁 95~100
歐宗智	台灣文學的發聲原音帶——鍾肇政相關書簡對於建構台灣文學之意義	頁 101~103
王更生	古典詩詞吟唱的技法之（二）	頁 104~112

第 21 卷 1 期（總 241 期）2005 年 6 月

孫劍秋	研讀《易經》的方法	頁 4~8
陳恆嵩	研讀《尚書》的方法	頁 9~16
侯美珍	研讀《詩經》的方法	頁 17~24
林慶彰	研讀《禮記》的方法	頁 25~30
丁亞傑	研讀《左傳》的方法	頁 31~35
潘洪鋼	說「崇禎五十相」	頁 36~38
周春健 李桂生	「引用」格次範疇分類條辨	頁 39~43
蘇子敬	伯夷列傳析詮（下）	頁 44~49
賴溫如	晁補之與李清照詞學觀點之分析——從評論各家詞作談起	頁 50~56
陳蒲清	試論漢字與表音文字的不同發展道路	頁 57~60
金真姬	韓國常用漢字初探	頁 61~68
鄭圓鈴	九十四學年度二技統測試題分析	頁 69~75
仇小屏	從「國語文能力」角度看國語文能力測驗——以「九十四年度高級中等以下學校及幼稚園教師資格檢定考試」為考察對象	頁 76~80
韓學宏	穴烏、穴鳥與寒鴉——九十四學年度大學學力測驗國文科非選擇題的疑義	頁 81~84
孟建安	闡釋了新穎的章法思想，解決了重大的理論問題（下）——「陳滿銘對辭章章法學研究的貢獻」系列研究之三	頁 85~92
吳兒容	〈庖丁解牛〉章法結構及義旨探析	頁 93~99
廖建智	柳如是愛情觀之研究	頁 100~106
王更生	古典詩詞吟唱在歷代學者心目中的地位	頁 107~112

第 21 卷 2 期（總 242 期）2005 年 7 月

羅肇錦	客家話的漢字源起與用字方式	頁 4~9
姚榮松	台灣閩南語的正字與俗字	頁 10~21
蔡信發	談「清鈔本」俗字	頁 22~38
翁敏修	明代俗字略說	頁 39~43
王岫林	名教與自然等同——談西晉末年至東晉初年的儒玄雙修思想	頁 44~51
王振旭	康有為〈尊碑〉思想意涵初探	頁 52~56
傅武光	律詩對偶法則新探	頁 57~61
李菁菁	百年三萬六千日 一日需傾三百杯——李白的詩言醉語	頁 62~68
王希杰	「無理而妙」說	頁 69~77
搶救國文教育聯盟	讓教育問題回到教育專業上來	頁 78~79

林繼生	輸家與贏家之間——九四年第一次國中基本學力測驗國文科試題分析	頁 80~84
林宗毅	評國片《我的美麗與哀愁》	頁 85~89
曾文樹	日治末期張文環小說中的環境建構	頁 90~96
陳滿銘	關於《篇章結構學》	頁 97~99
王昌煥	國中修辭教學的桂林山水——張春榮《國中國文修辭教學》一書賞評	頁 100~105
王更生	古典詩詞吟唱見在書錄	頁 106~112

第 21 卷 3 期（總 243 期）2005 年 8 月

鄭圓鈴	九十四年大學指考國文科試題分析	頁 4~11
游適宏	從媒體對大學指考學測及國中基測的報導談流行文化與國文測試	頁 12~21
陳慧英	也是回家——淺說九十四年大學指考國文科試題	頁 22~29
王昌煥	九十四年基測國文考題所浮現的兩個問題	頁 30~39
陳智弘	語文能力提升之必要，加強閱讀之必要——從九十四年國中基本學力測驗談起	頁 40~49
曾家麒	《莊子・人間世》的「有用之用」初探	頁 50~54
聶永華	人倫傳統與《詩經》中的親情詩	頁 55~59
陳慧文	醜女故事之比較與省思——從《美女涅槃記》談起	頁 60~66
毛正天	心學與詩學——中國古代詩學的民族特色（上）	頁 67~72
左秀靈	徐娘半老，風韻猶存。——為什麼不可用來形容自己的母親？	頁 73
曾月卿	變異重疊——以舞鶴的小說語言為例	頁 74~78
陳滿銘	談思維力與語文螺旋結構的關係	頁 79~86
仇小屏	「限制式寫作」題型與能力	頁 87~91
張春榮	袁瓊瓊極短篇〈父親〉賞析	頁 92~93
王福湘	中國人的虐戀心理和文學中的虐戀描寫	頁 94~98
陳嘉英	馳騁創意的四季書寫	頁 99~106
孟建安	語言與文化研究園地的一朵新葩——盛愛萍《溫州地名的語言文化研究》的突出特色	頁 107~112

第 21 卷 4 期（總 244 期）2005 年 9 月

夏鄉等	紙上座談會——教師甄試經驗談（田家瑄 許家瑞 李宜樺 楊子霈 陳明緻 呂佳蓉 何宜欣 江心蓮 劉芙蓉 林燕媚）	頁 4~42
顏瑞芳	清代伊索寓言的漢譯與流傳	頁 43~47
施夙芬	《念奴嬌・赤壁懷古》的誠與美	頁 48~54
毛正天	心學與詩學——中國古代詩學的民族特色（下）	頁 55~58
陳滿銘	論意與象的連結——從格式塔「異質同構」說切入	頁 59~64
陳正榮	當「道籙」變成「道籑」——談兩岸文字簡繁轉換所衍生的困擾	頁 65~69
仇小屏	歷屆升大學考試「新型作文」考題之分析與檢討	頁 70~74

黃文榮	《三國演義》的「技術性錯誤」——以「曹嵩之死」、「關羽的襄陽太守職」及「曹操割髮代首」為例	頁 75~76
謝佳惠	〈縱囚論〉的文勢營造——從修辭、文法、結構切入	頁 77~82
張春榮	袁瓊瓊極短篇〈望遠鏡〉賞析	頁 83~84
林淑貞	電影〈天堂的孩子〉「遇困——求解」的敘事模式	頁 85~91
胡月花	側寫詩人周夢蝶——趺坐紅塵八十年，捕捉人生況味的詩僧	頁 92~97
曲彥斌	網絡語言現象評論	頁 98~102
傅耀珍	網際網路中的語言現象探討——以台灣為例	頁 103~112

第 21 卷 5 期（總 245 期）2005 年 10 月

王希杰	修辭學和修辭學轉向	頁 4~9
蔡謀芳	「欲濟無舟楫」是雙關？是譬喻？——論雙關格的界域	頁 10~14
仇小屏	談童詩的章法教學	頁 15~22
李立明	章法與辭章活動過程例析	頁 23~29
陳滿銘	淺論意象系統	頁 30~36
黃淑貞	《秋聲賦》辭章意象探析	頁 37~46
曾家麒	莊子「內聖之道」的義涵——〈齊物論〉詮解	頁 47~52
王邇敦	中國古代的博彩文化——「六博」、「麻將」和「白鴿票」	頁 53~55
王秋香	一代詩豪劉禹錫——沅湘情	頁 56~60
李怡芬	對立的統一——杜詩中的樂景哀情	頁 61~65
蔡琇瑩	〈飲酒其四〉賞析	頁 66~72
亓婷婷	當前「華文熱」的觀察與省思	頁 73~83
鄒依霖	非典型隔離——讀白先勇〈遊園驚夢〉	頁 84~86
李亞明	漢語發展的兩種傾向	頁 87~91
尤嘉玟	「炒作」的含義及感情色彩	頁 92~96
蕭秀琴	高中國文科教學與網路資源——國內大學院校中國語文學系（所）網站「網路資源」鏈結之分析	頁 97~102
龔于芬	「望其項背」釋疑	頁 103~106
鄭凰英受訪 陳靖如撰稿	桃花源的遇合——「古雅臺語人」創站經驗與網路教學資源	頁 107~111
張以仁	晴川集乙酉稿	頁 112

第 21 卷 6 期（總 246 期）2005 年 11 月

蕭佳琳	王維〈山居秋暝〉篇章結構分析	頁 4~10
江春玉	杜甫〈登樓〉篇章結構分析	頁 11~18
陳育玲	柳永〈雨霖鈴〉篇章結構分析	頁 19~25
張淑珍	蘇軾〈卜算子‧黃州定慧院寓居作〉篇章結構分析	頁 26~32

王如意	辛棄疾〈摸魚兒〉篇章結構分析	頁 33~39
李孟毓	鄭愁予《錯誤》篇章結構分析	頁 40~47
王慧茹	關於《中國哲學十九講》〈道之「作用的表象」〉的幾點思索	頁 48~52
左秀靈	儒教禪宗對武士道的影響	頁 53~54
王雯怡	天才躁動不安的靈魂之鄉──淺析李白詩歌中「月」的意象	頁 55~61
宋孔弘	試探《幽明錄・劉晨阮肇》的人物塑型與仙鄉造景	頁 62~67
鍾名誠	朱光潛的散文藝術觀及散文創作	頁 68~73
朱巧雲	中國大陸葉嘉瑩研究述評	頁 74~82
洪唯婷	淺談散文筆法──以頓筆、繞筆、伏筆、插筆為範圍（上）	頁 83~89
王裕民	「臥薪嘗膽」新考	頁 90~92
林安梧	「國文」與「我」──我學習國文的一些回顧	頁 93~100
張春榮 顏藹珠	電影媒體教學	頁 101~103
柴田篤撰 林愷胤譯	追憶岡田武彥先生	頁 104~105
陳伯軒	讀曾永義著《俗文學概論》	頁 106~108
段大明	文學殿堂裡的「微雕藝術」──「手機文學」的勃興及其文化特徵	頁 109~112

第 21 卷 7 期（總 247 期）2005 年 12 月

柴劍虹	海堧一寸亦神州──啟功先生二三事	頁 5~9
候 剛	教澤閎深 青春常在──啟功先生尊師重教的故事	頁 10~18
白化文	啟功先生是聖人	頁 19~20
于華剛	啟功先生與中國書店	頁 21~22
林慶彰	啟功先生與萬卷樓	頁 23~25
程毅中	略談啟功先生的詩論與詩作	頁 26~33
宋邦珍	論陸游、楊萬里之交誼	頁 34~37
黃慧萍	由〈荀子跋〉論錢大昕回歸原典的義理觀	頁 38~42
林佳惠	《詩・大雅》中周族敘事詩初探──以〈生民〉中「棄」的形構為核心	頁 43~48
聶永華	上官儀的詩歌創作	頁 49~54
常秀珍	鹿橋〈鷂鷹〉析論（上）	頁 55~58
宋桂友	個人話語空間的公共化──談高行健的戲劇文學創作	頁 59~67
李名方	關於中國修辭學史的分期	頁 68~74
洪唯婷	淺談散文筆法──以頓筆、繞筆、伏筆、插筆為範圍（下）	頁 75~79
李金坤	「晚來風急」之辨正	頁 80~81
邱偉雲	「大成若缺」──留白藝術及其語文教學	頁 82~87

劉雅薇	國中基測「新詩題型」解題探究——以 90 至 93 學年度基測為例	頁 88~96
陳滿銘	辨意象與聯想力、想像力的關係——以「多」、「二」、「一（○）」螺旋結構切入作觀察	頁 97~106
歐宗智	嘉義琳琅山閣主人張李德和詞作探珠	頁 107~111
張以仁	晴川集乙酉稿——童年拾翠（二）	頁 112

第 21 卷 8 期（總 248 期）2006 年 1 月

李立明	永遠的白蓮——余光中〈迴旋曲〉析論	頁 4~9
楊宗翰	穿不穿燈草絨的衣服——閱讀瘂弦〈在中國街上〉	頁 10~12
孫瑋騂	海妖的歌聲——淺談夏宇愛情小詩	頁 13~18
林怜秀	大家來教現代詩	頁 19~25
林翠華	薛寶釵的冷香丸	頁 26~28
張惠喬	癡情郎與節行倡——《李娃傳》中的愛情描寫和戲劇衝突	頁 29~37
林均珈	清代說唱曲藝——《紅樓夢》子弟書簡介	頁 38~41
陳育民	由《老子》中的「嗇」字看老子思想具有的「收斂」智慧	頁 42~45
王明科	魯迅與無名氏的文化反思比較	頁 46~51
常秀珍	鹿橋〈鷂鷹〉析論（下）	頁 52~56
鄭頤壽	詩人辭章學之首部論著——讀歐陽炯教授《楊萬里詩歌辭章學》	頁 57~64
胡習之	略論《漢語修辭學》（修訂本）的修辭理論貢獻	頁 65~71
李晗蕾	依見山水是山水，悟了還同未悟時——讀修訂本《漢語修辭學》	頁 72~77
王基倫	文章的開頭——從葉聖陶的觀點談起	頁 78~83
仇小屏	試談寫作測驗客觀性的提升與閱卷工作的簡化	頁 84~87
林美宏	挽救孩童國語文能力低落的一帖良藥——「通俗文學」	頁 88~91
黃淑貞	杜甫〈贈司空王公思禮〉辭章意象之形成及其美感	頁 92~98
林淑儀	台灣閩南語小稱詞「囝」與「仔」之比較研究	頁 99~104
侯玉芳	給學生一把寫作的梯子	頁 105~110
梁錦興	推介《大學辭章學》這本好書	頁 111~112

第 21 卷 9 期（總 249 期）2006 年 2 月

邢建勇	邊緣與中心——沈從文邊緣創作的價值	頁 4~9
關英偉	湘西山水總關情——沈從文小說喻體的文化內涵解讀	頁 10~15
冷 草	解讀《阿 Q 正傳》	頁 16~19
楊明璋	論賴和小說敘述的多語言現象	頁 20~24
王瑞華	華美而悲哀的城——張愛玲小說裡的香港定位	頁 25~31
葉政欣	談《史記》「鴻門宴」——並澄清幾項誤解	頁 32~38
左秀靈	墨人——中國的驕傲	頁 39~40

林淑貞	從〈與諸公登峴山〉看孟浩然的境遇感	頁 41~45
黃意明	在傳奇與現實之間——重讀《史記‧李將軍列傳》	頁 46~49
陳正一	中國文壇長青樹——巴金其人其文	頁 50~56
楊雅儒	唐捐散文中「父親形象」的書寫	頁 57~62
王基倫	文章的結尾：從葉聖陶的觀點談起	頁 63~69
連蔚勤	論國中國文語文常識中的一些問題	頁 70~74
陳嘉英 陳智弘	由六級分看國中寫作與教學	頁 75~80
宋　裕	作文書目舉要	頁 81~82
張春榮 顏荷郁	電影中的愛情佳句	頁 83~85
洪梅珍	「曇花」？一現	頁 86~90
張窈慈	從台灣鄉土俚諺初探傳統喪葬文化及俗諺特色	頁 91~97
陳滿銘	章法的包孕式結構（上）	頁 98~103
劉千惠	文津閣《四庫全書》簡介	頁 104~107
黃智明	《中華再造善本叢書》簡介	頁 108~111
張以仁	晴川集乙酉稿——童年拾翠之三	頁 112

第 21 卷 10 期（總 250 期）2006 年 3 月

莊蕙綺	歌笑中見哭泣——《救風塵》的喜劇效果	頁 4~7
廖素琴	從雜劇《陳母教子》談關漢卿對科舉考試之態度	頁 8~12
張秋華	若託大儒言，是名善戲謔——淺談〈神偷興寄一枝梅〉、〈宋四公大鬧禁魂張〉中的戲要與智巧	頁 13~17
林美君	清代俠義公案小說的烏托邦建構——以《三俠五義》為例	頁 19~26
王慧茹	王船山「正統論」的理解與思索——以〈船山對傳統史觀的批判〉及〈「正統論」的瓦解與重建〉二文為核心	頁 27~32
紀兆航	論《論衡‧本性篇》中王充之本性論	頁 33~37
肖學周	中國古代愛情傳說中體現之神異色彩與民間精神	頁 38~44
陳清彬	柳宗元山水田園詩中的矛盾書寫	頁 45~50
林淑貞	荊棘〈南瓜〉「自傳體記憶」構築的圖像	頁 51~56
陳伯軒	嚐鮮與懷舊——讀林文月《飲膳札記》	頁 57~59
蒲基維	九十五年大學學科能力測驗國文科試題分析——以辭章學及語文能力的理論為分析導向	頁 60~66
簡蕙宜	談如何寫好學測作文：「雨季的故事」——從「觀察力」、「聯想力」、「立意取材」之寫作訓練切入	頁 67~74
李亞明	陸王訓詁學理論的詞彙語義觀	頁 75~82
陳宣諭	台灣歌謠聯想曲——從〈上邪〉到〈愛你無惜代價〉	頁 83~86

余育婷	從鄭用錫、陳維英、施瓊芳看清代道咸時期臺灣詩人的傳承與發展	頁 87~91
陳滿銘	章法的包孕式結構（下）	頁 92~98
范曉雯	奇想作文	頁 99~104
洪楷萱	匯集文獻資料、見證台灣歷史——《臺灣文獻匯刊》簡介	頁 105~108
黃智明	《朝鮮時代書目叢刊》簡介	頁 109~112

第 21 卷 11 期（總 251 期）2006 年 4 月

彭淑玲	以現代觀淺析《論語》——以孔子之教育觀為例	頁 4~9
王美宜	從《論語・侍坐》試探現代師生關係與師生溝通	頁 10~16
李淑慧	論孔子的人格教育——兼論對現今台灣教育的啟示	頁 17~24
杜凱薇	由孔子《詩》教看現代語文教育的價值	頁 25~31
邱偉雲	古哲今用——郭象獨化論之當代詮釋	頁 32~37
黃玉青	淺談金門的辟邪文化——以風獅爺為例	頁 38~43
裴 偉	佛狸江飲馬 愴古稼軒詞——《稼軒詞》中的佛狸祠及佛狸新解	頁 44~48
趙麗莎	別裁偽體親風雅，轉益多師是汝師——杜甫〈戲為六絕句〉探析	頁 49~55
潘玲玲	民間傳說的再生——以李喬〈水鬼・城隍〉為例	頁 56~59
陳忠信	巨震重現——試析向陽〈黑暗沉落下來〉之九二一地震書寫	頁 60~63
邱湘雲	《孟》、《荀》二書語言表達方式比較	頁 64~70
施筱雲	〈項脊軒志〉婉曲之筆	頁 71~76
王希杰	肉夾饃 饃夾肉？	頁 77~80
林淑儀	試論「需」與「須」之異同	頁 81~87
陳滿銘	辭章章法的「多」、「二」、「一（〇）」螺旋結構	頁 88~94
楊 菁	中日儒學交會的亮光——記《論語思想史》中文版的刊行	頁 95~98
李鴻儒	博覽海圖 悠遊經史——《魏源全集》簡介	頁 99~102
劉千惠	劫後重生 嘉惠士林——文瀾閣《四庫全書》即將影印出版	頁 103~106
陳正一	亦師亦友念沈謙	頁 107~111
張以仁	晴川集乙酉稿——童年拾翠之四	頁 112

第 21 卷 12 期（總 252 期）2006 年 5 月

張春榮	修辭教學設計	頁 4~10
顏荷郁	西洋電影中的矛盾語法	頁 11~16
鍾文宏	比喻寫作的擴寫教學	頁 17~25
陳麗雲	「層遞」修辭格教學	頁 26~31
紀怡如	修辭教學碩士論文初探	頁 32~36
王邇敦	淺談清代的朝珠服飾	頁 37~38

胡曉蓓	九頭鳥小考	頁 39~44
林月惠	女性自主權的展現——試論〈杜十娘怒沉百寶箱〉和〈賣油郎獨占花魁〉妓院愛情悲喜劇比較	頁 45~49
趙路得	聽覺意象的心理美學分析——以李賀〈李憑箜篌引〉、〈龍夜吟〉為例	頁 50~55
楊晉綺	遊賞之樂與清空之韻——論姜夔「題序詞」之「序文」與「詞文」間互文張合的美學典式	頁 56~60
楊顯榮	就是那樣日夜奔騰的長河——林煥彰論	頁 61~66
洪靜君	從「一棵開花的樹」談起——看席慕蓉的詩人特質	頁 67~73
王明科	論無名氏小說的流派定位	頁 74~81
左秀靈	白居易詩在日本	頁 82~83
梁姿茵	《花間集》的心理敘寫探析	頁 84~88
梁頌成	《桃花源記》的「欣然規往」應為「欣然親往」	頁 89~91
鄭淑君	類書的新疆界——《中華大典·文學典》簡介	頁 92~95
陳水福	反映研究成果、總結百年儒學——《二十世紀儒學研究大系》簡介	頁 96~99
陳光憲	高仲華教授的一堂課	頁 100~104
林慶彰訪問 陳恆嵩整理	探尋文明起源 重寫學術史——李學勤先生的經歷及其學術成果	頁 105~112

第 22 卷 1 期（總 253 期）2006 年 6 月

仇小屏	寫作教學的新天地——談何謂「限制式寫作」？	頁 4~10
李靜雯	論「限制式寫作」題組在國中寫作教學中的運用——鎖定主旨置於篇首與篇腹的能力	頁 11~20
顏智英	鎖定「修辭」能力談「限制式寫作」	頁 21~26
陳佳君	橋樑意象寫作教學	頁 27~31
簡蕙宜	凡目法在國中作文運材教學中的應用	頁 32~37
林慶彰	大陸出版品對台灣學術研究的意義	頁 38~43
王敏芳	《春秋》中的「正名定分」思想——以魯文公夫人出姜為例	頁 44~49
陳滿銘	意象學研究的新方向（上）	頁 50~55
劉楚荆	若有人兮山之阿——《九歌・山鬼》探究	頁 56~63
李金坤	「山氣日夕佳」新解	頁 64~65
陶春軍	關於《金鎖記》中曹七巧人物形象的幾個問題	頁 66~71
涂文芳	蔣勳散文的美學觀	頁 72~77
張美煜	取消「自由選修」，才能挽救弱勢語言	頁 78~81
楊四平	談談鄭愁予〈錯誤〉的可寫性	頁 82~84
王希杰	修辭活動與闡釋活動	頁 85~92
楊寶蓮	匯集文物，見證戲曲滄桑——《中國戲劇圖史》簡介	頁 93~96
蔡明蓉	烽火頻仍下的桃花源——《青鶴》簡介	頁 97~101
楊　菁	胡楚生教授與清代學術史研究	頁 102~106
林素芬	看見西方漢學的活力——專訪普鳴教授	頁 107~111
張以仁	晴川集乙酉稿——童年拾翠之四	頁 112

第 22 卷 2 期（總 254 期）2006 年 7 月

陳滿銘	論章法結構與意象系統之疊合——以「多」、「二」、「一（○）」螺旋結構切入作考察	頁 4~9
江姿慧	陶淵明〈歸去來兮辭〉與蘇東坡〈哨遍〉之章法結構分析比較	頁 10~19
陳盈君	朱自清〈背影〉篇章結構探析	頁 20~27
曾家麒	由章法結構中看《莊子・天下》對墨家的評論	頁 28~33
林　芝	探訪兩大書局——商務與中華的貢獻及影響（上）	頁 34~38
楊寶蓮	「榮興」十年薪傳，今日開花結果——兼論《採茶戲・人魚傳說》	頁 39~42
陳滿銘	意象學研究的新方向（下）	頁 43~46
王湘瓊	草書的世界	頁 47~50
嚴玉珊	七夕詞反映之愛情觀研究	頁 51~56
王福湘 梁桂平	王小波小說中的虐戀問題——兼及李銀河的《虐戀亞文化》	頁 57~62

楊四平	從「五四」的人道主義到「後五四」的消費主義—百年現代漢詩流變概略	頁 63~67
李靜雯	論「限制式寫作」題組在國中寫作教學中的運用——鎖定主旨置於篇末與篇外的能力	頁 68~75
江育豪	客家童謠「伯公伯婆」之賞析及教學策略	頁 76~81
施筱雲	譬喻和轉化——談「你不妨搖曳著一頭的蓬草，不妨縱容你滿腮的苔蘚」的修辭	頁 82~88
鍾信昌	極高明而道中庸，多聞見而守卓約——《朱子全書》評介	頁 89~92
蔡翔宇	日本漢學史研究的新起點－李慶著《日本漢學史》簡介	頁 93~96
趙銘豐	思想史研究與考據學方法——姜廣輝先生在中國思想史研究上的成績	頁 97~101
陳文采	夏傳才對現代《詩經》學的思考與貢獻	頁 102~106
張春榮	視覺智能——同一形象，不同想像	頁 107~112

第 22 卷 3 期（總 255 期）2006 年 8 月

游適宏	仿舊而匠心——試評 95 學年度指定科目考試國文考科選擇題	頁 4~11
黃貴寅	錯置的一年——談 95 年指定考科選擇題	頁 12~18
王昌煥	95 年大學指定科目考試非選擇題解析	頁 19~28
郭鶴鳴	老子「柔弱無為」新探（上）	頁 29~33
林 芝	探訪兩大書局——商務與中華的貢獻及影響（下）	頁 34~40
古遠清	數字入詩妙趣生	頁 41~44
王 璽	寫竹盡托生平意——徐渭的畫竹詩	頁 45~50
劉雅薇	魔幻寫實式描寫初探——以簡媜作品為觀察核心	頁 51~56
陳佳君	談星辰在情歌中的意象	頁 57~61
朱美黛	偶開天眼覷紅塵，卻歎身是眼中人——周夢蝶〈斷魂記〉評析	頁 62~65
張玉明	寓言寫作教學設計——以「北風與太陽」為例，訓練學生多角度思維創意	頁 66~71
陳茂仁	吟詩概念——談平長仄短	頁 72~77
左秀靈	當頭棒喝：會不會頭破血流腦震盪？	頁 78~79
李皇穎	語言融合的現象與教學——以「青少年特殊語言」為範圍	頁 80~87
王天星	外國人與「不見不散」	頁 88~89
洪楷萱	二十世紀後半中國古史文獻的總彙——《古史考》簡介	頁 90~93
劉千惠	鐫刻於石頭上的經典——《歷代石經研究資料輯刊》簡介	頁 94~97
陳勁榛	園長雖已逝，精神永流存——記婁子匡先生	頁 98~102
楊 菁 劉子維	李威熊教授與經學史研究	頁 103~106
葉純芳	大陸高校古籍整理的領航者——安平秋教授	頁 107~111
張以仁	晴川集乙酉稿——童年拾翠之六	頁 112

第 22 卷 4 期（總 256 期）2006 年 9 月

歐陽炯	對聯的寫作與鑑賞	頁 4~14
蘇淑芬	詞的對仗	頁 15~21
崔成宗	說長聯	頁 22~35
陳冠甫	媽祖信仰與廟聯文化之研究——天上聖母成道一千晉二十周年紀念	頁 36~41
趙奎生	說說嵌名聯	頁 42~44
許清雲	饒有趣的全球徵聯活動	頁 45~51
郭鶴鳴	老子「柔弱無為」新探（下）	頁 52~57
王湘瓊	唐僧與書法	頁 58~61
張俐雯	從豐子愷到蔣勳的衣裝之美	頁 62~66
高宜君	從《寂寞的人坐著看花》談鄭愁予的生命情懷	頁 67~71
林中明	從「繁簡之變」、「讀寫之別」到「繁簡之辯」、「簡訛之辨」（上）	頁 72~78
鐘玖英	房奴、卡奴、車奴：奴隸時代？	頁 79~82
鄭頤壽	研究篇章藝術的國學——讀陳滿銘的《篇章辭章學》、《辭章學十論》	頁 83~90
黃智明	徵文考獻，擇善存真——《隋唐文明》簡介	頁 91~94
鄭淑君	希見明、清史料之重刊——《明清史料叢書八種》簡介	頁 95~98
林安梧	「詩言志、歌詠言」——記一段真情實感的兩岸交流兼與李錦全先生的哲詩唱和	頁 99~102
林耀椿	柳存仁教授談當代文人及宗教	頁 103~107
程克雅	王勇教授與中日文化交流研究——王勇先生訪談記	頁 108~112

第 22 卷 5 期（總 257 期）2006 年 10 月

蔡根祥	《尚書》與國文教材——以魏徵〈諫太宗十思疏〉中「九德」之解釋問題為例	頁 4~16
鄭裕基	談談《尚書大傳》和它對語文教學的助益	頁 17~29
許華峰	紫禁城三大殿的匾聯與《尚書》	頁 30~35
陳滿銘	層次邏輯系統與「多」、「二」、「一（〇）」螺旋結構	頁 36~40
孫瑋騂	淺談望夫石傳說	頁 41~47
李怡芬	蘇軾〈方山子傳〉中的電影手法	頁 48~52
范文鳳	從「既嫁從夫」角度看陳芸悲情的一生	頁 53~60
吳品誼	上帝遺棄的英雄——論王文興《十五篇小說》的命運觀	頁 61~66
莊有志	找尋硝煙散盡後的歸途——淺談鍾理和〈第四日〉	頁 67~71
鐘玖英	初級漢語閱讀課的教學原則	頁 72~77
林中明	從「繁簡之變」、「讀寫之別」到「繁簡之辯」、「簡訛之辨」（中）	頁 78~85
楊雅貴	談章法的「兼法」現象	頁 86~93

陳水福	史記研究成果的總匯——《史記研究集成》簡介	頁 94~97
黃智明	前修未密，後出轉精——《漢學師承記箋釋》簡介	頁 98~101
程克雅	顧頡剛遺稿的整理者王煦華先生	頁 102~106
許慧淳	張宏生教授的中國古典文學研究	頁 107~111
張以仁	晴川集乙酉稿——童年拾翠之七	頁 112

第 22 卷 6 期（總 258 期）2006 年 11 月

蔡明讚	試論臺灣現代書藝的創作內涵	頁 4~13
朱書萱	晉唐筆法論的演變	頁 14~20
黃智陽	經典概念與書法未來——以于右任先生之書法成就為觀照	頁 21~29
李翠瑛	拉麵與細麵——書法線條的質感論	頁 30~36
蔣秋華	《尚書》密碼——辛王癸甲	頁 37~42
王鍈敦	牙籤的發明歷史	頁 43~44
張鴻愷	淺談唐詩的時空藝術	頁 45~51
錢　軍	難以承受的「版本」之重——《中國版本文化叢書》讀後	頁 52~55
岳　峰	論 E・M・福斯特小說中的「發育不良的心」母題	頁 56~61
李菁菁	古月照今塵：私塾童蒙之書	頁 62~65
蔡淑錚	中國史傳中的女性出生異象探析	頁 66~71
李亞明	詞義訓釋與文意訓釋的學理及其應用	頁 72~81
林中明	從「繁簡之變」、「讀寫之別」到「繁簡之辯」、「簡訛之辨」（下）	頁 82~88
黃智明	高文大冊，盡萃斯編——《高亨著作集林》簡介	頁 89~93
黃智信	表彰先賢，昭示來學——《20 世紀中國著名編輯出版家研究資料匯輯》簡介	頁 94~97
仇小屏	陳滿銘老師學術研究的幾個面向	頁 98~105
陳嘉英	字在自在——帖碑裡的行氣與思想	頁 106~112

第 22 卷 7 期（總 259 期）2006 年 12 月

張春榮	辭格與敘事繁句	頁 4~9
仇小屏	略論新詩中之「用典」技巧	頁 10~13
蔡謀芳	梧桐深院鎖清秋——「主賓拈連」商榷	頁 14~16
林婉菁	探析《老子》文句「層遞」之美	頁 17~23
蔡宏杰	從語言特色與修辭技巧談客家山歌的藝術特色	頁 24~32
張高評	命名取號之策略	頁 33~47
傅武光	莊子說「忘」	頁 48~49
楊蕭衡	武松圖像之消融與建構——試以宋、元時代為考察範圍	頁 50~55
黃家家	神祕的魔法石——從女媧煉石補天神話談《紅樓夢》中的「石頭」	頁 56~60

劉德玲	鍾怡雯散文中的老人形象	頁 61~67
蔡婉君	〈鵝仔〉賞析	頁 68~72
李靜雯	論「限制式寫作」題組在國中寫作教學中的運用——鎖定「運用詞彙」的能力	頁 73~80
林燕勤	淺探魯迅對傳統批判的思維	頁 81~85
陳滿銘	以「構」連結「意象」成「軌」之三種類型——以格式塔「異質同構」說切入作考察	頁 86~93
鍾信昌	文學革命與自由主義的先驅——《胡適全集》評介	頁 94~97
蔡翔宇	蒼竹一竿風雨，長管直寫青史－淺介《中華人民共和國日史》	頁 98~101
吳銘能 黃　博	把四川大學古籍所建設成宋代文獻資料中心—曾棗莊教授談《全宋文》編纂經過	頁 102~106
葉高樹	久著十全贏樹績——莊吉發教授的滿文教學與研究	頁 107~111
張以仁	晴川集乙酉稿——童年拾翠之八	頁 112

第 22 卷 8 期（總 260 期）2007 年 1 月

張逸品	敦煌文學民間觀點之醜女主題述評	頁 4~11
羅志慧	試論明清女性的妝奩問題	頁 12~19
方志豪	論胡適對傳統女性問題的批判	頁 21~26
劉楚荊	孔子歧視女子？	頁 27~34
陳正平	唐代的蹋毬游藝	頁 35~37
王彌穰	從〈解老〉的「道」論看《韓非子》對《老子》哲學的詮釋	頁 39~42
王湘瓊	懷素狂草中的「冷觀人世 悲喜雙遣」	頁 44~49
張鴻愷	試論道教「尚真」的美學思想對李白詩歌創作及其人格之影響	頁 50~54
吳品誼	漫遊於虛構與紀實——張惠菁《你不相信的事》之時間書寫	頁 55~60
莊君如	假面的告白——詮釋神隱少女中「無臉男」的存有三態及現代意義	頁 61~67
王錦慧	從〈桃花源記〉「設酒，殺雞，作食」談「食」的讀音	頁 68~70
王輔羊	「羊腸鳥道」考	頁 71
劉佳欣	文化與文明——〈快刀俠咻咻咻〉新解讀	頁 72~78
林大礎 鄭娟榕	當代漢語辭章學奠基史（上）	頁 79~83
李　芳	戲曲文獻發掘與研究的新收穫——黃仕忠《戲曲文獻研究叢稿》評介	頁 84~87
劉千惠	博采兩宋 成此巨編——《全宋文》簡介	頁 88~91
楊　菁	林明德教授與民俗學研究	頁 92~96
林慶彰訪問 鄭淑君整理	鐘鳴旦教授與中西文化交流研究	頁 97~101
張春榮	極短篇仿寫教學	頁 102~112

第 22 卷 9 期（總 261 期）2007 年 2 月

謝明輝	談孔子解《易》的現代意義	頁 4~9
張鴻愷	淺談《易傳》的儒道互補思想	頁 10~14
蕭安佐	宋代注疏《莊子》初探	頁 15~21
李蕙如	南宋陳淳的天道論思想初探	頁 22~27
林裕學	由宋儒對〈西銘〉之爭議探討張載心性論特色	頁 28~33
邱燮友	福建人文采風錄——為金榮華教授七秩壽慶而寫	頁 34~38
張 覺	咬文嚼字——古代詩歌鑑賞法漫議之一	頁 39~40
趙皖君	一點浩然氣，千里快哉風——論蘇軾與張懷民之貶謫情懷	頁 41~45
余韻柔	蚤子爬滿了華美的袍——張愛玲電影劇本《太太萬歲》中的陳思珍形象析評	頁 46~51
張 彤	如何貼春聯	頁 52~54
賴惠娟	談東坡〈念奴嬌·赤壁懷古〉一詞的時空設計	頁 55~59
陳宜伶	王禎和筆下原住民女性角色的呈現 ——以〈夏日〉為例	頁 60~65
孟建安	《王希杰修辭思想研究》的特點與價值	頁 66~71
唐雪凝 丁建川	典故詞語運用辨析	頁 72~76
林大礎 鄭娟榕	當代漢語辭章學奠基史（中）	頁 77~82
楊寶蓮	匯集兩岸學者，呈現戲曲研究成果——《國家戲曲研究叢書》簡介	頁 83~86
鄭淑君	電子文獻資料庫之運用與結晶——《漢達古籍研究叢書》簡介	頁 87~90
張超然	李豐楙教授及其道教研究與教學	頁 91~95
鄭月梅	博學篤實的敦煌學學者項楚先生	頁 96~100
陳嘉英	以六書形塑的詩趣	頁 101~107
陳茂仁	閩南語吟詩論析——談吟音之斷與連	頁 108~112

第 22 卷 10 期（總 262 期）2007 年 3 月

邱慧芬	《詩經》中的婦女形象	頁 4~12
王清信	《詩經》詩篇的寫作技巧	頁 13~22
洪楷萱	源自《詩經》的成語	頁 23~29
陳明義	朱熹把情詩當作「淫詩」	頁 30~36
陳文采	談談胡適和郭沫若的《詩經》新解	頁 37~44
邱宜文	霜露風雨，以達天地之氣——試論社祭之原型	頁 45~54
錢 軍	《中國藏書票史話》讀後	頁 55~58
古遠清	從「隔牆誘竹」說開去	頁 59~62

許如蘋	陸賈風流案，千年而始發──楊慎〈素馨花〉新解	頁 63~65
葉依儂	紅與白的魅惑──析論白先勇〈永遠的尹雪豔〉中的色彩意象	頁 66~69
陳秀虹	繪本引導五年級創思寫作題型之研究	頁 70~75
陳 新	漢語成語典故的語源本義與文化色彩及情感價值	頁 76~80
陳滿銘	章法學研究之回顧	頁 81~88
林大礎 鄭娟榕	當代漢語辭章學奠基史（下）	頁 89~94
陳美雪	臺灣文學研究的里程碑──《日治時期臺灣文藝評論集》評介	頁 95~98
蔡明蓉	筆記小說裡的乾坤世界──《歷代筆記小說集成》介紹	頁 99~102
陳讚華	程元敏教授研究《尚書》的成就	頁 103~107
陳仕華	劉兆祐教授與圖書文獻學研究	頁 108~112

第 22 卷 11 期（總 263 期）2007 年 4 月

游適宏	orz 後的 all are easy──試評 96 學年度學科能力測驗國文考科選擇題	頁 4~14
王昌煥	96 年學測國文非選擇題解析──兼看一位國中生試寫的大考作文	頁 15~23
溫光華	凡走過必留下痕跡──96 年大學學測國文科非選擇題寫作狀況評析	頁 24~30
林安梧	紀台灣師大門神年畫展	頁 31~32
蕭安佐	淺談邢侗的書學審美觀	頁 33~36
蔡敏璱	戴震「天道觀」發微	頁 37~42
張 覺	含英咀華──古代詩歌鑑賞法漫議之二	頁 43~45
廖建智	明代茶文之研究	頁 46~51
梁敏兒	從《小紅帽》與《老虎外婆》看女性成長的故事	頁 52~58
李麗美	不眼見如何為憑？──論史鐵生〈命若琴弦〉	頁 59~64
黃文吉	藍鼎元及其〈紀水沙連〉探析	頁 65~71
張春榮	青春書寫的活力──評吳當《作文 e 點通》	頁 72~73
李玉珍	「浮流」經驗在注音符號教學的運用	頁 74~78
李名方	略論修辭的科學化──兼評王希杰修辭思想	頁 79~86
陳滿銘	章法學研究團隊近幾年來之編書服務（上）	頁 87~94
張晏瑞	晚清經學研究的明燈──《晚清經學研究文獻目錄》的學術價值	頁 95~98
倪瑋均	浩瀚《詩》海中的領航員──《詩經要籍集成》簡介	頁 99~102
趙修霈	陳有冰教授與唐代文學研究	頁 103~107
劉寧慧	臺灣地區古典文獻學專業研究所的開創者──王國良教授的學術之路	頁 108~112

第 22 卷 12 期（總 264 期）2007 年 5 月

| 仇小屏 | 基測作文與「引導／限制」式寫作 | 頁 4~7 |
| 蒲基維 | 基測作文與三層語文能力 | 頁 8~19 |

謝奇懿	論國中基本學力測驗寫作測驗之評分方式	頁 20~27
簡蕙宜	基測寫作的思維鍛鍊	頁 28~35
孫瑋騂	《易經》婚戀密語	頁 36~42
張鴻愷	自得與審美的超越——王陽明「心學」的人生境界	頁 43~47
江慧玲	浪漫下的哀愁——從《浮生六記》看沈三白夫婦坎坷人生之緣由	頁 48~54
余韻柔	壓抑的背後——張愛玲《情場如戰場》與《半生緣》中的姐妹情愫析讀	頁 55~59
聶永華	魯迅、聞一多的〈莊子〉散文藝術研究	頁 60~64
宗守雲	文體學偏離理論與修辭學偏離理論	頁 65~73
翁聖峰	台灣文學與文化的盛事——《詩報》覆刻序	頁 74~76
陳滿銘	章法學研究團隊近幾年來之編書服務（下）	頁 77~82
陳佳君	新年祈願詩〈世界啊〉篇章結構探析	頁 83~85
洪楷萱	豐富學術、嘉惠學林——《中國珍稀古籍善本書錄》簡介	頁 86~89
陳讚華	《風》《騷》比較 集其大成——《風騷比較新論》簡介	頁 90~93
盧清青	紀念恩師張仁青教授——側記揚芬樓主人同塵氏二三事	頁 94~95
彭國翔	李明輝教授與比較哲學	頁 96~100
張瑋儀	張高評教授研究宋詩的貢獻	頁 101~105
蔡宗陽	讀書與學問	頁 106~107
陳嘉英 陳智弘	學測指考作文應試秘笈（上）	頁 108~112

第 23 卷 1 期（總 265 期）2007 年 6 月

王邦雄	通論篇	頁 4~6
傅武光	怎樣讀〈逍遙遊〉	頁 7~9
謝大寧	怎樣讀〈齊物論〉	頁 10~15
林安梧	怎樣讀〈養生主〉	頁 16~19
林明照	怎樣讀〈人間世〉	頁 20~23
余姒倩	怎樣讀〈德充符〉	頁 24~27
莊耀郎	怎樣讀〈大宗師〉	頁 28~31
吳肇嘉	怎樣讀〈應帝王〉	頁 32~35
朱榮智	莊子的浪漫情懷	頁 36~38
楊寶蓮	品味民族音樂學堂──苗栗陳家班北管八音團演奏會	頁 39~42
張　覺	較短論長──古代詩歌鑒賞法漫議之三	頁 43~44
廖建智	明代茶詩之研究	頁 45~50
劉雅薇	楊青矗〈在室男〉初探	頁 51~56
謝奇懿	國中基本學力測驗寫作測驗評分實例舉隅	頁 57~66
蕭千金	觀察力與凡目法的作文理論與教學實務	頁 67~72
鄒濬智	俗語「首當其衝」、「天尅地衝」中「衝」字的新解釋	頁 73~75
蔡宗陽	功夫與毅力	頁 76~77
仇小屏	章法學研究的五個廣度──側記第二屆章法學學術研討會	頁 78~82
孟建安	章法學體系建構的系統性原則	頁 83~87
丁原基	開啟文獻學的新視窗──劉兆祐教授新著《文獻學》	頁 88~92
蔡翔宇	宋代詩學研究的寶庫──《宋詩話全編》簡介	頁 93~95
馮曉庭	炳麟西來──夏含夷教授探研中國古代文化史的歷程與成就	頁 96~100
葉純芳	在卡片堆裡的活工具書──張錦郎先生	頁 101~105
陳嘉英 陳智弘	學測指考作文應試秘笈（下）	頁 106~112

第 23 卷 2 期（總 266 期）2007 年 7 月

張晏瑞	臺灣地區漢學相關電子資料庫綜述	頁 4~10
陳惠美	古籍文獻數位化的價值淺談	頁 11~15
王桂蘭	漢籍電子文獻「二十五史資料庫」評介	頁 16~21
林　敏	「中華民國期刊論文索引系統 WWW 版」評介	頁 22~26
袁明嶸	「中國期刊全文資料庫」評介	頁 27~31
劉千惠	「全國博碩士論文資訊網」的價值與缺失	頁 32~36
馮曉庭	「中國博碩士論文全文資料庫」簡介	頁 37~47

趙威維	「臺灣文史哲論文集篇目檢索系統」述評	頁 48~52
嚴光平	華夏酒文化遞嬗	頁 53~57
陳茂仁	由二十四節氣看四季的月份	頁 58~61
陳　新	試論《本草綱目》之語言訓詁價值	頁 62~68
李素真	皚皚玉山，誰與爭「峰」──搶救「九八課綱」側記	頁 69~72
蒲基維	談基測作文的補救教學──從96年國民中學第一次基測之寫作測驗談起	頁 73~78
朱少紅	修辭格和話語銜接	頁 79~84
王希杰	倪寶元的修辭藝術	頁 85
陳讚華	朱熹詩經學研究的新成果──《朱熹詩經學研究》與《朱熹詩經詮釋學美學研究》簡介	頁 86~89
呂祥竹	東亞儒學研究的新視野──《東亞朱子學的同調與異趣》簡介	頁 90~93
趙福勇	黃文吉教授與詞學研究	頁 94~98
鍾信昌	讓孩子的世界更美好──陳正治教授研究兒童文學的貢獻	頁 99~104
張夢機	過台北市／玫瑰城秋日／郊城	頁 105
林宜陵	嘆劉禪	頁 105
陳嘉英陳智弘	掌握情勢‧活化教學──96年國中基測寫作測驗之後	頁 106~112

第 23 卷 3 期（總 267 期）2007 年 8 月

李清筠	中規中矩、平穩踏實──96年大學國文指考試題評析	頁 4~7
游適宏	96學年指定科目考試國文考科選擇題評析	頁 8~15
李金鴦	用心探索，萬象皆新──96年大學入學指定考試國文科非選擇題題型寫作分析	頁 16~26
鄭雅文	從《淵鑑類函》看紙文化的發展	頁 27~32
黃素嬌	莊子為何夢為「蝴蝶」？	頁 33~36
陳俊揚	從「白水素女」到《別有香》──一則被豔情化的螺女故事	頁 37~43
張　覺	眼前有景道不得 日後作詩勝一籌──李白〈登金陵鳳凰台〉賞析	頁 44~46
張鴻愷	《詩經》「興」義的美學意涵	頁 47~53
張輝誠	獨不與世人談彈同調──論舒國治散文	頁 54~57
洪士惠	驢子會說話？──李銳長篇小說中「國」家與「家」國的對話	頁 58~62
李東霖	從〈古橘岡詩序〉看早期臺灣文學與中國文學的關係	頁 63~67
歐宗智	公理正義與現實功利之對比──談《台灣大風雲》的人物塑造	頁 67~70
仇小屏	大一學生眼中的章法教學	頁 71~74
林淑慧	資料庫於台灣古典文學史教學之應用	頁 75~80
蔡宗陽	從文法與修辭析論《詩經‧周南‧關雎》	頁 81~86
張春榮	當全真劍法碰上玉女劍法──評李翠瑛、王昌煥《散文仙境傳說》	頁 87~88

謝智光	探詢中國傳統文化的蘊奧——《元典文化叢書》簡介	頁 89~92
吳怡青	獨樹一幟的佛學期刊——《佛教圖書館館刊》簡介	頁 93~96
鄭月梅	解千古文學之惑 開漢賦研究之風——簡宗梧教授的治學經歷及其研究成果	頁 97~101
李　芳 關瑾華	吳淳邦教授與韓國的中國小說研究	頁 102~106
許育喬	基測作文練習——鎖定「立意取材」之「取材—色彩運用」能力	頁 107~112

第 23 卷 4 期（總 268 期）2007 年 9 月

張晏瑞	「中文古籍書目資料庫」評介	頁 4~9
黃智信	「中國基本古籍庫」簡介	頁 10~15
郭明芳	「中國大陸各省地方志書目查詢系統」述評	頁 16~22
鄭育如	「超星數字圖書館」述評	頁 23~27
鄭淑君	突破類書之分類與應用：「數位《古今圖書集成》」	頁 28~32
孫秀玲	「文淵閣四庫全書電子版」述評	頁 33~39
袁明嶸	「臺灣日日新報全文電子資料庫」評介	頁 40~44
倪瑋均	「《中國大百科全書》智慧藏知識庫」評介	頁 45~50
王玲月	《論語》親子關係研究	頁 51~56
莊斐喬	論蘇軾咏唐代美人詩	頁 57~64
林慧君	聽，誰在說話——談〈孔乙己〉與〈社戲〉的敘述者	頁 65~70
羅詩雲	「小我」與「大我」——初探臺灣古典女詩人石中英詩作中的自我形象	頁 71~76
陳滿銘	偏離理論在作文教學上之運用	頁 77~86
蕭千金	《詩經・小雅》之〈隰桑〉的立意與章法分析	頁 87~92
蘇琬鈞	錢穆研究的最新成果——《錢穆先生學術年譜》簡介	頁 93~96
鄭誼惠	研究近代出版文化的必備用書——近代報刊工具書紹介	頁 97
金培懿	優遊於先秦諸子學與日本漢學的町田三郎先生	頁 101~105
解玉峰 張　波	俞為民與中國戲劇史研究	頁 106~110
邱燮友	迎端午／苗栗山中茗香草茶品詩	頁 111
宋哲生	詩人節懷屈原／其二	頁 111
徐世澤	以色列教授遭槍擊／巨富在美入獄／基隆河污染	頁 112
陳思璇	暮春閒步金山南路	頁 112

第 23 卷 5 期（總 269 期）2007 年 10 月

梁敏兒 白雲開	〈白雪公主〉與魔鏡	頁 4~9

邱子寧	安徒生童話東遊——〈小人魚〉之文化譯解	頁 10~16
黃百合	讀她百遍也不厭——淺談〈小紅帽〉經典閱讀	頁 17~24
黃孋瑜	愛情，喚醒沈睡中的睡美人	頁 25~32
葉品君	灰姑娘的前世今生	頁 33~40
黃振郎	從《西遊記》看吳承恩的貞節觀	頁 41~46
陳美琴	人生自是有情癡：從〈韓憑夫婦〉故事試論古代殉情悲劇塑造	頁 47~51
張 覺	映此襯彼——古代詩歌鑑賞漫議之四	頁 52~54
趙銘豐	緋紅色的傷口——李岳華〈紅顏男子〉情愛書寫之論析	頁 55~60
陳佳君	凡目法在小學讀寫教學中的應用	頁 61~65
孟建安	語境差及其形成原因	頁 66~70
杜忠誥	「笑」的真面目	頁 71~76
蔡宗陽	陳滿銘教授是辭章章法學的思想家、理論家、實踐家——寫在《陳滿銘與辭章章法學》出版前夕	頁 77~87
張晏瑞	經眼親聞 手炙筆錄——《中國叢書知見錄》評介	頁 88~91
洪楷萱	水館煙中，暮山雲外——海峽兩岸近年有關「李莊」的論著	頁 92~95
鄭月梅	以典籍中的天文研究發揚傳統科技文化——莊雅州教授的治學特色及其研究成果	頁 96~100
葉純芳	創造中國文化出版界的奇蹟 ——專訪華東師範大學出版社朱傑人社長	頁 101~105
陳嘉英	歷史的罅縫——想像與建構的風景	頁 106~112

第 23 卷 6 期（總 270 期）2007 年 11 月

陳致宏	《左傳》外交辭令之說服藝術	頁 4~12
張曉生	漫談《左傳》的「夢」	頁 13~18
蔡妙貞	真實與虛構——《左傳》敘事技巧及其效果	頁 19~29
陳純純	《左傳》敘事之言外有意	頁 30~37
陽平南	《左傳》與兵家兵法	頁 38~44
黃素嬌	從神話原型批評的角度談「莊周夢蝶」故事	頁 45~48
陳 新	《金瓶梅》歇後語的民俗文化色彩及修辭特徵	頁 49~55
王怡心	從張愛玲到李安——談小說〈色，戒〉的電影元素	頁 56~60
林怡佩	成不成？很重要！——從93~95學年國中基測中談成語在基測中的重要性	頁 61~66
蔡宗陽	短語的類型（上）	頁 67~77
王希杰等	《漢語修辭學》漫話（仇小屏 黃健 王婷婷 劉蕾蕾）	頁 78~87
張夢機	逝川／久不晤崑陽卻寄／偶成	頁 88
徐世澤	觀浪奇景／染髮／八百壯士（上海）	頁 88
宋哲生	寶島／大溪探幽／臺灣茶香	頁 88

林吟屏	貧富差距	頁 89
徐敬婷	急雨	頁 89
陳慶容	睡起	頁 89
陳姿岑	思君	頁 89
許永德	遣懷	頁 89
王靜涵	秋菊	頁 89
張圻清	哀靈均	頁 89
陳健星	夢	頁 89
張哲耀	勸學	頁 89
邱馨儀	不如昔	頁 89
翁榕翎	美人怨	頁 89
張寶鴻	早春	頁 89
鄭頤壽	陳滿銘創建篇章辭章學——《陳滿銘與辭章章法學——陳滿銘辭章章法學術思想論集》代序	頁 90~94
陳亦伶	即類求書 因書究學——《新中國古籍整理圖書總目錄》評介	頁 95~98
鄭淑君	回顧近世卓越學者——《二十世紀人文大師的風範與思想》簡介	頁 99~102
黃啟書	葉國良教授的治學觀念與教學理念	頁 103~107
黎馨平	眾熱眾冷，此際宜存主宰 獨行獨立，其間都見精神——記劉大鈞先生	頁 108~112

第 23 卷 7 期（總 271 期）2007 年 12 月

陳美琪	趣談象形與指事	頁 4~11
呂瑞生	趣談會意與形聲	頁 12~19
林聖傑	趣談轉注與假借	頁 20~27
施順生	從古文字認識漢字之美	頁 28~36
楊寶蓮	榮興劇團經典戲曲《丹青魂》——臺灣客家採茶大戲定型的界碑	頁 37~42
林大礎 鄭娟榕	《文心雕龍》辭章論概要	頁 43~53
葉依儂	棄婦的輓歌——論琦君〈橘子紅了〉之象徵技巧	頁 54~58
朱榮智	閱讀與寫作	頁 59~65
蘇秀錦	技巧性解國文科大考試題——以 96 學測、指考某一題型為例	頁 66~70
蔡宗陽	短語的類型（下）	頁 71~81
王希杰	修辭格的新觀念和辭格研究的新方法——兼評李晗蕾的《辭格學新論》	頁 82~88
唐雪凝 張金圈	重「女」輕「男」——《說文解字》中「女」部字和「男」部字不對稱現象淺析	頁 89~95
蔡翔宇	遼、金、元三代詩話的寶庫——《遼金元詩話全編》簡介	頁 96~99
陳水福	《1945~2005 年臺灣地區清史論著目錄》簡介	頁 100~103

| 丁原基 | 懷念王紹曾教授——兼述紹曾先生的學行成就與貢獻 | 頁 104~107 |
| 林慶彰採訪 吳怡青整理 | 利益眾生的佛學修行——自衍法師為佛教圖書所做的貢獻 | 頁 108~112 |

第 23 卷 8 期（總 272 期）2008 年 1 月

張春榮	國小作文教學的引導藝術	頁 4~9
陳秀娟	曼陀羅思考法在國小寫作教學與應用	頁 10~13
徐麗玲	國小二年級感官作文的思維力	頁 14~18
葉素吟	國小成語寫作教學的設計與展望	頁 19~25
黃心怡	續寫題型的理論初探	頁 26~32
林秀娥	心智繪圖的理論與應用	頁 33~39
田玉真	多元智能與看圖作文	頁 40~44
徐雪鎂	誰教王嬌鸞百年長恨	頁 45~48
鍾信昌	小鎮的美麗境界——李梅樹紀念館的過去與將來	頁 49~56
洪惟仁	詩吟新論（上）	頁 57~60
鍾怡雯	五十年來的馬華散文	頁 61~63
蔡宗陽	「語法」、「文法」的燈塔	頁 64~65
車　輪	根	頁 66~67
朱心怡	張秀亞〈父與女〉賞析	頁 68~72
鐘玖英	滿街都「私房」事	頁 73~76
陳滿銘	對「多」、「二」、「一（○）」螺旋結構之確認（上）	頁 77~85
邱燮友	板橋扶輪社四十周年慶賀詩	頁 86
張夢機	輓戒庵詩老／不羨／世澤醫師過話／寫意／睡起／偃蹇	頁 86
陳姿岑	昭君曲	頁 87
翁榕翎	歸行	頁 87
王靜涵	秋思	頁 87
梁雅英	浣溪沙・雨窗	頁 87
張寶鴻	丙戌季春天候不定有感	頁 87
蔡亞芝	懷鄉憶母	頁 87
李睿奇	梅（五古）	頁 87
徐敬婷	雞鳴（五古）	頁 87
林姵君	贈友人（五古）	頁 87
陳健星	清明	頁 87
張哲耀	春遊	頁 87
許慧淳	史料考證的里程碑——《歷史文獻》評介	頁 88~91

倪瑋均	文史研究的多寶格——《古典文獻研究》簡介	頁 92~95
陳冠甫	國家文學博士宗師——高明詩傳	頁 96~102
徐小燕	丁原基教授與圖書文獻學研究	頁 103~107
謝智光	鞏本棟教授與宋代文學研究	頁 108~112

第 23 卷 9 期（總 273 期）2008 年 2 月

許慧淳	佐藤將之教授的中國先秦哲學研究	頁 4~9
陳雅琳	藤井倫明教授的宋明理學研究	頁 10~14
吳怡青	金原泰介教授與明清之際學術史研究	頁 15~19
郭妍伶	川路祥代教授與日治時期臺灣儒學研究	頁 20~24
陳嘉璟	野川博之教授與日本佛學研究	頁 25~30
	佐野大介教授與中國孝道思想研究（齊婉先採訪整理 黃稔惠翻譯）	頁 31~35
何銘鴻	青山大介教授與先秦哲學研究	頁 36~40
	黑田秀教教授與儒教葬禮研究（齊婉先採訪整理 黃稔惠翻譯）	頁 41~45
曹任遠	工藤卓司先生與漢代思想史研究	頁 46~49
張雅茹	王弼「得意忘象」析論	頁 50~55
洪惟仁	詩吟新論（下）	頁 56~65
邱宜文	帝力於我何有哉——真摯淳厚的古歌謠	頁 66~73
林淑雲	衣帶漸寬終不悔，為伊消得人憔悴——《我的父親母親》電影淺析	頁 74~80
王昌煥	詩詞曲賞析的技巧	頁 81~87
聶焱	評史論道 繼往開來——散說王希杰的新著《漢語修辭學》（上）	頁 88~92
張宏	成語的變異運用及其修辭闡釋	頁 93~98
陳滿銘	對「多」、「二」、「一（○）」螺旋結構之確認（下）	頁 99~104
陳水福	臺灣古典散文的總彙——《全臺文》簡介	頁 105~108
蔡翔宇	明代詩學研究的寶庫——《明詩話全編》簡介	頁 109~112

第 23 卷 10 期（總 274 期）2008 年 3 月

游適宏	預見新課綱的考試趨向——97 學年度學科能力測驗國文考科選擇題評析	頁 4~15
陳智弘	讀與寫的增強——從 97 年學測非選擇題想到	頁 16~24
蘇秀錦	從解題角度試析大考選擇題的題幹類型——以 96 指考、97 學測為例	頁 25~33
朱榮智	生命的活水——由儒、道談起	頁 34~40
陳韻帆	從《莊子·胠篋》篇看政治與人生	頁 41~46
廖建智	清代詠茶泉詩之研究	頁 47~53
陳新雄	藥樓雅集	頁 54
張夢機	藥樓雅集	頁 54

尤信雄	藥樓雅集	頁 54
張夢機	停雲詩社冬集	頁 54
邱燮友	停雲詩社冬集	頁 54
文幸福	藥樓雅集	頁 55
陳滿銘	藥樓雅集	頁 55
陳文華	丁亥歲杪停雲社友別久重聚藥樓次主人韻二首	頁 55
鄭頤壽	人月圓・恭賀郭昌恕博士與仇小屏博士關雎之喜	頁 55
羅安琪	舊典與新詩如何約會——以周夢蝶詩作為例	頁 56~60
劉源俊	談《四書》與現代教育	頁 61~63
高碧蓮	蕭颯〈我兒漢生〉分析及其在教學上的應用	頁 64~71
陳麗禎	白蛇故事中的兩性關係	頁 72~76
聶焱	評史論道 繼往開來——散說王希杰的新著《漢語修辭論》（下）	頁 77~86
陳滿銘	辭章通海西——記辭章學在臺灣與福建之交流	頁 87~88
謝永珍	劉禹錫〈陋室銘〉篇章結構探析	頁 89~94
陳惠美	報刊中的俗文學資料——《二十世紀俗文學周刊總目》簡介	頁 95~98
郭明芳	民國時期學術文獻的總彙——介紹《民國珍稀短刊斷刊》	頁 99~102
羅景文	王三慶教授的治學觀念與教學、服務理念	頁 103~107
陳水福	王寶平教授與近代中日文化交流	頁 108~112

第 23 卷 11 期（總 275 期）2008 年 4 月

廖秋艾	李清照的詠物詞	頁 4~9
卓芳宇	李清照的詠梅詞	頁 10~16
張佳瑤	李清照的詠菊詞	頁 17~22
陳淑芬	李清照的詠酒詞	頁 23~29
楊惠婷	李清照〈一剪梅〉詞的意象表現	頁 30~35
林慶彰	關於〈工藤卓司先生與漢代思想史研究〉一文	頁 36
亓允文	史傳中憑空消失的家族——亓官氏	頁 37~45
林初乾	司馬遷〈報任少卿書〉「太史公牛馬走」辨正	頁 46~52
張窈慈	左芬詠物賦析論	頁 53~59
林青蓓	朱熹哲理詩的理趣	頁 60~63
黃玉琴	誰來為張愛玲說句話？——談「李安的」《色，戒》	頁 64~69
葉依儂	封建婚姻的斑駁痕跡——析論琦君〈橘子紅了〉中之婦女處境	頁 70~74
陳滿銘	減字木蘭花・藥樓雅集懷子良用山谷中秋無雨韻	頁 75
邱燮友	減字木蘭花・客居台灣日有情	頁 75
鄭頤壽	臨江仙・陽明山攬勝	頁 75

陳新雄	減字木蘭花・藥樓雅集用山谷中秋無雨韻	頁 75
文幸福	減字木蘭花・藥樓雅集用山谷中秋無雨韻	頁 75
韋金滿	減字木蘭花・丁亥仲冬與停雲詩友過張夢機於藥樓後伯元用山谷中秋多雨韻寄贈爰泚筆答和	頁 75
張春榮 顏荷郁	馬克吐溫的機智火花──西洋名人智慧語賞析	頁 76~79
陳貞夙	「復聖」顏淵之探究	頁 80~85
王希杰	隨手可得的生活語料	頁 86~89
仇小屏	「摹寫」格名稱及其內涵的再商榷	頁 90~93
張晏瑞	從過去到現在──《歷史文獻研究》評介	頁 94~97
蔡翔宇	二十年磨一劍──介紹《日藏漢籍善本書錄》	頁 98~101
陳亦伶	王亮先生談曾祖父王國維及其他	頁 102~106
陳明恩 房慧真	永遠的師大人──陳麗桂教授及其先秦兩漢學術研究	頁 107~111
張以仁	涵怡續集之一	頁 112

第 23 卷 12 期（總 276 期）2008 年 5 月

王瓊玎	淺論孔子的教育觀	頁 4~8
范美瓊	淺論孔子的經濟觀	頁 9~14
劉謹華	淺論孔子的交友觀	頁 15~19
洪郁婷	淺論孔子的仁智觀	頁 20~25
王鈺婷	淺論孔子的審美觀	頁 26~31
廖藤葉	由〈贈衛八處士〉談參、商永不相見	頁 32~36
陳惠玲	〈國殤〉一文兵器考	頁 37~41
譚潤生	《史記・呂不韋列傳》探索	頁 42~46
楊肅衡	蘇軾「以詩為詞」之美學意境創作拓殖	頁 47~53
張夢機	遲暮／贈文華教授／安坑閒居	頁 54
宋哲生	殘燭／路燈	頁 54
林宜陵	喜遊水都威尼斯	頁 54
徐世澤	色戒／嘮叨／農民苦	頁 54
蔡亞芝	邊塞懷古（五古）	頁 55
郭由融	冬日即景（五古）	頁 55
許永德	箏（五古）	頁 55
林琥發	初冬觀（七古）	頁 55
陳慶容	三峽大漢溪隨想（五絕）	頁 55
陳姿岑	詠荷（七絕）	頁 55

陳健星	觀戲（七絕）	頁 55
徐敬婷	課中隨感（五古）	頁 55
陳碧月	大陸當代女性小說的關懷意識	頁 56~61
鄭中信	臺灣棒球史的一頁荒謬記憶──論楊照〈一九九七〉	頁 62~64
張春榮 顏荷郁	王爾德的反諷人生──西洋名人智慧語賞析	頁 65~70
李素真	失衡的學測	頁 71~72
陳茂仁	閩南語吟詩探析──談平仄聲調之高低	頁 73~79
杜忠誥	《說文》篆文與出土簡牘帛書	頁 80~88
曹德和	體大思深　謹嚴篤實──《中國修辭史》導言研讀	頁 89~94
謝智光	中國傳統思想研究的大寶庫──《中國思想家評傳叢書》簡介	頁 95~98
陳亦伶	源遠流長　豐富多采──　《炎黃文化研究》評介	頁 99~102
黃秋芳	留愛──速寫林文寶教授	頁 103~107
鍾信昌	悠遊書法與文學天地的教育家──吳啟禎校長	頁 108~112

第 24 卷 1 期（總 277 期）2008 年 6 月

陳成文	答客難系列的壓卷之作——韓愈〈進學解〉試析	頁 4~9
方學文	柳宗元傳體散文的變創與特色	頁 10~16
趙鴻中	論歐陽脩「事信言文」的理論與實踐	頁 17~22
楊茹惠	蘇軾碑記文承上啟下的關鍵地位	頁 23~28
游坤峰	南宋散文概述	頁 29~34
王基倫	陳衍《石遺室論文》論宋代古文	頁 35~41
張以仁	川北震災八首	頁 42
黃千蕣	記四川五月十二日大地震詩	頁 42
許芝瑋	記四川災變詩	頁 42
梁芳瑜	四川震變	頁 42
余思璇	四川汶川等地震災行	頁 42
陳以瑄	悲四川境內校舍行	頁 43
張夢機	川震有感二首	頁 43
蕭竹均	記四川大地震詩	頁 43
邱燮友	四川汶川災變行	頁 43
徐世澤	學童被壓傷／二王廟震垮	頁 43
傅武光	莊子說「通」	頁 44~47
劉玉菁	繼承與創新：孔子的人文教育觀	頁 48~53
宋邦珍	從白居易〈琵琶行〉談音樂與人心感發的關係	頁 54~56
謝文女	《平閩全傳》中的神怪研究	頁 57~63
翁慧娟	郁達夫〈蔦蘿行〉敘事觀點分析	頁 64~68
張春榮 顏荷郁	梭羅的大自然之愛——西洋名人智慧語賞析	頁 69~74
張　玲	在岳陽教〈岳陽樓記〉	頁 75~80
王希杰	語境的再分類	頁 81~89
何永清	「徐噴以煙」是倒裝的句子？	頁 90~91
尹代秀	方文山中國風歌詞特點	頁 92~94
許慧淳	古典文學研究的入門書——《中國歷代文學總集述評》簡介	頁 95~98
吳怡青	多元探討 深入精髓——《中國典籍與文化論叢》簡介	頁 99~102
姚彥淇	身體、神話與理學——楊儒賓教授治學理念與近年學術成果述要	頁 103~107
洪楷萱	青燈有味似兒時——中國大陸第一位文學博士莫礪鋒先生	頁 108~112

第 24 卷 2 期（總 278 期）2008 年 7 月

陳文采	李家樹教授《詩經》研究的歷程	頁 4~9

謝向榮	發揚樸學傳統，兼綜漢學菁華──單周堯教授經學成就述略	頁 10~17
留金騰	經師人師──郭鵬飛先生及其先秦學術研究	頁 18~21
譚志明	不辭長作嶺南人──李雄溪教授及其文字訓詁研究	頁 22~27
許景昭 黃梓勇	開拓新領域──陳致教授及其經古學研究	頁 28~33
李詠健	禮學研究的接班人──許子濱教授及其經學研究	頁 34~39
伍煥堅	通經致用──盧鳴東教授的經學研究	頁 40~44
張夢機	哭李中民／有感	頁 45
張娣明	悼九二一亡者	頁 45
徐世澤	新氣象／啃老族	頁 45
吳政哲	詠四川災變詩	頁 45
徐敬婷	冬夜詠懷	頁 45
傅武光	孔子的公私經濟觀	頁 46~48
湯智君	是「墨攻」？還是「墨守」？	頁 49~53
曾秀雲	唐人俠義小說中的俠	頁 54~58
古遠清	無理而妙	頁 59~62
魏素足	辭采壯麗，音調流靡──析李陵〈答蘇武書〉	頁 63~66
羅家欣	不是為窮常見隔，祇應嫌醉不相過 ── 從貫休詩作探析其宦遊之心	頁 67~71
曾怡玲	從《幸福在他方》談林文義的散文追尋	頁 72~75
陳滿銘 林廷芬	談新式作文之「縮寫」題型	頁 76~85
張春榮 顏荷郁	英國首相邱吉爾的真知灼見──西洋名人智慧語賞析	頁 86~89
遙 光 詹芷琳	考題變難？還是學生程度不足？──97 基測國文重新吹回復古風	頁 90~95
李菁菁	輕聲探究	頁 96~100
黃 元	特殊量詞淺說	頁 101~103
陳水福	臺灣漢文小說的寶庫──《日治時期臺灣小說彙編》簡介	頁 104~107
江俊億	陽明後學研究的基石──《陽明後學文獻叢書》述評	頁 108~111
張以仁	涵怡續集（二）	頁 112

第 24 卷 3 期（總 279 期）2008 年 8 月

王希杰	修辭格的新觀念和辭格研究的新方法	頁 4~10
盛愛萍	溫州地名中的辭格及其「修辭化」過程	頁 11~16
林均珈	淺談類疊修辭格技巧之運用	頁 17~22
朱少紅	修辭格與篇章建構	頁 23~28

陳滿銘	論意象之組合方式——承續與層遞	頁 29~33
廖淑卿	周邦彥〈浣溪沙〉篇章結構探析	頁 34~40
林曉筠	〈枕中記〉篇章結構探析	頁 41~47
張鴻愷	《詩經》「正變說」析論	頁 48~52
蔡根祥	沈復《浮生六記》研究的新高潮——新資料之發現與研究	頁 53~65
祁立峰	穿越時空的「同人誌」——談謝惠連〈雪賦〉、謝莊〈月賦〉	頁 66~68
郭佩琦	老舍〈微神〉中的聯想賞析	頁 69~73
張春榮 顏荷郁	莎士比亞的曠世文才——西洋名人智慧語賞析	頁 74~81
游適宏	從指定科目考試的性質觀察 97 學年指考國文選擇題	頁 82~89
羅詩雲	獻身日本・采風臺灣——論西川滿小說的書寫構圖	頁 90~94
孫麗華	學海勤為舟，甘苦寸心知——陳毓羆先生的治學道路	頁 95~99
張崑將	鎔東亞儒學於一爐而冶之的黃俊傑先生	頁 100~104
張晏瑞	原典所聚、信史所存——《四部文明》評介	頁 105~108
夏志穎 陳　璇	文獻刊佈與清詞研究——略談《清詞珍本叢刊》的學術價值	頁 109~112

第 24 卷 4 期（總 280 期）2008 年 9 月

李玉貴	從台灣 PIRLS2006 評估結果談小學語文閱讀教學的現況與現象	頁 4~19
龔淑芬	課文和習作中的句子教學探討——以「不管是……或是……，都……。」為例	頁 20~31
許育健	溝通的開始 許我一個句子——句子教學活動設計	頁 32~37
楊如雪	國小的修辭教學——以第一階段的類疊修辭教學為例	頁 38~47
邱燮友	臺灣人文采風錄序	頁 48~50
張夢機	祖蔭世澤正三建華諸詩老過訪／墨卿久疏手泐賦此訊之／閒坐無俚書懷作	頁 51
宋哲生	凱子外交／反貪／慈濟大愛	頁 51
徐世澤	四川大地震／母護幼童／撤離居民	頁 51
陳慶容	秋思	頁 51
許永德	千秋歲、感舊，三用少游韻	頁 51
朱孟庭	縱橫以觀，詩義畢現——《詩經》鑑賞舉要	頁 52~58
陳　新	「曹娥碑題辭」故事的是是非非	頁 59~63
陳惠青	李商隱的雨中詩意	頁 64~68
莊世明	論《火裡來，水裡去》	頁 69~74
張春榮 顏荷郁	珍・奧斯汀的敏覺細緻——西洋名人智慧語賞析	頁 75~79
王萬儀	置放在角落的特寫鏡頭——朱自清的〈背影〉	頁 80~82

何方宜	凡目法的作文命題與實作	頁 83~89
蔡根祥	鍾繇（一ㄡˊ）抑或鍾繇（一ㄠˊ）？	頁 90~93
陳美雪	《中國近代戲曲論著總目》的學術價值	頁 94~97
陳惠美	紬奇冊府，總前代之遺編──《民國時期經學叢書》簡介	頁 98~101
鄭月梅	羅宗濤教授的治學特色及其研究成果	頁 102~106
張屏生	永不止息的心靈探索──姚榮松教授和他的學術研究	頁 107~111
張以仁	涵怡續集（三）	頁 112

第 24 卷 5 期（總 281 期）2008 年 10 月

雷麗欽	《艾子雜說》的角色與寓意	頁 4~9
劉秀瑩	寓言寫作教學──以劉基〈良桐〉為例	頁 10~14
呂秋蓉	寓言寫作教學──以〈鷸蚌相爭〉為創造思考的實作練習	頁 15~21
林佩玲	寓言結構概念模組教學──以歐陽脩〈賣油翁〉為例	頁 22~28
邱燮友	《健遊詠懷》再版序	頁 29~30
廖素琴	大音希聲；五音令人耳聾──析論《老子》的音樂	頁 31~36
徐茂瑋	〈諫逐客書〉──說服藝術的典範	頁 37~39
盧昭蓉	《論語‧為政》「父母唯其疾之憂」章句詁解	頁 40~44
趙立寰	談林海音小說的價值及其影響	頁 45~50
張春榮 顏荷郁	印度聖雄甘地的和平風骨──世界名人智慧語賞析	頁 51~56
蒲基維	「語文能力系統」與「九年一貫本國語文分段能力指標」的對照與呼應──以「閱讀能力」及「寫作能力」為考察範圍	頁 57~65
李素真	讓孔子真正重見光明	頁 66~68
楊宗錫	〈木蘭〉「唧唧」為哪樁	頁 69~74
喬俊傑	李善《文選注》「連言」探析	頁 75~78
鄭宛真	徐志摩記遊散文中景物的描寫技巧	頁 79~84
陳滿銘	「辭章章法學」研究概況──寫在「第三屆辭章章法學學術研討會」前夕	頁 85~94
黃智明	文章學的寶庫──《歷代文話》簡介	頁 95~98
陳亦伶	研究近代學者的第一手資料──《歷代日記叢鈔》評介	頁 99~102
葉純芳	潛心明清出版文化研究──訪大木康教授談馮夢龍和相關問題	頁 103~107
郭妍伶	書卷多情總相親──專訪當代文獻學家杜澤遜教授	頁 108~112

第 24 卷 6 期（總 282 期）2008 年 11 月

張春榮	語文教學的進路	頁 4~16
陳秀虹	添圖寫童詩的理論與應用	頁 17~22
謝玉祺	看圖寫作教學	頁 23~28

陳雅菁	笑話在國語文學習上之運用	頁 29~35
陳崑榮	童詩的聲情教學	頁 36~41
林于盛	《莊子》「安時處順」的生命啟示	頁 42~46
張則桐	晚明書畫風氣對張岱文藝思想的影響	頁 47~52
邱燮友	八月秋桂 二首	頁 53
張夢機	向晚／疊本韻再寄伯元／藥樓感秋作	頁 53
宋哲生	論詩 二首	頁 53
徐敬婷	丹青雜思	頁 53
陳健星	玄燕詩	頁 53
林青蓓	邵雍觀物詩之樂趣	頁 54~58
王蕙瑄	從 2000~2006 年的翻譯書現象看臺灣童書	頁 59~66
顏智英	悲秋與頌秋──關漢卿散曲的秋季意識	頁 67~72
桂 強	文藝鑑賞教學與高校學生人格養成的思考	頁 73~77
黃騰德	談《老子》譬喻修辭的運用──以「水」為觀察主題	頁 78~82
劉 方	漢語方位詞文化內涵說略	頁 83~86
陳滿銘	論王希杰「潛顯與兼格」之章法觀	頁 87~93
劉 深	觀念的更新和資料的發現──《清詞研究叢書》出版	頁 94~97
陳亦伶	香港中國學研究的後起之秀── 《人文中國學報》評介	頁 98~101
倪瑋均	漢學研究方法和儒家經典的形成──專訪普林斯頓大學柯馬丁教授	頁 102~106
陳水福	資深學術出版工作者──訪杜潔祥先生	頁 107~111
張以仁	涵怡續集（四）	頁 112

第 24 卷 7 期（總 283 期）2008 年 12 月

葉國良	我對中文學門問題的意見	頁 4~7
王璦玲	從全球化視野下的漢學研究談中文學門發展之方向	頁 8~10
詹海雲	如何改善及提昇中文學門的教學研究環境	頁 11~14
張高評	人文評鑑與論文規範	頁 15~20
李豐楙 王福楨	引用與分享──一個網際的人文社群	頁 21~25
黃文吉	中文人何必跟著哀哀叫──談對 SCI、SSCI 的因應之道	頁 26~29
孫劍秋	從事華語文教師的新契機	頁 30~31
陳滿銘	《論語》中的「才、學、識、德」	頁 32~36
顧敏耀	揭開〈國殤〉的神秘面紗──回應陳惠玲〈〈國殤〉一文兵器考〉	頁 37~43
陳瑞秀	《三國演義》成書時代及其創作主題之關係試論	頁 44~49
劉原州	李漁《奈何天》傳奇析論（上）	頁 50~54

王怡蘋	鄭愁予〈賦別〉藝術技巧探析──以色彩意象與音樂性為討論範圍	頁 55~59
林保全	「經世思想」與「地志知識」融入詩歌典故的巧妙技法──顧炎武〈十九年元旦〉詩解析	頁 60~63
張佳琪	相互教學法在國文閱讀教學上之運用	頁 64~69
羅詩雲	番人、雨水、桃花源──初探清代宜蘭地區古典詩歌特色	頁 70~76
陳思穎	略論賦、比、興之意象運用──兼及「比、興」與西方「象徵」之異同	頁 77~82
曹嘉玲	歐陽脩〈醉翁亭記〉篇章結構探析	頁 83~89
江俊億	本是同根生──《閩南文化叢書》介紹	頁 90~93
方美芬	治學之津逮──從《秦賢次先生贈書目錄》談目錄之編輯	頁 94~97
張政偉	黃忠慎教授的《詩經》研究之路	頁 98~102
袁明嶸	中國傳統古籍的守護者──訪復旦大學吳格教授	頁 103~107
蘇秀錦	影音佐心像寫作試探（上）	頁 108~112

第 24 卷 8 期（總 284 期）2009 年 1 月

傅鳳琴	從邊陲到主體──試說臺灣原住民兒童圖畫書	頁 4~12
林哲彰	國語運動、白話文運動與兒童文學	頁 13~20
吳　岩 房立華	大陸科幻文學（兒童文學）對人與自然關係的書寫	頁 21~28
李利芳	全球化語境中的中國西部兒童文學	頁 29~36
徐淑娟	論書藝對俗字成因之影響	頁 37~41
尹代秀	千奇百怪的菜名	頁 42~44
陳瑞秀	夢繫紅樓 情有獨鍾──《說紅樓‧談三國：無盡藏樓小說論叢》寫作緣由	頁 45~51
劉原州	李漁《奈何天》傳奇析論（下）	頁 52~57
陳大為	風格的煉成（上）──評呂育陶詩集《黃襪子，自辯書。》	頁 58~62
李蕙如	王國維的文學演進觀──從《人間詞話》第五十三、五十四則談起	頁 63~66
曾秀雲	唐人俠義小說中的史才特質	頁 67~72
古遠清	別趣 諧趣 奇趣 隱趣	頁 73~77
楊晉龍	「治學方法」專欄前言	頁 78~85
戴維揚	開闢中文系國際交流的新天地	頁 86~87
何淑蘋 鄭誼慧	《民國人物大辭典（增訂本）》評介	頁 88~91
邱詩雯	《宋代文學研究叢刊》的創辦與理念	頁 92~95
鄭于香	談明清學術思想的幾個問題──專訪伊利諾州立大學周啟榮教授	頁 96~100
黃偉豪	學貫四部，詩逾萬首──香港國學宗師陳湛銓	頁 101~105
蘇秀錦	影音佐心像寫作試探（下）	頁 106~110

陳樹衡	十月小陽春	頁 111
文幸福	江陳台北會和樹衡韻	頁 111
陳樹衡	再疊前題前韻	頁 111
張娣明	贈同窗丘彥遂	頁 111
賴依玲	飲酒詩	頁 111
潘家宏	讀莊子有感	頁 111
邱燮友	南庄行樂府四則	頁 111
張以仁	涵怡續集（五）	頁 112

第 24 卷 9 期（總 285 期）2009 年 2 月

馮曉庭	談經學學術論文寫作	頁 4~8
林啟屏	學與思之間──《從古典到正典：中國古代儒學意識之形成》的心路歷程	頁 9~11
連文萍	一起攜手前行──由博士論文的寫作談起	頁 12~15
黃文吉	文學三要素與宋南渡詞人研究	頁 16~20
汪詩珮	日落之前圈好地──談戲曲研究的博雅與管錐	頁 21~24
黃錦珠	發現自我與他人：我的研究與寫作	頁 25~28
許俊雅	我在台灣文學研究的體會	頁 29~32
嚴志雄	學思小札	頁 33~35
金培懿	摶扶搖而直上，遊學海之蒼穹──由經學、《論語》研究到日本漢學研究	頁 36~40
傅武光	老子的二階修養論	頁 41~42
陳茂仁	平仄譜之運用──談春聯之選擇與貼法	頁 43~48
張玉龍	〈錢神論〉對儒家的反諷	頁 49~53
莊蕙綺	晚明文人的悲歌	頁 54~59
陳大為	風格的煉成（下）──評呂育陶詩集《黃襪子，自辯書。》	頁 60~63
林寶珠	讀經談心	頁 64~70
許瑞誠	從《談藝錄》談「興」義──以「水」為觀察主題	頁 71~76
李金坤	「停車坐愛楓林晚」之「坐」意釐正	頁 77~78
孟建安	章法學理論體系建構的方法論原則	頁 79~83
楊晉龍	第一講 基本理念的說明（一）	頁 84~89
何淑蘋	培育經學幼苗的園地──《經學研究論叢》簡介	頁 90~93
陳顥哲	《中國學術思想研究輯刊》簡介	頁 94~97
陳逢源	閱萬品人，歷萬般事──董金裕教授學思歷程	頁 98~102
連清吉	德不孤必有鄰的劉三富教授	頁 103~107
董家珮	應用寫作教學（上）──以廣告文案為例	頁 108~112

第 24 卷 10 期（總 286 期）2009 年 3 月

陳滿銘	論意象之組合方式——對比與反諷	頁 4~9
顏智英	略論東坡詩中的「魚」	頁 10~15
曾潔明	論吳晟詩歌中的水稻意象	頁 16~20
李佩嬬	論林海音〈金鯉魚的百襇裙〉、吳濁流〈泥沼中的金鯉〉中的女性婚戀形象	頁 21~27
李金坤	物我諧和的唐詩自然生態世界	頁 28~32
鄧聲國 江楊峰	試論「三言」「二拍」中的新型商人形象	頁 33~37
王岫林	韓非與馬克思經濟思想析論	頁 38~44
徐世澤	南京全球漢詩大會感賦	頁 45
陳姿岑	離鄉（五古）	頁 45
蘇心一	清明上河圖（下平八庚韻）	頁 45
邱燮友	元智大學四時歌	頁 45
張夢機	一慨	頁 45
張夢機	秋夜不寐惘惘成詩	頁 45
徐世澤	台北大稻埕煙火節	頁 45
林偉雄	從男女身體書寫觀看 ——《詩經》〈周南〉、〈召南〉的男女身體權力象徵	頁 46~50
柯鈞齡	《傷心咖啡店之歌》中的英雄養成歷程	頁 51~56
蔡根祥	岳飛〈良馬對〉「自午至酉」是八小時？抑或六小時？	頁 57~60
林照蘭	深耕範文閱讀 輕鬆模擬寫作	頁 61~70
陳秀桂	台語到位沒	頁 71~73
白依璇	勇士光芒的消逝：論拓拔斯・塔瑪匹瑪〈最後的獵人〉中的獵人困境	頁 74~78
王希杰	二手與二手房	頁 79~81
楊晉龍	第一講 基本理念的說明（二）	頁 82~87
陳亦伶	近五十年來臺灣古典文獻研究的薈萃——《古典文獻研究輯刊》簡介	頁 88~91
仝婉澄	一部《西廂記》版本目錄文獻的集大成之作——評陳旭耀博士的《現存明刊〈西廂記〉綜錄》	頁 92~95
袁明嶸	縉經學與文學理論為一——訪澳門大學鄧國光教授	頁 96~100
傅凱瑄	開拓經典詮釋與中國思想史研究的新境——鄭吉雄先生近年的業績與方向	頁 101~106
董家珮	應用寫作教學（下）——以廣告文案為例	頁 107~111
張以仁	涵怡續集（六）	頁 112

第 24 卷 11 期（總 287 期）2009 年 4 月

傅武光	塵封千載的遺珠——子華子的養生思想	頁 4~7

周志川	與天地自然冥合——從《禮記・月令》看古代養生觀	頁 8~13
邵曼珣	采藥鍾山隅，服食改姿容——六朝士人採藥與服食養生之風	頁 14~19
張玉芳	九邊爛熟等雕蟲，遠志真看小草同——談古代的藥名文學	頁 20~24
卓美惠	醫術、方術與騙術——以清代小說《客窗閒話》、《續客窗閒話》醫藥故事的觀察為例	頁 25~30
陳美琪	傳統信仰與現代醫療的決戰——《蘭嶼行醫記》中的醫病關係	頁 31~35
葉錦霞	匹夫無罪，懷病為罪——黃春明〈鮮紅蝦——「下消樂仔」這個掌故〉的疾病敘事	頁 36~40
吳新蓮	論周代膳夫的職掌與定位——兼談周代宮廷飲食的特色	頁 41~47
劉天利	中國古代酒徒類型的演進	頁 48~53
鍾怡雯	《幽夢影》與林語堂	頁 54~55
王樹林	略論元好問《詩文自警》中的散文審美觀	頁 56~62
嚴翠玉	從〈定風波〉看東坡謫黃之自適	頁 63~69
王希杰	王易和中國現代修辭學——王易《修辭學通詮》新版序言	頁 70~79
魏彤峰	重大創新之作——評鄭頤壽的《辭章體裁風格學》	頁 80~87
楊晉龍	第一講 基本理念的說明（三）	頁 88~93
陳韋哲	近年王安石學術思想研究述評	頁 94~97
薛柏成	體大思精 富於創新——評鄭傑文教授著《中國墨學通史》	頁 98~101
陳重仁	身體力行的知識分子——側寫中央研究院歐美研究所李有成教授	頁 102~106
馮曉庭	從外文專業到經典專門——呂友仁教授的學問之路	頁 107~111

第 24 卷 12 期（總 288 期）2009 年 5 月

林慶彰	談談「以書代刊」	頁 4~7
張高評	專業學刊的生路與活路	頁 8~11
陳侃理	北京大學的文史類學術集刊——兼談以書代刊刊物的重要性	頁 12~15
王俊義	《炎黃文化研究》的生存與發展	頁 16~18
趙生群	《古文獻研究集刊》簡介	頁 19~22
周少川	文獻研究的重要園地——介紹《歷史文獻研究》集刊	頁 23~26
陳 偉	一份耕耘 一份收穫——主辦《簡帛》集刊的一些體會	頁 27~28
葉純芳	談《經學研究論叢》與《國際漢學論叢》——兼談「以書代刊」的學術價值與困境	頁 29~31
張 濤	《中國經學》：以書代刊大軍中的一員	頁 32~35
潘洪鋼	趣說清代的轎子	頁 36~42
李素真	比福袋更好的禮物	頁 43~44
陳崑榮	生命的婚禮切片——論張愛玲小說〈鴻鸞禧〉	頁 45~50
王怡婷	香氣氤氳的黑色慾望——淺談德國小說家徐四金之《香水》	頁 51~54

吳傑儒	揚燦英華・化育菁莪──賀朱榮智教授六十壽慶	頁 55~59
蘇秀錦	「最富於孕育性頃刻」在國文影音教學的應用──以戲劇、電影為例	頁 60~64
李翠瑛	清明	頁 65
張娣明	秋溯橫溪	頁 65
邱燮友	三月春櫻四首	頁 65
張夢機	薰風／端午	頁 65
徐世澤	貪財觸法／哈韓	頁 65
張春榮	實用修辭的寫作原則	頁 66~76
周日安	「N1+ 手」的語義分析	頁 77~79
陳滿銘	論王希杰「零點與偏離」之章法觀	頁 80~87
楊晉龍	第一講 基本理念的說明（四）	頁 88~93
邱筱君	中國古代婦女的心靈歷程──介紹《歷代婦女著作考》（增訂本）	頁 94~97
林彥廷	研究北朝儒學的兩本新作──《北朝文化特質與文學進程》與《北朝儒學及其歷史作用》	頁 98~101
何淑蘋 郭妍伶	攀登文史研究頂峰的漢學家──倫敦大學亞非學院傅熊教授	頁 102~106
張穩蘋	研究《左傳》和《史記》卓然有成──趙生群教授的學思歷程	頁 107~111
張以仁	涵怡續集（七）	頁 112

第 25 卷 1 期（總 289 期）2009 年 6 月

余崇生	小詩的美學詮釋	頁 4~7
林均珈	王國維的美學——以《人間詞話》為例	頁 8~12
王秋文	朱光潛的美學——以〈我們對於一棵古松的三種態度〉為例	頁 13~16
彭帆辰	《天地有大美》——蔣勳生活美學的實踐	頁 17~22
王惠盈	葉朗對明清小說美學理論的詮介	頁 23~28
吳曉琪	梁啟超談韻文中的自然美	頁 29~33
沈素因	悲劇英雄與代罪羔羊——談《山海經》鯀的故事	頁 34~38
何海燕	高潔猶慕，嫌見獨醒——北宋文人與屈原論略	頁 39~43
陳英傑	自我觀看與人性試煉——解讀梁寒衣的〈殺死和尚！〉	頁 44~51
蔡志鴻	〈蘇東坡突圍〉之後設論述	頁 52~55
蔡宗陽	如何解決心中的疑惑——推介《西瓜節》	頁 56~57
陳俊翰	〈陋室銘〉——孤芳者的神思	頁 58~61
李金坤	哀悼詩中的千古絕唱——杜牧《清明》詩之魅力賞論	頁 62~69
蔡根祥	教育部《重編國語辭典》真的需要重編——以劉禪（阿斗）的讀音為例	頁 70~76
王希杰	憶鄭子瑜教授	頁 77~79
陳滿銘	辭章篇旨鑑賞——以其潛性與顯性切入作探討	頁 80~88
楊晉龍	第一講 基本理念的說明（五）	頁 89~94
陳水福	展現臺灣中文學界研究實力的寶典——《臺灣學術新視野》簡介	頁 95~98
陳亦伶	研究五四運動的總帳簿——《五四運動論著目錄初稿》評介	頁 99~102
葉純芳	文字學之巨擘——許錟輝教授的學思歷程	頁 103~107
何淑蘋 郭妍伶	文獻讎校，典籍芬菲——專訪香港中文大學何志華教授	頁 108~112
陳晞如	為兒童教育紮根，將閱讀深植台灣——談陳國政兒童文學獎（1993—2001）	頁 113~128

第 25 卷 2 期（總 290 期）2009 年 7 月

陳滿銘	篇章意象的轉位結構	頁 4~11
陳佳君	〈文殊菩薩禮讚文〉的篇章結構	頁 12~14
李旻憓	杜甫〈石壕吏〉的篇章結構	頁 15~21
林冉欣	曾鞏〈墨池記〉的篇章結構	頁 22~29
吳 浩	蔣捷《竹山詞》的篇章結構	頁 30~38
黃良瑩	管窺北朝樂府民歌中的服飾	頁 39~43
羅郁華	論王維的詩畫美學意涵	頁 44~49
吳斐甄	淺論寒山詩中透顯的佛學思想	頁 50~55

邱文俊	楊萬里詩論淺探	頁 56~60
邱燮友	題梁秀中教授國畫詩三首	頁 61
張夢機	夜讀／賈誼／論學	頁 61
徐世澤	月球／牙病	頁 61
潘家宏	萬相	頁 61
黃　文	月夜	頁 61
陳家頎	四更天	頁 61
陳薏帆	秋臺	頁 61
王金烽	烽火燎原下的孤寂靈魂──鍾理和〈第四日〉評析	頁 62~66
李東霖	鄭清文〈合歡〉的存在主義「自由」思想	頁 67~69
蔡宗陽	書序兩則	頁 70~72
盧雪玲	淺論辛稼軒遊仙詞的文化意涵	頁 73~77
張春榮	修辭的思考帽	頁 78~85
楊晉龍	第一講 基本理念的說明（六）	頁 86~91
張晏瑞	古史辨思潮的遺珠──談《古籍考辨叢刊》之出版	頁 92~95
陳亦伶	臺灣文學創作成果的總帳簿 ──《2007 臺灣作家作品目錄》評介	頁 96~99
柯明傑	諦究經史字學，迭見別識新裁──蔡信發教授的學思歷程	頁 100~104
張于忻	當代君子儒──訪陳光憲講座教授	頁 105~111
張以仁	涵怡續集（八）	頁 112

第 25 卷 3 期（總 291 期）2009 年 8 月

陳重方	《中國圖書館年鑑》述評	頁 4~8
楊子葳	《中國出版年鑑》述評	頁 9~15
許秀貞	觀《中國哲學年鑑》之我見	頁 16~21
彭筱芸	《中國儒學年鑑》述評	頁 22~26
鄒琬琳	《中國歷史學年鑑》述評	頁 27~33
莊喬惠	《中國文學年鑑（1981─2007）》述評	頁 34~38
林均諭	《唐代文學研究年鑑》	頁 39~43
張尉聖	阮籍〈樂論〉中的道器論	頁 44~46
張白虹	臺閣體詩新評──以岑參、王維、杜甫詩為例	頁 47~52
李金坤	劉鶚豔情詩詞探微	頁 53~55
林慧君	日據時期在台日人小說中灣生的認同歷程	頁 56~61
游適宏	98 學年指定科目考試國文考科試題略評	頁 62~68
馬皖婉	正反法在新式作文的應用	頁 69~79
楊晉龍	第一講 基本理念的說明（七）	頁 80~85

陳滿銘	楚望樓詩文篇章意象探析——紀念成惕軒先生百歲誕辰	頁 86~92
蔡宗陽	《文法與修辭探驪》序——此情可待成追憶	頁 93~94
陳恆嵩	《尚書》學研究的津筏——程元敏教授《尚書學史》	頁 95~98
劉 建	古典文獻研究的新成果——介紹《文獻傳承與文化認同研究叢書》	頁 99~102
謝智光	不往行人行處行——吳福助教授的治學理念	頁 103~107
曹素萍	卞孝萱先生的文史互證研究	頁 108~112

第 25 卷 4 期（總 292 期）2009 年 9 月

黃淑靜	王鼎鈞散文的「言外之意」	頁 4~12
鄭如真	簡媜散文的修辭特色	頁 13~21
涂文芳	蔣勳散文的意象經營	頁 22~29
黃雅炘	林良散文的藝術經營	頁 30~42
譚家健	先秦諸子的救災觀	頁 43~48
何志華 潘銘基	資料庫之利用與學術研究	頁 49~56
曹杏一	李清照詞通感藝術手法之探析	頁 57~62
宋邦珍	從「庖丁解牛」看莊子藝術精神的特徵	頁 63~65
曾秀雲	唐詩中的反戰、反暴政思想	頁 66~70
張夢機	山寺／鳳凰花	頁 71
曾仕豪	桐花	頁 71
林彥伶	中秋	頁 71
呂盈瑩	失眠	頁 71
蔡孟庭	秋曉	頁 71
石濤白	陽明山之遊	頁 71
邱燮友	2009 年 4 月 24 日 上午 5:30 出發—桃園機場	頁 71
林靜慧	從《台灣文學年鑑》（1996~2006）的結構編排方式論其得失	頁 72~83
蔡宗陽	從文法與修辭析論《詩經・陳風・東門之池》	頁 84~87
陳韋哲	探索中國傳統學術的意蘊——談已停刊的「以書代刊」《原學》	頁 88~91
林彥廷	立足傳統 連接世界——《原道》與九十年代以來中國儒學	頁 92~95
林均珈	十年一劍 縱橫天下——陳錦釗教授的學思歷程	頁 96~100
謝智光	認真踏實的學者風範——周勛初先生與南大文學研究	頁 101~105
楊晉龍	第二講 師生自介及問卷意義的分析（一）	頁 106~111
張以仁	涵怡續集（九）	頁 112

第 25 卷 5 期（總 293 期）2009 年 10 月

| 劉 瑩 | 讀而優則寫——論童話之「讀寫一貫」教學策略 | 頁 4~16 |

耿志堅	國中國文創造思維的閱讀教學導引——以劉鶚〈大明湖〉為例	頁 17~24
王年双	讀書心得寫作的策略與評量	頁 25~31
林素珍	由新型作文談閱讀與寫作的關係	頁 32~37
蔡宜勳	國中學生閱讀與作文能力相關因子解析應用	頁 38~43
林安梧	天降斯人一丈夫：記一段 1990 年的哲思對話——回憶趙仲牧先生	頁 44~47
郭鶴鳴	談「自然物象」與「義理論述」二則	頁 48~52
蔡志鴻	人鬼遇合引動的連鎖反應 ——《聊齋‧連瑣》析論	頁 52~57
鍾名誠	給孩子有深度的閱讀——黃蓓佳的兒童文學觀	頁 58~62
賴甯麗	淺論王弼思想中所呈現的本末關係	頁 63~66
彰化師範大學國文學系編輯委員會	《新大學國文精選》序	頁 67~68
陳滿銘	論篇章內容與形式之關係——以多二一（○）螺旋結構切入作考察	頁 69~76
許長謨 王季香	笑裏藏道——笑話中的語法應用	頁 77~88
鐘玖英	雙關在政治生活中的語用功能和語用特徵	頁 89~94
林淑貞	站在詩學的風景線上——《古典詩歌研究彙刊》一至六輯概述	頁 95~98
陳亦伶	文獻整理研究新成果——《文獻辨偽學研究》評介	頁 99~102
黃文吉	雜劇打了，典型長存——顏天佑教授	頁 103~107
連文萍	一口吸盡西江水——專訪南京大學域外漢籍研究所所長張伯偉教授	頁 108~112

第 25 卷 6 期（總 294 期）2009 年 11 月

林芳儀	形聲字造字原理在國小識字教學的應用	頁 4~7
連蔚勤	漢字在國中國文教學之實務體驗	頁 8~13
許文獻	大學院校文字學課程實務淺析	頁 14~22
王世豪	漢字在撰寫學術論文之實務體驗	頁 23~27
李平平	漢字在編輯刊物之實務體驗	頁 28~32
徐儷玲	從「五倫」及「師生關係」談勸諫之道	頁 33~37
桂 強	《長物志》藝術美學思想摭談	頁 38~42
董妙津	千年修煉 萬樣蛻變——論《白蛇傳》之前世今生	頁 43~47
李金坤	鑿池偷天 妙賞自然——杜牧《盆池》詩品讀	頁 48~51
邱若琪	英雄的悲歌——司馬中原小說中的英雄塑造	頁 52~56
蘇曼如	〈自莽林躍出〉的戲劇演出	頁 57~60
諸葛妮妮等	追尋人生真正的桃花源——從《桃花源記》延伸整合生命教育的課外閱讀教學（蘇秀錦 王瑞宏）	頁 61~67
孟建安	修辭轉化的語境策略意識	頁 68~74

聶 焱	王希杰語境理論的特色	頁 75~78
陳滿銘	章法四律與言之有理	頁 79~86
謝大寧	為兩岸統合事遠赴北京因思歷史恩怨之糾結難解感而賦之／晚春偕妻遊陽明山	頁 87
文幸福	莫拉克颱風過後	頁 87
陳樹衡	奉步前題前韻	頁 87
蘇心一	雪中紅梅／師大旁聽	頁 87
邱燮友	酒花／夏荷四則	頁 87
陳韋哲	從獨力創刊到通力合作——談《中文學刊》的內容風格與學術貢獻	頁 88~91
陳亦伶	聲韻學整理研究新成果——《音韻學論著指要與總目》評介	頁 92~95
蕭靜怡	建構文學理論的金字塔工程——專訪張雙英教授	頁 96~100
陳水福	從文學、子學到經學——鄭傑文教授的學思歷程	頁 101~105
楊晉龍	第二講 師生自介及問卷意義的分析（二）	頁 106~111
張以仁	涵怡續集（十）	頁 112
李鍑倫	兩種英譯本《周易》修辭語體韻律的對比分析	頁 113~128

第 25 卷 7 期（總 295 期）2009 年 12 月

陳冠甫	古典詩詞在近代臺灣的傳承及其開展	頁 4~10
楊君潛	臺灣古典詩的傳承與發展	頁 11~13
林正三	就瀛社之現況來審視臺灣古典詩的傳承	頁 14~15
黃芬絹	美、加、馬、韓、泰五國詩詞教學及吟唱教學實錄	頁 16~27
趙文懷	臺灣與中日韓的詩學交流	頁 28~31
胡迎建	大陸古典詩發展近況	頁 32~37
陳敬介	平埔族寫真——郁永河〈土番竹枝詞〉探析	頁 38~42
朱榮智	老子止學思想述要（上）	頁 43~47
方元珍	《韓非子》論用人管理之術	頁 48~54
蔡宗陽	《詩經修辭研究》序	頁 55
陳儀玲	「更定」考——張岱夜訪湖心亭時間釐定	頁 56~60
朱心怡	解讀陳之藩的寂寞	頁 61~65
李宜靜	存在感的追尋——張愛玲〈茉莉香片〉解讀	頁 66~70
謝大寧	也談國文課綱中的文白比例問題	頁 71~75
莊斐雯	《淮海詞》水意象探析	頁 76~82
徐筠絜	溫柔的暗示——談張曼娟《妖物誌》的譬喻修辭	頁 83~88
吳怡青	書有名亡實不亡——《中國古佚書輯本目錄解題》評介	頁 89~92
張琬瑩	從思想史的角度 看中國孔學的發展——介紹《中國孔學史》	頁 93~96

商　珫	用生命織就學術網——張麗珠教授與清代學術思想研究	頁 97~101
王　蕾	《書經》研究領域文本主義的殉道者——錢宗武教授之治《書》理念	頁 102~106
楊晉龍	第二講 師生自介及問卷意義的分析（二）	頁 107~112
陳秀香	論「詩人之詩」與「學人之詩」	頁 113~124

第 25 卷 8 期（總 296 期）2010 年 1 月

蔡薫年等	東京上野國立國會圖書館國際兒童圖書館（蘇愉婷　宗大筠）	頁 4~10
吳宜霈 林芝安	不一樣的岩村和朗	頁 11~16
嚴淑女 陳晉卿	典藏回憶與童真的美術館——岩崎知弘美術館介紹	頁 17~23
簡文爵	從吉卜力美術館看宮崎駿的童心世界（林瑞玉　吳幸娥）	頁 24~29
王蕙瑄 陳玉金	知識與幸福的饗宴——日本東京童書店	頁 30~35
朱榮智	老子止學思想述要（下）	頁 36~41
莊關通	長橋究竟幾個洞？	頁 42~47
劉依芸	論《玉臺新詠》中之燈燭意象	頁 48~53
陳　新	樂府詩少女姓名小考	頁 54~58
邱燮友	答尋隱者不遇／憶武夷山記遊二首	頁 59
胡爾泰	南橫春日即事／不老溫泉	頁 59
丁國智	長談／雨後／淡江夜望	頁 59
黃詠渝	金融海嘯紀事	頁 59
朱孟庭	為人生而藝術——魯迅的小說藝術論	頁 60~65
鍾雲鶯	推論階梯在《史記》教學之運用——以〈魏公子列傳〉為例	頁 66~69
蘇秀錦	成語置換寫作在導師評語的運用	頁 70~74
林貞均	以 SWOT 理論分析高中說服類課文〈燭之武退秦師〉	頁 75~79
梁吉平 陳　麗	「XX 門」語彙類析——兼論現代漢語詞典對洋詞綴的收錄	頁 80~82
陳滿銘	論二元移位與章法結構	頁 83~88
蘇琬鈞	評《中國經學相關研究博碩士論文目錄（1978～2007）》	頁 89~92
甯登國	授人以漁 度人金針——漫談《中國古代文學跨學科研究》的方法論內涵	頁 93~96
謝淑熙	乾坤並建，體用一如——從「新儒學」到「後新儒學」的開啟者林安梧教授	頁 97~101
張愛芳 張　峰	學術探索和創新之路——專訪北京師範大學陳其泰教授	頁 102~106
楊晉龍	第二講 師生自介及問卷意義的分析（四）	頁 107

張以仁　　　涵怡續集（十一）　　　　　　　　　　　　　　　頁 112

第 25 卷 9 期（總 297 期）2010 年 2 月

車行健　　　從珍稀古籍借閱複印的規定談起　　　　　　　　　頁 4~7

馮曉庭　　　談談「善本」與「線裝書」的使用　　　　　　　　頁 8~12

橋本秀美　　利用圖書館雜感　　　　　　　　　　　　　　　　頁 13~16

許建平　　　圖書館查書的經歷與我的學術取向　　　　　　　　頁 17~20

張文朝　　　使用圖書館的「甘」與「苦」　　　　　　　　　　頁 21~24

葉純芳　　　我的圖書館經歷　　　　　　　　　　　　　　　　頁 25~28

蔣秋華　　　我與圖書館　　　　　　　　　　　　　　　　　　頁 29~32

程克雅　　　古籍聚散與重生——求訪因緣與回顧　　　　　　　頁 33~36

李　芳　　　北京訪曲記　　　　　　　　　　　　　　　　　　頁 37~40

王　政
臧志攀　　　略說宋詩中的祈雨　　　　　　　　　　　　　　　頁 41~45

蔡宗陽　　　龍盦隨筆兩則　　　　　　　　　　　　　　　　　頁 46~47

陳秀香　　　自身可養自身來——試論陳端生《再生緣》中的女性意識　頁 48~53

溫毓華　　　論王昌齡邊塞詩的情感內容與藝術特色——以〈從軍行〉、〈出塞〉兩組詩為例　頁 54~58

陳盈宏　　　鍾文音母女書寫之研究——以《女島紀行》為例　　頁 59~63

蔡霈瑀　　　當 XX 遇上 XY——探析《圍城》中四個女人的愛情與婚姻　頁 64~71

古遠清　　　精言不能追其極　　　　　　　　　　　　　　　　頁 72~75

鄭雅心　　　《紅樓夢》白海棠詩賞析及其人物性格　　　　　　頁 76~80

尹代秀　　　一本宏觀全面介紹王希杰三一語言學的好書——評《王希杰和三一語言學》　頁 81~88

張琬瑩　　　發揚儒家文化的生力軍——談「以書代刊」的《儒家文化研究》　頁 89~92

陳韋哲　　　回到中國是為了走向世界——談《中國文化》二十年　頁 93~96

林惟仁　　　求道者之路——林啟屏教授的儒學研究及其人生向度　頁 97~101

李含冰　　　徐興無教授與經學研究　　　　　　　　　　　　　頁 102~106

楊晉龍　　　第三講 教學與研究的環境分析（一）　　　　　　頁 107~112

第 25 卷 10 期（總 298 期）2010 年 3 月

鄭頤壽　　　動態語法觀　　　　　　　　　　　　　　　　　　頁 4~17

楊如雪　　　成語的語法特色　　　　　　　　　　　　　　　　頁 18~28

王希杰　　　受歡迎的「名名」三字格　　　　　　　　　　　　頁 29~35

徐富美　　　重讀《表達的技術：語法十七講》——兼談現代漢語語法研究的新發展　頁 36~40

鍾瓊華　　　從僕人式領導看晉文公的領袖特質　　　　　　　　頁 41~45

張至廷	李義山詩中的長卿情結	頁 46~50
謝育爭	李白〈悲清秋賦〉的藝術特色	頁 51~55
陳碧月	職業身份：當代大陸女作家筆下的男性形象	頁 56~60
王君儀	愛情的堆築與傾毀——比較婚變前後周芬伶散文中的「愛情觀」	頁 61~65
郭鶴鳴	〈廉恥〉析論——顧炎武曲折的心路歷程	頁 66~73
游適宏	課文趨多，「解」「析」並重——99 學年學科能力測驗國文考科試題簡評	頁 74~81
陳霖慶	談一組字：閒、閑、嫻、嫺——兼談《重編國語辭典》「嫺」中的幾條引文	頁 82~86
周耕宇	秋行山	頁 87
邱燮友	北京行／國家劇院	頁 87
李翠瑛	江湖——讀水滸武松／記梁山泊好漢	頁 87
李星瑩	出遊	頁 87
余思璇	故友送別	頁 87
謝承諭	東海岸騎遊並序	頁 87
余家仁	秋日感懷	頁 87
林慶彰	評《中國文學研究要覽》（1978—2007）	頁 88~91
吳怡青	民國期刊資料分類彙編叢書——《三禮研究》編纂述評	頁 92~95
郭妍伶 蕭開元	由「邊牆」中尋找真相——專訪德國漢學家瓦格納教授	頁 96~100
詹千慧	林玫儀教授詞學研究概述	頁 101~105
楊晉龍	第三講 教學與研究的環境分析（二）	頁 106~111
張以仁	涵怡續集（十二）	頁 112

第 25 卷 11 期（總 299 期）2010 年 4 月

余崇生	閱讀與寫作潛能	頁 4~7
林均珈	創造力的根本在閱讀	頁 8~12
陳伊婷	閱讀與書寫——教學中的實例舉隅	頁 13~17
王偉忠	閱讀與寫作——一個教學經驗的分享	頁 18~23
謝淑熙	積學與儲寶——談閱讀與寫作能力	頁 24~28
牟方芝	下載美感的作文課	頁 29~34
陳惠美	談善本書的過去與未來	頁 35~38
蔡宗陽	《文心雕龍·序志》詮證（上）	頁 39~46
陳冠甫	百代紅學允獨步——序李著《紅樓夢真相大發現（一）、（二）、（三）》	頁 47~52
郭乃禎	鮑照〈蕪城賦〉所展現的獨特風貌	頁 53~58
歐宗智	儒道互補的人生哲學——談林語堂《京華煙雲》的主題意涵	頁 60~62

蔡霈瑀	朗之以美聲，讀之以深情——以歐陽修〈秋聲賦〉為例	頁 63~69
胡伯欣	文言文閱讀方法教學	頁 70~74
施發筆	客觀公正的評價 深入系統的闡述——簡評聶焱《三一語言學導論》	頁 75~79
陳滿銘	論二元包孕與章法結構	頁 80~87
陳亦伶	香港中文學術發展新里程——《香港大學中文學院八十周年紀念學術論文集》評介	頁 88~91
蔡雅如	古文獻研究的風向球——談《北京大學中國古文獻研究中心集刊》的出版與內容	頁 92~95
鄭麗娟	古籍英譯典範——記漢學家劉殿爵	頁 96~100
謝智光	理論聯繫實際——吳新雷教授的學術成就	頁 101~105
楊晉龍	第三講 教學與研究的環境分析（三）	頁 106~111

第 25 卷 12 期（總 300 期）2010 年 5 月

龔鵬程	國學	頁 4~5
張高評	轉型與出路——大陸「國學熱」的省思	頁 6~12
詹海雲	中國大陸重點大學國學研究的省思	頁 13~19
吳銘能	平心論中國大陸「國學熱」	頁 20~25
鄭吉雄	冷眼閒看中國大陸燃燒國學熱	頁 26~31
張麗珠	對中國大陸「國學熱」的思考與期望	頁 32~36
林慶彰	我看中國大陸的「國學熱」	頁 37~41
賴美惠	讀《易》示要	頁 42~46
蔡宗陽	《文心雕龍・序志》詮證（下）	頁 47~56
蕭愛蓉	另類「童謠」——趣談古代童謠的意涵	頁 57~60
謝宛融	憶別	頁 61
邱燮友	北二高高速公路上　四首絕句	頁 61
張夢機	山寺／鳳凰花	頁 61
李翠瑛	觀陶製圓瓶有感／吐魯番綠葡萄／嘉裕關	頁 61
簡彥姈	重返校園	頁 61
陳碧月	當代大陸女性小說中的男性性格書寫	頁 62~66
吳明足	蔡宗陽教授〈亦師・亦父・交友〉析論	頁 67~69
鄧郁生	「以形傳神」：解讀《河東記・申屠澄》中虎妻的心理	頁 70~74
郭玉梅	漢語修辭格的遊戲娛樂功能	頁 75~78
陳滿銘	論辭章意、象「異質同構」的表現	頁 79~86
張琬瑩	傳承與發揚儒家文化的精髓——談《儒林》與山東大學儒學研究中心	頁 87~90
陳韋哲	蜀道不難——談《新國學》在學術交流上的貢獻	頁 91~94
賴貴三	敬悼詩書酒三絕一代名士大師雨盦師	頁 95~100

分類目錄

1 總類

1.1 圖書學

1.1.1 通論

0001	蔡源煌	洋古典也有一脈書香	2 卷 6 期	(18)	頁 32~33	1986 年 11 月
0002	蕭麗華	鎖在書庫裡的文話	2 卷 6 期	(18)	頁 34~36	1986 年 11 月
0003	黃沛榮	什麼是旋風葉？	2 卷 7 期	(19)	頁 70~73	1986 年 12 月
0004	林素清	「旋風葉是什麼」有問題	2 卷 8 期	(20)	頁 51~54	1987 年 1 月
0005	鄭雅文	從《淵鑑類函》看紙文化的發展	23 卷 3 期	(267)	頁 27~32	2007 年 8 月
0006	丁原基	開啟文獻學的新視窗—— 劉兆祐教授新著《文獻學》	23 卷 1 期	(265)	頁 88~92	2007 年 6 月
0007	駱 梵	「梓行」與「藏版」之異	3 卷 6 期	(30)	頁 87	1987 年 11 月
0008	錢 軍	難以承受的「版本」之重—— 《中國版本文化叢書》讀後	22 卷 6 期	(258)	頁 52~55	2006 年 11 月
0009	陳惠美	談善本書的過去與未來	25 卷 11 期	(299)	頁 35~38	2010 年 4 月
0010	王 翎	臺灣藏書票的旗手——潘元石先生	6 卷 11 期	(71)	頁 113~114	1991 年 4 月
0011	吳興文	國人最早使用的藏書票	6 卷 11 期	(71)	頁 112	1991 年 4 月
0012	錢 軍	《中國藏書票史話》讀後	22 卷 10 期	(262)	頁 55~58	2007 年 3 月
0013	柯榮三	《台灣漢語傳統文學書目》 封底書影說明之商確	19 卷 9 期	(225)	頁 43~47	2004 年 2 月
0014	林耀椿	錯誤的循環—— 台灣偽書誤導大陸學者	9 卷 11 期	(107)	頁 86~88	1994 年 4 月
0015	李殿魁	買書的喜悅與懊悔	3 卷 3 期	(27)	頁 56~59	1987 年 8 月

1.1.2 出版工作

0016	鄭誼惠	研究近代出版文化的必備用書—— 近代報刊工具書紹介	23 卷 4 期	(268)	頁 97	2007 年 9 月
0017	楊子葳	《中國出版年鑑》述評	25 卷 3 期	(291)	頁 9~15	2009 年 8 月
0018	劉君祖	得體為難—— 再論編輯工作中的文字問題	1 卷 6 期	(6)	頁 46~48	1985 年 11 月
0019	林瑜文	替他們打打氣	2 卷 6 期	(18)	頁 37~40	1986 年 11 月
0020	張麗伽	珍惜不可磨滅的聲音	2 卷 11 期	(23)	頁 90	1987 年 4 月
0021		突破大陸學術資料流通的禁忌	4 卷 1 期	(37)	頁 12	1988 年 6 月
0022	陳瑞貴	迎接嶄新的時代—— 中文電腦對出版業的衝擊	3 卷 3 期	(27)	頁 24~27	1987 年 8 月
0023	沈清松	用學術的標準衡量大陸出版品	4 卷 1 期	(37)	頁 34	1988 年 6 月

0024	李文茹記錄	雜誌編輯的角色認知	4 卷 1 期	(37)	頁 57~65	1988 年 6 月
0025	陳毓璞記錄	文學與出版市場——葉步榮與東年對談	4 卷 7 期	(43)	頁 29~33	1988 年 12 月
0026	楊淑娟	古典文學往下紮根——淺談目前中小學古典文學讀物的出版現況	5 卷 6 期	(54)	頁 43~47	1989 年 11 月
0027	孫欽善	巧合的「英雄所見」——大陸《全宋詩》編纂概況	6 卷 2 期	(62)	頁 25~28	1990 年 7 月
0028	康來新	兩百週年的獻禮	7 卷 7 期	(79)	頁 72~73	1991 年 12 月
0029	林慶彰	《全宋詩》爭議的省思	8 卷 8 期	(92)	頁 4~5	1993 年 1 月
0030	劉廣定	也談《全宋詩》的出版事件	8 卷 10 期	(94)	頁 4~5	1993 年 3 月
0031	林慶彰	大陸資料蒐藏與利用的困難及解決之道	10 卷 2 期	(110)	頁 99~102	1994 年 7 月
0032	林慶彰	文化中心出版品應廣為流傳	11 卷 1 期	(121)	頁 112~113	1995 年 6 月
0033	王基倫	閱讀選文——從《古今文選》出刊一千期談起	16 卷 6 期	(186)	頁 76~79	2000 年 11 月
0034	林慶彰	大陸出版品對台灣學術研究的意義	22 卷 1 期	(253)	頁 38~43	2006 年 6 月
0035	李平平	漢字在編輯刊物之實務體驗	25 卷 6 期	(294)	頁 28~32	2009 年 11 月
0036	林慶彰	滄桑的十年，不變的理想——回顧「萬卷樓」的艱辛路	16 卷 7 期	(187)	頁 39~40	2000 年 12 月
0037	邱燮友	走過半世紀的出版業老店——三民書局	19 卷 1 期	(217)	頁 105~107	2003 年 6 月
0038	陳滿銘	三民與我	19 卷 1 期	(217)	頁 108~110	2003 年 6 月
0039	傅武光	初日照高林——三民書局創業五十週年紀念	19 卷 1 期	(217)	頁 111~112	2003 年 6 月
0040	林 芝	探訪兩大書局——商務與中華的貢獻及影響（上）	22 卷 2 期	(254)	頁 34~38	2006 年 7 月
0041	林 芝	探訪兩大書局——商務與中華的貢獻及影響（下）	22 卷 3 期	(255)	頁 34~40	2006 年 8 月
0042	洪淑苓	比較文學理論與實踐／韓非的法治思想與及其歷史意義／儒學與現代世界／桃謝詩之比較	1 卷 12 期	(12)	頁 70~72	1986 年 5 月
0043	林明德	我編韓國漢文小說全集	3 卷 2 期	(26)	頁 82~86	1987 年 7 月
0044	應鳳凰	溫故知新小經典	3 卷 3 期	(27)	頁 60~61	1987 年 8 月
0045	楊振良	酒與紅茶——《有趣的中國字》序	3 卷 8 期	(32)	頁 72	1988 年 1 月
0046	施炳華	翻版書誤人——大陸版與藝文版的《經學歷史》	4 卷 6 期	(42)	頁 85~87	1988 年 11 月
0047	許政雄	官學教育制度下的奇葩——「中國文化書院」及其出版計畫	4 卷 8 期	(44)	頁 60~62	1989 年 1 月

0048	石守謙	《中國美術辭典》出版的學術意義	5 卷 3 期	(51)	頁 98~100	1989 年 8 月
0049	李 渡	我們不需要拼裝車── 《唐詩新賞》的資料來源	5 卷 5 期	(53)	頁 98~101	1989 年 10 月
0050	編輯部	大陸出版文淵閣《四庫全書》影印本	5 卷 6 期	(54)	頁 98~99	1989 年 11 月
0051	王國良	《歷代笑話集叢刊》計劃書	5 卷 10 期	(58)	頁 37~39	1990 年 3 月
0052	張 健	魯迅的精神與文學業績── 《魯迅全集》谷風版序	6 卷 4 期	(64)	頁 90~92	1990 年 9 月
0053	編輯部	出版《魯迅全集》業者有話要說	7 卷 4 期	(76)	頁 36~38	1991 年 9 月
0054	潘重規	《經典釋文韻編》成書記	7 卷 9 期	(81)	頁 58~60	1992 年 2 月
0055	黃文吉	必也正名乎──談「鑑賞辭典」	7 卷 7 期	(79)	頁 29~36	1991 年 12 月
0056	林慶彰	提昇經學史研究的水平── 《中國經學史論文選集》出版的意義	8 卷 6 期	(90)	頁 6~8	1992 年 11 月
0057	陳文華	《夢窗詞選再箋》：序	11 卷 3 期	(123)	頁 110	1995 年 8 月
0058	朱榮智	新書介紹：《土氣與洋味》── 紐西蘭移民側記（自序）	14 卷 2 期	(158)	頁 85~86	1998 年 7 月
0059	周 何	人文學術發展的寶藏── 《十三經注疏分段標點》序	17 卷 1 期	(193)	頁 71~74	2001 年 6 月
0060	劉千惠	劫後重生 嘉惠士林── 文瀾閣《四庫全書》即將影印出版	21 卷 11 期	(251)	頁 103~106	2006 年 4 月
0061	翁聖峰	台灣文學與文化的盛事── 《詩報》覆刻序	22 卷 12 期	(264)	頁 74~76	2007 年 5 月
0062	張 健	《蘇軾論稿》序	10 卷 8 期	(116)	頁 94~95	1995 年 1 月
0063	蔣廉儒	「無愧身為中國人」	1 卷 1 期	(1)	頁 6~7	1985 年 6 月
0064	蕭繼宗	釋名	1 卷 1 期	(1)	頁 8~9	1985 年 6 月
0065	黃秋芳記錄	要走更遠的路── 年終編輯委員會議	1 卷 11 期	(11)	頁 8~11	1986 年 4 月
0066	編輯部	年度報告──國文天地的遠景	1 卷 12 期	(12)	頁 8~9	1986 年 5 月
0067	章益新	走得更穩健	2 卷 1 期	(13)	頁 6~7	1986 年 6 月
0068	龔鵬程	徜徉在國文的新天地裡	2 卷 1 期	(13)	頁 8~9	1986 年 6 月
0069	編輯部製作	共赴心靈與知識的饗宴── 本刊周年慶特別報導	2 卷 2 期	(14)	頁 8~11	1986 年 7 月
0070	楊樹清	一支文學的進香隊伍── 記國文天地的信徒們	2 卷 2 期	(14)	頁 11~13	1986 年 7 月
0071	林慶彰	我們的理想和期望── 《國文天地》的再出發	4 卷 1 期	(37)	頁 6~7	1988 年 6 月
0072	林慶彰	點燈── 賀國文天地關係企業的誕生	6 卷 4 期	(64)	頁 5~6	1990 年 9 月
0073	周幹家	我對《國文天地》的祈請	10 卷 1 期	(109)	頁 109~113	1994 年 6 月

0074	許錟輝	一位褓母的話—— 《國文天地》十週年感言	10 卷 5 期	(113)	頁 4~6	1994 年 10 月
0075	編輯部記錄 整理	天地十年，薪傳不止—— 《國文天地》十周年社慶座談會	11 卷 4 期	(124)	頁 4~15	1995 年 9 月
0076	陳滿銘	談國文天地的誕生—— 悼第一任社長梅新先生	13 卷 6 期	(150)	頁 4~5	1997 年 11 月
0077	陳滿銘	補記《國文天地》誕生前後二三事	13 卷 7 期	(151)	頁 4~5	1997 年 12 月
0078	許錟輝	新團隊，新風貌	15 卷 3 期	(171)	頁 1	1999 年 8 月
0079	傅武光	暫停征棹—— 卸任總編輯敬致作者與讀者諸君	15 卷 3 期	(171)	頁 2~3	1999 年 8 月
0080	劉　渼	協同整合與本位教學——談本刊 有關國語文教學編輯的新方向	15 卷 3 期	(171)	頁 4~5	1999 年 8 月
0081	許錟輝	《國文天地》二〇〇期感言—— 我們的光輝與期盼	17 卷 8 期	(200)	頁 4~8	2002 年 1 月
0082	陳滿銘	《國文天地》與國語文教學	17 卷 8 期	(200)	頁 9~11	2002 年 1 月
0083	林慶彰	讓國文天地成為中文人的共同資產	20 卷 12 期	(240)	頁 4~5	2005 年 5 月
0084	許錟輝	國文天地二十周年慶頌辭	20 卷 12 期	(240)	頁 6~7	2005 年 5 月
0085	連文萍	恍若珍藏的舊夢—— 國文天地二十週年感言	20 卷 12 期	(240)	頁 8~10	2005 年 5 月
0086	傅武光	開春理常業 歲功聊可觀—— 國文天地創刊二十周年紀念感言	20 卷 12 期	(240)	頁 11~13	2005 年 5 月
0087	鍾怡雯	從國學到現代文學的轉向	20 卷 12 期	(240)	頁 14~16	2005 年 5 月
0088	潘麗珠	國文長命，天地邀遊	20 卷 12 期	(240)	頁 17~19	2005 年 5 月
0089	劉　渼	任重而道遠—— 國文天地的金三角歲月	20 卷 12 期	(240)	頁 20~21	2005 年 5 月
0090	顏瑞芳	引水灌田二十年	20 卷 12 期	(240)	頁 22~24	2005 年 5 月

1.1.3 圖書整理

0091	林二白	志士不飲盜泉之水—— 臺灣的古籍點校	2 卷 6 期	(18)	頁 18~21	1986 年 11 月
0092	許清雲	重整古籍的門面—— 目前臺灣的古籍整理	2 卷 6 期	(18)	頁 21~29	1986 年 11 月
0093	徐少知	龐大的集體分工—— 中國大陸的古籍整理	2 卷 6 期	(18)	頁 29~31	1986 年 11 月
0094	安平秋	勤懇紮根，歡慶豐收——大陸高校 古籍整理研究的現狀與展望	7 卷 3 期	(75)	頁 11~15	1991 年 8 月
0095	楊　忠	弘揚民族燦爛文化，培養古籍整理 人才——大陸高校古籍整理人才培 養概況	7 卷 3 期	(75)	頁 34~37	1991 年 8 月

0096	劉玉才 顧歆藝	大陸高校古籍整理研究成果概覽	7 卷 3 期	(75)	頁 45~53	1991 年 8 月
0097	陳文豪	大陸點校古籍不能輕信	7 卷 5 期	(77)	頁 79~80	1991 年 10 月
0098	張 覺	為「全譯」辯護	9 卷 4 期	(100)	頁 6~7	1993 年 9 月
0099	羅鳳珠	攜手同行古籍自動化的路—— 兼談電腦輔助教學（一）	9 卷 9 期	(105)	頁 85~88	1994 年 2 月
0100	張 覺	重振古籍譯註的學術風範與地位	11 卷 3 期	(123)	頁 98~99	1995 年 8 月
0101	黃智明	徵文考獻，擇善存真—— 《隋唐文明》簡介	22 卷 4 期	(256)	頁 91~94	2006 年 9 月
0102	陳滿銘	章法學研究團隊近幾年來之編書服 務（上）	22 卷 11 期	(263)	頁 87~94	2007 年 4 月
0103	陳滿銘	章法學研究團隊近幾年來之編書服 務（下）	22 卷 12 期	(264)	頁 77~82	2007 年 5 月
0104	孫欽善	北京大學古文獻研究所	7 卷 3 期	(75)	頁 15~17	1991 年 8 月
0105	章培恒	復旦大學古籍整理研究所	7 卷 3 期	(75)	頁 17~19	1991 年 8 月
0106	李修生	北京師範大學古籍整理研究所	7 卷 3 期	(75)	頁 19~21	1991 年 8 月
0107	周勛初	南京大學古典文獻研究所	7 卷 3 期	(75)	頁 21~23	1991 年 8 月
0108	董治安	山東大學古籍整理研究所	7 卷 3 期	(75)	頁 23~25	1991 年 8 月
0109	林 澐	吉林大學古籍研究所	7 卷 3 期	(75)	頁 25~26	1991 年 8 月
0110	劉 琳	四川大學古籍整理研究所	7 卷 3 期	(75)	頁 27~28	1991 年 8 月
0111	劉烈茂	中山大學中國古文獻研究所	7 卷 3 期	(75)	頁 28~30	1991 年 8 月
0112	黃永年	陝西師範大學古籍整理研究所	7 卷 3 期	(75)	頁 30~32	1991 年 8 月
0113	李國祥	華中師範大學歷史文獻學研究所	7 卷 3 期	(75)	頁 32~33	1991 年 8 月
0114	倪其心	北京大學中文系古典文獻專業	7 卷 3 期	(75)	頁 38~39	1991 年 8 月
0115	吳金華	南京師範大學中文系古文獻專業	7 卷 3 期	(75)	頁 41~43	1991 年 8 月
0116	祝鴻熹	杭州大學中文系古典文獻專業	7 卷 3 期	(75)	頁 40~41	1991 年 8 月
0117	范能船	上海師範大學古典文獻專業	7 卷 3 期	(75)	頁 43~44	1991 年 8 月
0118	林文寶	臺灣地區兒童文學論述譯著書目 （民國三十八年～七十七年）（上）	5 卷 1 期	(49)	頁 93~95	1989 年 6 月
0119	林文寶	臺灣地區兒童文學論述譯者書目 （下）	5 卷 2 期	(50)	頁 92~94	1989 年 7 月
0120	王志成	目錄學入門書簡介	5 卷 4 期	(52)	頁 104~106	1989 年 9 月
0121	趙潤海	胡適生平及其著作簡表	6 卷 7 期	(67)	頁 30~34	1990 年 12 月
0122	秦賢次	大陸近十二年來胡適著作鳥瞰（上）	6 卷 7 期	(67)	頁 110~113	1990 年 12 月
0123	秦賢次	大陸近十二年來胡適著作鳥瞰（下）	6 卷 8 期	(68)	頁 106~110	1991 年 1 月
0124	方美芬	臺灣近年來魯迅研究論文索引（上）	7 卷 4 期	(76)	頁 44~53	1991 年 9 月

0125	方美芬	臺灣近年來魯迅研究論文索引（下）	7 卷 5 期	(77)	頁 72~73	1991 年 10 月
0126	編輯部	坊間可購得之崑曲資料簡目	8 卷 4 期	(88)	頁 46~49	1992 年 9 月
0127	黃文吉	衣帶漸寬終不悔——我編《詞學研究書目》（一九一二～一九九二）	8 卷 11 期	(95)	頁 24~27	1993 年 4 月
0128	林耀椿	錢鍾書研究的里程碑——序《錢鍾書研究書目》	9 卷 1 期	(97)	頁 124~129	1993 年 6 月
0129	林鶴宜	台灣地區「中國古典戲曲研究」博、碩士學位論文寫作概況（民國四十五～八十二）（上）	9 卷 5 期	(101)	頁 92~97	1993 年 10 月
0130	林鶴宜	台灣地區「中國古典戲曲研究」博、碩士學位論文寫作概況（民國四十五～八十二）（下）	9 卷 6 期	(102)	頁 102~109	1993 年 11 月
0131	馮曉庭 許維萍	日本學者研究經學的總帳——編輯《日本研究經學論著目錄》之經過	9 卷 8 期	(104)	頁 108~111	1994 年 1 月
0132	林慶彰	談目錄的編輯與利用	10 卷 11 期	(119)	頁 90~93	1995 年 4 月
0133	陳美雪	古典戲曲研究的總帳冊——談莊一拂編《古典戲曲存目彙考》	11 卷 1 期	(121)	頁 68~71	1995 年 6 月
0134	侯美珍	事非經過不知難——編輯《經學研究論著目錄（一九八八～一九九二）》的幾點感想	11 卷 4 期	(124)	頁 90~96	1995 年 9 月
0135	胡楚生	給你一支萬能 KEY——從目錄學進入中華學術的殿堂	14 卷 5 期	(161)	頁 10~12	1998 年 10 月
0136	黃智信	表彰先賢，昭示來學——《20 世紀中國著名編輯出版家研究資料匯輯》簡介	22 卷 6 期	(258)	頁 94~97	2006 年 11 月
0137	張晏瑞	晚清經學研究的明燈——《晚清經學研究文獻目錄》的學術價值	22 卷 11 期	(263)	頁 95~98	2007 年 4 月
0138	洪楷萱	豐富學術、嘉惠學林——《中國珍稀古籍善本書錄》簡介	22 卷 12 期	(264)	頁 86~89	2007 年 5 月
0139	張晏瑞	經眼親聞 手炙筆錄——《中國叢書知見錄》評介	23 卷 5 期	(269)	頁 88~91	2007 年 10 月
0140	陳亦伶	即類求書 因書究學——《新中國古籍整理圖書總目錄》評介	23 卷 6 期	(270)	頁 95~98	2007 年 11 月
0141	陳水福	《1945～2005 年臺灣地區清史論著目錄》簡介	23 卷 7 期	(271)	頁 100~103	2007 年 12 月
0142	陳惠美	報刊中的俗文學資料——《二十世紀俗文學周刊總目》簡介	23 卷 10 期	(274)	頁 95~98	2008 年 3 月
0143	蔡翔宇	二十年磨一劍——介紹《日藏漢籍善本書錄》	23 卷 11 期	(275)	頁 98~101	2008 年 4 月

0144	陳美雪	《中國近代戲曲論著總目》的學術價值	24 卷 4 期	(280)	頁 94~97	2008 年 9 月
0145	方美芬	治學之津逮──從《秦賢次先生贈書目錄》談目錄之編輯	24 卷 7 期	(283)	頁 94~97	2008 年 12 月
0146	仝婉澄	一部《西廂記》版本目錄文獻的集大成之作──評陳旭耀博士的《現存明刊〈西廂記〉綜錄》	24 卷 10 期	(286)	頁 92~95	2009 年 3 月
0147	邱筱君	中國古代婦女的心靈歷程──介紹《歷代婦女著作考》（增訂本）	24 卷 12 期	(288)	頁 94~97	2009 年 5 月
0148	陳亦伶	研究五四運動的總帳簿──《五四運動論著目錄初稿》評介	25 卷 1 期	(289)	頁 99~102	2009 年 6 月
0149	陳亦伶	臺灣文學創作成果的總帳簿──《2007 臺灣作家作品目錄》評介	25 卷 2 期	(290)	頁 96~99	2009 年 7 月
0150	陳亦伶	聲韻學整理研究新成果──《音韻學論著指要與總目》評介	25 卷 6 期	(294)	頁 92~95	2009 年 11 月
0151	吳怡青	書有名亡實不亡──《中國古佚書輯本目錄解題》評介	25 卷 7 期	(295)	頁 89~92	2009 年 12 月
0152	蘇琬鈞	評《中國經學相關研究博碩士論文目錄（1978─2007）》	25 卷 8 期	(296)	頁 89~92	2010 年 1 月
0153	林慶彰	評《中國文學研究要覽》（1978─2007）	25 卷 10 期	(298)	頁 88~91	2010 年 3 月
0154	李 明	《古文真寶》及其版本	10 卷 5 期	(113)	頁 94~98	1994 年 10 月
0155	向生榕	建陽麻沙書坊	12 卷 1 期	(133)	頁 96~98	1996 年 6 月
0156	劉廣定	回應與挑戰：也談《天工開物》的書名與版本	9 卷 9 期	(105)	頁 94~97	1994 年 2 月
0157	黃永武	敦煌本唐詩校勘舉例──試校敦煌伯二五五五號卷子中的二十七首唐詩	2 卷 6 期	(18)	頁 68~76	1986 年 11 月
0158	王叔岷	談校書	5 卷 12 期	(60)	頁 99~102	1990 年 5 月
0159	胡厚宣	偽書誤導又一例	11 卷 1 期	(121)	頁 72~73	1995 年 6 月
0160	陳亦伶	文獻整理研究新成果──《文獻辨偽學研究》評介	25 卷 5 期	(293)	頁 99~102	2009 年 10 月
0161	劉兆祐	吉光片羽的《玉函山房輯佚書》	2 卷 7 期	(19)	頁 86~89	1986 年 12 月
0162	張惠淑	國內整理古籍的奠基石──簡介《姚際恆著作集》	10 卷 8 期	(116)	頁 96~99	1995 年 1 月
0163	吳銘能 黃 博	把四川大學古籍所建設成宋代文獻資料中心──曾棗莊教授談《全宋文》編纂經過	22 卷 7 期	(259)	頁 102~106	2006 年 12 月
0164	張晏瑞	古史辨思潮的遺珠──談《古籍考辨叢刊》之出版	25 卷 2 期	(290)	頁 92~95	2009 年 7 月

1.1.4 古籍藏書

0165	唐復光	「邂齋閑覽」抄本	1 卷 5 期	(5)	頁 92~93	1985 年 10 月
0166	朱銘源	「邂齋閑覽」的作者	1 卷 7 期	(7)	頁 75	1985 年 12 月
0167	蔡佩玲 蘇 精	浙東天一閣藏書卅萬	2 卷 1 期	(13)	頁 64~65	1986 年 6 月
0168	鄭明娳	新說西遊記圖像	2 卷 2 期	(14)	頁 52~55	1986 年 7 月
0169	劉兆祐	藏書章的故事	2 卷 10 期	(22)	頁 52~55	1987 年 3 月
0170	謝正光	寂寞的鐵琴銅劍樓—— 記藏書家瞿鳳起先生的晚年	6 卷 9 期	(69)	頁 69~75	1991 年 2 月
0171	車錫倫	曹寅（棟亭）藏書《書史紀原》上 的「雪芹校字」	10 卷 3 期	(111)	頁 91~95	1994 年 8 月
0172	彭菏成	文宗閣藏書樓今昔	20 卷 6 期	(234)	頁 40~48	2004 年 11 月

1.2 圖書館學

1.2.1 通論

0173	陳重方	《中國圖書館年鑑》述評	25 卷 3 期	(291)	頁 4~8	2009 年 8 月

1.2.2 圖書館資源

0174	鄭明娳	認識圖書館	1 卷 2 期	(2)	頁 76~77	1985 年 7 月
0175	林慶彰	請建立中南部學術資料中心	9 卷 1 期	(97)	頁 4~5	1993 年 6 月
0176	林慶彰	大陸資料蒐藏與利用的困難及解決 之道	10 卷 2 期	(110)	頁 99~102	1994 年 7 月
0177	車行健	從珍稀古籍借閱複印的規定談起	25 卷 9 期	(297)	頁 4~7	2010 年 2 月
0178	馮曉庭	談談「善本」與「線裝書」的使用	25 卷 9 期	(297)	頁 8~12	2010 年 2 月
0179	橋本秀美	利用圖書館雜感	25 卷 9 期	(297)	頁 13~16	2010 年 2 月
0180	許建平	圖書館查書的經歷與我的學術取向	25 卷 9 期	(297)	頁 17~20	2010 年 2 月
0181	張文朝	使用圖書館的「甘」與「苦」	25 卷 9 期	(297)	頁 21~24	2010 年 2 月
0182	葉純芳	我的圖書館經歷	25 卷 9 期	(297)	頁 25~28	2010 年 2 月
0183	蔣秋華	我與圖書館	25 卷 9 期	(297)	頁 29~32	2010 年 2 月
0184	程克雅	古籍聚散與重生—— 求訪因緣與回顧	25 卷 9 期	(297)	頁 33~36	2010 年 2 月
0185	李 芳	北京訪曲記	25 卷 9 期	(297)	頁 37~40	2010 年 2 月

1.2.3 各地圖書館

1.2.3.1 臺灣

0186	王國良	國立中央圖書館簡介	1 卷 1 期	(1)	頁 86~88	1985 年 6 月
0187	林慶彰	國立中央圖書館台灣分館	1 卷 3 期	(3)	頁 92~93	1985 年 8 月
0188	蔡世明	台南市立圖書館	1 卷 9 期	(9)	頁 54~57	1986 年 2 月
0189	張廣慶	文化的綠洲——澎湖縣立圖書館	2 卷 1 期	(13)	頁 82~83	1986 年 6 月
0190	編輯部	各主要圖書館大陸藏書介紹：中央研究院歷史語言研究所傳斯年圖書館	4 卷 1 期	(37)	頁 36~37	1988 年 6 月
0191	編輯部	各主要圖書館大陸藏書介紹：中央研究院近代史研究所圖書館	4 卷 1 期	(37)	頁 37~39	1988 年 6 月
0192	編輯部	各主要圖書館大陸藏書介紹：國際關係研究中心圖書館	4 卷 1 期	(37)	頁 39~40	1988 年 6 月
0193	編輯部	各主要圖書館大陸藏書介紹：漢學研究中心資料組	4 卷 1 期	(37)	頁 41~42	1988 年 6 月
0194	編輯部	各主要圖書館大陸藏書介紹：清華大學圖書館特藏室	4 卷 1 期	(37)	頁 42~43	1988 年 6 月
0195	陳益源	「中國飲食文化學術研討會」本月召開——兼介主辦單位「中國飲食文化圖書館」	5 卷 4 期	(52)	頁 96~97	1989 年 9 月
0196	許淑美採訪	國立歷史博物館入藏大陸版圖書	5 卷 10 期	(58)	頁 106	1990 年 3 月

1.2.3.2 其他地區

0197	蔡蕙年 蘇愉婷 宗大筠	東京上野國立國會圖書館國際兒童圖書館	25 卷 8 期	(296)	頁 4~10	2010 年 1 月

1.3 學術刊物

1.3.1 通論

1.3.2 期刊、學報

0198	曾昭旭	延續孔門講學傳統——鵝湖文化講座	1 卷 9 期	(9)	頁 37~39	1986 年 2 月
0199	徐漢昌	從《管子學刊》的出版談大陸的管子研究	4 卷 4 期	(40)	頁 96~97	1988 年 9 月
0200	連文萍	一卷在握，鳥瞰全局《複印報刊資料》的學術價值	4 卷 6 期	(42)	頁 90~91	1988 年 11 月
0201	陳逢源	研究中國哲學的期刊	4 卷 9 期	(45)	頁 61~63	1989 年 2 月
0202	林耀椿	錢鍾書與《學文》月刊	11 卷 8 期	(128)	頁 88~92	1996 年 1 月

0203	陳智德	只是想呼吸而已	13 卷 10 期 (154) 頁 118~120	1998 年 3 月
0204	何啟治	面向時代、面向讀者的《當代》雜誌	13 卷 12 期 (156) 頁 54~57	1998 年 5 月
0205	編輯部	永遠的《萌芽》	14 卷 1 期 (157) 頁 102~105	1998 年 6 月
0206	姚 拓	語重心長說《蕉風》	14 卷 1 期 (157) 頁 106~109	1998 年 6 月
0207	許迪鏘	誰會聽這樣的故事？——關於《素葉》	14 卷 1 期 (157) 頁 110~112	1998 年 6 月
0208	呂新昌	《台灣文藝》與台灣文學	16 卷 5 期 (185) 頁 39~44	2000 年 10 月
0209	林慶彰	中日文史通俗雜誌	17 卷 8 期 (200) 頁 12~14	2002 年 1 月
0210	蔡明蓉	烽火頻仍下的桃花源——《青鶴》簡介	22 卷 1 期 (253) 頁 97~101	2006 年 6 月
0211	吳怡青	獨樹一幟的佛學期刊——《佛教圖書館館刊》簡介	23 卷 3 期 (267) 頁 93~96	2007 年 8 月
0212	陳亦伶	香港中國學研究的後起之秀——《人文中國學報》評介	24 卷 6 期 (282) 頁 98~101	2008 年 11 月

1.3.3 以書代刊 (所有書評、討論以書代刊與期刊者)

0213	黃文吉	無邊光景一時新——高評主編《宋代文學研究叢刊‧創刊號》評介	11 卷 2 期 (122) 頁 111~115	1995 年 7 月
0214	許慧淳	史料考證的里程碑——《歷史文獻》評介	23 卷 8 期 (272) 頁 88~91	2008 年 1 月
0215	倪瑋均	文史研究的多寶格——《古典文獻研究》簡介	23 卷 8 期 (272) 頁 92~95	2008 年 1 月
0216	張晏瑞	從過去到現在——《歷史文獻研究》評介	23 卷 11 期 (275) 頁 94~97	2008 年 4 月
0217	陳亦伶	源遠流長 豐富多采——《炎黃文化研究》評介	23 卷 12 期 (276) 頁 99~102	2008 年 5 月
0218	吳怡青	多元探討 深入精髓——《中國典籍與文化論叢》簡介	24 卷 1 期 (277) 頁 99~102	2008 年 6 月
0219	邱詩雯	《宋代文學研究叢刊》的創辦與理念	24 卷 8 期 (284) 頁 92~95	2009 年 1 月
0220	何淑蘋	培育經學幼苗的園地——《經學研究論叢》簡介	24 卷 9 期 (285) 頁 90~93	2009 年 2 月
0221	林慶彰	談談「以書代刊」	24 卷 12 期 (288) 頁 4~7	2009 年 5 月
0222	張高評	專業學刊的生路與活路	24 卷 12 期 (288) 頁 8~11	2009 年 5 月
0223	陳侃理	北京大學的文史類學術集刊——兼談以書代刊刊物的重要性	24 卷 12 期 (288) 頁 12~15	2009 年 5 月
0224	王俊義	《炎黃文化研究》的生存與發展	24 卷 12 期 (288) 頁 16~18	2009 年 5 月
0225	趙生群	《古文獻研究集刊》簡介	24 卷 12 期 (288) 頁 19~22	2009 年 5 月

0226	周少川	文獻研究的重要園地—— 介紹《歷史文獻研究》集刊	24 卷 12 期 (288) 頁 23~26	2009 年 5 月
0227	陳　偉	一份耕耘 一份收穫—— 主辦《簡帛》集刊的一些體會	24 卷 12 期 (288) 頁 27~28	2009 年 5 月
0228	葉純芳	談《經學研究論叢》與《國際漢學論叢》——兼談「以書代刊」的學術價值與困境	24 卷 12 期 (288) 頁 29~31	2009 年 5 月
0229	張　濤	《中國經學》：以書代刊大軍中的一員	24 卷 12 期 (288) 頁 32~35	2009 年 5 月
0230	陳韋哲	探索中國傳統學術的意蘊—— 談已停刊的「以書代刊」《原學》	25 卷 4 期 (292) 頁 88~91	2009 年 9 月
0231	林彥廷	立足傳統 連接世界—— 《原道》與九十年代以來中國儒學	25 卷 4 期 (292) 頁 92~95	2009 年 9 月
0232	陳韋哲	從獨力創刊到通力合作—— 談《中文學刊》的內容風格與學術貢獻	25 卷 6 期 (294) 頁 88~91	2009 年 11 月
0233	張琬瑩	發揚儒家文化的生力軍—— 談「以書代刊」的《儒家文化研究》	25 卷 9 期 (297) 頁 89~92	2010 年 2 月
0234	陳韋哲	回到中國是為了走向世界—— 談《中國文化》二十年	25 卷 9 期 (297) 頁 93~96	2010 年 2 月
0235	蔡雅如	古文獻研究的風向球—— 談《北京大學中國古文獻研究中心集刊》的出版與內容	25 卷 11 期 (299) 頁 92~95	2010 年 4 月
0236	張琬瑩	傳承與發揚儒家文化的精髓—— 談《儒林》與山東大學儒學研究中心	25 卷 12 期 (300) 頁 87~90	2010 年 5 月
0237	陳韋哲	蜀道不難—— 談《新國學》在學術交流上的貢獻	25 卷 12 期 (300) 頁 91~94	2010 年 5 月

1.4 百科全書、辭書、類書、年鑑

1.4.1 通論

0238	江靜芳採訪	我編工具書—— 訪王熙元、劉兆祐、邱燮友、繆天華教授	2 卷 5 期 (17) 頁 40~42	1986 年 10 月
0239	張素卿 呂妙芬採訪	勤學的金針—— 訪楊家駱、程元敏、周良亭教授談辭書、類書、索引	2 卷 5 期 (17) 頁 43~46	1986 年 10 月
0240	潘正德採訪	你用過工具書嗎？—— 訪一般社會人士	2 卷 5 期 (17) 頁 46~49	1986 年 10 月
0241	劉冠仲	試談筆形編碼檢字	10 卷 10 期 (118) 頁 76~80	1995 年 3 月
0242	鄭淑君	類書的新疆界—— 《中華大典·文學典》簡介	21 卷 12 期 (252) 頁 92~95	2006 年 5 月
0243	鄭雅文	從《淵鑑類函》看紙文化的發展	23 卷 3 期 (267) 頁 27~32	2007 年 8 月

| 0244 | 鄭淑君 | 突破類書之分類與應用：
「數位《古今圖書集成》」 | 23 卷 4 期 | (268) | 頁 28~32 | 2007 年 9 月 |

1.4.2 類書

| 0245 | 倪瑋均 | 「《中國大百科全書》智慧藏知識
庫」評介 | 23 卷 4 期 | (268) | 頁 45~50 | 2007 年 9 月 |

1.4.4 辭書

0246	曾玉明	辭典部首淺說	1 卷 3 期	(3)	頁 91	1985 年 8 月
0247	黃慶萱	談字典── 種最重要的工具書	1 卷 4 期	(4)	頁 48~53	1985 年 9 月
0248	莊雅州	同義詞的辭典有那些？	1 卷 5 期	(5)	頁 69	1985 年 10 月
0249	葉世景	怎樣學好四角號碼檢字── 最快速的檢字方法	1 卷 5 期	(5)	頁 74	1985 年 10 月
0250	黃慶萱	談辭典	1 卷 6 期	(6)	頁 62~66	1985 年 11 月
0251	鄭明娳	如何選擇好字典── 從《超群國語字典》談起	2 卷 5 期	(17)	頁 18~20	1986 年 10 月
0252	魏子雲	工具書與參考書── 兼談大陸版的《文史辭源》	2 卷 5 期	(17)	頁 21~23	1986 年 10 月
0253	林慶彰	《大辭典》的一些疏失	2 卷 5 期	(17)	頁 24~31	1986 年 10 月
0254	黃忠慎	評《故鄉實用成語》	2 卷 5 期	(17)	頁 32~37	1986 年 10 月
0255	楊祚德	有趣的字典序和附錄	2 卷 5 期	(17)	頁 38~39	1986 年 10 月
0256	周鳳五	讀《修訂本辭源》	2 卷 6 期	(18)	頁 92~93	1986 年 11 月
0257	元　之	字典的定義方式	2 卷 8 期	(20)	頁 69	1987 年 1 月
0258	劉兆祐	小錯誤‧大問題	2 卷 10 期	(22)	頁 7~8	1987 年 3 月
0259	溫德文	應改進國字部首簡字法── 從教育部擬另編《國語辭典簡編》說起	2 卷 12 期	(24)	頁 46~47	1987 年 5 月
0260	周鳳五	為現代漢語辭典催生	3 卷 1 期	(25)	頁 24~26	1987 年 6 月
0261	野　渡	現代的中文辭典	3 卷 1 期	(25)	頁 27~30	1987 年 6 月
0262	林慶彰	論《國語活用字典》	3 卷 2 期	(26)	頁 88~91	1987 年 7 月
0263	孔仲溫	《中文大辭典》巡禮	3 卷 5 期	(29)	頁 60~62	1987 年 10 月
0264	楊祚德	從部首檢字談起── 那宗訓「部首改良芻議」讀後	3 卷 7 期	(31)	頁 86~89	1987 年 12 月
0265	孔仲溫	重編國語辭典巡禮	3 卷 8 期	(32)	頁 81~83	1988 年 1 月
0266	孔仲溫	辭源巡禮	3 卷 10 期	(34)	頁 93~95	1988 年 3 月
0267	孔仲溫	那本工具書較實用？	3 卷 11 期	(35)	頁 7	1988 年 4 月
0268	李光筠	研讀詩經之津梁── 向熹《詩經詞典》評介	4 卷 1 期	(37)	頁 91~93	1988 年 6 月
0269	孔仲溫	工具書架：辭海巡禮	4 卷 4 期	(40)	頁 91~93	1988 年 9 月

0270	石守謙	《中國美術辭典》出版的學術意義	5 卷 3 期	(51)	頁 98~100	1989 年 8 月
0271	邱德修	燃燒自己，照亮別人的事業——簡介《簡明中國古典文學辭典》	6 卷 3 期	(63)	頁 112~114	1990 年 8 月
0272	編輯部	查閱古文疑難的辭書	6 卷 11 期	(71)	頁 8	1991 年 4 月
0273	劉兆祐	臺灣編纂字、辭典工作的檢討與展望	7 卷 7 期	(79)	頁 11~15	1991 年 12 月
0274	黃沛榮	眾裡尋他千百度——談漢字的部首與歸部問題	7 卷 7 期	(79)	頁 16~19	1991 年 12 月
0275	王志成	透視字、辭典音讀的「戰國時代——談字、辭典的音讀問題	7 卷 7 期	(79)	頁 20~28	1991 年 12 月
0276	黃文吉	必也正名乎——談「鑑賞辭典」	7 卷 7 期	(79)	頁 29~36	1991 年 12 月
0277	洪惟仁	臺語辭典知多少？——歷來閩南語辭書簡介（上）	7 卷 7 期	(79)	頁 37~43	1991 年 12 月
0278	許錟輝	工具書的試金石——選用字、辭典應注意什麼？	7 卷 7 期	(79)	頁 44~48	1991 年 12 月
0279	林慶彰等	名家推薦字辭典（周何 周慶林 許錟輝 黃啟方 梅新 劉兆祐）	7 卷 7 期	(79)	頁 49~61	1991 年 12 月
0280	洪惟仁	臺語辭典知多少？——歷來閩南語辭書簡介（中）	7 卷 8 期	(80)	頁 66~68	1992 年 1 月
0281	洪惟仁	臺語辭典知多少？——歷來閩南語辭書簡介（下）	7 卷 9 期	(81)	頁 64~67	1992 年 2 月
0282	馮浩菲	論群籍訓解與辭書編制	12 卷 10 期	(142)	頁 100~103	1997 年 3 月
0283	王錦慧	「詞」解心「虛」是我師——一本值得推薦的《古代漢語虛詞辭典》	16 卷 7 期	(187)	頁 37~38	2000 年 12 月
0284	顧關元	朱起鳳發憤編《辭通》	18 卷 8 期	(212)	頁 62~63	2003 年 1 月
0285	宋 裕	中文字典、辭典舉要	18 卷 9 期	(213)	頁 111~112	2003 年 2 月
0286	何淑蘋 鄭誼慧	《民國人物大辭典（增訂本）》評介	24 卷 8 期	(284)	頁 88~91	2009 年 1 月
0287		教育部《重編國語辭典》真的需要重編——以劉禪（阿斗）的讀音為例	25 卷 1 期	(289)	頁	2009 年 6 月

1.4.5 年鑑

0288	連文萍	大陸出版的文學年鑑（上）	4 卷 10 期	(46)	頁 98~99	1989 年 3 月
0289	連文萍	大陸出版的文學年鑑（下）	5 卷 2 期	(50)	頁 95~97	1989 年 7 月
0290	陳重方	《中國圖書館年鑑》述評	25 卷 3 期	(291)	頁 4~8	2009 年 8 月
0291	楊子葳	《中國出版年鑑》述評	25 卷 3 期	(291)	頁 9~15	2009 年 8 月
0292	許秀貞	觀《中國哲學年鑑》之我見	25 卷 3 期	(291)	頁 16~21	2009 年 8 月
0293	彭筱芸	《中國儒學年鑑》述評	25 卷 3 期	(291)	頁 22~26	2009 年 8 月
0294	鄒琬琳	《中國歷史學年鑑》述評	25 卷 3 期	(291)	頁 27~33	2009 年 8 月

0295　林均諭　　《唐代文學研究年鑑》　　　　　25 卷 3 期　(291)　頁 39~43　　2009 年 8 月

0296　莊喬惠　　《中國文學年鑑（1981—2007）》　25 卷 3 期　(291)　頁 34~38　　2009 年 8 月
　　　　　　　　述評

0297　林靜慧　　從《台灣文學年鑑》（1996—2006）25 卷 4 期　(292)　頁 72~83　　2009 年 9 月
　　　　　　　　的結構編排方式論其得失

1.5 叢書與論集

1.5.1 通論

0298　顧關元　　《續修四庫全書》與《四庫全書》　16 卷 7 期　(187)　頁 35~36　　2000 年 12 月

0299　張晏瑞　　經眼親聞　手炙筆錄——　　　　23 卷 5 期　(269)　頁 88~91　　2007 年 10 月
　　　　　　　　《中國叢書知見錄》評介

1.5.2 古籍叢書

0300　劉兆祐　　中國最大的一套叢書——　　　　2 卷 1 期　(13)　頁 66~68　　1986 年 6 月
　　　　　　　　四庫全書

0301　劉兆祐　　為流失海外的古籍傳書種——　　2 卷 2 期　(14)　頁 39~41　　1986 年 7 月
　　　　　　　　《古逸叢書》

0302　劉兆祐　　實用與善本並重的《四部叢刊》　2 卷 3 期　(15)　頁 55~57　　1986 年 8 月

0303　劉兆祐　　彙集善本的《百衲本二十四史》　2 卷 5 期　(17)　頁 62~65　　1986 年 10 月

0304　劉兆祐　　吉光片羽的《玉函山房輯佚書》　2 卷 7 期　(19)　頁 86~89　　1986 年 12 月

0305　周鳳五　　仰視千七百二十九鶴齋叢書　　　2 卷 8 期　(20)　頁 66~68　　1987 年 1 月

0306　周鳳五　　滂喜齋叢書　　　　　　　　　　2 卷 10 期　(22)　頁 56~61　　1987 年 3 月

0307　編輯部　　大陸出版文淵閣《四庫全書》影印本　5 卷 6 期　(54)　頁 98~99　　1989 年 11 月

0308　劉千惠　　文津閣《四庫全書》簡介　　　　21 卷 9 期　(249)　頁 104~107　2006 年 2 月

0309　劉千惠　　劫後重生　嘉惠士林——　　　　21 卷 11 期　(251)　頁 103~106　2006 年 4 月
　　　　　　　　文瀾閣《四庫全書》即將影印出版

0310　孫秀玲　　「文淵閣四庫全書電子版」述評　23 卷 4 期　(268)　頁 33~39　　2007 年 9 月

1.5.3 新編叢書

1.5.3.1 臺灣出版

0311　劉兆祐　　聚珍倣宋版《四部備要》　　　　2 卷 4 期　(16)　頁 28~31　　1986 年 9 月

0312　江應龍　　踽踽獨行三十年　　　　　　　　2 卷 10 期　(22)　頁 66~70　　1987 年 3 月

0313　林明德　　我編韓國漢文小說全集　　　　　3 卷 2 期　(26)　頁 82~86　　1987 年 7 月

0314　陳慶浩　　漢文化整體研究的起點——　　　3 卷 5 期　(29)　頁 52~56　　1987 年 10 月
　　　　　　　　《越南漢文小說叢刊》

0315　王國良　《歷代笑話集叢刊》計劃書　5 卷 10 期　(58)　頁 37~39　1990 年 3 月

0316　陳滿銘　《章法叢書》序　18 卷 3 期　(207)　頁 101~103　2002 年 8 月

0317　楊寶蓮　匯集兩岸學者，呈現戲曲研究成果　22 卷 9 期　(261)　頁 83~86　2007 年 2 月
　　　　　　　──《國家戲曲研究叢書》簡介

0318　陳水福　臺灣古典散文的總彙──　23 卷 9 期　(273)　頁 105~108　2008 年 2 月
　　　　　　　《全臺文》簡介

0319　陳水福　臺灣漢文小說的寶庫──　24 卷 2 期　(278)　頁 104~107　2008 年 7 月
　　　　　　　《日治時期臺灣小說彙編》簡介

0320　江俊億　陽明後學研究的基石──　24 卷 2 期　(278)　頁 108~111　2008 年 7 月
　　　　　　　《陽明後學文獻叢書》述評

0321　陳惠美　紬奇冊府，總前代之遺編──　24 卷 4 期　(280)　頁 98~101　2008 年 9 月
　　　　　　　《民國時期經學叢書》簡介

0322　陳顯哲　《中國學術思想研究輯刊》簡介　24 卷 9 期　(285)　頁 94~97　2009 年 2 月

0323　陳亦伶　近五十年來臺灣古典文獻研究的薈　24 卷 10 期　(286)　頁 88~91　2009 年 3 月
　　　　　　　萃──《古典文獻研究輯刊》簡介

0324　林淑貞　站在詩學的風景線上──　25 卷 5 期　(293)　頁 95~98　2009 年 10 月
　　　　　　　《古典詩歌研究彙刊》一至六輯概述

1.5.3.2 其他地區出版

0325　黃文吉　詞學論評的總匯──　4 卷 11 期　(47)　頁 100~103　1989 年 4 月
　　　　　　　增訂本《詞話叢編》評介

0326　周　秦　不讓古人專美於前──　5 卷 8 期　(56)　頁 104~105　1990 年 1 月
　　　　　　　《清詩紀事》編纂情況追記

0327　陸　華　大陸刊行《道藏精華錄》　5 卷 9 期　(57)　頁 102　1990 年 2 月

0328　曾棗莊　不讓清人專美──　6 卷 2 期　(62)　頁 16~19　1990 年 7 月
　　　　　　　談中國最大的斷代文章總集《全宋文》

0329　張高評　研究宋詩的方便之門──　6 卷 2 期　(62)　頁 20~24　1990 年 7 月
　　　　　　　《全宋詩》編纂與宋詩研究

0330　孫欽善　巧合的「英雄所見」──　6 卷 2 期　(62)　頁 25~28　1990 年 7 月
　　　　　　　大陸《全宋詩》編纂概況

0331　章培恒　從先進走向落後──　6 卷 2 期　(62)　頁 29~32　1990 年 7 月
　　　　　　　談明代文學及《全明詩》的編纂

0332　張　璋　速寫詞談先趨的面貌──　6 卷 2 期　(62)　頁 33~36　1990 年 7 月
　　　　　　　談唐五代詞及《全唐五代詞》的編纂

0333　張　璋　聽我說句公道話──　6 卷 2 期　(62)　頁 37~41　1990 年 7 月
　　　　　　　論明代的詞及《全明詞》的編纂

0334　張宏生　再創詞學新境界──　6 卷 2 期　(62)　頁 42~45　1990 年 7 月
　　　　　　　《全清詞》編纂述略

0335	謝伯陽	搶救全明散曲—— 談《全明散曲》的編纂	6 卷 2 期	(62)	頁 46~50	1990 年 7 月
0336	林慶彰	《全宋詩》爭議的省思	8 卷 8 期	(92)	頁 4~5	1993 年 1 月
0337	劉廣定	也談《全宋詩》的出版事件	8 卷 10 期	(94)	頁 4~5	1993 年 3 月
0338	鄭淑君	希見明、清史料之重刊—— 《明清史料叢書八種》簡介	22 卷 4 期	(256)	頁 95~98	2006 年 9 月
0339	陳水福	史記研究成果的總匯—— 《史記研究集成》簡介	22 卷 5 期	(257)	頁 94~97	2006 年 10 月
0340	錢　軍	難以承受的「版本」之重—— 《中國版本文化叢書》讀後	22 卷 6 期	(258)	頁 52~55	2006 年 11 月
0341	劉千惠	博采兩宋 成此巨編—— 《全宋文》簡介	22 卷 8 期	(260)	頁 88~91	2007 年 1 月
0342	鄭淑君	電子文獻資料庫之運用與結晶—— 《漢達古籍研究叢書》簡介	22 卷 9 期	(261)	頁 87~90	2007 年 2 月
0343	蔡明蓉	筆記小說裡的乾坤世界—— 《歷代筆記小說集成》介紹	22 卷 10 期	(262)	頁 99~102	2007 年 3 月
0344	倪瑋均	浩瀚《詩》海中的領航員—— 《詩經要籍集成》簡介	22 卷 11 期	(263)	頁 99~102	2007 年 4 月
0345	蔡翔宇	宋代詩學研究的寶庫—— 《宋詩話全編》簡介	23 卷 1 期	(265)	頁 93~95	2007 年 6 月
0346	謝智光	探詢中國傳統文化的蘊奧—— 《元典文化叢書》簡介	23 卷 3 期	(267)	頁 89~92	2007 年 8 月
0347	蔡翔宇	遼、金、元三代詩話的寶庫—— 《遼金元詩話全編》簡介	23 卷 7 期	(271)	頁 96~99	2007 年 12 月
0348	蔡翔宇	明代詩學研究的寶庫—— 《明詩話全編》簡介	23 卷 9 期	(273)	頁 109~112	2008 年 2 月
0349	郭明芳	民國時期學術文獻的總彙—— 介紹《民國珍稀短刊斷刊》	23 卷 10 期	(274)	頁 99~102	2008 年 3 月
0350	謝智光	中國傳統思想研究的大寶庫—— 《中國思想家評傳叢書》簡介	23 卷 12 期	(276)	頁 95~98	2008 年 5 月
0351	張晏瑞	原典所聚、信史所存—— 《四部文明》評介	24 卷 3 期	(279)	頁 105~108	2008 年 8 月
0352	夏志穎 陳　璇	文獻刊佈與清詞研究—— 略談《清詞珍本叢刊》的學術價值	24 卷 3 期	(279)	頁 109~112	2008 年 8 月
0353	黃智明	文章學的寶庫—— 《歷代文話》簡介	24 卷 5 期	(281)	頁 95~98	2008 年 10 月
0354	陳亦伶	研究近代學者的第一手資料—— 《歷代日記叢鈔》評介	24 卷 5 期	(281)	頁 99~102	2008 年 10 月
0355	劉　深	觀念的更新和資料的發現——	24 卷 6 期	(282)	頁 94~97	2008 年 11 月

《清詞研究叢書》出版

0356	江俊億	本是同根生—— 《閩南文化叢書》介紹	24 卷 7 期	(283)	頁 90~93	2008 年 12 月
0357	張晏瑞	古史辨思潮的遺珠—— 談《古籍考辨叢刊》之出版	25 卷 2 期	(290)	頁 92~95	2009 年 7 月
0358	劉　建	古典文獻研究的新成果—— 介紹《文獻傳承與文化認同研究叢書》	25 卷 3 期	(291)	頁 99~102	2009 年 8 月
0359	吳怡青	民國期刊資料分類彙編叢書—— 《三禮研究》編纂述評	25 卷 10 期	(298)	頁 92~95	2010 年 3 月

1.5.4 總集

0360	唐復光	清光緒六年私刊本《王竹舫先生遺集》	2 卷 5 期	(17)	頁 60~61	1986 年 10 月
0361	元　之	周棄子的文集	2 卷 8 期	(20)	頁 33	1987 年 1 月
0362	陳慶浩	來自民間，回到民間—— 推介《中國民間故事全集》	5 卷 2 期	(50)	頁 98~100	1989 年 7 月
0363	劉兆祐	挖掘文學聚寶盆—— 我國編纂文學總集的回顧與展望	6 卷 2 期	(62)	頁 11~15	1990 年 7 月
0364	張惠淑	國內整理古籍的奠基石—— 簡介《姚際恆著作集》	10 卷 8 期	(116)	頁 96~99	1995 年 1 月
0365	呂武志	詩文的淵藪——昭明文選	14 卷 12 期	(168)	頁 10~12	1999 年 5 月
0366	李鴻儒	博覽海圖　悠遊經史—— 《魏源全集》簡介	21 卷 11 期	(251)	頁 99~102	2006 年 4 月
0367	鍾信昌	極高明而道中庸，多聞見而守卓約 ——《朱子全書》評介	22 卷 2 期	(254)	頁 89~92	2006 年 7 月
0368	黃智明	高文大冊，盡萃斯編—— 《高亨著作集林》簡介	22 卷 6 期	(258)	頁 89~93	2006 年 11 月
0369	鍾信昌	文學革命與自由主義的先驅—— 《胡適全集》評介	22 卷 7 期	(259)	頁 94~97	2006 年 12 月

1.5.5 論文集

0370	張廣慶	《周予同經學史論著選集》簡介	4 卷 3 期	(39)	頁 88~90	1988 年 8 月
0371	孫秀玲	我讀《劉大杰古典文學論文選集》	4 卷 4 期	(40)	頁 98~99	1988 年 9 月
0372	陳文豪	大陸研究秦漢史的論文集	5 卷 3 期	(51)	頁 94~97	1989 年 8 月
0373	張　健	《蘇軾論稿》序	10 卷 8 期	(116)	頁 94~95	1995 年 1 月
0374	陳正雄	野人獻曝——讀《晚學齋文集》	11 卷 2 期	(122)	頁 108~110	1995 年 7 月
0375	洪楷萱	二十世紀後半中國古史文獻的總彙 ——《古史考》簡介	22 卷 3 期	(255)	頁 90~93	2006 年 8 月
0376	李　芳	戲曲文獻發掘與研究的新收穫——	22 卷 8 期	(260)	頁 84~87	2007 年 1 月

黃仕忠《戲曲文獻研究叢稿》評介

| 0377 | 陳美雪 | 台灣文學研究的里程碑——
《日治時期台灣文藝評論集》評介 | 22 卷 10 期 (262) | 頁 95~98 | 2007 年 3 月 |
| 0378 | 陳亦伶 | 香港中文學術發展新里程——
《香港大學中文學院八十周年紀念
學術論文集》評介 | 25 卷 11 期 (299) | 頁 88~91 | 2010 年 4 月 |

1.6 治學方法

1.6.1 讀書與治學

0379	劉兆祐	為什麼讀書要當心錯字？	1 卷 1 期	(1)	頁 46~49	1985 年 6 月
0380	陳冠甫	談國學要籍的圈點及其他	1 卷 2 期	(2)	頁 34~36	1985 年 7 月
0381	鄭圓鈴	學而時習之	1 卷 8 期	(8)	頁 47	1986 年 1 月
0382	龔鵬程	讀書宜春夏秋冬	2 卷 8 期	(20)	頁 28	1987 年 1 月
0383	劉兆祐	古書的標點符號	2 卷 8 期	(20)	頁 29~31	1987 年 1 月
0384	龔鵬程	大處著眼	2 卷 8 期	(20)	頁 72	1987 年 1 月
0385	王基倫	讀古文，從何下手？	3 卷 6 期	(30)	頁 8	1987 年 11 月
0386	杜松柏	工夫全從誦背來	3 卷 8 期	(32)	頁 48~51	1988 年 1 月
0387	許政雄	從經學到史學——湯志鈞教授的學 思歷程	5 卷 4 期	(52)	頁 51~53	1989 年 9 月
0388	楊伯峻	我的治學大要	5 卷 5 期	(53)	頁 53~55	1989 年 10 月
0389	陳益源採訪	從外文到中文，從臺大到清華—— 王秋桂教授治學與教學的心路歷程	5 卷 6 期	(54)	頁 52~56	1989 年 11 月
0390	林文寶	從必讀書目談起—— 師院生必讀書目	5 卷 6 期	(54)	頁 100~103	1989 年 11 月
0391	丁原基	只是實事求是而已—— 與周振甫先生談他的治學經驗	5 卷 8 期	(56)	頁 61~64	1990 年 1 月
0392	柴劍虹	通達真哲人—— 記啟功先生指導我治學	6 卷 4 期	(64)	頁 52~57	1990 年 9 月
0393	林劍鳴	江河依舊枕寒流，人生幾回傷往事 ——我的治學經歷	6 卷 6 期	(66)	頁 45~47	1990 年 11 月
0394	連文萍採訪 陳曉怡整理	先作通人，再求專精—— 李田意教授的治學歷程和期勉	7 卷 2 期	(74)	頁 83~86	1991 年 7 月
0395	吳宏一口述 連文萍記錄	一條無怨無悔的長路	7 卷 11 期	(83)	頁 44~46	1992 年 4 月
0396	王熙元	卻顧所來徑—— 我讀書與治學的歷程	7 卷 11 期	(83)	頁 46~49	1992 年 4 月
0397	鄭明娳	開拓中文研究生的思考領域	7 卷 11 期	(83)	頁 50~52	1992 年 4 月
0398	吳福助	論文資料積累的利器——卡片	7 卷 12 期	(84)	頁 58~59	1992 年 5 月

0399	黃忠慎	古書的標點問題—— 從一次國文科教材教法研討會談起	9 卷 2 期	(98)	頁 88~90	1993 年 7 月
0400	林慶彰	對研究生拓展學術空間的一些看法	9 卷 6 期	(102)	頁 13~15	1993 年 11 月
0401	喬衍琯	中文所畢業生如何更上層樓	9 卷 6 期	(102)	頁 16~18	1993 年 11 月
0402	王志成 溫光華	古文選讀指津	10 卷 12 期	(120)	頁 33~46	1995 年 5 月
0403	方祖燊	有關小說的一張書目	11 卷 3 期	(123)	頁 28~31	1995 年 8 月
0404	老志鈞	專家學者談背誦	11 卷 11 期	(131)	頁 104~107	1996 年 4 月
0405	林安梧	「國文」與「我」—— 我學習國文的一些回顧	21 卷 6 期	(246)	頁 93~100	2005 年 11 月
0406	蔡宗陽	讀書與學問	22 卷 12 期	(264)	頁 106~107	2007 年 5 月
0407	蔡宗陽	功夫與毅力	23 卷 1 期	(265)	頁 76~77	2007 年 6 月

1.6.2 資料檢索與利用

0408	鄭明娳	認識工具書	1 卷 1 期	(1)	頁 84~85	1985 年 6 月
0409	羅彬榮	「全文檢索」是啥玩意？	5 卷 9 期	(57)	頁 14~16	1990 年 2 月
0410	葉曉珍採訪	電腦搖身，古籍一變—— 訪中研院談古籍全文檢索系統	5 卷 9 期	(57)	頁 16~21	1990 年 2 月
0411	陳郁夫	「龍泉」初淬—— 「嶺月中英全文處理檢索系統」開發記	5 卷 9 期	(57)	頁 22~24	1990 年 2 月
0412	周柏蓮採訪	讓電腦「動手動腳找資料」—— 訪《全唐詩》檢索系統的開發者 欒貴明教授	5 卷 9 期	(57)	頁 26~28	1990 年 2 月
0413	楊允敬	用電腦說文解字—— 大型詞書電腦化的嘗試	5 卷 9 期	(57)	頁 28~29	1990 年 2 月
0414	張衛東 黃　賢 趙原璧	讓古籍插上電腦之翼高飛—— 從「帶領《紅樓夢》進入電腦」說起	5 卷 9 期	(57)	頁 30~33	1990 年 2 月
0415	彭昆侖	闖入神奇的知識王國—— 「電腦紅學」研究的甘苦談	5 卷 9 期	(57)	頁 34~38	1990 年 2 月
0416	何志華	為漢學研究開展新局—— 「漢及以前全部傳世文獻電腦化 資料庫」計劃簡介	5 卷 9 期	(57)	頁 38~40	1990 年 2 月
0417	編輯部	古籍電腦化成果一覽表	5 卷 9 期	(57)	頁 42~43	1990 年 2 月
0418	編輯部	古籍電腦化工具一覽表	5 卷 9 期	(57)	頁 43	1990 年 2 月
0419	陳逢源	研究中國哲學的工具書	5 卷 9 期	(57)	頁 103~105	1990 年 2 月
0420	古清美	進一步查考「實學」人物	6 卷 8 期	(68)	頁 8	1991 年 1 月
0421	羅鳳珠	攜手同行古籍自動化的路（二）： 不廢江河萬古流——DIY 唐詩多媒	10 卷 11 期	(119)	頁 46~51	1995 年 4 月

		體網路系統規劃理念				
0422	羅鳳珠	攜手同行古籍自動化的路（三）：不廢江河萬古流——DIY 唐詩多媒體網路系統架構設計	11 卷 1 期	(121)	頁 105~111	1995 年 6 月
0423	馮曉庭	查尋古代典籍的方法	18 卷 3 期	(207)	頁 4~9	2002 年 8 月
0424	陳恆嵩	檢索方志中人物傳記資料的方法	18 卷 3 期	(207)	頁 10~14	2002 年 8 月
0425	王清信	查尋歷代人物圖像的方法	18 卷 3 期	(207)	頁 15~19	2002 年 8 月
0426	翁敏修	出土文獻的檢索與利用	18 卷 3 期	(207)	頁 20~24	2002 年 8 月
0427	蕭開元	現有文史資料庫選介	18 卷 3 期	(207)	頁 25~30	2002 年 8 月
0428	林淑貞	古典詩學資料的檢索與利用	18 卷 8 期	(212)	頁 4~12	2003 年 1 月
0429	連文萍	詩話資料的檢索與利用	18 卷 8 期	(212)	頁 13~20	2003 年 1 月
0430	黃文吉	詞學資料的檢索與利用	18 卷 8 期	(212)	頁 21~27	2003 年 1 月
0431	陳美雪	散曲資料的檢索與利用	18 卷 8 期	(212)	頁 28~33	2003 年 1 月
0432	陳蕙文	戲曲資料的檢索與利用	18 卷 8 期	(212)	頁 34~39	2003 年 1 月
0433	鄭誼慧	古典小說資料的檢索與利用	18 卷 8 期	(212)	頁 40~46	2003 年 1 月
0434	莊建國	我國現代文學史料數位化典藏與服務（上）	18 卷 8 期	(212)	頁 104~110	2003 年 1 月
0435	莊健國	我國現代文學史料數位化典藏與服務（中）	18 卷 9 期	(213)	頁 105~111	2003 年 2 月
0436	莊健國	我國現代文學史料數位化典藏與服務（下）	18 卷 10 期	(214)	頁 91~97	2003 年 3 月
0437	張晏瑞	臺灣地區漢學相關電子資料庫綜述	23 卷 2 期	(266)	頁 4~10	2007 年 7 月
0438	陳惠美	古籍文獻數位化的價值淺談	23 卷 2 期	(266)	頁 11~15	2007 年 7 月
0439	王桂蘭	漢籍電子文獻「二十五史資料庫」評介	23 卷 2 期	(266)	頁 16~21	2007 年 7 月
0440	林 敏	「中華民國期刊論文索引系統 WWW 版」評介	23 卷 2 期	(266)	頁 22~26	2007 年 7 月
0441	袁明嶸	「中國期刊全文資料庫」評介	23 卷 2 期	(266)	頁 27~31	2007 年 7 月
0442	劉千惠	「全國博碩士論文資訊網」的價值與缺失	23 卷 2 期	(266)	頁 32~36	2007 年 7 月
0443	馮曉庭	「中國博碩士論文全文資料庫」簡介	23 卷 2 期	(266)	頁 37~47	2007 年 7 月
0444	趙威維	「臺灣文史哲論文集篇目檢索系統」述評	23 卷 2 期	(266)	頁 48~52	2007 年 7 月
0445	張晏瑞	「中文古籍書目資料庫」評介	23 卷 4 期	(268)	頁 4~9	2007 年 9 月
0446	黃智信	「中國基本古籍庫」簡介	23 卷 4 期	(268)	頁 10~15	2007 年 9 月
0447	郭明芳	「中國大陸各省地方志書目查詢系統」述評	23 卷 4 期	(268)	頁 16~22	2007 年 9 月
0448	鄭育如	「超星數字圖書館」述評	23 卷 4 期	(268)	頁 23~27	2007 年 9 月

0449	鄭淑君	突破類書之分類與應用：「數位《古今圖書集成》」	23 卷 4 期	(268)	頁 28~32	2007 年 9 月
0450	孫秀玲	「文淵閣四庫全書電子版」述評	23 卷 4 期	(268)	頁 33~39	2007 年 9 月
0451	袁明嶸	「臺灣日日新報全文電子資料庫」評介	23 卷 4 期	(268)	頁 40~44	2007 年 9 月
0452	倪瑋均	「《中國大百科全書》智慧藏知識庫」評介	23 卷 4 期	(268)	頁 45~50	2007 年 9 月
0453	鄭誼惠	研究近代出版文化的必備用書——近代報刊工具書紹介	23 卷 4 期	(268)	頁 97	2007 年 9 月
0454	何志華 潘銘基	資料庫之利用與學術研究	25 卷 4 期	(292)	頁 49~56	2009 年 9 月

1.6.3 論文及讀書報告寫作

0455	張瑞穗	「引文」的用法	3 卷 10 期	(34)	頁 72~73	1988 年 3 月
0456	吳福助	「研究報告」寫作要則	4 卷 7 期	(43)	頁 78~80	1988 年 12 月
0457	吳福助	「讀書報告」寫作要則	4 卷 7 期	(43)	頁 81	1988 年 12 月
0458	陳慶煌	如何寫好學術論文	4 卷 7 期	(43)	頁 82~86	1988 年 12 月
0459	畢長樸	怎樣發表你的學術高見	7 卷 12 期	(84)	頁 56~59	1992 年 5 月
0460	張 健	創見‧偽創見與反創見	10 卷 3 期	(111)	頁 11~14	1994 年 8 月
0461	岑溢成	國學論文的寫作方法	10 卷 3 期	(111)	頁 15~17	1994 年 8 月
0462	王熙元	學術論文的認知與寫作	10 卷 3 期	(111)	頁 18~22	1994 年 8 月
0463	張廣慶	動手動腦找題目	10 卷 3 期	(111)	頁 25~27	1994 年 8 月
0464	盧景商	如何擬定大綱	10 卷 3 期	(111)	頁 28~29	1994 年 8 月
0465	周慶華	資料的收集及解讀	10 卷 3 期	(111)	頁 30~31	1994 年 8 月
0466	陳逢源	論文時間的掌控	10 卷 3 期	(111)	頁 32~33	1994 年 8 月
0467	盧明瑜	論文寫作的心理調適	10 卷 3 期	(111)	頁 34~35	1994 年 8 月
0468	翁以倫	鏡頭下的巧思／讀書心得的作法——寫於「我最喜歡的一本書」之前	10 卷 4 期	(112)	頁 57~60	1994 年 9 月
0469	林慶彰	什麼是學術論文？	10 卷 4 期	(112)	頁 110~113	1994 年 9 月
0470	黎活仁	碩士博士論文是否需要有理論？	12 卷 6 期	(138)	頁 4~5	1996 年 11 月
0471	林祥徵	學術論文寫作的引路燈——評林慶彰《學術論文寫作指引》	13 卷 2 期	(146)	頁 22~25	1997 年 7 月
0472	周嘉慧記錄	從《學術論文寫作指引》談中文學界的論文規範	13 卷 5 期	(149)	頁 4~10	1997 年 10 月
0473	張高評	論文選題與學術研究	18 卷 12 期	(216)	頁 81~95	2003 年 5 月
0474	張高評	人文評鑑與論文規範	24 卷 7 期	(283)	頁 15~20	2008 年 12 月
0475	馮曉庭	談經學學術論文寫作	24 卷 9 期	(285)	頁 4~8	2009 年 2 月

0476	林啟屏	學與思之間── 《從古典到正典：中國古代儒學意 識之形成》的心路歷程	24 卷 9 期	(285)	頁 9~11	2009 年 2 月
0477	連文萍	一起攜手前行── 由博士論文的寫作談起	24 卷 9 期	(285)	頁 12~15	2009 年 2 月
0478	黃文吉	文學三要素與宋南渡詞人研究	24 卷 9 期	(285)	頁 16~20	2009 年 2 月
0479	黃錦珠	發現自我與他人：我的研究與寫作	24 卷 9 期	(285)	頁 25~28	2009 年 2 月
0480	許俊雅	我在台灣文學研究的體會	24 卷 9 期	(285)	頁 29~32	2009 年 2 月
0481	嚴志雄	學思小札	24 卷 9 期	(285)	頁 33~35	2009 年 2 月
0482	金培懿	搏扶搖而直上，遊學海之蒼穹── 由經學、《論語》研究到日本漢學 研究	24 卷 9 期	(285)	頁 36~40	2009 年 2 月

1.6.4 其他

0483	李威熊	誤上高樓迷天涯── 我讀中文的心路歷程	1 卷 3 期	(3)	頁 18~19	1985 年 8 月
0484	劉重日	散錢與索子	6 卷 6 期	(66)	頁 108~109	1990 年 11 月
0485	張雙英	他山之石可以攻錯── 淺談中、美兩國中文研究所的異同	7 卷 11 期	(83)	頁 52~54	1992 年 4 月
0486	林劍鳴	為伊消得人憔悴── 答臺灣諸師友	8 卷 5 期	(89)	頁 104~106	1992 年 10 月
0487	楊龍立	研究深度的開發	9 卷 10 期	(106)	頁 6~7	1994 年 3 月
0488	連文萍	指導教授在哪裡？	10 卷 3 期	(111)	頁 36	1994 年 8 月
0489	張高評	指導教授的名與實	11 卷 11 期	(131)	頁 4~5	1996 年 4 月
0490	楊晉龍	「治學方法」專欄前言	24 卷 8 期	(284)	頁 78~85	2009 年 1 月
0491	楊晉龍	第一講 基本理念的說明（一）	24 卷 9 期	(285)	頁 84~89	2009 年 2 月
0492	楊晉龍	第一講 基本理念的說明（二）	24 卷 10 期	(286)	頁 82~87	2009 年 3 月
0493	楊晉龍	第一講 基本理念的說明（三）	24 卷 11 期	(287)	頁 88~93	2009 年 4 月
0494	楊晉龍	第一講 基本理念的說明（四）	24 卷 12 期	(288)	頁 88~93	2009 年 5 月
0495	楊晉龍	第一講 基本理念的說明（五）	25 卷 1 期	(289)	頁 89~94	2009 年 6 月
0496	楊晉龍	第一講 基本理念的說明（六）	25 卷 2 期	(290)	頁 86~91	2009 年 7 月
0497	楊晉龍	第一講 基本理念的說明（七）	25 卷 3 期	(291)	頁 80~85	2009 年 8 月
0498	楊晉龍	第二講 師生自介及問卷意義的分 析（一）	25 卷 4 期	(292)	頁 106~111	2009 年 9 月
0499	王世豪	漢字在撰寫學術論文之實務體驗	25 卷 6 期	(294)	頁 23~27	2009 年 11 月
0500	楊晉龍	第二講 師生自介及問卷意義的分 析（二）	25 卷 6 期	(294)	頁 106~111	2009 年 11 月
0501	楊晉龍	第二講 師生自介及問卷意義的分	25 卷 7 期	(295)	頁 107~112	2009 年 12 月

析（二）

0502	楊晉龍	第二講 師生自介及問卷意義的分析（四）	25 卷 8 期	(296)	頁 107	2010 年 1 月
0503	楊晉龍	第三講 教學與研究的環境分析（一）	25 卷 9 期	(297)	頁 107~112	2010 年 2 月
0504	楊晉龍	第三講 教學與研究的環境分析（二）	25 卷 10 期	(298)	頁 106~111	2010 年 3 月
0505	楊晉龍	第三講 教學與研究的環境分析（三）	25 卷 11 期	(299)	頁 106~111	2010 年 4 月
0506	楊晉龍	第三講 教學與研究的環境分析（四）	25 卷 12 期	(300)	頁 106~111	2010 年 5 月

1.7 學術總論

0507	蔡錦昌	中國學術語言的出路	1 卷 5 期	(5)	頁 20~23	1985 年 10 月
0508	錢 穆	廣與深的人生藝術——從雞鳴犬吠談起	1 卷 6 期	(6)	頁 36~41	1985 年 11 月
0509	吳炎途	胡適之先生晚年談話錄	1 卷 6 期	(6)	頁 67~69	1985 年 11 月
0510	林覺中	對比的典範	1 卷 8 期	(8)	頁 45	1986 年 1 月
0511	黃慶萱	科學的中文	1 卷 11 期	(11)	頁 27~30	1986 年 4 月
0512	許清雲	古籍能不能今譯？	1 卷 12 期	(12)	頁 24~28	1986 年 5 月
0513	顧頡剛 陳廖安輯	寶樹園雜記	2 卷 1 期	(13)	頁 57~61	1986 年 6 月
0514	顧頡剛 陳廖安輯	寶樹園雜記	2 卷 2 期	(14)	頁 44~47	1986 年 7 月
0515	顧頡剛 陳廖安輯	寶樹園雜記	2 卷 4 期	(16)	頁 58~63	1986 年 9 月
0516	江煜坤	過了棧道便是康莊——從「禮運三世說」談起	2 卷 9 期	(21)	頁 90~92	1987 年 2 月
0517	顧頡剛 陳廖安輯	寶樹園雜記	2 卷 10 期	(22)	頁 62~65	1987 年 3 月
0518	林玉體	民主下的學術交流與中國統一	3 卷 6 期	(30)	頁 18~20	1987 年 11 月
0519	杜松柏	與大陸學人一席談之一：「兩極」的學術交流	3 卷 6 期	(30)	頁 21~24	1987 年 11 月
0520	傅武光	與大陸學人一席談之二：海峽兩岸學人的一次情感交流會	3 卷 6 期	(30)	頁 25~29	1987 年 11 月
0521	張素卿 呂妙芬	矢志整合中國學術——訪楊家駱教授	3 卷 9 期	(33)	頁 48~49	1988 年 2 月
0522	劉 渼記錄	大陸學術資料流通問題——學者專家座談會	4 卷 1 期	(37)	頁 13~25	1988 年 6 月

0523	陳芳汶記錄	大陸學術資料流通問題——研究生座談會	4 卷 1 期	(37)	頁 26~33	1988 年 6 月
0524	李紀祥	儒學與佛學的最後爭辯——評介《熊十力與劉靜窗論學書簡》	4 卷 5 期	(41)	頁 88~89	1988 年 10 月
0525	蔡君逸	世路如今已慣，此心到處悠然——淺介張潮及其《幽夢影》	5 卷 6 期	(54)	頁 78~81	1989 年 11 月
0526	編輯部	新月詩派與新月派	6 卷 1 期	(61)	頁 18	1990 年 6 月
0527	劉述先	五年來的學思	6 卷 6 期	(66)	頁 40~44	1990 年 11 月
0528	劉君燦	科學‧中國‧胡適	6 卷 7 期	(67)	頁 64~69	1990 年 12 月
0529	黎活仁	香港近四十年有關胡適的評論——兼談港版胡適著作	6 卷 7 期	(67)	頁 104~109	1990 年 12 月
0530	許政雄	日本地區對胡適研究的回顧	6 卷 7 期	(67)	頁 114~118	1990 年 12 月
0531	李又寧	簡介兩本關於胡適的英文專著	6 卷 7 期	(67)	頁 119~121	1990 年 12 月
0532	劉述先	胡適的迴響	6 卷 7 期	(67)	頁 122~126	1990 年 12 月
0533	雷 頤	青山依舊在，幾度夕陽紅——大陸胡適研究十年述評	6 卷 7 期	(67)	頁 127~132	1990 年 12 月
0534	李占領	從「整理國故」談胡適對傳統文化的態度	6 卷 9 期	(69)	頁 62~67	1991 年 2 月
0535	王震邦	臺灣近三十年來的胡適研究——傳記類專著部分	6 卷 9 期	(69)	頁 108~111	1991 年 2 月
0536	王震邦	臺灣近三十年來的胡適研究——專論類專著部分	6 卷 10 期	(70)	頁 107~111	1991 年 3 月
0537	黃康顯	五四運動在香港	6 卷 12 期	(72)	頁 64~69	1991 年 5 月
0538	秦賢次	魯迅與台灣青年	7 卷 4 期	(76)	頁 11~17	1991 年 9 月
0539	陳信元	地下的魯迅	7 卷 4 期	(76)	頁 35~39	1991 年 9 月
0540	林詩哲	窺探「錢學」的堂奧	7 卷 6 期	(78)	頁 57~60	1991 年 11 月
0541	鄭子瑜	黃遵憲與新文化運動	7 卷 8 期	(80)	頁 61~63	1992 年 1 月
0542	吳 傑	大陸梁啟超研究情況述評	7 卷 10 期	(82)	頁 64~68	1992 年 3 月
0543	陳祚龍	加強中歐文化交流之我見	7 卷 10 期	(82)	頁 70~73	1992 年 3 月
0544	林慶彰	學術會議與論文集	8 卷 1 期	(85)	頁 9~10	1992 年 6 月
0545	黃沛榮	掌握並開創漢學研究的契機	8 卷 7 期	(91)	頁 10~12	1992 年 12 月
0546	曹泰山	孔子的價值何在？	9 卷 6 期	(102)	頁 4~5	1993 年 11 月
0547	曹淑娟	體道與審美的綜合經驗——《醉古堂劍掃》	9 卷 9 期	(105)	頁 23~30	1994 年 2 月
0548	姚喁冰	從〈蘭亭序〉談「曲水流觴」	9 卷 11 期	(107)	頁 14~15	1994 年 4 月
0549	簡光明	但識琴中趣，何勞弦上音——談陶淵明的無弦琴	9 卷 11 期	(107)	頁 16~19	1994 年 4 月

0550	蔡長林	「本意尊聖、乃至疑偽」—— 評介王汎森著《古史辨運動的興起》	9 卷 11 期 (107)	頁 80~85	1994 年 4 月
0551	曾妙云	讀者迴響	10 卷 5 期 (113)	頁 105~106	1994 年 10 月
0552	蔡芳定	葉德輝及其學術活動概述	10 卷 8 期 (116)	頁 88~93	1995 年 1 月
0553	魏子雲	治學考證根腳起—— 從《春柳堂詩稿》的曹雪芹說起	10 卷 9 期 (117)	頁 16~20	1995 年 2 月
0554	黃忠慎	關於《容齋隨筆》中的〈噴嚏趣談〉	10 卷 10 期 (118)	頁 54~56	1995 年 3 月
0555	林慶彰	我在九州大學的學術活動	10 卷 10 期 (118)	頁 104~111	1995 年 3 月
0556	吳蜀魏	莫棄國故如敝屣—— 向理工科同學進一言	11 卷 4 期 (124)	頁 18~19	1995 年 9 月
0557	潘重規	線裝書的回憶：談藏書	11 卷 6 期 (126)	頁 92~94	1995 年 11 月
0558	魏子雲	線裝書的回憶：逛舊書攤肆—— 搶我眼者線裝書	11 卷 7 期 (127)	頁 76~79	1995 年 12 月
0559	盧錦堂	線裝書的回憶：藏書章・善本情	11 卷 8 期 (128)	頁 94~97	1996 年 1 月
0560	李立信	線裝書的回憶——書失求諸「野」	11 卷 9 期 (129)	頁 90~93	1996 年 2 月
0561	張雙英	生活豈能不「留白」？	11 卷 10 期 (130)	頁 4~5	1996 年 3 月
0562	高明誠	七十二烈士為虛數乎？	11 卷 10 期 (130)	頁 10	1996 年 3 月
0563	李殿魁	線裝書的回憶：千辛萬苦讀「匪書」 ——讀書、藏書的坎坷路	11 卷 11 期 (131)	頁 94~96	1996 年 4 月
0564	朱歧祥	五四憶胡適	11 卷 12 期 (132)	頁 108~110	1996 年 5 月
0565	羅宗濤	線裝書的回憶：線裝書與我	12 卷 1 期 (133)	頁 92~95	1996 年 6 月
0566	沈 謙	線裝書的回憶： 有限書房的無限溫馨	12 卷 2 期 (134)	頁 60~64	1996 年 7 月
0567	鹿憶鹿	線裝書的回憶：從台北到雲南	12 卷 4 期 (136)	頁 91~93	1996 年 9 月
0568	傅武光	「全陪」的話—— 經、史、子、集的由來	14 卷 5 期 (161)	頁 4~9	1998 年 10 月
0569	朱歧祥	談學術	14 卷 7 期 (163)	頁 42~44	1998 年 12 月
0570	石鐘揚	乾嘉學派的現代版—— 陳益源治學印象	17 卷 2 期 (194)	頁 30~32	2001 年 7 月
0571	顧關元	國學・國故・國粹	20 卷 1 期 (229)	頁 56~57	2004 年 6 月
0572	林安梧	「詩言志、歌詠言」—— 記一段真情實感的兩岸交流兼與李 錦全先生的哲詩唱和	22 卷 4 期 (256)	頁 99~102	2006 年 9 月
0573	林燕勤	淺探魯迅對傳統批判的思維	22 卷 7 期 (259)	頁 81~85	2006 年 12 月
0574	鄭淑君	回顧近世卓越學者—— 《二十世紀人文大師的風範與思 想》簡介	23 卷 6 期 (270)	頁 99~102	2007 年 11 月
0575	車 輪	根	23 卷 8 期 (272)	頁 66~67	2008 年 1 月

| 0576 | 陳韋哲 | 近年王安石學術思想研究述評 | 24 卷 11 期 | (287) | 頁 94~97 | 2009 年 4 月 |

0577　陳水福　展現臺灣中文學界研究實力的寶典　25 卷 1 期　(289)　頁 95~98　2009 年 6 月
　　　　　　　——《臺灣學術新視野》簡介

0578　陳亦伶　研究五四運動的總帳簿——　　　　25 卷 1 期　(289)　頁 99~102　2009 年 6 月
　　　　　　　《五四運動論著目錄初稿》評介

0579　蔡宗陽　書序兩則　　　　　　　　　　　25 卷 2 期　(290)　頁 70~72　2009 年 7 月

0580　蔡宗陽　龍盦隨筆兩則　　　　　　　　　25 卷 9 期　(297)　頁 46~47　2010 年 2 月

0581　龔鵬程　國學　　　　　　　　　　　　　25 卷 12 期　(300)　頁 4~5　2010 年 5 月

0582　張高評　轉型與出路——　　　　　　　　25 卷 12 期　(300)　頁 6~12　2010 年 5 月
　　　　　　　大陸「國學熱」的省思

0583　詹海雲　中國大陸重點大學國學研究的省思　25 卷 12 期　(300)　頁 13~19　2010 年 5 月

0584　吳銘能　平心論中國大陸「國學熱」　　　25 卷 12 期　(300)　頁 20~25　2010 年 5 月

0585　鄭吉雄　冷眼開看中國大陸燃燒國學熱　　25 卷 12 期　(300)　頁 26~31　2010 年 5 月

0586　張麗珠　對中國大陸「國學熱」的思考與期望　25 卷 12 期　(300)　頁 32~36　2010 年 5 月

0587　林慶彰　我看中國大陸的「國學熱」　　　25 卷 12 期　(300)　頁 37~41　2010 年 5 月

0588　陳韋哲　蜀道不難——　　　　　　　　　25 卷 12 期　(300)　頁 91~94　2010 年 5 月
　　　　　　　談《新國學》在學術交流上的貢獻

1.8 學界動態

1.8.1 學術會議

0589　梁桂珍　高中國學概要艱深難懂　　　　　2 卷 2 期　(14)　頁 77　1986 年 7 月

0590　林慧峰記錄　「問題重重的大學國文」座談會　2 卷 3 期　(15)　頁 19~24　1986 年 8 月

0591　王三慶　「敦煌學國際研討會」快訊　　　2 卷 3 期　(15)　頁 50~51　1986 年 8 月

0592　陳益源採訪　千里之行，始於足下——　　2 卷 6 期　(18)　頁 52　1986 年 11 月
　　　　　　　訪陳慶浩簡介「中國域外漢籍國際
　　　　　　　學術會議」暨「編纂中國域外漢籍
　　　　　　　聯合書目座談會」

0593　瑞　之　第二屆國際漢學會議快訊　　　　2 卷 8 期　(20)　頁 15　1987 年 1 月

0594　竺家寧　改變學術史的一次聲韻研討會　　3 卷 11 期　(35)　頁 48~50　1988 年 4 月

0595　張曉生記錄　「當前青年文學環境」座談會　4 卷 3 期　(39)　頁 10~18　1988 年 8 月

0596　黃文吉　近三年來中國古典文學討論會概述　4 卷 3 期　(39)　頁 84~87　1988 年 8 月
　　　　　　　——一九八五年部分

0597　邵曼珣記錄　「作文評分的公正性與高中語文教　4 卷 4 期　(40)　頁 10~16　1988 年 9 月
　　　　　　　學」座談會

0598　黃文吉　近三年來中國古典文學討論會概述　4 卷 4 期　(40)　頁 100~013　1988 年 9 月
　　　　　　　——一九八六年部分

0599　黃文吉　近三年來中國古典文學討論會概述　4 卷 5 期　(41)　頁 96~99　1988 年 10 月

───一九八七年部分

0600	陳益源	第九屆中國古典文學會議	4 卷 6 期	(42)	頁 95	1988 年 11 月
0601	衣若芬記錄	「革新大一國文教育」座談會	4 卷 7 期	(43)	頁 10~17	1988 年 12 月
0602	編輯部	漢學研究資源國際研討會	4 卷 7 期	(43)	頁 76	1988 年 12 月
0603	編輯部	陽明學學術討論會	4 卷 7 期	(43)	頁 77	1988 年 12 月
0604	姚榮松	第二屆世界華文教學研討會記要	4 卷 9 期	(45)	頁 52~53	1989 年 2 月
0605	鄭志明	「唐君毅思想國際會議」後記	4 卷 9 期	(45)	頁 54~55	1989 年 2 月
0606	編輯部	香港大學將舉辦「章太炎、黃季剛國際學術研討會」	4 卷 10 期	(46)	頁 103	1989 年 3 月
0607	蔡美端	「宋代文學與思想研討會」記要	4 卷 10 期	(46)	頁 100~101	1989 年 3 月
0608	編輯部	「民間文學國際研討會」公開徵求學術論文	4 卷 11 期	(47)	頁 43	1989 年 4 月
0609	李漢偉	南師舉辦國語文學術研討會	4 卷 11 期	(47)	頁 81	1989 年 4 月
0610	陳慶煌	三十年代文學研討會	4 卷 12 期	(48)	頁 105	1989 年 5 月
0611	王開府	國民中學國文教學論文研討會記要	4 卷 12 期	(48)	頁 116	1989 年 5 月
0612	王國昭	臺灣區省市立師範學院七十七學年度兒童文學學術研討會	4 卷 12 期	(48)	頁 117	1989 年 5 月
0613	黃憲作	「五四文學與文化變遷學術研討會」後記	5 卷 1 期	(49)	頁 100	1989 年 6 月
0614	馮增銓	大陸將舉行「孔子誕辰二五四〇週年紀念與學術討論會」	5 卷 1 期	(49)	頁 98~99	1989 年 6 月
0615	姚榮松	香港大學「章太炎、黃季剛國際學術研討會」記實	5 卷 1 期	(49)	頁 101~104	1989 年 6 月
0616	姚榮松	第七屆全國聲韻學研討會在靜宜召開	5 卷 1 期	(49)	頁 104~105	1989 年 6 月
0617	陳益源記錄	「文字簡化面面觀」座談會	5 卷 2 期	(50)	頁 11~18	1989 年 7 月
0618	編輯部	淡江大學「文學與美學學術研討會」後記	5 卷 3 期	(51)	頁 33	1989 年 8 月
0619	鄭卜五	「高雄師院國文研究所第一屆所友學術討論會」記要	5 卷 3 期	(51)	頁 105~106	1989 年 8 月
0620	黃憲作	淡江大學三次學術研討會的觀察	5 卷 4 期	(52)	頁 92~93	1989 年 9 月
0621	編輯部	「孔子誕辰二五四〇週年紀念與學術討論會」照常舉行	5 卷 4 期	(52)	頁 93	1989 年 9 月
0622	編輯部	紀念范仲淹一千年誕辰國際學術研討會	5 卷 4 期	(52)	頁 94~95	1989 年 9 月
0623	陳益源	「中國飲食文化學術研討會」本月召開──兼介主辦單位「中國飲食文化圖書館」	5 卷 4 期	(52)	頁 96~97	1989 年 9 月

0624	陳益源	「民間文學國際研討會」呼籲搶救臺灣民間文學	5 卷 5 期	(53)	頁 104~105	1989 年 10 月
0625	編輯部	「中華民族宗教國際學術會議」後記	5 卷 5 期	(53)	頁 106	1989 年 10 月
0626	編輯部	紀念孔子誕生二五四○年國際學術討論會在北京舉行	5 卷 6 期	(54)	頁 106	1989 年 11 月
0627	編輯部	「清代思想與文學研討會議」後記	5 卷 7 期	(55)	頁 106	1989 年 12 月
0628	編輯部	香港舉辦「中國學術研究的承傳與創新國際研討會」	5 卷 8 期	(56)	頁 95	1990 年 1 月
0629	編輯部	首屆中國文字學學術研討會召開	5 卷 8 期	(56)	頁 108	1990 年 1 月
0630	編輯部	中國聲韻學第八屆學術研討會在輔大舉行	5 卷 12 期	(60)	頁 46	1990 年 5 月
0631	康來新	問學應憶江東路——明清小說金陵研討記	6 卷 1 期	(61)	頁 90~92	1990 年 6 月
0632	編輯部	「敦煌學國際研討會」後記	6 卷 3 期	(63)	頁 85	1990 年 8 月
0633	竺家寧	中國聲韻學國際學術研討會簡訊	6 卷 3 期	(63)	頁 108~109	1990 年 8 月
0634	編輯部	「中國文字的未來」學術研討會及座談會計畫書	7 卷 1 期	(73)	頁 113	1991 年 6 月
0635	陳文豪	「中國簡牘學國際學術研討會」紀要	7 卷 4 期	(76)	頁 17	1991 年 9 月
0636	編輯部	學界動態	7 卷 11 期	(83)	頁 43	1992 年 4 月
0637	編輯部	學界動態	7 卷 11 期	(83)	頁 62	1992 年 4 月
0638	鍾彩鈞	中研院文哲所舉行國際朱子學會議	8 卷 1 期	(85)	頁 37~38	1992 年 6 月
0639	編輯部	「第一屆臺灣地區國語文教學研討會」紀實	8 卷 1 期	(85)	頁 112	1992 年 6 月
0640	楊　光	愴然涕下隨時去，後有來者追前人——大陸陳子昂國際學術交流會即將召開	8 卷 4 期	(88)	頁 102~103	1992 年 9 月
0641	岳　珍	首次陳子昂國際學術討論會綜述	8 卷 4 期	(88)	頁 103~108	1992 年 9 月
0642	姚榮松	第一屆臺灣語言國際研討會三月下旬將在師大舉行	8 卷 10 期	(94)	頁 105~107	1993 年 3 月
0643	黃忠慎	古書的標點問題——從一次國文科教材教法研討會談起	9 卷 2 期	(98)	頁 88~90	1993 年 7 月
0644	王熙元	中研所研究生自行舉辦研討會的幾個方向	9 卷 6 期	(102)	頁 19~22	1993 年 11 月
0645	連文萍整理	中研所研究生如何開拓學術空間——研究生座談會	9 卷 6 期	(102)	頁 23~29	1993 年 11 月
0646	竺家寧	國際漢語言文化學術研討會紀要	9 卷 6 期	(102)	頁 101	1993 年 11 月
0647	林帥月	艱困環境下的學術生命力——東吳大學中文系所師生訪問大陸	9 卷 9 期	(105)	頁 108~111	1994 年 2 月

觀感

0648	魏光霞記錄	「中文所的現況與辦學理念」座談紀錄	9卷10期	(106)	頁114~120	1994年3月
0649	魏光霞記錄	「中文研究所的定位與展望」座談紀錄	9卷10期	(106)	頁121~131	1994年3月
0650	王樹人	道心詩魂繫太湖——海峽兩岸玄學討論會印象	10卷5期	(113)	頁72~75	1994年10月
0651	陳慶煌	陶淵明被拒於詩人大會門外	10卷6期	(114)	頁4~5	1994年11月
0652	陳慶煌	來函照登	10卷8期	(116)	頁103	1995年1月
0653	詩人大會秘書處	讀者來函	10卷8期	(116)	頁107	1995年1月
0654	陳益源	《紅樓夢》裡的同性戀：與世界對話——甲戌年（一九九四）世界紅學會議	10卷11期	(119)	頁10~25	1995年4月
0655	鍾怡雯	全方位的交流，新視界的拓展——「兩岸暨港新中小學國語文教學國際研討會」側記	11卷2期	(122)	頁4~7	1995年7月
0656	黃忠慎	對於「第二屆中華文化學術研討會」的一些意見	11卷2期	(122)	頁8~9	1995年7月
0657	鍾怡雯	期待更寬廣的文學空間——「現代小說教學經驗」座談會	11卷3期	(123)	頁11~19	1995年8月
0658	編輯部記錄	天地十年，薪傳不止——《國文天地》十周年社慶座談會	11卷4期	(124)	頁4~15	1995年9月
0659	周嘉慧記錄	「俗文學教學與研究」座談會	13卷4期	(148)	頁6~17	1997年9月
0660	王更生	《文心雕龍》國際學術研討會在鎮江召開紀盛	16卷1期	(181)	頁5~10	2000年6月
0661	黃維樑	讓「雕龍」成「飛龍」——略記體大慮周、情采兼備的鎮江市《文心雕龍》國際研討會	16卷1期	(181)	頁11~13	2000年6月
0662	李金坤	劉勰故鄉逢盛事 千禧龍年探「龍」珠——鎮江《文心雕龍》國際學術研討會紀實	16卷1期	(181)	頁14~20	2000年6月
0663	黃水雲	第四屆文選學國際學術研討會側記	16卷6期	(186)	頁80	2000年11月
0664	黃水雲	2000年魏晉南北朝文學與文化國際學術研討會側記	16卷6期	(186)	頁81	2000年11月
0665		跨世紀書藝發展國際學術研討會	16卷7期	(187)	頁112	2000年12月
0666		王昶雄文學會議	16卷7期	(187)	頁112	2000年12月
0667		東坡逝世九百年紀念學術研討會	16卷7期	(187)	頁112	2000年12月
0668	王怡禎	紀念錢穆先生逝世十周年國際學術	16卷8期	(188)	頁110	2001年1月

研討會

0669	張金蘭	第四屆國際《金瓶梅》學術研討會	16 卷 8 期	(188) 頁 110	2001 年 1 月
0670	張玉明	「宋」往迎來—— 第七屆全國中國文學研究所研究生 論文研討會	16 卷 8 期	(188) 頁 110~111	2001 年 1 月
0671		第三次「兩岸古籍整理研究」研討會	16 卷 11 期	(191) 頁 101	2001 年 4 月
0672	賴悅珊	紀實與浪漫—— 《史記》國際研討會	16 卷 11 期	(191) 頁 112	2001 年 4 月
0673	張素貞整理	台灣文學理論先驅—— 葉石濤先生臺灣師大人文講席側記	17 卷 8 期	(200) 頁 18~24	2002 年 1 月
0674	邱燮友	前言	17 卷 12 期	(204) 頁 4	2002 年 5 月
0675	林大礎	開創辭章學燦爛的明天—— 中國修辭學會辭章學研究會第一次 學術年會開幕詞	19 卷 9 期	(225) 頁 82~84	2004 年 2 月
0676	仇小屏	章法學研究的五個廣度—— 側記第二屆章法學學術研討會	23 卷 1 期	(265) 頁 78~82	2007 年 6 月

1.8.2 院所課程

0677	蒯亮	古典文學與現代傳播的結合—— 中文系開設新聞傳播課程概況	5 卷 3 期	(51) 頁 42~46	1989 年 8 月
0678	編輯部整理	全國各大學中文系「現代小說」 課程開設概況	11 卷 3 期	(123) 頁 25~27	1995 年 8 月

1.8.3 其他

0679		「考試前夕談國中生如何讀好國 文」座談會	1 卷 2 期	(2) 頁 16~20	1985 年 7 月
0680	王熙元等	「國文教授論報紙標題」座談會 （劉兆祐 李殿魁 曾永義 李端主 講 陳廖安記錄）	1 卷 3 期	(3) 頁 36~43	1985 年 8 月
0681	賴金男 湯廷池	「資訊時代的國語文」座談會	1 卷 5 期	(5) 頁 8~15	1985 年 10 月
0682	陳益源記錄	「語文法」面面觀：劉兆祐、羅肇 錦、詹宏志、高大鵬	1 卷 7 期	(7) 頁 42~48	1985 年 12 月
0683	康來新等	建立一個中國文學理論體系—— 會評劉若愚《中國文學理論》	2 卷 4 期	(16) 頁 20~24	1986 年 9 月
0684	梁桂珍	大家來編教科書	2 卷 4 期	(16) 頁 84~87	1986 年 9 月
0685	陳益源記錄	應用文，如何應用？—— 「應用文現代化」座談會	2 卷 10 期	(22) 頁 18~23	1987 年 3 月
0686	陳益源記錄	「國文美感教學」座談會	3 卷 3 期	(27) 頁 90~94	1987 年 8 月

0687	陳益源記錄	「民間文學」座談會	3 卷 5 期	(29)	頁 22~28	1987 年 10 月
0688	陳益源記錄	「海峽兩岸學術交流與中國的統一」座談會	3 卷 6 期	(30)	頁 10~17	1987 年 11 月
0689	陳益源記錄	「高中中國文化基本教材的檢討」座談記錄	3 卷 7 期	(31)	頁 16~27	1987 年 12 月
0690	徐淑玲	別有天地在人間——簡介國文天地文化講座	3 卷 8 期	(32)	頁 36~37	1988 年 1 月
0691	劉　渼記錄	「現今中學國文教學的難題」座談會	3 卷 11 期	(35)	頁 11~24	1988 年 4 月
0692	劉　渼記錄	大陸學術資料流通問題——學者專家座談會	4 卷 1 期	(37)	頁 13~25	1988 年 6 月
0693	陳芳汶記錄	大陸學術資料流通問題——研究生座談會	4 卷 1 期	(37)	頁 26~33	1988 年 6 月
0694	邵曼珣記錄	如何重編高中《中國文化基本教材》座談會	4 卷 2 期	(38)	頁 42~49	1988 年 7 月
0695	本　社	發揚傳統文化，兩岸共譜新曲——本刊與《文史知識》合作會談紀實	4 卷 6 期	(42)	頁 96~97	1988 年 11 月
0696	李清筠記錄	「河殤的衝擊與省思」座談會	4 卷 8 期	(44)	頁 10~21	1989 年 1 月
0697	牟宗三主講 邱財貴整理	「陽明學學術討論會」講話	4 卷 9 期	(45)	頁 64~69	1989 年 2 月
0698	王國昭	七十七年國語科師範學院教授座談會	4 卷 10 期	(46)	頁 102	1989 年 3 月
0699	林政言記錄	「思凡爭議的省思」座談會	4 卷 11 期	(47)	頁 10~21	1989 年 4 月
0700	編輯部	中文學界的人與事	5 卷 4 期	(52)	頁 101	1989 年 9 月
0701	江蓮碧記錄	「中小學古典文學教育的檢討」座談會	5 卷 6 期	(54)	頁 12~28	1989 年 11 月
0702	林政言記錄	「專科學校國文教育何去何從」座談會	5 卷 7 期	(55)	頁 62~67	1989 年 12 月
0703	黃沛榮	「易學研究中心」在臺北成立	5 卷 7 期	(55)	頁 71	1989 年 12 月
0704	朱國藩	香港中文大學出版《中國語文通訊》	5 卷 9 期	(57)	頁 106	1990 年 2 月
0705	編輯部	中文學界人事異動	7 卷 4 期	(76)	頁 39	1991 年 9 月
0706	編輯部	研究生論文擬目／學界動態	7 卷 6 期	(78)	頁 79~80	1991 年 11 月
0707	編輯部	研究生論文擬目暨學界動態報導	7 卷 8 期	(80)	頁 79~80	1992 年 1 月
0708	陳之藩演講 連文萍整理	兩個小故事——陳之藩教授演講記錄	7 卷 9 期	(81)	頁 76~79	1992 年 2 月
0709	李怡慧記錄	我們對國文課本的期望——臺東地區國文教師座談會記錄	7 卷 9 期	(81)	頁 82~86	1992 年 2 月
0710	編輯部	研究生論文擬目暨學界動態報導	7 卷 12 期	(84)	頁 71~72	1992 年 5 月
0711	蔡正達記錄	孔子與我座談會	7 卷 12 期	(84)	頁 95~99	1992 年 5 月
0712	潘麗珠	斯文在茲，為者常成——	8 卷 12 期	(96)	頁 98~100	1993 年 5 月

		明道中學「國學講壇」落成報導			
0713	陳啟佑	渡也與竹	10 卷 5 期 (113)	頁 48~52	1994 年 10 月
0714	編輯部	台北市國中國文教學輔導研習會報導	11 卷 12 期 (132)	頁 80~81	1996 年 5 月
0715	林思涵紀錄	從體制到讀本——現代文學教學座談會	12 卷 7 期 (139)	頁 4~13	1996 年 12 月
0716	廖輝英等	屹立在文學的高崗上——「中文人與創作」座談會（方瑜主持 陳幸蕙 簡媜 曾陽晴 陳大為主講 魏月萍記錄整理）	13 卷 12 期 (156)	頁 58~68	1998 年 5 月
0717	怡 禎	世紀戲說——與歌仔戲藝術的對話	16 卷 7 期 (187)	頁 112	2000 年 12 月
0718	陳欣欣	一場教材盛宴——各家高中國文編者座談會	16 卷 8 期 (188)	頁 4~12	2001 年 1 月
0719	王怡禎	在世紀的分水嶺上——華文文學面面觀	16 卷 8 期 (188)	頁 111	2001 年 1 月
0720	陳欣欣	技職體系下的國文教育	17 卷 4 期 (196)	頁 67~77	2001 年 9 月
0721	陳欣欣	邁向更好的未來——「國中國文教材座談會」開展出美麗境界	17 卷 12 期 (204)	頁 90~98	2002 年 5 月
0722	鄭頤壽主講 田家瑄記錄	漫話辭章學——在台灣師大國文系的演講	19 卷 12 期 (228)	頁 93~100	2004 年 5 月
0723	鄭慶君 譚琳 向瓊整理	推陳創新語壇典範 博大精深三一特色——《王希杰修辭思想研究》及王希杰學術思想座談紀要	20 卷 10 期 (238)	頁 55~63	2005 年 3 月
0724	林安梧	紀台灣師大門神年畫展	22 卷 11 期 (263)	頁 31~32	2007 年 4 月

1.9 學術團體

1.9.1 研究機構

| 0725 | 連文萍 | 構建中國文哲研究的重鎮——訪吳宏一教授談中研院中國文哲研究所 | 6 卷 2 期 (62) | 頁 51~54 | 1990 年 7 月 |

1.9.2 學校系所

0726	張起鈞主講 戴 玉整理	漫談昔日老北大	1 卷 3 期 (3)	頁 20~25	1985 年 8 月
0727	何金蘭	巴黎「高等研究實踐學院」簡介	3 卷 8 期 (32)	頁 34~35	1988 年 1 月
0728	孫欽善	北京大學古文獻研究所	7 卷 3 期 (75)	頁 15~17	1991 年 8 月
0729	章培恒	復旦大學古籍整理研究所	7 卷 3 期 (75)	頁 17~19	1991 年 8 月
0730	李修生	北京師範大學古籍整理研究所	7 卷 3 期 (75)	頁 19~21	1991 年 8 月
0731	周勛初	南京大學古典文獻研究所	7 卷 3 期 (75)	頁 21~23	1991 年 8 月

0732	董治安	山東大學古籍整理研究所	7卷3期	(75)	頁23~25	1991年8月
0733	林澐	吉林大學古籍研究所	7卷3期	(75)	頁25~26	1991年8月
0734	劉琳	四川大學古籍整理研究所	7卷3期	(75)	頁27~28	1991年8月
0735	劉烈茂	中山大學中國古文獻研究所	7卷3期	(75)	頁28~30	1991年8月
0736	黃永年	陝西師範大學古籍整理研究所	7卷3期	(75)	頁30~32	1991年8月
0737	李國祥	華中師範大學歷史文獻學研究所	7卷3期	(75)	頁32~33	1991年8月
0738	倪其心	北京大學中文系古典文獻專業	7卷3期	(75)	頁38~39	1991年8月
0739	祝鴻熹	杭州大學中文系古典文獻專業	7卷3期	(75)	頁40~41	1991年8月
0740	吳金華	南京師範大學中文系古文獻專業	7卷3期	(75)	頁41~43	1991年8月
0741	范能船	上海師範大學古典文獻專業	7卷3期	(75)	頁43~44	1991年8月
0742	黃耀堃	「京」「華」舊夢——閒話京都大學中文系	7卷5期	(77)	頁52~57	1991年10月
0743	王熙元	推動中文學術教育的搖籃——國內中研所的現狀與展望	7卷10期	(82)	頁12~13	1992年3月
0744	臺灣大學中研所提供	臺灣大學中文研究所	7卷10期	(82)	頁14~15	1992年3月
0745	邱燮友	臺灣師範大學國文研究所	7卷10期	(82)	頁15~17	1992年3月
0746	簡宗梧	政治大學中文研究所	7卷10期	(82)	頁17~19	1992年3月
0747	歐陽炯	東吳大學中文研究所	7卷10期	(82)	頁20~21	1992年3月
0748	王文進	淡江大學中文研究所	7卷10期	(82)	頁21~22	1992年3月
0749	包根弟	輔仁大學中文研究所	7卷10期	(82)	頁22~24	1992年3月
0750	蔡信發	中央大學中文研究所	7卷10期	(82)	頁24~26	1992年3月
0751	陳萬益	清華大學文學所	7卷10期	(82)	頁26~27	1992年3月
0752	楊承祖	東海大學中文研究所	7卷10期	(82)	頁27~29	1992年3月
0753	莊雅洲	中正大學中文研究所	7卷10期	(82)	頁29~31	1992年3月
0754	葉政欣	成功大學中文研究所	7卷10期	(82)	頁31~32	1992年3月
0755	王忠林	高雄師範大學國文研究所	7卷10期	(82)	頁33~34	1992年3月
0756	徐漢昌	中山大學中文研究所	7卷10期	(82)	頁35~36	1992年3月
0757	黎活仁	京都大學的中國語學和中國文學研究	7卷10期	(82)	頁36~38	1992年3月
0758	村山吉廣	早稻田大學及其中國學	7卷10期	(82)	頁38~40	1992年3月
0759	何金蘭	巴黎第七大學東亞研究所的人才培養	7卷10期	(82)	頁40~42	1992年3月
0760	喬衍琯	讀中研所現況專輯之我見	7卷11期	(83)	頁108~112	1992年4月
0761	周秦	往日崎嶇還記否——蘇州大學中文系崑曲班的回顧與展望	8卷4期	(88)	頁31~35	1992年9月
0762	吳新雷	南京大學的曲學薪傳	9卷8期	(104)	頁14~17	1994年1月

0763	林帥月	艱困環境下的學術生命力——東吳大學中文系所師生訪問大陸觀感	9 卷 9 期	(105)	頁 108~111	1994 年 2 月
0764	曹貞吉 王國隆	都市桃花源——東吳中研所介紹	14 卷 1 期	(157)	頁 5~9	1998 年 6 月
0765	嚴逢君 蔡伊達	兼融並蓄的學術領域——中央大學中研所專訪	14 卷 1 期	(157)	頁 10~15	1998 年 6 月
0766	黃婷珊 徐詩淵	一個山水與文學對話的地方——暨大中文所介紹	14 卷 1 期	(157)	頁 16~19	1998 年 6 月
0767	隋嘉惠 顏美娟	風簷展書讀，古道照顏色——優遊於先秦兩漢的輔仁中文所	14 卷 1 期	(157)	頁 20~25	1998 年 6 月
0768	廖婉利 余劍英 朱瑞麟	台灣文學的新天堂——靜宜中文	14 卷 2 期	(158)	頁 4~7	1998 年 7 月
0769	蔡琇雀 陳富雅	在古色古香中陶冶中文素養——東海中研所介紹	14 卷 2 期	(158)	頁 8~11	1998 年 7 月
0770	黃資惠 許淑貞	多采多姿的學府——成大中研所簡介	14 卷 2 期	(158)	頁 12~19	1998 年 7 月
0771	鍾龍珠 洪少萍採訪	學風自由、博大精深——政大中研所簡介	14 卷 3 期	(159)	頁 4~8	1998 年 8 月
0772	林雯淑 陳維貞採訪	古城暮色——淡江大學中文研究所採訪	14 卷 3 期	(159)	頁 9~12	1998 年 8 月
0773	陳雅齡 邱慧婷採訪	一個有夢就有希望的地方——逢甲中研所專訪	14 卷 3 期	(159)	頁 13~19	1998 年 8 月
0774	楊振良	徜徉民俗綠野——花蓮師院「民間文學研究所」	14 卷 5 期	(161)	頁 38~41	1998 年 10 月
0775	林文寶	給關心兒童文學的你	14 卷 5 期	(161)	頁 42~44	1998 年 10 月
0776	馬祥來	台東師院兒童文學研究所簡介	14 卷 5 期	(161)	頁 45~47	1998 年 10 月
0777	楊振良	花師民間文學研究所的課程規劃	17 卷 3 期	(195)	頁 33~36	2001 年 8 月
0778	游珮芸	真摯地一路走來——台東師院兒童文學研究所的過去、現在與未來	18 卷 12 期	(216)	頁 4~8	2003 年 5 月
0779	洪惟仁	中師台語系的成立與展望	20 卷 7 期	(235)	頁 81~84	2004 年 12 月

1.9.3 社團

0780	黃秋芳專訪	文學和藝術牽手——訪「拾閒詩社」	1 卷 9 期	(9)	頁 32~36	1986 年 2 月
0781	曾昭旭	延續孔門講學傳統——鵝湖文化講座	1 卷 9 期	(9)	頁 37~39	1986 年 2 月
0782	邱各容	為婦女讀書運動推波——東方媽媽讀書會	3 卷 4 期	(28)	頁 46~49	1987 年 9 月
0783	王德明	荒漠綠地——小太陽成人讀書會	3 卷 11 期	(35)	頁 63~65	1988 年 4 月

0784	陳益源	「中國民俗學會」重振旗鼓	5 卷 2 期	(50)	頁 104	1989 年 7 月
0785	辛冠潔	中國孔子基金會——個提倡自由思考和民主討論的學術團體	5 卷 2 期	(50)	頁 105~106	1989 年 7 月
0786	高明口述 張廣慶記錄	在中國文字研究的大道上前進——中國文字學會的回顧與前瞻	7 卷 2 期	(74)	頁 58~61	1991 年 7 月
0787	編輯部	構築詩國的理想——訪「高雄市古典詩學研究會」	9 卷 10 期	(106)	頁 132~134	1994 年 3 月
0788	陳明群	迂迴的長廊——政大長廊詩社之過去、現在、未來	12 卷 8 期	(140)	頁 65~67	1997 年 1 月
0789	黃宣穎	關於眾神的紀事——台大詩文學社	12 卷 9 期	(141)	頁 95~97	1997 年 2 月
0790	廖彥博	山陵上的美麗詩殿——文大華岡詩社的歷史和將來	12 卷 10 期	(142)	頁 56~57	1997 年 3 月
0791	李瑞騰	東南亞華文文學（二）：新加坡五月詩社的發展歷程	12 卷 11 期	(143)	頁 70~78	1997 年 4 月
0792	孫梓評	隨身攜帶的迷宮	12 卷 11 期	(143)	頁 84~87	1997 年 4 月
0793	吳岱穎	流自天堂的銀泉——師大噴泉詩社剪影	12 卷 12 期	(144)	頁 33~35	1997 年 5 月
0794	丁威仁	詩壇的拓荒者——淡江拓詩社	13 卷 1 期	(145)	頁 91~93	1997 年 6 月
0795	吳元暉	醫學院裡一片文學的天空	13 卷 2 期	(146)	頁 90~92	1997 年 7 月
0796	楊澤龍	星光的聚落——東吳大學白開水詩社	13 卷 3 期	(147)	頁 80~83	1997 年 8 月
0797	陳靜瑋 林德俊	荒原上流浪的人面詩身——死詩人社	13 卷 4 期	(148)	頁 78~80	1997 年 9 月
0798	林佳靖	不知道命運而獨自高興——關於《自閉兒》的「小話」	13 卷 5 期	(149)	頁 74~77	1997 年 10 月
0799	高婉瑜	緣起不滅——高雄師大風燈詩社	13 卷 6 期	(150)	頁 24~26	1997 年 11 月
0800	許惠玟	靜態與動態並重——中正大學蟲魚鳥獸詩社簡介	13 卷 7 期	(151)	頁 80~82	1997 年 12 月
0801	莊宜文	台灣現代文學（八）：在君父的城邦——三三文學集團研究（上）	13 卷 8 期	(152)	頁 58~70	1998 年 1 月
0802	莊宜文	台灣現代文學（八）：在君父的城邦——三三文學集團研究（下）	13 卷 9 期	(153)	頁 62~75	1998 年 2 月
0803	蔣治中講 劉　渼採訪	朗誦詩的美感經驗——兼談香港詩歌朗誦社的成立	15 卷 4 期	(172)	頁 31~36	1999 年 9 月
0804	趙爾宛	綺霞麗天　輝映半壁——「海外華文女作家協會」及創作論述	16 卷 2 期	(182)	頁 44~50	2000 年 7 月
0805	黃秋香	「栗社」概說	17 卷 3 期	(195)	頁 64~67	2001 年 8 月
0806	朱榮智	籌設中華語文教學學會的緣起	17 卷 6 期	(198)	頁 97~98	2001 年 11 月

0807	陳滿銘	對成立「國語文教學學會」的期待	19 卷 12 期 (228) 頁 72~73	2004 年 5 月
0808	李素真	我們正在寫歷史──「搶救國文教育聯盟」成立因緣	20 卷 10 期 (238) 頁 78~83	2005 年 3 月
0809	李素真	我們正在寫歷史──「搶救國文教育聯盟」成立因緣（下）	20 卷 11 期 (239) 頁 84~88	2005 年 4 月

1.10 國際漢學

1.10.1 通論

0810	陳益源採訪	千里之行，始於足下──訪陳慶浩簡介「中國域外漢籍國際學術會議」暨「編纂中國域外漢籍聯合書目座談會」	2 卷 6 期 (18) 頁 52	1986 年 11 月
0811	瑞 之	第二屆國際漢學會議快訊	2 卷 8 期 (20) 頁 15	1987 年 1 月
0812	王道偉	中文人的出路（之三）：報業──專訪蕭淑分小姐	12 卷 5 期 (137) 頁 0	1996 年 10 月
0813	王瓊玲	從全球化視野下的漢學研究談中文學門發展之方向	24 卷 7 期 (283) 頁 8~10	2008 年 12 月
0814	葉純芳	談《經學研究論叢》與《國際漢學論叢》──兼談「以書代刊」的學術價值與困境	24 卷 12 期 (288) 頁 29~31	2009 年 5 月

1.10.2 亞洲地區

1.10.2.1 日本

0815	范月嬌	國際漢學鳥瞰	1 卷 1 期 (1) 頁 82~83	1985 年 6 月
0816	范月嬌	國際漢學鳥瞰	1 卷 2 期 (2) 頁 74~75	1985 年 7 月
0817	范月嬌	國際漢學鳥瞰：《唐代社會文化史研究》、《隋唐小說研究》	1 卷 3 期 (3) 頁 80~81	1985 年 8 月
0818	范月嬌	國際漢學鳥瞰：《中國文學史》、《政治與戰亂》、《中國古典詩總說》	1 卷 4 期 (4) 頁 88~89	1985 年 9 月
0819	范月嬌	中國祭祀戲劇研究／唐代社會文化史研究／中國古代宗教與文化	1 卷 8 期 (8) 頁 58~59	1986 年 1 月
0820	范月嬌	古代中國之諸神──古代傳說研究／中國中世紀社會語共同體／中國戲曲戲劇研究	1 卷 9 期 (9) 頁 58~59	1986 年 2 月
0821	范月嬌	中國古代宗教史研究／魏晉南北朝的貴族制度／春秋學論考	1 卷 11 期 (11) 頁 42~43	1986 年 4 月
0822	前野直彬著	「小說」	1 卷 11 期 (11) 頁 60~63	1986 年 4 月

吳璧雍翻譯

0823	前野直彬著 吳璧雍翻譯	「小說」	1 卷 12 期	(12)	頁 68~69	1986 年 5 月
0824	前野直彬著 吳璧雍翻譯	「小說」（下）	2 卷 1 期	(13)	頁 80~81	1986 年 6 月
0825	傅錫壬	白川靜的《中國神話》	2 卷 2 期	(14)	頁 82~83	1986 年 7 月
0826	王孝廉	關於白川靜《中國神話》的中文翻譯——敬答傅錫壬先生	2 卷 4 期	(16)	頁 45~47	1986 年 9 月
0827	范月嬌	楚辭研究／中國中世紀文學研究／宋代儒學的禪思想研究／中國倫理學史研究	2 卷 7 期	(19)	頁 63~65	1986 年 12 月
0828	廖慶洲	儒家思想在日本社會	3 卷 4 期	(28)	頁 44~45	1987 年 9 月
0829	傅武光採訪 孫慧娟整理	聞君一席話，勝讀十年書——與日本漢學家岡田武彥一「夕」談	3 卷 8 期	(32)	頁 12~16	1988 年 1 月
0830	廖慶洲	澀澤榮一和他的《論語與算盤》	4 卷 3 期	(39)	頁 79~81	1988 年 8 月
0831	楊仲揆	日本儒學與日本現代化	4 卷 8 期	(44)	頁 32~37	1989 年 1 月
0832	顏子魁	儒家思想對日本經濟的影響	6 卷 6 期	(66)	頁 70~73	1990 年 11 月
0833	筧文生	日本唐代散文研究概況	7 卷 6 期	(78)	頁 65~69	1991 年 11 月
0834	馮曉庭 許維萍	日本學者研究經學的總帳冊——編輯《日本研究經學論著目錄》之經過	9 卷 8 期	(104)	頁 108~111	1994 年 1 月
0835	田中正美著 林慶彰譯	日本近代漢學家（一）：那珂通世（一八五一～一九〇八）	11 卷 1 期	(121)	頁 44~49	1995 年 6 月
0836	鎌田正著 林慶彰譯	近代日本漢學家（二）：林泰輔（一八五四～一九二二）	11 卷 2 期	(122)	頁 33~39	1995 年 7 月
0837	中島敏著 林慶彰譯	近代日本漢學家（三）：市村瓚次郎	11 卷 3 期	(123)	頁 70~75	1995 年 8 月
0838	松村潤著 林慶彰譯	日本近代漢學家（四）：白鳥庫吉（一八六五～一九四二）	11 卷 4 期	(124)	頁 48~53	1995 年 9 月
0839	溝上瑛著 林慶彰譯	日本近代漢學家（五）：內藤湖南（一八六六～一九三四）	11 卷 5 期	(125)	頁 44~49	1995 年 10 月
0840	雲藤義道著 林慶彰譯	日本近代漢學家（六）：高楠順次郎（一八八六～一九四五）	11 卷 6 期	(126)	頁 60~65	1995 年 11 月
0841	高山龍三著 林慶彰譯	近代日本漢學家（七）：河口慧海（一八六六～一九四五）	11 卷 7 期	(127)	頁 25~31	1995 年 12 月
0842	宇野精一著 林慶彰譯	近代日本漢學家（八）：服部宇之吉（一八六七～一九三九）	11 卷 8 期	(128)	頁 17~23	1996 年 1 月
0843	狩野直禎著 林慶彰譯	近代日本漢學家（九）：狩野直喜（一八六八～一九四七）	11 卷 9 期	(129)	頁 20~26	1996 年 2 月

0844 白鳥芳郎著　近代日本漢學家（十）：　　　　11 卷 10 期　(130)　頁 20~25　　1996 年 3 月
　　　 林慶彰譯　　　鳥居龍藏（一八七〇～一九五一）

0845 吉田紹欽著　近代日本漢學家（十一）：　　　11 卷 11 期　(131)　頁 20~25　　1996 年 4 月
　　　 林慶彰譯　　　鈴木大拙（一八七〇～一九六六）

0846 礪波護著　　近代日本漢學家（十二）：　　　12 卷 1 期　(133)　頁 28~34　　1996 年 6 月
　　　 林慶彰譯　　　桑原騭藏（一八七一～一九三一）

0847 福田襄之介　近代日本漢學家（十三）：　　　12 卷 2 期　(134)　頁 12~18　　1996 年 7 月
　　　 著林慶彰譯　　岡井慎吾（一八七二～一九四五）

0848 溝上瑛著　　近代日本漢學家（十四）：　　　12 卷 3 期　(135)　頁 32~38　　1996 年 8 月
　　　 林慶彰譯　　　津田左右吉（一八七三～一九六一）

0849 藪內清著　　近代日本漢學家（十五）：　　　12 卷 4 期　(136)　頁 28~34　　1996 年 9 月
　　　 林慶彰譯　　　新城新藏（一八七三～一九三八）

0850 上山大峻著　近代日本漢學家（十六）：　　　12 卷 5 期　(137)　頁 44~50　　1996 年 10 月
　　　 林慶彰譯　　　大谷光瑞（一八七六～一九四八）

0851 興膳宏著　　近代日本漢學家（十七）：　　　12 卷 6 期　(138)　頁 20~25　　1996 年 11 月
　　　 林慶彰譯　　　鈴木虎雄（一八七八～一九六三）

0852 梅原郁著　　近代日本漢學家（十八）：　　　12 卷 7 期　(139)　頁 18~23　　1996 年 12 月
　　　 林慶彰譯　　　加藤繁（一八八〇～一九四六）

0853 小野山節著　近代日本漢學家（十九）：　　　12 卷 8 期　(140)　頁 30~35　　1997 年 1 月
　　　 林慶彰譯　　　濱田耕作（一八八一～一九三八）

0854 間野英二著　近代日本漢學家（廿）：　　　　12 卷 9 期　(141)　頁 21~27　　1997 年 2 月
　　　 林慶彰譯　　　羽田亨（一八八二～一九五五）

0855 原田種成著　近代日本漢學家（廿一）：　　　12 卷 10 期　(142)　頁 14~19　　1997 年 3 月
　　　 林慶彰譯　　　諸橋轍次（一八八三～一九八二）

0856 金谷治著　　近代日本漢學家（廿二）：　　　12 卷 11 期　(143)　頁 15~19　　1997 年 4 月
　　　 林慶彰譯　　　武內義雄（一八八六～一九六六）

0857 水谷真成著　近代日本漢學家（廿三）：　　　12 卷 12 期　(144)　頁 16~20　　1997 年 5 月
　　　 林慶彰譯　　　青木正兒（一八八七～一九六四）

0858 和田久德著　近代日本漢學家（廿四）：　　　13 卷 1 期　(145)　頁 16~20　　1997 年 6 月
　　　 林慶彰譯　　　石田幹之助（一八九一～一九七四）

0859 柴田篤撰稿　追憶岡田武彥先生　　　　　　　21 卷 6 期　(246)　頁 104~105　2005 年 11 月
　　　 林愷胤翻譯

0860 楊　菁　　中日儒學交會的亮光──　　　　　21 卷 11 期　(251)　頁 95~98　　2006 年 4 月
　　　　　　　　記《論語思想史》中文版的刊行

0861 蔡翔宇　　日本漢學史研究的新起點──　　　22 卷 2 期　(254)　頁 93~96　　2006 年 7 月
　　　　　　　　李慶著《日本漢學史》簡介

0862 呂祥竹　　東亞儒學研究的新視野──　　　　23 卷 2 期　(266)　頁 90~93　　2007 年 7 月
　　　　　　　　《東亞朱子學的同調與異趣》簡介

0863 金培懿　　優遊於先秦諸子學與日本漢學的町　23 卷 4 期　(268)　頁 101~105　2007 年 9 月
　　　　　　　　田三郎先生

0864	許慧淳	佐藤將之教授的中國先秦哲學研究	23 卷 9 期	(273)	頁 4~9	2008 年 2 月
0865	陳雅琳	藤井倫明教授的宋明理學研究	23 卷 9 期	(273)	頁 10~14	2008 年 2 月
0866	吳怡青	金原泰介教授與明清之際學術史研究	23 卷 9 期	(273)	頁 15~19	2008 年 2 月
0867	郭妍伶	川路祥代教授與日治時期臺灣儒學研究	23 卷 9 期	(273)	頁 20~24	2008 年 2 月
0868	陳嘉璟	野川博之教授與日本佛學研究	23 卷 9 期	(273)	頁 25~30	2008 年 2 月
0869	齊婉先採訪 黃稔惠翻譯	佐野大介教授與中國孝道思想研究	23 卷 9 期	(273)	頁 31~35	2008 年 2 月
0870	何銘鴻	青山大介教授與先秦哲學研究	23 卷 9 期	(273)	頁 36~40	2008 年 2 月
0871	齊婉先採訪 黃稔惠翻譯	黑田秀教教授與儒教葬禮研究	23 卷 9 期	(273)	頁 41~45	2008 年 2 月
0872	曹任遠	工藤卓司先生與漢代思想史研究	23 卷 9 期	(273)	頁 46~49	2008 年 2 月
0873	林慶彰	關於〈工藤卓司先生與漢代思想史研究〉一文	23 卷 11 期	(275)	頁 36	2008 年 4 月
0874	蔡翔宇	二十年磨一劍—— 介紹《日藏漢籍善本書錄》	23 卷 11 期	(275)	頁 98~101	2008 年 4 月
0875	葉純芳	潛心明清出版文化研究—— 訪大木康教授談馮夢龍和相關問題	24 卷 5 期	(281)	頁 103~107	2008 年 10 月

1.10.2.2 韓國

0876	林明德	韓國的漢文典籍名著—— 《桂苑筆耕集》	2 卷 4 期	(16)	頁 69~71	1986 年 9 月
0877	林明德	韓國漢文小說的舞臺背景與中國的關係	2 卷 6 期	(18)	頁 56~57	1986 年 11 月
0878	林明德	我編韓國漢文小說全集	3 卷 2 期	(26)	頁 82~86	1987 年 7 月
0879	陳益源	東方文學的比較研究—— 與高麗大學丁奎福教授一夕談	4 卷 8 期	(44)	頁 48~50	1989 年 1 月
0880	全寅初	試探《龍飛御天歌》的敘事內涵	15 卷 8 期	(176)	頁 35~41	2000 年 1 月
0881	李　芳 關瑾華	吳淳邦教授與韓國的中國小說研究	23 卷 3 期	(267)	頁 102~106	2007 年 8 月

1.10.2.3 越南

| 0882 | 陳慶浩 | 漢文化整體研究的起點——
《越南漢文小說叢刊》 | 3 卷 5 期 | (29) | 頁 52~56 | 1987 年 10 月 |
| 0883 | 王三慶 | 越南漢文筆記小說 | 3 卷 9 期 | (33) | 頁 90~94 | 1988 年 2 月 |

1.10.3 歐美地區

| 0884 | 呂正惠 | 史提芬・歐文的「盛唐詩」 | 1 卷 5 期 | (5) | 頁 75 | 1985 年 10 月 |
| 0885 | 戴玉專訪 | 遠方的燈火——馬漢茂談德國漢學 | 1 卷 7 期 | (7) | 頁 14~18 | 1985 年 12 月 |

0886	張火慶	尋訪西歐漢學家	1 卷 11 期	(11)	頁 92~93	1986 年 4 月
0887	傅武光採訪 高　祥整理	為海外中國哲學思想爭席位—— 　訪傅偉勳教授	3 卷 8 期	(32)	頁 17~21	1988 年 1 月
0888	蔡素芬採訪	在南美洲為中華文化插秧—— 　訪愛蘭娜	3 卷 8 期	(32)	頁 21~25	1988 年 1 月
0889	林素芬	看見西方漢學的活力—— 　專訪普鳴教授	22 卷 1 期	(253)	頁 107~111	2006 年 6 月
0890	林慶彰訪問 鄭淑君整理	鐘鳴旦教授與中西文化交流研究	22 卷 8 期	(260)	頁 97~101	2007 年 1 月
0891	馮曉庭	炳麟西來—— 夏含夷教授探研中國古代文化史的 歷程與成就	23 卷 1 期	(265)	頁 96~100	2007 年 6 月
0892	倪瑋均	漢學研究方法和儒家經典的形—— 　專訪普林斯頓大學柯馬丁教授	24 卷 6 期	(282)	頁 102~106	2008 年 11 月
0893	何淑蘋 郭妍伶	攀登文史研究頂峰的漢學家—— 　倫敦大學亞非學院傅熊教授	24 卷 12 期	(288)	頁 102~106	2009 年 5 月
0894	郭妍伶 蕭開元	由「邊牆」中尋找真相—— 　專訪德國漢學家瓦格納教授	25 卷 10 期	(298)	頁 96~100	2010 年 3 月

1.11　大眾傳播

0895	周益忠	日常生活與報紙標題	1 卷 2 期	(2)	頁 8~9	1985 年 7 月
0896	朱邦彥	編輯的困惑——莫衷一是的字	1 卷 2 期	(2)	頁 10~11	1985 年 7 月
0897	新	國文不好，別想進聯合報	1 卷 7 期	(7)	頁 51	1985 年 12 月
0898	姚榮松	看廣告，改錯字	1 卷 10 期	(10)	頁 70	1986 年 3 月
0899	屹　翁	只能吃月餅，怎可插茱萸—— 　中國時報一則標題錯了！	2 卷 6 期	(18)	頁 62	1986 年 11 月
0900	黃忠慎	誰在戕害文字？—— 　廣告文字的污染	2 卷 7 期	(19)	頁 18~21	1986 年 12 月
0901	陳瑞貴	廣告——現代社會的註腳	2 卷 7 期	(19)	頁 22~27	1986 年 12 月
0902	何懷碩	廣告的反智宣傳	2 卷 7 期	(19)	頁 27~28	1986 年 12 月
0903	陳益源	把自己推銷出去	2 卷 7 期	(19)	頁 28~30	1986 年 12 月
0904	溥心撰文 遲玉攝影	被人遺忘的小角落—— 　您認得幾位大師題字？	2 卷 7 期	(19)	頁 31~38	1986 年 12 月
0905	瑞　之	招牌文字有話要說	2 卷 7 期	(19)	頁 39~42	1986 年 12 月
0906	茶　餘	讀報偶拾	2 卷 8 期	(20)	頁 50	1987 年 1 月
0907	茶　餘	話「題」	2 卷 9 期	(21)	頁 60	1987 年 2 月
0908	吳敏而	由娛樂中學習—— 　從美國的兒童節目「芝麻街」談起	2 卷 11 期	(23)	頁 18~20	1987 年 4 月
0909	茶　餘	話「題」	2 卷 11 期	(23)	頁 88	1987 年 4 月

0910	張靖遠	「檳榔」和「狗不理」	2 卷 11 期	(23)	頁 97	1987 年 4 月
0911	茶 餘	話題	3 卷 1 期	(25)	頁 86	1987 年 6 月
0912	李文茹	心中自有好風景—— 楚雲談廣播語文的魅力	3 卷 2 期	(26)	頁 22~23	1987 年 7 月
0913	楊孝漾	影視傳播對兒童及社會的影響	3 卷 2 期	(26)	頁 45~48	1987 年 7 月
0914	王 祥	搬磚砸腳的廣告詞	4 卷 6 期	(42)	頁 56~57	1988 年 11 月
0915	連文萍	一卷在握，鳥瞰全局—— 《複印報刊資料》的學術價值	4 卷 6 期	(42)	頁 90~91	1988 年 11 月
0916	趙赫炎	報刊文字錯誤之檢討	4 卷 10 期	(46)	頁 44~45	1989 年 3 月
0917	劉靜娟	肯定正面人性・提昇生活品味	10 卷 4 期	(112)	頁 7~9	1994 年 9 月
0918	張堂錡	涓滴細流終成江海—— 中央日報「長河版」六年來的回顧 與未來走向	10 卷 4 期	(112)	頁 10~12	1994 年 9 月
0919	蘇偉貞口述 黃思維整理	孜孜耕耘的《聯合報・讀書人》	10 卷 4 期	(112)	頁 13~14	1994 年 9 月
0920	張正義	細說從頭——為一好節目注音	10 卷 4 期	(112)	頁 15~16	1994 年 9 月
0921	張啟超	讓生命的花朵每日綻放	10 卷 4 期	(112)	頁 17~19	1994 年 9 月
0922	謝若男	「媽咪寶貝」的「圖書館」	10 卷 4 期	(112)	頁 20~21	1994 年 9 月
0923	吳瑞青	漢聲電影「妙妙世界」—— 小朋友的快樂天堂	10 卷 6 期	(114)	頁 6~7	1994 年 11 月
0924	楊宗潤	今夜星光燦爛—— 「良夜星光」話從頭	10 卷 6 期	(114)	頁 8~10	1994 年 11 月
0925	余遠炫	問渠哪得清如許，為有源頭活水來 ——台廣「耕讀園」	10 卷 6 期	(114)	頁 10~11	1994 年 11 月
0926	方雪莉	「談天說地」樂無窮	10 卷 6 期	(114)	頁 12~13	1994 年 11 月
0927	焦 桐	現代文學（七）：意識型態拼圖— —兩報副刊在鄉土文學論戰中的權 力操作	13 卷 7 期	(151)	頁 48~58	1997 年 12 月
0928	杜淑貞	從廣告談修辭藝術	16 卷 3 期	(183)	頁 72~75	2000 年 8 月
0929	戴維揚	歐美雜誌可資借鑑的組構	17 卷 8 期	(200)	頁 15~17	2002 年 1 月
0930	洪芸琳	試論新聞標題——從文法角度切入	19 卷 2 期	(218)	頁 79~83	2003 年 7 月
0931	唐雪凝 傅 寧	從認知角度看網絡新聞的隱喻運用 ——以網絡媒體對二〇〇四年美國 總統的競選報導為例	20 卷 6 期	(234)	頁 72~76	2004 年 11 月
0932	倪 沬	另一種亞當，另一種夏娃—— 解讀反性別刻板印象的電視廣告	20 卷 6 期	(234)	頁 95~100	2004 年 11 月
0933	翁聖峰	台灣文學與文化的盛事—— 《詩報》覆刻序	22 卷 12 期	(264)	頁 74~76	2007 年 5 月

0934　郭明芳　　　民國時期學術文獻的總彙——　　23 卷 10 期 (274)　頁 99~102　2008 年 3 月
　　　　　　　　　　介紹《民國珍稀短刊斷刊》

2 經學類

2.1 通論

0935	張濤	《中國經學》：以書代刊大軍中的一員	24 卷 12 期 (288)	頁 32~35	2009 年 5 月
0936	葉純芳	談《經學研究論叢》與《國際漢學論叢》——兼談「以書代刊」的學術價值與困境	24 卷 12 期 (288)	頁 29~31	2009 年 5 月

2.1.1 經學史

0937	林慶彰	經學史研究的基本認識	3 卷 6 期	(30)	頁 60~63	1987 年 11 月
0938	廖隆盛	歷史的錯誤——談王安石頒行三經新義的背景與影響	3 卷 7 期	(31)	頁 28~30	1987 年 12 月
0939	張廣慶	《周予同經學史論著選集》簡介	4 卷 3 期	(39)	頁 88~90	1988 年 8 月
0940	施炳華	翻版書誤人——大陸版與藝文版的《經學歷史》	4 卷 6 期	(42)	頁 85~87	1988 年 11 月
0941	程元敏	漢代第一位經學大師伏生	7 卷 8 期	(80)	頁 36~45	1992 年 1 月
0942	林慶彰	提昇經學史研究的水平——《中國經學史論文選集》出版的意義	8 卷 6 期	(90)	頁 6~8	1992 年 11 月
0943	方祖猷	萬斯大的經學	8 卷 7 期	(91)	頁 13~18	1992 年 12 月
0944	牟小東	經學大師俞曲園	8 卷 8 期	(92)	頁 36~40	1993 年 1 月
0945	黃智明	前修未密，後出轉精——《漢學師承記箋釋》簡介	22 卷 5 期	(257)	頁 98~101	2006 年 10 月
0946	蔡英俊等	我們真的不配讀經嗎？（林安梧 鄭志明 王樾 林建宏 孟玄 龔鵬程 主講 溥瑛記錄）	1 卷 6 期	(6)	頁 24~31	1985 年 11 月
0947	徐微哲	證道成仙——談臺灣的民間講經	1 卷 9 期	(9)	頁 26~29	1986 年 2 月
0948	林文寶	啟蒙教材與讀經	20 卷 2 期	(230)	頁 4~13	2004 年 7 月
0949	林寶珠	讀經談心	24 卷 9 期	(285)	頁 64~70	2009 年 2 月
0950	程元敏	先秦古籍與口語	6 卷 3 期	(63)	頁 6~7	1990 年 8 月
0951	陳高志	固執率真的孔子弟子——宰我	6 卷 11 期	(71)	頁 56~58	1991 年 4 月
0952	林吳三英	孔門六弟子形象	9 卷 8 期	(104)	頁 47~55	1994 年 1 月
0953	王開府	七十二賢與顏淵後代	11 卷 4 期	(124)	頁 20~21	1995 年 9 月
0954	馮曉庭 許維萍	日本學者研究經學的總帳冊——編輯《日本研究經學論著目錄》之經過	9 卷 8 期	(104)	頁 108~111	1994 年 1 月
0955	林登昱	逐漸抬頭的大陸新經學（一）	10 卷 10 期	(118)	頁 112~117	1995 年 3 月

0956	林登昱	逐漸抬頭的大陸新經學（下）	10 卷 11 期 (119)	頁 101~107	1995 年 4 月
0957	王熙元	經學的精神與價值	11 卷 3 期 (123)	頁 4~5	1995 年 8 月
0958	侯美珍	事非經過不知難—— 編輯《經學研究論著目錄（一九八八～一九九二）》的幾點感想	11 卷 4 期 (124)	頁 90~96	1995 年 9 月
0959	張晏瑞	晚清經學研究的明燈—— 《晚清經學研究文獻目錄》的學術價值	22 卷 11 期 (263)	頁 95~98	2007 年 4 月
0960	陳文采	李家樹教授《詩經》研究的歷程	24 卷 2 期 (278)	頁 4~9	2008 年 7 月
0961	謝向榮	發揚樸學傳統，兼綜漢學菁華—— 單周堯教授經學成就述略	24 卷 2 期 (278)	頁 10~17	2008 年 7 月
0962	留金騰	經師人師—— 郭鵬飛先生及其先秦學術研究	24 卷 2 期 (278)	頁 18~21	2008 年 7 月
0963	譚志明	不辭長作嶺南人—— 李雄溪教授及其文字訓詁研究	24 卷 2 期 (278)	頁 22~27	2008 年 7 月
0964	許景昭 黃梓勇	開拓新領域—— 陳致教授及其經古學研究	24 卷 2 期 (278)	頁 28~33	2008 年 7 月
0965	李詠健	禮學研究的接班人—— 許子濱教授及其經學研究	24 卷 2 期 (278)	頁 34~39	2008 年 7 月
0966	伍煥堅	通經致用—— 盧鳴東教授的經學研究	24 卷 2 期 (278)	頁 40~44	2008 年 7 月
0967	陳惠美	紬奇冊府，總前代之遺編—— 《民國時期經學叢書》簡介	24 卷 4 期 (280)	頁 98~101	2008 年 9 月
0968	何淑蘋	培育經學幼苗的園地—— 《經學研究論叢》簡介	24 卷 9 期 (285)	頁 90~93	2009 年 2 月

2.2 易經

0969	羅肇錦	龍的傳人——從易乾卦爻辭談起	1 卷 3 期 (3)	頁 66~68	1985 年 8 月
0970	黃沛榮	易學辭典	1 卷 3 期 (3)	頁 69~71	1985 年 8 月
0971	黃沛榮	易學辭典	1 卷 4 期 (4)	頁 63~65	1985 年 9 月
0972	黃沛榮	易學辭典	1 卷 5 期 (5)	頁 76~79	1985 年 10 月
0973	黃沛榮	陰／陽／陽卦／奇耦／陰爻／陽爻／卦畫／畫卦／重卦／八卦／八卦取象歌／經卦／別卦／正卦／偏卦／純卦／交卦	1 卷 8 期 (8)	頁 40~43	1986 年 1 月
0974	黃沛榮	卦體／卦德／掛象／卦名／卦義／下卦上卦／內卦外卦／貞／悔／本卦／之卦	1 卷 11 期 (11)	頁 88~89	1986 年 4 月
0975	黃沛榮	之掛／爻題／八卦方位／六十四掛／帛書六十四掛	1 卷 12 期 (12)	頁 66~67	1986 年 5 月

0976	黃沛榮	掛序／上下經掛名次序歌／分宮掛象次序歌／覆、變／錯、綜／覆掛／對掛／旁通／往來、進、上／四正之掛／四隅之掛	2 卷 2 期	(14)	頁 70~71	1986 年 7 月
0977	黃沛榮	爻象／爻德／剛柔／九六／爻位／五位／六爻／中爻／天位、尊位、地位	2 卷 4 期	(16)	頁 72~73	1986 年 9 月
0978	黃沛榮	爻義／中／剛中／正、得正、當位、正位／中正、正中、中直／失位、不當位／應、有與／敵、敵應、不相與、未有與／剛柔接、剛柔際、剛柔節	2 卷 6 期	(18)	頁 82~84	1986 年 11 月
0979	黃慶萱	易經	2 卷 8 期	(20)	頁 21	1987 年 1 月
0980	黃沛榮	易學辭典	2 卷 12 期	(24)	頁 87~89	1987 年 5 月
0981	戴璉璋	出土文物對易學研究的貢獻——談數字卦	3 卷 9 期	(33)	頁 26~29	1988 年 2 月
0982	林益勝	《周易》趨吉避凶的功能	4 卷 10 期	(46)	頁 56~60	1989 年 3 月
0983	陳郁夫	古人如何占卜	6 卷 4 期	(64)	頁 9	1990 年 9 月
0984	朱伯崑	請來認識《易經》	6 卷 11 期	(71)	頁 11~16	1991 年 4 月
0985	黃沛榮	中國人的排列組合遊戲——揭開易卦的秘密	6 卷 11 期	(71)	頁 17~23	1991 年 4 月
0986	成中英	《易經》的方法思維	6 卷 11 期	(71)	頁 24~29	1991 年 4 月
0987	陳郁夫	完成「元亨利貞」的生命——《周易》的人生哲學	6 卷 11 期	(71)	頁 30~34	1991 年 4 月
0988	徐芹庭	《易經》與算命	6 卷 11 期	(71)	頁 35	1991 年 4 月
0989	游志誠	《易經》是不是文學？	6 卷 11 期	(71)	頁 36~42	1991 年 4 月
0990	黃沛榮	邀遊《易經》的天地——初學者如何研讀《易經》	6 卷 11 期	(71)	頁 43~49	1991 年 4 月
0991	蒙培元	淺談范仲淹的易學思想	8 卷 2 期	(86)	頁 26~31	1992 年 7 月
0992	何雲鈞	解開千古之謎——河圖與洛書	9 卷 5 期	(101)	頁 31~36	1993 年 10 月
0993	楊遠岷	表示先民生活進步的周易繫辭下傳	14 卷 2 期	(158)	頁 30~32	1998 年 7 月
0994	黃慶萱	經典中的經典，根源裏的根源——周易	14 卷 8 期	(164)	頁 7~11	1999 年 1 月
0995	蔣力餘	略論《易經》的比興	16 卷 4 期	(184)	頁 104~108	2000 年 9 月
0996	江弘毅	應用中語系《易經》之教學與應用	17 卷 12 期	(204)	頁 27~36	2002 年 5 月
0997	許維萍	研究《周易》的重要入門書	18 卷 11 期	(215)	頁 4~8	2003 年 4 月
0998	孫劍秋	研讀《易經》的現代意義	19 卷 12 期	(228)	頁 4~12	2004 年 5 月
0999	黃高憲	二十世紀易學研究的重要著作——《黃壽祺論易學》評述	20 卷 2 期	(230)	頁 106~111	2004 年 7 月

1000	孫劍秋	研讀《易經》的方法	21 卷 1 期	(241)	頁 4~8	2005 年 6 月
1001	謝明輝	談孔子解《易》的現代意義	22 卷 9 期	(261)	頁 4~9	2007 年 2 月
1002	張鴻愷	淺談《易傳》的儒道互補思想	22 卷 9 期	(261)	頁 10~14	2007 年 2 月
1003	孫瑋騂	《易經》婚戀密語	22 卷 12 期	(264)	頁 36~42	2007 年 5 月
1004	李鍑倫	兩種英譯本《周易》修辭語體韻律的對比分析	25 卷 6 期	(294)	頁 113~128	2009 年 11 月
1005	賴美惠	讀《易》示要	25 卷 12 期	(300)	頁 42~46	2010 年 5 月

2.3 尚書

1006	黃基正	禹貢的錯簡	1 卷 5 期	(5)	頁 64~65	1985 年 10 月
1007	黃基正	黑水與三危	2 卷 9 期	(21)	頁 80~81	1987 年 2 月
1008	袁信愛	《尚書‧洪範》之形上思想論析	8 卷 3 期	(87)	頁 17~21	1992 年 8 月
1009	許錟輝	古代帝王嘉言懿行的最早紀錄——尚書	14 卷 8 期	(164)	頁 11~13	1999 年 1 月
1010	陳恆嵩	研究《尚書》的重要入門書	18 卷 11 期	(215)	頁 9~16	2003 年 4 月
1011	陳恆嵩	研讀《尚書》的現代意義	19 卷 12 期	(228)	頁 13~17	2004 年 5 月
1012	陳恆嵩	研讀《尚書》的方法	21 卷 1 期	(241)	頁 9~16	2005 年 6 月
1013	蔡根祥	《尚書》與國文教材——以魏徵〈諫太宗十思疏〉中「九德」之解釋問題為例	22 卷 5 期	(257)	頁 4~16	2006 年 10 月
1014	鄭裕基	談談《尚書大傳》和它對語文教學的助益	22 卷 5 期	(257)	頁 17~29	2006 年 10 月
1015	許華峰	紫禁城三大殿的匾聯與《尚書》	22 卷 5 期	(257)	頁 30~35	2006 年 10 月
1016	蔣秋華	《尚書》密碼——辛王癸甲	22 卷 6 期	(258)	頁 37~42	2006 年 11 月
1017	陳恆嵩	《尚書》學研究的津筏——程元敏教授《尚書學史》	25 卷 3 期	(291)	頁 95~98	2009 年 8 月
1018	王 蕾	《書經》研究領域文本主義的殉道者——錢宗武教授之治《書》理念	25 卷 7 期	(295)	頁 102~106	2009 年 12 月

2.4 詩經

1019	于 淵	雞鳴、蛙鳴與蒼蠅鳴——詩經的一首情詩	1 卷 5 期	(5)	頁 80~81	1985 年 10 月
1020	黃基正	詩經中的「齊侯之子」究竟是誰？	1 卷 5 期	(5)	頁 64	1985 年 10 月
1021		「摽梅之年」是什麼年？	1 卷 7 期	(7)	頁 10	1985 年 12 月
1022	林慶彰	詩經學的重要書目	1 卷 12 期	(12)	頁 14~15	1986 年 5 月
1023	黃基正	詩經中的兒歌	2 卷 2 期	(14)	頁 74	1986 年 7 月
1024	陳新雄	詩經中的楊柳意象象徵什麼？	2 卷 4 期	(16)	頁 36~39	1986 年 9 月
1025	黃忠慎	詩經是戰國中期的出產品嗎？	2 卷 11 期	(23)	頁 96~97	1987 年 4 月

1026	簡　媜	漢廣	3 卷 1 期	(25)	頁 66~67	1987 年 6 月
1027	林宗宏	詩經傳統意識（上）—— 解析與重建	3 卷 2 期	(26)	頁 58~63	1987 年 7 月
1028	林宗宏	詩經傳統意識（下）—— 解析與重建	3 卷 3 期	(27)	頁 50~55	1987 年 8 月
1029	文幸福	阜陽漢簡詩經	3 卷 9 期	(33)	頁 40~44	1988 年 2 月
1030	王文顏	最早的慈母頌——詩經中的母親	3 卷 12 期	(36)	頁 24~26	1988 年 5 月
1031	李光筠	研讀詩經之津梁—— 向熹《詩經詞典》評介	4 卷 1 期	(37)	頁 91~93	1988 年 6 月
1032	文幸福	「昊天罔極」該採何種解釋較宜？	4 卷 2 期	(38)	頁 10	1988 年 7 月
1033	黃亦真	從《詩經》尋找大自然的真趣	4 卷 2 期	(38)	頁 84~87	1988 年 7 月
1034	李光筠	讀陳鐵鑌著《詩經解說》	4 卷 5 期	(41)	頁 92~93	1988 年 10 月
1035	朱守亮	親情無極的〈蓼莪〉詩	4 卷 6 期	(42)	頁 70~72	1988 年 11 月
1036	蔡根祥	美哉！螓首蛾眉	4 卷 7 期	(43)	頁 90~93	1988 年 12 月
1037	朱守亮	〈蓼莪〉篇的韻腳	4 卷 9 期	(45)	頁 7	1989 年 2 月
1038	蔡根祥	談《詩經·蓼莪》之押韻問題	5 卷 2 期	(50)	頁 40~41	1989 年 7 月
1039	趙制陽	〈詩大序〉評議—— 〈關雎〉詩旨問題	5 卷 3 期	(51)	頁 37~41	1989 年 8 月
1040	黃永武	「涇以渭濁」當作何解？	5 卷 9 期	(57)	頁 10	1990 年 2 月
1041	鄭良樹	云誰之思，涕泗滂沱—— 《詩經》戀詩賞析	6 卷 1 期	(61)	頁 105~109	1990 年 6 月
1042	鄭良樹	思君令人老，軒車來何遲—— 《詩經》戀詩賞析	6 卷 12 期	(72)	頁 94~98	1991 年 5 月
1043	林明德	詩經中的酒文化	7 卷 9 期	(81)	頁 11~14	1992 年 2 月
1044	余培林	《邶風·燕燕》非「莊姜送歸妾」 之詩	8 卷 4 期	(88)	頁 64~68	1992 年 9 月
1045	竺家寧	《詩經·蓼莪》的韻律之美	8 卷 8 期	(92)	頁 98~102	1993 年 1 月
1046	杜　濤	〈蒹葭〉何以美	8 卷 10 期	(94)	頁 62~67	1993 年 3 月
1047	魏耕祥	從歷史方位觀照廓開〈伐檀〉新視野	8 卷 10 期	(94)	頁 81~86	1993 年 3 月
1048	藍若天	《詩經·關雎》鑑賞	9 卷 2 期	(98)	頁 24~29	1993 年 7 月
1049	藍若天	《詩經·行露》篇鑑賞	9 卷 4 期	(100)	頁 26~32	1993 年 9 月
1050	魏子雲	〈野有死麕〉淫詩也	9 卷 5 期	(101)	頁 44~47	1993 年 10 月
1051	藍若天	《詩經·野有死麕》篇鑑賞	9 卷 6 期	(102)	頁 46~51	1993 年 11 月
1052	藍若天	《詩經·卷耳》篇鑑賞	9 卷 7 期	(103)	頁 64~68	1993 年 12 月
1053	文幸福	〈野有死麕〉淫詩乎？	9 卷 8 期	(104)	頁 66~70	1994 年 1 月
1054	藍若天	《詩經·雄雉》篇鑑賞	9 卷 8 期	(104)	頁 60~65	1994 年 1 月

1055	黃美娥	《禮記‧經解》篇中「溫柔敦厚」一義之商榷	9 卷 9 期	(105)	頁 53~57	1994 年 2 月
1056	余培林	瞭解《詩經‧卷耳》篇的幾個關鍵字	9 卷 10 期	(106)	頁 54~57	1994 年 3 月
1057	藍若天	《詩經‧靜女》篇鑑賞	9 卷 10 期	(106)	頁 58~63	1994 年 3 月
1058	藍若天	《詩經‧桑中》篇鑑賞	10 卷 1 期	(109)	頁 96~100	1994 年 6 月
1059	藍若天	《詩經‧氓》篇鑑賞	10 卷 4 期	(112)	頁 90~96	1994 年 9 月
1060	藍若天	《詩經‧有狐》篇鑑賞	10 卷 6 期	(114)	頁 70~75	1994 年 11 月
1061	施議對	敏求居說詩:「窈窕淑女,君子好逑」《詩經‧周南‧關雎》賞析	10 卷 7 期	(115)	頁 27~28	1994 年 12 月
1062	施議對	敏求居說詩:少男少女三月三——《詩經‧鄭風‧溱洧》賞析	10 卷 8 期	(116)	頁 4~5	1995 年 1 月
1063	施議對	敏求居說詩:「靜女奇姝,俟我於城隅」——一個生動的幽會場面	10 卷 10 期	(118)	頁 36~37	1995 年 3 月
1064	藍若天	《詩經‧君子于役》篇鑑賞	10 卷 10 期	(118)	頁 81~85	1995 年 3 月
1065	施議對	敏求居說詩:「漢有游女,不可求思」——崇高的愛情寄託	10 卷 11 期	(119)	頁 4~5	1995 年 4 月
1066	藍若天	《詩經‧柏舟》篇鑑賞	10 卷 12 期	(120)	頁 85~91	1995 年 5 月
1067	施議對	敏求居說詩:采采卷耳,不盈頃筐——一種特殊的結構方法	11 卷 2 期	(122)	頁 66~67	1995 年 7 月
1068	何根海	《詩經‧北山》「率土之濱」辨義	11 卷 4 期	(124)	頁 107~109	1995 年 9 月
1069	施議對	敏求居說詩:〈將仲子〉中的「牆」——不可踰越的愛情阻隔	11 卷 5 期	(125)	頁 91~93	1995 年 10 月
1070	施議對	敏求居說詩:「野有蔓草、零露漙兮」——一首意象縹緲的愛情詩	11 卷 9 期	(129)	頁 86~87	1996 年 2 月
1071	施議對	敏求居說詩:宛在水中央——一種崇高的愛情追求	11 卷 11 期	(131)	頁 75~77	1996 年 4 月
1072	邱宜文	採芳遺珮——試談《詩經》、《楚辭》中男女贈物之寄託意涵	13 卷 9 期	(153)	頁 46~51	1998 年 2 月
1073	余培林	真善美的化身——詩經	14 卷 8 期	(164)	頁 14~17	1999 年 1 月
1074	曹順慶	《詩經》解說三題	15 卷 8 期	(176)	頁 49~52	2000 年 1 月
1075	戴尚文	我國最早的愛國女詩人	16 卷 4 期	(184)	頁 44~46	2000 年 9 月
1076	蘇建洲	也談「輔車相依」——兼論〈小雅‧正月〉的「輔」	16 卷 4 期	(184)	頁 34~38	2000 年 9 月
1077	高明誠	解惑篇:雎鳩是什麼鳥	16 卷 6 期	(186)	頁 75	2000 年 11 月
1078	林慶彰	研究《詩經》的重要入門書	18 卷 11 期	(215)	頁 17~21	2003 年 4 月
1079	周春健	〈召南‧野有死麕〉主題辨析	18 卷 12 期	(216)	頁 44~49	2003 年 5 月
1080	李金坤	「其葉沃若」、「其黃而隕」喻旨	19 卷 1 期	(217)	頁 46~48	2003 年 6 月

正解

1081	張林川 周春健	《左傳》引《詩》的文獻學考察	19 卷 2 期	(218)	頁 54~58	2003 年 7 月
1082	侯美珍	研讀《詩經》的現代意義	19 卷 12 期	(228)	頁 18~23	2004 年 5 月
1083	林翠華	無盡情意傳唱古今—— 從《詩經・蒹葭》到陳義芝〈蒹葭〉	20 卷 5 期	(233)	頁 51~53	2004 年 10 月
1084	周春健 張友彬	「《詩經》發展史」與「《詩經》 研究史」漫議	20 卷 8 期	(236)	頁 37~42	2005 年 1 月
1085	周玉珠	從《詩經・豳風・伐柯》看周人「共 牢合巹」之婚俗	20 卷 10 期	(238)	頁 51~54	2005 年 3 月
1086	侯美珍	研讀《詩經》的方法	21 卷 1 期	(241)	頁 17~24	2005 年 6 月
1087	聶永華	人倫傳統與《詩經》中的親情詩	21 卷 3 期	(243)	頁 55~59	2005 年 8 月
1088	林佳惠	《詩・大雅》中周族敘事詩初探— —以〈生民〉中「棄」的形構為核 心	21 卷 7 期	(247)	頁 43~48	2005 年 12 月
1089	杜凱薇	由孔子《詩》教看現代語文教育的 價值	21 卷 11 期	(251)	頁 25~31	2006 年 4 月
1090	王清信	《詩經》詩篇的寫作技巧	22 卷 10 期	(262)	頁 13~22	2007 年 3 月
1091	邱慧芬	《詩經》中的婦女形象	22 卷 10 期	(262)	頁 4~12	2007 年 3 月
1092	洪楷萱	源自《詩經》的成語	22 卷 10 期	(262)	頁 23~29	2007 年 3 月
1093	陳文采	談談胡適和郭沫若的《詩經》新解	22 卷 10 期	(262)	頁 37~44	2007 年 3 月
1094	陳明義	朱熹把情詩當作「淫詩」	22 卷 10 期	(262)	頁 30~36	2007 年 3 月
1095	倪瑋均	浩瀚《詩》海中的領航員—— 《詩經要籍集成》簡介	22 卷 11 期	(263)	頁 99~102	2007 年 4 月
1096	陳讚華	《風》《騷》比較 集其大成—— 《風騷比較新論》簡介	22 卷 12 期	(264)	頁 90~93	2007 年 5 月
1097	陳讚華	朱熹詩經學研究的新成果 —— 《朱熹詩經學研究》與《朱熹詩經 詮釋學美學研究》簡介	23 卷 2 期	(266)	頁 86~89	2007 年 7 月
1098	張鴻愷	《詩經》「興」義的美學意涵	23 卷 3 期	(267)	頁 47~53	2007 年 8 月
1099	蔡宗陽	從文法與修辭析論《詩經・周南・ 關雎》	23 卷 3 期	(267)	頁 81~86	2007 年 8 月
1100	蕭千金	《詩經・小雅》之〈隰桑〉的立意 與章法分析	23 卷 4 期	(268)	頁 87~92	2007 年 9 月
1101	張鴻愷	《詩經》「正變說」析論	24 卷 3 期	(279)	頁 48~52	2008 年 8 月
1102	朱孟庭	縱橫以觀，詩義畢現—— 《詩經》鑑賞舉要	24 卷 4 期	(280)	頁 52~58	2008 年 9 月
1103	林偉雄	從男女身體書寫觀看 —— 《詩經》〈周南〉、〈召南〉的男	24 卷 10 期	(286)	頁 46~50	2009 年 3 月

　　　　　　　　　女身體權力象徵

| 1104 | 蔡宗陽 | 從文法與修辭析論《詩經・陳風・東門之池》 | 25 卷 4 期 | (292) | 頁 84~87 | 2009 年 9 月 |
| 1105 | 蔡宗陽 | 《詩經修辭研究》序 | 25 卷 7 期 | (295) | 頁 55 | 2009 年 12 月 |

2.5 三禮

1106	周　何	古代的冰做什麼用？	1 卷 4 期	(4)	頁 9	1985 年 9 月
1107	周　何	禮記	2 卷 8 期	(20)	頁 19	1987 年 1 月
1108	江煜坤	過了棧道便是康莊——從「禮運三世說」談起	2 卷 9 期	(21)	頁 90~92	1987 年 2 月
1109	周　何	今禮古義：一定要新郎親自迎娶，為甚麼？	3 卷 8 期	(32)	頁 76~77	1988 年 1 月
1110	王關仕	武威漢簡儀禮	3 卷 9 期	(33)	頁 37~40	1988 年 2 月
1111	周　何	婚前的新娘教育	3 卷 9 期	(33)	頁 74	1988 年 2 月
1112	周　何	婚禮「攝盛」的意義	3 卷 10 期	(34)	頁 92	1988 年 3 月
1113	蔡素芬語譯傅武光旁白	先行師弟禮，後行君臣禮	3 卷 9 期	(33)	頁 95	1988 年 2 月
1114	周　何	「合巹」的意義	3 卷 11 期	(35)	頁 74	1988 年 4 月
1115	李　邁	孔子「無服過宋」嗎？——探微	3 卷 11 期	(35)	頁 88	1988 年 4 月
1116	周　何	「婚期」的決定	3 卷 12 期	(36)	頁 68	1988 年 5 月
1117	周　何	古禮今義：「提字仔」和「合婚」	4 卷 1 期	(37)	頁 53	1988 年 6 月
1118	周　何	古禮今義：「門第」觀念的真諦	4 卷 2 期	(38)	頁 88	1988 年 7 月
1119	周　何	今禮古義：來賓是婚禮的見證人	4 卷 3 期	(39)	頁 57	1988 年 8 月
1120	周　何	古禮今義：回門	4 卷 4 期	(40)	頁 69	1988 年 9 月
1121	周　何	古禮今義：舖房——佈置新房	4 卷 5 期	(41)	頁 45	1988 年 10 月
1122	周　何	今禮古義：新娘的三朝祭拜	4 卷 6 期	(42)	頁 49	1988 年 11 月
1123	周　何	同姓不婚	4 卷 7 期	(43)	頁 36	1988 年 12 月
1124	周　何	古代冠禮中的「服備」	4 卷 8 期	(44)	頁 78	1989 年 1 月
1125	周　何	成年禮中的特別來賓	4 卷 10 期	(46)	頁 68	1989 年 3 月
1126	周　何	古代加冠時的祝辭	4 卷 11 期	(47)	頁 86	1989 年 4 月
1127	周　何	服喪適度	5 卷 1 期	(49)	頁 68~69	1989 年 6 月
1128	吳立甫	禮器「俎豆」	5 卷 1 期	(49)	頁 69~70	1989 年 6 月
1129	周　何	招魂的「復」禮	5 卷 2 期	(50)	頁 68~69	1989 年 7 月
1130	周　何	「哭」的限制	5 卷 4 期	(52)	頁 70~71	1989 年 9 月
1131	周　何	葬	5 卷 7 期	(55)	頁 80	1989 年 12 月
1132	葉程義	「刑不上大夫」說	5 卷 8 期	(56)	頁 7~8	1990 年 1 月

1133	周　何	奠與祭	5 卷 9 期	(57)	頁 72	1990 年 2 月
1134	周　何	「杖期夫」與「不杖期夫」	5 卷 10 期	(58)	頁 81	1990 年 3 月
1135	周　何	代哭	5 卷 12 期	(60)	頁 74	1990 年 5 月
1136	周　何	齋戒	6 卷 3 期	(63)	頁 69	1990 年 8 月
1137	閻紀宇	媒人的故事	6 卷 4 期	(64)	頁 104~106	1990 年 9 月
1138	衣若芬	黑色婚禮	6 卷 4 期	(64)	頁 107~108	1990 年 9 月
1139	周　何	事死者如事生	6 卷 5 期	(65)	頁 82	1990 年 10 月
1140	林政言	由喪葬服飾看中國人的死亡觀	6 卷 8 期	(68)	頁 94~96	1991 年 1 月
1141	吳曉華	動物與祭祀	6 卷 8 期	(68)	頁 103~105	1991 年 1 月
1142	周　何	忌日	6 卷 9 期	(69)	頁 68	1991 年 2 月
1143	戴盛虞	「大同」思想在臺灣	7 卷 2 期	(74)	頁 62~67	1991 年 7 月
1144	黃美娥	《禮記・經解》篇中「溫柔敦厚」一義之商榷	9 卷 9 期	(105)	頁 53~57	1994 年 2 月
1145	周　何	經典的智慧（一）：「禮」從何來	11 卷 3 期	(123)	頁 56~59	1995 年 8 月
1146	周　何	經典的智慧（二）：「約束」不好嗎？	11 卷 4 期	(124)	頁 34~37	1995 年 9 月
1147	周　何	經典的智慧（三）：禮主於減	11 卷 5 期	(125)	頁 20~23	1995 年 10 月
1148	周　何	經典的智慧（四）：禮為大防	11 卷 6 期	(126)	頁 42~45	1995 年 11 月
1149	周　何	經典的智慧（五）：毋不敬	11 卷 7 期	(127)	頁 16~19	1995 年 12 月
1150	葉國良	詩文與禮制（七）：鴻門宴的坐次	11 卷 7 期	(127)	頁 32~37	1995 年 12 月
1151	周　何	經典的智慧（六）——和為貴	11 卷 8 期	(128)	頁 10~13	1996 年 1 月
1152	葉國良	詩文與禮制（八）：跪與拜	11 卷 8 期	(128)	頁 24~29	1996 年 1 月
1153	周　何	經典的智慧（七）：歸其本	11 卷 9 期	(129)	頁 12~15	1996 年 2 月
1154	周　何	經典的智慧（八）：禮中有親情	11 卷 10 期	(130)	頁 12~15	1996 年 3 月
1155	周　何	經典的智慧（十）：禮之行始於孝	12 卷 5 期	(137)	頁 28~31	1996 年 10 月
1156	周　何	經典的智慧（十一）：禮不下庶人刑不上大夫論	12 卷 6 期	(138)	頁 16~18	1996 年 11 月
1157	董金裕	〈檀弓選〉中若干問題的商榷——敬答林義烈、林國鐘兩位先生	12 卷 6 期	(138)	頁 44~49	1996 年 11 月
1158	周　何	經典的智慧（十二）：孔氏不喪出母論	12 卷 8 期	(140)	頁 18~21	1997 年 1 月
1159	周　何	經典的智慧（十三）：制禮的原則	12 卷 9 期	(141)	頁 28~33	1997 年 2 月
1160	周　何	經典的智慧（十五）：禮法之別	12 卷 11 期	(143)	頁 24~27	1997 年 4 月
1161	周　何	經典的智慧（十六）：禮的起源	12 卷 12 期	(144)	頁 28~32	1997 年 5 月
1162	周　何	經典的智慧（十七）：〈檀弓〉篇中論葬事	13 卷 2 期	(146)	頁 18~21	1997 年 7 月
1163	周　何	禮記的成書	13 卷 3 期	(147)	頁 14~19	1997 年 8 月

1164	周　何	經典的智慧（十八）：禮之內涵（上）	13 卷 6 期	(150)	頁 14~19	1997 年 11 月
1165	周　何	經典的智慧（十九）：禮之內涵（中）	13 卷 7 期	(151)	頁 22~24	1997 年 12 月
1166	周　何	經典的智慧（廿）：禮之內涵（下）	13 卷 8 期	(152)	頁 21~26	1998 年 1 月
1167	周　何	經典的智慧（廿一）：如何讓舊有的禮教發揮現代的社會功能	13 卷 12 期	(156)	頁 18~21	1998 年 5 月
1168	周　何	經典的智慧（廿二）：恩理節權——制訂喪服輕重的四大原則	14 卷 2 期	(158)	頁 26~29	1998 年 7 月
1169	周　何	經典的智慧（廿三）：服術有六	14 卷 3 期	(159)	頁 27~30	1998 年 8 月
1170	周　何	經典的智慧（廿四）：宗法簡述	14 卷 4 期	(160)	頁 52~55	1998 年 9 月
1171	周　何	各種典禮的節目表——儀禮	14 卷 8 期	(164)	頁 17~20	1999 年 1 月
1172	黃俊郎	古代的國民生活需知——禮記	14 卷 8 期	(164)	頁 20~23	1999 年 1 月
1173	汪中文	周朝的政事法——周禮	14 卷 8 期	(164)	頁 23~26	1999 年 1 月
1174	莊雅州	經學的新生地——大戴禮記	14 卷 9 期	(165)	頁 16~20	1999 年 2 月
1175	周　何	曾子大孝（大戴禮記）篇闡義	14 卷 12 期	(168)	頁 19~21	1999 年 5 月
1176	周　何	《禮運》篇〈大同小康〉章闡義	15 卷 1 期	(169)	頁 30~32	1999 年 6 月
1177	林珍瑩	談《禮記・曲禮》中的人際處理	15 卷 1 期	(169)	頁 33~36	1999 年 6 月
1178	周　何	《禮記・儒行》闡義	15 卷 2 期	(170)	頁 35~38	1999 年 7 月
1179	周　何	《禮記・坊記》闡義	15 卷 3 期	(171)	頁 52~54	1999 年 8 月
1180	周　何	《禮記・曲禮》篇闡義	15 卷 6 期	(174)	頁 14~17	1999 年 11 月
1181	周　何	《禮記・祭義》篇闡義	15 卷 7 期	(175)	頁 32~35	1999 年 12 月
1182	周　何	《禮記・三年問》篇闡義	15 卷 12 期	(180)	頁 41~43	2000 年 5 月
1183	周　何	《禮記・少儀》闡義	16 卷 2 期	(182)	頁 4~10	2000 年 7 月
1184	周　何	《禮記・文王世子》闡義	16 卷 3 期	(183)	頁 46~54	2000 年 8 月
1185	周　何	《禮記・孔子閒居》闡義	16 卷 7 期	(187)	頁 26~30	2000 年 12 月
1186	周　何	《禮記・仲尼燕居》闡義	16 卷 10 期	(190)	頁 28~32	2001 年 3 月
1187	陳怡如	從《儀禮》、《禮記》推論古人方位尊卑	17 卷 9 期	(201)	頁 49~53	2002 年 2 月
1188	林素英	研究《禮記》的重要入門書	18 卷 11 期	(215)	頁 22~31	2003 年 4 月
1189	陳怡君	魏晉嫂叔禮制之辯探析	19 卷 5 期	(221)	頁 42~47	2003 年 10 月
1190	黃智信	研讀《禮記》的現代意義	19 卷 12 期	(228)	頁 24~30	2004 年 5 月
1191	林慶彰	研讀《禮記》的方法	21 卷 1 期	(241)	頁 25~30	2005 年 6 月
1192	邱宜文	霜露風雨，以達天地之氣——試論社祭之原型	22 卷 10 期	(262)	頁 45~54	2007 年 3 月
1193	周志川	與天地自然冥合——從《禮記・月令》看古代養生觀	24 卷 11 期	(287)	頁 8~13	2009 年 4 月

| 1194 | 吳新蓮 | 論周代膳夫的職掌與定位—— 兼談周代宮廷飲食的特色 | 24 卷 11 期 (287) 頁 41~47 | 2009 年 4 月 |
| 1195 | 吳怡青 | 民國期刊資料分類彙編叢書—— 《三禮研究》編纂述評 | 25 卷 10 期 (298) 頁 92~95 | 2010 年 3 月 |

2.6 春秋

1196	左松超	談春秋事語	3 卷 9 期 (33) 頁 30~32	1988 年 2 月
1197	邱德修	《左傳》是劉歆偽造的嗎？	4 卷 3 期 (39) 頁 66~68	1988 年 8 月
1198	張高評	「左氏浮誇」的歷史意義—— 《左傳·晉景公夢大厲》鑑賞	5 卷 2 期 (50) 頁 74~75	1989 年 7 月
1199	馬寶蓮	從〈殽之戰〉略談遊說與諫諍之道	10 卷 8 期 (116) 頁 67~75	1995 年 1 月
1200	陸寶千	公羊傳	14 卷 9 期 (165) 頁 5~9	1999 年 2 月
1201	周 何	穀梁傳	14 卷 9 期 (165) 頁 9~12	1999 年 2 月
1202	張高評	左氏傳	14 卷 9 期 (165) 頁 12~15	1999 年 2 月
1203	蔡信發	《春秋》是斷代史之祖嗎？	14 卷 11 期 (167) 頁 94	1999 年 4 月
1204	江煜坤	政治人物的宿命—— 從《左傳》兩篇文章談起	15 卷 8 期 (176) 頁 4~15	2000 年 1 月
1205	林淑貞	抉擇的智慧—— 讀重耳出亡始末有感	16 卷 5 期 (185) 頁 77~80	2000 年 10 月
1206	張高評	《左傳》外交辭令的典範—— 〈燭之武退秦師〉文章鑑賞	16 卷 8 期 (188) 頁 95~98	2001 年 1 月
1207	葉政欣	關於《左傳》「以亂易整，不武」 的解釋	17 卷 1 期 (193) 頁 94~95	2001 年 6 月
1208	李 鍌	《左傳》「以亂易整，不武」葉解 之商榷	17 卷 5 期 (197) 頁 93~97	2001 年 10 月
1209	葉政欣	再論《左傳》「以亂易整不武」的 解釋——敬答李鍌教授「商榷」一 文	17 卷 7 期 (199) 頁 91~96	2001 年 12 月
1210	魏子雲	〈燭之武退秦師〉的尾語杜註	17 卷 9 期 (201) 頁 83~84	2002 年 2 月
1211	魏子雲	齊伯率諸侯伐楚—— 「齊桓公伐楚盟屈完」章名之誤	18 卷 3 期 (207) 頁 79~80	2002 年 8 月
1212	馮曉庭	研究《春秋三傳》的重要入門書	18 卷 11 期 (215) 頁 32~38	2003 年 4 月
1213	張林川 周春健	《左傳》引《詩》的文獻學考察	19 卷 2 期 (218) 頁 54~58	2003 年 7 月
1214	馮曉庭	研讀《春秋三傳》的現代意義	19 卷 12 期 (228) 頁 31~37	2004 年 5 月
1215	丁亞傑	研讀《左傳》的方法	21 卷 1 期 (241) 頁 31~35	2005 年 6 月
1216	王敏芳	《春秋》中的「正名定分」思想— —以魯文公夫人出姜為例	22 卷 1 期 (253) 頁 44~49	2006 年 6 月
1217	陳致宏	《左傳》外交辭令之說服藝術	23 卷 6 期 (270) 頁 4~12	2007 年 11 月

1218	張曉生	漫談《左傳》的「夢」	23 卷 6 期	(270)	頁 13~18	2007 年 11 月
1219	蔡妙貞	真實與虛構—— 《左傳》敘事技巧及其效果	23 卷 6 期	(270)	頁 19~29	2007 年 11 月
1220	陳純純	《左傳》敘事之言外有意	23 卷 6 期	(270)	頁 30~37	2007 年 11 月
1221	陽平南	《左傳》與兵家兵法	23 卷 6 期	(270)	頁 38~44	2007 年 11 月

2.7 四書

1222	蔡怡儂	孔子何嘗小天下？——「孔子登東山而小魯，登太山而小天下」（孟子盡心篇上）	1 卷 3 期	(3)	頁 94	1985 年 8 月
1223	李威熊	論語的「論」字該讀陽平或去聲	1 卷 4 期	(4)	頁 9	1985 年 9 月
1224	黃基正	何謂八份？	1 卷 5 期	(5)	頁 65	1985 年 10 月
1225	唐亦男	凡事豫則立	1 卷 8 期	(8)	頁 10~11	1986 年 1 月
1226	袁顯相	孟子書中「舉」字用法的探討	1 卷 11 期	(11)	頁 68~70	1986 年 4 月
1227	周幹家	《白話論語》譯注的問題	1 卷 12 期	(12)	頁 44~46	1986 年 5 月
1228	王熙元	論語	2 卷 8 期	(20)	頁 21	1987 年 1 月
1229	黃忠慎	ㄉㄨㄣˋ語還是ㄉㄨㄣˊ語？	2 卷 9 期	(21)	頁 76	1987 年 2 月
1230	高明誠	宰予「晝寢」有三解	2 卷 10 期	(22)	頁 7	1987 年 3 月
1231	楊祖漢	孟子中的「氣」	2 卷 10 期	(22)	頁 8~9	1987 年 3 月
1232	毛子水	論語三則	2 卷 11 期	(23)	頁 15~16	1987 年 4 月
1233	馬守倫	「保持經典的精潔」讀後	2 卷 12 期	(24)	頁 16	1987 年 5 月
1234	黃慶萱	實事求是，以獲真知—— 為丁肇中‧劉述先教授格物致知之論進一解	3 卷 3 期	(27)	頁 6~7	1987 年 8 月
1235	毛子水	論語三則	3 卷 4 期	(28)	頁 10~11	1987 年 9 月
1236	劉文起	弟子的禮讚	3 卷 4 期	(28)	頁 26~28	1987 年 9 月
1237	駱 梵	經文不宜晦澀	3 卷 4 期	(28)	頁 87	1987 年 9 月
1238	林聰舜	父母犯法，子女能否「大義滅親」？	4 卷 3 期	(39)	頁 8	1988 年 8 月
1239	林聰舜	「耳順」和「不惑」有什麼不同？	4 卷 3 期	(39)	頁 8	1988 年 8 月
1240	王基倫	匡章何以不厚葬母親？	3 卷 12 期	(36)	頁 9	1988 年 5 月
1241	廖慶洲	澀澤榮一和他的《論語與算盤》	4 卷 3 期	(39)	頁 79~81	1988 年 8 月
1242	林聰舜	何謂「上律天時，下襲水土」？	4 卷 4 期	(40)	頁 6	1988 年 9 月
1243	曾昭旭	曾晢為什麼能得到孔子的嘆賞？	4 卷 4 期	(40)	頁 70~71	1988 年 9 月
1244	林聰舜	何謂「執中無權」？	4 卷 5 期	(41)	頁 7~8	1988 年 10 月
1245	王開府	孔子的心願	4 卷 6 期	(42)	頁 76~77	1988 年 11 月
1246	戴璉璋	儒學教育困境下的省思—— 以台灣中等學校的《四書》教育為例	4 卷 6 期	(42)	頁 102~106	1988 年 11 月

1247	王開府	「三省」的解釋	4 卷 9 期	(45)	頁 6~7	1989 年 2 月
1248	劉瀚平	孟子談人格修養的六大進境	4 卷 9 期	(45)	頁 7~8	1989 年 2 月
1249	劉文起	「四十而不惑」和「四十不動心」有何不同？	4 卷 11 期	(47)	頁 6~7	1989 年 4 月
1250	傅武光	〈大學〉〈中庸〉何時獨立成書？	5 卷 3 期	(51)	頁 6~7	1989 年 8 月
1251	曾昭旭	孔子的寂寞與堅持	5 卷 4 期	(52)	頁 10~13	1989 年 9 月
1252	劉操志	好仁不好學，其蔽也愚——讀〈孔子誅少正卯？〉有感	6 卷 6 期	(66)	頁 110~111	1990 年 11 月
1253	林安梧	讀《孟子》四帖	7 卷 3 期	(75)	頁 54~57	1991 年 8 月
1254	林繼生	從極短篇小說觀點看孟子〈齊人〉章	7 卷 11 期	(83)	頁 100~103	1992 年 4 月
1255	王開府	「子曰」是否為「孔子說」？	8 卷 4 期	(88)	頁 4~5	1992 年 9 月
1256	王開府	孟子的抱負	8 卷 11 期	(95)	頁 73~77	1993 年 4 月
1257	王開府	四書的智慧——辨義利	9 卷 1 期	(97)	頁 70~75	1993 年 6 月
1258	王更生	從文藝欣賞看國文科《論語》選教學	9 卷 1 期	(97)	頁 102~109	1993 年 6 月
1259	王開府	四書的智慧——孟子論涵養	9 卷 2 期	(98)	頁 8~18	1993 年 7 月
1260	高柏園	論《孟子》書中的楊朱思想	9 卷 2 期	(98)	頁 19~23	1993 年 7 月
1261	王開府	四書的智慧——孟子論教學	9 卷 3 期	(99)	頁 52~57	1993 年 8 月
1262	王開府	四書的智慧——孟子論治道	9 卷 4 期	(100)	頁 8~16	1993 年 9 月
1263	王開府	四書的智慧——孟子尚論古人	9 卷 5 期	(101)	頁 37~42	1993 年 10 月
1264	王開府	四書的智慧——《論語》論學	9 卷 6 期	(102)	頁 40~45	1993 年 11 月
1265	王開府	四書的智慧——《論語》論仁	9 卷 7 期	(103)	頁 50~58	1993 年 12 月
1266	黃忠天	《論語》「君子疾沒世而名不稱焉」釋疑	9 卷 7 期	(103)	頁 60~63	1993 年 12 月
1267	王開府	四書的智慧——《論語》論孝	9 卷 8 期	(104)	頁 44~46	1994 年 1 月
1268	王開府	四書的智慧——《論語》論道德修養	9 卷 9 期	(105)	頁 46~52	1994 年 2 月
1269	王開府	四書的智慧——《大學》略論（一）	9 卷 10 期	(106)	頁 42~48	1994 年 3 月
1270	林志孟	《論語》「慎終追遠」本義之商榷	9 卷 10 期	(106)	頁 50~53	1994 年 3 月
1271	王開府	四書的智慧——《大學》略論（二）	9 卷 11 期	(107)	頁 4~8	1994 年 4 月
1272	王開府	四書的智慧——《論語》論士	9 卷 12 期	(108)	頁 26~28	1994 年 5 月
1273	王開府	四書的智慧——《論語》論君子	10 卷 1 期	(109)	頁 90~95	1994 年 6 月
1274	王開府	四書的智慧——《孟子·齊人》析論	10 卷 2 期	(110)	頁 87~91	1994 年 7 月
1275	王開府	四書的智慧——孔子之為人	10 卷 3 期	(111)	頁 76~81	1994 年 8 月
1276	王開府	四書的智慧——《論語》論詩禮樂	10 卷 4 期	(112)	頁 97~102	1994 年 9 月
1277	王開府	四書的智慧——《論語》論教育	10 卷 5 期	(113)	頁 60~71	1994 年 10 月
1278	王開府	四書的智慧——《論語》論政治	10 卷 6 期	(114)	頁 76~83	1994 年 11 月

1279	王開府	四書的智慧──《論語》論古今人物	10 卷 7 期	(115)	頁 92~95	1994 年 12 月
1280	江澄格	淺談「束修」	10 卷 8 期	(116)	頁 56~59	1995 年 1 月
1281	王開府	四書的智慧──孔門弟子（一）	10 卷 8 期	(116)	頁 60~67	1995 年 1 月
1282	王開府	四書的智慧──孔門弟子（二）	10 卷 9 期	(117)	頁 88~93	1995 年 2 月
1283	王開府	四書的智慧──《中庸》略論	10 卷 10 期	(118)	頁 88~91	1995 年 3 月
1284	曹繼曾	為什麼孔子對老朋友以杖叩脛	10 卷 10 期	(118)	頁 118~119	1995 年 3 月
1285	王開府	「子曰」是否孔子所言？	11 卷 6 期	(126)	頁 11	1995 年 11 月
1286	張炳陽	也談《論語》之「自行束脩以上」	11 卷 8 期	(128)	頁 54~58	1996 年 1 月
1287	周　何	經典的智慧（九）：克己復禮	12 卷 3 期	(135)	頁 12~14	1996 年 8 月
1288	陳滿銘講 楊麗玲記錄	談中庸的思想體系（上）	12 卷 8 期	(140)	頁 11~17	1997 年 1 月
1289	陳滿銘講 楊麗玲記錄	談中庸的思想體系（下）	12 卷 9 期	(141)	頁 14~20	1997 年 2 月
1290	周　何	經典的智慧（十四）：孔子所惡者	12 卷 10 期	(142)	頁 20~25	1997 年 3 月
1291	倪芳芳	《論語》的文學價值	13 卷 7 期	(151)	頁 37~41	1997 年 12 月
1292	傅武光	中華的聖經──論語	14 卷 9 期	(165)	頁 21~25	1999 年 2 月
1293	王基倫	人性的光輝──孟子	14 卷 9 期	(165)	頁 26~29	1999 年 2 月
1294	陳滿銘	談《大學》所謂的「誠意」	14 卷 9 期	(165)	頁 64~68	1999 年 2 月
1295	黃錦鋐	《論語》「吾道一以貫之」意義的 發展	15 卷 8 期	(176)	頁 29~31	2000 年 1 月
1296	陳滿銘	談《中庸》的一篇體要（上）	16 卷 1 期	(181)	頁 24~29	2000 年 6 月
1297	陳滿銘	談《中庸》的一篇體要（下）	16 卷 2 期	(182)	頁 11~14	2000 年 7 月
1298	陳滿銘主講 田啟文記錄	微觀古本與今本《大學》	16 卷 6 期	(186)	頁 42~49	2000 年 11 月
1299	黃明理	「禮云禮云，玉帛云乎哉？樂云樂 云，鐘鼓云乎哉？」的出處和解釋	20 卷 9 期	(237)	頁 112	2005 年 2 月
1300	彭淑玲	以現代觀淺析《論語》── 以孔子之教育觀為例	21 卷 11 期	(251)	頁 4~9	2006 年 4 月
1301	王美宜	從《論語・侍坐》試探現代師生關 係與師生溝通	21 卷 11 期	(251)	頁 10~16	2006 年 4 月
1302	李淑慧	論孔子的人格教育── 兼論對現今台灣教育的啟示	21 卷 11 期	(251)	頁 17~24	2006 年 4 月
1303	楊　菁	中日儒學交會的亮光── 記《論語思想史》中文版的刊行	21 卷 11 期	(251)	頁 95~98	2006 年 4 月
1304	王玲月	《論語》親子關係研究	23 卷 4 期	(268)	頁 51~56	2007 年 9 月
1305	劉源俊	談《四書》與現代教育	23 卷 10 期	(274)	頁 61~63	2008 年 3 月
1306	盧昭蓉	《論語・為政》「父母唯其疾之憂」	24 卷 5 期	(281)	頁 40~44	2008 年 10 月

章句詁解

2.8 孝經

1307　朱榮貴　　哀哀父母生我劬勞——孝經　　14 卷 9 期　(165)　頁 30~33　　1999 年 2 月

2.9 讖緯、石經

1308　林聰舜　　「三綱」的說法，起自何人？　　4 卷 2 期　(38)　頁 9　　1988 年 7 月

1309　黎活仁　　緯書對文心雕龍的影響　　7 卷 11 期　(83)　頁 55~58　　1992 年 4 月

1310　劉千惠　　鐫刻於石頭上的經典——　　22 卷 3 期　(255)　頁 94~97　　2006 年 8 月
　　　　　　　　《歷代石經研究資料輯刊》簡介

3 哲學思想類

3.1 通論

1311	羅　斯著 鄭曉村譯	哲學在文學中的角色	1 卷 8 期	(8)	頁 52~57	1986 年 1 月
1312	林安梧	何謂「形象思維」？	5 卷 7 期	(55)	頁 7~8	1989 年 12 月
1313	王溢嘉	恐懼與渴望──人對鬼的矛盾雙情	6 卷 3 期	(63)	頁 18~21	1990 年 8 月
1314	項退結	胡適先生的哲學立場	6 卷 7 期	(67)	頁 40~43	1990 年 12 月
1315	許秀貞	觀《中國哲學年鑑》之我見	25 卷 3 期	(291)	頁 16~21	2009 年 8 月
1316	傅武光	儒家思想與中國現代化	3 卷 4 期	(28)	頁 41~43	1987 年 9 月
1317	傅武光採訪 高祥整理	為海外中國哲學思想爭席位── 　　訪傅偉勳教授	3 卷 8 期	(32)	頁 17~21	1988 年 1 月
1318	林安梧	儒學是什麼？── 　　評余敦康〈什麼是儒學〉	4 卷 8 期	(44)	頁 44~47	1989 年 1 月
1319	陳逢源	研究中國哲學的期刊	4 卷 9 期	(45)	頁 61~63	1989 年 2 月
1320	劉笑敢	河殤與西化思潮（上）	5 卷 1 期	(49)	頁 62~67	1989 年 6 月
1321	劉笑敢	河殤與西化思潮（下）	5 卷 2 期	(50)	頁 58~63	1989 年 7 月
1322	王邦雄	從儒學的原罪與苦業談儒學的未來	5 卷 4 期	(52)	頁 41~42	1989 年 9 月
1323	林安梧	何謂「體」？何謂「用」？	5 卷 4 期	(52)	頁 8	1989 年 9 月
1324	林安梧	儒家與現代化的反思片段── 　　解開所謂「道德思想意圖的謬誤」	5 卷 4 期	(52)	頁 29~32	1989 年 9 月
1325	林耀潾	儒家思想的三個屬性	5 卷 7 期	(55)	頁 72~74	1989 年 12 月
1326	連文萍採訪	把真理還給中國哲學── 　　成中英教授訪談記	5 卷 7 期	(55)	頁 75~79	1989 年 12 月
1327	編輯部	「清代思想與文學研討會議」後記	5 卷 7 期	(55)	頁 106	1989 年 12 月
1328	陳逢源	研究中國哲學的工具書	5 卷 9 期	(57)	頁 103~105	1990 年 2 月
1329	葛榮晉	「實學」是什麼？（上）	6 卷 4 期	(64)	頁 74~78	1990 年 9 月
1330	葛榮晉	「實學」是什麼？（中）	6 卷 5 期	(65)	頁 74~79	1990 年 10 月
1331	葛榮晉	「實學」是什麼？（下）	6 卷 6 期	(66)	頁 61~63	1990 年 11 月
1332	陳郁夫	胡適與中國哲學	6 卷 7 期	(67)	頁 36~39	1990 年 12 月
1333	錢　遜	人生自古誰無死，留取丹心照汗青 　　──中國傳統人生價值學說	6 卷 9 期	(69)	頁 87~90	1991 年 2 月
1334	李志林	論中國傳統思維方式的兩重性── 對中國傳統文化反思的一個重要側面	8 卷 1 期	(85)	頁 94~102	1992 年 6 月
1335	張永儁	一本力作──《中國哲學範疇導論》	9 卷 2 期	(98)	頁 91~93	1993 年 7 月
1336	蕭振邦	中國美學的儒道釋側面解讀	9 卷 9 期	(105)	頁 8~17	1994 年 2 月
1337	陳昌明	「形──氣──神」──	9 卷 9 期	(105)	頁 18~22	1994 年 2 月

中國人獨特的美學思維

1338	陳郁夫	洞悉人性與天道的智慧── 中國哲學通覽	14 卷 5 期	(161)	頁 22~27	1998 年 10 月
1339	李日章	我像我自己──中國哲學的特徵	14 卷 5 期	(161)	頁 27~30	1998 年 10 月
1340	勞思光	中國哲學的回顧與展望	15 卷 8 期	(176)	頁 24~28	2000 年 1 月
1341	王開府	網路問答：宋明和先秦儒學有何不同	16 卷 4 期	(184)	頁 92	2000 年 9 月
1342	張娣明	中國古人對「戰爭」之解讀	18 卷 3 期	(207)	頁 87~92	2002 年 8 月
1343	左秀靈	儒教禪宗對武士道的影響	21 卷 6 期	(246)	頁 53~54	2005 年 11 月
1344	張鴻愷	淺談《易傳》的儒道互補思想	22 卷 9 期	(261)	頁 10~14	2007 年 2 月
1345	朱榮智	生命的活水──由儒、道談起	23 卷 10 期	(274)	頁 34~40	2008 年 3 月
1346	謝智光	中國傳統思想研究的大寶庫── 《中國思想家評傳叢書》簡介	23 卷 12 期	(276)	頁 95~98	2008 年 5 月
1347	陳顥哲	《中國學術思想研究輯刊》簡介	24 卷 9 期	(285)	頁 94~97	2009 年 2 月
1348	彭筱芸	《中國儒學年鑑》述評	25 卷 3 期	(291)	頁 22~26	2009 年 8 月
1349	張琬瑩	傳承與發揚儒家文化的精髓── 談《儒林》與山東大學儒學研究中心	25 卷 12 期	(300)	頁 87~90	2010 年 5 月

3.2.2 哲學史

1350	王讚源	思想史的拓荒者── 汪榮祖教授訪問錄	3 卷 12 期	(36)	頁 44~51	1988 年 5 月
1351	詹海雲	研究中國哲學史的一套名著	4 卷 2 期	(38)	頁 89~93	1988 年 7 月
1352	陳郁夫	宋明理學是思想史上的濁流？	5 卷 2 期	(50)	頁 54~57	1989 年 7 月
1353	楊　菁	中日儒學交會的亮光── 記《論語思想史》中文版的刊行	21 卷 11 期	(251)	頁 95~98	2006 年 4 月
1354	薛柏成	體大思精 富於創新── 評鄭傑文教授著《中國墨學通史》	24 卷 11 期	(287)	頁 98~101	2009 年 4 月
1355	張琬瑩	從思想史的角度 看中國孔學的發 展──介紹《中國孔學史》	25 卷 7 期	(295)	頁 93~96	2009 年 12 月

3.2.3 先秦

1356	顏崑陽	中國文學藝術之「虛」及其與老莊 思想的關係	1 卷 2 期	(2)	頁 83~93	1985 年 7 月
1357	高大威	玄之又玄──老子「玄」字解釋	1 卷 10 期	(10)	頁 32~35	1986 年 3 月
1358	王邦雄	山谷的空靈妙用── 老子道德經第六章的現代詮釋	2 卷 1 期	(13)	頁 48~49	1986 年 6 月
1359	王邦雄	生有涯而知無涯嗎？	2 卷 2 期	(14)	頁 48~50	1986 年 7 月
1360	鄭志明	大學國文教學範例── 墨子經說下篇的光學知識	2 卷 3 期	(15)	頁 40~41	1986 年 8 月

1361	王邦雄	人生能如天地一般的長久嗎？—— 老子道德經第七章的現代詮釋	2 卷 3 期	(15)	頁 42~44	1986 年 8 月
1362	王邦雄	水的高貴就在它承擔卑下	2 卷 5 期	(17)	頁 78	1986 年 10 月
1363	傅佩榮	現代人所需要的儒家人性理解	2 卷 9 期	(21)	頁 52~54	1987 年 2 月
1364	楊祖漢	孟子中的「氣」	2 卷 10 期	(22)	頁 8~9	1987 年 3 月
1365	王邦雄	銳利驕慢保不住自己—— 老子道德經第九章的現代詮釋	2 卷 12 期	(24)	頁 83	1987 年 5 月
1366	杜松柏	以孔子的「成己」適應今日社會	3 卷 4 期	(28)	頁 38~40	1987 年 9 月
1367	鮑國順	不信鬼神信自己—— 荀子的天人思想	3 卷 5 期	(29)	頁 11~13	1987 年 10 月
1368	劉文起	楊朱果真自私自利？	3 卷 7 期	(31)	頁 6~7	1987 年 12 月
1369	鮑國順	荀子的嫉憤、孟子的委屈—— 孟荀人性論平議	3 卷 8 期	(32)	頁 38~44	1988 年 1 月
1370	嚴靈峰	馬王堆帛書老子開拓了研究新境界	3 卷 9 期	(33)	頁 21~25	1988 年 2 月
1371	魏汝霖	大陸出土的孫臏兵法和孫武兵法	3 卷 9 期	(33)	頁 45~47	1988 年 2 月
1372	鄭金川	道家的美育思想	4 卷 1 期	(37)	頁 50~52	1988 年 6 月
1373	王冬珍	墨子兼愛說	4 卷 4 期	(40)	頁 76~78	1988 年 9 月
1374	徐漢昌	從《管子學刊》的出版談大陸的管 子研究	4 卷 4 期	(40)	頁 96~97	1988 年 9 月
1375	余培林	釋「天地不仁，以萬物為芻狗」	4 卷 7 期	(43)	頁 72~73	1988 年 12 月
1376	劉瀚平	孟子談人格修養的六大進境	4 卷 9 期	(45)	頁 7~8	1989 年 2 月
1377	余培林	論老子的弱道哲學	4 卷 11 期	(47)	頁 78~81	1989 年 4 月
1378	徐漢昌	節儉乎？侈靡乎？—— 讀《管子》隨筆	4 卷 11 期	(47)	頁 82~85	1989 年 4 月
1379	莊雅州	莊周「怨悱形於簡冊」？	5 卷 2 期	(50)	頁 7~8	1989 年 7 月
1380	余培林	回歸清靜淳樸的世界—— 老子的棄智與守愚	5 卷 3 期	(51)	頁 10~12	1989 年 8 月
1381	傅武光	替老子的政見會助講—— 《道德經》今解舉隅	5 卷 3 期	(51)	頁 12~14	1989 年 8 月
1382	徐漢昌	做個聰明快樂的現代人—— 從「自知者明」、「知足者富」談起	5 卷 3 期	(51)	頁 15~17	1989 年 8 月
1383	田居儉	心跡雙寂寞—— 詼諧風趣的哲人莊周	5 卷 3 期	(51)	頁 18~21	1989 年 8 月
1384	王仁鈞	穹蒼萬里任遨遊—— 《莊子》內篇的人生啟示	5 卷 3 期	(51)	頁 22~25	1989 年 8 月
1385	曾錦坤	莊子用腳後跟呼吸	5 卷 6 期	(54)	頁 74~75	1989 年 11 月
1386	劉笑敢	莊子後學三派的演變（一）： 莊子後學中的述莊派	5 卷 10 期	(58)	頁 75~80	1990 年 3 月

1387	金谷治	《管子》研究近況	5 卷 12 期	(60)	頁 72~73	1990 年 5 月
1388	范文芳	從環保觀念看傳統文化與老莊哲學	6 卷 2 期	(62)	頁 66~71	1990 年 7 月
1389	劉笑敢	莊子後學三派的演變——莊子後學中的無君派	6 卷 3 期	(63)	頁 62~67	1990 年 8 月
1390	許抗生	莊與禪	5 卷 8 期	(56)	頁 68~70	1990 年 1 月
1391	戴璉璋	強自取柱，柔自取束	6 卷 11 期	(71)	頁 7~8	1991 年 4 月
1392	吳如嵩	兵學鼻組，戰略奇才——孫武和他的《孫子兵法》	6 卷 12 期	(72)	頁 109~111	1991 年 5 月
1393	陳鼓應	莊子的悲劇意識和自由精神	7 卷 1 期	(73)	頁 59~64	1991 年 6 月
1394	梁淑芳	無形巨網與恭順思辨——評井上靖的《孔子》	7 卷 3 期	(75)	頁 78~82	1991 年 8 月
1395	曾進民	「熟悉」的陌生人——《孔子》一書讀後感	7 卷 3 期	(75)	頁 82~83	1991 年 8 月
1396	阮小芳	現代與古代的一場時空對話——我讀《孔子》	7 卷 3 期	(75)	頁 83~84	1991 年 8 月
1397	蔡正達記錄	孔子與我座談會	7 卷 12 期	(84)	頁 95~99	1992 年 5 月
1398	晏亦程	孔子的德治理想與法治精神	7 卷 12 期	(84)	頁 110~112	1992 年 5 月
1399	袁信愛	《尚書‧洪範》之形上思想論析	8 卷 3 期	(87)	頁 17~21	1992 年 8 月
1400	陳德述	孔子知識論的現實價值	8 卷 5 期	(89)	頁 18~21	1992 年 10 月
1401	郭鶴鳴	性善與性惡	8 卷 8 期	(92)	頁 42~47	1993 年 1 月
1402	陳孟麟	《墨辯》邏輯三範疇的含義	8 卷 10 期	(94)	頁 6~11	1993 年 3 月
1403	王開府	孟子的抱負	8 卷 11 期	(95)	頁 73~77	1993 年 4 月
1404	王開府	道性善	8 卷 12 期	(96)	頁 42~51	1993 年 5 月
1405	高柏園	論《孟子》書中的楊朱思想	9 卷 2 期	(98)	頁 19~23	1993 年 7 月
1406	葛榮晉	道家文化的科學價值	9 卷 4 期	(100)	頁 17~25	1993 年 9 月
1407	戴璉璋	孔子思想與當前中國社會的人文建設	9 卷 6 期	(102)	頁 30~39	1993 年 11 月
1408	傅武光	古文鑑賞（四）——〈小國寡民〉	9 卷 7 期	(103)	頁 69~72	1993 年 12 月
1409	鍾吉雄	荀子的教育理論	9 卷 11 期	(107)	頁 9~13	1994 年 4 月
1410	王礽福	復歸於無——老子對語言世界的批判及解決的方法	10 卷 10 期	(118)	頁 92~103	1995 年 3 月
1411	高光惠	開說《莊子‧養生主》「帝之縣解」	11 卷 2 期	(122)	頁 64~65	1995 年 7 月
1412	傅武光	老莊散論（一）：老子說：中共應該讓步（大者宜為下）	11 卷 5 期	(125)	頁 18~19	1995 年 10 月
1413	傅武光	老莊散論（二）：莊子說：族群平等，應互相尊重	11 卷 6 期	(126)	頁 30~32	1995 年 11 月
1414	傅武光	老莊散論（三）：老子說：有一種	11 卷 7 期	(127)	頁 12~15	1995 年 12 月

人老虎不吃

1415	傅武光	老莊散論（四）：莊子說：別笑， 我就是差不多先生	11 卷 8 期	(128)	頁 14~16	1996 年 1 月
1416	傅武光	老莊散論（五）：楊逍和范遙的世界	11 卷 9 期	(129)	頁 16~19	1996 年 2 月
1417	傅武光	老莊散論（六）：漢水亦應西北流	11 卷 10 期	(130)	頁 16~19	1996 年 3 月
1418	傅武光	老莊散論（七）：老子反對仁義嗎？	11 卷 11 期	(131)	頁 12~14	1996 年 4 月
1419	傅武光	老莊散論（八）：絕仁棄義，所為 何來？	12 卷 1 期	(133)	頁 12~14	1996 年 6 月
1420	方金雅	孔子之樂樂何如？	12 卷 2 期	(134)	頁 22~26	1996 年 7 月
1421	陳滿銘	孔子的仁智觀	12 卷 4 期	(136)	頁 8~15	1996 年 9 月
1422	傅武光	老莊散論（十）：老子是陰謀家嗎？	12 卷 4 期	(136)	頁 20~21	1996 年 9 月
1423	傅武光	老子主張愚民政策嗎？	12 卷 6 期	(138)	頁 8~9	1996 年 11 月
1424	傅武光	老莊散論（十一）：老子和孔子誰高？	12 卷 7 期	(139)	頁 14~17	1996 年 12 月
1425	傅武光	老莊散論（十二）：最好的政治	12 卷 8 期	(140)	頁 22~23	1997 年 1 月
1426	傅武光	老莊散論（十三）：統治者的條件	12 卷 9 期	(141)	頁 34~35	1997 年 2 月
1427	王邦雄	算命算死了，看命看活了—— 《莊子·應帝王》「用心若鏡」的 現代詮釋（上）	12 卷 12 期	(144)	頁 10~15	1997 年 5 月
1428	傅武光	老莊散論（十四）：名	12 卷 12 期	(144)	頁 26~27	1997 年 5 月
1429	王邦雄	算命算死了，看命看活了—— 《莊子·應帝王》「用心若鏡」的 現代詮釋（中）	13 卷 1 期	(145)	頁 12~15	1997 年 6 月
1430	王邦雄	算命算死了，看命看活了—— 《莊子·應帝王》「用心若鏡」的 現代詮釋（下）	13 卷 2 期	(146)	頁 26~30	1997 年 7 月
1431	鮑國順	近代學者對荀子的評價	13 卷 5 期	(149)	頁 66~72	1997 年 10 月
1432	張力中	宰我果不仁乎	13 卷 6 期	(150)	頁 20~21	1997 年 11 月
1433	丁原植	郭店竹簡《老子》的出土極其特殊 意義	14 卷 2 期	(158)	頁 33~41	1998 年 7 月
1434	王邦雄	中華學術的大動脈——儒家	14 卷 7 期	(163)	頁 8~12	1998 年 12 月
1435	林聰舜	活出自己來——道家	14 卷 7 期	(163)	頁 12~15	1998 年 12 月
1436	史墨卿	和平兼愛的實踐家——墨家	14 卷 7 期	(163)	頁 16~19	1998 年 12 月
1437	謝大寧	馬，白馬，白馬非馬？——名家	14 卷 7 期	(163)	頁 19~23	1998 年 12 月
1438	呂 凱	天人合一的韻律——陰陽家	14 卷 7 期	(163)	頁 24~27	1998 年 12 月
1439	徐漢昌	古代的帝王學——法家	14 卷 7 期	(163)	頁 28~31	1998 年 12 月
1440	徐文助	運籌帷幄之中，決勝千里之外—— 兵家	14 卷 7 期	(163)	頁 32~36	1998 年 12 月

1441	丁原植 郭梨華	最老的老子——竹簡老子	14 卷 10 期 (166)	頁 4~7	1999 年 3 月
1442	傅武光	遊的哲學——《莊子》	14 卷 10 期 (166)	頁 7~10	1999 年 3 月
1443	陳麗桂	圖強稱霸的寶典——《管子》	14 卷 10 期 (166)	頁 10~12	1999 年 3 月
1444	鮑國順	我國首位社會學家——荀子	14 卷 10 期 (166)	頁 13~15	1999 年 3 月
1445	王冬珍	守道行義的鉅子——墨子	14 卷 11 期 (167)	頁 4~7	1999 年 4 月
1446	傅武光	統一後新王朝的治國藍圖——呂氏春秋	14 卷 11 期 (167)	頁 8~10	1999 年 4 月
1447	張素貞	歷久彌新的政治管理學——韓非子	14 卷 12 期 (168)	頁 4~7	1999 年 5 月
1448	徐文助	孫臏兵法述要	15 卷 4 期 (172)	頁 41~46	1999 年 9 月
1449	徐文助	吳起思想探究	15 卷 7 期 (175)	頁 36~39	1999 年 12 月
1450	丁原植	《文子》——道家思想的嫡傳	15 卷 7 期 (175)	頁 40~46	1999 年 12 月
1451	周何	孔子之談鬼神	15 卷 8 期 (176)	頁 32~34	2000 年 1 月
1452	史墨卿	營造美好的未來——科聖的愛情觀	15 卷 10 期 (178)	頁 31~37	2000 年 3 月
1453	賴貴三	網路問答：孟子與告子的不動心究竟有何不同？	16 卷 3 期 (183)	頁 100~102	2000 年 8 月
1454	莊萬壽	《莊子》的特質與發展及其研究的新方向	16 卷 5 期 (185)	頁 54~56	2000 年 10 月
1455	王冬珍	網路問答：墨子的神鬼觀會不會與他的「節葬」「天志」「非命」牴觸	16 卷 8 期 (188)	頁 74	2001 年 1 月
1456	莊耀郎	「庖丁解牛」——論《莊子》的養生觀	16 卷 8 期 (188)	頁 23~27	2001 年 1 月
1457	謝春聘	人人是天才，物物是寶器——《莊子・逍遙遊》中的有用無用之辯	17 卷 9 期 (201)	頁 39~41	2002 年 2 月
1458	周安邦	孟子良知學說新釋	18 卷 3 期 (207)	頁 38~45	2002 年 8 月
1459	郭鵬飛	立破之間——《韓非子・難勢》論析	18 卷 5 期 (209)	頁 30~33	2002 年 10 月
1460	鄭慶君	老子的語言思想解析	18 卷 7 期 (211)	頁 34~40	2002 年 12 月
1461	王秋文	眩惑語言下的逆向思維——談老子的語言風格及其思維特色	18 卷 10 期 (214)	頁 49~53	2003 年 3 月
1462	曾家麒	《莊子・逍遙遊》的思想結構	19 卷 2 期 (218)	頁 37~40	2003 年 7 月
1463	吳聯益	〈太一生水〉的宇宙生成觀	19 卷 4 期 (220)	頁 50~55	2003 年 9 月
1464	劉桂芳	莊子「自化」與荀子「制天」的內在意涵	19 卷 7 期 (223)	頁 51~55	2003 年 12 月
1465	章正忠	孟子駁諸子考	19 卷 8 期 (224)	頁 35~40	2004 年 1 月
1466	張瑋儀	以「德充」與「德符」再論〈德充符〉	20 卷 3 期 (231)	頁 76~80	2004 年 8 月

1467	王慧茹	道家型的管理哲學	20 卷 9 期	(237)	頁 46~52	2005 年 2 月
1468	陳育民	從《老子》版本的比較中看「心」在老子思想的重要性——以通行本《老子・第三章》為例	20 卷 12 期	(240)	頁 29~33	2005 年 5 月
1469	吳兒容	〈庖丁解牛〉章法結構及義旨探析	21 卷 1 期	(241)	頁 93~99	2005 年 6 月
1470	曾家麒	《莊子・人間世》的「有用之用」初探	21 卷 3 期	(243)	頁 50~54	2005 年 8 月
1471	曾家麒	莊子「內聖之道」的義涵——〈齊物論〉詮解	21 卷 5 期	(245)	頁 47~52	2005 年 10 月
1472	陳育民	由《老子》中的「嗇」字看老子思想具有的「收斂」智慧	21 卷 8 期	(248)	頁 42~45	2006 年 1 月
1473	曾家麒	由章法結構中看《莊子・天下》對墨家的評論	22 卷 2 期	(254)	頁 28~33	2006 年 7 月
1474	郭鶴鳴	老子「柔弱無為」新探（上）	22 卷 3 期	(255)	頁 29~33	2006 年 8 月
1475	郭鶴鳴	老子「柔弱無為」新探（下）	22 卷 4 期	(256)	頁 52~57	2006 年 9 月
1476	林婉菁	探析《老子》文句「層遞」之美	22 卷 7 期	(259)	頁 17~23	2006 年 12 月
1477	傅武光	莊子說「忘」	22 卷 7 期	(259)	頁 48~49	2006 年 12 月
1478	劉楚荊	孔子歧視女子？	22 卷 8 期	(260)	頁 27~34	2007 年 1 月
1479	王彌穰	從〈解老〉的「道」論看《韓非子》對《老子》哲學的詮釋	22 卷 8 期	(260)	頁 39~42	2007 年 1 月
1480	蕭安佐	宋代注疏《莊子》初探	22 卷 9 期	(261)	頁 15~21	2007 年 2 月
1481	王邦雄	通論篇	23 卷 1 期	(265)	頁 4~6	2007 年 6 月
1482	傅武光	怎樣讀〈逍遙遊〉	23 卷 1 期	(265)	頁 7~9	2007 年 6 月
1483	謝大寧	怎樣讀〈齊物論〉	23 卷 1 期	(265)	頁 10~15	2007 年 6 月
1484	林安梧	怎樣讀〈養生主〉	23 卷 1 期	(265)	頁 16~19	2007 年 6 月
1485	林明照	怎樣讀〈人間世〉	23 卷 1 期	(265)	頁 20~23	2007 年 6 月
1486	余姒倩	怎樣讀〈德充符〉	23 卷 1 期	(265)	頁 24~27	2007 年 6 月
1487	莊耀郎	怎樣讀〈大宗師〉	23 卷 1 期	(265)	頁 28~31	2007 年 6 月
1488	吳肇嘉	怎樣讀〈應帝王〉	23 卷 1 期	(265)	頁 32~35	2007 年 6 月
1489	朱榮智	莊子的浪漫情懷	23 卷 1 期	(265)	頁 36~38	2007 年 6 月
1490	陳韻帆	從《莊子・胠篋》篇看政治與人生	23 卷 10 期	(274)	頁 41~46	2008 年 3 月
1491	王瓊琤	淺論孔子的教育觀	23 卷 12 期	(276)	頁 4~8	2008 年 5 月
1492	范美瓊	淺論孔子的經濟觀	23 卷 12 期	(276)	頁 9~14	2008 年 5 月
1493	劉謹華	淺論孔子的交友觀	23 卷 12 期	(276)	頁 15~19	2008 年 5 月
1494	洪郁婷	淺論孔子的仁智觀	23 卷 12 期	(276)	頁 20~25	2008 年 5 月
1495	王鈺婷	淺論孔子的審美觀	23 卷 12 期	(276)	頁 26~31	2008 年 5 月

1496	傅武光	莊子說「通」	24 卷 1 期	(277)	頁 44~47	2008 年 6 月
1497	劉玉菁	繼承與創新：孔子的人文教育觀	24 卷 1 期	(277)	頁 48~53	2008 年 6 月
1498	傅武光	孔子的公私經濟觀	24 卷 2 期	(278)	頁 46~48	2008 年 7 月
1499	湯智君	是「墨攻」？還是「墨守」？	24 卷 2 期	(278)	頁 49~53	2008 年 7 月
1500	廖素琴	大音希聲；五音令人耳聾—— 析論《老子》的音樂	24 卷 5 期	(281)	頁 31~36	2008 年 10 月
1501	林于盛	《莊子》「安時處順」的生命啟示	24 卷 6 期	(282)	頁 42~46	2008 年 11 月
1502	黃騰德	談《老子》譬喻修辭的運用—— 以「水」為觀察主題	24 卷 6 期	(282)	頁 78~82	2008 年 11 月
1503	陳滿銘	《論語》中的「才、學、識、德」	24 卷 7 期	(283)	頁 32~36	2008 年 12 月
1504	傅武光	老子的二階修養論	24 卷 9 期	(285)	頁 41~42	2009 年 2 月
1505	王岫林	韓非與馬克思經濟思想析論	24 卷 10 期	(286)	頁 38~44	2009 年 3 月
1506	傅武光	塵封千載的遺珠—— 子華子的養生思想	24 卷 11 期	(287)	頁 4~7	2009 年 4 月
1507	譚家健	先秦諸子的救災觀	25 卷 4 期	(292)	頁 43~48	2009 年 9 月
1508	宋邦珍	從「庖丁解牛」看莊子藝術精神的 特徵	25 卷 4 期	(292)	頁 63~65	2009 年 9 月
1509	郭鶴鳴	談「自然物象」與「義理論述」二則	25 卷 5 期	(293)	頁 48~52	2009 年 10 月
1510	朱榮智	老子止學思想述要（上）	25 卷 7 期	(295)	頁 43~47	2009 年 12 月
1511	方元珍	《韓非子》論用人管理之術	25 卷 7 期	(295)	頁 48~54	2009 年 12 月
1512	朱榮智	老子止學思想述要(下)	25 卷 8 期	(296)	頁 36~41	2010 年 1 月

3.2.4 秦漢

1513	賴炎元	儒家思想轉變的關鍵人物—— 董仲舒的天人感應說	3 卷 4 期	(28)	頁 32~37	1987 年 9 月
1514	徐漢昌	由國營事業存廢之爭看西漢儒者的 思想——讀「鹽鐵論」札記	3 卷 4 期	(28)	頁 51~54	1987 年 9 月
1515	李威熊	漢代獨尊儒術的平議	5 卷 4 期	(52)	頁 16~20	1989 年 9 月
1516	傅武光	漢儒的革命火花	5 卷 4 期	(52)	頁 21~22	1989 年 9 月
1517	鮑國順	「素書」的性質是「兵書」嗎？	6 卷 2 期	(62)	頁 8	1990 年 7 月
1518	劉笑敢	莊子後學三派的演變（三）—— 莊子後學中的黃老派	7 卷 11 期	(83)	頁 33~38	1992 年 4 月
1519	邢義田	《太平經》對善惡報應的再肯定— —承負說	8 卷 3 期	(87)	頁 12~16	1992 年 8 月
1520	鍾吉雄	《呂氏春秋》的教育思想	9 卷 8 期	(104)	頁 56~59	1994 年 1 月
1521	張少中	辨《呂氏春秋·貴公》篇為道家 後學之作	10 卷 12 期	(120)	頁 92~97	1995 年 5 月

1522	陳麗桂	先秦漢初思想的終結者——淮南子	14 卷 11 期 (167)	頁 11~13	1999 年 4 月
1523	紀兆航	論《論衡・本性篇》中王充之本性論	21 卷 10 期 (250)	頁 33~37	2006 年 3 月

3.2.5 魏晉

1524	莊耀郎	短命的天才哲學家王弼—— 兼論「聖人體無」的人生哲理	5 卷 3 期 (51)	頁 25~27	1989 年 8 月
1525	王樹人	道心詩魂繫太湖—— 海峽兩岸玄學討論會印象	10 卷 5 期 (113)	頁 72~75	1994 年 10 月
1526	王更生	楊明照和他的《抱朴子外篇校箋》	14 卷 1 期 (157)	頁 36~38	1998 年 6 月
1527	王岫林	名教與自然等同—— 談西晉末年至東晉初年的儒玄雙修思想	21 卷 2 期 (242)	頁 44~51	2005 年 7 月
1528	邱偉雲	古哲今用—— 郭象獨化論之當代詮釋	21 卷 11 期 (251)	頁 32~37	2006 年 4 月
1529	張雅茹	王弼「得意忘象」析論	23 卷 9 期 (273)	頁 50~55	2008 年 2 月
1530	林彥廷	研究北朝儒學的兩本新作—— 《北朝文化特質與文學進程》與 《北朝儒學及其歷史作用》	24 卷 12 期 (288)	頁 98~101	2009 年 5 月
1531	張尉聖	阮籍〈樂論〉中的道器論	25 卷 3 期 (291)	頁 44~46	2009 年 8 月
1532	賴甯麗	淺論王弼思想中所呈現的本末關係	25 卷 5 期 (293)	頁 63~66	2009 年 10 月

3.2.6 宋元明

1533	陳郁夫	孔子的畫像——出自宋儒之手	3 卷 4 期 (28)	頁 22~25	1987 年 9 月
1534	廖隆盛	歷史的錯誤—— 談王安石頒行三經新義的背景與影響	3 卷 7 期 (31)	頁 28~30	1987 年 12 月
1535	林其泉	李贄是怎麼評朱熹的	4 卷 1 期 (37)	頁 46~49	1988 年 6 月
1536	古清美	良知工夫常快活	4 卷 3 期 (39)	頁 72~73	1988 年 8 月
1537	張克偉	研究宋明理學的新書	4 卷 8 期 (44)	頁 54~59	1989 年 1 月
1538	牟宗三主講 邱財貴整理	「陽明學學術討論會」講話	4 卷 9 期 (45)	頁 64~69	1989 年 2 月
1539	古清美	說羅近溪之「破除光景」義	4 卷 12 期 (48)	頁 91~95	1989 年 5 月
1540	古清美	談談幾位理學家之實踐	5 卷 4 期 (52)	頁 23~25	1989 年 9 月
1541	王開府	志伊尹之所志、學顏子之所學—— 談宋明儒者的出處風範	5 卷 4 期 (52)	頁 26~28	1989 年 9 月
1542	蒙培元	王陽明龍場悟道	6 卷 6 期 (66)	頁 64~68	1990 年 11 月
1543	熊 琬	明代理學與禪	7 卷 2 期 (74)	頁 37~42	1991 年 7 月
1544	高令印	大陸朱子學研究近況	8 卷 1 期 (85)	頁 31~36	1992 年 6 月
1545	鍾彩鈞	中研院文哲所舉行國際朱子學會議	8 卷 1 期 (85)	頁 37~38	1992 年 6 月

1546	林慶彰	朱子學研究成果的總匯—— 談《朱子學研究書目》	8 卷 1 期	(85)	頁 39~41	1992 年 6 月
1547	荒木見悟著 連清吉譯	宋明思想史概觀	8 卷 5 期	(89)	頁 15~17	1992 年 10 月
1548	龔鵬程	克己復禮的路向—— 晚明思潮的再考察	9 卷 3 期	(99)	頁 58~66	1993 年 8 月
1549	龔鵬程	晚明思潮的新探索—— 《晚明思潮》自序	10 卷 12 期	(120)	頁 98~110	1995 年 5 月
1550	蔡惠芳	周敦頤《通書》的「誠」說	19 卷 6 期	(222)	頁 40~43	2003 年 11 月
1551	蕭安佐	宋代注疏《莊子》初探	22 卷 9 期	(261)	頁 15~21	2007 年 2 月
1552	李蕙如	南宋陳淳的天道論思想初探	22 卷 9 期	(261)	頁 22~27	2007 年 2 月
1553	林裕學	由宋儒對〈西銘〉之爭議探討張載 心性論特色	22 卷 9 期	(261)	頁 28~33	2007 年 2 月
1554	張鴻愷	自得與審美的超越—— 王陽明「心學」的人生境界	22 卷 12 期	(264)	頁 43~47	2007 年 5 月
1555	呂祥竹	東亞儒學研究的新視野—— 《東亞朱子學的同調與異趣》簡介	23 卷 2 期	(266)	頁 90~93	2007 年 7 月
1556	江俊億	陽明後學研究的基石—— 《陽明後學文獻叢書》述評	24 卷 2 期	(278)	頁 108~111	2008 年 7 月

3.2.7 清代

1557	詹海雲	震古鑠今一通儒—— 顧炎武的學術思想	3 卷 5 期	(29)	頁 6~10	1987 年 10 月
1558	辛冠潔	漫說明清實學思潮（上）	4 卷 3 期	(39)	頁 74~78	1988 年 8 月
1559	辛冠潔	漫說明清實學思潮（中）	4 卷 4 期	(40)	頁 72~75	1988 年 9 月
1560	辛冠潔	漫說明清實學思潮（下）	4 卷 5 期	(41)	頁 72~75	1988 年 10 月
1561	李甦平	論朱舜水的實踐哲學思想	5 卷 3 期	(51)	頁 54~57	1989 年 8 月
1562	陳蘭行	王船山〈玉連環〉與逍遙境界	18 卷 2 期	(206)	頁 64~70	2002 年 7 月
1563	黃慧萍	由〈荀子跋〉論錢大昕回歸原典的 義理觀	21 卷 7 期	(247)	頁 38~42	2005 年 12 月
1564	王慧茹	王船山「正統論」的理解與思索— —以〈船山對傳統史觀的批判〉及 〈「正統論」的瓦解與重建〉二文 為核心	21 卷 10 期	(250)	頁 27~32	2006 年 3 月
1565	蔡敏璔	戴震「天道觀」發微	22 卷 11 期	(263)	頁 37~42	2007 年 4 月

3.2.8 近現代

| 1566 | 徐遠和 | 儒學的反思與吸收西方文化 | 4 卷 6 期 | (42) | 頁 73~75 | 1988 年 11 月 |

1567	陳郁夫	當代儒者的志事與展望—— 明體致用才是真儒	5 卷 4 期	(52)	頁 32~36	1989 年 9 月
1568	戴盛虞	「大同」思想在臺灣	7 卷 2 期	(74)	頁 62~67	1991 年 7 月
1569	王礽福	馮友蘭的人生哲學	10 卷 6 期	(114)	頁 84~95	1994 年 11 月
1570	馬衛中	中國文學與西方思想的橋樑—— 王國維	17 卷 3 期	(195)	頁 37~40	2001 年 8 月
1571	王慧茹	關於《中國哲學十九講》〈道之「作 用的表象」〉的幾點思索	21 卷 6 期	(246)	頁 48~52	2005 年 11 月
1572	陳水福	反映研究成果、總結百年儒學—— 《二十世紀儒學研究大系》簡介	21 卷 12 期	(252)	頁 96~99	2006 年 5 月
1573	方志豪	論胡適對傳統女性問題的批判	22 卷 8 期	(260)	頁 21~26	2007 年 1 月

3.3 西方哲學

1574	博亨斯基著 陳明福譯	當代方法學中的一些基本術語	1 卷 5 期	(5)	頁 88~91	1985 年 10 月
1575	博亨斯基著 陳明福譯	當代方法學中的一些基本術語	1 卷 6 期	(6)	頁 92~94	1985 年 11 月
1576	劉君燦	孔恩對西方傳統的衝擊	1 卷 10 期	(10)	頁 66~68	1986 年 3 月
1577	王岫林	韓非與馬克思經濟思想析論	24 卷 10 期	(286)	頁 38~44	2009 年 3 月

3.4 美學

1578	李少白譯	東西方美學之「精神價值」的觀念	1 卷 2 期	(2)	頁 68~73	1985 年 7 月
1579	李正志	東方美學對主體的注重	1 卷 3 期	(3)	頁 82~85	1985 年 8 月
1580	鄭金川	道家的美育思想	4 卷 1 期	(37)	頁 50~52	1988 年 6 月
1581	石守謙	《中國美術辭典》出版的學術意義	5 卷 3 期	(51)	頁 98~100	1989 年 8 月
1582	季 進	美學泰斗朱光潛	5 卷 12 期	(60)	頁 47~51	1990 年 5 月
1583	林幸謙	唐三彩的美學風格及其藝術精神	8 卷 2 期	(86)	頁 67~74	1992 年 7 月
1584	張谷平	張潮論藝術美	8 卷 5 期	(89)	頁 76~79	1992 年 10 月
1585	王世德	蘇軾的文藝美學思想	8 卷 6 期	(90)	頁 9~19	1992 年 11 月
1586	傅鐵虹	文化視野：《茶經》中道家美學思 想及影響初探	8 卷 9 期	(93)	頁 32~43	1993 年 2 月
1587	李正治	開出「生命美學」的領域	9 卷 9 期	(105)	頁 5~7	1994 年 2 月
1588	蕭振邦	中國美學的儒道釋側面解讀	9 卷 9 期	(105)	頁 8~17	1994 年 2 月
1589	陳昌明	「形——氣——神」—— 中國人獨特的美學思維	9 卷 9 期	(105)	頁 18~22	1994 年 2 月
1590	陳旻志	晚鐘棲隱、逆旅驚塵—— 色相與空靈之間的川端美學層境	9 卷 9 期	(105)	頁 32~44	1994 年 2 月
1591	張展源	對新詩美學的一些反省	10 卷 5 期	(113)	頁 33~40	1994 年 10 月

1592	何畫瑰	煥然精粹的美麗與哀愁——魏晉時期的審美自覺	10 卷 7 期	(115)	頁 96~101	1994 年 12 月
1593	王熙元	詞中的移情作用	10 卷 8 期	(116)	頁 13~20	1995 年 1 月
1594	陳雅莉	電影「鋼琴師和她的情人」美學	10 卷 8 期	(116)	頁 28~33	1995 年 1 月
1595	李正治	走向台灣美學的研究	11 卷 6 期	(126)	頁 4~5	1995 年 11 月
1596	趙衛民	美與真理	11 卷 10 期	(130)	頁 6~7	1996 年 3 月
1597	馬　森	徐志摩的美學傾向	15 卷 12 期	(180)	頁 8~12	2000 年 5 月
1598	施淑婷	東坡「文理自然，姿態橫生」之美學風格	19 卷 3 期	(219)	頁 4~11	2003 年 8 月
1599	許育嘉	論朱光潛「美感經驗分析」的方法	19 卷 3 期	(219)	頁 12~18	2003 年 8 月
1600	吳宥潔	鍾嶸《詩品》「滋味」說的品鑑美學	19 卷 3 期	(219)	頁 19~26	2003 年 8 月
1601	朴炫坤	論《世說新語》之人物美學的形體美	19 卷 3 期	(219)	頁 27~33	2003 年 8 月
1602	陳怡良	中國古典美學講座：楚騷美學——以屈原作品為論述主軸（二）	20 卷 7 期	(235)	頁 49~58	2004 年 12 月
1603	林朝成	中國古典美學講座：禪思與審美體驗——禪宗美學的探索（上）	20 卷 8 期	(236)	頁 43~47	2005 年 1 月
1604	林朝成	中國古典美學講座：禪思與審美體驗——禪宗美學的探索（下）	20 卷 9 期	(237)	頁 53~57	2005 年 2 月
1605	張來芳 楊曉斌	從頤和園看「樣式雷」的園林美學思想	20 卷 12 期	(240)	頁 25~28	2005 年 5 月
1606	趙路得	聽覺意象的心理美學分析——以李賀〈李憑箜篌引〉、〈龍夜吟〉為例	21 卷 12 期	(252)	頁 50~55	2006 年 5 月
1607	張鴻愷	從經學到詩學看「興」義內涵之轉變	23 卷 3 期	(267)	頁 47~53	2007 年 8 月
1608	楊蕭衡	蘇軾「以詩為詞」之美學意境創作拓殖	23 卷 12 期	(276)	頁 47~53	2008 年 5 月
1609	余崇生	小詩的美學詮釋	25 卷 1 期	(289)	頁 4~7	2009 年 6 月
1610	林均珈	王國維的美學——以《人間詞話》為例	25 卷 1 期	(289)	頁 8~12	2009 年 6 月
1611	王秋文	朱光潛的美學——以〈我們對於一棵古松的三種態度〉為例	25 卷 1 期	(289)	頁 13~16	2009 年 6 月
1612	彭帆辰	《天地有大美》——蔣勳生活美學的實踐	25 卷 1 期	(289)	頁 17~22	2009 年 6 月
1613	王惠盈	葉朗對明清小說美學理論的詮介	25 卷 1 期	(289)	頁 23~28	2009 年 6 月
1614	吳曉琪	梁啟超談韻文中的自然美	25 卷 1 期	(289)	頁 29~33	2009 年 6 月
1615	羅郁華	論王維的詩畫美學意涵	25 卷 2 期	(290)	頁 44~49	2009 年 7 月

4 宗教類

4.1 通論

1616	編輯部	「中華民族宗教國際學術會議」後記	5 卷 5 期	(53)	頁 106	1989 年 10 月
1617	李豐楙	符籙・齋醮・煉丹術——漫談中國皇帝與道教	5 卷 8 期	(56)	頁 40~42	1990 年 1 月
1618	林安梧	中國人的靈魂觀	6 卷 3 期	(63)	頁 13~17	1990 年 8 月
1619	司馬中原	鬼的感情世界——陽世有什麼樣的人，陰間就有什麼樣的鬼	6 卷 3 期	(63)	頁 22~25	1990 年 8 月
1620	瞿海源	胡適的宗教態度和宗教研究	6 卷 7 期	(67)	頁 70~74	1990 年 12 月
1621	林耀椿	《太上感應篇》的社會教化功能	8 卷 4 期	(88)	頁 50~52	1992 年 9 月

4.2 佛教

1622	高令印	弘一在福建	3 卷 11 期	(35)	頁 38~43	1988 年 4 月
1623	楊惠南	水月小札：打殺釋迦	4 卷 5 期	(41)	頁 70	1988 年 10 月
1624	楊惠南	水月小札：見法即見佛	4 卷 5 期	(41)	頁 71	1988 年 10 月
1625	楊惠南	水月小札：老母見佛	4 卷 6 期	(42)	頁 78	1988 年 11 月
1626	楊惠南	水月小札：親疏之間	4 卷 6 期	(42)	頁 79	1988 年 11 月
1627	楊惠南	水月小札：丹霞燒佛	4 卷 7 期	(43)	頁 74	1988 年 12 月
1628	楊惠南	水月小札：呵佛罵祖	4 卷 7 期	(43)	頁 75	1988 年 12 月
1629	楊惠南	水月小札：即心是佛	4 卷 8 期	(44)	頁 51~52	1989 年 1 月
1630	楊惠南	水月小札：殺佛殺祖	4 卷 8 期	(44)	頁 52~53	1989 年 1 月
1631	楊惠南	水月小札：百尺竿頭	4 卷 9 期	(45)	頁 73	1989 年 2 月
1632	楊惠南	水月小札：不是心・不是佛・不是物	4 卷 9 期	(45)	頁 74	1989 年 2 月
1633	楊惠南	水月小札：胡漢俱隱時	4 卷 10 期	(46)	頁 54	1989 年 3 月
1634	楊惠南	水月小札：一物不將來時	4 卷 10 期	(46)	頁 55	1989 年 3 月
1635	楊惠南	長空不礙白雲飛	5 卷 1 期	(49)	頁 60	1989 年 6 月
1636	楊惠南	見山見水	5 卷 1 期	(49)	頁 61	1989 年 6 月
1637	楊惠南	白澤之圖	5 卷 2 期	(50)	頁 64	1989 年 7 月
1638	楊惠南	庭前殘雪	5 卷 2 期	(50)	頁 65	1989 年 7 月
1639	郭　明	覺賢與那提——紀念中國佛教史上遭受排擠的兩位外國譯師	5 卷 3 期	(51)	頁 32~36	1989 年 8 月
1640	楊惠南	（羊靈）羊無蹤	5 卷 3 期	(51)	頁 52	1989 年 8 月
1641	楊惠南	夾路桃花風雨後	5 卷 3 期	(51)	頁 53~54	1989 年 8 月
1642	楊惠南	水月小札：枯木寒巖	5 卷 4 期	(52)	頁 64	1989 年 9 月

1643	楊惠南	水月小札：文殊藥草	5 卷 4 期	(52)	頁 65	1989 年 9 月
1644	歐子陵	佛教出版世界的開拓者——專訪藍吉富先生	5 卷 4 期	(52)	頁 98~101	1989 年 9 月
1645	楊惠南	水月小札：倩女離魂	5 卷 6 期	(54)	頁 73	1989 年 11 月
1646	楊惠南	水月小札：牛過窗櫺	5 卷 7 期	(55)	頁 70~71	1989 年 12 月
1647	楊惠南	水月小札：布袋下事	5 卷 8 期	(56)	頁 66~67	1990 年 1 月
1648	楊惠南	水月小札：合歡梧桐花	5 卷 8 期	(56)	頁 67	1990 年 1 月
1649	楊惠南	水月小札：夜夜抱佛眠	5 卷 9 期	(57)	頁 76	1990 年 2 月
1650	楊惠南	水月小札：鎮海明珠	5 卷 9 期	(57)	頁 77	1990 年 2 月
1651	劉淑爾	佛經故事的一些文學特色	5 卷 9 期	(57)	頁 92~95	1990 年 2 月
1652	楊惠南	水月小札：輾損師腳	5 卷 10 期	(58)	頁 72	1990 年 3 月
1653	楊惠南	水月小札：負柴上山	5 卷 10 期	(58)	頁 73	1990 年 3 月
1654	楊惠南	水月小札：野狐禪與赤鬚胡	5 卷 12 期	(60)	頁 70~71	1990 年 5 月
1655	楊惠南	水月小札：喫馬祖踏	5 卷 12 期	(60)	頁 71	1990 年 5 月
1656	楊惠南	水月小札：打地和尚	6 卷 1 期	(61)	頁 73	1990 年 6 月
1657	楊惠南	水月小札：入也打，不入也打	6 卷 2 期	(62)	頁 72	1990 年 7 月
1658	李 李	《經律異相》中鬼的世界	6 卷 3 期	(63)	頁 29~33	1990 年 8 月
1659	楊惠南	水月小札：黃葉隕時風骨露	6 卷 3 期	(63)	頁 68	1990 年 8 月
1660	曾文瓊	梵、漢、蒙、藏、滿文的大結合——達賴、班禪名號小釋	6 卷 3 期	(63)	頁 99~102	1990 年 8 月
1661	楊惠南	水月小札：大雄山下有大蟲	6 卷 4 期	(64)	頁 79	1990 年 9 月
1662	楊惠南	水月小札：老婆心切	6 卷 5 期	(65)	頁 80~81	1990 年 10 月
1663	楊惠南	水月小札：摘楊花與偷趙州筍	6 卷 6 期	(66)	頁 58~59	1990 年 11 月
1664	劉玉才	茶禪一味——淺談茶與佛教	6 卷 8 期	(68)	頁 44~47	1991 年 1 月
1665	許抗生	莊與禪	5 卷 8 期	(56)	頁 68~70	1990 年 1 月
1666	楊惠南	水月小札：徧界不曾藏	6 卷 9 期	(69)	頁 91	1991 年 2 月
1667	楊惠南	水月小札：大慧竹篦	6 卷 10 期	(70)	頁 74	1991 年 3 月
1668	楊惠南	水月小札：無位真人	6 卷 11 期	(71)	頁 59	1991 年 4 月
1669	楊惠南	水月小札：神會的佛性	6 卷 12 期	(72)	頁 70	1991 年 5 月
1670	蔡君逸	絲路佛教遺迹——大像山的大佛像	6 卷 12 期	(72)	頁 100~103	1991 年 5 月
1671	楊惠南	磕破鐘樓	7 卷 1 期	(73)	頁 74~75	1991 年 6 月
1672	楊惠南	「佛曰不可說」有何深意？	7 卷 2 期	(74)	頁 7~8	1991 年 7 月
1673	編輯部	禪與人生	7 卷 2 期	(74)	頁 11	1991 年 7 月
1674	聖嚴法師	時時建設佛國，處處見到淨土	7 卷 2 期	(74)	頁 11~12	1991 年 7 月
1675	顏宗養口述	用全生命投入，與佛法通個消息	7 卷 2 期	(74)	頁 12~13	1991 年 7 月

黃千修整理

1676	李元松口述 陳曉怡整理	八萬四千法門，門門都是解脫門	7 卷 2 期	(74)	頁 13~14	1991 年 7 月
1677	楊惠南	禪宗的思想與流派	7 卷 2 期	(74)	頁 15~20	1991 年 7 月
1678	明復法師	識得來時路—— 　中國古人生活的禪趣	7 卷 2 期	(74)	頁 21~24	1991 年 7 月
1679	杜松柏	行到水窮處，坐看雲起時—— 　唐詩中的禪趣	7 卷 2 期	(74)	頁 25~30	1991 年 7 月
1680	林清玄	也知造化有深意，故遣佳人在空古 　——蘇東坡與禪	7 卷 2 期	(74)	頁 31~36	1991 年 7 月
1681	熊　琬	明代理學與禪	7 卷 2 期	(74)	頁 37~42	1991 年 7 月
1682	古清美	無立足境，方是乾淨—— 　漫談紅樓夢中的情與禪	7 卷 2 期	(74)	頁 43~47	1991 年 7 月
1683	陳清香	禪文化中的藝術奇葩—— 　禪餘水墨畫舉隅	7 卷 2 期	(74)	頁 48~53	1991 年 7 月
1684	鄭石岩	聆聽禪的智慧訊息—— 　禪與現代生活	7 卷 2 期	(74)	頁 54~57	1991 年 7 月
1685	楊惠南	庭前栢樹子	7 卷 3 期	(75)	頁 63	1991 年 8 月
1686	楊惠南	百草頭邊祖師意	7 卷 5 期	(77)	頁 64	1991 年 10 月
1687	楊惠南	喫粥與洗鉢	7 卷 6 期	(78)	頁 70	1991 年 11 月
1688	楊惠南	百年鑽故紙	7 卷 8 期	(80)	頁 75~76	1992 年 1 月
1689	楊惠南	烏龜變作鱉	7 卷 10 期	(82)	頁 74	1992 年 3 月
1690	楊惠南	鼓聲鬞破我七條	7 卷 11 期	(83)	頁 72~73	1992 年 4 月
1691	楊惠南	焦尾大蟲・遼天俊鶻	7 卷 11 期	(83)	頁 74~75	1992 年 4 月
1692	楊惠南	牛帶寒鴉過遠村	7 卷 12 期	(84)	頁 60~61	1992 年 5 月
1693	邱敏捷	維摩一室原多病，賴有天花作道場	9 卷 12 期	(108)	頁 29~31	1994 年 5 月
1694	龔鵬程	佛學與學佛	10 卷 3 期	(111)	頁 82~90	1994 年 8 月
1695	江煜坤	也談佛學與學佛	10 卷 4 期	(112)	頁 114~117	1994 年 9 月
1696	邱敏捷	佛學與學佛關係的省思—— 對龔教授〈佛學與學佛〉一文的迴應	10 卷 6 期	(114)	頁 105~107	1994 年 11 月
1697	妙　云	佛學與學佛孰重？	10 卷 7 期	(115)	頁 112~114	1994 年 12 月
1698	林伯謙	佛學的智慧（一）：掃帚的教誨	11 卷 2 期	(122)	頁 22~27	1995 年 7 月
1699	林伯謙	佛學的智慧（二）：永遠不會太遲	11 卷 3 期	(123)	頁 60~64	1995 年 8 月
1700	林伯謙	佛學的智慧（三）：腳跟下轉法輪	11 卷 4 期	(124)	頁 38~42	1995 年 9 月
1701	林伯謙	佛學的智慧（四）：印度來的驢子	11 卷 5 期	(125)	頁 38~42	1995 年 10 月
1702	林伯謙	佛學的智慧（五）：一文錢	11 卷 6 期	(126)	頁 46~52	1995 年 11 月
1703	林伯謙	佛學的智慧（六）：把溫情留駐人間	11 卷 7 期	(127)	頁 20~24	1995 年 12 月

1704	林伯謙	佛學的智慧（七）：讀書的妙喻	11 卷 8 期	(128)	頁 30~34	1996 年 1 月
1705	林伯謙	佛學的智慧（八）：生命管理	11 卷 9 期	(129)	頁 30~35	1996 年 2 月
1706	林伯謙	佛學的智慧（九）：快即是美？	11 卷 10 期	(130)	頁 34~40	1996 年 3 月
1707	林柏謙	佛學的智慧（十）：食糧	11 卷 11 期	(131)	頁 26~34	1996 年 4 月
1708	林伯謙	佛學的智慧（十一）：永恆的鐸聲	12 卷 1 期	(133)	頁 20~27	1996 年 6 月
1709	張維用	臨濟宗與「棒喝」	12 卷 3 期	(135)	頁 15~17	1996 年 8 月
1710	林伯謙	佛學的智慧（十二）：你有什麼貢獻？	12 卷 3 期	(135)	頁 20~25	1996 年 8 月
1711	林伯謙	佛學的智慧（十三）：迷信新銓	12 卷 5 期	(137)	頁 32~39	1996 年 10 月
1712	林伯謙	佛學的智慧（十四）：遠離顛倒夢想	12 卷 6 期	(138)	頁 30~37	1996 年 11 月
1713	林伯謙	佛學的智慧（十五）：再見，水白鶴（上）	12 卷 9 期	(141)	頁 39~43	1997 年 2 月
1714	林伯謙	佛學的智慧（十五）：再見，水白鶴（下）	12 卷 10 期	(142)	頁 26~32	1997 年 3 月
1715	林伯謙	佛學的智慧（十六）：寶藏瓔珞（上）	12 卷 11 期	(143)	頁 20~23	1997 年 4 月
1716	劉慧媛	淨土與人間	12 卷 11 期	(143)	頁 28~31	1997 年 4 月
1717	林伯謙	佛學的智慧（十六）：寶藏瓔珞（下）	12 卷 12 期	(144)	頁 21~25	1997 年 5 月
1718	林伯謙	佛學的智慧（十七）：走在成佛路上（上）	13 卷 1 期	(145)	頁 21~27	1997 年 6 月
1719	林伯謙	佛學的智慧（十七）：走在成佛路上（下）	13 卷 2 期	(146)	頁 10~17	1997 年 7 月
1720	張躍西	論中國佛教文化中的竹文化	13 卷 2 期	(146)	頁 31~35	1997 年 7 月
1721	徐守濤	別有洞天的禪宗境界	13 卷 3 期	(147)	頁 25~29	1997 年 8 月
1722	林伯謙	佛學的智慧（十八）：尊重生命的呼籲	13 卷 4 期	(148)	頁 62-69	1997 年 9 月
1723	林伯謙	佛學的智慧（十九）：叩鐘（上）	13 卷 5 期	(149)	頁 58~65	1997 年 10 月
1724	林伯謙	佛學的智慧（十九）：叩鐘（下）	13 卷 6 期	(150)	頁 6~13	1997 年 11 月
1725	林伯謙	佛學的智慧（廿）：禮讚大空王（上）	13 卷 7 期	(151)	頁 14~21	1997 年 12 月
1726	林伯謙	佛學的智慧（廿）：禮讚大空王（下）	13 卷 8 期	(152)	頁 15~20	1998 年 1 月
1727	王開府	燈前禪影（一）：禪與心靈改革	14 卷 2 期	(158)	頁 20~21	1998 年 7 月
1728	王開府	燈前禪影（二）：七佛的共同校訓	14 卷 3 期	(159)	頁 20~22	1998 年 8 月
1729	王開府	燈前禪影（三）：兩岸猿聲啼不住	14 卷 4 期	(160)	頁 56~59	1998 年 9 月
1730	王開府	燈前禪影（四）：EQ 之外	14 卷 6 期	(162)	頁 47~49	1998 年 11 月
1731	王開府	燈前禪影（五）：祖師西來意	14 卷 7 期	(163)	頁 37~38	1998 年 12 月
1732	王開府	燈前禪影（六）：日日是好日	14 卷 8 期	(164)	頁 27~29	1999 年 1 月
1733	王開府	燈前禪影（七）：理入與行入	14 卷 9 期	(165)	頁 34~36	1999 年 2 月
1734	王開府	燈前禪影（八）：報怨與隨緣	14 卷 10 期	(166)	頁 19~21	1999 年 3 月

1735	王開府	燈前禪影（九）：無所求與稱法行	14 卷 11 期	(167)	頁 22~24	1999 年 4 月
1736	田博元	中華文化的接枝──佛學	14 卷 12 期	(168)	頁 12~16	1999 年 5 月
1737	王開府	燈前禪影（十）：慧可與楞伽禪	14 卷 12 期	(168)	頁 22~24	1999 年 5 月
1738	王開府	燈前禪影（十一）：斷臂與得髓	15 卷 1 期	(169)	頁 37~39	1999 年 6 月
1739	王開府	燈前禪影（十二）：說通與宗通	15 卷 2 期	(170)	頁 39~41	1999 年 7 月
1740	王開府	燈前禪影（十三）：楞伽禪的先驅 ──求那跋陀羅	15 卷 10 期	(178)	頁 25~26	2000 年 3 月
1741	王開府	燈前禪影（十四）：如來清淨禪	15 卷 11 期	(179)	頁 42~45	2000 年 4 月
1742	蔡澤興	佛學網路及電子化佛學資源介紹	15 卷 11 期	(179)	頁 97~103	2000 年 4 月
1743	王開府	燈前禪影（十五）：橋流水不流	16 卷 1 期	(181)	頁 21~23	2000 年 6 月
1744	王開府	燈前禪影（十六）：觀心空王	16 卷 4 期	(184)	頁 18~20	2000 年 9 月
1745	王開府	燈前禪影（十七）：性在作用	16 卷 6 期	(186)	頁 40~41	2000 年 11 月
1746	林朝成	中國古典美學講座：禪思與審美體驗──禪宗美學的探索（上）	20 卷 8 期	(236)	頁 43~47	2005 年 1 月
1747	林朝成	中國古典美學講座：禪思與審美體驗──禪宗美學的探索（下）	20 卷 9 期	(237)	頁 53~57	2005 年 2 月
1748	陳佳君	〈文殊菩薩禮讚文〉的篇章結構	25 卷 2 期	(290)	頁 12~14	2009 年 7 月

4.3 民間宗教

1749	鄭志明	白蓮教是不是真的會妖法？	1 卷 5 期	(5)	頁 84~85	1985 年 10 月
1750	徐微哲	證道成仙──談臺灣的民間講經	1 卷 9 期	(9)	頁 26~29	1986 年 2 月
1751	鄭志明	新例無設，舊例無滅──臺灣民間宗教概說	5 卷 11 期	(59)	頁 91~93	1990 年 4 月
1752	周世躍	海上女神媽祖與媽祖崇拜	5 卷 11 期	(59)	頁 94~96	1990 年 4 月
1753	游勝冠	臺灣藝術殿堂──鹿港龍山寺	5 卷 11 期	(59)	頁 128~129	1990 年 4 月
1754	劉還月	亦神亦祖敬義民──略述客家義民爺的產生及義民節盛況	5 卷 11 期	(59)	頁 97~99	1990 年 4 月
1755	編輯部	淵仔伯講古	6 卷 5 期	(65)	頁 44~45	1990 年 10 月
1756	李 李	日進千鄉寶，時招萬里財──談財神爺	6 卷 9 期	(69)	頁 98~100	1991 年 2 月
1757	馬書田	八仙故事	6 卷 9 期	(69)	頁 106~107	1991 年 2 月
1758	張啟超	疏懶人間大丈夫──鍾離權的前世今生	6 卷 10 期	(70)	頁 94~97	1991 年 3 月
1759	陳麗宇	提笊籬不認椒房──曹國舅	6 卷 10 期	(70)	頁 97~100	1991 年 3 月
1760	李豐楙	騎驢白髮老仙翁──介紹張果老的成仙經過	6 卷 10 期	(70)	頁 101~103	1991 年 3 月
1761	陳益源	被狗咬的神仙──呂洞賓	6 卷 10 期	(70)	頁 103~105	1991 年 3 月

1762　李　李　「解造逡巡酒，能開頃刻花」的　　6 卷 11 期　(71)　頁 96~99　　1991 年 4 月
　　　　　　　　韓湘子

1763　盧明瑜　何仙姑成仙記　　　　　　　　　6 卷 11 期　(71)　頁 99~101　1991 年 4 月

1764　陳益源　跛腳神仙鐵拐李　　　　　　　　6 卷 11 期　(71)　頁 102~105　1991 年 4 月

1765　江武昌　男女老幼不分，生旦淨丑有份──　6 卷 11 期　(71)　頁 105~108　1991 年 4 月
　　　　　　　　八仙戲中永遠的配角

1766　劉還月　蒼茫暮色王爺影──　　　　　　6 卷 12 期　(72)　頁 103~106　1991 年 5 月
　　　　　　　　臺灣客家人信仰的三山國王

1767　山　民　狐狸崇拜論綱　　　　　　　　　8 卷 10 期　(94)　頁 91~104　1993 年 3 月

1768　賴橋本　「扶箕」何所指？　　　　　　　11 卷 6 期　(126)　頁 10　　　1995 年 11 月

1769　吳俐雯　俗諺、歌曲、寶卷中的土地公　　18 卷 5 期　(209)　頁 34~40　2002 年 10 月

1770　洪如薇　從類書看中元普渡祭典的由來　　19 卷 3 期　(219)　頁 34~37　2003 年 8 月

1771　陳冠甫　媽祖信仰與廟聯文化之研究──　22 卷 4 期　(256)　頁 36~41　2006 年 9 月
　　　　　　　　天上聖母成道一千暨二十周年紀念

5 自然與應用科學類

5.1 通論

1772	劉君燦	中國的時間與空間	1 卷 7 期	(7)	頁 64~65	1985 年 12 月
1773	劉君燦	氧是氣體還是液體？—— 科學教育中的國語文問題	1 卷 11 期	(11)	頁 32~34	1986 年 4 月
1774	呂應鐘	翻譯與科學中文化	1 卷 11 期	(11)	頁 35~37	1986 年 4 月
1775	何丙郁	科學與文學	2 卷 11 期	(23)	頁 68~75	1987 年 4 月
1776	袁清林	中國古代的環境保護	5 卷 5 期	(53)	頁 82~85	1989 年 10 月
1777	范文芳	從環保觀念看傳統文化與老莊哲學	6 卷 2 期	(62)	頁 66~71	1990 年 7 月

5.2 自然科學

5.2.1 通論

| 1778 | 劉君燦 | 中國的生態思想 | 2 卷 2 期 | (14) | 頁 72~73 | 1986 年 7 月 |

5.2.2 地球科學

1779	劉君燦	哈雷彗星造訪之際談七曜、三垣、 二十八宿	1 卷 12 期	(12)	頁 80~81	1986 年 5 月
1780	杜升雲	司馬遷筆下的星漢世界	4 卷 8 期	(44)	頁 79~81	1989 年 1 月
1781	劉君燦	金石錄——中國傳統的礦物分類	4 卷 10 期	(46)	頁 64~67	1989 年 3 月
1782	劉君燦	地圓？地方？	5 卷 5 期	(53)	頁 78~81	1989 年 10 月
1783	莊吉發	為政以德，熒惑退舍—— 中國古代的二十八宿	7 卷 1 期	(73)	頁 86~89	1991 年 6 月
1784	宋滌姬	淺談〈黃河結冰記〉所提到的星辰	11 卷 5 期	(125)	頁 62~67	1995 年 10 月
1785	賈福相	無以人滅天	16 卷 1 期	(181)	頁 91~93	2000 年 6 月
1786	陳益源	「民俗與環保」專題前言（第四屆 國際亞細亞民俗學會論文選刊）	17 卷 9 期	(201)	頁 4	2002 年 2 月
1787	陶立璠	民俗文化保護與民俗學研究—— 中國城市發展帶來的破壞性建設問題	17 卷 9 期	(201)	頁 5~13	2002 年 2 月
1788	丘桓興	客家民居風水習俗與自然環境	17 卷 9 期	(201)	頁 14~20	2002 年 2 月
1789	渡邊欣雄	溫州的墓地營造和「青山白化」的 問題	17 卷 9 期	(201)	頁 20~23	2002 年 2 月
1790	樋口淳	地球環境與民俗故事	17 卷 9 期	(201)	頁 24~28	2002 年 2 月
1791	武光仲	環境保護問題與鄉約	17 卷 9 期	(201)	頁 35~38	2002 年 2 月
1792	金善豐	歲時禮俗中的環境觀	17 卷 9 期	(201)	頁 28~35	2002 年 2 月
1793	廖藤葉	由〈贈衛八處士〉談參、商永不相見	23 卷 12 期	(276)	頁 32~36	2008 年 5 月

5.2.3 物理

| 1794 | 鄭志明 | 大學國文教學範例——
墨子經說下篇的光學知識 | 2 卷 3 期 | (15) | 頁 40~41 | 1986 年 8 月 |
| 1795 | 郭中一 | 遠鐘沈響緣雲濕 | 15 卷 11 期 | (179) | 頁 94~96 | 2000 年 4 月 |

5.2.4 化學

| 1796 | 劉君燦 | 水火即濟未濟別論 | 18 卷 7 期 | (211) | 頁 41~45 | 2002 年 12 月 |

5.2.5 生物

5.2.5.1 動物

1797	童言伍	老虎來了！	1 卷 10 期	(10)	頁 14~17	1986 年 3 月
1798	馬　各	烏鰡不是泥鰍	1 卷 10 期	(10)	頁 62~63	1986 年 3 月
1799	楊文振	也談黑鰡與泥鰍	1 卷 12 期	(12)	頁 76	1986 年 5 月
1800	李豐楙	兔子——智慧的原型	2 卷 9 期	(21)	頁 15~18	1987 年 2 月
1801	劉君燦	蟲豸書——中國傳統的動物分類	4 卷 7 期	(43)	頁 42~43	1988 年 12 月
1802	王幼華	被韓愈驅逐出境的鱷魚那裏去了？	4 卷 8 期	(44)	頁 74~77	1989 年 1 月
1803	李建民	中國古代民俗中的啄木鳥	5 卷 5 期	(53)	頁 88~89	1989 年 10 月
1804	徐傳武	關於「兩頭蛇」	14 卷 6 期	(162)	頁 40~42	1998 年 11 月
1805	徐公超	讀者回應：我所見過的「兩頭蛇」	14 卷 7 期	(163)	頁 45~46	1998 年 12 月

5.2.5.2 植物

1806	楊振良	湘江竹上知何限——談竹	1 卷 8 期	(8)	頁 35	1986 年 1 月
1807	黃基正	五谷不分	1 卷 8 期	(8)	頁 44	1986 年 1 月
1808	楊振良	百草山中第一香——談蘭	1 卷 9 期	(9)	頁 47	1986 年 2 月
1809	楊振良	一盞寒泉薦秋菊——談菊	1 卷 11 期	(11)	頁 59	1986 年 4 月
1810	楊振良	亭亭淨植水雲鄉——談蓮	1 卷 12 期	(12)	頁 48	1986 年 5 月
1811	黃秋芳	惹草拈花多少事—— 古代的園藝世界	2 卷 8 期	(20)	頁 42~45	1987 年 1 月
1812	楊振良	千條萬縷送行色——說柳	3 卷 7 期	(31)	頁 68~69	1987 年 12 月
1813	李　籬	楊柳有別	3 卷 8 期	(32)	頁 8	1988 年 1 月
1814	編輯部	為您說花令：一月梅花	3 卷 9 期	(33)	頁 1	1988 年 2 月
1815	編輯部	為您說花令：二月杏花	3 卷 10 期	(34)	頁 1	1988 年 3 月
1816	編輯部	為您說花令：三月桃花	3 卷 11 期	(35)	頁 1	1988 年 4 月
1817	編輯部	為您說花令：四月牡丹	3 卷 12 期	(36)	頁 1	1988 年 5 月

1818	編輯部	為您說花令：五月榴花	4 卷 1 期	(37)	頁 1	1988 年 6 月
1819	編輯部	為您說花令：六月荷花	4 卷 2 期	(38)	頁 1	1988 年 7 月
1820	編輯部	為您說花令：七月秋葵	4 卷 3 期	(39)	頁 1	1988 年 8 月
1821	編輯部	為您說花令：八月桂花	4 卷 4 期	(40)	頁 1	1988 年 9 月
1822	編輯部	為您說花令：九月菊花	4 卷 5 期	(41)	頁 1	1988 年 10 月
1823	編輯部	為您說花令：十月芙蓉花	4 卷 6 期	(42)	頁 1	1988 年 11 月
1824	編輯部	為您說花令：十一月山茶	4 卷 7 期	(43)	頁 1	1988 年 12 月
1825	編輯部	為您說花令：十二月水仙	4 卷 8 期	(44)	頁 1	1989 年 1 月
1826	劉君燦	草木詠——中國傳統的植物分類	4 卷 8 期	(44)	頁 82~83	1989 年 1 月
1827	王淑蘭	為什麼是桃花	7 卷 8 期	(80)	頁 94~96	1992 年 1 月
1828	徐傳武	「楊」和「柳」	8 卷 5 期	(89)	頁 80~82	1992 年 10 月
1829	馬欣來	詩的梅花　梅花的詩	8 卷 9 期	(93)	頁 67~69	1993 年 2 月
1830	曹繼曾	淺析「絮與蓬」	10 卷 5 期	(113)	頁 99~103	1994 年 10 月

5.3 應用科學

5.3.1 通論

1831	劉君燦	博物與本草——中國傳統的分類學	4 卷 6 期	(42)	頁 52~53	1988 年 11 月
1832	李仲均	我國古代的治黃水利工程	4 卷 10 期	(46)	頁 61~64	1989 年 3 月
1833	梁存信	我國古代的泳術	11 卷 6 期	(126)	頁 104~107	1995 年 11 月
1834	金　屯	「一中同長」話周率	11 卷 12 期	(132)	頁 113~116	1996 年 5 月

5.3.2 電腦

1835	林明德	多關心中文電腦	3 卷 3 期	(27)	頁 18~23	1987 年 8 月
1836	陳瑞貴	迎接嶄新的時代——中文電腦對出版業的衝擊	3 卷 3 期	(27)	頁 24~27	1987 年 8 月
1837	謝清俊	讓電腦說中國話	3 卷 3 期	(27)	頁 28~32	1987 年 8 月
1838	羅鳳珠	探一探文史資料自動化的路	3 卷 3 期	(27)	頁 33	1987 年 8 月
1839	張仲陶口述	電腦界與文史界的結合	3 卷 3 期	(27)	頁 34~35	1987 年 8 月
1840	周　何口述	〈文史界・經部〉亟待訓詁資料的整理	3 卷 3 期	(27)	頁 36~37	1987 年 8 月
1841	毛漢光口述	〈文史界・史部〉文史界負責九份工作	3 卷 3 期	(27)	頁 38~39	1987 年 8 月
1842	王邦雄口述	〈文史界・子部〉不能失去人的主導地位	3 卷 3 期	(27)	頁 40~41	1987 年 8 月
1843	王熙元口述	〈文史界・集部〉周密設計，深入問題	3 卷 3 期	(27)	頁 42~43	1987 年 8 月

1844	吳列能	繁與簡的魔術—— 兩岸中文電腦文件的轉換	8 卷 1 期	(85)	頁 24~27	1992 年 6 月
1845	楊維仁	古典詩創作在網際網路上的概況	15 卷 8 期	(176)	頁 58~63	2000 年 1 月
1846	蔡澤興	佛學網路及電子化佛學資源介紹	15 卷 11 期	(179)	頁 97~103	2000 年 4 月
1847	史墨卿	應用文的現代化之一—— 電子郵件（E－mail）	15 卷 12 期	(180)	頁 105~107	2000 年 5 月

5.3.3 器物

1848	劉君燦	羅盤的濫觴——司南杓	1 卷 2 期	(2)	頁 60~61	1985 年 7 月
1849	劉君燦	指南魚與烤肉	1 卷 3 期	(3)	頁 59	1985 年 8 月
1850	劉君燦	磁偏角與羅盤	1 卷 4 期	(4)	頁 78	1985 年 9 月
1851	劉君燦	光學材料	1 卷 9 期	(9)	頁 46	1986 年 2 月
1852	陳宏勉	秦代的印章	2 卷 4 期	(16)	頁 25	1986 年 9 月
1853	劉君燦	光與鏡	2 卷 5 期	(17)	頁 76~77	1986 年 10 月
1854	楊振良	江湖夜雨十年燈——說「燈」	2 卷 6 期	(18)	頁 66~67	1986 年 11 月
1855	楊振良	一曲搖琴清雅韻——說琴	2 卷 7 期	(19)	頁 52~53	1986 年 12 月
1856	陳宏勉	中國古代的封條——封泥	2 卷 8 期	(20)	頁 41	1987 年 1 月
1857	曹之冠	「中國結」何不叫「錦條」？	2 卷 8 期	(20)	頁 64	1987 年 1 月
1858	楊振良	萬金寶劍藏秋水——說「劍」	2 卷 9 期	(21)	頁 50~51	1987 年 2 月
1859	陳宏勉	印中別格——過年用的紀年印	2 卷 9 期	(21)	頁 61	1987 年 2 月
1860	劉廣定	續談方鼎與「四足鼎立」	3 卷 9 期	(33)	頁 10~12	1988 年 2 月
1861	王偉勇	「籠系」「籠鈎」的真面貌	4 卷 4 期	(40)	頁 8	1988 年 9 月
1862	管成學	中國古代的漏刻記時器	4 卷 6 期	(42)	頁 50~51	1988 年 11 月
1863	劉君燦	古人秉什麼「燭」夜遊	4 卷 7 期	(43)	頁 6~7	1988 年 12 月
1864	管成學	中國古代的記時器	4 卷 7 期	(43)	頁 40~41	1988 年 12 月
1865	吳立甫	禮器「俎豆」	5 卷 1 期	(49)	頁 69~70	1989 年 6 月
1866	編輯部	為您說樂器：鐘	5 卷 9 期	(57)	頁 1	1990 年 2 月
1867	成　東	漫話十八般兵器	5 卷 9 期	(57)	頁 73~75	1990 年 2 月
1868	編輯部	為您說樂器：磬	5 卷 10 期	(58)	頁 4	1990 年 3 月
1869	劉君燦	丁文江和〈天工開物卷跋〉	5 卷 10 期	(58)	頁 62~64	1990 年 3 月
1870	編輯部	為您說樂器：琴	5 卷 12 期	(60)	頁 4	1990 年 5 月
1871	劉君燦	何謂「木轝」？	5 卷 12 期	(60)	頁 8	1990 年 5 月
1872	莊吉發	從劍俠談起—— 中國古代名劍面面觀	5 卷 12 期	(60)	頁 39~42	1990 年 5 月
1873	編輯部	為您說樂器：箜篌	6 卷 1 期	(61)	頁 98	1990 年 6 月

1874	編輯部	為您說樂器：排簫	6 卷 2 期	(62)	頁 82	1990 年 7 月
1875	編輯部	為您說樂器：竽	6 卷 3 期	(63)	頁 82	1990 年 8 月
1876	編輯部	為您說樂器：壎	6 卷 4 期	(64)	頁 67	1990 年 9 月
1877	張維用	中國象棋源流淺考	6 卷 5 期	(65)	頁 83~86	1990 年 10 月
1878	叢中笑	摩挲寶愛，不啻掌珠——漫談文人賞壺	6 卷 8 期	(68)	頁 32~36	1991 年 1 月
1879	編輯部	請來逛逛舊貨攤——國、高中國文古器物圖解（一）	6 卷 10 期	(70)	頁 81~84	1991 年 3 月
1880	編輯部	請來逛逛舊書攤——國、高中國文古器物圖解（二）	6 卷 11 期	(71)	頁 81~84	1991 年 4 月
1881	編輯部	請來逛逛舊書攤——國、高中國文古器物圖解（三）	6 卷 12 期	(72)	頁 81~84	1991 年 5 月
1882	陳德富	我國古代的省油燈	7 卷 3 期	(75)	頁 73~75	1991 年 8 月
1883	編輯部	請來逛逛舊書攤——國、高中國文古器物圖解（四）	7 卷 4 期	(76)	頁 97~100	1991 年 9 月
1884	編輯部	請來逛逛舊書攤——國、高中國文古器物圖解（五）	7 卷 5 期	(77)	頁 97~101	1991 年 10 月
1885	編輯部	請來逛逛舊書攤——國、高中國文古器物圖解（六）	7 卷 6 期	(78)	頁 81~84	1991 年 11 月
1886	編輯部	請來逛逛舊貨攤——國、高中國文古器物圖解（七）	7 卷 7 期	(79)	頁 97~100	1991 年 12 月
1887	楚 戈	中國酒的起源——略論新石器時代尖底容器的用途	7 卷 8 期	(80)	頁 12~16	1992 年 1 月
1888	編輯部	請來逛逛舊貨攤——國、高中國文古器物圖解（八）	7 卷 8 期	(80)	頁 97~100	1992 年 1 月
1889	林幸謙	唐三彩的美學風格及其藝術精神	8 卷 2 期	(86)	頁 67~74	1992 年 7 月
1890	趙 宏	中國猴文化與瓷器中的猴	8 卷 3 期	(87)	頁 32~36	1992 年 8 月
1891	郭存孝	話說太平天國玉璽	8 卷 8 期	(92)	頁 65~67	1993 年 1 月
1892	劉廣定	回應與挑戰：也談《天工開物》的書名與版本	9 卷 9 期	(105)	頁 94~97	1994 年 2 月
1893	葉國良	詩文與禮制（一）：勸君莫惜金縷衣	11 卷 1 期	(121)	頁 56~61	1995 年 6 月
1894	張維用	關於玻璃的故實	11 卷 2 期	(122)	頁 40~45	1995 年 7 月
1895	汪少華	古人乘車為什麼尚左？	11 卷 3 期	(123)	頁 100~106	1995 年 8 月
1896	葉國良	詩文與禮制（四）：六朝名士的道具——麈尾	11 卷 4 期	(124)	頁 43~47	1995 年 9 月
1897	葉國良	詩文與禮制（五）：蠟炬成灰淚始乾	11 卷 5 期	(125)	頁 34~37	1995 年 10 月
1898	葉國良	詩文與禮制（六）：可憐夜半虛前席	11 卷 6 期	(126)	頁 53~59	1995 年 11 月
1899	易俊傑	漫說筷子文化	11 卷 7 期	(127)	頁 96~101	1995 年 12 月

1900	葉國良	詩文與禮制（十四）：官員的服色	12 卷 3 期	(135)	頁 26~31	1996 年 8 月
1901	葉國良	詩文與禮制（十八）：廉頗的飯量	12 卷 7 期	(139)	頁 24~26	1996 年 12 月
1902	王窈賢	教學集錦（九）：樗蒲錦背元人畫	12 卷 11 期	(143)	頁 110~115	1997 年 4 月
1903	張維用	「琉璃」名字考	13 卷 4 期	(148)	頁 70~73	1997 年 9 月
1904	周碧香	〈桃花源記〉「外人」另釋	13 卷 6 期	(150)	頁 105~110	1997 年 11 月
1905	張維用	琉璃與琉璃瓦	13 卷 9 期	(153)	頁 21~23	1998 年 2 月
1906	張維用	「真假琉璃」之說	14 卷 10 期	(166)	頁 22~27	1999 年 3 月
1907	陳益源	「扦擔」與「扁擔」	15 卷 6 期	(174)	頁 100	1999 年 11 月
1908	鮑延毅	林沖與折（摺）扇	15 卷 10 期	(178)	頁 38~39	2000 年 3 月
1909	陳麗桂	楚越出土文物與漢代南方文明——寫在「漢代文物展」之後	16 卷 1 期	(181)	頁 30~35	2000 年 6 月
1910	劉崇義	白居易〈琵琶行并序〉及〈馮諼客孟嘗君〉兩則問題	16 卷 10 期	(190)	頁 83	2001 年 3 月
1911	詹宗祐	從阿富汗的羊皮帽談中國的鹿胎冠	19 卷 3 期	(219)	頁 38~40	2003 年 8 月
1912	陳德富	論中國瓷器的崇玉傳統	19 卷 4 期	(220)	頁 42~49	2003 年 9 月
1913	王　嵐	飛「羽觴」而醉月——蔓草鴛鴦紋銀羽觴	19 卷 7 期	(223)	頁 112	2003 年 12 月
1914	王邇敦	淺談清代的朝珠服飾	21 卷 12 期	(252)	頁 37~38	2006 年 5 月
1915	王邇敦	牙籤的發明歷史	22 卷 6 期	(258)	頁 43~44	2006 年 11 月
1916	陳惠玲	〈國殤〉一文兵器考	23 卷 12 期	(276)	頁 37~41	2008 年 5 月
1917	李豐楙 王福楨	引用與分享——一個網際的人文社群	24 卷 7 期	(283)	頁 21~25	2008 年 12 月
1918	顧敏耀	揭開〈國殤〉的神秘面紗——回應陳惠玲〈〈國殤〉一文兵器考〉	24 卷 7 期	(283)	頁 37~43	2008 年 12 月
1919	潘洪鋼	趣說清代的轎子	24 卷 12 期	(288)	頁 36~42	2009 年 5 月
1920	黃良瑩	管窺北朝樂府民歌中的服飾	25 卷 2 期	(290)	頁 39~43	2009 年 7 月

5.3.4 醫藥

1921	廖運範	醫學中文化的途徑——讓醫學說中國話	1 卷 12 期	(12)	頁 34~36	1986 年 5 月
1922	胡楚生	曾國藩主張「病不服藥」？	5 卷 12 期	(60)	頁 9	1990 年 5 月
1923	朱瑞玲	酒——心情的改變劑	7 卷 8 期	(80)	頁 24~26	1992 年 1 月
1924	黃春貴	房中保健的現代意義	15 卷 2 期	(170)	頁 5~13	1999 年 7 月
1925	魏子雲	食色性也	15 卷 2 期	(170)	頁 14~19	1999 年 7 月
1926	黃　強	金瓶梅與飲食養生	15 卷 2 期	(170)	頁 30~34	1999 年 7 月
1927	黃春貴	教師強身保健之道——	15 卷 3 期	(171)	頁 58~59	1999 年 8 月

運動之王：爬樓梯

1928	陳　新	試論《本草綱目》之語言訓詁價值	23 卷 2 期　(266)	頁 62~68	2007 年 7 月
1929	傅武光	塵封千載的遺珠── 子華子的養生思想	24 卷 11 期 (287)	頁 4~7	2009 年 4 月
1930	邵曼珣	采藥鍾山隅，服食改姿容── 六朝士人採藥與服食養生之風	24 卷 11 期 (287)	頁 14~19	2009 年 4 月
1931	張玉芳	九邊爛熟等雕蟲，遠志真看小草 同──談古代的藥名文學	24 卷 11 期 (287)	頁 20~24	2009 年 4 月
1932	卓美惠	醫術、方術與騙術──以清代小說 《客窗閒話》、《續客窗閒話》醫 藥故事的觀察為例	24 卷 11 期 (287)	頁 25~30	2009 年 4 月
1933	陳美琪	傳統信仰與現代醫療的決戰── 《蘭嶼行醫記》中的醫病關係	24 卷 11 期 (287)	頁 31~35	2009 年 4 月
1934	葉錦霞	匹夫無罪，懷病為罪──黃春明〈鮮 紅蝦──「下消樂仔」這個掌故〉 的疾病敘事	24 卷 11 期 (287)	頁 36~40	2009 年 4 月

6 社會科學類

6.1 通論

1935	董俊彥等	春雷一聲風雲動──五四的回顧：五四文化自覺的產生，有何內因與外緣？（陳來 徐遠和 鮑國順）	4 卷 12 期 (48)	頁 12~15	1989 年 5 月
1936	潘富恩等	春雷一聲風雲動──五四的回顧：五四的精神是什麼？（李錦全 徐遠和 范文芳 張永儁 包遵信 莊萬壽 瞿海源 陸寶千 王家儉 沈清松 蒙培元 楊惠南 陳來）	4 卷 12 期 (48)	頁 15~23	1989 年 5 月
1937	隱 地	關心我們的書架	1 卷 8 期 (8)	頁 20~21	1986 年 1 月
1938	陳來等	春雷一聲風雲動──五四的回顧：五四怎樣看待儒家？（林安梧 蒙培元 鮑國順 徐遠和）	4 卷 12 期 (48)	頁 23~26	1989 年 5 月
1939	林玉體等	盱功衡過辨是非──五四的評價：有人認為五四促成共產主義進佔中國，您贊同嗎？為什麼？（包遵信 李錦全 王家儉 蒙培元 李明輝）	4 卷 12 期 (48)	頁 27~30	1989 年 5 月
1940	陸寶千等	盱功衡過辨是非──五四的評價：對於五四之批判傳統，您有什麼新的看法（陳來 楊惠南 王開府 李錦全 范文芳）	4 卷 12 期 (48)	頁 30~32	1989 年 5 月
1941	莊萬壽等	盱功衡過辨是非──五四的評價：對陳獨秀、胡適、李大釗，您有何評價？（包遵信 張永儁 葛榮晉）	4 卷 12 期 (48)	頁 32~36	1989 年 5 月
1942	林玉體等	盱功衡過辨是非──五四的評價：五四所提倡的民主，您認為七十年來海峽兩岸各實現了多少？還有那些尚待努力之處？（辛冠潔 龔鵬程 包遵信 楊惠南 葛榮晉）	4 卷 12 期 (48)	頁 36~38	1989 年 5 月
1943	劉君燦 辛冠潔	盱功衡過辨是非──五四的評價：五四所提倡的科學，您認為七十年來海峽兩岸各做到了多少？還有那些尚待努力之處？	4 卷 12 期 (48)	頁 38~39	1989 年 5 月
1944	徐漢昌等	盱功衡過辨是非──五四的評價：五四藉民主與科學以提高人的價值，您認為七十年來海峽兩岸各做到了什麼程度？（包遵信 劉君燦 林玉體）	4 卷 12 期 (48)	頁 40~42	1989 年 5 月
1945	葛榮晉等	盱功衡過辨是非──五四的評價：您認為七十年來海峽兩岸儒學的升降如何？（徐漢昌 賈順先 李明輝 湯一介）	4 卷 12 期 (48)	頁 42~44	1989 年 5 月

1946	王開府等	繼繼繩繩開新運── 今後的展望：五四接受科學而不接受宗教，現在呢？（賈順先 楊惠南 湯一介 葉仁昌 高令印）	4 卷 12 期	(48)	頁 45~48	1989 年 5 月
1947	賈順先等	繼繼繩繩開新運── 今後的展望：「河殤」事件是否可視為五四的後續發展？（王家儉 湯一介 王開府 辛冠潔 鮑國順）	4 卷 12 期	(48)	頁 48~51	1989 年 5 月
1948	高令印等	繼繼繩繩開新運── 今後的展望：五四對海峽兩岸還會發生什麼樣的影響？（陸寶千 張立文 鮑國順 湯一介）	4 卷 12 期	(48)	頁 51~52	1989 年 5 月
1949	傅武光採訪	訪湯志鈞教授談康有為、章太炎與五四運動	4 卷 12 期	(48)	頁 53~55	1989 年 5 月
1950	編輯部	近年出版有關五四的著作	4 卷 12 期	(48)	頁 108~113	1989 年 5 月
1951	陳文豪	一里是三百六十步？	5 卷 6 期	(54)	頁 8	1989 年 11 月
1952	許木柱 詹琪芬	浪漫的蠻荒探險者── 　臺灣的民族學研究	5 卷 11 期	(59)	頁 59~61	1990 年 4 月
1953	宇　曉	四十年來中國大陸的臺灣民族學研究	5 卷 11 期	(59)	頁 62~64	1990 年 4 月
1954	石　磊	臺灣土著民族	5 卷 11 期	(59)	頁 65~70	1990 年 4 月
1955	賈　寧	陳第與《東番記》	5 卷 11 期	(59)	頁 121~122	1990 年 4 月
1956	柯友稚	河洛人	10 卷 5 期	(113)	頁 56~58	1994 年 10 月
1957	王輔羊	希爾頓賣月餅	10 卷 5 期	(113)	頁 113	1994 年 10 月

6.2 教育

1958	王鎮華	我辦兒童文化班	1 卷 5 期	(5)	頁 25~27	1985 年 10 月
1959	邱財貴	童蒙養正──怎樣教小孩子讀古書	1 卷 6 期	(6)	頁 32~35	1985 年 11 月
1960	高大鵬	生活化的經典教育── 　兼論「孝弟忠信」的時代意義	2 卷 8 期	(20)	頁 24~28	1987 年 1 月
1961	溥　心整理	科技時代的人文教育	2 卷 8 期	(20)	頁 49~50	1987 年 1 月
1962	吳敏而	由娛樂中學習── 　從美國的兒童節目「芝麻街」談起	2 卷 11 期	(23)	頁 18~20	1987 年 4 月
1963	瑞　之撰文 遲　玉攝影	真的需要雙語教育嗎？	2 卷 11 期	(23)	頁 21~25	1987 年 4 月
1964	郭立誠	傳統童蒙教材敘錄	2 卷 11 期	(23)	頁 37~39	1987 年 4 月
1965	黃忠慎	談談我們的兒童讀物	2 卷 11 期	(23)	頁 44~47	1987 年 4 月
1966	溥　心	讓它漂亮地站起來！	2 卷 11 期	(23)	頁 48~49	1987 年 4 月
1967	郭立誠	傳統童蒙教材敘錄 1	2 卷 12 期	(24)	頁 68~73	1987 年 5 月
1968	郭立誠	傳統童蒙教材敘錄 2	3 卷 3 期	(27)	頁 62~65	1987 年 8 月

1969	郭立誠	傳統童蒙教材敘錄三	3 卷 6 期	(30)	頁 44~48	1987 年 11 月
1970	王讚源	現代教師的角色	3 卷 6 期	(30)	頁 50~53	1987 年 11 月
1971	王家儉	何謂「青衣」「發社」	3 卷 8 期	(32)	頁 7	1988 年 1 月
1972	郭立誠	傳統童蒙教材敘錄四	3 卷 8 期	(32)	頁 88~93	1988 年 1 月
1973	陳郁夫	師者所以傳道、授業、解惑嗎？	3 卷 8 期	(32)	頁 95~97	1988 年 1 月
1974	求放子	回到孔子時代的校園倫理：「博學於文，約之以禮」的校園倫理建設之道	4 卷 1 期	(37)	頁 54~56	1988 年 6 月
1975	廖隆盛	古代的考試	4 卷 4 期	(40)	頁 66~68	1988 年 9 月
1976	廖隆盛	古代的考試	4 卷 7 期	(43)	頁 37~39	1988 年 12 月
1977	許政雄	官學教育制度下的奇葩——「中國文化書院」及其出版計畫	4 卷 8 期	(44)	頁 60~62	1989 年 1 月
1978	廖隆盛	宋代太學生的時代關懷	4 卷 10 期	(46)	頁 23~26	1989 年 3 月
1979	廖隆盛	帝王的牢籠術——我國科舉制度概述	5 卷 7 期	(55)	頁 22~28	1989 年 12 月
1980	高　陽	科舉趣事漫談	5 卷 7 期	(55)	頁 36~37	1989 年 12 月
1981	莊　練	號舍風光——科舉考試時代的考場生活	5 卷 7 期	(55)	頁 38~42	1989 年 12 月
1982	胡萬川	碰上的秀才——談科舉考試的作弊	5 卷 7 期	(55)	頁 43~47	1989 年 12 月
1983	連　子	太子求學記——漫談皇太子的養成教育	5 卷 8 期	(56)	頁 19~21	1990 年 1 月
1984	林衡道口述許淑美記錄	淺談臺灣書院的發展	5 卷 11 期	(59)	頁 83~86	1990 年 4 月
1985	許淑美	家家有本教兒經	6 卷 4 期	(64)	頁 11	1990 年 9 月
1986	林文寶	通古才足以變今——傳統啟蒙教育鳥瞰	6 卷 4 期	(64)	頁 12~15	1990 年 9 月
1987	張崇根	甘丹赤巴的主兒——我國少數民族傳統啟蒙教育管窺	6 卷 4 期	(64)	頁 16~19	1990 年 9 月
1988	澹臺惠敏	康熙、雍正辦幼稚園——清代北京地區嬰幼事業探源	6 卷 4 期	(64)	頁 20~24	1990 年 9 月
1989	蘇尚耀	漢唐兒童讀什麼書——試談漢唐兩代的啟蒙教材	6 卷 4 期	(64)	頁 25~29	1990 年 9 月
1990	林隆盛	敦煌所藏的童蒙讀物	6 卷 4 期	(64)	頁 30~33	1990 年 9 月
1991	江應龍	且說私塾	6 卷 4 期	(64)	頁 39~44	1990 年 9 月
1992	編輯部	古代塾師有話說	6 卷 4 期	(64)	頁 40~43	1990 年 9 月
1993	雷僑雲	偶然為汝父，未免愛吾兒——試探中國「神童」的形成背景	6 卷 4 期	(64)	頁 45~47	1990 年 9 月
1994	蔡孟珍	一顆種子，一個希望——	6 卷 12 期	(72)	頁 71~72	1991 年 5 月

高中國文資優生甄選記實

1995	李威熊	「夏山」的呼喚	7 卷 6 期	(78)	頁 71~73	1991 年 11 月
1996	盧美貴	打開生動、活潑的學習之門——評論《夏山學校》	7 卷 6 期	(78)	頁 73~75	1991 年 11 月
1997	蔡　紡	一顆會滋長的種子——《夏山學校》讀後感	7 卷 6 期	(78)	頁 76	1991 年 11 月
1998	王更生	常態分班芻議	7 卷 8 期	(80)	頁 87~88	1992 年 1 月
1999	張淑霞	三春有成	8 卷 1 期	(85)	頁 107~111	1992 年 6 月
2000	黃沛榮	《三字經》導讀——獻給孩童的父母	8 卷 2 期	(86)	頁 91~99	1992 年 7 月
2001	王作榮講 蔡孟珍整理	假如我現在是個大學生（王作榮部長與師大國文系新生的一席話）	8 卷 5 期	(89)	頁 4~14	1992 年 10 月
2002	林慶彰	大學教授操賤業	8 卷 7 期	(91)	頁 8~9	1992 年 12 月
2003	傅武光	教育部誤人子弟	8 卷 9 期	(93)	頁 4~6	1993 年 2 月
2004	黃志民	把它廢了	8 卷 9 期	(93)	頁 7~8	1993 年 2 月
2005	王熙元	理想的大學校長	8 卷 11 期	(95)	頁 4~5	1993 年 4 月
2006	楊龍立	通識理念下的高中新課程評析	9 卷 1 期	(97)	頁 6~7	1993 年 6 月
2007	林慶彰	誰願意申請國科會的人文研究計畫？	9 卷 2 期	(98)	頁 4~5	1993 年 7 月
2008	王開府	四書的智慧——孟子論教學	9 卷 3 期	(99)	頁 52~57	1993 年 8 月
2009	何維欽	瑣談培養學生的自學能力	9 卷 3 期	(99)	頁 104~107	1993 年 8 月
2010	李威熊	中（國）文研究生未來何處可用武	9 卷 6 期	(102)	頁 10~12	1993 年 11 月
2011	鹿　玉	斯文淪喪，水準焉能不低落？	9 卷 8 期	(104)	頁 6~7	1994 年 1 月
2012	鍾吉雄	《呂氏春秋》的教育思想	9 卷 8 期	(104)	頁 56~59	1994 年 1 月
2013	鍾吉雄	荀子的教育理論	9 卷 11 期	(107)	頁 9~13	1994 年 4 月
2014	朱榮智	人文教育與國文教學	9 卷 12 期	(108)	頁 80~84	1994 年 5 月
2015	王開府	四書的智慧——《論語》論教育	10 卷 5 期	(113)	頁 60~71	1994 年 10 月
2016	空　空	從國中生常用詞辭彙談起	10 卷 8 期	(116)	頁 51~55	1995 年 1 月
2017	林翠鳳	中國傳統蒙書敘說	11 卷 1 期	(121)	頁 50~55	1995 年 6 月
2018	黃俊傑	為大學教育招魂	11 卷 1 期	(121)	頁 114~115	1995 年 6 月
2019	黃俊傑	大學教育的「資本主義困境」	11 卷 2 期	(122)	頁 10~11	1995 年 7 月
2020	高柏園	論教育改革的全方位性	11 卷 3 期	(123)	頁 6~7	1995 年 8 月
2021	蔡長林採訪 曹美秀整理	訪黃俊傑教授談大學通識教育	11 卷 5 期	(125)	頁 77~81	1995 年 10 月
2022	陳德和	校園倫理的解鈕與重構	11 卷 7 期	(127)	頁 4~5	1995 年 12 月
2023	黃俊傑	當前大學「校園民主」的貧困	11 卷 7 期	(127)	頁 6~7	1995 年 12 月
2024	高大威	一個人文教師的省思	12 卷 1 期	(133)	頁 6~7	1996 年 6 月

2025	衣若芬	考試是一把梯子	12 卷 3 期	(135)	頁 6~7	1996 年 8 月
2026	霍晉明	道德教育何去何從？	12 卷 4 期	(136)	頁 6~7	1996 年 9 月
2027	廖隆盛	清朝太學生簡介	13 卷 3 期	(147)	頁 4~5	1997 年 8 月
2028	王窈賢	教學集錦（十五）：蘇軾兄弟考制科（一）	13 卷 5 期	(149)	頁 116~120	1997 年 10 月
2029	王窈賢	教學集錦（十六）：蘇軾兄弟考制科（二）	13 卷 6 期	(150)	頁 98~104	1997 年 11 月
2030	鮑延毅	引蒙「香草」易為功（下）——寓言與童蒙教育初探	17 卷 1 期	(193)	頁 96~100	2001 年 6 月
2031	林瑞景	教改路上用心走！——國三學生參加全國基本學力測驗的心聲	17 卷 1 期	(193)	頁 102~106	2001 年 6 月
2032	謝春聘	從《莊子‧人間世》談問題學生的管教方式	17 卷 5 期	(197)	頁 98~99	2001 年 10 月
2033	陳　龍	他山之石可以攻錯——試論大陸新聞學教學中的思辨能力培養	17 卷 12 期	(204)	頁 37~42	2002 年 5 月
2034	謝春聘	從渾沌之死談子女的教育方式	18 卷 4 期	(208)	頁 38~40	2002 年 9 月
2035	林淑妙	淺談清代「臥碑」的時代意義	18 卷 9 期	(213)	頁 71~75	2003 年 2 月
2036	盛愛萍	從溫州地名看科舉制度與文化教育	19 卷 11 期	(227)	頁 34~44	2004 年 4 月
2037	林文寶	啟蒙教材與讀經	20 卷 2 期	(230)	頁 4~13	2004 年 7 月
2038	梁敏兒	從三、百、千看中國的蒙學	20 卷 2 期	(230)	頁 14~22	2004 年 7 月
2039	李貴生	傳統家訓與現代兒童教育	20 卷 2 期	(230)	頁 23~32	2004 年 7 月
2040	白雲開	中國傳統蒙學的教學方法初探——以《童蒙急務》為例	20 卷 2 期	(230)	頁 33~44	2004 年 7 月
2041	徐　梓	塾師的社會地位和社會形象	20 卷 3 期	(231)	頁 53~62	2004 年 8 月
2042	李菁菁	古月照今塵：私塾童蒙之書	22 卷 6 期	(258)	頁 62~65	2006 年 11 月
2043	王美宜	從《論語‧侍坐》試探現代師生關係與師生溝通	21 卷 11 期	(251)	頁 10~16	2006 年 4 月
2044	李淑慧	論孔子的人格教育——兼論對現今台灣教育的啟示	21 卷 11 期	(251)	頁 17~24	2006 年 4 月
2045	劉源俊	談《四書》與現代教育	23 卷 10 期	(274)	頁 61~63	2008 年 3 月

6.3 社會

2046	鄭圓鈴	巧言、令色、鮮矣仁	1 卷 9 期	(9)	頁 53	1986 年 2 月
2047	李豐楙	何謂圖騰？	2 卷 4 期	(16)	頁 14	1986 年 9 月
2048	林聰舜	抗戰精神的體現者——游離於體制外，伸張「另一種正義」的游俠	3 卷 12 期	(36)	頁 63~67	1988 年 5 月

2049	莊萬壽	古代知識分子結社的起源	4 卷 5 期	(41)	頁 8	1988 年 10 月
2050	莊萬壽	申張正義批評不義,是中國知識份子的傳統	4 卷 10 期	(46)	頁 10~11	1989 年 3 月
2051	黃翰祥	中國社會與知識份子	4 卷 10 期	(46)	頁 12~15	1989 年 3 月
2052	王文發	兩漢士人對社會的關懷	4 卷 10 期	(46)	頁 16~19	1989 年 3 月
2053	李威熊	絳帳授徒的馬融與鄭公鄉	4 卷 10 期	(46)	頁 20~22	1989 年 3 月
2054	張 英	中國古代的俠	5 卷 12 期	(60)	頁 13~16	1990 年 5 月
2055	莊 練	武林大俠何處尋?	5 卷 12 期	(60)	頁 17~20	1990 年 5 月
2056	陳葆文	一逐孤雲天外去——短篇小說中的女俠形象探討	5 卷 12 期	(60)	頁 21~24	1990 年 5 月
2057	呂正惠	風流仗劍,慷慨賦詩——古典詩詞中的游俠與英雄	5 卷 12 期	(60)	頁 25~27	1990 年 5 月
2058	龔鵬程	美人如玉劍如虹——漫說清末儒俠的俠骨與柔情	5 卷 12 期	(60)	頁 28~31	1990 年 5 月
2059	葉洪生	武林盟主與九大門派——速寫近代武俠小說中之「俠變」	5 卷 12 期	(60)	頁 32~35	1990 年 5 月
2060	田毓英	榮譽、仁義、武士精神——中外俠士精神的真面目	5 卷 12 期	(60)	頁 36~38	1990 年 5 月
2061	莊吉發	從劍俠談起——中國古代名劍面面觀	5 卷 12 期	(60)	頁 39~42	1990 年 5 月
2062	黃宣範	普查四合院——臺灣語言社會學的一些觀察	7 卷 6 期	(78)	頁 16~22	1991 年 11 月
2063	林安梧	多一點公民社會的倫理、少一點宗教的救贖	8 卷 2 期	(86)	頁 10~11	1992 年 7 月
2064	姚榮松	要有民主的前景,先有自尊自重的校園文化	8 卷 8 期	(92)	頁 6~7	1993 年 1 月
2065	李振興	利令智昏	8 卷 12 期	(96)	頁 4~5	1993 年 5 月
2066	楊龍立	包青天正義行為裡的品格因素	9 卷 3 期	(99)	頁 4~5	1993 年 8 月
2067	曹泰山	論信	9 卷 4 期	(100)	頁 4~5	1993 年 9 月
2068	楊龍立	中國社會的髒與亂	9 卷 5 期	(101)	頁 4~5	1993 年 10 月
2069	曹泰山	昂貴的濫情	9 卷 5 期	(101)	頁 6~7	1993 年 10 月
2070	林吳三英	從漢與六朝樂府詩試探當時的社會型態	9 卷 9 期	(105)	頁 62~69	1994 年 2 月
2071	楊龍立	全國ＸＸ會議	10 卷 3 期	(111)	頁 4~5	1994 年 8 月
2072	魯樞元	說（SHUI）魚上樹——精神生態與人類困境	10 卷 3 期	(111)	頁 6~9	1994 年 8 月
2073	郭鶴鳴	我們還能相信誰	11 卷 6 期	(126)	頁 6~8	1995 年 11 月
2074	黃盛雄	克己復禮與逍遙自適	11 卷 11 期	(131)	頁 6~7	1996 年 4 月

2075	周質平	朝夕與千秋	12 卷 3 期	(135)	頁 4~5	1996 年 8 月
2076	葉國良	詩文與禮制（十五）：官員的假期	12 卷 4 期	(136)	頁 22~27	1996 年 9 月
2077	郭　瑩	「光棍」臉譜	17 卷 11 期	(203)	頁 40~43	2002 年 4 月
2078	詹宗祐	從柳宗元的〈捕蛇者說〉談唐代幾個有關蛇的問題	18 卷 2 期	(206)	頁 45~49	2002 年 7 月

6.4 政治

2079	傅武光	職官典	3 卷 7 期	(31)	頁 99~100	1987 年 12 月
2080	余崇生	從雲夢秦簡看秦律	3 卷 9 期	(33)	頁 33~36	1988 年 2 月
2081	陳郁夫	迎接理性時代的來臨	3 卷 10 期	(34)	頁 65~66	1988 年 3 月
2082	瞿海源	校園民主化是政治發展的基礎	3 卷 11 期	(35)	頁 9	1988 年 4 月
2083	傅武光	只聞忠於民，不聞忠於領袖，更不聞忠於黨	3 卷 12 期	(36)	頁 13~14	1988 年 5 月
2084	晚　晴	「誠」纔是最高的政治藝術	4 卷 2 期	(38)	頁 62	1988 年 7 月
2085	范文芳	我也贊成依法嚴辦	4 卷 2 期	(38)	頁 63	1988 年 7 月
2086	王文發	漢代的基層治安人員──亭長	4 卷 5 期	(41)	頁 43~44	1988 年 10 月
2087	廖隆盛	宋代太學生的時代關懷	4 卷 10 期	(46)	頁 23~26	1989 年 3 月
2088	林麗月	「道」「勢」之間──明末東林黨的政治抗爭	4 卷 10 期	(46)	頁 26~30	1989 年 3 月
2089	郭鶴鳴	當今知識份子對社會的關懷──讀《知識份子與中國》有感	4 卷 10 期	(46)	頁 34~37	1989 年 3 月
2090	莊萬壽	社會要有知識份子的聲音，人民要有選擇政府的權力──聲援中國的民主運動	5 卷 2 期	(50)	頁 66~67	1989 年 7 月
2091	傅武光	替老子的政見會助講──《道德經》今解舉隅	5 卷 3 期	(51)	頁 12~14	1989 年 8 月
2092	戴盛虞	從「大同」理想的再現看中華民族政治發展與文化復興的新機運	5 卷 4 期	(52)	頁 36~40	1989 年 9 月
2093	姚喁冰	選舉皇帝？──談「禪讓」及其歷史變幻	5 卷 7 期	(55)	頁 14~17	1989 年 12 月
2094	吳慧蓮	九品官人法──魏晉南北朝時期選用官吏的方式	5 卷 7 期	(55)	頁 18~21	1989 年 12 月
2095	廖隆盛	帝王的牢籠術──我國科舉制度概述	5 卷 7 期	(55)	頁 22~28	1989 年 12 月
2096	劉海峰	身、言、書、判──唐代銓選文官標準述評	5 卷 7 期	(55)	頁 29~31	1989 年 12 月
2097	簡錦松	唐人以詩取士嗎？	5 卷 7 期	(55)	頁 32~35	1989 年 12 月
2098	高　陽	科舉趣事漫談	5 卷 7 期	(55)	頁 36~37	1989 年 12 月

2099	莊 練	號舍風光—— 科舉考試時代的考場生活	5 卷 7 期	(55)	頁 38~42	1989 年 12 月
2100	胡萬川	碰上的秀才——談科舉考試的作弊	5 卷 7 期	(55)	頁 43~47	1989 年 12 月
2101	林麗月	皇帝的接班人—— 談帝制中國的皇位繼承	5 卷 8 期	(56)	頁 16~18	1990 年 1 月
2102	田 夫	繼承得人，天下更新—— 東漢皇帝的登基儀式	5 卷 8 期	(56)	頁 22~23	1990 年 1 月
2103	鮑國順	黃庭堅考二次舉人？	5 卷 10 期	(58)	頁 9~10	1990 年 3 月
2104	簡恩定	再談唐人以詩賦取士嗎？—— 兼論「詩賦」在唐代進士科考中的 地位	5 卷 10 期	(58)	頁 92~94	1990 年 3 月
2105	王保珍	「簽書判官」大還是「法曹」大？	6 卷 2 期	(62)	頁 6~7	1990 年 7 月
2106	黃景進	唐代「水部」所司何事？	6 卷 5 期	(65)	頁 6	1990 年 10 月
2107	莊萬壽	胡適對民主政治的言論與實踐之 重新評價	6 卷 7 期	(67)	頁 44~50	1990 年 12 月
2108	萬麗鵬	胡適與國民政府時期的學生運動	6 卷 7 期	(67)	頁 51~56	1990 年 12 月
2109	顧頡剛撰	清初學者的政治思想	6 卷 8 期	(68)	頁 66~73	1991 年 1 月
2110	林 美	關於胡適先生的政治立場—— 我看《海峽兩岸論胡適專號》	6 卷 10 期	(70)	頁 93	1991 年 3 月
2111	林保淳	歷史上的學運（上）—— 東漢太學生的清議運動	6 卷 12 期	(72)	頁 59~63	1991 年 5 月
2112	林保淳	歷史上的學運（下）—— 滿清末年的「公車上書」	7 卷 1 期	(73)	頁 76~81	1991 年 6 月
2113	戴盛虞	「大同」思想在臺灣	7 卷 2 期	(74)	頁 62~67	1991 年 7 月
2114	陳立夫	如何達到「世界大同」？	7 卷 3 期	(75)	頁 7	1991 年 8 月
2115	黃亦真	一本妙語如珠的口才學—— 淺介《戰國策》書中的語言	7 卷 6 期	(78)	頁 61~64	1991 年 11 月
2116	林劍鳴	商鞅徒木賞金的故事	7 卷 11 期	(83)	頁 70~71	1992 年 4 月
2117	吳奔星	錢玄同恭賀末代皇帝遷升之喜	7 卷 12 期	(84)	頁 66~67	1992 年 5 月
2118	嚴定暹	不廢江河萬古流—— 《貞觀政要》簡介	8 卷 1 期	(85)	頁 103~106	1992 年 6 月
2119	陳明恩	論科舉試詩與唐詩發展的關係—— 一個新的理解角度	9 卷 3 期	(99)	頁 70~77	1993 年 8 月
2120	王開府	四書的智慧——孟子論治道	9 卷 4 期	(100)	頁 8~16	1993 年 9 月
2121	陳啟佑	文學在選舉文宣上的運用	9 卷 12 期	(108)	頁 40~48	1994 年 5 月
2122	王開府	四書的智慧——《論語》論政治	10 卷 6 期	(114)	頁 76~83	1994 年 11 月
2123	馬寶蓮	從〈殺之戰〉略談遊說與諫諍之道	10 卷 8 期	(116)	頁 67~75	1995 年 1 月
2124	簡恩定	為大地留些綠意	11 卷 4 期	(124)	頁 16~17	1995 年 9 月

2125	高大鵬	除舊佈新大和解	11 卷 9 期	(129)	頁 6~7	1996 年 2 月
2126	謝春聘	都是「貪」惹的禍——由「新科」一詞談起	11 卷 9 期	(129)	頁 102~103	1996 年 2 月
2127	簡光明	勸諫的技巧	11 卷 10 期	(130)	頁 88~93	1996 年 3 月
2128	葉國良	詩文與禮制（十一）：官銜淺說	11 卷 11 期	(131)	頁 15~19	1996 年 4 月
2129	傅武光	含苞五千年——傳統政權轉移的思想進路	11 卷 12 期	(132)	頁 11~16	1996 年 5 月
2130	毛文芳	中國政權越俎代庖的合法化——略論魏晉六朝的「勸進」模式	11 卷 12 期	(132)	頁 29~34	1996 年 5 月
2131	朱　鴻	赤裸裸的武力奪國——明代君位繼承制度與「靖難」事件	11 卷 12 期	(132)	頁 48~53	1996 年 5 月
2132	葉國良	詩文與禮制（十二）：官名別稱	12 卷 1 期	(133)	頁 15~19	1996 年 6 月
2133	吳禮權	觸景生情的語言機趣——陶穀與錢俶的外交語言文本解構	12 卷 6 期	(138)	頁 94~97	1996 年 11 月
2134	鍾瓊華	從僕人式領導看晉文公的領袖特質	25 卷 10 期	(298)	頁 41~45	2010 年 3 月

6.5 經濟

2135	莊萬壽	「兩金」價值為何？	5 卷 2 期	(50)	頁 8	1989 年 7 月
2136	成中英主講 許淑美記錄	臺灣經驗與中國管理	5 卷 9 期	(57)	頁 78~81	1990 年 2 月
2137	劉重日	五十金的價值——由〈左忠毅公軼事〉談明代的貨幣制度	6 卷 2 期	(62)	頁 63~65	1990 年 7 月
2138	顏子魁	儒家思想對日本經濟的影響	6 卷 6 期	(66)	頁 70~73	1990 年 11 月
2139	王窈賢	教學集錦（八）：臨安府行用，準參百文省	12 卷 10 期	(142)	頁 94~99	1997 年 3 月
2140	吳國英	功過是非話糧票	13 卷 1 期	(145)	頁 28~33	1997 年 6 月
2141	王岫林	韓非與馬克思經濟思想析論	24 卷 10 期	(286)	頁 38~44	2009 年 3 月

6.6 軍事

2142	陳曉江	田單復國的策略運用	7 卷 12 期	(84)	頁 102~104	1992 年 5 月
2143	徐文助	孫臏兵法述要	15 卷 4 期	(172)	頁 41~46	1999 年 9 月
2144	徐文助	吳起思想探究	15 卷 7 期	(175)	頁 36~39	1999 年 12 月
2145	張娣明	中國古人對「戰爭」之解讀	18 卷 3 期	(207)	頁 87~92	2002 年 8 月
2146	陽平南	《左傳》與兵家兵法	23 卷 6 期	(270)	頁 38~44	2007 年 11 月

6.7 藝術

6.7.1 通論

2147	連文萍採訪	樸素藝術大家談	6 卷 5 期	(65)	頁 10~14	1990 年 10 月
2148	施淑宜翻譯	原始、民俗與現代	6 卷 5 期	(65)	頁 15~18	1990 年 10 月
2149	蘇振明執筆	樸拙之美，雅俗共賞—— 樸素藝術的探源與臺灣素人美術的 省思	6 卷 5 期	(65)	頁 19	1990 年 10 月
2150	蘇振明	樸素藝術釋名	6 卷 5 期	(65)	頁 20~23	1990 年 10 月
2151	蘇振明	樸素藝術的源流與精神	6 卷 5 期	(65)	頁 24~27	1990 年 10 月
2152	蘇振明	國際現代樸素藝術的風潮	6 卷 5 期	(65)	頁 28~30	1990 年 10 月
2153	蘇振明	臺灣的現代樸素藝術	6 卷 5 期	(65)	頁 31~36	1990 年 10 月
2154	蘇振明	海峽兩岸的樸素藝術	6 卷 5 期	(65)	頁 37~38	1990 年 10 月
2155	蘇振明	臺灣樸素藝術的省思	6 卷 5 期	(65)	頁 39~41	1990 年 10 月
2156	許淑美採訪	創東創西真趣味—— 　　走訪頑石老人林淵	6 卷 5 期	(65)	頁 42~45	1990 年 10 月
2157	陳曉怡採訪	我的圖就是我的鄉土—— 　　客家阿婆的臺灣歷史見證	6 卷 5 期	(65)	頁 46~53	1990 年 10 月
2158	陳益源採訪	畫圖唸歌詩——張李富的生活故事	6 卷 5 期	(65)	頁 54~57	1990 年 10 月
2159	盧明瑜採訪	大地情懷—— 　　從蘇楊扼的藝術創作過程談起	6 卷 5 期	(65)	頁 58~61	1990 年 10 月
2160	廖寶秀	品茶藝術與情趣	6 卷 8 期	(68)	頁 48~54	1991 年 1 月
2161	蕭安佐	淺談邢侗的書學審美觀	22 卷 11 期	(263)	頁 33~36	2007 年 4 月
2162	簡文爵等	從吉卜力美術館看宮崎駿的童心世 界（林瑞玉 吳幸娥）	25 卷 8 期	(296)	頁 24~29	2010 年 1 月

6.7.2 音樂

2163	李殿魁	為中國音樂循根	2 卷 12 期	(24)	頁 22~26	1987 年 5 月
2164	編輯部	為您說樂器：鐘	5 卷 9 期	(57)	頁 1	1990 年 2 月
2165	編輯部	為您說樂器：磬	5 卷 10 期	(58)	頁 4	1990 年 3 月
2166	編輯部	為您說樂器：琴	5 卷 12 期	(60)	頁 4	1990 年 5 月
2167	編輯部	為您說樂器：箜篌	6 卷 1 期	(61)	頁 98	1990 年 6 月
2168	編輯部	為您說樂器：排簫	6 卷 2 期	(62)	頁 82	1990 年 7 月
2169	編輯部	為您說樂器：竽	6 卷 3 期	(63)	頁 82	1990 年 8 月
2170	編輯部	為您說樂器：壎	6 卷 4 期	(64)	頁 67	1990 年 9 月
2171	王賽時	唐代的舞馬與舞犀象	8 卷 10 期	(94)	頁 87~90	1993 年 3 月
2172	黃耀堃	楚樂新探	8 卷 12 期	(96)	頁 26~37	1993 年 5 月
2173	潘麗珠	詩歌「吟、唱、誦、讀」的觀念及 要領	9 卷 11 期	(107)	頁 70~75	1994 年 4 月
2174	梁銘越	蔡肇祺的「自通」歌曲與台灣文化	11 卷 3 期	(123)	頁 107~109	1995 年 8 月

營運中心

| 2175 | 楊寶蓮 | 品味民族音樂學堂——
苗栗陳家班北管八音團演奏會 | 23 卷 1 期 | (265) | 頁 39~42 | 2007 年 6 月 |

6.7.3 書畫

2176	顏崑陽	中國文學藝術之「虛」及其與老莊 思想的關係	1 卷 2 期	(2)	頁 83~93	1985 年 7 月
2177	黃宗義	墨跡、法書、碑帖、搨本—— 幾個書法名詞的商榷	1 卷 5 期	(5)	頁 70~73	1985 年 10 月
2178	戴玉記錄	熊秉明談書法、論國文	1 卷 6 期	(6)	頁 16~19	1985 年 11 月
2179	黃斂柔	中國虎的造型	1 卷 8 期	(8)	頁 14~15	1986 年 1 月
2180	溥　心撰文 遲　玉攝影	被人遺忘的小角落—— 您認得幾位大師題字？	2 卷 7 期	(19)	頁 31~38	1986 年 12 月
2181	編輯部	正月月令圖	2 卷 9 期	(21)	頁 5	1987 年 2 月
2182	王熙元	萬里江山	2 卷 9 期	(21)	頁 6	1987 年 2 月
2183	劉兆祐	優雅的語文	2 卷 9 期	(21)	頁 7	1987 年 2 月
2184	黃慶萱	生機與活力	2 卷 9 期	(21)	頁 8	1987 年 2 月
2185	毛子水	保持經典的精潔	2 卷 9 期	(21)	頁 9	1987 年 2 月
2186	張夢機	博愛萬物	2 卷 9 期	(21)	頁 10	1987 年 2 月
2187	潘重規	幽香不斷	2 卷 9 期	(21)	頁 11	1987 年 2 月
2188	高　明	春聯	2 卷 9 期	(21)	頁 12	1987 年 2 月
2189	羅宗濤	春聯	2 卷 9 期	(21)	頁 13	1987 年 2 月
2190	編輯部	十二月令圖：二月	2 卷 10 期	(22)	頁 4	1987 年 3 月
2191	編輯部	十二月令圖：三月	2 卷 11 期	(23)	頁 4	1987 年 4 月
2192	編輯部	十二月令圖：四月	2 卷 12 期	(24)	頁 4	1987 年 5 月
2193	楊振良	「大唐中興頌」的字數	2 卷 12 期	(24)	頁 14	1987 年 5 月
2194	編輯部	十二月令圖：五月	3 卷 1 期	(25)	頁 1	1987 年 6 月
2195	編輯部	十二月令圖：六月	3 卷 2 期	(26)	頁 1	1987 年 7 月
2196	編輯部	十二月令圖：七月	3 卷 3 期	(27)	頁 1	1987 年 8 月
2197	編輯部	十二月令圖：八月	3 卷 4 期	(28)	頁 1	1987 年 9 月
2198	編輯部	十二月令圖：九月	3 卷 5 期	(29)	頁 1	1987 年 10 月
2199	編輯部	十二月令圖：十月	3 卷 6 期	(30)	頁 1	1987 年 11 月
2200	編輯部	十二月令圖：十一月	3 卷 7 期	(31)	頁 1	1987 年 12 月
2201	編輯部	十二月令圖：十二月	3 卷 8 期	(32)	頁 1	1988 年 1 月
2202	編輯部	學人書藝：汪中	3 卷 11 期	(35)	頁 37	1988 年 4 月
2203	編輯部	學人書藝：王仁鈞書法	3 卷 12 期	(36)	頁 42~43	1988 年 5 月

2204	編輯部	學人書藝：曹愉生書法	4 卷 1 期	(37)	頁 44~45	1988 年 6 月
2205	編輯部	學人書藝：陳瑞庚書法	4 卷 4 期	(40)	頁 30~31	1988 年 9 月
2206	楊雅惠	王羲之的心靈世界	4 卷 4 期	(40)	頁 32~33	1988 年 9 月
2207	編輯部	學人學藝：王靜芝書法	4 卷 6 期	(42)	頁 40~41	1988 年 11 月
2208	鄭明娳	溫潤如玉──汪中老師其人其書	4 卷 6 期	(42)	頁 42~43	1988 年 11 月
2209	楊雅惠	內擫與外拓── 兩種筆意的永恆對照	4 卷 6 期	(42)	頁 44~45	1988 年 11 月
2210	編輯部	學人書藝：李猷書法	4 卷 10 期	(46)	頁 84~85	1989 年 3 月
2211	楊雅惠	涉樂方笑，言哀已歎	4 卷 10 期	(46)	頁 86~87	1989 年 3 月
2212	郭鶴鳴	也談杜甫〈丹青引〉之韓幹畫馬	5 卷 1 期	(49)	頁 78~82	1989 年 6 月
2213	楊雅惠	書史中古體與今體間的抉擇	5 卷 2 期	(50)	頁 83~85	1989 年 7 月
2214	編輯部	陳樹衡書藝	5 卷 2 期	(50)	頁 86~87	1989 年 7 月
2215	蔡信發	學人書藝──陳維德的書法	5 卷 7 期	(55)	頁 68~69	1989 年 12 月
2216	李俊輝	書畫皇帝	5 卷 8 期	(56)	頁 47~50	1990 年 1 月
2217	融 武	竹林七賢與〈竹林七賢圖〉	5 卷 10 期	(58)	頁 69~71	1990 年 3 月
2218	劉如仲	明代南京市民的飲食生活── 讀明人繪《南都繁會圖卷》	6 卷 1 期	(61)	頁 100~104	1990 年 6 月
2219	編輯部	清雅秀逸──馬企昕小姐的書畫	6 卷 4 期	(64)	頁 68~69	1990 年 9 月
2220		之一‧插圖	6 卷 6 期	(66)	頁 12~20	1990 年 11 月
2221		之二‧冊頁	6 卷 6 期	(66)	頁 21~36	1990 年 11 月
2222		之三‧連環畫	6 卷 6 期	(66)	頁 37~39	1990 年 11 月
2223	鄭聰明	書法教材須周全── 國中國文第三冊〈學習書法的要點〉 一文質疑	6 卷 6 期	(66)	頁 54~56	1990 年 11 月
2224	連文萍採訪	蔡信發教授談人物畫	7 卷 1 期	(73)	頁 65~68	1991 年 6 月
2225	孫 遜	孫遜教授談詩人畫	7 卷 1 期	(73)	頁 68~69	1991 年 6 月
2226	游國慶	一蓑煙雨任平生── 洪惟助教授人書俱清	7 卷 1 期	(73)	頁 70~71	1991 年 6 月
2227	蔡信發	不是猛龍不過江── 簡介畫家鄭百重先生	7 卷 1 期	(73)	頁 72~73	1991 年 6 月
2228	陳清香	禪文化中的藝術奇葩── 禪餘水墨畫舉隅	7 卷 2 期	(74)	頁 48~53	1991 年 7 月
2229	陳瑞庚	「書法」課程的價值	7 卷 5 期	(77)	頁 7~8	1991 年 10 月
2230	莊伯和口述 林淑芬整理	酒酣之際的墨戲	7 卷 9 期	(81)	頁 30~32	1992 年 2 月
2231	薛平南	書法與酒	7 卷 9 期	(81)	頁 33~37	1992 年 2 月
2232	楊丙玉	一幅珍貴的元代戲曲壁畫	7 卷 9 期	(81)	頁 61~62	1992 年 2 月

2233	衣若芬	從唐人詩畫中馬的意象看盛唐風光	8 卷 3 期	(87)	頁 22~31	1992 年 8 月
2234	趙永康	楊慎題蘇軾〈瀟湘竹石圖卷〉考	8 卷 6 期	(90)	頁 44~49	1992 年 11 月
2235	楊晉軾	漫談館閣體書法	8 卷 6 期	(90)	頁 106~108	1992 年 11 月
2236	杜忠誥	「天下第一行書」—— 王羲之蘭亭敘的書法藝術	8 卷 11 期	(95)	頁 6~11	1993 年 4 月
2237	黃　時	歷史上的二王	8 卷 11 期	(95)	頁 16~19	1993 年 4 月
2238	郭燕橋自撰 編輯部節錄	書畫天地樂無窮——郭燕橋書畫展	10 卷 5 期	(113)	頁 114~118	1994 年 10 月
2239	龔韻蘅	現代詩與現代畫	10 卷 7 期	(115)	頁 64~68	1994 年 12 月
2240	彭元岐	讀者來函	10 卷 8 期	(116)	頁 106	1995 年 1 月
2241	謝春彥	戴敦邦與《紅樓夢群芳圖譜》	10 卷 9 期	(117)	頁 34~35	1995 年 2 月
2242	俞牡丹	〈蘭亭集序〉之奧	10 卷 12 期	(120)	頁 8~11	1995 年 5 月
2243	蔡明富	有「養」書法—— 談書法教育的附加價值	10 卷 12 期	(120)	頁 76~79	1995 年 5 月
2244	胡曉翔	書法藝術的異化	11 卷 2 期	(122)	頁 50~51	1995 年 7 月
2245	郭燕橋	國畫落款小常識	11 卷 4 期	(124)	頁 110	1995 年 9 月
2246	劉　濤	吹墮天花是寫意——蘇軾與書法	11 卷 11 期	(131)	頁 97~101	1996 年 4 月
2247	王窈賢	教學集錦（九）：樗蒲錦背元人畫	12 卷 11 期	(143)	頁 110~115	1997 年 4 月
2248	左秀靈	宋體字	14 卷 9 期	(165)	頁 94	1999 年 2 月
2249	王元軍	六朝書家的題壁之風	16 卷 4 期	(184)	頁 21~24	2000 年 9 月
2250	廖學隆	意造無法的東坡書法—— 由〈石蒼舒醉墨堂〉詩談起	17 卷 8 期	(200)	頁 31~36	2002 年 1 月
2251	徐千嵐	細膩生動的人物畫—— 顧閎中的《韓熙載夜宴圖》	18 卷 5 期	(209)	頁 112	2002 年 10 月
2252	林曉筠	萬戶搗衣聲—— 宋徽宗摹張萱〈搗練圖〉	18 卷 11 期	(215)	頁 106~107	2003 年 4 月
2253	徐千嵐	生日的祝賀——龍舟競渡圖	19 卷 1 期	(217)	頁 92~93	2003 年 6 月
2254	張　平	試論徐渭的遒媚觀	19 卷 10 期	(226)	頁 44~51	2004 年 3 月
2255	陳慧文	一窺書法藝術的堂奧—— 《書論》、《筆勢論》中的書法美 學	19 卷 12 期	(228)	頁 38~43	2004 年 5 月
2256	梁秀中	彩言墨舞‧悠遊天地—— 七十個展自序	20 卷 11 期	(239)	頁 48~49	2005 年 4 月
2257	王振旭	康有為〈尊碑〉思想意涵初探	21 卷 2 期	(242)	頁 52~56	2005 年 7 月
2258	王湘瓊	草書的世界	22 卷 2 期	(254)	頁 47~50	2006 年 7 月
2259	王湘瓊	唐僧與書法	22 卷 4 期	(256)	頁 58~61	2006 年 9 月

2260	蔡明讚	試論臺灣現代書藝的創作內涵	22 卷 6 期	(258)	頁 4~13	2006 年 11 月
2261	朱書萱	晉唐筆法論的演變	22 卷 6 期	(258)	頁 14~20	2006 年 11 月
2262	黃智陽	經典概念與書法未來——以于右任先生之書法成就為觀照	22 卷 6 期	(258)	頁 21~29	2006 年 11 月
2263	李翠瑛	拉麵與細麵——書法線條的質感論	22 卷 6 期	(258)	頁 30~36	2006 年 11 月
2264	陳嘉英	字在自在——帖碑裡的行氣與思想	22 卷 6 期	(258)	頁 106~112	2006 年 11 月
2265	王湘瓊	懷素狂草中的「冷觀人世 悲喜雙遣」	22 卷 8 期	(260)	頁 44~49	2007 年 1 月
2266	徐淑娟	論書藝對俗字成因之影響	24 卷 8 期	(284)	頁 37~41	2009 年 1 月
2267	嚴淑女 陳晉卿	典藏回憶與童真的美術館——岩崎知弘美術館介紹	25 卷 8 期	(296)	頁 17~23	2010 年 1 月

6.7.4 雕塑

2268	黃秋芳	虎年談虎印	1 卷 8 期	(8)	頁 12~13	1986 年 1 月
2269	陳宏勉	印章上的吉祥語	1 卷 9 期	(9)	頁 48	1986 年 2 月
2270	黃秋芳專訪	字寫在泥土上——從王百祿先生的表現方式看陶與文字	1 卷 10 期	(10)	頁 56~57	1986 年 3 月
2271	陳宏勉	喬大壯的印	2 卷 5 期	(17)	頁 71	1986 年 10 月
2272	陳宏勉	王壯為先生的酒印	2 卷 6 期	(18)	頁 51	1986 年 11 月
2273	陳宏勉	曾紹杰其人其印	2 卷 12 期	(24)	頁 56	1987 年 5 月
2274	陳宏勉	厭勝系列——剛卯	3 卷 1 期	(25)	頁 87	1987 年 6 月
2275	陳宏勉	黃神越章——厭勝之二	3 卷 2 期	(26)	頁 49	1987 年 7 月
2276	陳宏勉	鳥蟲印	3 卷 3 期	(27)	頁 66	1987 年 8 月
2277	陳宏勉	傳國璽	3 卷 4 期	(28)	頁 50	1987 年 9 月
2278	陳宏勉	漫談收藏印	3 卷 6 期	(30)	頁 81	1987 年 11 月
2279	徐千嵐	生活藝術之美——瓷枕	18 卷 3 期	(207)	頁 112	2002 年 8 月

6.8 民俗、禮俗

2280	龔顯宗	許地山筆下的台灣風土與人物	3 卷 6 期	(30)	頁 82~86	1987 年 11 月
2281	陳慶煌	迎新春，話對聯	3 卷 9 期	(33)	頁 50~54	1988 年 2 月
2282	王文發	大儺——古代的打鬼逐疫儀式	4 卷 6 期	(42)	頁 47~48	1988 年 11 月
2283	江應龍	談春聯	4 卷 9 期	(45)	頁 13~16	1989 年 2 月
2284	丁 武	燈節話元宵	4 卷 9 期	(45)	頁 17~21	1989 年 2 月
2285	曾子良	談新年歌	4 卷 9 期	(45)	頁 22~25	1989 年 2 月
2286	吳順令	年節的由來與成型	4 卷 9 期	(45)	頁 25~28	1989 年 2 月
2287	劉 渼	魏晉南北朝和隋唐的年俗記要	4 卷 9 期	(45)	頁 28~31	1989 年 2 月
2288	李清筠	宋元明清的年俗采風	4 卷 9 期	(45)	頁 31~34	1989 年 2 月

2289	林保淳	蛇年談蛇在中國的象徵意義	4 卷 9 期	(45)	頁 34~37	1989 年 2 月
2290	林帥月	民俗學導讀── 《中國民俗與民俗學》讀後	4 卷 9 期	(45)	頁 56~58	1989 年 2 月
2291	陳益源	「中國民俗學會」重振旗鼓	5 卷 2 期	(50)	頁 104	1989 年 7 月
2292	潘麗珠	「七夕節」的由來與習俗	5 卷 4 期	(52)	頁 75~77	1989 年 9 月
2293	徐福全	臺灣的婚喪禮俗	5 卷 11 期	(59)	頁 71~77	1990 年 4 月
2294	陳國強	閩臺民俗談	5 卷 11 期	(59)	頁 78~82	1990 年 4 月
2295	林慧真	瓜瓞綿綿──談中國的祈子習俗	6 卷 5 期	(65)	頁 104~107	1990 年 10 月
2296	游勝冠	弄璋弄瓦皆歡喜── 談中國古人的慶生儀式	6 卷 5 期	(65)	頁 108~110	1990 年 10 月
2297	文　聯	周歲抓周卜未來── 漫談舊日的抓周習俗	6 卷 6 期	(66)	頁 96~97	1990 年 11 月
2298	姚漢秋	約定成俗談禮俗	6 卷 6 期	(66)	頁 102~105	1990 年 11 月
2299	盧明瑜	慘無人道話殉葬	6 卷 6 期	(66)	頁 105~107	1990 年 11 月
2300	鹿憶鹿	彼岸的約會── 少數民族的喪葬習俗	6 卷 8 期	(68)	頁 97~99	1991 年 1 月
2301	盧錦堂撰文 顧力仁選輯	年畫──用圖像演出的賀歲戲	6 卷 9 期	(69)	頁 81~84	1991 年 2 月
2302	姚漢秋	「丟丟銅仔」是小賭博	7 卷 2 期	(74)	頁 90~91	1991 年 7 月
2303	莊萬壽	從日本「時代祭」談台灣歷史教育 與民俗慶典的結合	8 卷 8 期	(92)	頁 8~10	1993 年 1 月
2304	葉國良	詩文與禮制（九）：長揖歸田廬	11 卷 9 期	(129)	頁 27~29	1996 年 2 月
2305	葉國良	詩文與禮制（十）── 中國式的握手禮	11 卷 10 期	(130)	頁 26~29	1996 年 3 月
2306	左秀靈	門神	13 卷 1 期	(145)	頁 120	1997 年 6 月
2307	陳益源	為你說民俗（一）：「上大人」的 來歷	13 卷 8 期	(152)	頁 12~14	1998 年 1 月
2308	陳益源	為你說民俗（二）：箱底畫── 惡補用的性教材	13 卷 9 期	(153)	頁 18~20	1998 年 2 月
2309	陳益源	為你說民俗（三）：金門「雞頭魚 尾」禮俗	13 卷 10 期	(154)	頁 22~25	1998 年 3 月
2310	譚達先	論析深入，新穎獨創── 讀陳益源著《民俗文化與民間文學》	13 卷 10 期	(154)	頁 112~117	1998 年 3 月
2311	陳益源	為你說民俗（四）：台灣原住民「不 吃狗肉」的習俗──兼介李福清著 《從神話到鬼話》	13 卷 11 期	(155)	頁 12~15	1998 年 4 月
2312	陳益源	為你說民俗（五）：民雄五穀王廟 的祈子習俗與求雨傳說	13 卷 12 期	(156)	頁 14~17	1998 年 5 月

2313	陳益源	為你說民俗（六）：大廍花鼓凝聚鄉情	14 卷 1 期	(157)	頁 32~35	1998 年 6 月
2314	陳益源	為你說民俗（七）：四川的陽戲	14 卷 2 期	(158)	頁 22~25	1998 年 7 月
2315	陳益源	為你說民俗（八）：妻子匼近況及其龜俗研究	14 卷 3 期	(159)	頁 23~26	1998 年 8 月
2316	陳益源	為你說民俗（十）：檳榔傳情——兼介《越南傳說故事與民俗風情》	14 卷 6 期	(162)	頁 43~46	1998 年 11 月
2317	陳益源	為你說民俗（十二）：「關三姑」的儀式與歌謠	14 卷 8 期	(164)	頁 30~32	1999 年 1 月
2318	陳益源	為你說民俗（十三）：土地公雲嘉傳奇	14 卷 9 期	(165)	頁 37~39	1999 年 2 月
2319	段建民	拜年	14 卷 9 期	(165)	頁 40~41	1999 年 2 月
2320	陳益源	為你說民俗（十四）：越南水木偶的秘密——寫在「一九九九雲林國際偶戲節」之前	14 卷 11 期	(167)	頁 25~27	1999 年 4 月
2321	陳益源	為你說民俗（十五）：台北風水傳說	14 卷 12 期	(168)	頁 25~27	1999 年 5 月
2322	陳益源	為你說民俗（十六）：廣西京族「哈節」民俗采風（上）	15 卷 3 期	(171)	頁 55~57	1999 年 8 月
2323	陳益源	為你說民俗（十七）：廣西京族「哈節」民俗采風（下）	15 卷 4 期	(172)	頁 56~58	1999 年 9 月
2324	陳益源	為你說民俗（十八）：台灣歲時唸謠〈正月正〉——兼介康原《台灣農村一百年》	15 卷 5 期	(173)	頁 30~32	1999 年 10 月
2325	陳益源	為你說民俗（十九）：台灣原住民的地震傳說	15 卷 6 期	(174)	頁 18~21	1999 年 11 月
2326	陳益源	為你說民俗（廿）：台灣三國故事與寺廟彩繪——寫在「三國演義文化藝術展」之前	15 卷 7 期	(175)	頁 54~56	1999 年 12 月
2327	陳益源	為你說民俗（廿一）：萬榮七十二爭笑話	15 卷 9 期	(177)	頁 21~24	2000 年 2 月
2328	陳益源	為你說民俗（廿二）：田裡說春——關於雲林陳錫根講述的葷笑話	15 卷 10 期	(178)	頁 27~30	2000 年 3 月
2329	洪淑苓	七夕——女性的民俗嘉年華	16 卷 3 期	(183)	頁 29~31	2000 年 8 月
2330	洪順隆	六朝詩歌中的七夕民俗意象	16 卷 3 期	(183)	頁 37~42	2000 年 8 月
2331	陳益源	為你說民俗（廿三）：魯凱族的百步蛇崇拜	16 卷 3 期	(183)	頁 55~57	2000 年 8 月
2332	陳益源	為你說民俗（二四）：妻子匼民俗學論著舉隅	16 卷 6 期	(186)	頁 50~52	2000 年 11 月
2333	陳益源	為你說民俗（二五）：台灣「藝閣」春秋	16 卷 9 期	(189)	頁 34~36	2001 年 2 月

2334	許秀美	「桃」的民俗信仰與文化意義	17 卷 3 期	(195) 頁 45~49	2001 年 8 月
2335	陳益源	為你說民俗（二七）：《雲林縣民間文學集》的內容與運用	17 卷 4 期	(196) 頁 34~37	2001 年 9 月
2336	陳益源	為你說民俗（二八）：口湖風情：「牽水（車藏）」與「甩採茶」	17 卷 7 期	(199) 頁 32~34	2001 年 12 月
2337	陳益源	「民俗與環保」專題前言（第四屆國際亞細亞民俗學會論文選刊）	17 卷 9 期	(201) 頁 4	2002 年 2 月
2338	陶立璠	民俗文化保護與民俗學研究——中國城市發展帶來的破壞性建設問題	17 卷 9 期	(201) 頁 5~13	2002 年 2 月
2339	丘桓興	客家民居風水習俗與自然環境	17 卷 9 期	(201) 頁 14~20	2002 年 2 月
2340	渡邊欣雄	溫州的墓地營造和「青山白化」的問題	17 卷 9 期	(201) 頁 20~23	2002 年 2 月
2341	樋口淳	地球環境與民俗故事	17 卷 9 期	(201) 頁 24~28	2002 年 2 月
2342	金善豐	歲時禮俗中的環境觀	17 卷 9 期	(201) 頁 28~35	2002 年 2 月
2343	武光仲	環境保護問題與鄉約	17 卷 9 期	(201) 頁 35~38	2002 年 2 月
2344	吳世旭	諧音與民俗	19 卷 9 期	(225) 頁 39~42	2004 年 2 月
2345	陳瑀軒	從《掃迷帚》論晚清蘇杭「迷信」風俗	20 卷 9 期	(237) 頁 37~45	2005 年 2 月
2346	張窈慈	從台灣鄉土俚諺初探傳統喪葬文化及俗諺特色	21 卷 9 期	(249) 頁 91~97	2006 年 2 月
2347	羅志慧	試論明清女性的妝奩問題	22 卷 8 期	(260) 頁 12~19	2007 年 1 月
2348	邱宜文	霜露風雨，以達天地之氣——試論社祭之原型	22 卷 10 期	(262) 頁 45~54	2007 年 3 月
2349	陳　新	《金瓶梅》歇後語的民俗文化色彩及修辭特徵	23 卷 6 期	(270) 頁 49~55	2007 年 11 月

6.9 文化

2350	黃基正	白道	1 卷 5 期	(5) 頁 65	1985 年 10 月
2351	卜問天	冷眼看「武俠」	1 卷 5 期	(5) 頁 86~87	1985 年 10 月
2352	傅錫壬	老虎與屈原——虎年談虎圖騰的後裔	1 卷 9 期	(9) 頁 14~16	1986 年 2 月
2353	趙鈺環	中國人的幽默感	1 卷 10 期	(10) 頁 31	1986 年 3 月
2354	黃基正	姓氏與舜的祖先	1 卷 10 期	(10) 頁 64~65	1986 年 3 月
2355	羅宗濤	六博、投壺、雙六局	2 卷 2 期	(14) 頁 5~6	1986 年 7 月
2356	朱銘源	為《中國圍棋》解惑	2 卷 2 期	(14) 頁 69	1986 年 7 月
2357	高寶琳	什麼是功夫茶？	2 卷 3 期	(15) 頁 69	1986 年 8 月
2358	葉　繁	桌上「燒尾」席前涎——	3 卷 8 期	(32) 頁 78~80	1988 年 1 月

唐人的食譜

2359	楊振良	龍年話龍──龍蟠虎踞帝王州	3 卷 9 期	(33)	頁 56~57	1988 年 2 月
2360	黃忠天	校園流行詞彙探究（上）	3 卷 11 期	(35)	頁 60~62	1988 年 4 月
2361	黃忠天	校園流行詞彙探究（下）	3 卷 12 期	(36)	頁 94~97	1988 年 5 月
2362	林聰舜	商襲夏禮的損益	4 卷 5 期	(41)	頁 6~7	1988 年 10 月
2363	劉正浩	姓氏的來源和區分	4 卷 6 期	(42)	頁 8	1988 年 11 月
2364	李清筠記錄	「河殤的衝擊與省思」座談會	4 卷 8 期	(44)	頁 10~21	1989 年 1 月
2365	傅武光採訪 劉 漢記錄	訪牟宗三先生談「河殤」	4 卷 8 期	(44)	頁 21~24	1989 年 1 月
2366	王家儉	從歷史看「河殤」	4 卷 8 期	(44)	頁 24~26	1989 年 1 月
2367	瞿海源	「河殤」的悲劇性格與改革的困境	4 卷 8 期	(44)	頁 27~28	1989 年 1 月
2368	張鎮邦	「河殤」的爭議	4 卷 8 期	(44)	頁 28~32	1989 年 1 月
2369	楊仲揆	日本儒學與日本現代化	4 卷 8 期	(44)	頁 32~37	1989 年 1 月
2370	編輯部	「河殤」在臺日誌	4 卷 8 期	(44)	頁 38~41	1989 年 1 月
2371	劉正浩	古代女子之命名	4 卷 10 期	(46)	頁 6~7	1989 年 3 月
2372	戴盛虞	從「大同」理想的再現看中華民族政治發展與文化復興的新機運	5 卷 4 期	(52)	頁 36~40	1989 年 9 月
2373	麥穗歧	「端陽」與「冬至」	5 卷 5 期	(53)	頁 86~87	1989 年 10 月
2374	孫秀玲	「七先生」是否姓「七」？	5 卷 6 期	(54)	頁 9	1989 年 11 月
2375	莊 練	號舍風光──科舉考試時代的考場生活	5 卷 7 期	(55)	頁 38~42	1989 年 12 月
2376	胡萬川	碰上的秀才──談科舉考試的作弊	5 卷 7 期	(55)	頁 43~47	1989 年 12 月
2377	楊元忠	農曆──陰曆正名	5 卷 7 期	(55)	頁 81~84	1989 年 12 月
2378	李甲孚	皇帝的結婚典禮	5 卷 8 期	(56)	頁 24~27	1990 年 1 月
2379	李甲孚	蘭殿千秋節，稱名萬壽觴──皇帝萬壽的故事	5 卷 8 期	(56)	頁 28~32	1990 年 1 月
2380	莊吉發	一人有慶，兆民賴之──滿清皇帝過新年	5 卷 8 期	(56)	頁 34~37	1990 年 1 月
2381	朱仲玉	中國古代皇帝有多少稱謂	5 卷 8 期	(56)	頁 82~85	1990 年 1 月
2382	楊旻瑋	臺北孔廟的建築與祭孔大典	5 卷 11 期	(59)	頁 126~127	1990 年 4 月
2383	柯 楊	洮岷「花兒」與農家生活	5 卷 12 期	(60)	頁 75~78	1990 年 5 月
2384	王熙元	將軍與僕人	6 卷 1 期	(61)	頁 94~95	1990 年 6 月
2385	劉如仲	明代南京市民的飲食生活──讀明人繪《南都繁會圖卷》	6 卷 1 期	(61)	頁 100~104	1990 年 6 月
2386	劉如仲	和古人共飲──由《南都繁會圖卷》談明代南京市民的飲酒風尚	6 卷 2 期	(62)	頁 92~96	1990 年 7 月

2387	劉兆祐	周公叫「姬旦」？還是「周旦」？ ——談中國古代的姓氏	6卷2期	(62)	頁98~100	1990年7月
2388	趙瑞民	請問芳名—— 談中國女性名字的特徵	6卷2期	(62)	頁101~104	1990年7月
2389	陳文華	名、字、號中藏玄機—— 古人名、字、號如何分別	6卷2期	(62)	頁104~106	1990年7月
2390	李威熊	皇帝老爺的稱號	6卷2期	(62)	頁107~110	1990年7月
2391	蔡希芹	愛人同志？——古代夫妻間的稱謂	6卷2期	(62)	頁110~111	1990年7月
2392	林麗月	中正路、中山路，古代皇帝的名字可以當路名嗎？——談傳統中國的避諱	6卷3期	(63)	頁96~99	1990年8月
2393	楊振良	鵬程萬里，定國安邦—— 中國人的命名哲學	6卷3期	(63)	頁102~104	1990年8月
2394	蕭遙天	僻、怪、惡、醜—— 古代命名中的一些特例	6卷4期	(64)	頁96~98	1990年9月
2395	李豐楙	綽號、渾號、號	6卷4期	(64)	頁98~101	1990年9月
2396	李殿魁	牙牌酒令	6卷6期	(66)	頁80~84	1990年11月
2397	曾昭旭口述 陳曉怡採訪	我的飲茶經驗—— 淺酌淡飲一杯茶	6卷8期	(68)	頁10~11	1991年1月
2398	蔡榮章口述 朱雲艷採訪	茶緣	6卷8期	(68)	頁11~12	1991年1月
2399	羅　蘭	香片與我	6卷8期	(68)	頁13~15	1991年1月
2400	袁行霈	茶趣	6卷8期	(68)	頁15~16	1991年1月
2401	章培恒	茶餘雜談	6卷8期	(68)	頁16~17	1991年1月
2402	張宏庸	中國的文人茶	6卷8期	(68)	頁18~22	1991年1月
2403	張宏庸	中國文人品茶	6卷8期	(68)	頁27~31	1991年1月
2404	安平秋	文人與茶	6卷8期	(68)	頁23~26	1991年1月
2405	叢中笑	摩挲寶愛，不啻掌珠—— 漫談文人賞壺	6卷8期	(68)	頁32~36	1991年1月
2406	大　愚	儒家茶文化	6卷8期	(68)	頁37~41	1991年1月
2407	王邦雄	道家思想與茶道境界	6卷8期	(68)	頁42~43	1991年1月
2408	劉玉才	茶禪一味——淺談茶與佛教	6卷8期	(68)	頁44~47	1991年1月
2409	廖寶秀	品茶藝術與情趣	6卷8期	(68)	頁48~54	1991年1月
2410	宋兆麟	什麼是「圖騰」	6卷8期	(68)	頁100~102	1991年1月
2411	姚漢秋	武夷茶成貢品馳名天下	6卷11期	(71)	頁94~95	1991年4月
2412	周　何	廟號與諡號	7卷2期	(74)	頁8~9	1991年7月
2413	曾永義	忽與一觴酒，日夕歡相持——	7卷8期	(80)	頁17~22	1992年1月

漫談古人飲酒的觀念和習俗

2414	編輯部	奇酒共品嘗	7 卷 8 期	(80)	頁 22~23	1992 年 1 月
2415	章景明	臺灣原住民的嚼酒文化	7 卷 8 期	(80)	頁 27~30	1992 年 1 月
2416	曾永義	飛揚跋扈酒杯中	7 卷 8 期	(80)	頁 31~34	1992 年 1 月
2417	王淑蘭	為什麼是桃花	7 卷 8 期	(80)	頁 94~96	1992 年 1 月
2418	劉兆祐	中國古代的「避君諱」	7 卷 9 期	(81)	頁 8~9	1992 年 2 月
2419	李豐楙	嘯歌、彈琴與酒	7 卷 9 期	(81)	頁 15~17	1992 年 2 月
2420	何寄澎	將進酒，君莫停——唐人的飲酒氣氛	7 卷 9 期	(81)	頁 18~20	1992 年 2 月
2421	編輯部	「相撲」起源於中國	7 卷 12 期	(84)	頁 6~7	1992 年 5 月
2422	劉如仲	明代南京市民的飲茶習俗——讀明人繪《南都繁會圖卷》	7 卷 12 期	(84)	頁 62~65	1992 年 5 月
2423	王熙元	以活水注入文化內涵	8 卷 2 期	(86)	頁 8~9	1992 年 7 月
2424	衣若芬	從唐人詩畫中馬的意象看盛唐風光	8 卷 3 期	(87)	頁 22~31	1992 年 8 月
2425	趙　宏	中國猴文化與瓷器中的猴	8 卷 3 期	(87)	頁 32~36	1992 年 8 月
2426	袁　武	說鳳談凰	8 卷 5 期	(89)	頁 83~85	1992 年 10 月
2427	儲海雲	由老舍《茶館》看茶的文化人生	8 卷 9 期	(93)	頁 9~11	1993 年 2 月
2428		茶館溯古	8 卷 9 期	(93)	頁 12~15	1993 年 2 月
2429		龔于堯的茶人、茶興與茶味	8 卷 9 期	(93)	頁 16~18	1993 年 2 月
2430	儲海雲	茶茶之辨	8 卷 9 期	(93)	頁 22~28	1993 年 2 月
2431		茶的古往今來文明史脈	8 卷 9 期	(93)	頁 29~31	1993 年 2 月
2432	傅鐵虹	文化視野：《茶經》中道家美學思想及影響初探	8 卷 9 期	(93)	頁 32~43	1993 年 2 月
2433	程啟坤 姚國坤	從傳統飲茶風俗談中國茶德	8 卷 9 期	(93)	頁 44~48	1993 年 2 月
2434	谷　昆	茶與祭祀	8 卷 9 期	(93)	頁 49~51	1993 年 2 月
2435	陳佩芳	用茶摻食話古今	8 卷 9 期	(93)	頁 52~55	1993 年 2 月
2436	儲海雲	木柵張丁頂與正欉鐵觀音	8 卷 9 期	(93)	頁 56	1993 年 2 月
2437		珍藏普洱，謹防離婚	8 卷 9 期	(93)	頁 57	1993 年 2 月
2438		茶是氣焙火是流	8 卷 9 期	(93)	頁 58~59	1993 年 2 月
2439		茶人之趣：李黨的茶藝生態	8 卷 9 期	(93)	頁 60~61	1993 年 2 月
2440	李銘宗	翰墨風流話「脩禊」	8 卷 11 期	(95)	頁 12~15	1993 年 4 月
2441	楊龍立	包青天連續劇透露的文化特質	9 卷 2 期	(98)	頁 6~7	1993 年 7 月
2442	楊龍立	犀牛角的使用與傳統觀點的尊重	9 卷 6 期	(102)	頁 6~7	1993 年 11 月
2443	戴璉璋	孔子思想與當前中國社會的人文建設	9 卷 6 期	(102)	頁 30~39	1993 年 11 月
2444	陳麗桂	古意柬帖——十二版帖	9 卷 6 期	(102)	頁 64~65	1993 年 11 月

2445	蔡根祥	談「平成」	10 卷 4 期	(112)	頁 22~25	1994 年 9 月
2446	周簡段	大陸飲食業店名趣談	10 卷 4 期	(112)	頁 26~27	1994 年 9 月
2447	葉國良	詩文與禮制（二）：唐宋人如何喝茶	11 卷 2 期	(122)	頁 28~32	1995 年 7 月
2448	葉國良	詩文與禮制（三）：中國式的生魚片——膾	11 卷 3 期	(123)	頁 65~69	1995 年 8 月
2449	蔡長林採訪 曹美秀整理	訪陳其南談文化建設	11 卷 3 期	(123)	頁 115~119	1995 年 8 月
2450	吳國英	吃茶粥	11 卷 5 期	(125)	頁 106~109	1995 年 10 月
2451	易俊傑	漫說筷子文化	11 卷 7 期	(127)	頁 96~101	1995 年 12 月
2452	葉海煙	是找「人」的時候了	11 卷 12 期	(132)	頁 4~5	1996 年 5 月
2453	簡恩定	直率與含蓄	11 卷 12 期	(132)	頁 6~7	1996 年 5 月
2454	張崇琛	古酒為何多名「春」	12 卷 4 期	(136)	頁 88~90	1996 年 9 月
2455	王孟亮	猶太觀點的「師說」	12 卷 5 期	(137)	頁 100~102	1996 年 10 月
2456	吳國英	天子吃狗肉及其他	13 卷 4 期	(148)	頁 74~77	1997 年 9 月
2457	吳立甫	中國最早的春聯——桃符	13 卷 9 期	(153)	頁 24~25	1998 年 2 月
2458	凌鼎年	「死」字趣談	13 卷 10 期	(154)	頁 19~21	1998 年 3 月
2459	張心怡	書中日月長——古人如何記月記日	13 卷 10 期	(154)	頁 26~29	1998 年 3 月
2460	張茂榮	蒲松齡的四方印章	13 卷 11 期	(155)	頁 20~22	1998 年 4 月
2461	陳益源	為你說民俗（九）：大觀園裏的飲食男女——寫在「紅樓夢文化藝術展」之前	14 卷 4 期	(160)	頁 60~63	1998 年 9 月
2462	陳益源	為你說民俗（十一）：民俗美食與小說——從「射雕英雄宴」講起	14 卷 7 期	(163)	頁 39~41	1998 年 12 月
2463	鍾　鍾	說書和施耐庵的水滸傳	14 卷 10 期	(166)	頁 54~57	1999 年 3 月
2464	何曉名	室名與堂名	14 卷 11 期	(167)	頁 74~76	1999 年 4 月
2465	陳佩筠	重現往日風華——記中華美食展中的「金瓶梅宴」	15 卷 4 期	(172)	頁 106~108	1999 年 9 月
2466	宋滌姬	文化省思	15 卷 6 期	(174)	頁 111~112	1999 年 11 月
2467	劉君燦	閒話數量化	15 卷 9 期	(177)	頁 42	2000 年 2 月
2468	朱榮智	苦僧與佛珠	15 卷 11 期	(179)	頁 46~47	2000 年 4 月
2469	顧關元	漫話古代的祭文	15 卷 12 期	(180)	頁 44~45	2000 年 5 月
2470	陳麗桂	楚越出土文物與漢代南方文明——寫在「漢代文物展」之後	16 卷 1 期	(181)	頁 30~35	2000 年 6 月
2471	朱榮智	地藏菩薩的夢	16 卷 2 期	(182)	頁 15~16	2000 年 7 月
2472	左秀靈	詞語探源：名片	16 卷 3 期	(183)	頁 76	2000 年 8 月
2473	朱榮智	嘿！嘿！彌勒佛	16 卷 5 期	(185)	頁 57~58	2000 年 10 月

2474	劉君燦	天干與地支	16 卷 9 期	(189)	頁 37~39	2001 年 2 月
2475	甘訓賓	壺裡乾坤──讀《茶藝學》的心得	16 卷 9 期	(189)	頁 43~45	2001 年 2 月
2476	陳益源	為你說民俗（二六）：地方傳說與歷史記憶、民俗風情──《台中縣地方傳說讀本》導論	16 卷 12 期	(192)	頁 40~43	2001 年 5 月
2477	許秀美	「桃」的民俗信仰與文化意義	17 卷 3 期	(195)	頁 45~49	2001 年 8 月
2478	邱素雲	深爐敲火炙新茶──從唐宋茶聯談飲茶文化	17 卷 5 期	(197)	頁 31~35	2001 年 10 月
2479	顧關元	京都 京師 京畿	18 卷 2 期	(206)	頁 89~90	2002 年 7 月
2480	謝明輝	姓名學與儒家精神	18 卷 8 期	(212)	頁 47~50	2003 年 1 月
2481	鮑延毅	采擷「無字書」二則	18 卷 9 期	(213)	頁 76~78	2003 年 2 月
2482	王希杰	就左和右說語言和文化關係的複雜性（上）	18 卷 11 期	(215)	頁 39~40	2003 年 4 月
2483	王希杰	就左和右說語言和文化關係的複雜性（下）	18 卷 12 期	(216)	頁 38~43	2003 年 5 月
2484	顧關元	寺廟辨異考	19 卷 1 期	(217)	頁 37~38	2003 年 6 月
2485	顧關元	閒話《百家姓》	19 卷 2 期	(218)	頁 41~42	2003 年 7 月
2486	倪正芳	一群「衣冠禽獸」──動物擬人化別稱漫談	19 卷 2 期	(218)	頁 94~96	2003 年 7 月
2487	曲彥斌	名字的質量──人名感言三題	19 卷 6 期	(222)	頁 37~39	2003 年 11 月
2488	潘洪鋼	雍正蛋民陸居令	20 卷 2 期	(230)	頁 50~55	2004 年 7 月
2489	李玄玉	漢、韓民族的得體性與文化背景研究	20 卷 5 期	(233)	頁 40~47	2004 年 10 月
2490	龔嘉鎮	華夏民族的姓氏及其文化影響	20 卷 7 期	(235)	頁 29~40	2004 年 12 月
2491	陳正平	唐代的舞獅遊藝	20 卷 11 期	(239)	頁 50~55	2005 年 4 月
2492	王邇敦	中國古代的博彩文化──「六博」、「麻將」和「白鴿票」	21 卷 5 期	(245)	頁 53~55	2005 年 10 月
2493	黃玉青	淺談金門的辟邪文化──以風獅爺為例	21 卷 11 期	(251)	頁 38~43	2006 年 4 月
2494	陳冠甫	媽祖信仰與廟聯文化之研究──天上聖母成道一千晉二十周年紀念	22 卷 4 期	(256)	頁 36~41	2006 年 9 月
2495	張高評	命名取號之策略	22 卷 7 期	(259)	頁 33~47	2006 年 12 月
2496	陳正平	唐代的蹋毬游藝	22 卷 8 期	(260)	頁 35~37	2007 年 1 月
2497	張 彤	如何貼春聯	22 卷 9 期	(261)	頁 52~54	2007 年 2 月
2498	嚴光平	華夏酒文化遞嬗	23 卷 2 期	(266)	頁 53~57	2007 年 7 月
2499	陳茂仁	由二十四節氣看四季的月份	23 卷 2 期	(266)	頁 58~61	2007 年 7 月
2500	劉 方	漢語方位詞文化內涵說略	24 卷 6 期	(282)	頁 83~86	2008 年 11 月
2501	尹代秀	千奇百怪的菜名	24 卷 8 期	(284)	頁 42~44	2009 年 1 月

7 史地類

7.1 歷史

7.1.1 中國

7.1.1.1 通論

2506	傅武光	職官典	3 卷 4 期	(28)	頁 98~99	1987 年 9 月
2507	傅武光旁白 蔡素芬語譯	宰相須用讀書人	3 卷 5 期	(29)	頁 20	1987 年 10 月
2508	傅武光	職官典	3 卷 5 期	(29)	頁 100~102	1987 年 10 月
2509	傅武光	職官典	3 卷 6 期	(30)	頁 99~101	1987 年 11 月
2510	張曉生	近代知識分子考察西方的歷史—— 鍾叔河的《走向世界》	4 卷 1 期	(37)	頁 86~88	1988 年 6 月
2511	吳福助	《戰國秦漢史論文索引》簡介	4 卷 3 期	(39)	頁 90~91	1988 年 8 月
2512	江國貞	兵家之仙韓信——他真的謀反了嗎？	4 卷 7 期	(43)	頁 51~57	1988 年 12 月
2513	王俊嶸	夫差並非闔廬之子	5 卷 2 期	(50)	頁 70~73	1989 年 7 月
2514	陳文豪	大陸研究秦漢史的論文集	5 卷 3 期	(51)	頁 94~97	1989 年 8 月
2515	劉兆祐	是「兵書」？還是「素書」？	5 卷 5 期	(53)	頁 7	1989 年 10 月
2516	莊 練	從「狸貓換太子」說起—— 漫談古代皇子的誕生	5 卷 8 期	(56)	頁 12~15	1990 年 1 月
2517	游勝冠	女色・征伐・財寶—— 漫談皇帝的「最愛」	5 卷 8 期	(56)	頁 38~39	1990 年 1 月
2518	蔡君逸	願生生世世・無復生帝王家—— 末代皇帝的悲慘境遇	5 卷 8 期	(56)	頁 51~55	1990 年 1 月
2519	林覺中	詩人筆下的歷史	5 卷 10 期	(58)	頁 86~88	1990 年 3 月
2520	謝明勳	疽發背死？—— 歷史上幾位重臣的死因探索	5 卷 12 期	(60)	頁 43~46	1990 年 5 月
2521	常正光	徐中舒與傳統史學的發展	6 卷 3 期	(63)	頁 56~61	1990 年 8 月
2522	莊萬壽	三千宮女胭脂面，幾個春來無淚痕 ——帝王宮闈多妻制的批判	6 卷 9 期	(69)	頁 10~14	1991 年 2 月
2523	莊吉發	一朝選在君王側，從此宮闈繫君德 ——介紹清代皇后的冊立制度	6 卷 9 期	(69)	頁 15~20	1991 年 2 月
2524	李甲孚	皇后如何母儀天下？	6 卷 9 期	(69)	頁 21~24	1991 年 2 月
2525	蔡學海	國史上的外戚	6 卷 9 期	(69)	頁 25~30	1991 年 2 月
2526	莊 練	嫉妒是女人的天性？—— 善妒皇后的心路歷程	6 卷 9 期	(69)	頁 31~36	1991 年 2 月
2527	李威熊	文史家風千古揚——	6 卷 12 期	(72)	頁 11~15	1991 年 5 月

　　　　　　　　班固、班昭兄妹的文才與史才

2528	許政雄採訪 許淑美整理	勇於向自己挑戰的開拓者—— 叩訪夏東元教授談近代史的研究	7 卷 12 期 (84) 頁 33~36	1992 年 5 月
2529	胡昌明	「高陽」、「太平」不是公主的名字	12 卷 3 期 (135) 頁 78~79	1996 年 8 月
2530	張維用	「武帝使人入海市璧琉璃」考	13 卷 11 期 (155) 頁 16~19	1998 年 4 月
2531	廖隆盛	源遠流長的大河—— 中國史學的發展與特色	14 卷 5 期 (161) 頁 17~22	1998 年 10 月
2532	冰花樓主	史學的另類園地——方志	14 卷 12 期 (168) 頁 16~18	1999 年 5 月
2533	黃意明	在傳奇與現實之間—— 重讀《史記‧李將軍列傳》	21 卷 9 期 (249) 頁 46~49	2006 年 2 月
2534	洪楷萱	二十世紀後半中國古史文獻的總彙 ——《古史考》簡介	22 卷 3 期 (255) 頁 90~93	2006 年 8 月
2535	鄭淑君	希見明、清史料之重刊—— 《明清史料叢書八種》簡介	22 卷 4 期 (256) 頁 95~98	2006 年 9 月
2536	蔡淑錚	中國史傳中的女性出生異象探析	22 卷 6 期 (258) 頁 66~71	2006 年 11 月
2537	許慧淳	史料考證的里程碑—— 《歷史文獻》評介	23 卷 8 期 (272) 頁 88~91	2008 年 1 月
2538	亓允文	史傳中憑空消失的家族——亓官氏	23 卷 11 期 (275) 頁 37~45	2008 年 4 月
2539	鄒琬琳	《中國歷史學年鑑》述評	25 卷 3 期 (291) 頁 27~33	2009 年 8 月

7.1.1.2　通史

2540	李明德	走在地雷上—— 評《柏楊版資治通鑑》	1 卷 12 期 (12) 頁 40~43	1986 年 5 月
2541	劉兆祐	彙集善本的《百衲本二十四史》	2 卷 5 期 (17) 頁 62~65	1986 年 10 月
2542	林聰舜	虛矯的豪傑與怙勢凌人的權臣—— 魏其武安兩外戚	2 卷 9 期 (21) 頁 44~49	1987 年 2 月
2543	林聰舜	恩恩相報的溫馨世界—— 信陵君和他的門下客	2 卷 10 期 (22) 頁 48~51	1987 年 3 月
2544	林聰舜	伯夷叔齊怨邪非邪？—— 天道的破產與正義法則的追尋	2 卷 11 期 (23) 頁 80~83	1987 年 4 月
2545	林聰舜	布衣鄉相背後的辛酸—— 游士范睢的悲劇	3 卷 1 期 (25) 頁 74~79	1987 年 6 月
2546	蔡信發	景帝是個好皇帝嗎？—— 從史記論景帝之為人	3 卷 2 期 (26) 頁 50~52	1987 年 7 月
2547	顏天佑	生命的輝映——司馬遷和孔子	3 卷 4 期 (28) 頁 29~31	1987 年 9 月
2548	林聰舜	酷吏群相—— 「緣飾以儒術」的真相	3 卷 4 期 (28) 頁 81~85	1987 年 9 月
2549	蔡信發	晉太子「申生」為何不能繼立為君？	4 卷 2 期 (38) 頁 8	1988 年 7 月

2550	顏天佑	有關《史記·孔子世家》的一些問題——答讀者魏華東問	5 卷 4 期	(52)	頁 61~63	1989 年 9 月
2551	陳文豪	研究司馬遷與《史記》的幾本著作	5 卷 10 期	(58)	頁 100~103	1990 年 3 月
2552	蔡信發	史記合傳析論	8 卷 2 期	(86)	頁 56~60	1992 年 7 月
2553	伏俊連	沉重苦澀的人生之旅——讀《史記·蕭何、曹參·萬石君傳》	8 卷 5 期	(89)	頁 45~49	1992 年 10 月
2554	葉國良	詩文與禮制（七）：鴻門宴的坐次	11 卷 7 期	(127)	頁 32~37	1995 年 12 月
2555	李 栖	《史記·滑稽列傳》的寫作手法	12 卷 9 期	(141)	頁 108~113	1997 年 2 月
2556	黃坤堯	讀淮陰侯烈傳	15 卷 1 期	(169)	頁 72~76	1999 年 6 月
2557	柯萬成	司馬遷與《史記》	15 卷 4 期	(172)	頁 47~50	1999 年 9 月
2558	汪少華	與余英時先生論鴻門宴坐次尊卑	17 卷 12 期	(204)	頁 43~46	2002 年 5 月
2559	黃志傑	《史記·滑稽列傳》析探（上）	18 卷 1 期	(205)	頁 87~91	2002 年 6 月
2560	黃志傑	《史記·滑稽列傳》析探（下）	18 卷 2 期	(206)	頁 91~95	2002 年 7 月
2561	蘇子敬	伯夷列傳析詮（上）	20 卷 12 期	(240)	頁 34~39	2005 年 5 月
2562	蘇子敬	伯夷列傳析詮（下）	21 卷 1 期	(241)	頁 44~49	2005 年 6 月
2563	葉政欣	談《史記》「鴻門宴」——並澄清幾項誤解	21 卷 9 期	(249)	頁 32~38	2006 年 2 月
2564	陳水福	史記研究成果的總匯——《史記研究集成》簡介	22 卷 5 期	(257)	頁 94~97	2006 年 10 月
2565	王桂蘭	漢籍電子文獻「二十五史資料庫」評介	23 卷 2 期	(266)	頁 16~21	2007 年 7 月
2566	譚潤生	《史記·呂不韋列傳》探索	23 卷 12 期	(276)	頁 42~46	2008 年 5 月

7.1.1.3 斷代史

2567	李威熊	漢書	2 卷 8 期	(20)	頁 19	1987 年 1 月
2568	孟繁舉	蒙古郝經使宋始末	5 卷 6 期	(54)	頁 48~51	1989 年 11 月
2569	趙赫炎	拐子馬的發明與破解	5 卷 8 期	(56)	頁 81	1990 年 1 月
2570	莊吉發	清代的史書《聖武記》	7 卷 7 期	(79)	頁 8~9	1991 年 12 月
2571	黃文吉	曹操殺楊修，如何處理善後？	7 卷 10 期	(82)	頁 54~58	1992 年 3 月
2572	劉志清	〈蘇武傳〉裡的和親——王昭君其人與其事	12 卷 3 期	(135)	頁 51~53	1996 年 8 月
2573	張力中	淺談《三國演義》〈空城計〉、〈草船借箭〉之相關史實	13 卷 2 期	(146)	頁 114~116	1997 年 7 月
2574	黃春貴	〈新五代史伶官傳序〉賞析（上）	14 卷 8 期	(164)	頁 104~109	1999 年 1 月
2575	黃春貴	〈新五代史伶官傳序〉賞析（下）	14 卷 9 期	(165)	頁 107~112	1999 年 2 月
2576	蔡信發	《春秋》是斷代史之祖嗎？	14 卷 11 期	(167)	頁 94	1999 年 4 月

2577	陳文華	「左拾遺」還是「右拾遺」？	15 卷 7 期	(175)	頁 67	1999 年 12 月
2578	魏子雲	《三國志》正史說	19 卷 4 期	(220)	頁 63~66	2003 年 9 月
2579	黃文榮	三國版本知多少	20 卷 5 期	(233)	頁 48~50	2004 年 10 月
2580	潘洪鋼	說「崇禎五十相」	21 卷 1 期	(241)	頁 36~38	2005 年 6 月
2581	蔡翔宇	蒼竹一竿風雨，長管直寫青史——淺介《中華人民共和國日史》	22 卷 7 期	(259)	頁 98~101	2006 年 12 月
2582	陳水福	《1945～2005 年臺灣地區清史論著目錄》簡介	23 卷 7 期	(271)	頁 100~103	2007 年 12 月

7.1.2　臺灣

2583	陳國強	「臺灣」名稱的由來	5 卷 11 期	(59)	頁 6~7	1990 年 4 月
2584	臧振華	考古出土的臺灣古史	5 卷 11 期	(59)	頁 8~11	1990 年 4 月
2585	孔　立	臺灣開發者的歷史足迹	5 卷 11 期	(59)	頁 12~16	1990 年 4 月
2586	張崇根	孫吳對臺灣的經營	5 卷 11 期	(59)	頁 17~20	1990 年 4 月
2587	鄧衍原	清代臺灣的移民高潮	5 卷 11 期	(59)	頁 21~24	1990 年 4 月
2588	連文萍	臺灣大事略表	5 卷 11 期	(59)	頁 25~27	1990 年 4 月
2589	施聯朱	中華民族在臺灣的抗侵禦侮史	5 卷 11 期	(59)	頁 28~31	1990 年 4 月
2590	許良國	《馬關條約》與臺灣民眾的抗日戰爭	5 卷 11 期	(59)	頁 32~36	1990 年 4 月
2591	陳三井	赤手擎天，柱撐半壁河山——淺談臺灣對鄭成功的看法和評價	5 卷 11 期	(59)	頁 40~44	1990 年 4 月
2592	實　之	臺灣十八世紀的林爽文起義	5 卷 11 期	(59)	頁 49~51	1990 年 4 月
2593	許木柱 詹琪芬	浪漫的蠻荒探險者——臺灣的民族學研究	5 卷 11 期	(59)	頁 59~61	1990 年 4 月
2594	宇　曉	四十年來中國大陸的臺灣民族學研究	5 卷 11 期	(59)	頁 62~64	1990 年 4 月
2595	石　磊	臺灣土著民族	5 卷 11 期	(59)	頁 65~70	1990 年 4 月
2596	林衡道口述 許淑美記錄	淺談臺灣書院的發展	5 卷 11 期	(59)	頁 83~86	1990 年 4 月
2597	賈　寧	陳第與《東番記》	5 卷 11 期	(59)	頁 121~122	1990 年 4 月
2598	李秉乾	清代的幾部《臺灣府志》	5 卷 11 期	(59)	頁 123~125	1990 年 4 月
2599	蔡君逸	百戰忠魂，千秋恨事——霧社事件爆發始末	5 卷 11 期	(59)	頁 130~132	1990 年 4 月
2600	葉大沛	「臺灣專號」求疵篇	6 卷 3 期	(63)	頁 76~79	1990 年 8 月
2601	陳曉江	〈與荷蘭守將書〉涉及的貿易背景	6 卷 8 期	(68)	頁 80~83	1991 年 1 月

7.1.3　其他地區

| 2602 | 林明德 | 韓國最大的一套野史—— | 2 卷 3 期 | (15) | 頁 72~74 | 1986 年 8 月 |

《大東野乘》

7.2 地理

7.2.1　自然地理

| 2603 | 李豐楙 | 山海經的特質 | 2 卷 5 期 | (17) | 頁 6~7 | 1986 年 10 月 |

7.2.1.1　山

2604	黃基正	黑水與三危	2 卷 9 期	(21)	頁 80~81	1987 年 2 月
2605	編輯部	為您說名山：東嶽泰山	4 卷 9 期	(45)	頁 1	1989 年 2 月
2606	編輯部	為您說名山：南嶽衡山	4 卷 10 期	(46)	頁 1	1989 年 3 月
2607	編輯部	為您說名山：西嶽華山	4 卷 11 期	(47)	頁 1	1989 年 4 月
2608	編輯部	為您說名山：北嶽恆山	4 卷 12 期	(48)	頁 1	1989 年 5 月
2609	編輯部	為您說名山：中嶽嵩山	5 卷 1 期	(49)	頁 1	1989 年 6 月
2610	編輯部	為您說名山：盧山	5 卷 2 期	(50)	頁 1	1989 年 7 月
2611	編輯部	為您說名山：黃山	5 卷 3 期	(51)	頁 1	1989 年 8 月
2612	編輯部	為您說名山：峨眉	5 卷 4 期	(52)	頁 1	1989 年 9 月
2613	編輯部	為您說名山：武夷山	5 卷 5 期	(53)	頁 4	1989 年 10 月
2614	編輯部	為您說名山：九華山	5 卷 6 期	(54)	頁 4	1989 年 11 月
2615	編輯部	為您說名山：武當山	5 卷 7 期	(55)	頁 4	1989 年 12 月
2616	編輯部	為您說名山：長白山	5 卷 8 期	(56)	頁 4	1990 年 1 月
2617	顧關元	瑯琊山與〈醉翁亭記〉	16 卷 11 期	(191)	頁 55~56	2001 年 4 月
2618	邱燮友	臺灣人文采風錄序	24 卷 4 期	(280)	頁 48~50	2008 年 9 月

7.2.1.2　水

2619	黃基正	黑水與三危	2 卷 9 期	(21)	頁 80~81	1987 年 2 月
2620	蔡芳定	朱自清為什麼偏愛秦淮河的船？——「槳聲燈影的秦淮河」的歷史憧憬	2 卷 10 期	(22)	頁 82~84	1987 年 3 月
2621	廖振富	西施、范蠡舟泛何方？	3 卷 9 期	(33)	頁 64~65	1988 年 2 月
2622	陳貽鈺	水經注傳譯新風格的新嘗試——經北屈、龍門砥柱至五戶灘注記今譯	5 卷 7 期	(55)	頁 92~94	1989 年 12 月
2623	黃永武	「涇以渭濁」當作何解？	5 卷 9 期	(57)	頁 10	1990 年 2 月
2624	趙潤海	胡適與《水經注》	6 卷 7 期	(67)	頁 57~62	1990 年 12 月
2625	張堂錡	回到文學現場（二）：湖水依舊在——「白馬湖作家群」的遺風餘韻	11 卷 7 期	(127)	頁 52~56	1995 年 12 月

2626	俞允堯	回到文學現場（八）：秦淮明月歷滄桑——「十里珠簾」與杜牧的〈泊秦淮〉	12 卷 1 期	(133)	頁 40~44	1996 年 6 月
2627	傅　貴	回到文學現場（十一）：好一條富春江	12 卷 5 期	(137)	頁 52~56	1996 年 10 月
2628	王窈賢	教學集錦（六）：〈水經江水注〉一課幾個注釋的探討（一）	12 卷 8 期	(140)	頁 104~109	1997 年 1 月
2629	王窈賢	教學集錦（七）：〈水經江水注〉一課幾個注釋的探討（二）	12 卷 9 期	(141)	頁 101~105	1997 年 2 月
2630	邱燮友	臺灣人文采風錄序	24 卷 4 期	(280)	頁 48~50	2008 年 9 月

7.2.2　人文地理

7.2.2.1　城市

2631	龔顯宗	許地山筆下的台灣風土與人物	3 卷 6 期	(30)	頁 82~86	1987 年 11 月
2632	晚　晴	六朝如夢鳥空啼——南京	4 卷 6 期	(42)	頁 10~15	1988 年 11 月
2633	陳　倉	屏障中原關盛衰——北平	4 卷 6 期	(42)	頁 16~21	1988 年 11 月
2634	傅亦介	秦中自古帝王州——西安	4 卷 6 期	(42)	頁 22~25	1988 年 11 月
2635	童　心	含真藏古一天堂——蘇州	4 卷 6 期	(42)	頁 26~30	1988 年 11 月
2636	小　照	淡妝濃抹總相宜——杭州	4 卷 6 期	(42)	頁 31~34	1988 年 11 月
2637	陳　芳	無水無山不入神——桂林	4 卷 6 期	(42)	頁 35~39	1988 年 11 月
2638	吳福助	《秦都咸陽》評介	4 卷 9 期	(45)	頁 58~60	1989 年 2 月
2639	張維用	回到文學現場（三）：萬古雄渾唱大風——劉邦的故鄉豐邑	11 卷 8 期	(128)	頁 38~41	1996 年 1 月
2640	何根海	李白〈長干行〉中之「長風沙」在那裡？	12 卷 3 期	(135)	頁 58~59	1996 年 8 月
2641	傅武光	人生智慧的源頭活水——「全陪」的話	14 卷 7 期	(163)	頁 4~7	1998 年 12 月
2642	傅武光	聖地取經——全陪的話	14 卷 8 期	(164)	頁 4~6	1999 年 1 月
2643	高麗敏	「鄉土教育」美哉！桃仔園——從桃園縣傳說故事看其歷史文化與思想特色	18 卷 8 期	(212)	頁 73~80	2003 年 1 月
2644	邱燮友	福建人文采風錄——為金榮華教授七秩壽慶而寫	22 卷 9 期	(261)	頁 34~38	2007 年 2 月
2645	洪楷萱	水館煙中，暮山雲外——海峽兩岸近年有關「李莊」的論著	23 卷 5 期	(269)	頁 92~95	2007 年 10 月

7.2.2.2　建築

2646	陳士全	什麼是亭、榭、橋、廊？	1 卷 7 期	(7)	頁 66~69	1985 年 12 月
2647	陳啟佑	唐代莊園的真相	2 卷 12 期	(24)	頁 48~51	1987 年 5 月
2648	江應龍	風流儒雅一奇才——袁枚與隨園	3 卷 6 期	(30)	頁 54~59	1987 年 11 月
2649	劉長林	我們需要陽明精神——訪龍場有感	5 卷 1 期	(49)	頁 56~59	1989 年 6 月
2650	羅哲文	中國古代建築中的廊（廡、副階）	5 卷 10 期	(58)	頁 82~85	1990 年 3 月
2651	楊旻瑋	臺北孔廟的建築與祭孔大典	5 卷 11 期	(59)	頁 126~127	1990 年 4 月
2652	游勝冠	臺灣藝術殿堂——鹿港龍山寺	5 卷 11 期	(59)	頁 128~129	1990 年 4 月
2653	俞辰文	紅學界最近新說：大觀園原型在天津	10 卷 9 期	(117)	頁 31~32	1995 年 2 月
2654	俞允堯	回到文學現場（一）：拳拳慈父心，縷縷父子情——南京浦口車站與朱自清的〈背影〉	11 卷 6 期	(126)	頁 66~69	1995 年 11 月
2655	陳　星	回到文學現場（四）：天堂裡的風雨茅廬	11 卷 9 期	(129)	頁 44~47	1996 年 2 月
2656	陳新雄	北京天祥祠重修記	11 卷 9 期	(129)	頁 106~108	1996 年 2 月
2657	欒梅健	回到文學現場（五）：詩韻鐘聲話楓橋	11 卷 10 期	(130)	頁 42~45	1996 年 3 月
2658	王盈芬	居舍清韻——文人家居的營造	11 卷 10 期	(130)	頁 78~80	1996 年 3 月
2659	何繼承	漏窗風姿	11 卷 10 期	(130)	頁 106	1996 年 3 月
2660	傅　貴	回到文學現場（六）：醉翁、醉翁亭、〈醉翁亭記〉	11 卷 11 期	(131)	頁 46~50	1996 年 4 月
2661	胡恩厚	回到文學現場（七）：敦煌莫高窟	11 卷 12 期	(132)	頁 66~69	1996 年 5 月
2662	劉俊廷	姑蘇江楓	12 卷 2 期	(134)	頁 40~41	1996 年 7 月
2663	孫移泰	考古辨真大散關	12 卷 5 期	(137)	頁 96~97	1996 年 10 月
2664	胡恩厚	回到文學現場（十二）：玉門關與陽關	12 卷 7 期	(139)	頁 46~49	1996 年 12 月
2665	孫移泰	漫遊西周宮殿	13 卷 12 期	(156)	頁 43~45	1998 年 5 月
2666	顧關元	師子林與獅子林考說	17 卷 4 期	(196)	頁 42	2001 年 9 月
2667	鍾　年	黃鶴樓的故事與詩文	20 卷 6 期	(234)	頁 84~89	2004 年 11 月
2668	張來芳 楊曉斌	從頤和園看「樣式雷」的園林美學思想	20 卷 12 期	(240)	頁 25~28	2005 年 5 月
2669	邱燮友	臺灣人文采風錄序	24 卷 4 期	(280)	頁 48~50	2008 年 9 月
2670	桂　強	《長物志》藝術美學思想撾談	25 卷 6 期	(294)	頁 38~42	2009 年 11 月
2671	莊關通	長橋究竟幾個洞？	25 卷 8 期	(296)	頁 42~47	2010 年 1 月

7.3 考古

2672	周鳳五	敦煌寫本辯才家教卷子	1 卷 10 期	(10)	頁 26~30	1986 年 3 月
2673	王國良	敦煌寫本辯才家教卷子補說	1 卷 12 期	(12)	頁 77~79	1986 年 5 月

2674	陳宏勉	最早的三方印	2 卷 2 期	(14)	頁 51	1986 年 7 月
2675	姚榮松	方言與考古	2 卷 4 期	(16)	頁 32~35	1986 年 9 月
2676	黃永武	敦煌本唐詩校勘舉例——試校敦煌伯二五五五號卷子中的二十七首唐詩	2 卷 6 期	(18)	頁 68~76	1986 年 11 月
2677	周鳳五	何謂「五祭」？	2 卷 11 期	(23)	頁 10~11	1987 年 4 月
2678	莊萬壽	地下博物館大觀——近四十年中國大陸的考古工作與新出土的竹帛文字史料	3 卷 9 期	(33)	頁 16~20	1988 年 2 月
2679	嚴靈峰	馬王堆帛書老子開拓了研究新境界	3 卷 9 期	(33)	頁 21~25	1988 年 2 月
2680	戴璉璋	出土文物對易學研究的貢獻——談數字卦	3 卷 9 期	(33)	頁 26~29	1988 年 2 月
2681	左松超	談春秋事語	3 卷 9 期	(33)	頁 30~32	1988 年 2 月
2682	余崇生	從雲夢秦簡看秦律	3 卷 9 期	(33)	頁 33~36	1988 年 2 月
2683	王關仕	武威漢簡儀禮	3 卷 9 期	(33)	頁 37~40	1988 年 2 月
2684	文幸福	阜陽漢簡詩經	3 卷 9 期	(33)	頁 40~44	1988 年 2 月
2685	魏汝霖	大陸出土的孫臏兵法和孫武兵法	3 卷 9 期	(33)	頁 45~47	1988 年 2 月
2686	許錟輝	什麼是兵馬俑？	4 卷 10 期	(46)	頁 69~72	1989 年 3 月
2687	蔡哲茂	周原甲骨簡介（上）	4 卷 11 期	(47)	頁 62~68	1989 年 4 月
2688	蔡哲茂	周原甲骨簡介（下）	4 卷 12 期	(48)	頁 70~72	1989 年 5 月
2689	鍾來因	大熊上樹？——什麼是「熊經」	5 卷 10 期	(58)	頁 74	1990 年 3 月
2690	臧振華	考古出土的臺灣古史	5 卷 11 期	(59)	頁 8~11	1990 年 4 月
2691	莊吉發	皇宮像安樂椅？	6 卷 2 期	(62)	頁 7	1990 年 7 月
2692	編輯部	「敦煌學國際研討會」後記	6 卷 3 期	(63)	頁 85	1990 年 8 月
2693	林隆盛	敦煌所藏的童蒙讀物	6 卷 4 期	(64)	頁 30~33	1990 年 9 月
2694	編輯部	湖北宜城發現春秋時楚國車馬坑等	6 卷 5 期	(65)	頁 62	1990 年 10 月
2695	編輯部	中國人工培植水稻的考古新發現	6 卷 10 期	(70)	頁 111	1991 年 3 月
2696	賈麥明	介紹幾面漢代文字瓦當	7 卷 2 期	(74)	頁 87~89	1991 年 7 月
2697	陳文豪	「中國簡牘學國際學術研討會」紀要	7 卷 4 期	(76)	頁 17	1991 年 9 月
2698	陳剩勇	漢字五千年歷史有新證——五十年來中國文字起源的考古發現和研究	9 卷 3 期	(99)	頁 46~51	1993 年 8 月
2699	徐傳武	絕代紅顏土一堆——談談楊妃墓及有關的詩文	9 卷 5 期	(101)	頁 53~56	1993 年 10 月
2700	陳美雪	傳統戲曲和曲藝研究的寶庫——《清蒙古車王府藏曲本》簡介	10 卷 1 期	(109)	頁 101~105	1994 年 6 月
2701	熊明陶	「霸王別姬」究竟在何處？——兼談兩個虞姬墓之謎	10 卷 5 期	(113)	頁 88~92	1994 年 10 月

2702	丁原植	郭店竹簡《老子》的出土極其特殊 意義	14 卷 2 期	(158)	頁 33~41	1998 年 7 月
2703	丁原植 郭梨華	最老的老子——竹簡老子	14 卷 10 期	(166)	頁 4~7	1999 年 3 月
2704	李宗焜	介紹甲骨文	15 卷 4 期	(172)	頁 37~40	1999 年 9 月
2705	朱歧祥	近十年在台甲骨學回顧	15 卷 10 期	(178)	頁 76~80	2000 年 3 月
2706	朱歧祥	董作賓與甲骨學	16 卷 4 期	(184)	頁 25~33	2000 年 9 月
2707	張　濤	凝視秦俑系列一—— 　　打井挖出了秦俑	16 卷 8 期	(188)	頁 32~36	2001 年 1 月
2708	張　濤	凝視秦俑系列二—— 　　究竟誰先發現秦俑坑	16 卷 9 期	(189)	頁 40~42	2001 年 2 月
2709	張　濤	凝視秦俑系列三—— 　　秦兵馬俑坑知多少？	16 卷 10 期	(190)	頁 39~43	2001 年 3 月
2710	朱歧祥	甲骨學百年的展望	17 卷 8 期	(200)	頁 25~30	2002 年 1 月
2711	成家徹郎	用考古資料解開屈原的生日（上）	20 卷 6 期	(234)	頁 49~55	2004 年 11 月
2712	成家徹郎	用考古資料解開屈原的生日（下）	20 卷 7 期	(235)	頁 41~48	2004 年 12 月
2713	杜忠誥	《說文》篆文與出土簡牘帛書	23 卷 12 期	(276)	頁 80~88	2008 年 5 月
2714	陳　偉	一份耕耘　一份收穫—— 　　主辦《簡帛》集刊的一些體會	24 卷 12 期	(288)	頁 27~28	2009 年 5 月

7.4 傳記

7.4.1　通論

2715	陳慶煌輯	近代學人手札	1 卷 9 期	(9)	頁 60~63	1986 年 2 月
2716	陳慶煌	關於「現代學人手札」	1 卷 11 期	(11)	頁 19	1986 年 4 月
2717	黃耀斌輯	近代學人手札	1 卷 12 期	(12)	頁 62~65	1986 年 5 月
2718	許世瑮	近代學人手札	2 卷 1 期	(13)	頁 62~63	1986 年 6 月
2719	黃秋芳採訪	南北相異的兩個人—— 　　糜文開、裴溥言教授	2 卷 2 期	(14)	頁 14~15	1986 年 7 月
2720	何　依採訪	只有合作、沒有怨言—— 　　李殿魁、鄭向恆教授	2 卷 2 期	(14)	頁 16~17	1986 年 7 月
2721	何聖芬採訪	桃林中伴讀論古—— 　　方祖燊、黃麗貞教授	2 卷 2 期	(14)	頁 17~19	1986 年 7 月
2722	陳淑宜採訪	各作各的，互相留意—— 　　張以仁、周富美教授	2 卷 2 期	(14)	頁 19~21	1986 年 7 月
2723	陳惠操採訪	無悔的選擇—— 　　張孟機、田素蘭教授	2 卷 2 期	(14)	頁 21~23	1986 年 7 月
2724	陳季蔓採訪	坐擁書城，樂在其中——	2 卷 2 期	(14)	頁 23~25	1986 年 7 月

黃沛榮、林玫儀教授

2725	許　湛採訪	天羅地網——	2 卷 2 期	(14)	頁 25~27	1986 年 7 月
		王淮、唐亦男教授				
2726	許世瑮	近代學人手札	2 卷 5 期	(17)	頁 66~67	1986 年 10 月
2727	秦賢次	新月詩人二十六家（上）	6 卷 1 期	(61)	頁 26~30	1990 年 6 月
2728	秦賢次	新月詩人二十六家（中）	6 卷 2 期	(62)	頁 55~59	1990 年 7 月
2729	秦賢次	新月詩人二十六家（下）	6 卷 3 期	(63)	頁 51~55	1990 年 8 月
2730	蘇美鳳	讀〈中學國文作家趣聞掌故〉有感	10 卷 7 期	(115)	頁 115	1994 年 12 月
2731	陳美雪	元明清戲曲作家生平資料總匯——	11 卷 5 期	(125)	頁 86~90	1995 年 10 月
		《方志著錄元明清曲家傳略》評介				
2732	鍾　年	中國文史裡的寡婦	13 卷 12 期	(156)	頁 9~13	1998 年 5 月
2733	鍾　年	可憐薄命作君王——	14 卷 2 期	(158)	頁 65~69	1998 年 7 月
		歷史上的角色錯位現象				
2734	朱美郁	捨生取義——	14 卷 3 期	(159)	頁 31~34	1998 年 8 月
		從歷史人物的選擇談起				
2735	鍾　年	採菊東籬下　悠然見南山——	14 卷 7 期	(163)	頁 47~52	1998 年 12 月
		談中國歷史上的隱士				
2736	鮑延毅	殘酷的「親善」之舉——	15 卷 11 期	(179)	頁 55~56	2000 年 4 月
		「賺上梁山」				
2737	黃智信	表彰先賢，昭示來學——	22 卷 6 期	(258)	頁 94~97	2006 年 11 月
		《20 世紀中國著名編輯出版家研究				
		資料匯輯》簡介				
2738	鄭淑君	回顧近世卓越學者——	23 卷 6 期	(270)	頁 99~102	2007 年 11 月
		《二十世紀人文大師的風範與思				
		想》簡介				
2739	謝智光	中國傳統思想研究的大寶庫——	23 卷 12 期	(276)	頁 95~98	2008 年 5 月
		《中國思想家評傳叢書》簡介				
2740	陳亦伶	研究近代學者的第一手資料——	24 卷 5 期	(281)	頁 99~102	2008 年 10 月
		《歷代日記叢鈔》評介				

7.4.2　　先秦

2741	黃基正	武王伐紂紀事	1 卷 9 期	(9)	頁 52~53	1986 年 2 月
2742	楊永英	孔子是說客嗎？	1 卷 9 期	(9)	頁 95~96	1986 年 2 月
2743	林聰舜	恩恩相報的溫馨世界——	2 卷 10 期	(22)	頁 48~51	1987 年 3 月
		信陵君和他的門下客				
2744	林聰舜	伯夷叔齊怨邪非邪？——	2 卷 11 期	(23)	頁 80~83	1987 年 4 月
		天道的破產與正義法則的追尋				
2745	林聰舜	布衣卿相背後的辛酸——	3 卷 1 期	(25)	頁 74~79	1987 年 6 月
		游士范雎的悲劇				

2746	廖振富	西施、范蠡舟泛何方？	3 卷 9 期	(33)	頁 64~65	1988 年 2 月
2747	張高評	萱草春暉聖母恩——孔母與孟母	3 卷 12 期	(36)	頁 16~19	1988 年 5 月
2748	林聰舜	史記人物論：奇蹟的創造——田單復國	4 卷 3 期	(39)	頁 48~49	1988 年 8 月
2749	曾昭旭	孔子的寂寞與堅持	5 卷 4 期	(52)	頁 10~13	1989 年 9 月
2750	張高評	億則屢中的企業家——端木賜子貢	5 卷 4 期	(52)	頁 14~15	1989 年 9 月
2751	王熙元	「叔梁紇」姓名的奧秘	6 卷 1 期	(61)	頁 8	1990 年 6 月
2752	陳高志	固執率真的孔子弟子——宰我	6 卷 11 期	(71)	頁 56~58	1991 年 4 月
2753	張啟超	轟動武林，驚動萬教——鬼谷子的神秘傳奇	6 卷 12 期	(72)	頁 106~109	1991 年 5 月
2754	吳如嵩	兵學鼻組，戰略奇才——孫武和他的《孫子兵法》	6 卷 12 期	(72)	頁 109~111	1991 年 5 月
2755	謝佩芬	關於〈孔子誅少正卯？〉的幾點說明	7 卷 1 期	(73)	頁 93	1991 年 6 月
2756	王熙元	孫叔敖的名字	7 卷 9 期	(81)	頁 6	1992 年 2 月
2757	朱言明	威武不屈的寧戚	7 卷 12 期	(84)	頁 44	1992 年 5 月
2758	傅武光	老莊散論（九）：老子晚年行蹤	12 卷 3 期	(135)	頁 18~19	1996 年 8 月
2759	王歡餘	一位高中教師心目中的孔子	12 卷 4 期	(136)	頁 16~19	1996 年 9 月
2760	楊儒宏	由古史論人性——商鞅作法自斃	13 卷 12 期	(156)	頁 22~23	1998 年 5 月
2761	韓廷一	古人訪談（二）：呂不韋訪問記——訪一位曠世大導演	14 卷 9 期	(165)	頁 42~51	1999 年 2 月
2762	韓廷一	古人訪談（六）：帝王如糞土・天地一窟窿——老子訪問記	15 卷 1 期	(169)	頁 40~50	1999 年 6 月
2763	韓廷一	古人訪談（七）：無產階級的代言人——墨子訪問記	15 卷 2 期	(170)	頁 42~48	1999 年 7 月
2764	韓廷一	古人訪談：教主訪談記——與孔子談宗教	15 卷 4 期	(172)	頁 59~62	1999 年 9 月
2765	韓廷一	古人訪談（十二）：有用之用，是無用；無用之用，乃大用——莊子訪問記	15 卷 11 期	(179)	頁 48~54	2000 年 4 月
2766	林淑貞	抉擇的智慧——讀重耳出亡始末有感	16 卷 5 期	(185)	頁 77~80	2000 年 10 月
2767	陳貞夙	「復聖」顏淵之探究	23 卷 11 期	(275)	頁 80~85	2008 年 4 月

7.4.3　秦漢

2768	魏子雲	虞姬的姓名	1 卷 1 期	(1)	頁 90	1985 年 6 月
2769	林聰舜	現實世界之外的人物——天才將領李廣	2 卷 6 期	(18)	頁 77~79	1986 年 11 月
2770	林聰舜	褒貶紛紜的漢家儒宗叔孫通	2 卷 7 期	(19)	頁 58~62	1986 年 12 月

2771	林聰舜	曠世英雄韓信的小市民性格	2 卷 8 期	(20)	頁 38~40	1987 年 1 月
2772	林聰舜	虛矯的豪傑與怙勢凌人的權臣—— 魏其武安兩外戚	2 卷 9 期	(21)	頁 44~49	1987 年 2 月
2773	蔡信發	景帝是個好皇帝嗎?—— 從史記論景帝之為人	3 卷 2 期	(26)	頁 50~52	1987 年 7 月
2774	傅武光選輯 李為之語譯	糟糠妻不下堂、張詠諫友	3 卷 4 期	(28)	頁 67	1987 年 9 月
2775	林聰舜	酷吏群相—— 「緣飾以儒術」的真相	3 卷 4 期	(28)	頁 81~85	1987 年 9 月
2776	王國良	漢桓帝與馮貴人	3 卷 7 期	(31)	頁 13~14	1987 年 12 月
2777	李威熊	大男人背後的女人——呂后與虞姬	3 卷 10 期	(34)	頁 10~12	1988 年 3 月
2778	田素蘭	大家出名門——班婕妤與班昭	3 卷 10 期	(34)	頁 30~33	1988 年 3 月
2779	邱燮友	一曲胡笳欲怨誰——蔡琰	3 卷 10 期	(34)	頁 34~36	1988 年 3 月
2780	王文發	不畏豪強的執法者——張湯	3 卷 11 期	(35)	頁 45~47	1988 年 4 月
2781	江國貞	光明漢宮,遠嫁匈奴——王昭君	3 卷 11 期	(35)	頁 80~85	1988 年 4 月
2782	陳季蔓	一曲琵琶彈至今—— 昭君故事的歷史面貌	4 卷 6 期	(42)	頁 54~57	1988 年 11 月
2783	江國貞	兵家之仙韓信—— 他真的謀反了嗎?	4 卷 7 期	(43)	頁 51~57	1988 年 12 月
2784	李威熊	絳帳授徒的馬融與鄭公鄉	4 卷 10 期	(46)	頁 20~22	1989 年 3 月
2785	蔡信發	最毒婦人心?——呂后析論	6 卷 9 期	(69)	頁 43~47	1991 年 2 月
2786	李威熊	文史家風千古揚—— 班固、班昭兄妹的文才與史才	6 卷 12 期	(72)	頁 11~15	1991 年 5 月
2787	鄭向恒	胡笳曲韻悲憤詩—— 蔡邕、蔡琰父女的悲情故事	6 卷 12 期	(72)	頁 16~20	1991 年 5 月
2788	程元敏	漢代第一位經學大師伏生	7 卷 8 期	(80)	頁 36~45	1992 年 1 月
2789	廖玉蕙	雖不能至,然心嚮往之—— 記一個強韌不屈的靈魂	7 卷 12 期	(84)	頁 18~19	1992 年 5 月
2790	閻振益	賈誼和他的政論文	9 卷 2 期	(98)	頁 32~37	1993 年 7 月
2791	袁義明	公孫布被探微	11 卷 1 期	(121)	頁 74~77	1995 年 6 月
2792	宋 裕	中學國文作家趣聞掌故—— 悲情賣命的宰相李斯	11 卷 1 期	(121)	頁 98~104	1995 年 6 月
2793	宋 裕	中學國文作家趣聞掌故—— 商而優則仕的呂不韋	11 卷 2 期	(122)	頁 96~99	1995 年 7 月
2794	趙志遠	司馬遷曾想自殺?	11 卷 6 期	(126)	頁 95~97	1995 年 11 月
2795	鍾 鍾	周瑜	11 卷 9 期	(129)	頁 98~101	1996 年 2 月
2796	蔡信發	漢高祖是政權奪取與穩固的奇才	11 卷 12 期	(132)	頁 17~23	1996 年 5 月

2797	王文發	「某之業」—— 剖析漢高祖劉邦打天下的心態	11 卷 12 期 (132) 頁 24~28	1996 年 5 月
2798	韓廷一	古人訪談（三）：司馬遷訪問記	14 卷 10 期 (166) 頁 28~36	1999 年 3 月
2799	車 輪	歷史人物評傳：歷事三帝之霍光	15 卷 1 期 (169) 頁 51~54	1999 年 6 月
2800	韓廷一	古人訪談（十三）：自古帝王多流 氓‧從來英雄出無賴——劉邦訪問 記	16 卷 2 期 (182) 頁 51~61	2000 年 7 月
2801	鮑延毅	劉邦與「文化」及文士	17 卷 10 期 (202) 頁 77~79	2002 年 3 月

7.4.4　魏晉南北朝

2802	張克濟	從「猛志逸四海」到「採菊東籬下」 ——陶淵明的思想與詩風	1 卷 1 期 (1) 頁 26~28	1985 年 6 月
2803	殷善培	陶淵明的琴到底有沒有弦	1 卷 3 期 (3) 頁 86~87	1985 年 8 月
2804	閻以炤	替諸葛亮照相	1 卷 6 期 (6) 頁 81	1985 年 11 月
2805	梁桂珍	無奈的灑脫——談阮籍的性情	1 卷 7 期 (7) 頁 56~57	1985 年 12 月
2806	劉 潔	「大家一起來」的話題：曹操寵愛 過虞姬嗎？魏明帝和虞妃的故事	2 卷 2 期 (14) 頁 88~89	1986 年 7 月
2807	陳怡良	陶淵明的無絃琴與有絃琴—— 敬答呂興昌先生	2 卷 4 期 (16) 頁 40~44	1986 年 9 月
2808	劉 潔	再談曹操和「虞姬」	2 卷 4 期 (16) 頁 76~79	1986 年 9 月
2809	劉 潔	青年同業驚人的一問	2 卷 5 期 (17) 頁 84~85	1986 年 10 月
2810	黃盛雄	高才薄命雙賢媛—— 謝道韞與劉令嫻	3 卷 10 期 (34) 頁 37~40	1988 年 3 月
2811	李渝福	山水詩人謝靈運	5 卷 3 期 (51) 頁 28~31	1989 年 8 月
2812	郭 明	覺賢與那提—— 紀念中國佛教史上遭受排擠的兩位 外國譯師	5 卷 3 期 (51) 頁 32~36	1989 年 8 月
2813	融 武	竹林七賢與〈竹林七賢圖〉	5 卷 10 期 (58) 頁 69~71	1990 年 3 月
2814	洪順隆	建安風骨領騷壇—— 曹氏父子的文學成就	6 卷 12 期 (72) 頁 21~26	1991 年 5 月
2815	陳弘治	洛陽紙貴文章價 左思、左芬兄妹的詩賦才情	6 卷 12 期 (72) 頁 27~31	1991 年 5 月
2816	蓉 子	隱逸的芬芳——陶淵明作品的魅力	7 卷 12 期 (84) 頁 16~17	1992 年 5 月
2817	黃 時	歷史上的二王	8 卷 11 期 (95) 頁 16~19	1993 年 4 月
2818	夏傳才	論曹操	9 卷 5 期 (101) 頁 48~52	1993 年 10 月
2819	宋 裕	中學國文作家趣聞掌故—— 盛享文名的帝王作家曹丕	10 卷 7 期 (115) 頁 76~82	1994 年 12 月
2820	鄭晃昇	謝靈運童年期的人格發展	10 卷 10 期 (118) 頁 38~47	1995 年 3 月

2821	傅　貴	皇帝菩薩——蕭衍	11 卷 4 期	(124)	頁 84~89	1995 年 9 月
2822	宋　裕	中學國文作家趣聞掌故—— 文采斐然的建安七子	11 卷 6 期	(126)	頁 82~85	1995 年 11 月
2823	王永泉	王羲之智激謝安	12 卷 7 期	(139)	頁 100~104	1996 年 12 月
2824	鍾　鍾	魏延	14 卷 6 期	(162)	頁 50~53	1998 年 11 月
2825	韓廷一	古人訪談（一）：治世之能臣・亂 世之奸雄——曹操訪問記	14 卷 8 期	(164)	頁 33~41	1999 年 1 月
2826	韓廷一	古人訪談（四）：不為五斗米折腰， 且學五柳樹飄搖——陶淵明訪問記	14 卷 11 期	(167)	頁 28~34	1999 年 4 月
2827	陳啟鵬 （遙光）	千古風流人物：孤傲的青松—— 陶淵明	16 卷 4 期	(184)	頁 109~112	2000 年 9 月
2828	陳弘學	「山濤薦代嵇康為吏部郎」說糾謬	20 卷 12 期	(240)	頁 40~47	2005 年 5 月

7.4.5　　隋唐五代

2829	劉君祖	長安城的春光—— 「楊貴妃・安祿山」	1 卷 8 期	(8)	頁 50~51	1986 年 1 月
2830	齊衛國	走了樣的女暴君—— 從「討武曌檄」談「一代女皇」	1 卷 10 期	(10)	頁 48~49	1986 年 3 月
2831	呂興昌	誰是韓荊州？	2 卷 4 期	(16)	頁 13~14	1986 年 9 月
2832	江國貞	燕子樓佳人關盼盼	3 卷 7 期	(31)	頁 75~79	1987 年 12 月
2833	莊萬壽	中國第一個女皇帝——武則天	3 卷 10 期	(34)	頁 13~19	1988 年 3 月
2834	王文發	一代紅妝照汗青——楊貴妃	3 卷 10 期	(34)	頁 20~24	1988 年 3 月
2835	張仁青	唐代詩壇兩紅顏——薛濤與魚玄機	3 卷 10 期	(34)	頁 41~49	1988 年 3 月
2836	楊宗瑩主講 高金美整理	由〈廬山草堂記〉談白居易的轉變	4 卷 3 期	(39)	頁 50~53	1988 年 8 月
2837	董金裕	王之渙的生卒年	4 卷 7 期	(43)	頁 7	1988 年 12 月
2838	龔鵬程	愛情與政治之間—— 李商隱之人格與評價	4 卷 7 期	(43)	頁 44~50	1988 年 12 月
2839	郭　明	覺賢與那提—— 紀念中國佛教史上遭受排擠的兩位 外國譯師	5 卷 3 期	(51)	頁 32~36	1989 年 8 月
2840	林維紅	中國歷史上唯一的女皇帝	6 卷 9 期	(69)	頁 48~51	1991 年 2 月
2841	王偉勇	人生長恨水長東—— 南唐中主、後主的淒美詞境	6 卷 12 期	(72)	頁 32~36	1991 年 5 月
2842	劉小梅	活出李白的李白	7 卷 12 期	(84)	頁 20~21	1992 年 5 月
2843	毛文芳	風光細膩的薛濤	8 卷 11 期	(95)	頁 40~42	1993 年 4 月
2844	江國貞	萬里橋邊女校書—— 薛濤（她真的是所謂的樂妓嗎？）	8 卷 11 期	(95)	頁 43~51	1993 年 4 月

2845	江國貞	廣大教化主—— 白居易：他以詩文謁顧況了嗎？	9 卷 12 期 (108)	頁 61~64	1994 年 5 月
2846	黃浴沂	盛唐詩文王維—— 兼析其〈輞川閑居贈裴秀才迪〉詩	10 卷 8 期 (116)	頁 6~12	1995 年 1 月
2847	宋　裕	中學國文作家趣聞掌故—— 山水田園詩人王維	10 卷 8 期 (116)	頁 40~43	1995 年 1 月
2848	雷家驥	狐媚偏能惑主—— 從「武媚娘」到「則天大聖皇帝」	11 卷 12 期 (132)	頁 35~43	1996 年 5 月
2849	韓廷一	古人訪談（五）：唐朝豪放女—— 武則天訪問記	14 卷 12 期 (168)	頁 28~36	1999 年 5 月
2850	韓廷一	古人訪談（八）：考場老將韓愈訪 問記	15 卷 3 期 (171)	頁 60~70	1999 年 8 月
2851	韓廷一	古人訪談（十）：為張睢陽齒—— 張巡・許遠訪問記	15 卷 5 期 (173)	頁 33~39	1999 年 10 月
2852	韓廷一	古人訪談（十六）：謫仙下凡的羅 密歐——李白訪問記	17 卷 2 期 (194)	頁 61~68	2001 年 7 月

7.4.6　宋遼金元

2853	繆天華	究竟是誰向蘇軾求書？	2 卷 5 期 (17)	頁 53	1986 年 10 月
2854	劉　潔	梅妻鶴子林和靖	2 卷 6 期 (18)	頁 80~81	1986 年 11 月
2855	余佩瑾	畫蘭不畫土的鄭思肖	2 卷 6 期 (18)	頁 85~87	1986 年 11 月
2856	傅武光選輯 李為之語譯	糟糠妻不下堂、張詠諫友	3 卷 4 期 (28)	頁 67	1987 年 9 月
2857	鄭靖時	金源「一代坡仙」——趙秉文	3 卷 5 期 (29)	頁 72~77	1987 年 10 月
2858	徐信義	黃花清瘦，漱玉揚芬——李清照	3 卷 10 期 (34)	頁 50~54	1988 年 3 月
2859	林玫儀	誰識此情腸斷處——朱淑貞	3 卷 10 期 (34)	頁 55~58	1988 年 3 月
2860	王基倫	畫荻刺字見慈暉—— 歐母、蘇母與岳母	3 卷 12 期 (36)	頁 20~22	1988 年 5 月
2861	龔鵬程	擁護新法的北宋詞人周邦彥？	4 卷 3 期 (39)	頁 69~71	1988 年 8 月
2862	劉昭明	東坡在黃州	4 卷 4 期 (40)	頁 52~57	1988 年 9 月
2863	廖隆盛	歐陽脩的家庭與戚友	4 卷 5 期 (41)	頁 66~69	1988 年 10 月
2864	劉昭明	東坡與昭雲	4 卷 6 期 (42)	頁 58~63	1988 年 11 月
2865	劉昭明	蘇東坡在御史臺獄	4 卷 12 期 (48)	頁 56~61	1989 年 5 月
2866	黃啟方	不俗的詩人——黃庭堅	6 卷 1 期 (61)	頁 110~111	1990 年 6 月
2867	陳安桂	〈赤壁賦〉與蘇東坡的人生哲學	6 卷 6 期 (66)	頁 78~79	1990 年 11 月
2868	游勝冠	陳摶老祖的長眠	6 卷 9 期 (69)	頁 103~105	1991 年 2 月
2869	劉昭明	朝雲是錢塘名妓？	6 卷 10 期 (70)	頁 8	1991 年 3 月

2870	陳滿銘	落花微雨燕歸來—— 晏氏父子詞中的花與燕	6 卷 12 期 (72)	頁 37~41	1991 年 5 月
2871	王保珍	不廢江河萬古流—— 三蘇的文學天地	6 卷 12 期 (72)	頁 42~47	1991 年 5 月
2872	王熙元	人比黃河瘦幾分—— 李清照與趙明誠的生活情趣	6 卷 12 期 (72)	頁 48~52	1991 年 5 月
2873	陳侃章	王冕在那裡隱居？	7 卷 6 期 (78)	頁 47~51	1991 年 11 月
2874	王晉光	王安石憐愛女性之言行	7 卷 8 期 (80)	頁 46~51	1992 年 1 月
2875	黃啟方	東坡酒量	7 卷 9 期 (81)	頁 21~25	1992 年 2 月
2876	張雪松	陸游的婚姻悲劇	8 卷 4 期 (88)	頁 80~83	1992 年 9 月
2877	李　李	坡公號老泉考	8 卷 6 期 (90)	頁 50~52	1992 年 11 月
2878	宋　裕	中學國文作家趣聞掌故—— 六一居士歐陽修	10 卷 6 期 (114)	頁 51~55	1994 年 11 月
2879	江國貞	醉翁之意不在酒・在乎山水之間也 ——歐陽修在滁州何以自稱為 「翁」？	10 卷 6 期 (114)	頁 17~21	1994 年 11 月
2880	宋　裕	中學國文作家趣聞掌故—— 先天下之憂而憂的范仲淹	10 卷 9 期 (117)	頁 72~78	1995 年 2 月
2881	宋　裕	中學國文作家趣聞掌故—— 千古風流蘇東坡（上）	10 卷 10 期 (118)	頁 58~63	1995 年 3 月
2882	宋　裕	中學國文作家趣聞掌故—— 千古風流蘇東坡（下）	10 卷 11 期 (119)	頁 70~74	1995 年 4 月
2883	江澄格	為「東坡」尋註求解	11 卷 4 期 (124)	頁 64~66	1995 年 9 月
2884	宋　裕	中學國文作家趣聞掌故—— 變法失敗的古文家王安石	11 卷 7 期 (127)	頁 67~71	1995 年 12 月
2885	宋　裕	中學國文作家趣聞掌故—— 北宋格律派詞人周邦彥	11 卷 9 期 (129)	頁 62~66	1996 年 2 月
2886	宋　裕	中學國文作家趣聞掌故—— 中年發憤成名的蘇老泉	11 卷 11 期 (131)	頁 59~63	1996 年 4 月
2887	葛紹歐	軍人出身的好皇帝—— 宋太祖趙匡胤	11 卷 12 期 (132)	頁 44~47	1996 年 5 月
2888	王窈賢	教學集錦（十五）：蘇軾兄弟考制 科（一）	13 卷 5 期 (149)	頁 116~120	1997 年 10 月
2889	王窈賢	教學集錦（十六）：蘇軾兄弟考制 科（二）	13 卷 6 期 (150)	頁 98~104	1997 年 11 月
2890	王窈賢	教學集錦（十七）：蘇軾兄弟考制 科（三）	13 卷 7 期 (151)	頁 104~111	1997 年 12 月
2891	陳金現	蘇軾號「東坡居士」的原因	14 卷 7 期 (163)	頁 53~60	1998 年 12 月
2892	韓廷一	古人訪談（十四）：成仁取義萬骨	16 卷 4 期 (184)	頁 54~59	2000 年 9 月

		枯？──方孝孺訪問記			
2893	韓廷一	古人訪談（十五）：人生自古誰無死，留取丹心照汗青──文天祥訪問記	16 卷 10 期 (190)	頁 72~78	2001 年 3 月
2894	韓廷一	古人訪談（十七）：先天下之憂而憂，後天下之樂而樂──范仲淹訪問記	17 卷 6 期 (198)	頁 80~86	2001 年 11 月
2895	韓廷一	古人訪談（二一）：以戲劇為武器的文學鬥士──關漢卿訪問記	18 卷 10 期 (214)	頁 79~84	2003 年 3 月
2896	林佳蓉	白酒頻斟當啜茶──說朱熹之酒興	20 卷 7 期 (235)	頁 110~112	2004 年 12 月
2897	蔡志鴻	〈蘇東坡突圍〉之後設論述	25 卷 1 期 (289)	頁 52~55	2009 年 6 月

7.4.7　　明代

2898	江應龍	掎歟彤管，麗矣香奩──袁枚女弟子	3 卷 10 期 (34)	頁 59~64	1988 年 3 月
2899	周志文	若不孝者，何以安吾母──顧炎武之母	3 卷 12 期 (36)	頁 23~24	1988 年 5 月
2900	賈順先	楊慎的文學思想	3 卷 12 期 (36)	頁 56~60	1988 年 5 月
2901	黃錦珠	一代紅妝照汗青──陳圓圓的傳奇遭遇	4 卷 9 期 (45)	頁 40~42	1989 年 2 月
2902	范長華	明末英雄夏完淳及其散曲	4 卷 10 期 (46)	頁 73~75	1989 年 3 月
2903	王世華	「讀書種子」方孝孺	5 卷 5 期 (53)	頁 48~52	1989 年 10 月
2904	蔡君逸	世路如今已慣，此心到處悠然──淺介張潮及其《幽夢影》	5 卷 6 期 (54)	頁 78~81	1989 年 11 月
2905	鄧孔昭	毀譽參半的鄭芝龍	5 卷 11 期 (59)	頁 37~39	1990 年 4 月
2906	賈　寧	陳第與《東番記》	5 卷 11 期 (59)	頁 121~122	1990 年 4 月
2907	宋　裕	中學國文作家趣聞掌故──明初文宗宋濂	10 卷 4 期 (112)	頁 86~88	1994 年 9 月
2908	宋　裕	中學國文作家趣聞掌故──寧死不屈的方孝孺	10 卷 5 期 (113)	頁 41~43	1994 年 10 月
2909	張健軍	歌盡桃花扇底風──秦淮名妓李香君	14 卷 4 期 (160)	頁 68~70	1998 年 9 月
2910	俞允堯	文士舌，武夫色──明末清初的說書大家柳敬亭	14 卷 11 期 (167)	頁 37~39	1999 年 4 月
2911	黃　強	明武宗未必最荒淫	15 卷 1 期 (169)	頁 55~57	1999 年 6 月
2912	廖建智	柳如是愛情觀之研究	21 卷 1 期 (241)	頁 100~106	2005 年 6 月

7.4.8　　清代

2913	劉　潔	梅妻鶴子林和靖	2 卷 6 期	(18)	頁 80~81	1986 年 11 月
2914	江應龍	風流儒雅一奇才—— 袁枚與隨園	3 卷 6 期	(30)	頁 54~59	1987 年 11 月
2915	廖隆盛	統治中國半世紀，斷送清祚三百年 ——慈禧太后	3 卷 10 期	(34)	頁 25~29	1988 年 3 月
2916	鮑國順	讀書等身一字無假的閻若璩	4 卷 4 期	(40)	頁 62~64	1988 年 9 月
2917	楊龍立	梁啟超對政治與社會的關懷	4 卷 10 期	(46)	頁 30~34	1989 年 3 月
2918	林覺中	矯矯不群鄭板橋	4 卷 11 期	(47)	頁 44~48	1989 年 4 月
2919	王翠萍	中國第一位兼具畫家與傳教士的文 人——吳歷	4 卷 12 期	(48)	頁 62~66	1989 年 5 月
2920	董國炎	考場上的常敗將軍—— 談狐說鬼蒲松齡	5 卷 7 期	(55)	頁 48~51	1989 年 12 月
2921	詹海雲	「馬帥」是什麼人	5 卷 8 期	(56)	頁 6~7	1990 年 1 月
2922	李　栖	遊戲人間一板橋	5 卷 10 期	(58)	頁 43~45	1990 年 3 月
2923	陳三井	赤手擎天，柱撐半壁河山—— 淺談臺灣對鄭成功的看法和評價	5 卷 11 期	(59)	頁 40~44	1990 年 4 月
2924	顏章炮	大陸學者如何評價鄭成功	5 卷 11 期	(59)	頁 45~48	1990 年 4 月
2925	王耀庭	「揚州八怪」是何許人也？	6 卷 1 期	(61)	頁 8	1990 年 6 月
2926	錢仲聯	斷指生的故事	6 卷 2 期	(62)	頁 90~91	1990 年 7 月
2927	孔　立	可憐一卷茶花女，斷盡支那蕩子腸 ——介紹翻譯家林紓	6 卷 4 期	(64)	頁 48~51	1990 年 9 月
2928	沈　謙	浮生堪記閨房樂—— 沈三百與陳芸的藝術性情	6 卷 12 期	(72)	頁 53~57	1991 年 5 月
2929	張欣伯	雪芹應誕生於康熙五十五年	7 卷 7 期	(79)	頁 76	1991 年 12 月
2930	吳　傑	大陸梁啟超研究情況述評	7 卷 10 期	(82)	頁 64~68	1992 年 3 月
2931	龔顯宗	一位學博才高的異人—— 介紹清代學者洪亮吉	7 卷 10 期	(82)	頁 84~87	1992 年 3 月
2932	陳幸蕙	任爾東西南北風—— 記一個心靈自由的人鄭板橋	7 卷 12 期	(84)	頁 12~15	1992 年 5 月
2933	李炳南	王國維的人間滋味	7 卷 12 期	(84)	頁 25~32	1992 年 5 月
2934	陳秀端	濁酒三杯沈醉去——吳敬梓的悲情	8 卷 1 期	(85)	頁 65~68	1992 年 6 月
2935	方祖猷	萬斯大的經學	8 卷 7 期	(91)	頁 13~18	1992 年 12 月
2936	牟小東	經學大師俞曲園	8 卷 8 期	(92)	頁 36~40	1993 年 1 月
2937	萬福曾	風流千古說紅樓／有關曹雪芹遺物 ——一對書箱	8 卷 11 期	(95)	頁 66~68	1993 年 4 月
2938	潘重規	從曹雪芹生卒談紅樓夢的作者	10 卷 4 期	(112)	頁 103~109	1994 年 9 月
2939	霍國玲原著	曹雪芹的生辰年月	10 卷 5 期	(113)	頁 20~32	1994 年 10 月

詹宇錦修訂

2940	洪　濤	論雪芹生卒與《紅樓夢》作者	10 卷 7 期	(115)	頁 110~111	1994 年 12 月
2941	蔡芳定	葉德輝及其學術活動概述	10 卷 8 期	(116)	頁 88~93	1995 年 1 月
2942	宋　裕	中學國文作家趣聞掌故——諷刺小說巨匠吳敬梓	10 卷 12 期	(120)	頁 62~65	1995 年 5 月
2943	余力文	龔自珍的詩情與愛情	11 卷 1 期	(121)	頁 20~23	1995 年 6 月
2944	王關仕	曾國藩其貌不揚乎？	11 卷 5 期	(125)	頁 17	1995 年 10 月
2945	葉經柱	曹樸與孽海花	14 卷 8 期	(164)	頁 60~70	1999 年 1 月
2946	俞允堯	文士舌，武夫色——明末清初的說書大家柳敬亭	14 卷 11 期	(167)	頁 37~39	1999 年 4 月
2947	韓廷一	古人訪談（十八）：第一個放眼世界的中國人——林則徐訪問記	17 卷 8 期	(200)	頁 66~75	2002 年 1 月
2948	韓廷一	古人訪談（二十）：以今日之我與明日之我戰——梁啟超訪問記	18 卷 4 期	(208)	頁 77~85	2002 年 9 月
2949	韓廷一	紅樓人物訪談：一把辛酸淚・滿紙荒唐言——曹雪芹訪問記	19 卷 6 期	(222)	頁 65~72	2003 年 11 月
2950	陳亦伶	王亮先生談曾祖父王國維及其他	23 卷 11 期	(275)	頁 102~106	2008 年 4 月

7.4.9　民國時期（1912-1949）

2951	陳信元	朱自清與清華——兼談「背影」「荷塘月色」二文	1 卷 2 期	(2)	頁 22~25	1985 年 7 月
2952	呂　凱	盧師聲伯的聲影與往事	1 卷 6 期	(6)	頁 21~23	1985 年 11 月
2953	楊文璞	從孟子走進新聞界——我的老師張客公	1 卷 11 期	(11)	頁 24~26	1986 年 4 月
2954	竺家寧採訪	跟語言老大說話——訪李方桂先生	2 卷 6 期	(18)	頁 6~9	1986 年 11 月
2955	安　立	不平凡的平凡長者	2 卷 11 期	(23)	頁 12~15	1987 年 4 月
2956	李　猷	談胡樸安先生的樸學齋叢書及其詩集	3 卷 1 期	(25)	頁 61~65	1987 年 6 月
2957	臺靜農	記波外翁喬大壯先生	3 卷 2 期	(26)	頁 16~20	1987 年 7 月
2958	劉　潔	蔣廷黻回憶錄的啟示	3 卷 5 期	(29)	頁 70~71	1987 年 10 月
2959	黃沛榮	大陸儒林傳（一）	3 卷 6 期	(30)	頁 30~33	1987 年 11 月
2960	高令印	弘一在福建	3 卷 11 期	(35)	頁 38~43	1988 年 4 月
2961	黃沛榮	大陸儒林傳——楊樹達	4 卷 4 期	(40)	頁 58~61	1988 年 9 月
2962	龔顯宗	霜天夜雨說盧隱	5 卷 8 期	(56)	頁 96~100	1990 年 1 月
2963	許世瑮	魯迅與許壽裳	5 卷 9 期	(57)	頁 44~45	1990 年 2 月
2964	劉君燦	丁文江和〈天工開物卷跋〉	5 卷 10 期	(58)	頁 62~64	1990 年 3 月
2965	卞之琳	繽紛的花雨——我看徐志摩的詩	6 卷 1 期	(61)	頁 38~43	1990 年 6 月
2966	朱細林	流浪詩人劉夢葦	6 卷 1 期	(61)	頁 67~72	1990 年 6 月

2967	呂興昌	用殘損的手掌觸摸殘損的江山──戴望舒的生平與作品	7 卷 1 期	(73)	頁 23~27	1991 年 6 月
2968	秦賢次	〈山陰道上〉作者徐蔚南	7 卷 1 期	(73)	頁 105~107	1991 年 6 月
2969	秦賢次	魯迅與台灣青年	7 卷 4 期	(76)	頁 11~17	1991 年 9 月
2970	林瑞明	石在,火種是不會絕的──魯迅與賴和	7 卷 4 期	(76)	頁 18~24	1991 年 9 月
2971	陳漱渝	柏楊談魯迅	7 卷 4 期	(76)	頁 25~28	1991 年 9 月
2972	林淑芬記錄	解嚴前後的魯迅	7 卷 4 期	(76)	頁 29~34	1991 年 9 月
2973	陳信元	地下的魯迅	7 卷 4 期	(76)	頁 35~39	1991 年 9 月
2974	方美芬	臺灣近年來魯迅研究論文索引(上)	7 卷 4 期	(76)	頁 44~53	1991 年 9 月
2975	方美芬	臺灣近年來魯迅研究論文索引(下)	7 卷 5 期	(77)	頁 72~73	1991 年 10 月
2976	吳 傑	大陸梁啟超研究情況述評	7 卷 10 期	(82)	頁 64~68	1992 年 3 月
2977	劉祥安	雨巷中的尋夢者──略論抒情詩人戴望舒	8 卷 2 期	(86)	頁 61~66	1992 年 7 月
2978	張瑞芬	大師的第一堂課──辜鴻銘、魯迅和沈從文	11 卷 1 期	(121)	頁 36~40	1995 年 6 月
2979	楊昌年	新文藝名家名作析評(一):凝鍊的沉黯──魯迅散文	12 卷 8 期	(140)	頁 69~73	1997 年 1 月
2980	楊昌年	新文藝名家名作析評(三):濃麗華美──徐志摩的詩與散文	12 卷 11 期	(143)	頁 79~83	1997 年 4 月
2981	楊昌年	新文藝名家名作析評(四):唯美與真誠──郁達夫的詩與文	12 卷 12 期	(144)	頁 60~67	1997 年 5 月
2982	楊昌年	新文藝名家名作析評(五):具象與情緒──夏丏尊散文	13 卷 1 期	(145)	頁 71~74	1997 年 6 月
2983	蔡登山	現代文學名家的愛情(一):「不盡的情河」──魯迅與許廣平十年攜手共艱危	13 卷 6 期	(150)	頁 59~66	1997 年 11 月
2984	蔡登山	現代文學名家的愛情(二):只怕情多累美人──郁達夫和他的情人(上)	13 卷 7 期	(151)	頁 59~65	1997 年 12 月
2985	朱文華	現代文學名家的第二代(九):新聞與文學──鄭曉箴、鄭爾康與父親鄭振鐸志同道合	13 卷 8 期	(152)	頁 86~91	1998 年 1 月
2986	蔡登山	現代文學名家的愛情(二):只怕情多累美人──郁達夫和他的情人(下)	13 卷 8 期	(152)	頁 92~99	1998 年 1 月
2987	蔡登山	現代文學名家的愛情(五):骨肉流離道路中──陳獨秀的家庭悲劇	13 卷 11 期	(155)	頁 84~90	1998 年 4 月
2988	李梁淑	百草園的天空──從《朝花夕拾》看魯迅的童年生活	13 卷 11 期	(155)	頁 109~113	1998 年 4 月

2989	蔡登山	現代文學名家的愛情（六）：偏留 綺思繞雲山——瞿秋白的生死戀	13 卷 12 期 (156) 頁 80~86	1998 年 5 月
2990	蔡登山	現代文學名家的愛情（九）：離情 只訴夢魂中——詩人朱湘與霓君	14 卷 3 期 (159) 頁 72~78	1998 年 8 月
2991	蔡登山	更幾度人間風雨—— 戴望舒的苦戀與仳離	14 卷 4 期 (160) 頁 72~79	1998 年 9 月
2992	蔡登山	江湖寥落爾安歸—— 李金髮的異國情緣	14 卷 5 期 (161) 頁 69~75	1998 年 10 月
2993	范伯群	永生在「快活林」中的嚴獨鶴	14 卷 8 期 (164) 頁 42~46	1999 年 1 月
2994	葉經柱	曹樸與孽海花	14 卷 8 期 (164) 頁 60~70	1999 年 1 月
2995	蔡登山	相愛苦短成永訣——蔣光慈的愛情	14 卷 8 期 (164) 頁 71~76	1999 年 1 月
2996	蔡登山	天妒良緣同死生—— 傅雷夫婦的情深與共	14 卷 9 期 (165) 頁 73~79	1999 年 2 月
2997	伏家芬	革命詩人——黃興	14 卷 10 期 (166) 頁 40~41	1999 年 3 月
2998	蔡登山	生來相愛不容易—— 朱生豪的事業與愛情	15 卷 3 期 (171) 頁 95~100	1999 年 8 月
2999	蔡登山	他生未必更情深—— 張恨水的三次婚姻	15 卷 6 期 (174) 頁 48~53	1999 年 11 月
3000	韓廷一	古人訪談（十一）：和平、奮鬥、 救中國——中山先生訪問記	15 卷 9 期 (177) 頁 29~37	2000 年 2 月
3001	蔡登山口述 陳佩筠整理	自在飛花輕似夢—— 徐志摩的如戲人生	15 卷 12 期 (180) 頁 5~7	2000 年 5 月
3002	楊昌年	四月述情	15 卷 12 期 (180) 頁 13~18	2000 年 5 月
3003	林于弘	憧憬的追尋與幻滅—— 談徐志摩的愛與詩	15 卷 12 期 (180) 頁 19~26	2000 年 5 月
3004	劉慧珠	真愛的追尋	15 卷 12 期 (180) 頁 27~30	2000 年 5 月
3005	韓廷一	詩人・情人・中國的拜倫—— 徐志摩訪問記	15 卷 12 期 (180) 頁 31~40	2000 年 5 月
3006	李栩鈺	科技心、文藝情—— 發明中文打字機的幽默大師林語堂	17 卷 7 期 (199) 頁 64~69	2001 年 12 月

7.4.10　民國時期入新中國

3007	無名氏	我的一位國文老師	1 卷 1 期 (1) 頁 34~35	1985 年 6 月
3008	陳信元	影響琦君一生的國文老師—— 浙東詞人夏承燾	1 卷 4 期 (4) 頁 11~15	1985 年 9 月
3009	沈曼雯譯	顧頡剛晚年工作規畫書	2 卷 3 期 (15) 頁 52~54	1986 年 8 月
3010	高大威	顧頡剛的學術路向問題	2 卷 4 期 (16) 頁 56~57	1986 年 9 月
3011	龔鵬程	傳奇與傳說之間——	2 卷 5 期 (17) 頁 54~59	1986 年 10 月

顧頡剛和顧頡剛的筆記

3012	黃沛榮編撰	大陸儒林傳（二）：王力	3 卷 7 期	(31)	頁 62~65	1987 年 12 月
3013	黃沛榮	大陸儒林傳（三）：唐蘭	3 卷 9 期	(33)	頁 66~71	1988 年 2 月
3014	黃沛榮	大陸儒林傳（四）：高亨	3 卷 11 期	(35)	頁 75~77	1988 年 4 月
3015	蔡仁厚	表裏如一，始終不二的梁漱溟先生	4 卷 3 期	(39)	頁 54~56	1988 年 8 月
3016	龔顯宗	三十年代文壇回顧：忠實於時代的艾青	4 卷 4 期	(40)	頁 42~47	1988 年 9 月
3017	陳福康	保衛中華文獻的鬥士——紀念鄭振鐸先生	4 卷 9 期	(45)	頁 38~39	1989 年 2 月
3018	丁原基	繆鉞教授的學思歷程	5 卷 3 期	(51)	頁 58~61	1989 年 8 月
3019	許政雄	從經學到史學——湯志鈞教授的學思歷程	5 卷 4 期	(52)	頁 51~53	1989 年 9 月
3020	詹海雲	中國哲學史學會會長張岱年先生	5 卷 4 期	(52)	頁 66~69	1989 年 9 月
3021	楊伯峻	我的治學大要	5 卷 5 期	(53)	頁 53~55	1989 年 10 月
3022	季進	一代宗師——錢鍾書	5 卷 8 期	(56)	頁 56~60	1990 年 1 月
3023	丁原基	只是實事求是而已——與周振甫先生談他的治學經驗	5 卷 8 期	(56)	頁 61~64	1990 年 1 月
3024	藍吉富	一代佛學大師——呂澂	5 卷 9 期	(57)	頁 46~50	1990 年 2 月
3025	吳澤	我的治學歷程	5 卷 9 期	(57)	頁 52~57	1990 年 2 月
3026	裴普賢	胡小石先生傳略	5 卷 10 期	(58)	頁 46~47	1990 年 3 月
3027	吳義勤	巴蜀維揚九十星霜——曲學大師任中敏教授訪談記	5 卷 10 期	(58)	頁 52~55	1990 年 3 月
3028	錢仲聯	以專帶博，以博輔專——錢仲聯先生自傳	5 卷 10 期	(58)	頁 56~61	1990 年 3 月
3029	秦賢次	章錫琛其人其事	5 卷 10 期	(58)	頁 65~68	1990 年 3 月
3030	季進	美學泰斗朱光潛	5 卷 12 期	(60)	頁 47~51	1990 年 5 月
3031	牟小東	黎錦熙談齊白石	6 卷 1 期	(61)	頁 74~78	1990 年 6 月
3032	陸永品	莫道桑榆晚，微霞尚滿天——紅學大師俞平伯先生的近況	6 卷 1 期	(61)	頁 79~83	1990 年 6 月
3033	常正光	徐中舒與傳統史學的發展	6 卷 3 期	(63)	頁 56~61	1990 年 8 月
3034	柴劍虹	通達真哲人——記啟功先生指導我治學	6 卷 4 期	(64)	頁 52~57	1990 年 9 月
3035	連文萍	冰心印象記	6 卷 5 期	(65)	頁 64~66	1990 年 10 月
3036	陳漱渝	胡適與毛澤東	6 卷 7 期	(67)	頁 19~23	1990 年 12 月
3037	謝正光	寂寞的鐵琴銅劍樓——記藏書家瞿鳳起先生的晚年	6 卷 9 期	(69)	頁 69~75	1991 年 2 月
3038	俞為民	我的老師——錢南揚教授	6 卷 10 期	(70)	頁 52~55	1991 年 3 月

3039	黃維樑	新月派、現代派和卞之琳	7 卷 1 期	(73)	頁 28~33	1991 年 6 月
3040	連文萍採訪 陳曉怡整理	先作通人，再求專精—— 　李田意教授的治學歷程和期勉	7 卷 2 期	(74)	頁 83~86	1991 年 7 月
3041	陳智超	史學大師陳垣教授的青少年時代	7 卷 3 期	(75)	頁 58~62	1991 年 8 月
3042	編輯部	饒宗頤教授	7 卷 5 期	(77)	頁 1	1991 年 10 月
3043	王國良	鍥而不捨，金石可鏤—— 　介紹神話研究專家袁珂	7 卷 5 期	(77)	頁 58~63	1991 年 10 月
3044	鄭向恒	大陸的兩千萬富翁—— 　博學宏文的王利器教授	7 卷 6 期	(78)	頁 52~56	1991 年 11 月
3045	宋鎮豪	中國甲骨學界泰斗胡厚宣先生	7 卷 8 期	(80)	頁 52~58	1992 年 1 月
3046	劉起釪	中國現代史學奠基者顧頡剛先生	7 卷 10 期	(82)	頁 46~53	1992 年 3 月
3047	許郢昭	謁訪梁漱溟先生	7 卷 11 期	(83)	頁 39~43	1992 年 4 月
3048	許政雄採訪 許淑美整理	勇於向自己挑戰的開拓者—— 　扣訪夏東元教授談近代史的研究	7 卷 12 期	(84)	頁 33~36	1992 年 5 月
3049	李紹崑	梁漱溟先生訪問錄	8 卷 1 期	(85)	頁 69~75	1992 年 6 月
3050	季　進	闡釋之循環——錢鍾書初論	8 卷 2 期	(86)	頁 12~25	1992 年 7 月
3051	許政雄	訪尚書學家劉起釪先生	8 卷 3 期	(87)	頁 90~95	1992 年 8 月
3052	葉嘉瑩	論繆鉞先生在詩詞評賞與詩詞創作 　方面之成就	9 卷 1 期	(97)	頁 94~101	1993 年 6 月
3053	林耀椿	錢鍾書研究的里程碑—— 　序《錢鍾書研究書目》	9 卷 1 期	(97)	頁 124~129	1993 年 6 月
3054	林耀椿	從錢鍾書「退」的人生觀看「錢學」 　的發展	9 卷 2 期	(98)	頁 98~100	1993 年 7 月
3055	林耀椿	吳宓的友人與人生觀	10 卷 2 期	(110)	頁 103~106	1994 年 7 月
3056	王初福	馮友蘭的人生哲學	10 卷 6 期	(114)	頁 84~95	1994 年 11 月
3057	馬少波	梅蘭芳的藝術道路	10 卷 7 期	(115)	頁 10~15	1994 年 12 月
3058	徐城北	梅蘭芳與花衫	10 卷 7 期	(115)	頁 16~21	1994 年 12 月
3059	張瑞芬	大師的第一堂課—— 　辜鴻銘、魯迅和沈從文	11 卷 1 期	(121)	頁 36~40	1995 年 6 月
3060	楊昌年	新文藝名家名作析評（二）：冷與 　澀味——周作人散文	12 卷 9 期	(141)	頁 78~80	1997 年 2 月
3061	王　聿	現代文學名家的第二代（一）： 　朱自清的兒女	12 卷 12 期	(144)	頁 88~91	1997 年 5 月
3062	李梁淑	不慣嬉戲的麋先—— 　《四十自述》與胡適的幼年時代	12 卷 12 期	(144)	頁 110~118	1997 年 5 月
3063	楊昌年	新文藝名家名作析評（六）：鄉土 　與氛圍——沈從文和他的《邊城》	13 卷 2 期	(146)	頁 67~76	1997 年 7 月
3064	季　默	現代文學名家的第二代（三）：和	13 卷 2 期	(146)	頁 94~97	1997 年 7 月

天使一起飛翔——曹禺和他的女兒
萬方

3065	朱歧祥	《陳寅恪的最後二十年》讀後	13 卷 4 期	(148)	頁 115~117	1997 年 9 月
3066	李梁淑	頑童生涯—— 《從文自傳》逃學紀實	13 卷 6 期	(150)	頁 111~116	1997 年 11 月
3067	傅光明	現代文學名家的第二代（八）：好好學門手藝——舒乙不忘父親老舍的殷殷期許	13 卷 7 期	(151)	頁 94~100	1997 年 12 月
3068	蔡登山	現代文學名家的愛情（三）：多情無情心自明——風流才子郭沫若的情愛糾葛	13 卷 9 期	(153)	頁 89~97	1998 年 2 月
3069	沈衛威	現代文學名家的第二代（十）：兒子開會去了——茅盾讓兒女們走自己的道路	13 卷 9 期	(153)	頁 114~117	1998 年 2 月
3070	蔡登山	現代文學名家的愛情（四）：茅盾——相思欲訴又彷徨	13 卷 10 期	(154)	頁 82~90	1998 年 3 月
3071	蔡登山	現代文學名家的愛情（七）：一雙名劍天下揚——錢鍾書與楊絳	14 卷 1 期	(157)	頁 50~57	1998 年 6 月
3072	蔡登山	現代文學名家的愛情（八）：嬿婉同心六十年——俞平伯的婦唱夫隨	14 卷 2 期	(158)	頁 77~84	1998 年 7 月
3073	蔡登山	患難與共見真情—— 梁宗岱的反叛與追尋	14 卷 10 期	(166)	頁 62~67	1999 年 3 月
3074	蔡登山	訴盡前生不了情—— 陸晶清的深情無悔	14 卷 11 期	(167)	頁 66~71	1999 年 4 月
3075	蔡登山	同心永結一甲子—— 羅洪的文學與愛情	14 卷 12 期	(168)	頁 72~77	1999 年 5 月
3076	蔡登山	結婚十年原是夢—— 蘇青的夢醒時分	15 卷 1 期	(169)	頁 77~82	1999 年 6 月
3077	蔡登山	守著陽光守著妳—— 巴金的永遠戀人	15 卷 2 期	(170)	頁 74~79	1999 年 7 月
3078	蔡登山	詩人本是多情種—— 艾青的感情生活	15 卷 5 期	(173)	頁 54~59	1999 年 10 月
3079	蔡登山	地老天荒一寸心—— 蕭軍的深情懷念	15 卷 8 期	(176)	頁 70~77	2000 年 1 月
3080	蔡登山	天上人間魂夢牽—— 端木蕻良的生死相伴	15 卷 11 期	(179)	頁 81~87	2000 年 4 月
3081	蔡登山	一生兩世誠可哀—— 路翎的悲慘人生	16 卷 2 期	(182)	頁 31~36	2000 年 7 月
3082	蔡登山	珍重再見勿忘我——阿壠的生死戀	16 卷 5 期	(185)	頁 66~70	2000 年 10 月
3083	巫小黎	李金髮名字的由來	17 卷 2 期	(194)	頁 33~34	2001 年 7 月

3084	沈惠如	董狐筆，魯迅風—— 　　一身傲骨的劇作家吳祖光	19 卷 11 期 (227)	頁 91~94	2004 年 4 月
3085	柴劍虹	海塸一寸亦神州—— 　　啟功先生二三事	21 卷 7 期 (247)	頁 5~9	2005 年 12 月
3086	候　剛	教澤閎深　青春常在—— 　　啟功先生尊師重教的故事	21 卷 7 期 (247)	頁 10~18	2005 年 12 月
3087	白化文	啟功先生是聖人	21 卷 7 期 (247)	頁 19~20	2005 年 12 月
3088	于華剛	啟功先生與中國書店	21 卷 7 期 (247)	頁 21~22	2005 年 12 月
3089	林慶彰	啟功先生與萬卷樓	21 卷 7 期 (247)	頁 23~25	2005 年 12 月
3090	程毅中	略談啟功先生的詩論與詩作	21 卷 7 期 (247)	頁 26~33	2005 年 12 月
3091	陳正一	中國文壇長青樹——巴金其人其文	21 卷 9 期 (249)	頁 50~56	2006 年 2 月
3092	陳文采	夏傳才對現代《詩經》學的思考與 貢獻	22 卷 2 期 (254)	頁 102~106	2006 年 7 月
3093	林耀椿	柳存仁教授談當代文人及宗教	22 卷 4 期 (256)	頁 103~107	2006 年 9 月
3094	丁原基	懷念王紹曾教授—— 　　兼述紹曾先生的學行成就與貢獻	23 卷 7 期 (271)	頁 104~107	2007 年 12 月

7.4.11　新中國（1950-）

3095	林慶彰	中國哲學研究的重鎮—— 　　訪辛冠潔教授	4 卷 9 期 (45)	頁 70~72	1989 年 2 月
3096	鹿憶鹿	浴火再生的鳳凰——訪問蕭兵教授	4 卷 11 期 (47)	頁 49~51	1989 年 4 月
3097	許政雄	從佛教、道教到中西文化學—— 　　訪中國文化書院院長湯一介教授	4 卷 12 期 (48)	頁 67~69	1989 年 5 月
3098	林劍鳴	江河依舊枕寒流，人生幾回傷往事 　　——我的治學經歷	6 卷 6 期 (66)	頁 45~47	1990 年 11 月
3099	蔡信發	不是猛龍不過江—— 　　簡介畫家鄭百重先生	7 卷 1 期 (73)	頁 72~73	1991 年 6 月
3100	張屏生	專訪大陸學者李永明先生—— 　　談漢語方言的調查與研究	9 卷 3 期 (99)	頁 108~117	1993 年 8 月
3101	許維萍 馮曉庭整理	劉起釪教授的經學研究歷程	9 卷 4 期 (100)	頁 104~110	1993 年 9 月
3102	林慶彰採訪 侯美珍整理	中國文學的耕耘者—— 　　訪北京大學中文系費振剛教授	9 卷 7 期 (103)	頁 124~128	1993 年 12 月
3103	胡　忌	張繼青——崑曲藝術的驕傲	9 卷 8 期 (104)	頁 28~31	1994 年 1 月
3104	欒梅健	大陸焦點學人（一）：標新立異的 　　學界猛將——章培恆教授印象	12 卷 8 期 (140)	頁 4~10	1997 年 1 月
3105	李　彬	大陸焦點學人（二）：積學深功的 　　後起之秀——體大思精的楊義教授	12 卷 9 期 (141)	頁 8~13	1997 年 2 月

3106	錢錫生	大陸焦點學人（三）：尋美的旅人——訪著名詞學專家楊海明教授	12 卷 10 期 (142) 頁 4~10	1997 年 3 月
3107	季　進	大陸焦點學人（四）：面向世界的對話者——記樂黛雲教授	12 卷 11 期 (143) 頁 8~14	1997 年 4 月
3108	欒梅健	大陸焦點學人（五）：讓文學女神雙翼翱翔——記范伯群教授	12 卷 12 期 (144) 頁 4~9	1997 年 5 月
3109	徐國源	大陸焦點學人（六）：周汝昌的「紅樓」夢	13 卷 1 期 (145) 頁 6~11	1997 年 6 月
3110	王　堯	大陸焦點學人（七）：永遠的詩——關於謝冕的幾個側面印象	13 卷 2 期 (146) 頁 4~9	1997 年 7 月
3111	張仲謀	大陸焦點學人（八）：傅璇琮先生的治學與為人	13 卷 3 期 (147) 頁 8~13	1997 年 8 月
3112	張仲謀	大陸焦點學人（九）：中國近代文學研究第一人——記郭延禮教授	13 卷 4 期 (148) 頁 56~61	1997 年 9 月
3113	張濤甫	現代文學名家的第二代（五）：哭溼枕頭的父愛——讓張恨水一生掛念的十個兒女	13 卷 4 期 (148) 頁 94~96	1997 年 9 月
3114	劉澤友	大陸焦點學人（十）：從劫難中奮起——記錢理群教授	13 卷 5 期 (149) 頁 52~57	1997 年 10 月
3115	欒梅健	現代文學名家的第二代（六）：至善至美至誠——記葉聖陶的兒女	13 卷 5 期 (149) 頁 112~115	1997 年 10 月
3116	江　涌	大陸焦點學人（十一）：重建象牙塔的文學評論家——我看陳思和教授	13 卷 7 期 (151) 頁 8~13	1997 年 12 月
3117	劉澤友	大陸焦點學人（十二）：卓爾不群的王曉明	13 卷 8 期 (152) 頁 6~11	1998 年 1 月
3118	劉澤友	大陸焦點學人（十三）：灑脫機敏的當代學人——記陳平原教授	13 卷 9 期 (153) 頁 12~17	1998 年 2 月
3119	季　健	大陸焦點學人（十四）：文化旅人——記余秋雨教授	13 卷 10 期 (154) 頁 12~18	1998 年 3 月
3120	蘇　北	大陸焦點學人（十六）：樹立起一個新的里程碑——范培松和他的散文研究	13 卷 12 期 (156) 頁 4~8	1998 年 5 月
3121	劉澤友	大陸焦點學人（十七）：坐京望海 人間情懷——記吳福輝教授	14 卷 1 期 (157) 頁 26~31	1998 年 6 月
3122	欒梅健	杯葛余秋雨的來龍去脈（上）	16 卷 10 期 (190) 頁 10~16	2001 年 3 月
3123	凌性傑	當他也成為長者——余秋雨的人生哲學與文化思維	16 卷 10 期 (190) 頁 24~27	2001 年 3 月
3124	欒梅健	杯葛余秋雨的來龍去脈（中）	16 卷 11 期 (191) 頁 70~74	2001 年 4 月
3125	欒梅健	杯葛余秋雨的來龍去脈（下）	16 卷 12 期 (192) 頁 64~68	2001 年 5 月
3126	楊振良	懷念中國民間文學巨擘——	17 卷 10 期 (202) 頁 30~32	2002 年 3 月

悼鍾敬文教授

3127	林慶彰訪問 陳恆嵩整理	探尋文明起源 重寫學術史—— 李學勤先生的經歷及其學術成果	21 卷 12 期 (252) 頁 105~112 2006 年 5 月
3128	趙銘豐	思想史研究與考據學方法—— 姜廣輝先生在中國思想史研究上的 成績	22 卷 2 期 (254) 頁 97~101 2006 年 7 月
3129	葉純芳	大陸高校古籍整理的領航者—— 安平秋教授	22 卷 3 期 (255) 頁 107~111 2006 年 8 月
3130	程克雅	顧頡剛遺稿的整理者王煦華先生	22 卷 5 期 (257) 頁 102~106 2006 年 10 月
3131	許慧淳	張宏生教授的中國古典文學研究	22 卷 5 期 (257) 頁 107~111 2006 年 10 月
3132	鄭月梅	博學篤實的敦煌學學者項楚先生	22 卷 9 期 (261) 頁 96~100 2007 年 2 月
3133	趙修霈	陳有冰教授與唐代文學研究	22 卷 11 期 (263) 頁 103~107 2007 年 4 月
3134	解玉峰 張 波	俞為民與中國戲劇史研究	23 卷 4 期 (268) 頁 106~110 2007 年 9 月
3135	葉純芳	創造中國文化出版界的奇蹟—— 專訪華東師範大學出版社朱傑人社長	23 卷 5 期 (269) 頁 101~105 2007 年 10 月
3136	黎馨平	眾熱眾冷，此際宜存主宰 獨行獨 立，其間都見精神——記劉大鈞先生	23 卷 6 期 (270) 頁 108~112 2007 年 11 月
3137	謝智光	鞏本棟教授與宋代文學研究	23 卷 8 期 (272) 頁 108~112 2008 年 1 月
3138	陳水福	王寶平教授與近代中日文化交流	23 卷 10 期 (274) 頁 108~112 2008 年 3 月
3139	陳亦伶	王亮先生談曾祖父王國維及其他	23 卷 11 期 (275) 頁 102~106 2008 年 4 月
3140	洪楷萱	青燈有味似兒時—— 中國大陸第一位文學博士莫礪鋒先生	24 卷 1 期 (277) 頁 108~112 2008 年 6 月
3141	許景昭 黃梓勇	開拓新領域—— 陳致教授及其經古學研究	24 卷 2 期 (278) 頁 28~33 2008 年 7 月
3142	孫麗華	學海勤為舟，甘苦寸心知—— 陳毓羆先生的治學道路	24 卷 3 期 (279) 頁 95~99 2008 年 8 月
3143	郭妍伶	書卷多情總相親—— 專訪當代文獻學家杜澤遜教授	24 卷 5 期 (281) 頁 108~112 2008 年 10 月
3144	袁明嶸	中國傳統古籍的守護者—— 訪復旦大學吳格教授	24 卷 7 期 (283) 頁 103~107 2008 年 12 月
3145	鄭于香	談明清學術思想的幾個問題—— 專訪伊利諾州立大學周啟榮教授	24 卷 8 期 (284) 頁 96~100 2009 年 1 月
3146	黃偉豪	學貫四部，詩逾萬首—— 香港國學宗師陳湛銓	24 卷 8 期 (284) 頁 101~105 2009 年 1 月
3147	袁明嶸	綰經學與文學理論為—— 訪澳門大學鄧國光教授	24 卷 10 期 (286) 頁 96~100 2009 年 3 月
3148	傅凱瑄	開拓經典詮釋與中國思想史研究的 新境——鄭吉雄先生近年的業績與	24 卷 10 期 (286) 頁 101~106 2009 年 3 月

方向

3149	馮曉庭	從外文專業到經典專門—— 呂友仁教授的學問之路	24 卷 11 期	(287)	頁 107~111	2009 年 4 月
3150	張穩蘋	研究《左傳》和《史記》卓然有成 ——趙生群教授的學思歷程	24 卷 12 期	(288)	頁 107~111	2009 年 5 月
3151	何淑蘋 郭妍伶	文獻讎校，典籍芬菲—— 專訪香港中文大學何志華教授	25 卷 1 期	(289)	頁 108~112	2009 年 6 月
3152	曹素萍	卞孝萱先生的文史互證研究	25 卷 3 期	(291)	頁 108~112	2009 年 8 月
3153	謝智光	認真踏實的學者風範—— 周勛初先生與南大文學研究	25 卷 4 期	(292)	頁 101~105	2009 年 9 月
3154	林安梧	天降斯人一丈夫：記一段 1990 年的 哲思對話——回憶趙仲牧先生	25 卷 5 期	(293)	頁 44~47	2009 年 10 月
3155	連文萍	一口吸盡西江水—— 專訪南京大學域外漢籍研究所所長 張伯偉教授	25 卷 5 期	(293)	頁 108~112	2009 年 10 月
3156	陳水福	從文學、子學到經學—— 鄭傑文教授的學思歷程	25 卷 6 期	(294)	頁 101~105	2009 年 11 月
3157	王 蕾	《書經》研究領域文本主義的殉道 者——錢宗武教授之治《書》理念	25 卷 7 期	(295)	頁 102~106	2009 年 12 月
3158	張愛芳 張 峰	學術探索和創新之路—— 專訪北京師範大學陳其泰教授	25 卷 8 期	(296)	頁 102~106	2010 年 1 月
3159	李含冰	徐興無教授與經學研究	25 卷 9 期	(297)	頁 102~106	2010 年 2 月
3160	謝智光	理論聯繫實際—— 吳新雷教授的學術成就	25 卷 11 期	(299)	頁 101~105	2010 年 4 月
3161	邱筱君	曹虹教授與駢散文研究	25 卷 12 期	(300)	頁 101~105	2010 年 5 月

7.4.12　民國時期入臺灣

3162	潘重規	五十年前的日記摘錄—— 戰時教學生活片段	1 卷 1 期	(1)	頁 36~39	1985 年 6 月
3163	潘重規	五十年前日記摘錄—— 戰時教學生活片段	1 卷 2 期	(2)	頁 26~29	1985 年 7 月
3164	劉兆祐	我的國文老師——黃念容先生	1 卷 3 期	(3)	頁 26~29	1985 年 8 月
3165	邱財貴	掌老師與我	1 卷 3 期	(3)	頁 30~35	1985 年 8 月
3166	林佩芬專訪	畢生貢獻國文的蘇雪林	1 卷 4 期	(4)	頁 16~19	1985 年 9 月
3167	任菊家專訪	「超級校對」何容	1 卷 5 期	(5)	頁 32~35	1985 年 10 月
3168	白先勇 黃秋芳整理	我的國文老師	1 卷 6 期	(6)	頁 12~15	1985 年 11 月
3169	吳炎途	胡適之先生晚年談話錄	1 卷 6 期	(6)	頁 67~69	1985 年 11 月
3170	黃秋芳專訪	數學系的國學大師——	1 卷 7 期	(7)	頁 12~13	1985 年 12 月

		教、學不倦的毛子水				
3171	游淑靜	一生沒進過學堂的人——為中國古籍傳薪的楊家駱先生	1 卷 9 期	(9)	頁 22~25	1986 年 2 月
3172	游淑靜專訪	他編了第一套國文教科書——訪高明教授	1 卷 11 期	(11)	頁 12~15	1986 年 4 月
3173	竹間工作坊攝影	國學大師毛子水	2 卷 1 期	(13)	頁 3	1986 年 6 月
3174	編輯部製作	不薄英文愛國文——梁實秋答客問	2 卷 1 期	(13)	頁 10~11	1986 年 6 月
3175	黎 谷	藤風書屋中的長者——戴君仁先生	2 卷 1 期	(13)	頁 18~19	1986 年 6 月
3176	郭小莊林慧峯整理	我的國文老師——一代戲劇宗師俞大綱先生	2 卷 1 期	(13)	頁 20~22	1986 年 6 月
3177	竹間工作坊攝影	王夢鷗教授	2 卷 2 期	(14)	頁 1	1986 年 7 月
3178	許佑生教授	以古典題材入詩——史紫忱教授	2 卷 2 期	(14)	頁 28~29	1986 年 7 月
3179	何聖芬採訪	馳騁在詩的王國——黃永武教授	2 卷 2 期	(14)	頁 29~31	1986 年 7 月
3180	何聖芬採訪	渡吧，渡過氣流——邱燮友教授	2 卷 2 期	(14)	頁 31~32	1986 年 7 月
3181	竹間工作坊攝影	陳槃教授	2 卷 3 期	(15)	頁 1	1986 年 8 月
3182	張火慶	自由來去，弘法未了——記李炳南老居士	2 卷 3 期	(15)	頁 6~10	1986 年 8 月
3183	沙 笛	一朵又美又真的山水仙——訪燈屋裡的蓉子	2 卷 3 期	(15)	頁 76~79	1986 年 8 月
3184	竹間工作坊攝影	鄭騫教授	2 卷 4 期	(16)	頁 1	1986 年 9 月
3185	竹間工作坊攝影	高明教授	2 卷 5 期	(17)	頁 1	1986 年 10 月
3186	許悼雲口述沙笛整理	一株長青的感恩樹——訪許悼雲先生	2 卷 5 期	(17)	頁 8~11	1986 年 10 月
3187	竹間工作坊攝影	王叔岷教授	2 卷 6 期	(18)	頁 3	1986 年 11 月
3188	竹間工作坊攝影	施之勉教授	2 卷 8 期	(20)	頁 1	1987 年 1 月
3189	沙 笛	嘔心瀝血述史漢——訪施之勉教授	2 卷 8 期	(20)	頁 10~14	1987 年 1 月
3190	竹間工作坊攝影	成惕軒教授	2 卷 9 期	(21)	頁 1	1987 年 2 月
3191	夏瑞紅採訪邱勝旺攝影	用「興趣」管理自己的管理員——訪畢長樸先生	2 卷 9 期	(21)	頁 28~32	1987 年 2 月
3192	竹間工作坊攝影	臺靜農教授	2 卷 11 期	(23)	頁 1	1987 年 4 月

3193	陳宏勉	曾紹杰其人其印	2 卷 12 期	(24)	頁 56	1987 年 5 月
3194	趙芳藝	語言學巨擘周法高教授	3 卷 1 期	(25)	頁 18~22	1987 年 6 月
3195	黃秋芳	每天都要寫些東西——溫柔懇切的畢璞	3 卷 6 期	(30)	頁 66~67	1987 年 11 月
3196	王熙元	經國先生的文學風格	3 卷 9 期	(33)	頁 13~14	1988 年 2 月
3197	張素卿 呂妙芬	矢志整合中國學術——訪楊家駱教授	3 卷 9 期	(33)	頁 48~49	1988 年 2 月
3198	顏元叔	「蔣故總統經國先生逝世」？	4 卷 12 期	(48)	頁 8	1989 年 5 月
3199	鍾柏生	念金祥恆師	5 卷 4 期	(52)	頁 44~45	1989 年 9 月
3200	李光筠	菡萏池旁設絳帳・葩經堂上沐春風——將《詩經》通俗化的裴普賢教授	5 卷 4 期	(52)	頁 46~49	1989 年 9 月
3201	許世琛	教績孔彰——紀念先兄許世瑛先生八十冥誕	5 卷 7 期	(55)	頁 54~55	1989 年 12 月
3202	陳慶煌	花落春常在——成惕軒老師二三事	5 卷 10 期	(58)	頁 48~51	1990 年 3 月
3203	許淑美採訪	淡在喜中——訪作家艾雯女士	6 卷 1 期	(61)	頁 86~88	1990 年 6 月
3204	竺家寧	向周法高教授請益問學	6 卷 5 期	(65)	頁 67~69	1990 年 10 月
3205	季維龍	胡適的感情世界	6 卷 7 期	(67)	頁 6~12	1990 年 12 月
3206	陳儀深	胡適與蔣介石	6 卷 7 期	(67)	頁 13~18	1990 年 12 月
3207	陳漱渝	胡適與毛澤東	6 卷 7 期	(67)	頁 19~23	1990 年 12 月
3208	呂實強	憶胡適最後的一次講話	6 卷 7 期	(67)	頁 24~29	1990 年 12 月
3209	趙潤海	胡適生平及其著作簡表	6 卷 7 期	(67)	頁 30~34	1990 年 12 月
3210	陳郁夫	胡適與中國哲學	6 卷 7 期	(67)	頁 36~39	1990 年 12 月
3211	項退結	胡適先生的哲學立場	6 卷 7 期	(67)	頁 40~43	1990 年 12 月
3212	莊萬壽	胡適對民主政治的言論與實踐之重新評價	6 卷 7 期	(67)	頁 44~50	1990 年 12 月
3213	萬麗鵑	胡適與國民政府時期的學生運動	6 卷 7 期	(67)	頁 51~56	1990 年 12 月
3214	劉君燦	科學・中國・胡適	6 卷 7 期	(67)	頁 64~69	1990 年 12 月
3215	趙潤海	胡適與《水經注》	6 卷 7 期	(67)	頁 57~62	1990 年 12 月
3216	瞿海源	胡適的宗教態度和宗教研究	6 卷 7 期	(67)	頁 70~74	1990 年 12 月
3217	耿雲志	胡適與國語運動	6 卷 7 期	(67)	頁 75~80	1990 年 12 月
3218	張高評	胡適的古典詩學述評	6 卷 7 期	(67)	頁 85~89	1990 年 12 月
3219	呂正惠	「詩人」胡適	6 卷 7 期	(67)	頁 90~93	1990 年 12 月
3220	呂啟祥	胡適與「紅學」	6 卷 7 期	(67)	頁 98~103	1990 年 12 月
3221	黎活仁	香港近四十年有關胡適的評論——兼談港版胡適著作	6 卷 7 期	(67)	頁 104~109	1990 年 12 月
3222	秦賢次	大陸近十二年來胡適著作鳥瞰（上）	6 卷 7 期	(67)	頁 110~113	1990 年 12 月

3223	許政雄	日本地區對胡適研究的回顧	6 卷 7 期	(67)	頁 114~118	1990 年 12 月
3224	李又寧	簡介兩本關於胡適的英文專著	6 卷 7 期	(67)	頁 119~121	1990 年 12 月
3225	劉述先	胡適的迴響	6 卷 7 期	(67)	頁 122~126	1990 年 12 月
3226	雷 頤	青山依舊在，幾度夕陽紅—— 　　大陸胡適研究十年述評	6 卷 7 期	(67)	頁 127~132	1990 年 12 月
3227	施 丁	假如胡適還活著	6 卷 7 期	(67)	頁 133~134	1990 年 12 月
3228	連文萍採訪	王志維先生口述歷史—— 　　回憶與胡適先生的一段機緣	6 卷 8 期	(68)	頁 62~65	1991 年 1 月
3229	吳奔星	胡適與中國新詩	6 卷 8 期	(68)	頁 84~88	1991 年 1 月
3230	秦賢次	大陸近十二年來胡適著作鳥瞰（下）	6 卷 8 期	(68)	頁 106~110	1991 年 1 月
3231	許世瑮	懷念臺靜農教授	6 卷 9 期	(69)	頁 85~86	1991 年 2 月
3232	林 美	關於胡適先生的政治立場—— 　　我看《海峽兩岸論胡適專號》	6 卷 10 期	(70)	頁 93	1991 年 3 月
3233	艾 雯	聆聽那鴿兒的通訊	6 卷 11 期	(71)	頁 50	1991 年 4 月
3234	呂天行	〈扁豆〉的印象	6 卷 11 期	(71)	頁 50	1991 年 4 月
3235	重 提	鼓勵	6 卷 11 期	(71)	頁 50~51	1991 年 4 月
3236	趙筱梅	兩個巧合	6 卷 11 期	(71)	頁 51	1991 年 4 月
3237	應未遲	廿五年的黃曆緣	6 卷 11 期	(71)	頁 51	1991 年 4 月
3238	蘇雪林	蘇雪林教授答客問	6 卷 11 期	(71)	頁 52~55	1991 年 4 月
3239	黃文吉	從詩到曲，一代宗師—— 　　鄭因百先生	7 卷 4 期	(76)	頁 54~58	1991 年 9 月
3240	陳昭容	給後輩一個優美的示範—— 　　李孝定先生訪談記	7 卷 4 期	(76)	頁 59~66	1991 年 9 月
3241	黃英哲	許壽裳與戰後初期臺灣的魯迅文學 　　介紹	7 卷 5 期	(77)	頁 74~78	1991 年 10 月
3242	秦賢次	一位大器晚成的學人—— 　　夏濟安的一生及其對文學的貢獻	7 卷 5 期	(77)	頁 104~108	1991 年 10 月
3243	簡恩定	胸襟與才力—— 　　論當代三位古典詩家	8 卷 1 期	(85)	頁 91~93	1992 年 6 月
3244	李 猷	辛苦擘詩六十年	8 卷 2 期	(86)	頁 44~47	1992 年 7 月
3245	蔣美珍	書法家系列介紹之一—— 　　訪李猷老師	8 卷 3 期	(87)	頁 87~89	1992 年 8 月
3246	王熙元	中國文化的薪傳—— 　　追懷高師仲華先生	8 卷 7 期	(91)	頁 4~7	1992 年 12 月
3247	黃沛榮	記一段師生緣——懷念魯實先教授	8 卷 10 期	(94)	頁 46~47	1993 年 3 月
3248	江澄格	高陽生平行事紀要	9 卷 12 期	(108)	頁 49~60	1994 年 5 月
3249	陳慶煌	秋闈衡鑑憶 曾公——	10 卷 5 期	(113)	頁 109~111	1994 年 10 月

記霽虹先生二三事

3250	鍾怡雯	中學國文課文作家近況報導（國中第二冊第十八課）：一條不寂寞的路——艾雯自一切事物中發現真與美	11 卷 11 期	(131)	頁 54~58	1996 年 4 月
3251	朱歧祥	悼念甲骨的長城——金師祥恆先生	12 卷 2 期	(134)	頁 79~81	1996 年 7 月
3252	陳益源	為你說民俗（八）：婁子匡近況及其龜俗研究	14 卷 3 期	(159)	頁 23~26	1998 年 8 月
3253	蔡登山	人間但有真情在——黎烈文的兩次婚姻	14 卷 6 期	(162)	頁 71~76	1998 年 11 月
3254		訪朱介凡先生談諺語之蒐集與研究（曾子良等採訪 黃婺變 高皓庭等整理）	16 卷 6 期	(186)	頁 53~59	2000 年 11 月
3255	韓廷一	古人訪談（十九）：有所為，有所不為；無所求，無所不求——胡適訪問記	18 卷 1 期	(205)	頁 69~77	2002 年 6 月
3256	黃芬絹	余光中與廈門街	19 卷 2 期	(218)	頁 11~16	2003 年 7 月
3257	鮑延毅	于右任先生與敦煌學	19 卷 8 期	(224)	頁 41~43	2004 年 1 月
3258	楊顯榮	不盡長江滾滾來：詩壇重鎮，一代風範——羅門研究	20 卷 8 期	(236)	頁 101~111	2005 年 1 月
3259	胡月花	側寫詩人周夢蝶——跌坐紅塵八十年，捕捉人生況味的詩僧	21 卷 4 期	(244)	頁 92~97	2005 年 9 月
3260	陳勁榛	園長雖已逝，精神永流存——記婁子匡先生	22 卷 3 期	(255)	頁 98~102	2006 年 8 月
3261	蘇琬鈞	錢穆研究的最新成果——《錢穆先生學術年譜》簡介	23 卷 4 期	(268)	頁 93~96	2007 年 9 月
3262	陳冠甫	國家文學博士宗師——高明詩傳	23 卷 8 期	(272)	頁 96~102	2008 年 1 月
3263	賴貴三	敬悼詩書酒三絕一代名士大師雨盦師	25 卷 12 期	(300)	頁 95~100	2010 年 5 月

7.4.13　臺灣

7.4.13.1 清領時期

3264	實　之	臺灣十八世紀的林爽文起義	5 卷 11 期	(59)	頁 49~51	1990 年 4 月
3265	張炎憲	開臺第一位進士——鄭用錫	5 卷 11 期	(59)	頁 52~55	1990 年 4 月
3266	吳密察	劉銘傳與臺灣	5 卷 11 期	(59)	頁 56~58	1990 年 4 月
3267	周先慎	思鄉念國兩情深——說丘逢甲〈得頌臣臺灣書卻寄〉	5 卷 11 期	(59)	頁 115~117	1990 年 4 月

7.4.13.2 日治時期

3268	竹間工作坊攝影	楊雲萍教授	2 卷 10 期	(22)	頁 1	1987 年 3 月
3269	竹間工作坊攝影	曹秋圃先生	2 卷 12 期	(24)	頁 1	1987 年 5 月
3270	張建富	台灣古典書法的終結者——曹秋圃	2 卷 12 期	(24)	頁 10~11	1987 年 5 月
3271	林瑞明	石在，火種是不會絕的——魯迅與賴和	7 卷 4 期	(76)	頁 18~24	1991 年 9 月
3272	彭瑞金	打下第一鋤，撒下第一粒種籽——賴和與臺灣新文學	7 卷 5 期	(77)	頁 12~16	1991 年 10 月
3273	呂興昌	文章千古事，得失寸心知——評王昶雄〈奔流〉的校訂本	7 卷 5 期	(77)	頁 17~22	1991 年 10 月
3274	施　淑	在前哨——讀楊守愚的小說	7 卷 5 期	(77)	頁 23~28	1991 年 10 月
3275	莊淑芝	宿命的女性——論龍瑛宗的〈一個女人的記錄〉和〈不知道的幸福〉	7 卷 5 期	(77)	頁 29~34	1991 年 10 月
3276	許素蘭	「幻影之人」翁鬧及其小說	7 卷 5 期	(77)	頁 35~39	1991 年 10 月
3277	張恆豪	追風及其小說〈她要往何處去〉	7 卷 5 期	(77)	頁 40~44	1991 年 10 月
3278	陳萬益	張文環的小說藝術	7 卷 5 期	(77)	頁 45~47	1991 年 10 月
3279	葉瓊霞	走充滿荊棘的苦難之道——讀王詩琅的小說	7 卷 5 期	(77)	頁 48~51	1991 年 10 月
3280	林中正	現代文學名家的第二代（二）：以喜悅的心分享父親的榮耀——台灣文學名家吳新榮克紹箕裘的孩子們	13 卷 1 期	(145)	頁 94~99	1997 年 6 月
3281	康　原	現代文學名家的第二代（四）：愛的追尋――楊守愚和他的親人	13 卷 3 期	(147)	頁 96~101	1997 年 8 月
3282	張力中	連橫名字及其里籍辨正	14 卷 11 期	(167)	頁 90~94	1999 年 4 月
3283	黃惠禎	壓不扁的玫瑰花——臺灣新文學家楊逵	16 卷 7 期	(187)	頁 68~72	2000 年 12 月
3284	鍾鐵民	鍾理和的文學生活	16 卷 11 期	(191)	頁 4~24	2001 年 4 月
3285	鍾怡彥	關於祖父鍾理和	16 卷 11 期	(191)	頁 25~27	2001 年 4 月
3286	呂新昌	鍾理和的懊悔與信心——懊悔連累妻兒吃苦，堅信作品終必傳世	17 卷 6 期	(198)	頁 75~79	2001 年 11 月
3287	賴美惠	台灣文學的點燈人——葉石濤先生專訪（上）	18 卷 2 期	(206)	頁 80~86	2002 年 7 月
3288	賴美惠	台灣文學的點燈人——葉石濤先生專訪（下）	18 卷 3 期	(207)	頁 61~66	2002 年 8 月
3289	莊紫蓉	詩人・釣者——羅浪訪問記	19 卷 3 期	(219)	頁 108~112	2003 年 8 月
3290	歐宗智	嘉義琳琅山閣主人張李德和詞作探珠	21 卷 7 期	(247)	頁 107~111	2005 年 12 月

| 3291 | 鍾信昌 | 小鎮的美麗境界——
李梅樹紀念館的過去與將來 | 23 卷 8 期 | (272) | 頁 49~56 | 2008 年 1 月 |

7.4.13.3 國民政府遷臺以後

3292	顏元叔	我的國文老師	1 卷 2 期	(2)	頁 30~33	1985 年 7 月
3293	林良　林櫻 林琪　林瑋	我與「爸爸的十六封信」、〈我的 爸爸〉——我所認識的子敏先生、 我所認識的爸爸、爸爸這個人	1 卷 6 期	(6)	頁 56~59	1985 年 11 月
3294	劉述先	長夜漫漫路迢迢——述先述學	1 卷 7 期	(7)	頁 20~21	1985 年 12 月
3295	李金蓮	質性自然的牧師作家—— 訪殷穎先生	1 卷 7 期	(7)	頁 94~95	1985 年 12 月
3296	陳益源	訪吳晟・談「負荷」	1 卷 9 期	(9)	頁 90~93	1986 年 2 月
3297	陳益源	掌握自然的音律——林炯陽教授	2 卷 2 期	(14)	頁 32~35	1986 年 7 月
3298	編輯部製作	沒有遺憾的新聞人—— 第一位報界女性總編輯盧申芳	2 卷 4 期	(16)	頁 10~11	1986 年 9 月
3299	竹間工作坊 攝影	潘重規教授	2 卷 7 期	(19)	頁 1	1986 年 12 月
3300	張建富	台灣古典書法的終結者——曹秋圃	2 卷 12 期	(24)	頁 10~11	1987 年 5 月
3301	馮珍芝採訪	游遍宇宙的旅行者	2 卷 9 期	(21)	頁 68~70	1987 年 2 月
3302	竹間工作坊 攝影	楊雲萍教授	2 卷 10 期	(22)	頁 1	1987 年 3 月
3303	蕭麗華	開鑿心靈的活泉—— 訪陳龍安教授談創造思考教學	2 卷 10 期	(22)	頁 85~88	1987 年 3 月
3304	竹間工作坊 攝影	曹秋圃先生	2 卷 12 期	(24)	頁 1	1987 年 5 月
3305	羅鳳珠	讀中文系的人——訪林文月教授	3 卷 7 期	(31)	頁 52~55	1987 年 12 月
3306	謝秀麗	燈前的故事——訪琹涵	3 卷 8 期	(32)	頁 73~75	1988 年 1 月
3307	廖振富	三種典型，三種風範—— 記林哲庸、楊德英、胡楚卿老師	3 卷 11 期	(35)	頁 56~59	1988 年 4 月
3308	王讚源	思想史的拓荒者—— 汪榮祖教授訪問錄	3 卷 12 期	(36)	頁 44~51	1988 年 5 月
3309	徐惠隆	影響我最深的人——杜顯揚老師	4 卷 4 期	(40)	頁 48~51	1988 年 9 月
3310	傅武光訪問 劉　漢記錄	學政縱橫談——訪勞思光	4 卷 5 期	(41)	頁 60~65	1988 年 10 月
3311	鄭明娳	溫潤如玉——汪中老師其人其書	4 卷 6 期	(42)	頁 42~43	1988 年 11 月
3312	簡政珍	新世代詩人陳克華	5 卷 1 期	(49)	頁 90~91	1989 年 6 月
3313	歐子陵	佛教出版世界的開拓者—— 專訪藍吉富先生	5 卷 4 期	(52)	頁 98~101	1989 年 9 月

3314	陳益源採訪	從外文到中文，從臺大到清華—— 王秋桂教授治學與教學的心路歷程	5 卷 6 期	(54)	頁 52~56	1989 年 11 月
3315	蔡信發	學人書藝——陳維德的書法	5 卷 7 期	(55)	頁 68~69	1989 年 12 月
3316	連文萍	構建中國文哲研究的重鎮—— 訪吳宏一教授談中研院中國文哲研 究所	6 卷 2 期	(62)	頁 51~54	1990 年 7 月
3317	許淑美採訪	創東創西真趣味—— 　走訪頑石老人林淵	6 卷 5 期	(65)	頁 42~45	1990 年 10 月
3318	陳曉怡採訪	我的圖就是我的鄉土—— 　客家阿婆的臺灣歷史見證	6 卷 5 期	(65)	頁 46~53	1990 年 10 月
3319	陳益源採訪	畫圖唸歌詩——張李富的生活故事	6 卷 5 期	(65)	頁 54~57	1990 年 10 月
3320	盧明瑜採訪	大地情懷—— 　從蘇楊抱的藝術創作過程談起	6 卷 5 期	(65)	頁 58~61	1990 年 10 月
3321	連文萍採訪	文章千古事，富貴一陣風—— 　訪積極致力國文教育的學者劉真教授	6 卷 9 期	(69)	頁 76~79	1991 年 2 月
3322	王　翎	臺灣藏書票的旗手——潘元石先生	6 卷 11 期	(71)	頁 113~114	1991 年 4 月
3323	游國慶	一簑煙雨任平生—— 　洪惟助教授人書俱清	7 卷 1 期	(73)	頁 70~71	1991 年 6 月
3324	陳文華	自然合道的汪中老師	7 卷 7 期	(79)	頁 63~66	1991 年 12 月
3325	許政雄	夜深無語對銀缸——悼光筠兄	8 卷 1 期	(85)	頁 76~77	1992 年 6 月
3326	柴劍虹	悼光筠君	8 卷 3 期	(87)	頁 82~84	1992 年 8 月
3327	胡仲權	真誠就擁抱了一生的孤寂—— 　悼光筠	8 卷 3 期	(87)	頁 85	1992 年 8 月
3328	潘麗珠	嘗一汨清淨水，結善緣—— 　訪〈碧沈西瓜〉作者陳幸蕙	9 卷 1 期	(97)	頁 138~141	1993 年 6 月
3329	潘麗珠	溫潤如玉、昕昕有光—— 　訪〈行道樹〉作者張曉風	9 卷 2 期	(98)	頁 104~107	1993 年 7 月
3330	潘麗珠 黃思維	新詩的守護神和永遠的青鳥—— 　訪燈屋裡的羅門與蓉子	9 卷 3 期	(99)	頁 118~127	1993 年 8 月
3331	潘麗珠	樂在生活、樂在教育的工作者—— 　建中國文教師陳美儒	9 卷 6 期	(102)	頁 112~115	1993 年 11 月
3332	林慶彰	我在九州大學的學術活動	10 卷 10 期	(118)	頁 104~111	1995 年 3 月
3333	鍾怡雯	中學國文課文作家近況報導（國中 第一冊第十課）：隨興讀書，自在 生活——張曉風用單純的心經營每 一天	11 卷 6 期	(126)	頁 70~72	1995 年 11 月
3334	鍾怡雯.	中學國文課文作家近況報導（國中 第一冊第十三課）：筆耕不輟、童 心依然——周素珊珍惜生命中的每 一次感動	11 卷 7 期	(127)	頁 57~59	1995 年 12 月

3335	鍾怡雯	中學國文課文作家近況報導（國中第一冊第十八課）：山水為伴，以酒佐文——容易被美所感動的張騰蛟	11 卷 8 期	(128)	頁 46~49	1996 年 1 月
3336	鍾怡雯	中學國文課文作家近況報導（國中第六冊第三課）：翻山越嶺，只為文學——創作是陳啟佑一生的事業	11 卷 9 期	(129)	頁 58~61	1996 年 2 月
3337	鍾怡雯	中學國文課文作家近況報導（國中第四冊第十八課，第六冊第十二課）：文學要從非文學處來——陳幸蕙把生活看成是一種創作	11 卷 10 期	(130)	頁 56~59	1996 年 3 月
3338	施議對	中國當代詞壇解放派首領胡適	11 卷 12 期	(132)	頁 100~107	1996 年 5 月
3339	傅武光	王熙元先生行狀	12 卷 5 期	(137)	頁 5~8	1996 年 10 月
3340	魏子雲	悼王熙元世兄	12 卷 5 期	(137)	頁 9~10	1996 年 10 月
3341	許錟輝	他是我們班上第一名——悼王熙元教授	12 卷 5 期	(137)	頁 11~13	1996 年 10 月
3342	陳滿銘	優游詩歌天地——悼王熙元教授	12 卷 5 期	(137)	頁 14~17	1996 年 10 月
3343	林玫儀	王熙元老師的長者風範	12 卷 5 期	(137)	頁 18~19	1996 年 10 月
3344	林慶彰	悼王熙元教授——兼悼李光第先生	12 卷 5 期	(137)	頁 20~24	1996 年 10 月
3345	楊昌年	台灣現代文學（二）：翹首天南看五新——評介九十年代五位散文新銳	12 卷 10 期	(142)	頁 58~70	1997 年 3 月
3346	葉昊謹	現代文學名家的第二代（七）：劉知甫願作父親龍瑛宗的知己	13 卷 6 期	(150)	頁 90~94	1997 年 11 月
3347	余力文	賽珍珠的中國情結	14 卷 9 期	(165)	頁 80~85	1999 年 2 月
3348	張力中	連橫名字及其里籍辨正	14 卷 11 期	(167)	頁 90~94	1999 年 4 月
3349	林中斌專訪 劉　漢記錄	中國「統整、迁變」觀念的現代啟示——兼談《核霸》一書從中國古代兵法解讀中共核武	15 卷 10 期	(178)	頁 68~75	2000 年 3 月
3350	黃惠禎	壓不扁的玫瑰花——臺灣新文學家楊逵	16 卷 7 期	(187)	頁 68~72	2000 年 12 月
3351	鍾鐵民	鍾理和的文學生活	16 卷 11 期	(191)	頁 4~24	2001 年 4 月
3352	鍾怡彥	關於祖父鍾理和	16 卷 11 期	(191)	頁 25~27	2001 年 4 月
3353	呂新昌	訪鍾理和的長子——鍾鐵民同學	16 卷 11 期	(191)	頁 41~47	2001 年 4 月
3354	呂新昌	鍾理和的懊悔與信心——懊悔連累妻兒吃苦，堅信作品終必傳世	17 卷 6 期	(198)	頁 75~79	2001 年 11 月
3355	賴美惠	台灣文學的點燈人——葉石濤先生專訪（上）	18 卷 2 期	(206)	頁 80~86	2002 年 7 月
3356	賴美惠	台灣文學的點燈人——葉石濤先生專訪（下）	18 卷 3 期	(207)	頁 61~66	2002 年 8 月

3357	莊紫蓉	詩人・釣者——羅浪訪問記	19 卷 3 期	(219)	頁 108~112	2003 年 8 月
3358	邱燮友	謝一民教授其人其書	19 卷 7 期	(223)	頁 76~78	2003 年 12 月
3359	王任君	腳下的地理 有情的人生—— 黃春明先生訪談錄（上）	19 卷 8 期	(224)	頁 65~70	2004 年 1 月
3360	王任君	腳下的地理 有情的人生—— 黃春明先生訪談錄（下）	19 卷 9 期	(225)	頁 107~112	2004 年 2 月
3361	劉慧珠	詩與散文之間—— 吳晟文學生命的抉擇	20 卷 12 期	(240)	頁 62~66	2005 年 5 月
3362	陳正一	亦師亦友念沈謙	21 卷 11 期	(251)	頁 107~111	2006 年 4 月
3363	陳光憲	高仲華教授的一堂課	21 卷 12 期	(252)	頁 100~104	2006 年 5 月
3364	楊 菁	胡楚生教授與清代學術史研究	22 卷 1 期	(253)	頁 102~106	2006 年 6 月
3365	楊 菁 劉子維	李威熊教授與經學史研究	22 卷 3 期	(255)	頁 103~106	2006 年 8 月
3366	程克雅	王勇教授與中日文化交流研究—— 王勇先生訪談記	22 卷 4 期	(256)	頁 108~112	2006 年 9 月
3367	仇小屏	陳滿銘老師學術研究的幾個面向	22 卷 6 期	(258)	頁 98~105	2006 年 11 月
3368	葉高樹	久著十全贏樹績—— 莊吉發教授的滿文教學與研究	22 卷 7 期	(259)	頁 107~111	2006 年 12 月
3369	楊 菁	林明德教授與民俗學研究	22 卷 8 期	(260)	頁 92~96	2007 年 1 月
3370	張超然	李豐楙教授及其道教研究與教學	22 卷 9 期	(261)	頁 91~95	2007 年 2 月
3371	陳讚華	程元敏教授研究《尚書》的成就	22 卷 10 期	(262)	頁 103~107	2007 年 3 月
3372	陳仕華	劉兆祐教授與圖書文獻學研究	22 卷 10 期	(262)	頁 108~112	2007 年 3 月
3373	劉寧慧	臺灣地區古典文獻學專業研究所的 開創者——王國良教授的學術之路	22 卷 11 期	(263)	頁 108~112	2007 年 4 月
3374	盧清青	紀念恩師張仁青教授—— 側記揚芬樓主人同塵氏二三事	22 卷 12 期	(264)	頁 94~95	2007 年 5 月
3375	彭國翔	李明輝教授與比較哲學	22 卷 12 期	(264)	頁 96~100	2007 年 5 月
3376	張瑋儀	張高評教授研究宋詩的貢獻	22 卷 12 期	(264)	頁 101~105	2007 年 5 月
3377	葉純芳	在卡片堆裡的活工具書—— 張錦郎先生	23 卷 1 期	(265)	頁 101~105	2007 年 6 月
3378	趙福勇	黃文吉教授與詞學研究	23 卷 2 期	(266)	頁 94~98	2007 年 7 月
3379	鍾信昌	讓孩子的世界更美好—— 陳正治教授研究兒童文學的貢獻	23 卷 2 期	(266)	頁 99~104	2007 年 7 月
3380	鄭月梅	解千古文學之惑 開漢賦研究之風 ——簡宗梧教授的治學經歷及其 研究成果	23 卷 3 期	(267)	頁 97~101	2007 年 8 月
3381	蔡宗陽	陳滿銘教授是辭章章法學的思想 家、理論家、實踐家——寫在《陳	23 卷 5 期	(269)	頁 77~87	2007 年 10 月

滿銘與辭章章法學》出版前夕

3382	鄭月梅	以典籍中的天文研究發揚傳統科技 文化——莊雅州教授的治學特色及 其研究成果	23 卷 5 期	(269)	頁 96~100	2007 年 10 月
3383	黃啟書	葉國良教授的治學觀念與教學理念	23 卷 6 期	(270)	頁 103~107	2007 年 11 月
3384	林慶彰採訪 吳怡青整理	利益眾生的佛學修行—— 　自衍法師為佛教圖書所做的貢獻	23 卷 7 期	(271)	頁 108~112	2007 年 12 月
3385	徐小燕	丁原基教授與圖書文獻學研究	23 卷 8 期	(272)	頁 103~107	2008 年 1 月
3386	羅景文	王三慶教授的治學觀念與教學、 　服務理念	23 卷 10 期	(274)	頁 103~107	2008 年 3 月
3387	陳明恩 房慧真	永遠的師大人—— 陳麗桂教授及其先秦兩漢學術研究	23 卷 11 期	(275)	頁 107~111	2008 年 4 月
3388	黃秋芳	留愛——速寫林文寶教授	23 卷 12 期	(276)	頁 103~107	2008 年 5 月
3389	鍾信昌	悠遊書法與文學天地的教育家—— 　吳啟禎校長	23 卷 12 期	(276)	頁 108~112	2008 年 5 月
3390	姚彥淇	身體、神話與理學—— 楊儒賓教授治學理念與近年學術 成果述要	24 卷 1 期	(277)	頁 103~107	2008 年 6 月
3391	張崑將	鎔東亞儒學於一爐而冶之的黃俊傑 　先生	24 卷 3 期	(279)	頁 100~104	2008 年 8 月
3392	鄭月梅	羅宗濤教授的治學特色及其研究成果	24 卷 4 期	(280)	頁 102~106	2008 年 9 月
3393	張屏生	永不止息的心靈探索—— 　姚榮松教授和他的學術研究	24 卷 4 期	(280)	頁 107~111	2008 年 9 月
3394	陳水福	資深學術出版工作者—— 　訪杜潔祥先生	24 卷 6 期	(282)	頁 107~111	2008 年 11 月
3395	張政偉	黃忠慎教授的《詩經》研究之路	24 卷 7 期	(283)	頁 98~102	2008 年 12 月
3396	陳逢源	閱萬品人，歷萬般事—— 　董金裕教授學思歷程	24 卷 9 期	(285)	頁 98~102	2009 年 2 月
3397	連清吉	德不孤必有鄰的劉三富教授	24 卷 9 期	(285)	頁 103~107	2009 年 2 月
3398	吳傑儒	揚燦英華·化育菁莪—— 　賀朱榮智教授六十壽慶	24 卷 12 期	(288)	頁 55~59	2009 年 5 月
3399	葉純芳	文字學之巨擘—— 　許錟輝教授的學思歷程	25 卷 1 期	(289)	頁 103~107	2009 年 6 月
3400	柯明傑	諦究經史字學，迭見別識新裁—— 　蔡信發教授的學思歷程	25 卷 2 期	(290)	頁 100~104	2009 年 7 月
3401	張于忻	當代君子儒——訪陳光憲講座教授	25 卷 2 期	(290)	頁 105~111	2009 年 7 月
3402	謝智光	不往行人行處行—— 　吳福助教授的治學理念	25 卷 3 期	(291)	頁 103~107	2009 年 8 月
3403	黃文吉	雜劇打了，典型長存——	25 卷 5 期	(293)	頁 103~107	2009 年 10 月

顏天佑教授

3404	蕭靜怡	建構文學理論的金字塔工程—— 專訪張雙英教授	25 卷 6 期	(294)	頁 96~100	2009 年 11 月
3405	商　琲	用生命織就學術網—— 張麗珠教授與清代學術思想研究	25 卷 7 期	(295)	頁 97~101	2009 年 12 月
3406	謝淑熙	乾坤並建，體用一如—— 從「新儒學」到「後新儒學」的開 啟者林安梧教授	25 卷 8 期	(296)	頁 97~101	2010 年 1 月
3407	林惟仁	求道者之路—— 林啟屏教授的儒學研究及其人生向度	25 卷 9 期	(297)	頁 97~101	2010 年 2 月
3408	詹千慧	林玫儀教授詞學研究概述	25 卷 10 期	(298)	頁 101~105	2010 年 3 月
3409	左秀靈	墨人——中國的驕傲	21 卷 9 期	(249)	頁 39~40	2006 年 2 月

7.4.14　其他地區

3410	戴　玉整理	窮千里目，看漢文學史—— 訪陳慶浩	1 卷 9 期	(9)	頁 17~21	1986 年 2 月
3411	林慧峰採訪	一個中國的生活家—— 訪法國文化科技中心主任戴文治	2 卷 5 期	(17)	頁 12~14	1986 年 10 月
3412	竺家寧採訪	跟語言老大說話——訪李方桂先生	2 卷 6 期	(18)	頁 6~9	1986 年 11 月
3413	吳奔星	中國象徵詩派的祖師爺—— 李金髮其人其詩	7 卷 1 期	(73)	頁 16~22	1991 年 6 月
3414	許景重	達摩的畫像	8 卷 1 期	(85)	頁 63~64	1992 年 6 月
3415	管傑雄	諾貝爾物理獎得主——崔琦教授	15 卷 11 期	(179)	頁 57~60	2000 年 4 月
3416	賈福相	瑞秋・卡森—— 從一個詩心的少女到一個天心的戰士	15 卷 11 期	(179)	頁 88~93	2000 年 4 月
3417	林均珈	十年一劍　縱橫天下—— 陳錦釗教授的學思歷程	25 卷 4 期	(292)	頁 96~100	2009 年 9 月
3418	陳文采	李家樹教授《詩經》研究的歷程	24 卷 2 期	(278)	頁 4~9	2008 年 7 月
3419	謝向榮	發揚樸學傳統，兼綜漢學菁華—— 單周堯教授經學成就述略	24 卷 2 期	(278)	頁 10~17	2008 年 7 月
3420	留金騰	經師人師—— 郭鵬飛先生及其先秦學術研究	24 卷 2 期	(278)	頁 18~21	2008 年 7 月
3421	譚志明	不辭長作嶺南人—— 李雄溪教授及其文字訓詁研究	24 卷 2 期	(278)	頁 22~27	2008 年 7 月
3422	李詠健	禮學研究的接班人—— 許子濱教授及其經學研究	24 卷 2 期	(278)	頁 34~39	2008 年 7 月
3423	伍煥堅	通經致用—— 盧鳴東教授的經學研究	24 卷 2 期	(278)	頁 40~44	2008 年 7 月
3424	陳重仁	身體力行的知識分子——	24 卷 11 期	(287)	頁 102~106	2009 年 4 月

8 語言文字學類

8.1 通論

3428	王生更	雷根的老婆叫南茜？——由錯別字談到唸錯音	1 卷 4 期	(4)	頁 72~74	1985 年 9 月
3429	劉　潔	字斟句酌	1 卷 10 期	(10)	頁 50~55	1986 年 3 月
3430	劉　潔	從部長先生口誤說起	1 卷 12 期	(12)	頁 60~61	1986 年 5 月
3431	王輔羊	賣房子有學問	2 卷 1 期	(13)	頁 74	1986 年 6 月
3432	黃英烈	當前的文字污染	2 卷 1 期	(13)	頁 75	1986 年 6 月
3433	趙赫炎	兔兒搗對？兔兒搗碓？——電視戲劇語文方面的訛誤	2 卷 6 期	(18)	頁 60~62	1986 年 11 月
3434	劉　潔	記者‧作家‧文藝獎	2 卷 7 期	(19)	頁 90~92	1986 年 12 月
3435	勁　士	破天荒的命名／編輯的幽默	2 卷 8 期	(20)	頁 16~17	1987 年 1 月
3436	蔡木生	第一集《字斟句酌》的一些疏失	2 卷 8 期	(20)	頁 90	1987 年 1 月
3437	勁　士	標點大有文章／拆字遊戲人間	2 卷 9 期	(21)	頁 36~37	1987 年 2 月
3438	劉　潔	感謝與說明——敬答蔡木生先生	2 卷 9 期	(21)	頁 42~43	1987 年 2 月
3439	劉　潔	狙、擊、狙而未擊？	2 卷 11 期	(23)	頁 66~67	1987 年 4 月
3440	劉　潔	「四足」能「鼎立」嗎？	3 卷 1 期	(25)	頁 54~55	1987 年 6 月
3441	吳廣定	談「四足鼎立」的問題	3 卷 3 期	(27)	頁 83	1987 年 8 月
3442	劉　潔	再談「四足鼎立」	3 卷 4 期	(28)	頁 86	1987 年 9 月
3443	竺家寧	「國語」的來源	6 卷 1 期	(61)	頁 9	1990 年 6 月
3444	陳玉麟	國語的來源	6 卷 4 期	(64)	頁 63~64	1990 年 9 月
3445	王申培	中國文字與人工智慧	6 卷 5 期	(65)	頁 99~103	1990 年 10 月
3446	耿雲志	胡適與國語運動	6 卷 7 期	(67)	頁 75~80	1990 年 12 月
3447	羅肇錦	胡適的國語定義解析	6 卷 7 期	(67)	頁 81~84	1990 年 12 月
3448	姚榮松	當代臺灣語言生態展	7 卷 6 期	(78)	頁 11	1991 年 11 月
3449	龔鵬程	歷史的與社會的語文學	10 卷 4 期	(112)	頁 2~3	1994 年 9 月
3450	陳新雄	治國學的利器——綜觀小學	14 卷 5 期	(161)	頁 34~36	1998 年 10 月

8.2 語言學

3451	羅肇錦	語詞的約定與本質	1 卷 1 期	(1)	頁 56~57	1985 年 6 月
3452	王仁鈞	欸乃一聲山水綠——從原始的呼喊到語言的產生	1 卷 2 期	(2)	頁 54~55	1985 年 7 月
3453	戴璉璋校訂 賴麗蓉分析	語法分析舉隅——「兒時記趣」國中國文第一冊第八課	1 卷 3 期	(3)	頁 44~47	1985 年 8 月
3454	戴璉璋校訂	語法分析舉隅——	1 卷 4 期	(4)	頁 28~31	1985 年 9 月

		賴麗蓉分析 「兒時記趣」國中國文第一冊 第八課				
3455	羅肇錦	語言是個大騙子—— 「說的」和「想的」	1 卷 4 期	(4)	頁 66~68	1985 年 9 月
3456	羅肇錦	打死老婆—— 從動物名稱看方言的幾個現象	1 卷 8 期	(8)	頁 48~49	1986 年 1 月
3457	羅肇錦	對上眼了—— 從連文看漢語詞義的相對現象	1 卷 10 期	(10)	頁 75~77	1986 年 3 月
3458	黃基正	「打死老婆」的方言問題	1 卷 11 期	(11)	頁 46~47	1986 年 4 月
3459	顏元叔	英文也是象形文字	2 卷 1 期	(13)	頁 52~53	1986 年 6 月
3460	周 何	逗號、分號的用法	2 卷 2 期	(14)	頁 6~7	1986 年 7 月
3461	張光宇	張琨院士的語言學世界	2 卷 4 期	(16)	頁 6~9	1986 年 9 月
3462	姚榮松	方言與考古	2 卷 4 期	(16)	頁 32~35	1986 年 9 月
3463	姚榮松	芭樂／龍眼／檨仔	2 卷 5 期	(17)	頁 50~52	1986 年 10 月
3464	姚榮松	(辵日)(辵月)／相唗	2 卷 6 期	(18)	頁 41~43	1986 年 11 月
3465	姚榮松	飼囝、搖囝仔歌—— 兼談「囝」字的讀音	2 卷 7 期	(19)	頁 66~69	1986 年 12 月
3466	姚榮松	翁相／攑箸捧碗	2 卷 8 期	(20)	頁 73~75	1987 年 1 月
3467	傅錫王	卡拉OK打群架？	2 卷 9 期	(21)	頁 24	1987 年 2 月
3468	姚榮松	好額‧散赤／讀冊‧捌字	2 卷 9 期	(21)	頁 58~60	1987 年 2 月
3469	姚榮松	飫、糜、□、泔	2 卷 12 期	(24)	頁 60~62	1987 年 5 月
3470	野 渡	閩南語的「囝」字	2 卷 12 期	(24)	頁 90~91	1987 年 5 月
3471	龔鵬程	中國學術語言有沒有生路？	3 卷 1 期	(25)	頁 8~9	1987 年 6 月
3472	姚榮松	小小台灣，語言爆炸	3 卷 1 期	(25)	頁 31~38	1987 年 6 月
3473	劉兆祐	淺論外來語	3 卷 1 期	(25)	頁 39~43	1987 年 6 月
3474	思 果	基本中文	3 卷 1 期	(25)	頁 44~45	1987 年 6 月
3475	羅肇錦	客家話	3 卷 2 期	(26)	頁 78~80	1987 年 7 月
3476	張光宇	閩南方言研究導論	3 卷 4 期	(28)	頁 70~74	1987 年 9 月
3477	張光宇	中國的語言——少數民族的語言	3 卷 9 期	(33)	頁 80~83	1988 年 2 月
3478	張光宇	中國的語言——漢語方言	3 卷 10 期	(34)	頁 80~84	1988 年 3 月
3479	蔡維天	書面語言與書寫系統	3 卷 12 期	(36)	頁 69~73	1988 年 5 月
3480	張光宇	方音比較	3 卷 12 期	(36)	頁 82~85	1988 年 5 月
3481	許紹明	閩南語多遠古音	4 卷 1 期	(37)	頁 74	1988 年 6 月
3482	羅肇錦	請善待方言	4 卷 2 期	(38)	頁 64~65	1988 年 7 月
3483	張光宇	漢語方言的語音系統	4 卷 4 期	(40)	頁 86~90	1988 年 9 月
3484	姚榮松	語詞的還鄉——	4 卷 5 期	(41)	頁 77~79	1988 年 10 月

　　　　　　　　　同源詞和方言詞溯源

3485	曾錦坤	文言譯白話底探討	4 卷 6 期	(42)	頁 98~101	1988 年 11 月
3486	羅肇錦	閩南、福佬、河洛話的區別	4 卷 7 期	(43)	頁 8	1988 年 12 月
3487	張光宇	漢語發展史與古音重建	4 卷 8 期	(44)	頁 64~67	1989 年 1 月
3488	竺家寧	用ＡＢＣ學國語？	5 卷 5 期	(53)	頁 26~30	1989 年 10 月
3489	張光宇	注音符號與拼音方案	5 卷 5 期	(53)	頁 31~35	1989 年 10 月
3490	竺家寧	國際語——人類共同的聲音	5 卷 6 期	(54)	頁 63~65	1989 年 11 月
3491	竺家寧	聽聽各種「聲音」—— 漫談語言與傳訊	5 卷 10 期	(58)	頁 97~99	1990 年 3 月
3492	羅肇錦	臺灣語言的過去、現在、未來	5 卷 11 期	(59)	頁 102~105	1990 年 4 月
3493	洪惟仁	「ㄆㄜˋ ㄅㄟ」的來源和寫法	6 卷 11 期	(71)	頁 8~9	1991 年 4 月
3494	尤雅姿	由「波霸」的登陸談漢語中的外來詞	7 卷 4 期	(76)	頁 68~70	1991 年 9 月
3495	羅肇錦	鬧熱滾滾——大眾傳播語的分合	7 卷 6 期	(78)	頁 12~15	1991 年 11 月
3496	黃宣範	普查四合院—— 臺灣語言社會學的一些觀察	7 卷 6 期	(78)	頁 16~22	1991 年 11 月
3497	曹逢甫	正字標記，從何貼起—— 標準國語的重新釐定此其時矣	7 卷 6 期	(78)	頁 23~27	1991 年 11 月
3498	姚榮松	外來語—— 廉價的朱古力？或入超的舶來品？	7 卷 6 期	(78)	頁 28~36	1991 年 11 月
3499	鄭良偉	主流派的融合與互動—— 從臺灣當代小說的詞法看漢語語法 的演變	7 卷 6 期	(78)	頁 37~45	1991 年 11 月
3500	洪惟仁	臺語辭典知多少？—— 歷來閩南語辭書簡介（上）	7 卷 7 期	(79)	頁 37~43	1991 年 12 月
3501	洪惟仁	臺語辭典知多少？—— 歷來閩南語辭書簡介（中）	7 卷 8 期	(80)	頁 66~68	1992 年 1 月
3502	洪惟仁	臺語辭典知多少？—— 歷來閩南語辭書簡介（下）	7 卷 9 期	(81)	頁 64~67	1992 年 2 月
3503	黃沛榮	當速食麵碰上方便麵—— 兩岸生活用語的比較	8 卷 1 期	(85)	頁 12~15	1992 年 6 月
3504	姚榮松	葉爾欽ＶＳ葉利欽—— 兩岸外國人名地名漢譯分歧初探	8 卷 1 期	(85)	頁 16~23	1992 年 6 月
3505	周純一	兩岸用語的差異現象探討	8 卷 1 期	(85)	頁 28~30	1992 年 6 月
3506	楊如雪	語言學、語法、文法	8 卷 5 期	(89)	頁 100~103	1992 年 10 月
3507	宗廷虎	十年來大陸的漢語修辭學	8 卷 9 期	(93)	頁 90~95	1993 年 2 月
3508	蔡俊生	簡述文字的形成	8 卷 9 期	(93)	頁 100~108	1993 年 2 月
3509	王者寧	由方言看漢民族的融合	9 卷 3 期	(99)	頁 38~45	1993 年 8 月

3510	張屏生	專訪大陸學者李永明先生—— 談漢語方言的調查與研究	9 卷 3 期	(99)	頁 108~117	1993 年 8 月
3511	侯亮宇	談冒號句中「總承」、「總記」及 「引語」的作用	9 卷 5 期	(101)	頁 85~89	1993 年 10 月
3512	謎 徒	啞謎早已人猜破—— 略說「古詩文的斷章式歇後法」	9 卷 6 期	(102)	頁 84~88	1993 年 11 月
3513	劉紹楨	語言的實相與幻相—— 台灣語言運動之析判	9 卷 6 期	(102)	頁 94~100	1993 年 11 月
3514	竺家寧	國際漢語言文化學術研討會紀要	9 卷 6 期	(102)	頁 101	1993 年 11 月
3515	劉昭妹	語言的遊戲場	9 卷 8 期	(104)	頁 4~5	1994 年 1 月
3516	許長謨	一字如箭	9 卷 8 期	(104)	頁 76~77	1994 年 1 月
3517	杜明德	漢語詞匯雙音節化初探	9 卷 12 期	(108)	頁 100~106	1994 年 5 月
3518	竺家寧	中國語言學和中文系	10 卷 2 期	(110)	頁 92~98	1994 年 7 月
3519	李葆嘉	天問：華夏漢語祖先安在—— 論華夏漢語的混成發生與推移演變	10 卷 9 期	(117)	頁 94~105	1995 年 2 月
3520	許逸之	三友齋文法集談（二）：中文文法 書之難讀	10 卷 11 期	(119)	頁 63~69	1995 年 4 月
3521	老志鈞	「存在」與「有」用法之分野	10 卷 12 期	(120)	頁 73~76	1995 年 5 月
3522	林政華	「臺灣閩南話」定名的建議	11 卷 9 期	(129)	頁 4~5	1996 年 2 月
3523	陶 緯	談西洋人名的中譯	11 卷 9 期	(129)	頁 94~97	1996 年 2 月
3524	陳美玲	可愛的媒婆——分號	11 卷 10 期	(130)	頁 60~63	1996 年 3 月
3525	王興佳	漢民族共同語溯源	15 卷 1 期	(169)	頁 108~111	1999 年 6 月
3526	翁廷辰	論語言文字與漢語漢文的發展	14 卷 2 期	(158)	頁 87~89	1998 年 7 月
3527	彭忠德	古代誓辭中「有如某某」新解	14 卷 2 期	(158)	頁 90~93	1998 年 7 月
3528	老志鈞	中文的「性」氾濫	14 卷 3 期	(159)	頁 79~82	1998 年 8 月
3529	王興佳	漢字文化圈淺識	14 卷 5 期	(161)	頁 76~80	1998 年 10 月
3530	左秀靈	稱謂——委座與公	14 卷 5 期	(161)	頁 81	1998 年 10 月
3531	黃 靖	「爸爸」、「媽媽」是外來語嗎？	14 卷 5 期	(161)	頁 82~85	1998 年 10 月
3532	趙天行	中國的文言文（上）	14 卷 8 期	(164)	頁 87~91	1999 年 1 月
3533	趙天行	中國的文言文（下）	14 卷 9 期	(165)	頁 86~89	1999 年 2 月
3534	許長謨	聲韻與選舉——國臺語的世紀交會	14 卷 9 期	(165)	頁 90~93	1999 年 2 月
3535	老志鈞	新興短語「……之一」用法淺議	14 卷 10 期	(166)	頁 74~77	1999 年 3 月
3536	凌鼎年	說手	14 卷 11 期	(167)	頁 77~78	1999 年 4 月
3537	文 方	國語注音符號與漢語拼音較論	15 卷 1 期	(169)	頁 98~102	1999 年 6 月
3538	王興佳	漢民族共同與溯源	15 卷 1 期	(169)	頁 108~111	1999 年 6 月
3539	黃春貴	名詞的前綴和後綴	15 卷 4 期	(172)	頁 77~85	1999 年 9 月

3540	林孝璘	指導閩南語演講比賽幾個常見的問題	15 卷 6 期	(174)	頁 4~7	1999 年 11 月
3541	蘇秀錦	閩南語朗讀競賽——拆招（上）——句讀部分	15 卷 6 期	(174)	頁 8~13	1999 年 11 月
3542	蘇秀錦	閩南語朗讀競賽——拆招（中）——語氣、節奏部分	15 卷 7 期	(175)	頁 68~75	1999 年 12 月
3543	蘇秀錦	閩南語朗讀競賽——拆招（下）——語音部分	15 卷 8 期	(176)	頁 78~85	2000 年 1 月
3544	鮑延毅	詞語探源：「春」，酒的一個動人異名	15 卷 9 期	(177)	頁 65~66	2000 年 2 月
3545	張　覺	學習的生命在於探索——我是怎樣學習古漢語的	15 卷 12 期	(180)	頁 81~84	2000 年 5 月
3546	左秀靈	詞語探源：東北	16 卷 5 期	(185)	頁 85	2000 年 10 月
3547	劉滌凡	從語言學看現代詩神思的效用	16 卷 6 期	(186)	頁 33~39	2000 年 11 月
3548	王興佳	外籍人的漢語拼音研究	16 卷 7 期	(187)	頁 81~84	2000 年 12 月
3549	陳慧珍	從日文的羅馬拼音看通用拼音與漢語拼音之爭	16 卷 7 期	(187)	頁 85~91	2000 年 12 月
3550	魏子雲	《金瓶梅》（詞話）的語言——抽樣指出三幾字	16 卷 10 期	(190)	頁 79~82	2001 年 3 月
3551	蘇秀錦	閩南語朗讀競賽的幾個問題	16 卷 11 期	(191)	頁 95~99	2001 年 4 月
3552	戴維揚	求同化異、觸類旁通——探索語流音變與語文文教學	17 卷 1 期	(193)	頁 4~7	2001 年 6 月
3553	王昌煥	標點符號在散文中的妙用——以余光中〈聽聽那冷雨〉為例	17 卷 5 期	(197)	頁 68~73	2001 年 10 月
3554	丁旭輝	標點符號在現代詩中的意義與節奏功能	17 卷 5 期	(197)	頁 74~77	2001 年 10 月
3555	杜淑貞	標點符號 V.S 文學作品的「張力效應」	17 卷 5 期	(197)	頁 64~67	2001 年 10 月
3556	戴景尼	閩南語裡古音保留的現象	17 卷 11 期	(203)	頁 67~71	2002 年 4 月
3557	徐富美	「寧可聽蘇州人吵架，也不願聽寧波人講話」——吳語社會學的探討	17 卷 12 期	(204)	頁 21~26	2002 年 5 月
3558	戚曉杰	多音字的表達藝術	17 卷 12 期	(204)	頁 71~72	2002 年 5 月
3559	鄧聲國	從「奴」字看事物的別稱	18 卷 1 期	(205)	頁 78~80	2002 年 6 月
3560	王希杰	已經結婚的和尚	18 卷 3 期	(207)	頁 74~75	2002 年 8 月
3561	陳正榮	龜毛先生最龜毛——台語「龜毛」的語源	18 卷 4 期	(208)	頁 86~87	2002 年 9 月
3562	張　覺	從對比中來學習研究古漢語——談「乎」與「哉」的本質屬性	18 卷 4 期	(208)	頁 88~90	2002 年 9 月
3563	陳叔敏	換湯不換藥——有趣的「同素異序詞」	18 卷 5 期	(209)	頁 75~76	2002 年 10 月

3564	陳光明	從「狗」說起	18 卷 5 期	(209)	頁 83~85	2002 年 10 月
3565	鍾名誠	思想與語文同一，文言與歐化兼取——朱光潛的語文現代化思想析探	18 卷 6 期	(210)	頁 34~39	2002 年 11 月
3566	陳水雲	漢語與山水詩的造境	18 卷 6 期	(210)	頁 85~89	2002 年 11 月
3567	王希杰	就左和右說語言和文化關係的複雜性（上）	18 卷 11 期	(215)	頁 39~40	2003 年 4 月
3568	曲彥斌	方言的韻味與麻煩	18 卷 11 期	(215)	頁 70~72	2003 年 4 月
3569	王希杰	就左和右說語言和文化關係的複雜性（下）	18 卷 12 期	(216)	頁 38~43	2003 年 5 月
3570	周日安	勝與敗：一對特殊的反義、同義詞	19 卷 4 期	(220)	頁 86~88	2003 年 9 月
3571	胡習之	試說「定中重複」的判別	19 卷 5 期	(221)	頁 83~86	2003 年 10 月
3572	王希杰	對稱反射法——造詞與轉義	19 卷 6 期	(222)	頁 4~5	2003 年 11 月
3573	李亞明	漢語詞語的休眠、復甦與新陳代謝	19 卷 6 期	(222)	頁 13~17	2003 年 11 月
3574	吳世旭	諧音與民俗	19 卷 9 期	(225)	頁 39~42	2004 年 2 月
3575	王希杰	語文隨筆	19 卷 10 期	(226)	頁 63~66	2004 年 3 月
3576	姚榮松	閩南語漢字書寫的檢討與文字化的方向	19 卷 10 期	(226)	頁 81~86	2004 年 3 月
3577	裴 文	語言流變的時空觀解釋（上）	19 卷 11 期	(227)	頁 58~62	2004 年 4 月
3578	裴 文	語言流變的時空觀解釋（下）	19 卷 12 期	(228)	頁 66~71	2004 年 5 月
3579	聶 焱	王希杰的學術研究及其修辭思想研究現狀（上）	19 卷 12 期	(228)	頁 101~107	2004 年 5 月
3580	鐘玖英	新鮮話語「長」出來	20 卷 1 期	(229)	頁 69~72	2004 年 6 月
3581	王希杰	「南朝鮮」與「北韓」	20 卷 1 期	(229)	頁 73~74	2004 年 6 月
3582	聶 焱	王希杰的學術研究及其修辭思想研究現狀（下）	20 卷 1 期	(229)	頁 99~105	2004 年 6 月
3583	張 覺	「輕聲」只是一種變調嗎？	20 卷 2 期	(230)	頁 74~75	2004 年 7 月
3584	劉靜敏	疊音式人名的聲調	20 卷 4 期	(232)	頁 70~72	2004 年 9 月
3585	李玄玉	漢、韓民族的得體性與文化背景研究	20 卷 5 期	(233)	頁 40~47	2004 年 10 月
3586	孟建安	得體性原則的層次觀（下）	20 卷 7 期	(235)	頁 70~74	2004 年 12 月
3587	顧關元	「吳儂軟語」與「京片子」	20 卷 9 期	(237)	頁 70~71	2005 年 2 月
3588	李子榮	論普遍語用學的「四個世界」說——兼與修辭學的「四個世界」比較	20 卷 12 期	(240)	頁 55~61	2005 年 5 月
3589	陳蒲清	試論漢字與表音文字的不同發展道路	21 卷 1 期	(241)	頁 57~60	2005 年 6 月
3590	羅肇錦	客家話的漢字源起與用字方式	21 卷 2 期	(242)	頁 4~9	2005 年 7 月
3591	姚榮松	台灣閩南語的正字與俗字	21 卷 2 期	(242)	頁 10~21	2005 年 7 月
3592	孟建安	語言與文化研究園地的一朵新葩——盛愛萍《溫州地名的語言文化研	21 卷 3 期	(243)	頁 107~112	2005 年 8 月

究》的突出特色

3593	曲彥斌	網路語言現象評論	21 卷 4 期	(244)	頁 98~102	2005 年 9 月
3594	傅耀珍	網際網路中的語言現象探討—— 以台灣為例	21 卷 4 期	(244)	頁 103~112	2005 年 9 月
3595	李亞明	漢語發展的兩種傾向	21 卷 5 期	(245)	頁 87~91	2005 年 10 月
3596	尤嘉玫	「炒作」的含義及感情色彩	21 卷 5 期	(245)	頁 92~96	2005 年 10 月
3597	林淑儀	台灣閩南語小稱詞「囝」與「仔」 之比較研究	21 卷 8 期	(248)	頁 99~104	2006 年 1 月
3598	李皇穎	語言融合的現象與教學—— 以「青少年特殊語言」為範圍	22 卷 3 期	(255)	頁 80~87	2006 年 8 月
3599	王天星	外國人與「不見不散」	22 卷 3 期	(255)	頁 88~89	2006 年 8 月
3600	鐘玖英	房奴、卡奴、車奴：奴隸時代？	22 卷 4 期	(256)	頁 79~82	2006 年 9 月
3601	蔡宏杰	從語言特色與修辭技巧談客家山歌 的藝術特色	22 卷 7 期	(259)	頁 24~32	2006 年 12 月
3602	孟建安	語境差及其形成原因	23 卷 5 期	(269)	頁 66~70	2007 年 10 月
3603	王希杰等	《漢語修辭學》漫話（仇小屏 黃健 王婷婷 劉蕾蕾）	23 卷 6 期	(270)	頁 78~87	2007 年 11 月
3604	鐘玖英	滿街都「私房」事	23 卷 8 期	(272)	頁 73~76	2008 年 1 月
3605	王希杰	隨手可得的生活語料	23 卷 11 期	(275)	頁 86~89	2008 年 4 月
3606	王希杰	語境的再分類	24 卷 1 期	(277)	頁 81~89	2008 年 6 月
3607	陳秀桂	台語到位沒	24 卷 10 期	(286)	頁 71~73	2009 年 3 月
3608	聶焱	王希杰語境理論的特色	25 卷 6 期	(294)	頁 75~78	2009 年 11 月
3609	梁吉平 陳麗	「XX門」語彙類析—— 兼論現代漢語詞典對洋詞綴的收錄	25 卷 8 期	(296)	頁 80~82	2010 年 1 月
3610	尹代秀	宏觀全面介紹王希杰三一語言學的 好書——評《王希杰和三一語言學》	25 卷 9 期	(297)	頁 81~88	2010 年 2 月
3611	施發筆	客觀公正的評價 深入系統的闡述 ——簡評聶焱《三一語言學導論》	25 卷 11 期	(299)	頁 75~79	2010 年 4 月

8.3 文字學

8.3.1　通論

3612	楊振良	淺談象形文字中的趣味性	1 卷 1 期	(1)	頁 54~55	1985 年 6 月
3613	劉君祖	文字問題與問題文字	1 卷 2 期	(2)	頁 12~14	1985 年 7 月
3614	羅肇錦	文明的魔杖—— 文字在文明演進所扮演的角色	1 卷 7 期	(7)	頁 58~59	1985 年 12 月
3615	陳正榮	為什麼會一字多義？	1 卷 7 期	(7)	頁 76~78	1985 年 12 月
3616	曾榮汾	用心可免錯別字	1 卷 8 期	(8)	頁 34	1986 年 1 月

3617	何　依	「常用國字標準字體」？	1 卷 8 期	(8)	頁 47	1986 年 1 月
3618	吳客禮	報紙標題的錯誤	1 卷 9 期	(9)	頁 52	1986 年 2 月
3619	劉　潔	字斟句酌	1 卷 11 期	(11)	頁 44~45	1986 年 4 月
3620	林政華	讀錯字報	1 卷 11 期	(11)	頁 71~73	1986 年 4 月
3621	蔣慶儒	中國字的美感與趣味	1 卷 12 期	(12)	頁 58~59	1986 年 5 月
3622	林政華	近期報紙副刊文字的疑誤	1 卷 12 期	(12)	頁 73~75	1986 年 5 月
3623	劉　潔	一句古話引起困擾	2 卷 1 期	(13)	頁 50~51	1986 年 6 月
3624	林政華	讀錯字報	2 卷 1 期	(13)	頁 54~56	1986 年 6 月
3625	林政華	談近期報紙副刊上的訛誤	2 卷 4 期	(16)	頁 17~19	1986 年 9 月
3626	史墨卿	一字成誤不為詩	2 卷 12 期	(24)	頁 52	1987 年 5 月
3627	孔仲溫	宋代的文字學	3 卷 3 期	(27)	頁 73~79	1987 年 8 月
3628	許錟輝	中國文字的特質	3 卷 4 期	(28)	頁 56~58	1987 年 9 月
3629	許錟輝	中國文字的功能與價值（上）	3 卷 5 期	(29)	頁 57~59	1987 年 10 月
3630	許錟輝	中國文字的功能與價值（下）	3 卷 6 期	(30)	頁 68~71	1987 年 11 月
3631	許錟輝	中國文字的起源和創作	3 卷 7 期	(31)	頁 83~85	1987 年 12 月
3632	許錟輝	中國文字的演進（上）	3 卷 8 期	(32)	頁 57~61	1988 年 1 月
3633	許錟輝	中國文字的演進（二）	3 卷 9 期	(33)	頁 75~79	1988 年 2 月
3634	許錟輝	中國文字的演進（三）	3 卷 10 期	(34)	頁 76~79	1988 年 3 月
3635	許錟輝	細說中國文字：中國文字的演進（四）——秦漢時期	4 卷 1 期	(37)	頁 75~79	1988 年 6 月
3636	林　榆	淺論建立歷史比較文字學	4 卷 5 期	(41)	頁 85~87	1988 年 10 月
3637	吳東權	在傳播歷程中成長的漢字（上）	4 卷 10 期	(46)	頁 38~41	1989 年 3 月
3638	吳東權	在傳播歷程中成長的漢字（中）	4 卷 11 期	(47)	頁 52~56	1989 年 4 月
3639	蔡哲茂	周原甲骨簡介（上）	4 卷 11 期	(47)	頁 62~68	1989 年 4 月
3640	蔡哲茂	周原甲骨簡介（下）	4 卷 12 期	(48)	頁 70~72	1989 年 5 月
3641	吳東權	在傳播歷程中成長的漢字（下）	4 卷 12 期	(48)	頁 73~77	1989 年 5 月
3642	趙天行	古老的年	5 卷 8 期	(56)	頁 78~80	1990 年 1 月
3643	編輯部	首屆中國文字學學術研討會召開	5 卷 8 期	(56)	頁 108	1990 年 1 月
3644	許錟輝	何謂「蝌蚪文」？	5 卷 9 期	(57)	頁 9	1990 年 2 月
3645	司　琦	中國文字的特色、問題及展望——兼述中國統一與中國文字改革的途徑	6 卷 10 期	(70)	頁 69~73	1991 年 3 月
3646	許錟輝	「賽」和「寶」為什麼不在同一部首？	6 卷 12 期	(72)	頁 8~9	1991 年 5 月
3647	編輯部	「中國文字的未來」學術研討會及座談會計畫書	7 卷 1 期	(73)	頁 113	1991 年 6 月
3648	高明口述	在中國文字研究的大道上前進——	7 卷 2 期	(74)	頁 58~61	1991 年 7 月

張廣慶記錄　　國文字學會的回顧與前瞻

3649	陳昭容	給後輩一個優美的示範—— 李孝定先生訪談記	7 卷 4 期	(76)	頁 59~66	1991 年 9 月
3650	黃沛榮	眾裡尋他千百度—— 談漢字的部首與歸部問題	7 卷 7 期	(79)	頁 16~19	1991 年 12 月
3651	宋鎮豪	中國甲骨學界泰斗胡厚宣先生	7 卷 8 期	(80)	頁 52~58	1992 年 1 月
3652	范毓周	甲骨文中的合文字	7 卷 12 期	(84)	頁 68~70	1992 年 5 月
3653	沈　寬	漢文字起源的再認識	8 卷 3 期	(87)	頁 100~108	1992 年 8 月
3654	蔡俊生	簡述文字的形成	8 卷 9 期	(93)	頁 100~108	1993 年 2 月
3655	王　甦	舉世無比的漢字	8 卷 10 期	(94)	頁 12~17	1993 年 3 月
3656	陳剩勇	漢字五千年歷史有新證—— 五十年來中國文字起源的考古發現 和研究	9 卷 3 期	(99)	頁 46~51	1993 年 8 月
3657	劉昭妹	從麵包到面包	9 卷 10 期	(106)	頁 4~5	1994 年 3 月
3658	許錟輝	解國文天地讀者郭宇虹先生問有關 文字之惑二條	11 卷 1 期	(121)	頁 116~117	1995 年 6 月
3659	徐傳武	「矮」「射」談趣	11 卷 5 期	(125)	頁 84~85	1995 年 10 月
3660	朱歧祥	由我愛中國文字說起	11 卷 7 期	(127)	頁 102~105	1995 年 12 月
3661	左秀靈	再談「矮」、「射」	11 卷 7 期	(127)	頁 106~107	1995 年 12 月
3662	翁以倫	何以尤物稱美女—— 從「尤」字字形談起	11 卷 10 期	(130)	頁 84~87	1996 年 3 月
3663	許錟輝	「初」的部首是那一部？	11 卷 11 期	(131)	頁 8	1996 年 4 月
3664	顏進雄	談中國文字行成由右向左直行書寫 的原因	12 卷 3 期	(135)	頁 62~66	1996 年 8 月
3665	左秀靈	源濁流混—— 教育部頒布了錯誤的部首「左」	12 卷 3 期	(135)	頁 72~73	1996 年 8 月
3666	林金龍	走向世界—— 從幾則事例談漢字的發展潛勢	12 卷 8 期	(140)	頁 111~116	1997 年 1 月
3667	李景遠	唐代字樣著作所呈現的正字觀	13 卷 3 期	(147)	頁 109~113	1997 年 8 月
3668	王興佳	古代漢字的規範化	14 卷 7 期	(163)	頁 81~84	1998 年 12 月
3669	翁廷辰	豆芽紋與方塊紋的比較	14 卷 10 期	(166)	頁 78~80	1999 年 3 月
3670	朱歧祥	胡適與文字學	14 卷 12 期	(168)	頁 82~87	1999 年 5 月
3671	許錟輝	文字形體結構與音義的關係	16 卷 9 期	(189)	頁 69	2001 年 2 月
3672	朱歧祥	談中國文字的起源	17 卷 5 期	(197)	頁 24~25	2001 年 10 月
3673	蔡信發	正視文字學，老實念中文	17 卷 7 期	(199)	頁 4~7	2001 年 12 月
3674	朱歧祥	中小學老師宜認識的一批象形字	18 卷 4 期	(208)	頁 91~93	2002 年 9 月
3675	林恭祖	天干是嬰兒先天與後天的象形字	20 卷 10 期	(238)	頁 31~37	2005 年 3 月

3676	金真姬	韓國常用漢字初探	21 卷 1 期	(241)	頁 61~68	2005 年 6 月
3677	羅肇錦	客家話的漢字源起與用字方式	21 卷 2 期	(242)	頁 4~9	2005 年 7 月
3678	姚榮松	台灣閩南語的正字與俗字	21 卷 2 期	(242)	頁 10~21	2005 年 7 月
3679	蔡信發	談「清鈔本」俗字	21 卷 2 期	(242)	頁 22~38	2005 年 7 月
3680	翁敏修	明代俗字略說	21 卷 2 期	(242)	頁 39~43	2005 年 7 月
3681	杜忠誥	「笑」的真面目	23 卷 5 期	(269)	頁 71~76	2007 年 10 月
3682	施順生	從古文字認識漢字之美	23 卷 7 期	(271)	頁 28~36	2007 年 12 月
3683	譚志明	不辭長作嶺南人── 李雄溪教授及其文字訓詁研究	24 卷 2 期	(278)	頁 22~27	2008 年 7 月
3684	徐淑娟	論書藝對俗字成因之影響	24 卷 8 期	(284)	頁 37~41	2009 年 1 月
3685	王世豪	漢字在撰寫學術論文之實務體驗	25 卷 6 期	(294)	頁 23~27	2009 年 11 月

8.3.2　辨字辨詞

3686	曾永義	說文解語	1 卷 1 期	(1)	頁 50~53	1985 年 6 月
3687	蔡信發	究竟是「報」還是「報」？	1 卷 2 期	(2)	頁 6~7	1985 年 7 月
3688	顏崑陽	「孤蓬」與「孤篷」何者正確？	1 卷 2 期	(2)	頁 7	1985 年 7 月
3689	朱邦彥	編輯的困惑──莫衷一是的字	1 卷 2 期	(2)	頁 10~11	1985 年 7 月
3690	周　何	「分」與「份」的用法	1 卷 4 期	(4)	頁 8~9	1985 年 9 月
3691	胡楚生	「足下」與「閣下」的區分	1 卷 6 期	(6)	頁 9	1985 年 11 月
3692	竺家寧	是鳥？還是馬？	1 卷 6 期	(6)	頁 52	1985 年 11 月
3693		瑜珈與瑜伽	1 卷 7 期	(7)	頁 8	1985 年 12 月
3694	周益忠	滷菜乎？魯菜乎？	1 卷 7 期	(7)	頁 52	1985 年 12 月
3695	萬愛珍	赤嵌樓	1 卷 7 期	(7)	頁 53	1985 年 12 月
3696	楊振良	數點梅花天地心──談梅	1 卷 7 期	(7)	頁 60	1985 年 12 月
3697	竺家寧	「盜」是兩點？還是三點？	1 卷 7 期	(7)	頁 74	1985 年 12 月
3698	姚榮松	美「元」與日「圓」	1 卷 7 期	(7)	頁 74	1985 年 12 月
3699	萬愛珍	啤酒屋的問題字	1 卷 8 期	(8)	頁 37~39	1986 年 1 月
3700	曾榮汾	為編輯釋惑	1 卷 8 期	(8)	頁 72~75	1986 年 1 月
3701	蔡木生	「橛子里」「橛子里」？	1 卷 9 期	(9)	頁 40	1986 年 2 月
3702	蔡德良	「漂」字錯在那裡？	1 卷 9 期	(9)	頁 40~41	1986 年 2 月
3703	曾榮汾	為編輯釋惑	1 卷 9 期	(9)	頁 68~70	1986 年 2 月
3704	王　甦	須需、絕決、燥躁、的得	1 卷 10 期	(10)	頁 10~11	1986 年 3 月
3705	吳輝棻	大惑不解集：「施施」之音樂	1 卷 10 期	(10)	頁 12~13	1986 年 3 月
3706	曾榮汾	為編輯解惑	1 卷 10 期	(10)	頁 46~47	1986 年 3 月
3707	曾榮汾	「年輕」與「年青」	1 卷 11 期	(11)	頁 21~22	1986 年 4 月

3708	牽 山	〈大惑不解集〉：是「終身」，不是「終生」	1 卷 11 期	(11)	頁 22~23	1986 年 4 月
3709	林政華	近期報紙副刊文字的疑誤	1 卷 12 期	(12)	頁 0	1986 年 5 月
3710	周 何	裝潢與裝璜	2 卷 1 期	(13)	頁 15	1986 年 6 月
3711	若 水	「讀錯字報」也有錯	2 卷 1 期	(13)	頁 77	1986 年 6 月
3712	許紹明	「臺」「台」有別	2 卷 1 期	(13)	頁 78	1986 年 6 月
3713	陳雪珠	「鄙人」、「敝人」？	2 卷 2 期	(14)	頁 91	1986 年 7 月
3714	喻復新	朗朗（琅琅）上口	2 卷 2 期	(14)	頁 91	1986 年 7 月
3715	朱邦彥	「的」「得」大混戰	2 卷 3 期	(15)	頁 70	1986 年 8 月
3716	沈秋雄	匯字不作滙	2 卷 4 期	(16)	頁 14~15	1986 年 9 月
3717	沈秋雄	詞、辭有別	2 卷 4 期	(16)	頁 15	1986 年 9 月
3718	方祖燊	品質與素質	2 卷 5 期	(17)	頁 7	1986 年 10 月
3719	林政華	近期報紙副刊上的訛誤文字	2 卷 6 期	(18)	頁 58~59	1986 年 11 月
3720	林政華	近期報紙副刊上的訛誤文字	2 卷 7 期	(19)	頁 50~51	1986 年 12 月
3721	孫振志	再談「得」、「的」、「地」在語文中的角色	2 卷 7 期	(19)	頁 74~75	1986 年 12 月
3722	王熙元	流字的正確寫法	2 卷 8 期	(20)	頁 7	1987 年 1 月
3723	曾永義	趨之若「鶩」？「騖」？	2 卷 8 期	(20)	頁 9	1987 年 1 月
3724	法 天	「殺戮」與「戰場」？	2 卷 8 期	(20)	頁 65	1987 年 1 月
3725	林 葉	錯別字造成混亂	2 卷 8 期	(20)	頁 70~72	1987 年 1 月
3726	王 甦	「躍」字的正確寫法	2 卷 9 期	(21)	頁 25	1987 年 2 月
3727	劉兆祐	「決」「絕」二字的分別和用法	2 卷 9 期	(21)	頁 25~26	1987 年 2 月
3728	莊雅州	系或是糸？	2 卷 10 期	(22)	頁 9	1987 年 3 月
3729	黃基正	古書中的錯字	2 卷 10 期	(22)	頁 71	1987 年 3 月
3730	蔡木生	齊鐵恨先生著《別字辨正手冊》的一些疑誤	2 卷 10 期	(22)	頁 74~75	1987 年 3 月
3731	龔鵬程	語詞的顛倒運用	2 卷 11 期	(23)	頁 11	1987 年 4 月
3732	楊振良	「闃」字的寫法	2 卷 12 期	(24)	頁 13	1987 年 5 月
3733	劉 潔	湖南省「地處中原」嗎？	2 卷 12 期	(24)	頁 53	1987 年 5 月
3734	王輔羊	兔起鶻落	3 卷 3 期	(27)	頁 11	1987 年 8 月
3735	駱 梵	顛倒有別	3 卷 3 期	(27)	頁 16	1987 年 8 月
3736	王國良	「掃瞄」還是「掃描」？	3 卷 4 期	(28)	頁 14	1987 年 9 月
3737	陳文華	「摧」還是「衰」？	3 卷 5 期	(29)	頁 16~17	1987 年 10 月
3738	賁紹英	他山之石可以攻錯？	3 卷 6 期	(30)	頁 75	1987 年 11 月
3739	王明通	「美輪美奐」？還是「美侖美奐」？	3 卷 7 期	(31)	頁 7	1987 年 12 月

3740	林慶勳	「冘」「冋」之辨	3 卷 8 期	(32)	頁 6~7	1988 年 1 月
3741	胡楚生	史跡「班班」或「斑斑」？	3 卷 10 期	(34)	頁 6~7	1988 年 3 月
3742	駱 梵	「淡入」與「淡出」	3 卷 12 期	(36)	頁 89	1988 年 5 月
3743	黃義郎	「需要」還是「須要」？	4 卷 2 期	(38)	頁 11	1988 年 7 月
3744	李振興	「拿喬」或「拿翹」？	4 卷 5 期	(41)	頁 7	1988 年 10 月
3745	張文彬	「合」「和」的區別	4 卷 6 期	(42)	頁 6~7	1988 年 11 月
3746	顏天佑	「汎」「泛」辨名	4 卷 6 期	(42)	頁 7~8	1988 年 11 月
3747	許明珣	「的」「地」「得」在語言中的角色	4 卷 7 期	(43)	頁 87~89	1988 年 12 月
3748	王輔羊	醞釀不是蘊釀	4 卷 7 期	(43)	頁 99	1988 年 12 月
3749	簡恩定	「潤格」等同於「潤資」、「潤毫」？	4 卷 8 期	(44)	頁 8	1989 年 1 月
3750	高明誠	「樂極悲生」還是「樂極生悲」？	4 卷 8 期	(44)	頁 73	1989 年 1 月
3751	李振興	「嬉笑」？「嘻笑」？	4 卷 11 期	(47)	頁 7~8	1989 年 4 月
3752	王輔羊	問記者所司何事？——論氈與毯、亢與吭	4 卷 12 期	(48)	頁 85~86	1989 年 5 月
3753	林慶勳	「禁不起」和「經不起」	5 卷 1 期	(49)	頁 6	1989 年 6 月
3754	王輔羊	「牛山濯濯」與「童山濯濯」	5 卷 1 期	(49)	頁 43	1989 年 6 月
3755	邱燮友	「土之居者」是「士之居者」？	5 卷 4 期	(52)	頁 7	1989 年 9 月
3756	何淑貞	無時無刻與時時刻刻	5 卷 5 期	(53)	頁 8	1989 年 10 月
3757	楊鴻銘	「察收」？「查收」？	5 卷 7 期	(55)	頁 6	1989 年 12 月
3758	賴明德	選賢與能？選賢舉能？	5 卷 7 期	(55)	頁 7	1989 年 12 月
3759	黃沛榮	「杞」人憂天？「耙」人憂天？	5 卷 8 期	(56)	頁 7	1990 年 1 月
3760	楊鴻銘	「忽視」等同「輕視」？	5 卷 9 期	(57)	頁 8	1990 年 2 月
3761	孫振志	「遷就」與「牽就」	5 卷 9 期	(57)	頁 63	1990 年 2 月
3762	林妙勳	「海上」即「上海」考	5 卷 10 期	(58)	頁 11~13	1990 年 3 月
3763	孫廣平	正「鬼」	6 卷 3 期	(63)	頁 11~12	1990 年 8 月
3764	陳新雄	關於躊躇及容與	6 卷 10 期	(70)	頁 9	1991 年 3 月
3765	黃慶萱	某人「接掌」ＸＸ機關？	6 卷 12 期	(72)	頁 9	1991 年 5 月
3766	王輔羊	樓子與漏子	7 卷 3 期	(75)	頁 62	1991 年 8 月
3767	滿元龍	習見「查收」，亦見「察收」	7 卷 5 期	(77)	頁 81~82	1991 年 10 月
3768	曾榮汾	「辭典」、「詞典」那個正確？	7 卷 7 期	(79)	頁 8	1991 年 12 月
3769	賴明德	「作賤」、「作踐」何者為是？	7 卷 10 期	(82)	頁 7~8	1992 年 3 月
3770	曾榮汾	「絶」、「絕」何者正確？	7 卷 10 期	(82)	頁 8~9	1992 年 3 月
3771	賴明德	「防治」與「防制」	7 卷 11 期	(83)	頁 7	1992 年 4 月
3772	楊元忠	他她，你妳，俄娥？	7 卷 11 期	(83)	頁 65~66	1992 年 4 月
3773	王輔羊	少用錯、別、俗字	7 卷 12 期	(84)	頁 61	1992 年 5 月

3774	許錟輝	悖、背二字是否相通？	8 卷 4 期	(88)	頁 5	1992 年 9 月
3775	儲海雲	荼茶之辨	8 卷 9 期	(93)	頁 22~28	1993 年 2 月
3776	畢長樸	「不毛」與「八莫」	9 卷 3 期	(99)	頁 93~95	1993 年 8 月
3777	翁以倫	藝術化的中國字「眾」與「眔」——淺談古字與初文	9 卷 6 期	(102)	頁 90~93	1993 年 11 月
3778	林礽乾	「海陵紅粟」辨正	10 卷 9 期	(117)	頁 106~115	1995 年 2 月
3779	謝春聘	「每下愈況」與「每況愈下」	11 卷 2 期	(122)	頁 14~15	1995 年 7 月
3780	林純芬	為〈虬髯客傳〉正名	11 卷 2 期	(122)	頁 117	1995 年 7 月
3781	左秀靈	穀與穀——續談《古文觀止》的錯誤	11 卷 5 期	(125)	頁 68~69	1995 年 10 月
3782	黃義郎	「即便」還是「即使」？	12 卷 2 期	(134)	頁 8	1996 年 7 月
3783	孔仲溫	「決擇」不是「抉擇」	12 卷 2 期	(134)	頁 9	1996 年 7 月
3784	孔仲溫	「花稍」「花俏」同源自「花哨」	12 卷 3 期	(135)	頁 8	1996 年 8 月
3785	林家成	「即使」與「即便」之辨正	12 卷 7 期	(139)	頁 105~108	1996 年 12 月
3786	左秀靈	倒楣？倒眉？倒霉？	12 卷 8 期	(140)	頁 110	1997 年 1 月
3787	葉國良	「穿堂」還是「川堂」？	12 卷 9 期	(141)	頁 4	1997 年 2 月
3788	孔仲溫	「芊」就是「羊」的古文	12 卷 11 期	(143)	頁 4~5	1997 年 4 月
3789	鄭阿財	「祭」和「季」有何區別	13 卷 3 期	(147)	頁 6	1997 年 8 月
3790	左秀靈	莫「名」其妙？莫「明」其妙？	13 卷 7 期	(151)	頁 7	1997 年 12 月
3791	詹秀惠	「一味」還是「一昧」？	15 卷 7 期	(175)	頁 92	1999 年 12 月
3792	徐錦成	「一味」與「三昧」	19 卷 3 期	(219)	頁 41	2003 年 8 月
3793	凌鼎年	容易誤用的幾個辭彙	19 卷 6 期	(222)	頁 19~20	2003 年 11 月
3794	王輔羊	「分」與「份」——談兩個易混淆的字	19 卷 10 期	(226)	頁 67~69	2004 年 3 月
3795	魏向東	再論「師子林」與「獅子林」	19 卷 11 期	(227)	頁 45~46	2004 年 4 月
3796	鍾 敏	「教師」非「老師」——小議「教師」與「老師」的區別	20 卷 10 期	(238)	頁 68~70	2005 年 3 月
3797	李金坤	「晚來風急」之辨正	21 卷 7 期	(247)	頁 80~81	2005 年 12 月
3798	林淑儀	試論「需」與「須」之異同	21 卷 11 期	(251)	頁 81~87	2006 年 4 月
3799	陳霖慶	談一組字：閒、閑、嫻、嬾——兼談《重編國語辭典》「嬾」中的幾條引文	25 卷 10 期	(298)	頁 82~86	2010 年 3 月

8.3.3　說文解字

| 3800 | 黃慶萱 | 「說文解字」寫於那一年？ | 1 卷 6 期 | (6) | 頁 10 | 1985 年 11 月 |
| 3801 | 邱燮友 | 攵部和夊部 | 2 卷 8 期 | (20) | 頁 8~9 | 1987 年 1 月 |

3802	劉兆祐	說文解字	2 卷 8 期	(20)	頁 20	1987 年 1 月
3803	賴明德	「慈烏復慈烏」如何解？	2 卷 11 期	(23)	頁 11	1987 年 4 月
3804	蔡信發	說文答問（一）	3 卷 11 期	(35)	頁 51~55	1988 年 4 月
3805	蔡信發	說文答問（二）	3 卷 12 期	(36)	頁 78~81	1988 年 5 月
3806	蔡信發	說文答問（三）	4 卷 4 期	(40)	頁 80~84	1988 年 9 月
3807	林慶勳	形聲字在教學應用上的幾個問題	4 卷 4 期	(40)	頁 104~106	1988 年 9 月
3808	蔡信發	說文答問（四）	4 卷 5 期	(41)	頁 80~84	1988 年 10 月
3809	蔡信發	說文答問（五）	4 卷 8 期	(44)	頁 68~73	1989 年 1 月
3810	蔡信發	說文答問增補	4 卷 11 期	(47)	頁 57~61	1989 年 4 月
3811	蔡信發	說文答問（六）	5 卷 9 期	(57)	頁 58~62	1990 年 2 月
3812	蔡信發	說文答問（七）	5 卷 12 期	(60)	頁 53~57	1990 年 5 月
3813	蔡信發	說文答問（八）	8 卷 6 期	(90)	頁 96~100	1992 年 11 月
3814	蔡信發	說文答問（九）	8 卷 8 期	(92)	頁 103~106	1993 年 1 月
3815	蔡信發	《說文》失收字之商兌	14 卷 7 期	(163)	頁 78~80	1998 年 12 月
3816	林軒鈺	《說文》與國中國文科的文字教學	18 卷 5 期	(209)	頁 77~82	2002 年 10 月
3817	徐耀民	試談《說文解字》的有部無字問題	18 卷 11 期	(215)	頁 81~84	2003 年 4 月
3818	徐耀民	試論許慎氏的假借觀	19 卷 1 期	(217)	頁 67~70	2003 年 6 月
3819	魏子雲	杜忠誥的博士論文——〈《說文》篆文譌形研究〉讀後	19 卷 8 期	(224)	頁 56~58	2004 年 1 月
3820	徐耀民 徐 婷	也談《說文解字》的注音	20 卷 11 期	(239)	頁 61~63	2005 年 4 月
3821	陳美琪	趣談象形與指事	23 卷 7 期	(271)	頁 4~11	2007 年 12 月
3822	呂瑞生	趣談會意與形聲	23 卷 7 期	(271)	頁 12~19	2007 年 12 月
3823	林聖傑	趣談轉注與假借	23 卷 7 期	(271)	頁 20~27	2007 年 12 月
3824	唐雪凝 張金圈	重「女」輕「男」——《說文解字》中「女」部字和「男」部字不對稱現象淺析	23 卷 7 期	(271)	頁 89~95	2007 年 12 月
3825	杜忠誥	《說文》篆文與出土簡牘帛書	23 卷 12 期	(276)	頁 80~88	2008 年 5 月

8.3.4　文字改革

3826	吳立甫	零陵縣變成〇〇縣——談漢字簡化的問題	1 卷 12 期	(12)	頁 36~39	1986 年 5 月
3827	陳益源記錄	「文字簡化面面觀」座談會	5 卷 2 期	(50)	頁 11~18	1989 年 7 月
3828	左松超	漢字簡化的檢討	5 卷 2 期	(50)	頁 19~21	1989 年 7 月
3829	汪學文	中共簡化漢字之挫折與混亂	5 卷 2 期	(50)	頁 22~24	1989 年 7 月
3830	黃沛榮	漢字的簡化與繁化	5 卷 2 期	(50)	頁 25~27	1989 年 7 月

3831	傅武光採訪	訪北京師範大學副校長許家璐先生 談中國文字的簡化	5 卷 2 期	(50)	頁 28~33	1989 年 7 月
3832	楊祚德	正視大陸簡化字	5 卷 2 期	(50)	頁 30~33	1989 年 7 月
3833	編輯部	有關大陸文字改革的著作	5 卷 2 期	(50)	頁 34~39	1989 年 7 月
3834	司　琦	中國文字的特色、問題及展望── 兼述中國統一與中國文字改革的途徑	6 卷 10 期	(70)	頁 69~73	1991 年 3 月
3835	李　耕	珍惜兩岸文字統一的契機── 寫在「兩岸文字統一的法律基礎」 赫然出現之後	8 卷 10 期	(94)	頁 18~25	1993 年 3 月
3836	王興佳	努力促進海峽兩岸文字改革政策的 統一	8 卷 10 期	(94)	頁 26~30	1993 年 3 月
3837	許錟輝	關於識繁寫簡的我見	8 卷 10 期	(94)	頁 32~35	1993 年 3 月
3838	王熙元	兩岸文字統一的呼── 陳著《替海峽兩岸中文字統一試擬 方案》序	8 卷 10 期	(94)	頁 36~39	1993 年 3 月
3839	黃克東	書同文？書同文！書同文？── 從 ISO 10646 看「書同文」的問題	8 卷 10 期	(94)	頁 40~45	1993 年 3 月
3840	黃沛榮	有關江澤民對於語文工作的三點意見	8 卷 12 期	(96)	頁 6~7	1993 年 5 月
3841	冰花樓主	簡化字與漢字規範化	13 卷 12 期	(156)	頁 93~95	1998 年 5 月
3842	翁以倫	我看中共簡體字	14 卷 10 期	(166)	頁 81~84	1999 年 3 月
3843	陳正榮	當「道籙」變成「道篆」── 談兩岸文字簡繁轉換所衍生的困擾	21 卷 4 期	(244)	頁 65~69	2005 年 9 月
3844	林中明	從「繁簡之變」、「讀寫之別」到 「繁簡之辯」、「簡訛之辨」（上）	22 卷 4 期	(256)	頁 72~78	2006 年 9 月
3845	林中明	從「繁簡之變」、「讀寫之別」到 「繁簡之辯」、「簡訛之辨」（中）	22 卷 5 期	(257)	頁 78~85	2006 年 10 月
3846	林中明	從「繁簡之變」、「讀寫之別」到 「繁簡之辯」、「簡訛之辨」（下）	22 卷 6 期	(258)	頁 82~88	2006 年 11 月

8.4 聲韻學

8.4.1　通論

3847	竺家寧	古人伐木的聲音	1 卷 1 期	(1)	頁 58~59	1985 年 6 月
3848	竺家寧	揭開古音奧秘的利器──語音學	1 卷 4 期	(4)	頁 58~61	1985 年 9 月
3849	竺家寧	聽聽古人的聲音── 聲韻學的效用和目的	1 卷 5 期	(5)	頁 56~57	1985 年 10 月
3850	高明誠	字的讀音和語音	2 卷 5 期	(17)	頁 4	1986 年 10 月
3851	竺家寧	國語不是北平話	3 卷 1 期	(25)	頁 50~53	1987 年 6 月
3852	姚榮松	讀音語音的用法	3 卷 2 期	(26)	頁 14~15	1987 年 7 月

3853	竺家寧	改變學術史的一次聲韻研討會	3 卷 11 期	(35)	頁 48~50	1988 年 4 月
3854	張光宇	聲韻經緯：漢語的音節結構	4 卷 1 期	(37)	頁 80~84	1988 年 6 月
3855	編輯部	中國聲韻學第八屆學術研討會在 　　　輔大舉行	5 卷 12 期	(60)	頁 46	1990 年 5 月
3856	竺家寧	中國聲韻學國際學術研討會簡訊	6 卷 3 期	(63)	頁 108~109	1990 年 8 月
3857	竺家寧	中國語言學和中文系	10 卷 2 期	(110)	頁 92~98	1994 年 7 月
3858	孔仲溫	中文系的看家本領——聲韻學	14 卷 11 期	(167)	頁 18~21	1999 年 4 月
3859	傅含章	聲情韻美評詩歌—— 以聲韻學角度析論〈One Night In 北京〉	20 卷 5 期	(233)	頁 71~79	2004 年 10 月
3860	陳亦伶	聲韻學整理研究新成果—— 《音韻學論著指要與總目》評介	25 卷 6 期	(294)	頁 92~95	2009 年 11 月

8.4.2　讀音辨正

3861	竺家寧	華視「每日一字」音讀商榷	1 卷 3 期	(3)	頁 56~58	1985 年 8 月
3862	李威熊	論語的「論」字該讀陽平或去聲	1 卷 4 期	(4)	頁 9	1985 年 9 月
3863	黃沛榮	齊人的模樣	1 卷 5 期	(5)	頁 67~68	1985 年 10 月
3864	周鳳五	洗馬的「洗」該怎麼唸？	1 卷 5 期	(5)	頁 68~69	1985 年 10 月
3865	周鳳五	「誰適為容」的適該怎麼唸？	1 卷 6 期	(6)	頁 8	1985 年 11 月
3866	孔仲溫	陳蘭皋的「皋」	1 卷 6 期	(6)	頁 52	1985 年 11 月
3867	竺家寧	土「著」的念法	1 卷 8 期	(8)	頁 34	1986 年 1 月
3868	陳海雄	你一開口就讀錯嗎？	1 卷 8 期	(8)	頁 82~83	1986 年 1 月
3869	許紹明	〈大惑不解集〉：「十」字可讀平聲	1 卷 9 期	(9)	頁 13	1986 年 2 月
3870	曾榮汾	讀音上常有的疏忽	1 卷 9 期	(9)	頁 41	1986 年 2 月
3871	周鳳五	「尉」的讀音	2 卷 1 期	(13)	頁 14	1986 年 6 月
3872	王熙元	「呀」的讀音	2 卷 1 期	(13)	頁 15	1986 年 6 月
3873	竺家寧	再談「女紅」的讀音	2 卷 2 期	(14)	頁 7	1986 年 7 月
3874	潘明富	「団」字的讀音	2 卷 5 期	(17)	頁 81	1986 年 10 月
3875	黃忠慎	ㄉㄨㄣˋ語還是ㄉㄨㄣˊ語？	2 卷 9 期	(21)	頁 76	1987 年 2 月
3876	趙赫炎	似是而非的「界邊兒」	2 卷 9 期	(21)	頁 77	1987 年 2 月
3877	黃俊郎	規「撫」的讀音	2 卷 10 期	(22)	頁 9	1987 年 3 月
3878	許錟輝	「酊」字的讀音	2 卷 12 期	(24)	頁 13~14	1987 年 5 月
3879	黃慶萱	「癌」的讀音	2 卷 12 期	(24)	頁 14~15	1987 年 5 月
3880	竺家寧	「旁」唸ㄆㄤˊ還是ㄅㄤˋ	3 卷 1 期	(25)	頁 14	1987 年 6 月
3881	蔡根祥	張ㄗㄞˋ（載），還是張ㄗㄞˇ	3 卷 1 期	(25)	頁 88~90	1987 年 6 月
3882	魏靖峰	惱人的「帖」	3 卷 2 期	(26)	頁 56	1987 年 7 月

3883	姚榮松	破音字「食」，詞性不同，讀音不同	3 卷 5 期	(29)	頁 14~15	1987 年 10 月
3884	張正男	「角色」的迷惑	3 卷 11 期	(35)	頁 8	1988 年 4 月
3885	駱 梵	胡娜之「娜」不可發「那」音	3 卷 11 期	(35)	頁 68	1988 年 4 月
3886	魏培泉	「予」的正確讀音	3 卷 12 期	(36)	頁 6~7	1988 年 5 月
3887	駱 梵	發上聲的「歪」	3 卷 12 期	(36)	頁 97	1988 年 5 月
3888	駱 梵	打開「噢」字注音困局	4 卷 1 期	(37)	頁 73	1988 年 6 月
3889	王輔羊	「圳」字的讀音	4 卷 6 期	(42)	頁 84	1988 年 11 月
3890	陳一凡	豈容普遍誤讀亂正音	4 卷 9 期	(45)	頁 43~45	1989 年 2 月
3891	駱 梵	「角色」的發音問題	4 卷 9 期	(45)	頁 46~47	1989 年 2 月
3892	許名瑲	且談字音異讀	5 卷 2 期	(50)	頁 45~47	1989 年 7 月
3893	洪惟仁	「睢澔平」姓ㄒㄩˇ或姓ㄙㄨㄟ？	5 卷 3 期	(51)	頁 7~8	1989 年 8 月
3894	洪惟仁	大「行」山的讀音	5 卷 4 期	(52)	頁 7	1989 年 9 月
3895	洪惟仁	ㄌㄜˋㄙㄜˋ？ㄌㄚㄐㄧ？	5 卷 5 期	(53)	頁 7~8	1989 年 10 月
3896	喬 之	也談太「行」山的讀音	5 卷 5 期	(53)	頁 77	1989 年 10 月
3897	竺家寧	「薄」唸ㄅㄛ還是ㄅㄨㄛˊ？	5 卷 7 期	(55)	頁 8	1989 年 12 月
3898	竺家寧	東、冬、蒸字的讀音	5 卷 9 期	(57)	頁 9	1990 年 2 月
3899	黃文吉	「柴」門一任絕車馬如何讀？	5 卷 10 期	(58)	頁 9	1990 年 3 月
3900	朱守亮	排「比」的唸法	7 卷 3 期	(75)	頁 8	1991 年 8 月
3901	洪惟仁	「誰」字的讀音	7 卷 4 期	(76)	頁 9	1991 年 9 月
3902	陳滿銘	攀條折其榮，將以遺所思	7 卷 5 期	(77)	頁 8	1991 年 10 月
3903	王志成	透視字、辭典音讀的「戰國時代」 ——談字、辭典的音讀問題	7 卷 7 期	(79)	頁 20~28	1991 年 12 月
3904	竺家寧	兩個讀音的辨正	7 卷 10 期	(82)	頁 9	1992 年 3 月
3905	陳滿銘	「白」日依山盡如何讀？	7 卷 12 期	(84)	頁 5	1992 年 5 月
3906	竺家寧	談國中國文課本中的幾個音讀問題	9 卷 6 期	(102)	頁 66~68	1993 年 11 月
3907	王輔羊	同音字與破音字—— 從簡媜的〈天生商腦〉說起	9 卷 7 期	(103)	頁 120~121	1993 年 12 月
3908	梅 廣	「框」的音讀？	11 卷 5 期	(125)	頁 16	1995 年 10 月
3909	王熙元	「龔」字的正確讀音、「代自序」 的意義	11 卷 7 期	(127)	頁 8	1995 年 12 月
3910	張正男	「趙趄」的音讀	11 卷 7 期	(127)	頁 9	1995 年 12 月
3911	朱守亮	景「行行」止的讀音	12 卷 2 期	(134)	頁 10~11	1996 年 7 月
3912	吳金娥	「覺」字的讀音	12 卷 6 期	(138)	頁 10~12	1996 年 11 月
3913	左秀靈	「會稽」之正音	12 卷 9 期	(141)	頁 106~107	1997 年 2 月
3914	潘承玉	會稽山之得名、廣狹義與「會」之 本音——關於〈「會稽」之正音〉	12 卷 12 期	(144)	頁 119~120	1997 年 5 月

　　　　　　　　　　一文的補充

3915　琦　　君　　「撮一撮」之讀音　　　　　　　　　13 卷 1 期　(145)　頁 4　　　　　1997 年 6 月

3916　張高評　　　「華」字之音讀　　　　　　　　　13 卷 8 期　(152)　頁 4~5　　　1998 年 1 月

3917　張正男　　　「食」字的音讀　　　　　　　　　16 卷 7 期　(187)　頁 98　　　2000 年 12 月

3918　許錟輝　　　關於「親」、「故」的詞性與「玩」17 卷 7 期　(199)　頁 112　　2001 年 12 月
　　　　　　　　　的讀音

3919　康世統　　　談譯音字的音讀──　　　　　　　18 卷 8 期　(212)　頁 94~99　　2003 年 1 月
　　　　　　　　　「可汗」音「克寒」嗎？「可」絕
　　　　　　　　　不音「克」！

3920　王錦慧　　　從〈桃花源記〉「設酒，殺雞，作 22 卷 8 期　(260)　頁 68~70　　2007 年 1 月
　　　　　　　　　食」談「食」的讀音

3921　蔡根祥　　　鍾絲（一ㄡˊ）抑或鍾絲（一ㄠˊ）? 24 卷 4 期　(280)　頁 90~93　　2008 年 9 月

8.4.3　　古聲韻學

3922　竺家寧　　　「入聲」滄桑史　　　　　　　　　1 卷 2 期　　(2)　　頁 40~43　　1985 年 7 月

3923　竺家寧　　　反切的故事　　　　　　　　　　　1 卷 7 期　　(7)　　頁 61~63　　1985 年 12 月

3924　竺家寧　　　中國古代的「字母」和奇妙的　　　1 卷 10 期　(10)　頁 71~75　　1986 年 3 月
　　　　　　　　　「等韻圖」

3925　竺家寧　　　有趣的複聲母　　　　　　　　　　1 卷 12 期　(12)　頁 49~51　　1986 年 5 月

3926　竺家寧　　　古音的化石　　　　　　　　　　　2 卷 2 期　　(14)　頁 62~65　　1986 年 7 月

3927　竺家寧　　　如果韓愈和孔子對話──　　　　　2 卷 7 期　　(19)　頁 76~79　　1986 年 12 月
　　　　　　　　　談先秦上古音和唐宋中古音

3928　竺家寧　　　談齊國的一次洩密事件──　　　　3 卷 4 期　　(28)　頁 59~61　　1987 年 9 月
　　　　　　　　　上古音知識的應用

3929　竺家寧　　　善變的嘴巴──　　　　　　　　　3 卷 5 期　　(29)　頁 66~69　　1987 年 10 月
　　　　　　　　　漢語音演化的幾個模式（上）

3930　竺家寧　　　善變的嘴巴──　　　　　　　　　3 卷 6 期　　(30)　頁 72~75　　1987 年 11 月
　　　　　　　　　漢語音演化的幾個模式（下）

3931　張光宇　　　漢語音韻學緒論　　　　　　　　　3 卷 8 期　　(32)　頁 62~65　　1988 年 1 月

3932　朱守亮　　　〈蓼莪〉篇的韻腳　　　　　　　　4 卷 9 期　　(45)　頁 7　　　1989 年 2 月

3933　竺家寧　　　有關「韻書」的常識　　　　　　　4 卷 10 期　(46)　頁 42~45　　1989 年 3 月

3934　蔡根祥　　　談《詩經・蓼莪》之押韻問題　　　5 卷 2 期　　(50)　頁 40~41　　1989 年 7 月

3935　張光宇　　　古文獻材料與古音重建　　　　　　5 卷 5 期　　(53)　頁 56~59　　1989 年 10 月

3936　竺家寧　　　詩韻的訂定　　　　　　　　　　　5 卷 8 期　　(56)　頁 6　　　1990 年 1 月

3937　竺家寧　　　《詩經・蓼莪》的韻律之美　　　　8 卷 8 期　　(92)　頁 98~102　　1993 年 1 月

3938　楊逢彬　　　釋一組擬聲字　　　　　　　　　　11 卷 8 期　(128)　頁 102~105　1996 年 1 月

3939　戴景尼　　　閩南語裡古音保留的現象　　　　　17 卷 11 期 (203)　頁 67~71　　2002 年 4 月

3940	洪惟仁	詩吟新論（上）	23 卷 8 期	(272)	頁 57~60	2008 年 1 月
3941	洪惟仁	詩吟新論（下）	23 卷 9 期	(273)	頁 56~65	2008 年 2 月
3942	陳茂仁	閩南語吟詩探析——談平仄聲調之高低	23 卷 12 期	(276)	頁 73~79	2008 年 5 月
3943	李菁菁	輕聲探究	24 卷 2 期	(278)	頁 96~100	2008 年 7 月

8.4.4　現代標音

3944	梅　廣	「ㄅㄛ、ㄆㄛ、ㄇㄛ」和「ㄅㄨㄛ、ㄆㄨㄛ、ㄇㄨㄛ」	4 卷 11 期	(47)	頁 8	1989 年 4 月
3945	羅肇錦	文化、方言、ㄅㄆㄇ——從保存方言文化看注音符號	5 卷 5 期	(53)	頁 10~13	1989 年 10 月
3946	姚榮松	替注音符號ㄍㄚ˙ㄇㄞˋ	5 卷 5 期	(53)	頁 14~20	1989 年 10 月
3947	林慶勳	注音符號的回顧——字標音方式的發展	5 卷 5 期	(53)	頁 21~25	1989 年 10 月
3948	竺家寧	用ＡＢＣ學國語？	5 卷 5 期	(53)	頁 26~30	1989 年 10 月
3949	張光宇	注音符號與拼音方案	5 卷 5 期	(53)	頁 31~35	1989 年 10 月
3950	編輯部製作　陳毓璞執行	國語教師和外籍學生看注音符號	5 卷 5 期	(53)	頁 36~41	1989 年 10 月
3951	顧大我	ㄅㄆㄇㄈ的名稱問題	5 卷 5 期	(53)	頁 41~44	1989 年 10 月
3952	虞兩花	ㄅㄆㄇㄈ音名爭論小注	5 卷 5 期	(53)	頁 45~47	1989 年 10 月
3953	鍾榮富	從現代音韻學看ㄅㄆㄇㄈ的缺失	5 卷 12 期	(60)	頁 58~60	1990 年 5 月
3954	羅肇錦	拼音與注音	9 卷 4 期	(100)	頁 94~96	1993 年 9 月
3955	文　方	國語注音符號與漢語拼音較論	15 卷 1 期	(169)	頁 98~102	1999 年 6 月
3956	宋　裕	《國語一字多音審訂表》讀音探析	20 卷 1 期	(229)	頁 75~82	2004 年 6 月

8.5 訓詁學

8.5.1　通論

3957	姚榮松	字義、詞義與語義——訓詁學的語言學之一	3 卷 9 期	(33)	頁 84~86	1988 年 2 月
3958	姚榮松	字源與詞源——訓詁學的語言學基礎之二	3 卷 10 期	(34)	頁 85~87	1988 年 3 月
3959	姚榮松	揭開語言的神秘外衣——談聲訓與俗詞源學	3 卷 12 期	(36)	頁 86~89	1988 年 5 月
3960	王紹文	現行高中國文的反訓詞	8 卷 3 期	(87)	頁 78~80	1992 年 8 月
3961	李亞明	闡揚漢民族傳統文化真諦——論訓詁研究的價值系統取向	8 卷 6 期	(90)	頁 102~105	1992 年 11 月
3962	馮浩菲	論群籍訓解與辭書編制	12 卷 10 期	(142)	頁 100~103	1997 年 3 月

3963	陳正中	談同字為訓	15 卷 10 期 (178)	頁 81~83	2000 年 3 月
3964	朱歧祥	論王念孫以古形訓今字的方法	18 卷 9 期 (213)	頁 91~93	2003 年 2 月
3965	李亞明	陸王訓詁學理論的詞彙語義觀	21 卷 10 期 (250)	頁 75~82	2006 年 3 月
3966	李亞明	詞義訓釋與文意訓釋的學理及其應用	22 卷 6 期 (258)	頁 72~81	2006 年 11 月
3967	陳 新	試論《本草綱目》之語言訓詁價值	23 卷 2 期 (266)	頁 62~68	2007 年 7 月

8.5.2　釋字釋詞

3968	竺家寧	三個「之」字的詞性問題	1 卷 2 期 (2)	頁 7	1985 年 7 月
3969	蔡夢珍	鬚眉之間——談男人的鬚	1 卷 2 期 (2)	頁 45	1985 年 7 月
3970	楚 戈	巫字的原始——文字學的美學資料之一	1 卷 2 期 (2)	頁 48~51	1985 年 7 月
3971	陳慶煌	荊軻傳「無事」	1 卷 3 期 (3)	頁 8	1985 年 8 月
3972	朱銘源	「風馬牛不相及」的風	1 卷 3 期 (3)	頁 17	1985 年 8 月
3973	楊振良	眼如秋水鬢如雲——談「髮」	1 卷 3 期 (3)	頁 48	1985 年 8 月
3974	張文彬	「審慎」與「精敏」	1 卷 4 期 (4)	頁 8	1985 年 9 月
3975	楊振良	宜春髻子恰憑闌——談髻	1 卷 4 期 (4)	頁 62	1985 年 9 月
3976	楊振良	菱花照面淺勻眉——談「眉」	1 卷 5 期 (5)	頁 63	1985 年 10 月
3977	黃沛榮	千金之子	1 卷 5 期 (5)	頁 69	1985 年 10 月
3978	周鳳五	過秦論的「誰何」	1 卷 6 期 (6)	頁 10~11	1985 年 11 月
3979	楊振良	明眸流盼橫波來——談眼	1 卷 6 期 (6)	頁 20	1985 年 11 月
3980	姚榮松	饞	1 卷 6 期 (6)	頁 52~53	1985 年 11 月
3981	羅肇錦	「中央」與「未央」	1 卷 6 期 (6)	頁 53	1985 年 11 月
3982	萬愛珍	美輪美奐	1 卷 6 期 (6)	頁 53	1985 年 11 月
3983		「再嫁者」到底嫁誰？	1 卷 7 期 (7)	頁 8~9	1985 年 12 月
3984		揚名立萬	1 卷 7 期 (7)	頁 9~10	1985 年 12 月
3985		案是桌子還是盤子？	1 卷 7 期 (7)	頁 10~11	1985 年 12 月
3986	曾榮汾	火鍋？火□？	1 卷 8 期 (8)	頁 36~37	1986 年 1 月
3987	吳立甫	〈大惑不解集〉：「再嫁者」之疑義	1 卷 9 期 (9)	頁 13	1986 年 2 月
3988	吳輝榮	大惑不解集：「施施」之音樂	1 卷 10 期 (10)	頁 12~13	1986 年 3 月
3989	張靖遠	懸淵沈之鮂鰡——「鰡」不是問題字	1 卷 10 期 (10)	頁 61	1986 年 3 月
3990	許紹明	蓋	1 卷 10 期 (10)	頁 65	1986 年 3 月
3991	袁顯相	孟子書中「舉」字用法的探討	1 卷 11 期 (11)	頁 68~70	1986 年 4 月
3992	陳新雄	無可與語的「語」	2 卷 1 期 (13)	頁 16	1986 年 6 月

3993	瞿　毅	何謂小姐？	2卷1期	(13)	頁79	1986年6月
3994	孫振志	「不屑」的分解結合	2卷2期	(14)	頁74~75	1986年7月
3995	王紹文	「以往」及「已往」的正反訓	2卷2期	(14)	頁75~76	1986年7月
3996	林政華	古代文字通用之一例——答若水先生談「暴」字	2卷3期	(15)	頁71	1986年8月
3997	黃慶萱	區區之心的含義	2卷6期	(18)	頁14	1986年11月
3998	王熙元	青衫是便福還是官服	2卷6期	(18)	頁15	1986年11月
3999	許紹明	不可隨處都用「憤」字	2卷6期	(18)	頁60	1986年11月
4000	林政華	「九德」何所指？	2卷9期	(21)	頁67	1987年2月
4001	黃郁文	「斗牛」之正解	2卷9期	(21)	頁79~80	1987年2月
4002	楊振良	梨花一枝春帶雨——說「淚」	2卷10期	(22)	頁72~73	1987年3月
4003	楊振良	傳燈續火不寒食——說「火」	2卷11期	(23)	頁64~65	1987年4月
4004	郭鶴鳴	「夫婦有別」與「男女有別」	2卷11期	(23)	頁84~88	1987年4月
4005	楊振良	含情疏雨有聲詩——說「雨」	2卷12期	(24)	頁54~55	1987年5月
4006	莊萬壽	何謂「塗之人」？	3卷1期	(25)	頁14~15	1987年6月
4007	楊振良	水能性澹為吾友——說「水」	3卷1期	(25)	頁56~57	1987年6月
4008	王熙元	「翳」作何解	3卷2期	(26)	頁12~13	1987年7月
4009	周　何	「聖則吾不能」，「則」作何解	3卷2期	(26)	頁15	1987年7月
4010	陳書金	瓜的意趣	3卷2期	(26)	頁76	1987年7月
4011	張靖遠	「十思」是「九德」嗎？	3卷2期	(26)	頁96~98	1987年7月
4012	葉國良	「慢藏」與「冶容」	3卷3期	(27)	頁13	1987年8月
4013	王關仕	何謂「天上石麟」	3卷3期	(27)	頁13~14	1987年8月
4014	楊振良	待得鵲橋年年渡——說「橋」	3卷3期	(27)	頁44~45	1987年8月
4015	楊振良	橫看成嶺側成峰——說「山」	3卷4期	(28)	頁68~69	1987年9月
4016	楊振良	癡情只可酬知己——說「癡」	3卷5期	(29)	頁63~65	1987年10月
4017	孫振志	木蘭詩中的「扶將」	3卷5期	(29)	頁99	1987年10月
4018	楊振良	石不能言最可人——說石	3卷6期	(30)	頁34~35	1987年11月
4019	張高評	「齒如編貝」形容美或醜？	3卷7期	(31)	頁9	1987年12月
4020	陳品卿	「行」之辭性與字義	3卷7期	(31)	頁10	1987年12月
4021	周鳳五	收藏緩慢乎？	3卷7期	(31)	頁12	1987年12月
4022	葉國良	「不謹」與「緩慢」——回周文	3卷7期	(31)	頁12~13	1987年12月
4023	劉　潔	神來之筆，大文章	3卷7期	(31)	頁74	1987年12月
4024	齊騁邨	夫妻反目	3卷7期	(31)	頁79	1987年12月
4025	黃俊郎	「俯仰一世」與「迎置曲阿」釋義	3卷9期	(33)	頁6~7	1988年2月
4026	李周龍	「硜硜自守」小人貌	3卷9期	(33)	頁8	1988年2月

4027	吳立甫	茹「毛」飲「血」的困擾	3 卷 9 期	(33)	頁 73	1988 年 2 月
4028	野　渡	「帶」字不作巾戴解	3 卷 10 期	(34)	頁 75	1988 年 3 月
4029	王文顏	「絕不」、「決不」如何區分？	3 卷 11 期	(35)	頁 7~8	1988 年 4 月
4030	李振興	「薄海」宜用在哀悼詞中嗎？	3 卷 12 期	(36)	頁 9~10	1988 年 5 月
4031	黃志民	「不可理喻」的用法	4 卷 3 期	(39)	頁 7	1988 年 8 月
4032	徐漢昌	何謂「名田」？	4 卷 5 期	(41)	頁 6	1988 年 10 月
4033	林政華	〈靈丘丈人〉文中「期月」一語試訓	4 卷 5 期	(41)	頁 100~101	1988 年 10 月
4034	吳力甫	「螓首蛾眉」之女美乎？	4 卷 5 期	(41)	頁 103	1988 年 10 月
4035	林葉連	還「拜」字真面目	4 卷 6 期	(42)	頁 80~83	1988 年 11 月
4036	蔡根祥	美哉！螓首蛾眉	4 卷 7 期	(43)	頁 90~93	1988 年 12 月
4037	蔡崇名	「犢鼻褌」是什麼樣的褲子？	4 卷 10 期	(46)	頁 7	1989 年 3 月
4038	楊鴻銘	何謂「區區」？	4 卷 10 期	(46)	頁 7~8	1989 年 3 月
4039	艾弘毅	「不毛」即「八莫」？	4 卷 10 期	(46)	頁 8	1989 年 3 月
4040	黃慶萱	「算學」和「地理」是什麼學問？	4 卷 10 期	(46)	頁 8	1989 年 3 月
4041	王輔羊	「居功厥偉」的商榷	4 卷 11 期	(47)	頁 61	1989 年 4 月
4042	王　祥	錯誤百出的唱片廣告	5 卷 1 期	(49)	頁 55	1989 年 6 月
4043	陳一凡	〈桃花源記〉中「不足」的釋義	5 卷 2 期	(50)	頁 43	1989 年 7 月
4044	高明誠	從「吹牛」談到「胲」字	5 卷 3 期	(51)	頁 7	1989 年 8 月
4045	姚榮松	「老芋仔」是什麼意思？	5 卷 3 期	(51)	頁 8	1989 年 8 月
4046	謝一民	「端陽」二字如何解釋？	5 卷 4 期	(52)	頁 8	1989 年 9 月
4047	王輔羊	關說與行賄	5 卷 5 期	(53)	頁 52	1989 年 10 月
4048	陳安桂	「老芋」就是「老五」	5 卷 5 期	(53)	頁 60	1989 年 10 月
4049	高梅憶	「京兆五日」乎？	5 卷 5 期	(53)	頁 61	1989 年 10 月
4050	詹海雲	何謂「七藝」？	5 卷 7 期	(55)	頁 6~7	1989 年 12 月
4051	羅閂郎	再從「胲」字談「畫虎膡」	5 卷 9 期	(57)	頁 64~65	1990 年 2 月
4052	張力中	「畫虎胲」的再商榷	5 卷 9 期	(57)	頁 65	1990 年 2 月
4053	陳素素	急征「暴」賦如何解釋？	5 卷 10 期	(58)	頁 8	1990 年 3 月
4054	陳素素	〈陳情表〉中的「遠」和「聽」字	5 卷 10 期	(58)	頁 8	1990 年 3 月
4055	賴明德	何謂「文膽」？	5 卷 10 期	(58)	頁 9	1990 年 3 月
4056	林文寶	關於「蒙求」	6 卷 4 期	(64)	頁 10	1990 年 9 月
4057	龐建國	「千金」不是小姐——古今稱謂趣談	6 卷 4 期	(64)	頁 102~103	1990 年 9 月
4058	戴璉璋	「此其中」「這其中」的用法	6 卷 6 期	(66)	頁 7	1990 年 11 月
4059	柯先生	試答「獨柳之禍」	6 卷 12 期	(72)	頁 31	1991 年 5 月
4060	楊秀芳	國語的「著」是怎麼來的？	7 卷 7 期	(79)	頁 67~70	1991 年 12 月

4061	羅宗濤	「乃必有偶」的解釋	7 卷 8 期	(80)	頁 8	1992 年 1 月
4062	王保珍	蘇詩中的「蔬筍氣」如何解？	7 卷 10 期	(82)	頁 7	1992 年 3 月
4063	汪少華	〈燭之武退秦師〉中的「說」字	7 卷 10 期	(82)	頁 99~100	1992 年 3 月
4064	黎建寰	「足下」、「閣下」可否用來稱呼女性？	7 卷 11 期	(83)	頁 6~7	1992 年 4 月
4065	董金裕	什麼是「名言錦句」	7 卷 12 期	(84)	頁 5	1992 年 5 月
4066	蔡正發	〈孔雀東南飛〉中的「相」	8 卷 8 期	(92)	頁 63~64	1993 年 1 月
4067	嚴不臣	鳳是一種絕種了的鳥	8 卷 9 期	(93)	頁 86~89	1993 年 2 月
4068	吳立甫	楚王所好的是女人的「細腰」嗎？	9 卷 10 期	(106)	頁 81~82	1994 年 3 月
4069	法 天	「優先觀察名單」，何「優」之有？	10 卷 1 期	(109)	頁 47	1994 年 6 月
4070	何永清	「文章」一詞的探討	10 卷 6 期	(114)	頁 37~39	1994 年 11 月
4071	陳春旭	〈岳陽樓記〉「越明年」一詞考釋	10 卷 11 期	(119)	頁 79~81	1995 年 4 月
4072	袁義明	公孫布被探微	11 卷 1 期	(121)	頁 74~77	1995 年 6 月
4073	高明誠	何謂「藍尾酒」？	11 卷 1 期	(121)	頁 118~119	1995 年 6 月
4074	惠恩華	「儼然」辨析	11 卷 4 期	(124)	頁 22~23	1995 年 9 月
4075	沈 寬	淺釋「奔走」	11 卷 5 期	(125)	頁 94~96	1995 年 10 月
4076	王熙元	「龔」字的正確讀音、「代自序」的意義	11 卷 7 期	(127)	頁 8	1995 年 12 月
4077	張炳陽	也談《論語》之「自行束脩以上」	11 卷 8 期	(128)	頁 54~58	1996 年 1 月
4078	左秀靈	趣談「竊玉偷香」	11 卷 8 期	(128)	頁 98	1996 年 1 月
4079	劉 潔	大米「幹飯」是什麼？	11 卷 8 期	(128)	頁 99	1996 年 1 月
4080	翁以倫	戲言	11 卷 8 期	(128)	頁 100~101	1996 年 1 月
4081	楊逢彬	釋一組擬聲字	11 卷 8 期	(128)	頁 102~105	1996 年 1 月
4082	甘克誠	俚語正寫	11 卷 8 期	(128)	頁 106~107	1996 年 1 月
4083	黎建寰	詞義辨析：敦倫、揚名立萬、投機倒把、官倒、民倒	11 卷 9 期	(129)	頁 10~11	1996 年 2 月
4084	黃義郎	「好整以暇」之語法解析	11 卷 11 期	(131)	頁 9~10	1996 年 4 月
4085	汪少華	釋「萬人空巷」的「巷」	11 卷 11 期	(131)	頁 102~103	1996 年 4 月
4086	葉國良	「植杖」作何解？	11 卷 12 期	(132)	頁 8	1996 年 5 月
4087	王輔羊	「鳳毛麟角」辨正	12 卷 1 期	(133)	頁 102	1996 年 6 月
4088	老志鈞	從「驕傲」說起	12 卷 2 期	(134)	頁 66~69	1996 年 7 月
4089	楊如雪	釋「大勝」與「大敗」	12 卷 3 期	(135)	頁 9~11	1996 年 8 月
4090	謝春聘	談驕傲二字的錯用	12 卷 3 期	(135)	頁 70~71	1996 年 8 月
4091	朱歧祥	「安詳」之「詳」何解？	12 卷 9 期	(141)	頁 5~6	1997 年 2 月
4092	謝輝煌	〈靜夜思〉中的「牀」事	12 卷 10 期	(142)	頁 110~113	1997 年 3 月

4093	汪少華	論「床前明月光」的「床」	12 卷 10 期 (142)	頁 114~118	1997 年 3 月
4094	黃盛雄	踏破賀蘭山缺之「缺」字何解？	12 卷 11 期 (143)	頁 6	1997 年 4 月
4095	楊如雪	釋「選中」、「射中」之「中」	13 卷 9 期 (153)	頁 8~10	1998 年 2 月
4096	蔡正發	「吹煦」試釋	13 卷 10 期 (154)	頁 4~5	1998 年 3 月
4097	葉國良	「桑梓」、「鄉梓」與「鄉里」	13 卷 11 期 (155)	頁 5	1998 年 4 月
4098	汪少華	「濫觴」正義	13 卷 12 期 (156)	頁 96~99	1998 年 5 月
4099	郭慶山 戚燕平	「莫須有」新解	14 卷 12 期 (168)	頁 88~91	1999 年 5 月
4100	劉君燦	己、已、巳三字含義的試詮	15 卷 2 期 (170)	頁 93~94	1999 年 7 月
4101	劉君燦	有物有則	15 卷 7 期 (175)	頁 82	1999 年 12 月
4102	徐傳武	「沒遮攔」與「小遮攔」	15 卷 10 期 (178)	頁 40~41	2000 年 3 月
4103	翁以倫	古今殊品談風流	15 卷 10 期 (178)	頁 84~86	2000 年 3 月
4104	劉崇義	解惑篇（一）：「式」「憑」二字之義；蘇軾〈留侯論〉句讀；柳宗元〈始得西山宴遊記〉「縈青繚白」釋義	15 卷 12 期 (180)	頁 85	2000 年 5 月
4105	劉崇義	解惑篇（一）：「式」「憑」二字之義；蘇軾〈留侯論〉句讀；柳宗元〈始得西山宴遊記〉「縈青繚白」釋義	15 卷 12 期 (180)	頁 85	2000 年 5 月
4106	劉崇義	解惑篇（二）：洪醒夫〈散戲〉「悠哉悠哉」、「漸自」二詞釋義	15 卷 12 期 (180)	頁 89	2000 年 5 月
4107	劉崇義	解惑篇（三）：蘇軾的〈留侯論〉「此其所以為子房歟」之「其」的解釋	15 卷 12 期 (180)	頁 92	2000 年 5 月
4108	鮑延毅	「撲朔」、「迷離」本義說	16 卷 9 期 (189)	頁 88~89	2001 年 2 月
4109	王希杰	「病關索」和「病大蟲」之「病」	19 卷 8 期 (224)	頁 71~73	2004 年 1 月
4110	鮑延毅	「子」作尊稱揭秘	19 卷 9 期 (225)	頁 69~70	2004 年 2 月
4111	蔡根祥	〈「子」作尊稱揭秘〉讀後	19 卷 11 期 (227)	頁 63~65	2004 年 4 月
4112	楊景堯	是朱熹錯？還是孔子錯？：「始作俑者」辭意辨析	19 卷 12 期 (228)	頁 62~64	2004 年 5 月
4113	王輔羊	「今非昔比」的考證	20 卷 8 期 (236)	頁 66	2005 年 1 月
4114	尤嘉玫	「炒作」的含義及感情色彩	21 卷 5 期 (245)	頁 92~96	2005 年 10 月
4115	龔于芬	「望其項背」釋疑	21 卷 5 期 (245)	頁 103~106	2005 年 10 月
4116	王輔羊	「羊腸鳥道」考	22 卷 8 期 (260)	頁 71	2007 年 1 月
4117	鄒濬智	俗語「首當其衝」、「天剋地衝」中「衝」字的新解釋	23 卷 1 期 (265)	頁 73~75	2007 年 6 月
4118	李金坤	「停車坐愛楓林晚」之「坐」意釐正	24 卷 9 期 (285)	頁 77~78	2009 年 2 月

| 4119 | 王希杰 | 二手與二手房 | 24 卷 10 期 | (286) | 頁 79~81 | 2009 年 3 月 |

8.5.3　　釋句

4120	吳輝榮	什麼是「風馬牛不相及」？	1 卷 2 期	(2)	頁 56~57	1985 年 7 月
4121	王熙元	嫁娶何人？	1 卷 8 期	(8)	頁 10	1986 年 1 月
4122	姚榮松	訓詁不是大烤爐—— 　也談「風馬牛不相及」	1 卷 8 期	(8)	頁 68~71	1986 年 1 月
4123	張仁青	迺出牛背上	2 卷 3 期	(15)	頁 4~5	1986 年 8 月
4124	高明誠	「女有歸」如何解？	2 卷 8 期	(20)	頁 6	1987 年 1 月
4125	陳慶煌	米芾真跡被秦檜父子押了印	2 卷 8 期	(20)	頁 6~7	1987 年 1 月
4126	黃慶萱	獻糧與養馬的報酬	2 卷 8 期	(20)	頁 7~8	1987 年 1 月
4127	黃慶萱	再論獻糧與養馬的報酬	2 卷 11 期	(23)	頁 8~9	1987 年 4 月
4128	王仁鈞	料虎頭、編虎須	2 卷 11 期	(23)	頁 9	1987 年 4 月
4129	賴明德	惟其義盡，所以仁至	2 卷 11 期	(23)	頁 10	1987 年 4 月
4130	王基倫	「志壹則動氣」作何解	3 卷 2 期	(26)	頁 13~14	1987 年 7 月
4131	邱德修	當仁，不讓於師	3 卷 6 期	(30)	頁 6~7	1987 年 11 月
4132	戴璉璋	「靜聽不聞雷霆之聲」	3 卷 6 期	(30)	頁 7~8	1987 年 11 月
4133	莊雅州	「板蕩識誠臣」的謬誤	3 卷 10 期	(34)	頁 8	1988 年 3 月
4134	莊雅州	「若能離更合，覆水定難收」作何解？	4 卷 2 期	(38)	頁 11	1988 年 7 月
4135	林耀洞	「君君、臣臣、父父、子子」的詮 釋——謹就教於胡佛教授	4 卷 12 期	(48)	頁 88~90	1989 年 5 月
4136	高明誠	「實式憑之」的解釋	5 卷 1 期	(49)	頁 8	1989 年 6 月
4137	王國良	「跳入黃河也洗不清」如何解釋？	5 卷 6 期	(54)	頁 9	1989 年 11 月
4138	劉君燦	關於〈天工開物卷跋〉	5 卷 10 期	(58)	頁 10	1990 年 3 月
4139	王國良	謝安如何訓戒子姪？	5 卷 12 期	(60)	頁 10	1990 年 5 月
4140	王更生	《文心・頌讚》中的一段話	6 卷 1 期	(61)	頁 9	1990 年 6 月
4141	劉兆祐	釋「禮失而求之野」	6 卷 9 期	(69)	頁 7	1991 年 2 月
4142	賴明德	中央圖書館官書展的一則標題	7 卷 6 期	(78)	頁 9	1991 年 11 月
4143	陳滿銘	「攻守之勢異也」如何解釋？	7 卷 6 期	(78)	頁 10	1991 年 11 月
4144	孫振志	「吊兒郎當」溯源	12 卷 4 期	(136)	頁 96	1996 年 9 月
4145	鮑延毅	讀書獻疑二則	17 卷 8 期	(200)	頁 92~95	2002 年 1 月
4146	蔡根祥	〈讀「嗟來食」獻疑〉之疑	17 卷 11 期	(203)	頁 87~89	2002 年 4 月
4147	左秀靈	徐娘半老，風韻猶存。—— 為什麼不可用來形容自己的母親？	21 卷 3 期	(243)	頁 73	2005 年 8 月

8.5.4　　文字通假

9 語文教學類

9.1 通論

4150	周　何	國語文教學與文化建設	1 卷 1 期	(1)	頁 10~11	1985 年 6 月
4151	劉　真	為什麼要重視國文	1 卷 3 期	(3)	頁 14~16	1985 年 8 月
4152	陳瑞貴	資訊社會中的國語文教育	1 卷 5 期	(5)	頁 16~19	1985 年 10 月
4153	鄭志明	大一國文能否負起文化傳承的責任？	2 卷 3 期	(15)	頁 14~16	1986 年 8 月
4154	駱　梵	教育是引導不是塑造	4 卷 4 期	(40)	頁 60~61	1988 年 9 月
4155	洪邦棣	語文教師手記：為何不讓未來等一等	4 卷 4 期	(40)	頁 64	1988 年 9 月
4156	鄭美俐	復於禮，游於藝，撒播人文生命種子；興於詩，嫻於文，培成鄉土宇宙情懷	9 卷 12 期	(108)	頁 5~9	1994 年 5 月
4157	朱榮智	人文教育與國文教學	9 卷 12 期	(108)	頁 80~84	1994 年 5 月
4158	金榮華	國文課對你有幫助嗎？	11 卷 3 期	(123)	頁 82~83	1995 年 8 月
4159	杜凱薇	由孔子《詩》教看現代語文教育的價值	21 卷 11 期	(251)	頁 25~31	2006 年 4 月
4160	桂　強	文藝鑑賞教學與高校學生人格養成的思考	24 卷 6 期	(282)	頁 73~77	2008 年 11 月
4161	陳瑞貴 龔鵬程	第三波的旋風——革國語文教育的命？	2 卷 1 期	(13)	頁 44~47	1986 年 6 月
4162	蕭麗華	為國文教學走出一條活路	2 卷 1 期	(13)	頁 88~89	1986 年 6 月
4163	陳賢俊	讀國文教育翻翻觔斗——一群國中生給我的當頭棒喝	2 卷 3 期	(15)	頁 80~87	1986 年 8 月
4164	普　光	對國文教育的幾點想法	3 卷 4 期	(28)	頁 6~9	1987 年 9 月
4165	鄭淑華	請聽聽執教者的意見！	3 卷 9 期	(33)	頁 96~97	1988 年 2 月
4166	蔡秀露	「差一字」教育	4 卷 6 期	(42)	頁 51	1988 年 11 月
4167	衣若芬記錄	「革新大一國文教育」座談會	4 卷 7 期	(43)	頁 10~17	1988 年 12 月
4168	簡宗梧	革新大一國文教學之我見	4 卷 7 期	(43)	頁 18~19	1988 年 12 月
4169	王文顏	大一國文的加減問題	4 卷 7 期	(43)	頁 20~21	1988 年 12 月
4170	吳清淋	為「革新大一國文教育」進一言	4 卷 9 期	(45)	頁 50~51	1989 年 2 月
4171	楊鴻銘	去除國文教育的七大心態	4 卷 10 期	(46)	頁 48~49	1989 年 3 月
4172	晏亦程	國文教育革新之我見——兼談所謂「七大心態」	4 卷 12 期	(48)	頁 81~83	1989 年 5 月
4173	劉　渼	國文教學與網路——網站介紹篇	16 卷 1 期	(181)	頁 94~103	2000 年 6 月
4174	陳昭瑛	原住民文學與國文教學	12 卷 2 期	(134)	頁 4~5	1996 年 7 月
4175	林孝璘	指導閩南語演講比賽幾個常見的問題	15 卷 6 期	(174)	頁 4~7	1999 年 11 月
4176	蘇秀錦	閩南語朗讀競賽——拆招（上）—	15 卷 6 期	(174)	頁 8~13	1999 年 11 月

——句讀部分

4177	蘇秀錦	閩南語朗讀競賽——拆招（中）——語氣、節奏部分	15 卷 7 期	(175)	頁 68~75	1999 年 12 月
4178	蘇秀錦	閩南語朗讀競賽——拆招（下）——語音部分	15 卷 8 期	(176)	頁 78~85	2000 年 1 月
4179	吳秋林	母語教育中的寓言	16 卷 12 期	(192)	頁 13~19	2001 年 5 月
4180	曾金金	九年一貫課程中的閩南語教材教法	17 卷 1 期	(193)	頁 8~13	2001 年 6 月
4181	張美煜	國語、客語、閩南語詞彙對應轉換及教學（上）	17 卷 1 期	(193)	頁 14~20	2001 年 6 月
4182	浦忠成	原住民語言教學——歌謠教學範例	17 卷 1 期	(193)	頁 21~28	2001 年 6 月
4183	張美煜	國語、客語、閩南語詞彙對應轉換及教學（下）	17 卷 2 期	(194)	頁 82~89	2001 年 7 月
4184	姚榮松	談九年一貫課程本國語文閩南語第一階段兩種教學策略——以康軒版與光復版國小第一冊（一上）為例	17 卷 7 期	(199)	頁 8~15	2001 年 12 月
4185	羅肇錦	客語教學的擋路石	17 卷 7 期	(199)	頁 16~21	2001 年 12 月
4186	張屏生	當前母語教育實施的困境	17 卷 7 期	(199)	頁 22~27	2001 年 12 月
4187	洪惟仁	母語教學的意義與方法	18 卷 6 期	(210)	頁 4~15	2002 年 11 月
4188	羅肇錦	客話教學的路	18 卷 6 期	(210)	頁 16~21	2002 年 11 月
4189	陳麗桂	母語教學的特質與困境	19 卷 9 期	(225)	頁 4~6	2004 年 2 月
4190	姚榮松	漢字在母語（閩南語）教學上的角色	19 卷 9 期	(225)	頁 7~16	2004 年 2 月
4191	張美煜	大家相召來學客家話——客家話好學乎難學乎？不試怎麼知道！	19 卷 9 期	(225)	頁 17~22	2004 年 2 月
4192	林瑜一	教學有計畫，上課快樂多！——以閩南語為例，淺談鄉土語言課程規畫與實施	19 卷 9 期	(225)	頁 23~38	2004 年 2 月
4193	曾金金	各縣市推動鄉土語言教學的具體策略與做法〈教材教學篇〉	19 卷 10 期	(226)	頁 87~93	2004 年 3 月
4194	黃絢親	台灣諺語的結構與教學運用——台灣情、俗語美	20 卷 9 期	(237)	頁 74~77	2005 年 2 月
4195	江育豪	客家童謠「伯公伯婆」之賞析及教學策略	22 卷 2 期	(254)	頁 76~81	2006 年 7 月
4196	周幹家	教師教學態度	1 卷 9 期	(9)	頁 94~95	1986 年 2 月
4197	連文萍採訪	文章千古事，富貴一陣風——訪積極致力國文教育的學者劉真教授	6 卷 9 期	(69)	頁 76~79	1991 年 2 月
4198	編輯部	國文老師的課外活動	7 卷 6 期	(78)	頁 108~113	1991 年 11 月
4199	邱順明	我們真的很需要鼓勵——請拉中學老師一把	10 卷 3 期	(111)	頁 96~97	1994 年 8 月

4200	陳麗桂	如何做一個成功的中文教師	19 卷 11 期 (227) 頁 95~102	2004 年 4 月
4201	蕭秀琴	高中國文科教學與網路資源——國內大學院校中國語文學系（所）網站「網路資源」鏈結之分析	21 卷 5 期 (245) 頁 97~102	2005 年 10 月
4202	鄭凰英受訪 陳靖如撰稿	桃花源的遇合——「古雅臺語人」創站經驗與網路教學資源	21 卷 5 期 (245) 頁 107~111	2005 年 10 月
4203	連文萍採訪	是黯淡還是璀燦？——國內中文系所的檢討與展望	6 卷 9 期 (69) 頁 52~54	1991 年 2 月
4204	魏光霞記錄	「中文所的現況與辦學理念」座談紀錄	9 卷 10 期 (106) 頁 114~120	1994 年 3 月
4205	魏光霞記錄	「中文研究所的定位與展望」座談紀錄	9 卷 10 期 (106) 頁 121~131	1994 年 3 月
4206	宋柏蓉	中文人的出路（之一）——新聞主播：專訪盧秀芳小姐	12 卷 3 期 (135) 頁 0	1996 年 8 月
4207	馬可欣	中文人的出路（之二）——公職人員：專訪陳火生先生	12 卷 4 期 (136) 頁 102~105	1996 年 9 月
4208	葉國良	我對中文學門問題的意見	24 卷 7 期 (283) 頁 4~7	2008 年 12 月
4209	王瓊玲	從全球化視野下的漢學研究談中文學門發展之方向	24 卷 7 期 (283) 頁 8~10	2008 年 12 月
4210	詹海雲	如何改善及提昇中文學門的教學研究環境	24 卷 7 期 (283) 頁 11~14	2008 年 12 月
4211	黃文吉	中文人何必跟著哀哀叫——談對 SCI、SSCI 的因應之道	24 卷 7 期 (283) 頁 26~29	2008 年 12 月
4212	戴維揚	開闢中文系國際交流的新天地	24 卷 8 期 (284) 頁 86~87	2009 年 1 月
4213	戴玉記錄	熊秉明談書法、論國文	1 卷 6 期 (6) 頁 16~19	1985 年 11 月
4214	王北岳	國文與我	1 卷 7 期 (7) 頁 19	1985 年 12 月
4215	黃永武	珍珠船裏——有趣的國文天地	1 卷 7 期 (7) 頁 28~32	1985 年 12 月
4216	陳紀瀅	中學時代的國文	1 卷 9 期 (9) 頁 44~45	1986 年 2 月
4217	李 猷	春風舊事零星說	1 卷 10 期 (10) 頁 18~21	1986 年 3 月
4218	胡 煥	國文與我	1 卷 11 期 (11) 頁 16	1986 年 4 月
4219	余忠慶	我喜歡國文	2 卷 1 期 (13) 頁 17	1986 年 6 月
4220	黃秋芳採訪	作一個領路的人——席慕容談國文老師	2 卷 6 期 (18) 頁 10~13	1986 年 11 月
4221	編輯部製作 為 之執行	來自學生的聲音——大一學生心中的國文	4 卷 7 期 (43) 頁 26~28	1988 年 12 月
4222	為 成	教學筆記	4 卷 7 期 (43) 頁 100~101	1988 年 12 月
4223	劉建宏	我也有話要說	6 卷 10 期 (70) 頁 106	1991 年 3 月

4224	蔡　紡	學生眼中的五柳先生	7 卷 2 期	(74)	頁 111~113	1991 年 7 月
4225	張曉風	背誦詩詞沒有用？	7 卷 8 期	(80)	頁 9	1992 年 1 月
4226	戴維揚	求同化異、觸類旁通—— 　　探索語流音變與語文教學	17 卷 1 期	(193)	頁 4~7	2001 年 6 月
4227	張修齡	古代文學教學縱橫談	18 卷 2 期	(206)	頁 9~17	2002 年 7 月
4228	陳滿銘	對成立「國語文教學學會」的期待	19 卷 12 期	(228)	頁 72~73	2004 年 5 月
4229	郭健二	作文一定要用毛筆嗎？	3 卷 11 期	(35)	頁 34~36	1988 年 4 月
4230	編輯部製作 周幼蘭執行	誰來鼓勵閱讀？—— 　　中學生的閱讀取向	4 卷 3 期	(39)	頁 19~21	1988 年 8 月
4231	編輯部製作 周幼蘭執行	新鮮人之後—— 　　閱讀取向的轉變	4 卷 3 期	(39)	頁 22~23	1988 年 8 月
4232	杜　萱	國小作文批改的有關問題	5 卷 3 期	(51)	頁 47~51	1989 年 8 月
4233	林其賢	提要讀書法—— 　　以〈諫逐客書〉為例	6 卷 6 期	(66)	頁 48~51	1990 年 11 月
4234	陳瑞庚	「書法」課程的價值	7 卷 5 期	(77)	頁 7~8	1991 年 10 月
4235	許明鎮	二林國中「國文科圖書櫃」歡度 五週年	7 卷 8 期	(80)	頁 111~113	1992 年 1 月
4236	陳之藩演講 連文萍整理	兩個小故事—— 　　陳之藩教授演講記錄	7 卷 9 期	(81)	頁 76~79	1992 年 2 月
4237	連文萍整理	陳之藩教授答學生問	7 卷 9 期	(81)	頁 79~81	1992 年 2 月
4238	編輯部	國文老師給學生的寒假作業	7 卷 9 期	(81)	頁 110~114	1992 年 2 月
4239	編輯部	「第一屆臺灣地區國語文教學研討 會」紀實	8 卷 1 期	(85)	頁 112	1992 年 6 月
4240	素榮齋	肢離破碎不該乎！	11 卷 2 期	(122)	頁 116	1995 年 7 月
4241	宋　裕	理想為眉，現實為睫—— 介紹《上課十五分鐘文學・現代文 學篇》	18 卷 12 期	(216)	頁 78~80	2003 年 5 月
4242	王昌煥	國中修辭教學的桂林山水—— 張春榮《國中國文修辭教學》一書 賞評	21 卷 2 期	(242)	頁 100~105	2005 年 7 月

9.2 語文教學問題

9.2.1 　制度層面的問題

4243	羅鳳珠 李美燕採訪	各行其是——系主任訪談	2 卷 3 期	(15)	頁 25~29	1986 年 8 月
4244	周韶華採訪	出了什麼毛病？	2 卷 10 期	(22)	頁 26~29	1987 年 3 月
4245	羅肇錦	肉麻當有趣—— 　　論走偏鋒的語文競賽	2 卷 11 期	(23)	頁 52~53	1987 年 4 月

4246	劉 渼記錄	「現今中學國文教學的難題」座談會	3 卷 11 期	(35)	頁 11~24	1988 年 4 月
4247	劉正幸	數十年如一日——高中國文教學	3 卷 11 期	(35)	頁 25~27	1988 年 4 月
4248	讀 者	升學主義下的國文教學	3 卷 12 期	(36)	頁 11	1988 年 5 月
4249	張曉生記錄	「當前青年文學環境」座談會	4 卷 3 期	(39)	頁 10~18	1988 年 8 月
4250	戴璉璋	儒學教育困境下的省思——以台灣中等學校的《四書》教育為例	4 卷 6 期	(42)	頁 102~106	1988 年 11 月
4251	張雙英	論今日「大一國文」的必要性	4 卷 7 期	(43)	頁 21~25	1988 年 12 月
4252	徐守濤	兒童文學在師範院校的未來發展	5 卷 1 期	(49)	頁 20~22	1989 年 6 月
4253	李漢偉	我們都是白雪公主？——對當前童話教學的一些省察	5 卷 1 期	(49)	頁 32~35	1989 年 6 月
4254	江蓮碧記錄	「中小學古典文學教育的檢討」座談會	5 卷 6 期	(54)	頁 12~28	1989 年 11 月
4255	林政言記錄	「專科學校國文教育何去何從」座談會	5 卷 7 期	(55)	頁 62~67	1989 年 12 月
4256	黃忠天	取下國文教學的兩道緊箍兒——談目前大專國文教學的困境及解決之道	6 卷 11 期	(71)	頁 69~70	1991 年 4 月
4257	陳慧英	親愛的，是誰讓國文病倒了？——細說高中國文症候（上）	7 卷 2 期	(74)	頁 102~106	1991 年 7 月
4258	陳慧英	親愛的，是誰讓國文病倒了？——細說高中國文症候（下）	7 卷 3 期	(75)	頁 97~101	1991 年 8 月
4259	何三本	殺傷語言競賽公平性的兩個問題	7 卷 3 期	(75)	頁 110~113	1991 年 8 月
4260	魏子雲	可悲歎的韻文教育	7 卷 12 期	(84)	頁 89~91	1992 年 5 月
4261	陳萬益	解除緊箍咒——給國文教學一條活路	8 卷 1 期	(85)	頁 5~6	1992 年 6 月
4262	傅武光	國文兩百分	8 卷 1 期	(85)	頁 7~8	1992 年 6 月
4263	莊萬壽	「變」！待變的語文教育——台灣語文教育的新展望	8 卷 3 期	(87)	頁 6~9	1992 年 8 月
4264	黃沛榮	政府應從速規畫未來的語文政策——為超部會的語文工作機構催生	8 卷 3 期	(87)	頁 10~11	1992 年 8 月
4265	稟 真	教學短打——我對臺灣國文教育的看法	9 卷 9 期	(105)	頁 106~107	1994 年 2 月
4266	謝春聘	作文教學現況之檢討與改進建議	10 卷 12 期	(120)	頁 68~72	1995 年 5 月
4267	鍾吉雄	師院生看師院國文	11 卷 2 期	(122)	頁 78~82	1995 年 7 月
4268	編輯部	台北市國中國文教學輔導研習會報導	11 卷 12 期	(132)	頁 80~81	1996 年 5 月
4269	林思涵記錄	從體制到讀本——現代文學教學座談會	12 卷 7 期	(139)	頁 4~13	1996 年 12 月

4270	賴麗蓉	在教改活動中教師應如何自我定位	16 卷 6 期	(186)	頁 98~101	2000 年 11 月
4271	陳欣欣	技職體系下的國文教育	17 卷 4 期	(196)	頁 67~77	2001 年 9 月
4272	陳弘學	文言教育之養成—— 談台灣本土文學發展下文言文的價值及其時代意義	18 卷 1 期	(205)	頁 45~49	2002 年 6 月
4273	蘇子敬	欲亡其國，先去其文—— 國文教育何去何從	20 卷 9 期	(237)	頁 72~73	2005 年 2 月
4274	李素真	我們正在寫歷史—— 「搶救國文教育聯盟」成立因緣	20 卷 10 期	(238)	頁 78~83	2005 年 3 月
4275	李素真	我們正在寫歷史—— 「搶救國文教育聯盟」成立因緣（下）	20 卷 11 期	(239)	頁 84~88	2005 年 4 月
4276	搶救國文教育聯盟	讓教育問題回到教育專業上來	21 卷 2 期	(242)	頁 78~79	2005 年 7 月
4277	林美宏	挽救孩童國語文能力低落的一帖良藥——「通俗文學」	21 卷 8 期	(248)	頁 88~91	2006 年 1 月
4278	張美煜	取消「自由選修」，才能挽救弱勢語言	22 卷 1 期	(253)	頁 78~81	2006 年 6 月
4279	李素真	皚皚玉山，誰與爭「峰」—— 搶救「九八課綱」側記	23 卷 2 期	(266)	頁 69~72	2007 年 7 月
4280	李玉貴	從台灣 PIRLS2006 評估結果談小學語文閱讀教學的現況與現象	24 卷 4 期	(280)	頁 4~19	2008 年 9 月
4281	蒲基維	「語文能力系統」與「九年一貫本國語文分段能力指標」的對照與呼應——以「閱讀能力」及「寫作能力」為考察範圍	24 卷 5 期	(281)	頁 57~65	2008 年 10 月
4282	李素真	讓孔子真正重見光明	24 卷 5 期	(281)	頁 66~68	2008 年 10 月
4283	李素真	比福袋更好的禮物	24 卷 12 期	(288)	頁 43~44	2009 年 5 月
4284	謝大寧	也談國文課綱中的文白比例問題	25 卷 7 期	(295)	頁 71~75	2009 年 12 月
4285	賴金男	法國推行的「國文第一」政策	1 卷 5 期	(5)	頁 24	1985 年 10 月
4286	魏 怡	中國大陸中學語文教學概說	5 卷 8 期	(56)	頁 71~73	1990 年 1 月
4287	鍾怡雯	全方位的交流，新視界的拓展—— 「兩岸暨港新中小學國語文教學國際研討會」側記	11 卷 2 期	(122)	頁 4~7	1995 年 7 月
4288	唐翼明	大學中文系應開設大陸文學課程	11 卷 5 期	(125)	頁 12~13	1995 年 10 月
4289	張 覺	從古詩文選篇的調整看大陸中學語文教學的改革	16 卷 9 期	(189)	頁 90~97	2001 年 2 月
4290	楊振良	赤兔之死—— 由大陸高考國文榜首作文省思國文教育	18 卷 1 期	(205)	頁 8~10	2002 年 6 月

9.2.2　教學實務上的問題

4291	周純一	國文課堂內的新課題	1 卷 1 期	(1)	頁 18~19	1985 年 6 月
4292	尉天驄	為什麼國文程度低落？——從「任卓宣少年習作手搞」談起	1 卷 4 期	(4)	頁 38~41	1985 年 9 月
4293	喬衍琯	是大一國文還是高四國文？	1 卷 5 期	(5)	頁 52~55	1985 年 10 月
4294	陳如是	國文程度江河日下——評閱國文試卷感言	1 卷 7 期	(7)	頁 50~51	1985 年 12 月
4295	郭慶珠	國文教師的困惑，國文教育的忧痾	1 卷 8 期	(8)	頁 79	1986 年 1 月
4296	張火慶	救一救大一國文	1 卷 10 期	(10)	頁 84~85	1986 年 3 月
4297	陳益源記錄	這樣的師專課程合理嗎？	1 卷 12 期	(12)	頁 52~57	1986 年 5 月
4298	張火慶	電視機前的好學生——空大國文選修課程的反省	1 卷 12 期	(12)	頁 92~93	1986 年 5 月
4299	陳炳良	語言或文學——一個教學上的難題	2 卷 1 期	(13)	頁 96~98	1986 年 6 月
4300	沈清松	國文教育的新方向	2 卷 3 期	(15)	頁 12~14	1986 年 8 月
4301	汪　淳	吐不完的苦水	2 卷 3 期	(15)	頁 16~19	1986 年 8 月
4302	林慧峰記錄	「問題重重的大學國文」座談會	2 卷 3 期	(15)	頁 19~24	1986 年 8 月
4303	陳義棟採訪	第四片土司麵包——訪社會人士談大一國文	2 卷 3 期	(15)	頁 29~32	1986 年 8 月
4304	編輯部製作	國文教育診斷書——誰來根治十大疑難雜症？	2 卷 3 期	(15)	頁 32	1986 年 8 月
4305	蔡英俊	文字世界的混亂，其實是內心世界的混亂	2 卷 10 期	(22)	頁 32~34	1987 年 3 月
4306	鮑鎮威	排斥與接納——對新詩教學的探討	2 卷 11 期	(23)	頁 92~95	1987 年 4 月
4307	洪邦棣	從一六六一到一八四一	3 卷 12 期	(36)	頁 98~99	1988 年 5 月
4308	許明鎮	新聞局編《推介中小學生課外讀物清冊》評析	4 卷 1 期	(37)	頁 96~97	1988 年 6 月
4309	吳美幸	被冷落的白話文選	4 卷 5 期	(41)	頁 10~12	1988 年 10 月
4310	編輯部製作 陳毓璞執行	國語教師和外籍學生看注音符號	5 卷 5 期	(53)	頁 36~41	1989 年 10 月
4311	陳慶煌	學詩的孩子不會變壞——國小古典文學教育之檢討	5 卷 6 期	(54)	頁 29~34	1989 年 11 月
4312	陳滿銘	從現行國中國文課本看我國當前古典文學教育	5 卷 6 期	(54)	頁 35~38	1989 年 11 月
4313	楊淑娟	古典文學往下紮根——淺談目前中小學古典文學讀物的出版現況	5 卷 6 期	(54)	頁 43~47	1989 年 11 月
4314	黃憲作	從高中國文看新詩教育	5 卷 12 期	(60)	頁 52	1990 年 5 月

4315	沈玉雯	我對中小學古典文學教育的看法	6 卷 3 期	(63)	頁 73~74	1990 年 8 月
4316	馮 聞	創新國文教學之前—— 一位國中老師的心聲	6 卷 10 期	(70)	頁 47~50	1991 年 3 月
4317	編輯部	高中國文十大傑出課文金像獎票選 結果	7 卷 2 期	(74)	頁 97~101	1991 年 7 月
4318	編輯部	十大傑出課文金像獎—— 國中國文票選結果	7 卷 3 期	(75)	頁 102~104	1991 年 8 月
4319	編輯部	國文教材的再檢討—— 北區高中國文教師研習會學員心聲	7 卷 5 期	(77)	頁 92~96	1991 年 10 月
4320	鍾怡雯	期待更寬廣的文學空間—— 「現代小說教學經驗」座談會	11 卷 3 期	(123)	頁 11~19	1995 年 8 月
4321	編輯部整理	小說家看中文系的小說課	11 卷 3 期	(123)	頁 20~24	1995 年 8 月
4322	呂正惠	關於「現代小說」課程的幾點考慮	11 卷 3 期	(123)	頁 38~39	1995 年 8 月
4323	張曉風	小說教室	11 卷 3 期	(123)	頁 45~48	1995 年 8 月
4324	陳慧英	怎樣讀好高中國文—— 給高一的新鮮人	11 卷 4 期	(124)	頁 76~82	1995 年 9 月
4325	唐翼明	引幾個數字來看看—— 談中文系的現代文學課程	11 卷 8 期	(128)	頁 4~5	1996 年 1 月
4326	廖玉蕙	學習是為了讓生活更容易—— 談國文教學中的情意開發	12 卷 2 期	(134)	頁 6~7	1996 年 7 月
4327	張慧玲	執行統整課程教學的實務之後	17 卷 1 期	(193)	頁 29~33	2001 年 6 月
4328	謝登旺	大學「應用文」課程之基礎與發展	17 卷 12 期	(204)	頁 5~12	2002 年 5 月
4329	王家倫	關於語文教學的思考	18 卷 2 期	(206)	頁 4~8	2002 年 7 月
4330	朱歧祥	中小學老師宜認識的一批象形字	18 卷 4 期	(208)	頁 91~93	2002 年 9 月
4331	李佳信	高中生錯別字彙編淺析—— 以屏東女中為例	19 卷 7 期	(223)	頁 19~35	2003 年 12 月
4332	顏智英	高中生作文錯別字分析	19 卷 7 期	(223)	頁 36~43	2003 年 12 月
4333	張雯華 顏瓊雯	國一生錯別字簡析	19 卷 7 期	(223)	頁 44~50	2003 年 12 月
4334	李皇穎	語言融合的現象與教學—— 以「青少年特殊語言」為範圍	22 卷 3 期	(255)	頁 80~87	2006 年 8 月
4335	鄭裕基	談談《尚書大傳》和它對語文教學 的助益	22 卷 5 期	(257)	頁 17~29	2006 年 10 月
4336	林寶珠	讀經談心	24 卷 9 期	(285)	頁 64~70	2009 年 2 月

9.3 教學方法

9.3.1　　通論

4337	魏子雲	國文教學的義理問題——訓有未安,義理求之	1 卷 4 期	(4)	頁 34~37	1985 年 9 月
4338	魏子雲	國文教學的義理問題——訓有未安,義理求之	1 卷 5 期	(5)	頁 40~42	1985 年 10 月
4339	楊鴻銘	教學示例——顧炎武「廉恥」	1 卷 5 期	(5)	頁 43~47	1985 年 10 月
4340	魏子雲	國文教學的義理問題——訓有未安,義理求之	1 卷 6 期	(6)	頁 73~77	1985 年 11 月
4341	周幹家	怎樣實施國語文教育	1 卷 7 期	(7)	頁 82~85	1985 年 12 月
4342	晏亦程	怎樣教人文社會學科?	1 卷 10 期	(10)	頁 58~59	1986 年 3 月
4343	劉正幸	看電影,學國文	1 卷 10 期	(10)	頁 92~93	1986 年 3 月
4344	夏瑞紅	誰來蓋新的國文教室?——訪六位有心的年輕人與他們的「創造思考性教學」	2 卷 1 期	(13)	頁 84~87	1986 年 6 月
4345	蕭麗華	開鑿心靈的活泉——訪陳龍安教授談創造思考教學	2 卷 10 期	(22)	頁 85~88	1987 年 3 月
4346	陳賢俊 葉秋枝	樂在教學——《國文教育動動腦》的回響	2 卷 10 期	(22)	頁 89~91	1987 年 3 月
4347	陳益源記錄	「國文美感教學」座談會	3 卷 3 期	(27)	頁 90~94	1987 年 8 月
4348	吳秀餘	譬喻與比擬在國文美感教學上的展開	3 卷 3 期	(27)	頁 95~100	1987 年 8 月
4349	何永清	「作對子」和國文教學	4 卷 7 期	(43)	頁 102~104	1988 年 12 月
4350	林政華	落實兒童文學教育方法的芻議	5 卷 1 期	(49)	頁 23~25	1989 年 6 月
4351	吳 當	兒童的文學欣賞與寫作	5 卷 1 期	(49)	頁 29~31	1989 年 6 月
4352	林韻梅	章法、作文、課外閱讀的同步教學	5 卷 5 期	(53)	頁 70~72	1989 年 10 月
4353	陳賢俊	「三代同堂」趣味教學連環炮	5 卷 7 期	(55)	頁 56~60	1989 年 12 月
4354	齊衛國	探寶山,用秘訣,不作五板先生——國文科教法的取與捨	6 卷 10 期	(70)	頁 11~15	1991 年 3 月
4355	葛芳譚	「講光抄」落伍了——談雙向溝通的國文教學	6 卷 10 期	(70)	頁 16~19	1991 年 3 月
4356	楊鴻銘	抓住作者的巧意慧心——利用寫作原理教學	6 卷 10 期	(70)	頁 24~28	1991 年 3 月
4357	蕭湘鳳	留得仲夏與暮冬的書心——談寒暑假作業教學	6 卷 10 期	(70)	頁 35~37	1991 年 3 月
4358	洪邦棣	猜謎——國文教學中的腦筋急轉彎	6 卷 10 期	(70)	頁 38~46	1991 年 3 月
4359	蕭湘鳳	怎麼教〈秦晉殽之戰〉	7 卷 4 期	(76)	頁 89~92	1991 年 9 月
4360	楊鴻銘	宋濂〈送東陽馬生序〉比較教學法	7 卷 4 期	(76)	頁 93~95	1991 年 9 月
4361	劉若緹	先秦諸子整頓交通——《漢書・藝文志・諸子略》的課程設計	7 卷 5 期	(77)	頁 109~111	1991 年 10 月

4362	崔仲璋	心靈的交會	7 卷 8 期	(80)	頁 107~110	1992 年 1 月
4363	馮 聞	如何使理想教學落實——以〈愛蓮說〉為例	7 卷 9 期	(81)	頁 87~90	1992 年 2 月
4364	林素蘭	假使〈愛蓮說〉這樣教	7 卷 9 期	(81)	頁 91~94	1992 年 2 月
4365	郭惠娥	善用國文教材，化解師生尷尬	7 卷 11 期	(83)	頁 104~106	1992 年 4 月
4366	楊斐芬	限時專送我的愛——「情意教學」活動設計與探討	7 卷 12 期	(84)	頁 84~88	1992 年 5 月
4367	黃忠天	謎語在國文教學上的應用	8 卷 7 期	(91)	頁 92~100	1992 年 12 月
4368	王熙元	令人著迷的隱語——說謎語的趣味及其教學應用	9 卷 3 期	(99)	頁 6~10	1993 年 8 月
4369	羅鳳珠	探一探以多媒體觀念製作國文教材的路——「紅樓夢多媒體系統」介紹	9 卷 4 期	(100)	頁 97~103	1993 年 9 月
4370	老志鈞	背誦——國文教學之重要環節	9 卷 10 期	(106)	頁 92~99	1994 年 3 月
4371	羅悅玲	心正氣和濡墨香——書法組	9 卷 12 期	(108)	頁 10~13	1994 年 5 月
4372	老志鈞	兩種有利於漢字教學的方法——分析比較	10 卷 2 期	(110)	頁 51~55	1994 年 7 月
4373	孫秀玲	給國文科教師新鮮人的一些建議	10 卷 4 期	(112)	頁 76~81	1994 年 9 月
4374	連文萍	國文課的新天地——關於國文教法的一些體議	10 卷 4 期	(112)	頁 82~85	1994 年 9 月
4375	黃錦鋐演講 鍾怡雯記錄	國語文教學的新方向	11 卷 2 期	(122)	頁 72~77	1995 年 7 月
4376	劉若緹	新新人類讀小說	11 卷 8 期	(128)	頁 78~83	1996 年 1 月
4377	余昭玟	電影在國文教學上的運用——以「春風化雨」為例	13 卷 1 期	(145)	頁 114~119	1997 年 6 月
4378	王同書	「師道」兩岸情——讀魏子雲《教國文》	13 卷 7 期	(151)	頁 119~120	1997 年 12 月
4379	邱順明	「以閩南語輔助國文教學」舉隅	13 卷 9 期	(153)	頁 118~120	1998 年 2 月
4380	劉寶珠	一點點的探索——關於國文教學	14 卷 2 期	(158)	頁 106~109	1998 年 7 月
4381	高旖璐	「生活的藝術」教學活動設計	14 卷 10 期	(166)	頁 98~102	1999 年 3 月
4382	林孝璘	〈不驚田水冷霜霜〉的鄉土教學資料	15 卷 9 期	(177)	頁 83~85	2000 年 2 月
4383	林聆慈	讓我們更愛台灣——〈台灣通史序〉創意教學	15 卷 9 期	(177)	頁 86~90	2000 年 2 月
4384	劉榮嫦	多樣化的國文教學	15 卷 10 期	(178)	頁 105~107	2000 年 3 月
4385	劉榮嫦	國語文競賽之指導經驗談	16 卷 1 期	(181)	頁 78~82	2000 年 6 月
4386	劉 渼	國文教學與網路——應用篇	16 卷 2 期	(182)	頁 90~99	2000 年 7 月
4387	陳素英	主題教學的設計與探討	16 卷 3 期	(183)	頁 84~90	2000 年 8 月
4388	陳惠齡	現代散文教學情境設計（上）	16 卷 4 期	(184)	頁 79~87	2000 年 9 月

4389	陳惠齡	現代散文教學情境設計（下）	16 卷 5 期	(185)	頁 92~99	2000 年 10 月
4390	蘇秀錦	震撼式的一堂—— 化整為零的課外閱讀指導	16 卷 9 期	(189)	頁 19~22	2001 年 2 月
4391	陳智弘	超現實閱讀之旅	16 卷 9 期	(189)	頁 23~28	2001 年 2 月
4392	范曉雯	遊戲王——強迫閱讀的紅蘿蔔	16 卷 9 期	(189)	頁 29~33	2001 年 2 月
4393	潘麗珠	〈匆匆〉的教學活動設計	16 卷 10 期	(190)	頁 84~88	2001 年 3 月
4394	陳惠齡	也談〈台灣通史序〉的創意教學	16 卷 10 期	(190)	頁 92~95	2001 年 3 月
4395	潘麗珠	〈故鄉的桂花雨〉教學活動設計	16 卷 11 期	(191)	頁 102~105	2001 年 4 月
4396	陳蒲清	用故事啟迪智慧——試談寓言教學	16 卷 12 期	(192)	頁 4~12	2001 年 5 月
4397	吳福相	寓言與國文教學	16 卷 12 期	(192)	頁 20~27	2001 年 5 月
4398	鮑延毅 鮑　欣	引蒙「香草」易為功（上）—— 寓言與童蒙教育初探	16 卷 12 期	(192)	頁 28~34	2001 年 5 月
4399	潘麗珠	〈數字人生〉的教學活動設計	16 卷 12 期	(192)	頁 93~96	2001 年 5 月
4400	潘麗珠	親愛的，我把國語文課變有趣了—— —《國語文教學活動設計・自序》	17 卷 4 期	(196)	頁 84~85	2001 年 9 月
4401	黃福鎮	成語教學初探	17 卷 4 期	(196)	頁 86~90	2001 年 9 月
4402	程美鐘	英雄好漢來相聚—— 我如何教施耐庵的《水滸傳》	17 卷 5 期	(197)	頁 6~9	2001 年 10 月
4403	何洵怡	談中文科漫畫教學	17 卷 8 期	(200)	頁 83~88	2002 年 1 月
4404	陳智弘	古典與科技牽手—— 資訊融入國文科教學	17 卷 11 期	(203)	頁 11~16	2002 年 4 月
4405	張世聰	資訊融入國文教學舉隅	17 卷 11 期	(203)	頁 17~24	2002 年 4 月
4406	林聆慈	中小學國文教學優質網站介紹	17 卷 11 期	(203)	頁 25~35	2002 年 4 月
4407	詹秋蕙	我如何教〈與荷蘭守將書〉	17 卷 11 期	(203)	頁 92~96	2002 年 4 月
4408	楊新敏	創造愉悅氛圍 實現愉悅創造—— 論教學中的智力激活	18 卷 2 期	(206)	頁 33~38	2002 年 7 月
4409	蘇秀錦	以逆向思考創製科目整合的謎猜	18 卷 3 期	(207)	頁 81~86	2002 年 8 月
4410	王紫瑩	開拓國文教學中的應用文字學	18 卷 6 期	(210)	頁 30~33	2002 年 11 月
4411	楊如雪	語法教學活動設計篇	18 卷 6 期	(210)	頁 74~80	2002 年 11 月
4412	曾家麒	朗讀教學訓練架構剖析	18 卷 6 期	(210)	頁 100~103	2002 年 11 月
4413	楊如雪	追趕跑跳蹦——認識「動詞」	18 卷 7 期	(211)	頁 71~76	2002 年 12 月
4414	楊如雪	名詞的親密朋友——認識「形容詞」	18 卷 8 期	(212)	頁 81~87	2003 年 1 月
4415	陳蕙安	創意廣告招牌設計	19 卷 1 期	(217)	頁 62~66	2003 年 6 月
4416	楊如雪 林鑾英	語法教學記實	19 卷 6 期	(222)	頁 21~28	2003 年 11 月
4417	章綺霞	親近文學 親近土地—— 淺談《筆記濁水溪》的教學引導與	19 卷 8 期	(224)	頁 83~85	2004 年 1 月

設計

4418	陳貴麟	本國語文網路輔助教學課程資源之製作成果說明與檢討	20 卷 4 期	(232)	頁 87~90	2004 年 9 月
4419	邱偉雲	「大成若缺」——留白藝術及其語文教學	21 卷 7 期	(247)	頁 82~87	2005 年 12 月
4420	張春榮	修辭教學設計	21 卷 12 期	(252)	頁 4~10	2006 年 5 月
4421	陳麗雲	「層遞」修辭格教學	21 卷 12 期	(252)	頁 26~31	2006 年 5 月
4422	鐘玖英	初級漢語閱讀課的教學原則	22 卷 5 期	(257)	頁 72~77	2006 年 10 月
4423	李玉珍	「浮流」經驗在注音符號教學的運用	22 卷 11 期	(263)	頁 74~78	2007 年 4 月
4424	林淑慧	資料庫於台灣古典文學史教學之應用	23 卷 3 期	(267)	頁 75~80	2007 年 8 月
4425	高碧蓮	蕭颯〈我兒漢生〉分析及其在教學上的應用	23 卷 10 期	(274)	頁 64~71	2008 年 3 月
4426	張　玲	在岳陽教《岳陽樓記》	24 卷 1 期	(277)	頁 75~80	2008 年 6 月
4427	龔淑芬	課文和習作中的句子教學探討——以「不管是……或是……，都……。」為例	24 卷 4 期	(280)	頁 20~31	2008 年 9 月
4428	許育健	溝通的開始 許我一個句子——句子教學活動設計	24 卷 4 期	(280)	頁 32~37	2008 年 9 月
4429	林佩玲	寓言結構概念模組教學——以歐陽脩〈賣油翁〉為例	24 卷 5 期	(281)	頁 22~28	2008 年 10 月
4430	張春榮	語文教學的進路	24 卷 6 期	(282)	頁 4~16	2008 年 11 月
4431	陳雅菁	笑話在國語文學習上之運用	24 卷 6 期	(282)	頁 29~35	2008 年 11 月
4432	張佳琪	相互教學法在國文閱讀教學上之運用	24 卷 7 期	(283)	頁 64~69	2008 年 12 月
4433	蘇秀錦	「最富於孕育性頃刻」在國文影音教學的應用——以戲劇、電影為例	24 卷 12 期	(288)	頁 60~64	2009 年 5 月
4434	劉　瑩	讀而優則寫——論童話之「讀寫一貫」教學策略	25 卷 5 期	(293)	頁 4~16	2009 年 10 月
4435	諸葛妮妮 蘇秀錦 王瑞宏	追尋人生真正的桃花源——從《桃花源記》延伸整合生命教育的課外閱讀教學	25 卷 6 期	(294)	頁 61~67	2009 年 11 月
4436	鍾雲鶯	推論階梯在《史記》教學之運用——以〈魏公子列傳〉為例	25 卷 8 期	(296)	頁 66~69	2010 年 1 月
4437	蔡霈瑀	朗之以美聲，讀之以深情——以歐陽修〈秋聲賦〉為例	25 卷 11 期	(299)	頁 63~69	2010 年 4 月
4438	顧大我	語文教學應以賞析情意為重——以國小國語課文「爸爸捕魚去」為例	3 卷 1 期	(25)	頁 91~93	1987 年 6 月
4439	黃秀雲	「寓言」在國小教學上的應用	16 卷 12 期	(192)	頁 35~39	2001 年 5 月
4440	江惜美	文字學在小學國語教學上的運用	18 卷 6 期	(210)	頁 22~25	2002 年 11 月

4441	楊如雪	國小的修辭教學——以第一階段的類疊修辭教學為例	24 卷 4 期	(280)	頁 38~47	2008 年 9 月
4442	林芳儀	形聲字造字原理在國小識字教學的應用	25 卷 6 期	(294)	頁 4~7	2009 年 11 月
4443	周幹家	運用之妙・存乎一心——國中國文教學雜談	7 卷 11 期	(83)	頁 94~97	1992 年 4 月
4444	廖吉郎	國中國文的教學評量	8 卷 11 期	(95)	頁 87~95	1993 年 4 月
4445	林淑貞	為有源頭活水來——論國中之現代散文教學	13 卷 5 期	(149)	頁 11~33	1997 年 10 月
4446	楊舒雅	國中國文第一冊第一課「夏夜」教學活動設計	14 卷 4 期	(160)	頁 108~112	1998 年 9 月
4447	蕭 蕭	新文藝教學設計（一）：哲學家皇帝	14 卷 9 期	(165)	頁 95~98	1999 年 2 月
4448	蕭 蕭	新文藝教學設計（二）：國中現代詩教學設計（欣賞篇）——以〈車過枋寮〉、〈一枚銅幣〉、〈竹〉為例	14 卷 10 期	(166)	頁 90~94	1999 年 3 月
4449	林軒鈺	《說文》與國中國文科的文字教學	18 卷 5 期	(209)	頁 77~82	2002 年 10 月
4450	陳忠信	國中國文雙關修辭創意教學法——以二〇〇二年世足賽各大報紙新聞標題實作練習為例	18 卷 6 期	(210)	頁 96~99	2002 年 11 月
4451	陳忠信	電視廣告在國中國文情意教學之應用——以親情主題為例	20 卷 7 期	(235)	頁 85~88	2004 年 12 月
4452	耿志堅	國中國文創造思維的閱讀教學導引——以劉鶚〈大明湖〉為例	25 卷 5 期	(293)	頁 17~24	2009 年 10 月
4453	連蔚勤	漢字在國中國文教學之實務體驗	25 卷 6 期	(294)	頁 8~13	2009 年 11 月
4454	愷 扉	為有源頭活水來——高中國文教學的反省	1 卷 6 期	(6)	頁 86~87	1985 年 11 月
4455	郭麗華	怎樣教「桃花源記」	1 卷 8 期	(8)	頁 91~95	1986 年 1 月
4456	彭金龍	高中國文自學輔導法教學的嘗試	4 卷 8 期	(44)	頁 98~101	1989 年 1 月
4457	林韻梅	為文化基本教材教法進管見	4 卷 12 期	(48)	頁 78~80	1989 年 5 月
4458	林韻梅	組織國文科「教學團」——高一國文協同教學舉例	6 卷 10 期	(70)	頁 29~34	1991 年 3 月
4459	蔡豐村	省立臺東高中二三事	7 卷 8 期	(80)	頁 113~114	1992 年 1 月
4460	陶芳辰	我怎樣教高二國文	7 卷 10 期	(82)	頁 105~109	1992 年 3 月
4461	林韻梅	文化基本教材教學活動設計（上）	7 卷 11 期	(83)	頁 90~93	1992 年 4 月
4462	林韻梅	文化基本教材教學活動設計（下）	7 卷 12 期	(84)	頁 75~83	1992 年 5 月
4463	王開府	認知取向在《中國文化基本教材》教學的應用	8 卷 7 期	(91)	頁 63~74	1992 年 12 月

4464	張麗芬	教學短打──與高中生猜課文謎語	9 卷 10 期 (106)	頁 109~112	1994 年 3 月
4465	張麗芬	視聽媒體在高中國文教學的現況與發展	10 卷 10 期 (118)	頁 68~74	1995 年 3 月
4466	范曉雯	高中教學活性化	10 卷 11 期 (119)	頁 88~89	1995 年 4 月
4467	劉滌凡	國文教學金針──核心概念及其邏輯步驟的推演在高中國文教學上的運用（一）	13 卷 10 期 (154)	頁 98~102	1998 年 3 月
4468	劉滌凡	國文教學金針──核心概念及其邏輯步驟的推演在高中國文教學上的運用（二）	13 卷 11 期 (155)	頁 114~120	1998 年 4 月
4469	劉滌凡	國文教學金針──核心概念及其邏輯步驟的推演在高中國文教學上的運用（三）	13 卷 12 期 (156)	頁 116~120	1998 年 5 月
4470	劉滌凡	國文教學金針──核心概念及其邏輯步驟的推演在高中國文教學上的運用（四）	14 卷 1 期 (157)	頁 98~101	1998 年 6 月
4471	范曉雯	高中國文第二冊十一課──「道德的勇氣」課堂實錄	14 卷 11 期 (167)	頁 95~100	1999 年 4 月
4472	賴哲信	一起教國文──中山女中協同教學實錄	16 卷 5 期 (185)	頁 86~91	2000 年 10 月
4473	柯雅藍	文字學在高中國文教學上的應用	18 卷 6 期 (210)	頁 26~29	2002 年 11 月
4474	張輝誠	資訊融入高中國文科教學實例──從教師主導到學生自主學習	19 卷 6 期 (222)	頁 73~79	2003 年 11 月
4475	林貞均	以 SWOT 理論分析高中說服類課文〈燭之武退秦師〉	25 卷 8 期 (296)	頁 75~79	2010 年 1 月
4476	鄭志明	大學國文教學範例──墨子經說下篇的光學知識	2 卷 3 期 (15)	頁 40~41	1986 年 8 月
4477	楊振良	豐容倩飾話教學──從表情上更新大一國文的教法	2 卷 5 期 (17)	頁 86~89	1986 年 10 月
4478	曾忠華	談大一國文教材教法	8 卷 6 期 (90)	頁 76~88	1992 年 11 月
4479	江弘毅	應用中語系《易經》之教學與應用	17 卷 12 期 (204)	頁 27~36	2002 年 5 月
4480	仇小屏	大一學生眼中的章法教學	23 卷 3 期 (267)	頁 71~74	2007 年 8 月
4481	彰師大國文系編委會	《新大學國文精選》序	25 卷 5 期 (293)	頁 67~68	2009 年 10 月
4482	許文獻	大學院校文字學課程實務淺析	25 卷 6 期 (294)	頁 14~22	2009 年 11 月
4483	紀怡如	修辭教學碩士論文初探	21 卷 12 期 (252)	頁 32~36	2006 年 5 月

9.3.2 韻文教學

4484	王熙元主講	中等學校詩詞教學答客問	1 卷 4 期 (4)	頁 20~24	1985 年 9 月

陳益源記錄

4485	李殿魁	為中國音樂循根	2 卷 12 期	(24)	頁 22~26	1987 年 5 月
4486	李國俊	樂趣無窮，問題重重	2 卷 12 期	(24)	頁 32~33	1987 年 5 月
4487	陳滿銘	怎樣教〈詞遠〉——李煜的「清平樂」與蘇軾的「念奴嬌」詞	5 卷 1 期	(49)	頁 51~55	1989 年 6 月
4488	楊振良	一曲琵琶訴到今——崑曲〈糟糠自厭〉的教學設計	6 卷 12 期	(72)	頁 73~75	1991 年 5 月
4489	李殿魁	糠和米本一處飛——「喫糠」卡帶代序	6 卷 12 期	(72)	頁 75~76	1991 年 5 月
4490	林覺中	博識善喻之外	7 卷 10 期	(82)	頁 110	1992 年 3 月
4491	邱燮友	詩歌教學與應用	17 卷 12 期	(204)	頁 13~20	2002 年 5 月
4492	洪澤南	如何引導學生「感覺」平仄？七絕平仄起的制約訓練	20 卷 6 期	(234)	頁 24~31	2004 年 11 月
4493	鮑鎮威	排斥與接納——對新詩教學的探討	2 卷 11 期	(23)	頁 92~95	1987 年 4 月
4494	朱錦娥	如何引導青少年走進新詩的園地	3 卷 4 期	(28)	頁 88~89	1987 年 9 月
4495	蕭 蕭	講授一首現代詩的準備	4 卷 5 期	(41)	頁 15~17	1988 年 10 月
4496	劉麗娟	具體、抽象和比喻法在童詩教學中的運用	9 卷 10 期	(106)	頁 36~41	1994 年 3 月
4497	蔡長林 鍾怡雯採訪	讓想像的翅膀飛翔——蕭蕭談現代詩教學	11 卷 1 期	(121)	頁 32~35	1995 年 6 月
4498	林瑞景	由名家小詩孕育少年詩	12 卷 1 期	(133)	頁 46~51	1996 年 6 月
4499	陳美桂	思維與夢想——談新詩教學（上）	12 卷 6 期	(138)	頁 50~54	1996 年 11 月
4500	陳美桂	思維與夢想——談新詩教學（下）	12 卷 7 期	(139)	頁 36~44	1996 年 12 月
4501	仇小屏	新詩天地的首航	13 卷 5 期	(149)	頁 34~43	1997 年 10 月
4502	林瑞景	在雨港來一場很有詩情的邂逅	13 卷 5 期	(149)	頁 44~49	1997 年 10 月
4503	宋 裕	台灣現代詩教學書目指引	15 卷 5 期	(173)	頁 101~109	1999 年 10 月
4504	潘麗珠	現代詩的聲情教學之我見	17 卷 1 期	(193)	頁 57~63	2001 年 6 月
4505	潘麗珠	〈麥當勞午餐時間〉的教學活動設計	17 卷 3 期	(195)	頁 89~92	2001 年 8 月
4506	劉 渼	國語文「網路探索式學習」——以新詩教學為例	17 卷 11 期	(203)	頁 4~10	2002 年 4 月
4507	仇小屏	談童詩的章法教學	21 卷 5 期	(245)	頁 15~22	2005 年 10 月
4508	蔡孟珍	詩詞吟唱的新趨向——從蘇州彈詞「木蘭辭」談起	1 卷 5 期	(5)	頁 60~62	1985 年 10 月
4509	莊惠琴	歌詩傳唱開心顏——博嘉國小的國文教育	1 卷 8 期	(8)	頁 24~29	1986 年 1 月
4510	邱燮友	品詩與吟詩	2 卷 12 期	(24)	頁 18~21	1987 年 5 月
4511	魏子雲	詩文吟誦的問題	2 卷 12 期	(24)	頁 27~31	1987 年 5 月

4512	周純一	吟唱出千萬種不同的聲音	2 卷 12 期	(24)	頁 34~38	1987 年 5 月
4513	蔡孟珍	「詩詞吟唱」對話錄──訪紀棟	2 卷 12 期	(24)	頁 39~43	1987 年 5 月
4514	陳新雄	「吟誦」和「唱」的區別	3 卷 3 期	(27)	頁 12~13	1987 年 8 月
4515	邱燮友	漁歌・樵唱・元散曲── 元曲的音樂與吟唱	6 卷 3 期	(63)	頁 88~92	1990 年 8 月
4516	邱燮友	歌盡桃花扇底風── 詞的音樂與吟唱	6 卷 11 期	(71)	頁 85~90	1991 年 4 月
4517	李　春	有關詩詞朗誦、吟詠、譜曲、演唱 之某些理念	7 卷 3 期	(75)	頁 70~72	1991 年 8 月
4518	邱燮友	詩歌朗誦教學之探討	7 卷 9 期	(81)	頁 100~104	1992 年 2 月
4519	洪澤南	歌到放懷唱不休──詩歌組	9 卷 12 期	(108)	頁 14~20	1994 年 5 月
4520	潘麗珠	從多元智慧理論談關漢卿〈閒適〉 的吟誦教學	15 卷 3 期	(171)	頁 104~107	1999 年 8 月
4521	洪澤南	大家來吟詩	15 卷 3 期	(171)	頁 108~110	1999 年 8 月
4522	吳麗琳	我學吟詩的心路歷程	15 卷 3 期	(171)	頁 111~112	1999 年 8 月
4523	王更生	陳少松和他的《古詩詞文吟誦研究》 ──總往代絕學，開吟誦新運	15 卷 4 期	(172)	頁 5~6	1999 年 9 月
4524	林文寶	談朗誦的基本腔調	15 卷 4 期	(172)	頁 7~13	1999 年 9 月
4525	蔣治中	木蘭詩導誦札記	15 卷 4 期	(172)	頁 14~17	1999 年 9 月
4526	呂榮華	揚聲縱詩情──漫談新詩朗誦	15 卷 4 期	(172)	頁 18~23	1999 年 9 月
4527	程美鐘	關於現代詩朗誦的看法	15 卷 4 期	(172)	頁 24~26	1999 年 9 月
4528	張英聲	風景迤邐入窗── 新詩朗誦帶給學生的情意陶冶	15 卷 4 期	(172)	頁 27~30	1999 年 9 月
4529	蔣治中講 劉　漢採訪	朗誦詩的美感經驗── 兼談香港詩歌朗誦社的成立	15 卷 4 期	(172)	頁 31~36	1999 年 9 月
4530	簡明勇	詩歌吟唱教學	17 卷 1 期	(193)	頁 51~56	2001 年 6 月
4531	王更生	什麼是古典詩詞吟唱藝術	20 卷 4 期	(232)	頁 61~62	2004 年 9 月
4532	邱燮友	從美學角度看詩歌吟唱教學	20 卷 6 期	(234)	頁 4~7	2004 年 11 月
4533	王更生	古典詩詞的「吟」和「唱」	20 卷 6 期	(234)	頁 8~10	2004 年 11 月
4534	黃冠人	河洛漢詩吟唱	20 卷 6 期	(234)	頁 11~23	2004 年 11 月
4535	楊惟仁	古典詩詞吟唱教材與資源簡介	20 卷 6 期	(234)	頁 32~39	2004 年 11 月
4536	王更生	古典詩詞吟唱的幾個觀念	20 卷 7 期	(235)	頁 93~95	2004 年 12 月
4537	王更生	古典詩詞吟唱的價值	20 卷 8 期	(236)	頁 89~92	2005 年 1 月
4538	王更生	古典詩詞吟唱前的準備工作	20 卷 9 期	(237)	頁 101~104	2005 年 2 月
4539	陳茂仁	吟詩概念──談平長仄短	22 卷 3 期	(255)	頁 72~77	2006 年 8 月
4540	陳茂仁	閩南語吟詩論析──談吟音之斷與連	22 卷 9 期	(261)	頁 108~112	2007 年 2 月

| 4541 | 陳崑榮 | 童詩的聲情教學 | 24 卷 6 期 | (282) | 頁 36~41 | 2008 年 11 月 |
| 4542 | 黃芬絹 | 美、加、馬、韓、泰五國詩詞教學及吟唱教學實錄 | 25 卷 7 期 | (295) | 頁 16~27 | 2009 年 12 月 |

9.3.3　文言與白話教學

4543	曾忠華	怎樣教朱自清的「春」——語體文教學實例	1 卷 7 期	(7)	頁 86~89	1985 年 12 月
4544	曾忠華	怎樣教朱自清的「春」——語體文教學示例	1 卷 9 期	(9)	頁 78~81	1986 年 2 月
4545	董文昭	翻譯——文言文教學的重頭戲	1 卷 11 期	(11)	頁 86~87	1986 年 4 月
4546	林二白	古文與現實的距離太遠——談「多爾哀、史可法致答書」及鄭成功「與荷蘭守將書」	2 卷 8 期	(20)	頁 84~89	1987 年 1 月
4547	呂正惠	白話文的病根在那裡？	2 卷 9 期	(21)	頁 34~35	1987 年 2 月
4548	周鳳五	鑿壁偷光談白話	2 卷 11 期	(23)	頁 50~51	1987 年 4 月
4549	駱 梵	挑燈高照論白話	3 卷 2 期	(26)	頁 7	1987 年 7 月
4550	林貴真	不敢輕舉妄動——談國中白話文教學	4 卷 5 期	(41)	頁 12~15	1988 年 10 月
4551	王 蘭	如何講授白話文	4 卷 5 期	(41)	頁 17~19	1988 年 10 月
4552	編輯部製作周幼蘭執行	白話文教學的現況	4 卷 5 期	(41)	頁 27~32	1988 年 10 月
4553	林其賢	也談「文言文譯白話」	4 卷 9 期	(45)	頁 48~50	1989 年 2 月
4554	莊銀珠	也談白話文教學	5 卷 2 期	(50)	頁 48~49	1989 年 7 月
4555	何維欽	如何讓學生不再昏昏欲睡？——古典文學教學經驗談	6 卷 3 期	(63)	頁 70~72	1990 年 8 月
4556	莊銀珠	文言文教學——請把教學活動的舞臺讓給學生	6 卷 10 期	(70)	頁 20~23	1991 年 3 月
4557	童元方	海內問知己，天涯抑比鄰——文言文教學在哈佛	7 卷 7 期	(79)	頁 101~107	1991 年 12 月
4558	陳麗紅	中國文學聲情之美——談文言文・白話文的朗讀	15 卷 9 期	(177)	頁 59~64	2000 年 2 月
4559	胡伯欣	文言文閱讀方法教學	25 卷 11 期	(299)	頁 70~74	2010 年 4 月

9.4 教材分析

9.4.1　通論

| 4560 | 黃慶萱 | 怎樣編寫國文教科書 | 1 卷 1 期 | (1) | 頁 12~16 | 1985 年 6 月 |
| 4561 | 林翠華 | 訪吳宏一教授談國文教科書的編撰 | 1 卷 3 期 | (3) | 頁 11~13 | 1985 年 8 月 |

4562	陳滿銘	談主旨見於篇外的幾篇課文	3 卷 4 期	(28)	頁 92~96	1987 年 9 月
4563	陳滿銘	談主旨見於篇末的幾篇課文	3 卷 6 期	(30)	頁 88~91	1987 年 11 月
4564	駱 梵	誰攙扶木蘭爺孃回家？	3 卷 7 期	(31)	頁 11	1987 年 12 月
4565	陳滿銘	談主旨見於篇首的幾篇課文	3 卷 7 期	(31)	頁 96~98	1987 年 12 月
4566	陳滿銘	談主旨見於篇腹的幾篇課文	3 卷 8 期	(32)	頁 98~101	1988 年 1 月
4567	蔡曼鈴	「稍加更動」豈兒戲？	3 卷 8 期	(32)	頁 102	1988 年 1 月
4568	謝一民	「伏案」是端盤或扶桌？	3 卷 10 期	(34)	頁 7	1988 年 3 月
4569	王仁鈞	「相養」「相生」釋義	3 卷 10 期	(34)	頁 8	1988 年 3 月
4570	溫德文	重建教科書的權威性	3 卷 11 期	(35)	頁 32~34	1988 年 4 月
4571	適 生	「留侯論」文章風格	3 卷 11 期	(35)	頁 96~98	1988 年 4 月
4572	黃敬欽	桃花源人衣式一穿五百年嗎？	3 卷 12 期	(36)	頁 7~8	1988 年 5 月
4573	陳滿銘	談採先敘後論的形式所寫成的幾篇課文	3 卷 12 期	(36)	頁 100~102	1988 年 5 月
4574	王基倫	歐陽脩〈縱囚論〉的「言」與「意」	4 卷 3 期	(39)	頁 62~65	1988 年 8 月
4575	王仁鈞	文天祥為何被囚在不堪之處？	4 卷 8 期	(44)	頁 6~7	1989 年 1 月
4576	董金裕	「科頭」作何解釋較妥？	4 卷 9 期	(45)	頁 8	1989 年 2 月
4577	劉操志	浮雲白——〈文天祥獄中的天空〉之迴響	4 卷 11 期	(47)	頁 72~73	1989 年 4 月
4578	王更生	「徐幹時有齊氣」解析	4 卷 12 期	(48)	頁 6~8	1989 年 5 月
4579	王基倫	蘇軾「不幸」和張琥同年？	5 卷 1 期	(49)	頁 6~7	1989 年 6 月
4580	鮑國順	〈正氣歌〉末段的翻譯	5 卷 1 期	(49)	頁 8	1989 年 6 月
4581	賴麗蓉	陋室何以不陋？	5 卷 9 期	(57)	頁 90	1990 年 2 月
4582	張雙英	歐陽修之父如何判人死罪？	6 卷 4 期	(64)	頁 8~9	1990 年 9 月
4583	戴璉璋	「之」、「焉」如何解？	6 卷 4 期	(64)	頁 9	1990 年 9 月
4584	張雙英	「為善無不報，而遲速有時」如何解？	6 卷 5 期	(65)	頁 8	1990 年 10 月
4585	黃慶萱	誰說了「先天下之憂而憂」？	6 卷 9 期	(69)	頁 7	1991 年 2 月
4586	胡楚生	「物外之趣」及其他	6 卷 10 期	(70)	頁 7	1991 年 3 月
4587	王熙元	如何編選理想的國文教材	6 卷 11 期	(71)	頁 65~68	1991 年 4 月
4588	編輯部	比一比，看一看——大陸中學生讀什麼樣的語文課本？	6 卷 11 期	(71)	頁 71~79	1991 年 4 月
4589	陳麗明記錄	關心專科學校的國文教材	6 卷 12 期	(72)	頁 90~93	1991 年 5 月
4590	王志成	對《國文教師手冊》「註解」部分的期許	7 卷 1 期	(73)	頁 96~99	1991 年 6 月
4591	編輯部	比一比，看一看——香港中學生讀什麼樣的語文課本？	7 卷 1 期	(73)	頁 108~113	1991 年 6 月
4592	編輯部	比一比，看一看——	7 卷 2 期	(74)	頁 107~110	1991 年 7 月

		三十年代中學生讀什麼樣的國文課本				
4593	王志成	教科書內容設計觀摩（上）——以朱自清〈背影〉一文為例	7 卷 3 期	(75)	頁 87~96	1991 年 8 月
4594	晏亦程	「會診國文課本」讀後	7 卷 3 期	(75)	頁 106~107	1991 年 8 月
4595	王志成	教科書內容設計觀摩（下）——以朱自清〈背影〉一文為例	7 卷 4 期	(76)	頁 78~85	1991 年 9 月
4596	王志成	「巧合」太多了——對《國文教師手冊》「課文分析」部分的期許（上）	7 卷 5 期	(77)	頁 83~90	1991 年 10 月
4597	陳滿銘	東坡「赤壁」三問	7 卷 6 期	(78)	頁 9~10	1991 年 11 月
4598	王志成	如何編寫理想的「課文分析」——對《國文教師手冊》「課文分析」部分的期許（下）	7 卷 6 期	(78)	頁 90~92	1991 年 11 月
4599	朱令峪	擅長採蜜的老先生——靈丘丈人	7 卷 6 期	(78)	頁 97~99	1991 年 11 月
4600	李怡慧記錄	我們對國文課本的期望——臺東地區國文教師座談會記錄	7 卷 9 期	(81)	頁 82~86	1992 年 2 月
4601	王更生	曾鞏的〈墨池記〉	7 卷 9 期	(81)	頁 95~99	1992 年 2 月
4602	王志成	關於古文賞析的書籍	7 卷 9 期	(81)	頁 105~109	1992 年 2 月
4603	陳滿銘	「我獨何害」與「便當」的解釋	7 卷 10 期	(82)	頁 8	1992 年 3 月
4604	林淑芬	一般心情兩樣情懷——賞析〈醉翁亭記〉、〈岳陽樓記〉	8 卷 3 期	(87)	頁 50~57	1992 年 8 月
4605	傅武光	古文鑑賞（三）——〈復菴記〉	9 卷 4 期	(100)	頁 40~41	1993 年 9 月
4606	陳滿銘	談詞章剪裁的手段——以周敦頤〈愛蓮說〉與賈誼〈過秦論〉為例	9 卷 5 期	(101)	頁 62~66	1993 年 10 月
4607	宋滌姬	三點意見	10 卷 11 期	(119)	頁 114	1995 年 4 月
4608	曹繼曾	蟲鳴聲亦進行式	10 卷 11 期	(119)	頁 115~117	1995 年 4 月
4609	潘麗珠採訪 黃思維整理	訪黃錦鋐教授談國文課本的編撰	10 卷 12 期	(120)	頁 4~7	1995 年 5 月
4610	張振成	我們心目中的理想國語科教科書	11 卷 1 期	(121)	頁 89~93	1995 年 6 月
4611	左德成	「輔」與「車」要如何相依？——〈宮之奇諫假道〉析疑	15 卷 8 期	(176)	頁 16~23	2000 年 1 月
4612	李靜修	建構一個科學化的國文教科書編纂學	17 卷 6 期	(198)	頁 99~103	2001 年 11 月
4613	陳欣欣	邁向更好的未來——「國中國文教材座談會」開展出美麗境界	17 卷 12 期	(204)	頁 90~98	2002 年 5 月
4614	楊景堯	中國大陸小學語文教科書之研究（上）	18 卷 5 期	(209)	頁 86~91	2002 年 10 月
4615	楊景堯	中國大陸小學語文教科書之研究（下）	18 卷 6 期	(210)	頁 90~95	2002 年 11 月

| 4616 | 陳智弘 | 高中國文教學的美麗新境界 | 18 卷 9 期 | (213) | 頁 94~97 | 2003 年 2 月 |

9.4.2　　國小

4617	蕭　衍	你滿意這樣的小學教科書嗎？	2 卷 11 期	(23)	頁 40~43	1987 年 4 月
4618	顧大我	語文教學應以賞析情意為重——以國小國語課文「爸爸捕魚去」為例	3 卷 1 期	(25)	頁 91~93	1987 年 6 月
4619	陳正治	從〈美麗的蝴蝶姑娘〉看目前國小國語課本的價值	4 卷 1 期	(37)	頁 99~101	1988 年 6 月
4620	左秀靈	國小國語教科書第十一冊指瑕	10 卷 12 期	(120)	頁 80~84	1995 年 5 月
4621	左秀靈	國小國語課本指瑕——〈賈人渡河〉白話譯文商榷	14 卷 8 期	(164)	頁 110~112	1999 年 1 月
4622	姚榮松	談九年一貫課程本國語文閩南語第一階段兩種教學策略——以康軒版與光復版國小第一冊（一上）為例	17 卷 7 期	(199)	頁 8~15	2001 年 12 月

9.4.3　　國中

4623	陳萬益	「鄒忌諫齊王」的時序問題	1 卷 3 期	(3)	頁 10	1985 年 8 月
4624	戴璉璋校訂 賴麗蓉分析	語法分析舉隅——「兒時記趣」國中國文第一冊第八課	1 卷 3 期	(3)	頁 44~47	1985 年 8 月
4625	謝淑年	理想的國中國文教材	1 卷 4 期	(4)	頁 25	1985 年 9 月
4626	余　明	國中國文第一冊第一課國歌參考資料	1 卷 4 期	(4)	頁 26~27	1985 年 9 月
4627	戴璉璋校訂 賴麗蓉分析	語法分析舉隅——「兒時記趣」國中國文第一冊第八課	1 卷 4 期	(4)	頁 28~31	1985 年 9 月
4628	李　春	「荷塘月色」表現了什麼？	1 卷 5 期	(5)	頁 48~49	1985 年 10 月
4629	林琤玲	談「鍊字」——國中國文教學的一點心得	1 卷 6 期	(6)	頁 78~80	1985 年 11 月
4630	戴璉璋校訂 賴麗蓉分析	論語論學選——國中國文第一冊第十八課	1 卷 9 期	(9)	頁 66~67	1986 年 2 月
4631	楊如晶	楊喚「夏夜」詩的賞析	1 卷 10 期	(10)	頁 89~91	1986 年 3 月
4632	潘明富	「活的死人」和「死的活人」	1 卷 11 期	(11)	頁 78~79	1986 年 4 月
4633	林初乾	何謂秣不擇粟	2 卷 5 期	(17)	頁 4~6	1986 年 10 月
4634	蔡木生	「她的老父」？「他的老父」？——新國中國文第四冊「居里夫人小傳」	2 卷 5 期	(17)	頁 92~93	1986 年 10 月
4635	董金裕	「唧唧」是嘆息聲嗎？	2 卷 9 期	(21)	頁 24~25	1987 年 2 月
4636	黃慶萱	俄有使使止之	2 卷 9 期	(21)	頁 26	1987 年 2 月
4637	亓婷婷	「寄子書」中的「畫」意	2 卷 9 期	(21)	頁 26~27	1987 年 2 月
4638	蕭麗華	陋室何陋？——	2 卷 9 期	(21)	頁 87~89	1987 年 2 月

		劉禹錫「陋室銘」的内涵			
4639	駱　梵	唧唧不是嘆息聲	2 卷 11 期	(23)	頁 95	1987 年 4 月
4640	陳嘉宗	為什麼選這種文章	3 卷 2 期	(26)	頁 8~10	1987 年 7 月
4641	林義烈	我們一直在默默的「蓋」——為「台北國民中學國文科創造思考教學參考資料編輯小組」說幾句話	3 卷 2 期	(26)	頁 99~103	1987 年 7 月
4642	周鳳五	「甲申日記」的語譯——缺乏漢語史認識所造成的問題	3 卷 3 期	(27)	頁 8~10	1987 年 8 月
4643	李文憲	王維「出塞作」的瑕疵及課本編選之不當	3 卷 4 期	(28)	頁 18~19	1987 年 9 月
4644	簡恩定	王維「出塞作」問題釋疑	3 卷 4 期	(28)	頁 19~20	1987 年 9 月
4645	許紹明	對國中國文第三冊第四課的幾點商榷	3 卷 4 期	(28)	頁 90~91	1987 年 9 月
4646	黃義郎	國中國文語法試析——第三冊第十課「老馬識途」	3 卷 5 期	(29)	頁 88~92	1987 年 10 月
4647	許紹明	國中國文課文商榷	3 卷 7 期	(31)	頁 94~95	1987 年 12 月
4648	魏培泉	飽餐的「餐」不當名詞解	3 卷 9 期	(33)	頁 7~8	1988 年 2 月
4649	許紹明	對國中國文課文的幾點商榷	3 卷 9 期	(33)	頁 102	1988 年 2 月
4650	林怡仲	往下銜接國小，往上連貫高一——改革現行國中國文教材	3 卷 11 期	(35)	頁 30~32	1988 年 4 月
4651	邱德修	「豁然開朗」的詞性	4 卷 1 期	(37)	頁 8~10	1988 年 6 月
4652	王國良	〈愚公移山〉的「北山」「山北」是指方位嗎？	4 卷 2 期	(38)	頁 9~10	1988 年 7 月
4653	洪邦隸	語文教師手記：如此「範文」	4 卷 2 期	(38)	頁 96~97	1988 年 7 月
4654	劉崇義	國中文言文分析句子的原則	4 卷 7 期	(43)	頁 98~99	1988 年 12 月
4655	孫振志	〈張釋之執法〉中「行」的詞性	4 卷 8 期	(44)	頁 63	1989 年 1 月
4656	許錟輝	「行已過」的「行」讀音為何？	4 卷 9 期	(45)	頁 7	1989 年 2 月
4657	林義烈	「有使」一定要解作「又使」嗎？	4 卷 10 期	(46)	頁 46~47	1989 年 3 月
4658	傅武光	〈愛蓮說〉的弦外之音	4 卷 12 期	(48)	頁 106~107	1989 年 5 月
4659	陳一凡	〈桃花源記〉中「不足」的釋義	5 卷 2 期	(50)	頁 43	1989 年 7 月
4660	王熙元	江南風光與故國情懷——試析李珣〈南鄉子〉與朱敦儒〈相見歡〉	5 卷 4 期	(52)	頁 88~90	1989 年 9 月
4661	劉萬梓	談「張釋之執法」的幾個問題	5 卷 5 期	(53)	頁 62~63	1989 年 10 月
4662	陳滿銘	從現行國中國文課本看我國當前古典文學教育	5 卷 6 期	(54)	頁 35~38	1989 年 11 月
4663	周延燕	部伍各見招——杜甫〈後出塞〉詩疑義探析	5 卷 12 期	(60)	頁 62~63	1990 年 5 月
4664	蔡　紡	由〈運動家的風度〉一文談起——	6 卷 5 期	(65)	頁 70~71	1990 年 10 月

何謂「健康的主題」？

4665	鄭聰明	書法教材須周全——國中國文第三冊〈學習書法的要點〉一文質疑	6 卷 6 期	(66)	頁 54~56	1990 年 11 月
4666	劉崇義	苔痕上階綠，草色入簾青	6 卷 8 期	(68)	頁 7	1991 年 1 月
4667	陳曉江	〈與荷蘭守將書〉涉及的貿易背景	6 卷 8 期	(68)	頁 80~83	1991 年 1 月
4668	編輯部	「會診國文課本」行動（二）：國文課奇想曲——國三學生談國中國文課本	6 卷 9 期	(69)	頁 55~61	1991 年 2 月
4669	顏崑陽	〈登鸛雀樓〉詩有否夸飾？	6 卷 11 期	(71)	頁 9	1991 年 4 月
4670	洪邦棣	不信東風喚不回（上）——評現代國中國文課本選文的六大缺失	6 卷 12 期	(72)	頁 85~89	1991 年 5 月
4671	曾永義	關於〈四塊玉〉	7 卷 1 期	(73)	頁 9~10	1991 年 6 月
4672	洪邦棣	不信東風喚不回（下）——評現代國中國文課本選文的六大缺失	7 卷 1 期	(73)	頁 100~104	1991 年 6 月
4673	秦賢次	關於徐蔚南的《水面落花》	7 卷 4 期	(76)	頁 8~9	1991 年 9 月
4674	范文芳	臺、港兩地中學語文教材比較舉隅(上)	7 卷 7 期	(79)	頁 93~96	1991 年 12 月
4675	范文芳	臺、港兩地中學語文教材比較舉隅(下)	7 卷 8 期	(80)	頁 101~105	1992 年 1 月
4676	蔡崇名	「元方入門不顧」不禮貌？	7 卷 11 期	(83)	頁 5	1992 年 4 月
4677	董金裕	國中國文課本是怎麼編出來的——兼對若干問題作澄清	7 卷 11 期	(83)	頁 79~86	1992 年 4 月
4678	劉崇義	試比較海峽兩岸國（初）中國語文教材編選的差異	7 卷 12 期	(84)	頁 92~94	1992 年 5 月
4679	蔡 紡	「火鷸鴣鳥」一文的旨意	7 卷 12 期	(84)	頁 100~101	1992 年 5 月
4680	劉崇義	「徵於色，發於聲，而後喻」三句的主語是誰？	8 卷 2 期	(86)	頁 108~110	1992 年 7 月
4681	陳滿銘	〈五柳先生傳〉的分段問題／「黔婁之妻有言」或「黔婁有言」／「茲若人之儔乎」之語法結構	8 卷 3 期	(87)	頁 4~5	1992 年 8 月
4682	楊如雪	婆婆、媽媽 VS 婆婆媽媽 手足 ≠ 手&足？——國語的構詞法	8 卷 6 期	(90)	頁 89~95	1992 年 11 月
4683	陳滿銘	凡目法在國中國文課文裡的運用	8 卷 8 期	(92)	頁 69~81	1993 年 1 月
4684	王更生	國中國文教材面面觀	8 卷 11 期	(95)	頁 78~86	1993 年 4 月
4685	劉崇義	兩首〈登鸛鵲樓〉詩之比較	8 卷 11 期	(95)	頁 105~108	1993 年 4 月
4686	王更生	從文藝欣賞看國文科《論語》選教學	9 卷 1 期	(97)	頁 102~109	1993 年 6 月
4687	陳滿銘	談文章作法賞析——以國中國文課文為例	9 卷 4 期	(100)	頁 76~82	1993 年 9 月
4688	竺家寧	談國中國文課本中的幾個音讀問題	9 卷 6 期	(102)	頁 66~68	1993 年 11 月

4689	陳滿銘	談國中的詞曲教學	9 卷 7 期	(103)	頁 88~95	1993 年 12 月
4690	陳滿銘	談近體詩的欣賞—— 以國中國文課本所選作品為例	9 卷 8 期	(104)	頁 78~84	1994 年 1 月
4691	邱順明	教學短打——到底誰孤獨？	9 卷 11 期	(107)	頁 76~77	1994 年 4 月
4692	彭元岐	不聞機杼聲—— 「唧唧」究竟狀何聲？	10 卷 4 期	(112)	頁 72~74	1994 年 9 月
4693	孫振志	〈木蘭詩〉裡的「唧唧」是機杼聲	10 卷 5 期	(113)	頁 104	1994 年 10 月
4694	王紹文	〈為學一首示子姪〉「之」字詞性 的辨正	10 卷 6 期	(114)	頁 66~67	1994 年 11 月
4695	曹繼曾	唧唧可狀蟲鳴聲嗎？	10 卷 6 期	(114)	頁 102~104	1994 年 11 月
4696	空　空	現行國中國文教師手冊評估	10 卷 9 期	(117)	頁 85~87	1995 年 2 月
4697	江玉美等	國中國文第一冊散文篇目會診 （李玲語 黃瑞美 尤惠漓 羅婉嫻 劉信玉 莊春蘭 蘇女真 鍾桂英 劉媛蓉 賴慧芬 李瑞琦）	10 卷 10 期	(118)	頁 6~12	1995 年 3 月
4698	賴翠華等	國中國文第三冊散文篇目會診 （楊昭瑾 張秀惠 陳素美 張璧芬 陳怜嫻 陳素雲 吳英純 涂惠珍 劉瑞美）	10 卷 10 期	(118)	頁 13~17	1995 年 3 月
4699	陳惠瑩等	國中國文第五冊散文篇目會診 （趙彥芬 麥祥 黃蓮英 王月琇 白弘乾 鄭淑華 吳連珠）	10 卷 10 期	(118)	頁 18~26	1995 年 3 月
4700	邱順明	「常」、「長」、「差不多」爭辯 幾時休？	10 卷 11 期	(119)	頁 82~84	1995 年 4 月
4701	楊台山	國中國文課本內容之檢討	10 卷 12 期	(120)	頁 66~67	1995 年 5 月
4702	左秀靈	國中國文教科書指瑕	11 卷 1 期	(121)	頁 94~97	1995 年 6 月
4703	左秀靈	「縣人」何解？	11 卷 9 期	(129)	頁 8~9	1996 年 2 月
4704	王窈賢	教學集錦（二）：今夜看雪去	12 卷 4 期	(136)	頁 56~63	1996 年 9 月
4705	王窈賢	教學集錦（四）：「舊酒沒，新醅 潑」該怎麼說	12 卷 6 期	(138)	頁 55~59	1996 年 11 月
4706	黃春貴	〈差不多先生傳〉賞析（國中國文 第三冊第二課）	14 卷 4 期	(160)	頁 96~100	1998 年 9 月
4707	黃春貴	國文教材賞析—— 與宋元思書（國中國文第五冊第八 課）	14 卷 5 期	(161)	頁 104~110	1998 年 10 月
4708	編輯部	教學錦囊—— 本月可供教學參考之作品	14 卷 5 期	(161)	頁 111	1998 年 10 月
4709	吳曉華	「一枚銅幣」之賞析	14 卷 10 期	(166)	頁 95~97	1999 年 3 月
4710	陳滿銘	談篇章結構（上）—— 以中學國文教材為例	15 卷 5 期	(173)	頁 65~75	1999 年 10 月

4711	陳佳君	情景法的理論與應用—— 以中學詩歌課文為例	15 卷 5 期	(173)	頁 76~80	1999 年 10 月
4712	陳滿銘	談篇章結構（下）—— 以中學國文教材為例	15 卷 6 期	(174)	頁 57~66	1999 年 11 月
4713	仇小屏	談章法在國中國文課文裡的應用	15 卷 6 期	(174)	頁 66~76	1999 年 11 月
4714	蔡根祥	「酣觴賦詩」與「啣觴賦詩」	15 卷 7 期	(175)	頁 102~104	1999 年 12 月
4715	魏子雲	〈師說〉的句讀問題	16 卷 12 期	(192)	頁 87~88	2001 年 5 月
4716	朱榮智	九年一貫國語教材編輯理念、內涵 與特色——以仁林版為例	17 卷 1 期	(193)	頁 34~37	2001 年 6 月
4717	董金裕	相悅以解，提昇語文能力—— 康軒版國中國文教科書的特色	17 卷 1 期	(193)	頁 38~41	2001 年 6 月
4718	曾　春	九年一貫國中國文教材編選原則	17 卷 3 期	(195)	頁 93~95	2001 年 8 月
4719	侯亮宇	《世說新語》「難之」的解釋	17 卷 9 期	(201)	頁 85~86	2002 年 2 月
4720	潘明富	從「蓑衣」和「行潦」說起—— 國中國文課本問題商榷	17 卷 10 期	(202)	頁 94~95	2002 年 3 月
4721	左秀靈	〈陋室銘〉中的「金經」何指？	17 卷 12 期	(204)	頁 76~77	2002 年 5 月
4722	朱榮智等	創意教學與創新教材的仁林版 （文幸福 劉渼 王基西 許若韞 賓玉玫）	17 卷 12 期	(204)	頁 99~103	2002 年 5 月
4723	李清筠 周姚萍	深化語文根基，拓展學習視野—— 光復版國中國文教材特色介紹	17 卷 12 期	(204)	頁 104~108	2002 年 5 月
4724	許錟輝 林　芝	理念與實踐—— 青新版新編國中國文內容說明	17 卷 12 期	(204)	頁 109~114	2002 年 5 月
4725	莊秋媛	巧婦易為有米之炊—— 南一國文教科書特色	17 卷 12 期	(204)	頁 115~118	2002 年 5 月
4726	董金裕 譚蕙婷	康軒版國文教材的編輯理念及編寫 原則介紹	17 卷 12 期	(204)	頁 119~122	2002 年 5 月
4727	梁桂珍	翰林國中國文—— 一本最理想的教科書	17 卷 12 期	(204)	頁 123~127	2002 年 5 月
4728	陳瓊薇	陶淵明〈桃花源記〉篇章結構分析	19 卷 5 期	(221)	頁 4~10	2003 年 10 月
4729	黎俐均	陶淵明〈歸園田居‧其三〉之篇旨 集章法分析	19 卷 5 期	(221)	頁 11~17	2003 年 10 月
4730	李麗英	陶淵明〈飲酒詩之五〉篇旨探析	19 卷 5 期	(221)	頁 18~23	2003 年 10 月
4731	曾素珍	蘇東坡〈記承天寺夜遊〉用材探析	19 卷 5 期	(221)	頁 24~29	2003 年 10 月
4732	戴忞臻	蘇東坡〈水調歌頭〉詞篇旨探析	19 卷 5 期	(221)	頁 30~35	2003 年 10 月
4733	鄧絜馨	蘇東坡〈念奴嬌〉詞篇旨探析	19 卷 5 期	(221)	頁 36~41	2003 年 10 月
4734	吳叔樺	鍾理和〈草坡上〉之藝術特色	19 卷 8 期	(224)	頁 86~92	2004 年 1 月
4735	傅雪芬	陶淵明〈五柳先生傳〉篇章結構分析	20 卷 11 期	(239)	頁 4~11	2005 年 4 月

4736	李昊青	李白〈春夜宴從弟桃花園序〉篇章結構分析	20 卷 11 期	(239)	頁 12~18	2005 年 4 月
4737	徐惠玲	柳宗元〈捕蛇者說〉篇章結構探析	20 卷 11 期	(239)	頁 19~26	2005 年 4 月
4738	倪薇淳	周敦頤〈愛蓮說〉篇章結構探析	20 卷 11 期	(239)	頁 27~33	2005 年 4 月
4739	蔡怡婷	柳宗元〈江雪〉篇章結構探析	20 卷 11 期	(239)	頁 34~39	2005 年 4 月
4740	陳姵君	杜甫〈聞官軍收河南河北〉篇章結構探析	20 卷 11 期	(239)	頁 40~47	2005 年 4 月
4741	連蔚勤	論國中國文語文常識中的一些問題	21 卷 9 期	(249)	頁 70~74	2006 年 2 月
4742	陳　新	「曹娥碑題辭」故事的是是非非	24 卷 4 期	(280)	頁 59~63	2008 年 9 月

9.4.4　國高中合論

4743	編輯部	請來逛逛舊貨攤——國、高中國文古器物圖解（一）	6 卷 10 期	(70)	頁 81~84	1991 年 3 月
4744	編輯部	請來逛逛舊書攤——國、高中國文古器物圖解（二）	6 卷 11 期	(71)	頁 81~84	1991 年 4 月
4745	編輯部	請來逛逛舊書攤——國、高中國文古器物圖解（三）	6 卷 12 期	(72)	頁 81~84	1991 年 5 月
4746	編輯部	請來逛逛舊書攤——國、高中國文古器物圖解（四）	7 卷 4 期	(76)	頁 97~100	1991 年 9 月
4747	編輯部	請來逛逛舊書攤——國、高中國文古器物圖解（五）	7 卷 5 期	(77)	頁 97~101	1991 年 10 月
4748	編輯部	請來逛逛舊書攤——國、高中國文古器物圖解（六）	7 卷 6 期	(78)	頁 81~84	1991 年 11 月
4749	編輯部	請來逛逛舊貨攤——國、高中國文古器物圖解（七）	7 卷 7 期	(79)	頁 97~100	1991 年 12 月
4750	編輯部	請來逛逛舊貨攤——國、高中國文古器物圖解（八）	7 卷 8 期	(80)	頁 97~100	1992 年 1 月

9.4.5　高中

4751	周彥文	高中國文第二冊出師表參考資料簡介	1 卷 1 期	(1)	頁 29~31	1985 年 6 月
4752	鄭志明	淺談高中國文黿錯論貴粟疏的思想教育	1 卷 1 期	(1)	頁 32~33	1985 年 6 月
4753	高安澤	于右任的名和字——高中國文第三冊的兩個錯誤	1 卷 2 期	(2)	頁 58~59	1985 年 7 月
4754	高大威	高中國學概要經學章新舊兩本的比較	1 卷 2 期	(2)	頁 80~82	1985 年 7 月
4755	陳正榮	高中國文注釋疑義舉例	1 卷 4 期	(4)	頁 32~33	1985 年 9 月
4756	楊鴻銘	教學示例——顧炎武「廉恥」	1 卷 5 期	(5)	頁 43~47	1985 年 10 月
4757	周鳳五	過秦論的「誰何」	1 卷 6 期	(6)	頁 10~11	1985 年 11 月

4758	葛芳譚	新編高中國文第二冊的一些問題	1 卷 6 期	(6)	頁 82~85	1985 年 11 月
4759	郭鶴鳴	「外儲說左上四則」試探——高中國文第五冊中的四個小故事	1 卷 7 期	(7)	頁 90~93	1985 年 12 月
4760	謝一民	「坐」的詞性	1 卷 8 期	(8)	頁 11	1986 年 1 月
4761	陳忠本	高中國文新教材第三冊疏誤訂正	1 卷 8 期	(8)	頁 84~85	1986 年 1 月
4762	郭麗華	怎樣教「桃花源記」	1 卷 8 期	(8)	頁 91~95	1986 年 1 月
4763	莊耀郎	「上樞密韓太尉書」中的氣	1 卷 9 期	(9)	頁 12~13	1986 年 2 月
4764	高安澤	我看新編高中國文第三冊	1 卷 9 期	(9)	頁 84~85	1986 年 2 月
4765	劉南二	高中國文的「所以」	1 卷 9 期	(9)	頁 86~88	1986 年 2 月
4766	高明誠	「國殤」的音韻問題	1 卷 11 期	(11)	頁 20~21	1986 年 4 月
4767	許金亭	事秦？事晉？	1 卷 11 期	(11)	頁 64	1986 年 4 月
4768	楊永英	《高中國文課本析評》讀後	1 卷 11 期	(11)	頁 90~91	1986 年 4 月
4769	王景華	高中國文全譯本的錯誤	1 卷 12 期	(12)	頁 47	1986 年 5 月
4770	梁桂珍	高中國文第六冊「曹丕與吳質書」探析	1 卷 12 期	(12)	頁 86~89	1986 年 5 月
4771	林韻梅	愛與期待——細讀「鳴機夜課圖記」	1 卷 12 期	(12)	頁 90~91	1986 年 5 月
4772	高明誠	鄭玄師事第五元	2 卷 2 期	(14)	頁 4~5	1986 年 7 月
4773	呂興昌	何謂悉如外人	2 卷 4 期	(16)	頁 12	1986 年 9 月
4774	梁桂珍	大家來編教科書	2 卷 4 期	(16)	頁 84~87	1986 年 9 月
4775	林政華	「第五元先」就是「第五元先生」	2 卷 5 期	(17)	頁 80	1986 年 10 月
4776	董彬森	「嫁娶何人」的再議	2 卷 5 期	(17)	頁 81	1986 年 10 月
4777	周　何	鄭康成之師「第五元」無誤	2 卷 7 期	(19)	頁 8~9	1986 年 12 月
4778	黃忠天	春去秋復來，相思幾時歇——試評高中國文第一冊「長千行」詩	2 卷 8 期	(20)	頁 79~83	1987 年 1 月
4779	王關仕	高中應用文編者的回響	2 卷 11 期	(23)	頁 98~99	1987 年 4 月
4780	北一女圖書館研究組	汪中母親卒日考	2 卷 12 期	(24)	頁 93	1987 年 5 月
4781	陳忠本	也談——鄭玄之師第五元	3 卷 1 期	(25)	頁 81	1987 年 6 月
4782	張靖遠	醉翁之意不在酒——醉翁亭記的王道思想	3 卷 1 期	(25)	頁 98~100	1987 年 6 月
4783	郭健二	高中國文「教材分量與授課時數」的商榷	3 卷 4 期	(28)	頁 13	1987 年 9 月
4784	倪兆雄	高中國文課文商榷	3 卷 8 期	(32)	頁 94	1988 年 1 月
4785	胡楚生	何謂「是而不可見悔故也」？	3 卷 11 期	(35)	頁 6	1988 年 4 月
4786	高志敏	為什麼我們不能有活潑充實的國文課本？	3 卷 11 期	(35)	頁 27~29	1988 年 4 月

4787	曾忠華	從《顏氏家訓・終制篇》看之推出 仕的苦衷	4 卷 1 期	(37)	頁 10~11	1988 年 6 月
4788	張靖遠	儉，德之共也—— 有關〈訓儉示康〉一文的商榷	4 卷 2 期	(38)	頁 82~83	1988 年 7 月
4789	葛芳譚	為憐松竹引清風（上）—— 評現行高中國文課本	4 卷 2 期	(38)	頁 98~102	1988 年 7 月
4790	楊鴻銘	「期月」是滿一月或滿一年？	4 卷 3 期	(39)	頁 6	1988 年 8 月
4791	葛芳譚	為憐松竹引清風（下）—— —評現行高中國文課本	4 卷 3 期	(39)	頁 92~97	1988 年 8 月
4792	陳素素	「飲」與「從」的音義	4 卷 4 期	(40)	頁 6~7	1988 年 9 月
4793	王國良	〈桃花源記〉的六朝口語	4 卷 4 期	(40)	頁 7	1988 年 9 月
4794	李金城	「而其末可乘」與「而其勢未可乘」 的區別	4 卷 4 期	(40)	頁 7~8	1988 年 9 月
4795	蔡根祥	文天祥獄中的天空	4 卷 6 期	(42)	頁 64~67	1988 年 11 月
4796	顏崑陽	「烏鵲」是什麼鳥？	4 卷 7 期	(43)	頁 7~8	1988 年 12 月
4797	洪春柳	無心入境，有意問津—— 〈桃花源記〉賞析	4 卷 7 期	(43)	頁 58~61	1988 年 12 月
4798	甘克誠	大陸高級中學語文課本淺探	4 卷 10 期	(46)	頁 50~53	1989 年 3 月
4799	黃志民	「歐陽修」？「歐陽脩」？	5 卷 1 期	(49)	頁 7	1989 年 6 月
4800	高明誠	「實式憑之」的解釋	5 卷 1 期	(49)	頁 8	1989 年 6 月
4801	黃盛雄	「嘈嘈」、「切切」的注解是否 切當？	5 卷 2 期	(50)	頁 8	1989 年 7 月
4802	朱守亮	「視不己若者，不比於人」應作何解？	5 卷 6 期	(54)	頁 7	1989 年 11 月
4803	蕭　蕭	我對高中國文「古典文學」教材 編選的看法	5 卷 6 期	(54)	頁 39~42	1989 年 11 月
4804	黃文吉	張可久〈水仙子〉曲的疑義	5 卷 9 期	(57)	頁 10	1990 年 2 月
4805	張靖遠	託遺響於悲風—— 對〈赤壁賦〉注解的幾點商榷	5 卷 9 期	(57)	頁 69~71	1990 年 2 月
4806	陳素素	急征「暴」賦如何解釋？	5 卷 10 期	(58)	頁 8	1990 年 3 月
4807	陳素素	〈陳情表〉中的「遠」和「聽」字	5 卷 10 期	(58)	頁 8	1990 年 3 月
4808	黃文吉	「柴」門一任絕車馬如何讀？	5 卷 10 期	(58)	頁 9	1990 年 3 月
4809	劉君燦	關於〈天工開物卷跋〉	5 卷 10 期	(58)	頁 10	1990 年 3 月
4810	劉君燦	何謂「木罍」？	5 卷 12 期	(60)	頁 8	1990 年 5 月
4811	林韻梅	服是不服？	5 卷 12 期	(60)	頁 64~65	1990 年 5 月
4812	蕭水順	織綠茵如陳酒的秦淮水	6 卷 3 期	(63)	頁 5	1990 年 8 月
4813	林平和	不「遺」父母惡名如何解？	6 卷 3 期	(63)	頁 6	1990 年 8 月
4814	王耀庭	何謂「雨過天青色」？	6 卷 3 期	(63)	頁 7	1990 年 8 月

4815	黃慶萱	關於〈與元微之書〉	6 卷 5 期	(65)	頁 6~7	1990 年 10 月
4816	朱令峪	虔誠的傳教士—— 談方孝孺的〈深慮論〉	6 卷 5 期	(65)	頁 72~73	1990 年 10 月
4817	呂士朋	史可法的兄弟有幾人？	6 卷 8 期	(68)	頁 7~8	1991 年 1 月
4818	編輯部	「會診國文課本」行動（一）：我 有話要說——建中學生談高中國文 課本	6 卷 8 期	(68)	頁 74~79	1991 年 1 月
4819	呂 凱	別有情味的隱語	6 卷 9 期	(69)	頁 8	1991 年 2 月
4820	葛芳譚	為憐松竹引清風—— 續評現行高中國文課本（上）	6 卷 10 期	(70)	頁 75~80	1991 年 3 月
4821	葛芳譚	為憐松竹引清風—— 續評現代高中國文課本（下）	6 卷 11 期	(71)	頁 60~64	1991 年 4 月
4822	黃美鈴	東坡論張良——試評蘇軾〈留侯論〉	6 卷 11 期	(71)	頁 91~93	1991 年 4 月
4823	陳滿銘	「惟」字的讀音	7 卷 3 期	(75)	頁 7~8	1991 年 8 月
4824	葛芳譚	試評高中《國學概要》課本	7 卷 6 期	(78)	頁 85~89	1991 年 11 月
4825	陳秀端	超脫達觀的「淪落人」—— 〈始得西山宴遊記〉與〈赤壁賦〉 的比較	7 卷 6 期	(78)	頁 93~96	1991 年 11 月
4826	古國順	「塵念」係指何種念頭？	7 卷 7 期	(79)	頁 9	1991 年 12 月
4827	陳萬益	為高中國文課本〈劉老老〉選文進 一言	7 卷 7 期	(79)	頁 76~79	1991 年 12 月
4828	徐茂瑋	晉武帝中了李密的兩刀論	7 卷 7 期	(79)	頁 108~110	1991 年 12 月
4829	李炳南	正氣歌——完美人格的註解	7 卷 7 期	(79)	頁 111~114	1991 年 12 月
4830	蔡崇名	〈送東陽馬生序〉中的小疑問	7 卷 8 期	(80)	頁 8~9	1992 年 1 月
4831	張文彬	關於「相」字的詞性	7 卷 8 期	(80)	頁 89~90	1992 年 1 月
4832	賴橋本	馬致遠〈題西湖〉套的曲譜	7 卷 8 期	(80)	頁 91~94	1992 年 1 月
4833	王淑蘭	深究鑑賞篇——魯智深大鬧桃花村	7 卷 10 期	(82)	頁 101~104	1992 年 3 月
4834	林章埒	淺論高中國文教材之改編	7 卷 10 期	(82)	頁 111~112	1992 年 3 月
4835	王熙元	「陽九」何以喻厄運？	8 卷 2 期	(86)	頁 6~7	1992 年 7 月
4836	許錟輝	左史記言或記事？	8 卷 2 期	(86)	頁 7	1992 年 7 月
4837	王熙元	「大絃」之音是高急還是低沉？	8 卷 3 期	(87)	頁 5	1992 年 8 月
4838	王紹文	現行高中國文的反訓詞	8 卷 3 期	(87)	頁 78~80	1992 年 8 月
4839	陳滿銘	凡目法在高中國文課文裡的運用 （上）	8 卷 4 期	(88)	頁 84~88	1992 年 9 月
4840	北一女國文 教學會提供	北一女師生也為國文教材把脈	8 卷 4 期	(88)	頁 90~96	1992 年 9 月
4841	陳滿銘	凡目法在高中國文課文裡的運用 （下）	8 卷 5 期	(89)	頁 88~99	1992 年 10 月

4842	陳雪晴	高一上學期國文科教材連貫性簡析	8 卷 7 期	(91)	頁 101~107	1992 年 12 月
4843	蔡宗陽	〈與陳伯之書〉的修辭技巧	8 卷 8 期	(92)	頁 12~19	1993 年 1 月
4844	高梅憶	〈與陳伯之書〉對比技巧之分析	8 卷 8 期	(92)	頁 30~35	1993 年 1 月
4845	彭元岐	〈祭十二郎文〉的感性與邏輯	9 卷 3 期	(99)	頁 80~84	1993 年 8 月
4846	彭元岐	〈琵琶行〉「掩抑」二字的釐清與 演奏者心境的探討	9 卷 5 期	(101)	頁 74~77	1993 年 10 月
4847	李康馨	高中國文課本第六冊第三課 〈天工開物跋〉的一些錯誤	9 卷 7 期	(103)	頁 114~118	1993 年 12 月
4848	潘君言	教學短打—— 高中國文第三冊〈燭之武退秦師〉	9 卷 8 期	(104)	頁 98~99	1994 年 1 月
4849	彭元岐	從「與孫季述書」的原典引用談 注釋引典	9 卷 12 期	(108)	頁 96~99	1994 年 5 月
4850	簡綉玉	從〈馮諼客孟嘗君〉一文看馮諼與 孟嘗君	10 卷 1 期	(109)	頁 76~80	1994 年 6 月
4851	翁以倫	「眾以為殃」注釋之商榷—— 〈大同與小康〉一文之我見	10 卷 1 期	(109)	頁 82~85	1994 年 6 月
4852	蔡根祥	〈與孫季述書〉注釋的辨議	10 卷 2 期	(110)	頁 47~50	1994 年 7 月
4853	素榮齋	迴響與反應	10 卷 2 期	(110)	頁 114	1994 年 7 月
4854	彭元岐	迴響與反應	10 卷 3 期	(111)	頁 98	1994 年 8 月
4855	素榮齋	鯉魚就是鯉魚	10 卷 7 期	(115)	頁 63	1994 年 12 月
4856	邱敏捷	東坡〈赤壁賦〉中的哲思	10 卷 7 期	(115)	頁 84~85	1994 年 12 月
4857	彭元岐	以記為名之文的文體辨議—— 從〈墨池紀〉主旨談起	10 卷 7 期	(115)	頁 86~91	1994 年 12 月
4858	趙公正	從柔性智慧談蘇軾〈留侯論〉	10 卷 8 期	(116)	頁 44~46	1995 年 1 月
4859	余宗宏執筆	高級中學國文科課文篇目會診 (一、三、五冊)	10 卷 10 期	(118)	頁 27~34	1995 年 3 月
4860	素榮齋	談〈虯髯客傳〉的兩則注釋	10 卷 10 期	(118)	頁 75	1995 年 3 月
4861	周延燕	現行高中國文第一冊問題商榷	10 卷 11 期	(119)	頁 75~78	1995 年 4 月
4862	左秀靈	也談〈虯髯客傳〉的注釋	10 卷 11 期	(119)	頁 112~113	1995 年 4 月
4863	彭元岐	李白〈長干行〉詩意索隱	10 卷 12 期	(120)	頁 47~50	1995 年 5 月
4864	蔡根祥	從范仲淹〈岳陽樓記〉「越明年」 談起	10 卷 12 期	(120)	頁 51~57	1995 年 5 月
4865	曹金華	〈留侯論〉中「彼其能有所忍也」 之「其」字音義考	10 卷 12 期	(120)	頁 58~61	1995 年 5 月
4866	戴朝福	立法從寬，執法從嚴—— 歐陽修的〈縱囚論〉	11 卷 2 期	(122)	頁 83~85	1995 年 7 月
4867	左秀靈	高中國文教科書指瑕—— 〈琵琶行〉如何「當心畫」?	11 卷 2 期	(122)	頁 86~87	1995 年 7 月

4868	邱敏捷	從〈始得西山宴遊記〉看柳宗元遭貶心境的轉化歷程	11 卷 2 期	(122)	頁 88~89	1995 年 7 月
4869	彭元岐	而風何與焉——淺析〈黃州快哉亭記〉章法轉折之妙	11 卷 3 期	(123)	頁 87~93	1995 年 8 月
4870	邱敏捷	談「花」和尚魯智深	11 卷 10 期	(130)	頁 49~51	1996 年 3 月
4871	左德成	台？臺？治學御史？——談宋濂〈秦士錄〉注釋的小問題	11 卷 12 期	(132)	頁 111~112	1996 年 5 月
4872	左德成	是虞「候」不是虞「侯」	12 卷 1 期	(133)	頁 99~101	1996 年 6 月
4873	林義烈	試析「怨不在大，可畏惟人」	12 卷 2 期	(134)	頁 52~56	1996 年 7 月
4874	邱敏捷	〈司馬季主論卜〉義蘊之探究	12 卷 3 期	(135)	頁 46~47	1996 年 8 月
4875	林義烈	「晉獻」與「發焉」	12 卷 4 期	(136)	頁 42~48	1996 年 9 月
4876	楊鴻銘	歐陽修〈醉翁亭記〉析評	12 卷 4 期	(136)	頁 49~53	1996 年 9 月
4877	林國鐘	〈檀弓選〉中「雖」「發」兩字注釋的探討	12 卷 4 期	(136)	頁 54~55	1996 年 9 月
4878	楊鴻銘	劉基〈司馬季主論卜〉析評	12 卷 6 期	(138)	頁 60~67	1996 年 11 月
4879	邱敏捷	豐子愷〈漸〉一文的哲思	12 卷 8 期	(140)	頁 96~98	1997 年 1 月
4880	王窓賢	教學集錦（六）：〈水經江水注〉一課幾個注釋的探討（一）	12 卷 8 期	(140)	頁 104~109	1997 年 1 月
4881	王窓賢	教學集錦（七）：〈水經江水注〉一課幾個注釋的探討（二）	12 卷 9 期	(141)	頁 101~105	1997 年 2 月
4882	薛良元	〈段太尉逸事狀〉一文之篇旨探討	12 卷 11 期	(143)	頁 98~104	1997 年 4 月
4883	王窓賢	教學集錦（十）：〈虬髯客傳〉幾個小問題的探討（一）	12 卷 12 期	(144)	頁 98~103	1997 年 5 月
4884	王窓賢	教學集錦（十一）：〈虬髯客傳〉幾個小問題的探討（二）	13 卷 1 期	(145)	頁 100~107	1997 年 6 月
4885	王窓賢	教學集錦（十二）：坐、跪、跽、踞及相關事物	13 卷 2 期	(146)	頁 98~105	1997 年 7 月
4886	王窓賢	教學集錦（十三）：〈教戰手策〉是進策還是對策？	13 卷 3 期	(147)	頁 102~108	1997 年 8 月
4887	左秀靈	琵琶來自胡中？——高中國文課本指瑕	13 卷 3 期	(147)	頁 118~119	1997 年 8 月
4888	傅武光	〈用奇謀孔明借箭〉鑑賞	13 卷 7 期	(151)	頁 102~103	1997 年 12 月
4889	王窓賢	教學集錦（十七）：蘇軾兄弟考制科（三）	13 卷 7 期	(151)	頁 104~111	1997 年 12 月
4890	王窓賢	教學集錦（十八）：有關歐陽修〈縱囚論〉（一）	13 卷 8 期	(152)	頁 100~104	1998 年 1 月
4891	王窓賢	教學集錦（十九）：有關歐陽修〈縱囚論〉（二）	13 卷 9 期	(153)	頁 98~104	1998 年 2 月

4892	林于弘	新風貌與舊傳統——談國立編譯館國文第一冊八十五年版與八十六年版之興革	13 卷 9 期	(153)	頁 105~111	1998 年 2 月
4893	王窈賢	教學集錦（廿）：「錄大辟囚」的「錄」字作何解？	13 卷 10 期	(154)	頁 106~111	1998 年 3 月
4894	彭元岐	對策乎？進策乎——〈教戰手策〉文體辨議	13 卷 12 期	(156)	頁 100~106	1998 年 5 月
4895	傅武光	〈貴公〉篇容易誤解的地方	14 卷 1 期	(157)	頁 74~75	1998 年 6 月
4896	顏崑陽	試析東坡〈念奴嬌〉及幾個相關問題	14 卷 1 期	(157)	頁 85~91	1998 年 6 月
4897	黃春貴	〈黃州快哉亭記〉賞析（高中國文第三冊第一課）	14 卷 4 期	(160)	頁 101~106	1998 年 9 月
4898	蔡根祥	〈宮之奇諫假道〉「輔車相依」疑議	14 卷 5 期	(161)	頁 98~103	1998 年 10 月
4899	黃春貴	國文教材賞析——〈始得西山宴遊記〉賞析（高中國文第一冊第九課）	14 卷 6 期	(162)	頁 86~97	1998 年 11 月
4900	陳滿銘	高中國文〈散曲選〉課文結構分析	14 卷 6 期	(162)	頁 104~107	1998 年 11 月
4901	陳滿銘	高中國文〈近體詩選〉（一）課文結構分析	14 卷 7 期	(163)	頁 87~89	1998 年 12 月
4902	梁曙娟	老婦之音宛如少女？——蒲松齡〈口技〉文意釋疑	14 卷 10 期	(166)	頁 103~105	1999 年 3 月
4903	鄭立中	〈六國〉一文之相關問題芻議	14 卷 10 期	(166)	頁 106~108	1999 年 3 月
4904	阮淑芳	「散戲」一文的章法與文學手法	14 卷 11 期	(167)	頁 84~89	1999 年 4 月
4905	謝素燕	評析〈晚遊六橋待月記〉一文的虛實之美	14 卷 12 期	(168)	頁 104~106	1999 年 5 月
4906	張高評	〈黃岡竹樓記〉賞析	15 卷 4 期	(172)	頁 86~89	1999 年 9 月
4907	張高評	〈岳陽樓記〉賞析	15 卷 4 期	(172)	頁 90~94	1999 年 9 月
4908	劉德玲	關於〈桃花源記〉的兩個問題	15 卷 4 期	(172)	頁 99~101	1999 年 9 月
4909	劉　渼採訪	開放欲限制——範文編選的時間限制與設計模式的空間限制	15 卷 5 期	(173)	頁 4~9	1999 年 10 月
4910	林清標	期待國文教學的春天——新課程新教材新挑戰新契機	15 卷 5 期	(173)	頁 10~15	1999 年 10 月
4911	劉崇義	誰來把關新教材——以八十八學年高中國文第一冊為例	15 卷 5 期	(173)	頁 16~18	1999 年 10 月
4912	林聆慈	高中國文的最愛與不愛——談一綱多本的選編	15 卷 5 期	(173)	頁 19~29	1999 年 10 月
4913	張高評	高中國文課文賞析：〈留侯論〉賞析、〈黃州快哉亭記〉賞析	15 卷 5 期	(173)	頁 89~97	1999 年 10 月
4914	張高評	高中國文課文賞析：〈教戰守策〉	15 卷 6 期	(174)	頁 85~89	1999 年 11 月

賞析、〈遊褒禪山記〉賞析

4915	鄭源發	散戲之後—— 論洪醒夫〈散戲〉之敘事結構、人物塑造與象徵	15 卷 6 期	(174)	頁 90~95	1999 年 11 月
4916	趙公正	解讀高中國文——洪醒夫的〈散戲〉	15 卷 6 期	(174)	頁 96~100	1999 年 11 月
4917	許秀美	敘論法的理論及其在高中國文教材裡的應用	15 卷 7 期	(175)	頁 83~91	1999 年 12 月
4918	江煜坤	政治人物的宿命—— 從《左傳》兩篇文章談起	15 卷 8 期	(176)	頁 4~15	2000 年 1 月
4919	左德成	「輔」與「車」要如何相依?—— 〈宮之奇諫假道〉析疑	15 卷 8 期	(176)	頁 16~23	2000 年 1 月
4920	洪正玲	談主旨安置於篇末的謀篇方式—— 以高中國文課文為例	15 卷 9 期	(177)	頁 91~100	2000 年 2 月
4921	林聆慈	新編國文教材試用報告	15 卷 10 期	(178)	頁 4~7	2000 年 3 月
4922	賴哲信	斷層掃描——談高中國文新課文	15 卷 10 期	(178)	頁 8~14	2000 年 3 月
4923	陳惠齡	談高中國文現代文學教材的編選	15 卷 10 期	(178)	頁 15~20	2000 年 3 月
4924	林繼生	從狹義的編輯觀點淺析新版高中國文課本	15 卷 10 期	(178)	頁 21~24	2000 年 3 月
4925	夏薇薇	賓主法的理論與應用—— 以高中國文課文為例	15 卷 10 期	(178)	頁 87~93	2000 年 3 月
4926	陳嘉英	相逢何必曾相識　〈琵琶行〉裡知音惜	15 卷 12 期	(180)	頁 93~102	2000 年 5 月
4927	陳光明	「一夕自恨死」的焦令諶究竟死了沒有?	15 卷 12 期	(180)	頁 103~104	2000 年 5 月
4928	蒲基維	談兩宋「臺閣名勝記」(上)—— 以高中國文課文為例	16 卷 5 期	(185)	頁 100~107	2000 年 10 月
4929	蒲基維	談兩宋「臺閣名勝記」(下)—— 以高中國文課本為例	16 卷 6 期	(186)	頁 82~90	2000 年 11 月
4930	陳欣欣	一場教材盛宴—— 各家高中國文編者座談會	16 卷 8 期	(188)	頁 4~12	2001 年 1 月
4931	徐美加	各家高中國文篇目對照表	16 卷 8 期	(188)	頁 13~18	2001 年 1 月
4932	楊振良	審查就是這樣嗎?—— 向國立編譯館國文教科書審查進一言	16 卷 8 期	(188)	頁 19~22	2001 年 1 月
4933	江錦玨	今昔法在古典詩歌的應用(上)—— —以高中國文課文為例	16 卷 9 期	(189)	頁 106~110	2001 年 2 月
4934	吳佩茹(國立編譯館高中國文類科教科用書審查委員會)	尺有所短,寸有所長——敬覆各書局高中國文科編纂委員兼答楊振良教授	16 卷 10 期	(190)	頁 44~48	2001 年 3 月

4935	江錦玨	今昔法在古典詩歌的應用（下）——以高中國文課文為例	16 卷 10 期 (190) 頁 96~99	2001 年 3 月
4936	蒲基維	談修辭格的聯貫作用（上）——以高中國文課文為例	16 卷 12 期 (192) 頁 82~86	2001 年 5 月
4937	朱榮智	九年一貫國語教材編輯理念、內涵與特色——以仁林版為例	17 卷 1 期 (193) 頁 34~37	2001 年 6 月
4938	蒲基維	談修辭格的聯貫作用（下）——以高中國文課文為例	17 卷 1 期 (193) 頁 90~93	2001 年 6 月
4939	林鍾勇	專訪黃文吉教授談高中國文注釋的編輯過程	17 卷 2 期 (194) 頁 90~92	2001 年 7 月
4940	左秀靈	曹雪芹身世的探討——高中國文課本注釋之商榷	17 卷 3 期 (195) 頁 96~97	2001 年 8 月
4941	江錦玨	凡目法在古典詩歌的應用——以高中國文課文為例	17 卷 3 期 (195) 頁 98~105	2001 年 8 月
4942	溫光華	唐宋八大家之散文及其風格——以現行高中國文課文為例	17 卷 4 期 (196) 頁 4~10	2001 年 9 月
4943	林鍾勇	高中國文各版本〈六國論〉注釋之比較	17 卷 4 期 (196) 頁 19~23	2001 年 9 月
4944	林慧雅	論蘇軾散文的「設問」手法——以高中課文為例	17 卷 4 期 (196) 頁 24~29	2001 年 9 月
4945	景　尼	〈溫情〉不溫情？——張秀亞〈溫情〉中的作者為何袖手旁觀	17 卷 5 期 (197) 頁 55~57	2001 年 10 月
4946	程美鐘	我如何教這一課——余光中的〈白玉苦瓜〉	17 卷 6 期 (198) 頁 22~25	2001 年 11 月
4947	劉崇義	韓愈〈祭十二郎文〉注釋商榷	17 卷 11 期 (203) 頁 90~91	2002 年 4 月
4948	何永清	〈岳陽樓記〉「吾誰與歸」的句解	18 卷 1 期 (205) 頁 92~95	2002 年 6 月
4949	耿秋芳	談白馬湖作家——夏丏尊的散文風格	18 卷 10 期 (214) 頁 4~15	2003 年 3 月
4950	古慧芬	琦君及其筆下童年時期的人物	18 卷 10 期 (214) 頁 16~26	2003 年 3 月
4951	余椒雪	林文月散文中的重要意象	18 卷 10 期 (214) 頁 27~37	2003 年 3 月
4952	鄒依琳	簡媜《女兒紅》中的女性形象剖析	18 卷 10 期 (214) 頁 38~46	2003 年 3 月
4953	顧功銘	此中有真意・欲辯已忘言——談〈桃花源記〉中的關鍵字「忘」	19 卷 3 期 (219) 頁 52~57	2003 年 8 月
4954	林　廣	生命中最甜蜜的負荷——〈負荷〉評析	19 卷 4 期 (220) 頁 102~105	2003 年 9 月
4955	陳嘉英	幽賞蘭亭　暢敘情懷——記一場文人聚會	19 卷 11 期 (227) 頁 54~57	2004 年 4 月
4956	方慶雲	〈始得西山宴遊記〉寫作技巧分析	20 卷 2 期 (230) 頁 91~94	2004 年 7 月

4957 蔡根祥　《尚書》與國文教材——　22 卷 5 期　(257)　頁 4~16　2006 年 10 月
以魏徵〈諫太宗十思疏〉中「九德」
之解釋問題為例

4958 徐茂瑋　〈諫逐客書〉——說服藝術的典範　24 卷 5 期　(281)　頁 37~39　2008 年 10 月

4959 曹嘉玲　歐陽脩〈醉翁亭記〉篇章結構探析　24 卷 7 期　(283)　頁 83~89　2008 年 12 月

4960 林貞均　以 SWOT 理論分析高中說服類課文　25 卷 8 期　(296)　頁 75~79　2010 年 1 月
〈燭之武退秦師〉

4961 郭鶴鳴　〈廉恥〉析論——　25 卷 10 期 (298)　頁 66~73　2010 年 3 月
顧炎武曲折的心路歷程

9.4.6　文化教材

4962 葛芳譚　請勿斲喪文化命脈——　2 卷 10 期　(22)　頁 35~41　1987 年 3 月
評高中新編本《中國文化基本教材》

4963 楊永英　新編本《中國文化基本教材》平議　2 卷 12 期　(24)　頁 98~100　1987 年 5 月

4964 高安澤　修改「中國文化基本教材」之淺見　3 卷 1 期　(25)　頁 10~13　1987 年 6 月

4965 陳益源記錄　「高中中國文化基本教材的檢討」　3 卷 7 期　(31)　頁 16~27　1987 年 12 月
座談記錄

4966 林慶彰　中國文化基本教材舉誤——第一冊　3 卷 7 期　(31)　頁 31~33　1987 年 12 月

4967 陳郁夫　中國文化基本教材舉誤——　3 卷 7 期　(31)　頁 34~36　1987 年 12 月
第二冊（一）

4968 易麗君　中國文化基本教材舉誤——　3 卷 7 期　(31)　頁 36~37　1987 年 12 月
第二冊（二）

4969 林政華　中國文化基本教材舉誤——第三冊　3 卷 7 期　(31)　頁 38~42　1987 年 12 月

4970 范長華　中國文化基本教材舉誤——第四冊　3 卷 7 期　(31)　頁 42~45　1987 年 12 月

4971 古清美　中國文化基本教材舉誤——第五冊　3 卷 7 期　(31)　頁 45~48　1987 年 12 月

4972 莊萬壽　中國文化基本教材舉誤——第六冊　3 卷 7 期　(31)　頁 48~51　1987 年 12 月

4973 陳立夫　為高中中國文化基本教材事答客問　3 卷 8 期　(32)　頁 8~10　1988 年 1 月

4974 邵曼珣記錄　如何重編高中《中國文化基本教材》　4 卷 2 期　(38)　頁 42~49　1988 年 7 月
座談會

4975 翁燈上　期待一部具多元性與前瞻性的文化　4 卷 2 期　(38)　頁 50~52　1988 年 7 月
基本教材

4976 李元治　寧拙勿巧——　4 卷 2 期　(38)　頁 52~54　1988 年 7 月
我對重編文化基本教材的看法

4977 林崇智　對重編文化基本教材的幾點意見　4 卷 2 期　(38)　頁 55~56　1988 年 7 月

4978 曾淑芬　我們需要一部怎樣的文化基本教材　4 卷 2 期　(38)　頁 57~59　1988 年 7 月

4979 王開府　為改編文化基本教材進一言　4 卷 2 期　(38)　頁 59~61　1988 年 7 月

4980 犁　牛　我對新版文化基本教材的看法　4 卷 6 期　(42)　頁 87　1988 年 11 月

4981 許錟輝　「拂通弼」乎？　6 卷 10 期　(70)　頁 8　1991 年 3 月

| 4982 | 王開府 | 認知取向在《中國文化基本教材》教學的應用 | 8 卷 7 期 | (91) | 頁 63~74 | 1992 年 12 月 |
| 4983 | 嚴慧寧 | 孟子「臣請為王言樂」音義辨正 | 11 卷 11 期 | (131) | 頁 64~67 | 1996 年 4 月 |

9.4.7　大專院校

4984	張幼農	大學國文選的幾個問題註釋	1 卷 9 期	(9)	頁 89	1986 年 2 月
4985	蔡錦昌等	觀今察古，兼容並蓄——理想教材的預擬（元之 劉君燦 黃俊傑 陳勝崑 洪惟助）	2 卷 3 期	(15)	頁 33~39	1986 年 8 月
4986	藍若天	兩篇空大課本關鍵字義誤註	3 卷 10 期	(34)	頁 96~99	1988 年 3 月
4987	喬衍琯	大一國文教材芻議	4 卷 5 期	(41)	頁 104~106	1988 年 10 月
4988	王策宇	陶淵明逃跑？	5 卷 6 期	(54)	頁 70~72	1989 年 11 月
4989	曾忠華	談大一國文教材教法	8 卷 6 期	(90)	頁 76~88	1992 年 11 月
4990	蔡麗玲	率性的藝術家——袁宏道〈西湖雜記〉新詮	12 卷 12 期	(144)	頁 104~109	1997 年 5 月
4991	劉怡伶	豐子愷〈窮小孩的蹺蹺板〉分析	19 卷 7 期	(223)	頁 82~86	2003 年 12 月

9.5 作文教學

9.5.1　通論

4992	楊鴻銘	作文教室（一）：轉遞作文的方法——以「秋」為例	11 卷 5 期	(125)	頁 58~61	1995 年 10 月
4993	楊鴻銘	作文教室（二）：譬擬作文的方法——以「春」為例	11 卷 6 期	(126)	頁 78~81	1995 年 11 月
4994	楊鴻銘	作文教室（三）：動化作文的方法——以「夏」為例	11 卷 7 期	(127)	頁 72~75	1995 年 12 月
4995	楊鴻銘	作文教室（四）：提問作文的方法——以「是與非」為例	11 卷 8 期	(128)	頁 50~53	1996 年 1 月
4996	楊鴻銘	作文教室（五）：作文多向訓練的方法——以「舊、新、舊與新」為例	11 卷 10 期	(130)	頁 46~48	1996 年 3 月
4997	楊鴻銘	作文教室（六）：作文多向訓練的方法——以「變」為例	11 卷 11 期	(131)	頁 51~53	1996 年 4 月
4998	楊鴻銘	作文教室（七）：作文多幅訓練的方法——以今年大學甄試作文「樹」為例	11 卷 12 期	(132)	頁 70~73	1996 年 5 月
4999	楊鴻銘	作文教室（八）：引導作文的寫法——以「兩代之間」為例	12 卷 1 期	(133)	頁 56~59	1996 年 6 月
5000	楊鴻銘	作文教室（九）：作文拉長篇幅的方法——以「窗」為例	12 卷 2 期	(134)	頁 42~45	1996 年 7 月

5001	楊鴻銘	作文教室（十）：作文舉例的方法——以今年大學聯考國文作文「自由與自律」為例	12 卷 3 期	(135)	頁 48~50	1996 年 8 月
5002	楊鴻銘	作文教室（十一）：限題引導作文的寫法——以今年夜大聯招國文作文「轉捩點」為例	12 卷 5 期	(137)	頁 64~66	1996 年 10 月
5003	楊鴻銘	作文教室（十二）：寓言引導作文的寫法——以「名」為例	12 卷 7 期	(139)	頁 50~53	1996 年 12 月
5004	楊鴻銘	作文教室（十三）：文章仿寫的作法——以「不亦快哉」為例	12 卷 10 期	(142)	頁 91~93	1997 年 3 月
5005	楊鴻銘	作文教室（十四）：引導作文與文章分析的寫法——以86年大學甄試國文作文題為例	12 卷 12 期	(144)	頁 92~97	1997 年 5 月
5006	楊鴻銘	作文教室（十五）：新詩創意的寫法——以「秋」為例	13 卷 1 期	(145)	頁 108~110	1997 年 6 月
5007	楊鴻銘	作文教室（十六）：新詩過峽的寫法——以「冬」為例	13 卷 2 期	(146)	頁 106~108	1997 年 7 月
5008	楊鴻銘	作文教室（十七）：文章描寫的方法——以八十六年大學聯考國文作文「街景」為例	13 卷 3 期	(147)	頁 93~95	1997 年 8 月
5009	楊鴻銘	作文教室（十八）：作文審題的方法	13 卷 4 期	(148)	頁 110~111	1997 年 9 月
5010	楊鴻銘	作文教室（十九）：童詩的寫法——以楊翼琪〈暑假〉為例	13 卷 5 期	(149)	頁 101~103	1997 年 10 月
5011	楊鴻銘	作文教室（廿）：作文加意審題的方法	13 卷 6 期	(150)	頁 95~97	1997 年 11 月
5012	楊鴻銘	作文教室（廿一）：作文錯落的寫法——以八十六年北區夜大國文作文「分享」為例	13 卷 7 期	(151)	頁 112~114	1997 年 12 月
5013	楊鴻銘	作文教室（廿二）：各類作文審題的方法	13 卷 8 期	(152)	頁 118~120	1998 年 1 月
5014	楊鴻銘	作文教室（廿三）：綜合審題的方法	13 卷 9 期	(153)	頁 112~113	1998 年 2 月
5015	楊鴻銘	作文教室（廿四）：有關人的寫法——以陳生「我的老師」為例	13 卷 10 期	(154)	頁 103~105	1998 年 3 月
5016	楊鴻銘	作文教室（廿五）：短語引導作文的寫法——以今年大學甄試國文作文「追求流行，表現自我」為例	13 卷 11 期	(155)	頁 91~94	1998 年 4 月
5017	楊鴻銘	作文教室（廿六）：人物主觀的寫法——以「我的公主」為例	13 卷 12 期	(156)	頁 107~109	1998 年 5 月
5018	楊鴻銘	作文教室（廿八）：閱讀引導作文的寫法——以今年大學甄試「八面玲瓏」為例	14 卷 2 期	(158)	頁 110~112	1998 年 7 月

5019	蔡孟珍	中風與水果——今年三專閱卷後記	2 卷 5 期	(17)	頁 90~91	1986 年 10 月
5020	曾錦坤	論說方式與批改原則	4 卷 8 期	(44)	頁 104~106	1989 年 1 月
5021	蔡崇名	文不對題的作文如何下評語	7 卷 10 期	(82)	頁 9	1992 年 3 月
5022	陳滿銘	談作文批改的原則	10 卷 4 期	(112)	頁 50~56	1994 年 9 月
5023	仇小屏	新式作文評改（一）	17 卷 10 期	(202)	頁 108~112	2002 年 3 月
5024	仇小屏	新式作文評改（二）	17 卷 11 期	(203)	頁 105~109	2002 年 4 月
5025	仇小屏	新式作文評改（三）	17 卷 12 期	(204)	頁 85~89	2002 年 5 月
5026	蘇秀錦	成語置換寫作在導師評語的運用	25 卷 8 期	(296)	頁 70~74	2010 年 1 月
5027	鄭生仁	都是情書大全惹的禍	1 卷 5 期	(5)	頁 28~31	1985 年 10 月
5028	任菊家	算一算「情書大全」的糊塗賬	1 卷 6 期	(6)	頁 42~45	1985 年 11 月
5029	周韶華採訪	出了什麼毛病？	2 卷 10 期	(22)	頁 26~29	1987 年 3 月
5030	黃秋芳	遊戲心與想像力—— 林加春老師灌溉童詩、童心	2 卷 11 期	(23)	頁 34~36	1987 年 4 月
5031	李麗霞	誰能在冷淡的教室中創作？—— 談師生交互作用	3 卷 11 期	(35)	頁 89~95	1988 年 4 月
5032	范曉雯	學習當個欣賞者	16 卷 10 期	(190)	頁 106~111	2001 年 3 月
5033	范曉雯	閱讀新主張	17 卷 4 期	(196)	頁 108~111	2001 年 9 月
5034	張春榮	望向創作與學術的天空—— 范曉雯等著《新型作文瞭望台》	17 卷 11 期	(203)	頁 110~112	2002 年 4 月
5035	陳智弘	提煉情采，從詩出發	18 卷 1 期	(205)	頁 28~32	2002 年 6 月
5036	林瑞景	「公辦民營」研習 綻放出美妙詩葩	18 卷 1 期	(205)	頁 106~111	2002 年 6 月
5037	張春榮	嫩蕊商量細細開—— 《作文新饗宴》自序	18 卷 3 期	(207)	頁 104~106	2002 年 8 月
5038	林瑞景	燃起高職老師新詩創作教寫的火種	18 卷 11 期	(215)	頁 108~112	2003 年 4 月
5039	范曉雯	人生有夢——為夢想繪出藍圖	19 卷 1 期	(217)	頁 75~79	2003 年 6 月
5040	鄭頤壽	文藝辭章學的新著—— 評介張春榮《作文新饗宴》	19 卷 5 期	(221)	頁 109~112	2003 年 10 月
5041	范曉雯	玉綴成錦織就—— 欣見智弘學姊廿年成品	20 卷 5 期	(233)	頁 106~107	2004 年 10 月
5042	范曉雯	奇想作文	21 卷 10 期	(250)	頁 99~104	2006 年 3 月
5043	張春榮	青春書寫的活力—— 評吳當《作文 e 點通》	22 卷 11 期	(263)	頁 72~73	2007 年 4 月

9.5.2　一般作文教學

5044	黃維樑	談寫作教學	1 卷 1 期	(1)	頁 20~25	1985 年 6 月
5045	郭麗華	由生活裡的詩情畫意談寫作	1 卷 4 期	(4)	頁 46~47	1985 年 9 月

5046	陳金池	美酒與佳肴——高中生作文十病	1 卷 5 期	(5)	頁 50~51	1985 年 10 月
5047	陳桂昆	學生作文毛病出在那裡？	1 卷 8 期	(8)	頁 85~87	1986 年 1 月
5048	賴哲信	命意須新警：岳陽樓記	1 卷 11 期	(11)	頁 74~75	1986 年 4 月
5049	林清標	「行道樹下」的忱思——談詠物文章的寫作	1 卷 11 期	(11)	頁 76~77	1986 年 4 月
5050	王炳炎	寫日記、學國文	1 卷 11 期	(11)	頁 79~80	1986 年 4 月
5051	黃永武	一個字，無限魅力——文章字句的鍛鍊	1 卷 12 期	(12)	頁 10~13	1986 年 5 月
5052	張仁青	怎樣學作文言文	1 卷 12 期	(12)	頁 15~16	1986 年 5 月
5053	曾榮汾	怎樣寫自傳推薦自己	2 卷 1 期	(13)	頁 70~72	1986 年 6 月
5054	陳木城	作文頭痛症候群——國小作文教學實況	2 卷 11 期	(23)	頁 26~29	1987 年 4 月
5055	姚榮松	意念表出的流程——評介杜萱《國小作文教學探究》	2 卷 11 期	(23)	頁 30~33	1987 年 4 月
5056	楊振良	如何寫自傳推薦自己	3 卷 2 期	(26)	頁 64~66	1987 年 7 月
5057	李麗霞	國小兒童寫作教學（一）	3 卷 5 期	(29)	頁 84~87	1987 年 10 月
5058	李麗霞	老師，我可以這樣寫嗎？	3 卷 7 期	(31)	頁 92~93	1987 年 12 月
5059	杜松柏	為文方法的獲得（上）	3 卷 9 期	(33)	頁 87~89	1988 年 2 月
5060	杜松柏	為文方法的獲得（下）	3 卷 10 期	(34)	頁 88~91	1988 年 3 月
5061	林寶芬	從趵突泉到一線——談作文中想像力的迸射	4 卷 2 期	(38)	頁 27~29	1988 年 7 月
5062	呂榮華	「頭」「頭」是道	4 卷 2 期	(38)	頁 29~30	1988 年 7 月
5063	鄭柳燕	平時、平實的作文教學	4 卷 2 期	(38)	頁 30~31	1988 年 7 月
5064	江寶釵	漫談少年習作	4 卷 2 期	(38)	頁 31~33	1988 年 7 月
5065	陳憲仁	談作文教學	4 卷 5 期	(41)	頁 20~23	1988 年 10 月
5066	晏亦程	靈感來自力學——兼談學生作文問題	4 卷 8 期	(44)	頁 102~103	1989 年 1 月
5067	林繼生	國中生如何寫好論說文	4 卷 11 期	(47)	頁 69~71	1989 年 4 月
5068	林繼生	好的開始是成功的一半——談論說文開頭的方法	4 卷 12 期	(48)	頁 83~87	1989 年 5 月
5069	愷 扉	論說文結構公式	5 卷 1 期	(49)	頁 40~43	1989 年 6 月
5070	林繼生	美麗的休止符——談論說文結尾方法	5 卷 1 期	(49)	頁 47~50	1989 年 6 月
5071	林繼生	國中生如何寫好論說文——做好布局結構的工作	5 卷 8 期	(56)	頁 74~77	1990 年 1 月
5072	張麗芬	「老師，作文真好玩」——國中創意作文作業設計	5 卷 12 期	(60)	頁 66~69	1990 年 5 月

5073	楊鴻銘	談談作文布局的方法	6 卷 1 期	(61)	頁 84~85	1990 年 6 月
5074	吳清淋	作文獨立—— 為國中作文教學闢一條活路	6 卷 4 期	(64)	頁 58~59	1990 年 9 月
5075	楊鴻銘	作文逆折公式	7 卷 10 期	(82)	頁 88~89	1992 年 3 月
5076	陳啟佑	散文寫作的技巧	7 卷 10 期	(82)	頁 91~94	1992 年 3 月
5077	楊鴻銘	佳句運用公式	7 卷 11 期	(83)	頁 87~89	1992 年 4 月
5078	張高評	從結構對列之研究論中學作文改善 之道	8 卷 3 期	(87)	頁 58~71	1992 年 8 月
5079	何維欽	如何教導學生作文出新意	8 卷 3 期	(87)	頁 72~76	1992 年 8 月
5080	許錟輝	解惑篇	8 卷 6 期	(90)	頁 4~5	1992 年 11 月
5081	龔亞元	讓中學生從自己作品裡發掘寶藏	9 卷 3 期	(99)	頁 100~103	1993 年 8 月
5082	游福生	作文思路的培養	9 卷 9 期	(105)	頁 104~105	1994 年 2 月
5083	陳啟佑	欲把金針度與人—— 如何教學生寫新詩	9 卷 10 期	(106)	頁 83~91	1994 年 3 月
5084	鄭柳燕	大塊假我以文章——作文組	9 卷 12 期	(108)	頁 21~24	1994 年 5 月
5085	林繼生	積學以儲寶—— 做好作文平常的涵養工夫	9 卷 12 期	(108)	頁 91~95	1994 年 5 月
5086	謝春聘	起承轉合	10 卷 11 期	(119)	頁 107	1995 年 4 月
5087	謝春聘	作文教學現況之檢討與改進建議	10 卷 12 期	(120)	頁 68~72	1995 年 5 月
5088	吳達芸	華年的刻印——教學生寫小說	11 卷 3 期	(123)	頁 32~37	1995 年 8 月
5089	林繼生	飛越論說作文的第一關—— 審題（上）	11 卷 12 期	(132)	頁 74~79	1996 年 5 月
5090	林繼生	飛越論說文作文的第一關—— 審題（下）	12 卷 1 期	(133)	頁 52~55	1996 年 6 月
5091	張愷輝	談閱讀與寫作指導	12 卷 2 期	(134)	頁 37~39	1996 年 7 月
5092	王窓賢	教學集錦（一）：比讀書更重要的 事——做一個有責任感的人	12 卷 3 期	(135)	頁 40~45	1996 年 8 月
5093	林瑞景	作文課像記者會—— 「老師的秘密」探訪記	12 卷 11 期	(143)	頁 105~109	1997 年 4 月
5094	王窓賢	教學集錦（十四）：讓生命更豐美 ——作文教學的範本分析	13 卷 4 期	(148)	頁 97~103	1997 年 9 月
5095	王窓賢	教學集錦（廿二）：掌握深度與長 度的作文教學（一）	13 卷 12 期	(156)	頁 110~115	1998 年 5 月
5096	王窓賢	教學集錦（廿三）：掌握深度與長 度的作文教學（二）	14 卷 1 期	(157)	頁 76~84	1998 年 6 月
5097	林瑞景	永生難忘的「恐怖箱」	14 卷 2 期	(158)	頁 100~105	1998 年 7 月
5098	林瑞景	創意味覺作文—— 口齒留香的萬巒豬腳	14 卷 3 期	(159)	頁 96~101	1998 年 8 月

5099	王窈賢	教學集錦（廿四）：字句移位和結構重組的作文教學	14 卷 3 期	(159)	頁 102~109	1998 年 8 月
5100	劉鎮傳	指導孩子作文是家長不可推卸的責任	14 卷 3 期	(159)	頁 110~112	1998 年 8 月
5101	林瑞景	一場水果詩的饗宴	14 卷 4 期	(160)	頁 89~95	1998 年 9 月
5102	林瑞景	配合課文教學的創意作文——課文名言佳句啟示錄	14 卷 5 期	(161)	頁 93~97	1998 年 10 月
5103	林瑞景	看電影・寫影評——第一次當小小影評人	14 卷 6 期	(162)	頁 98~103	1998 年 11 月
5104	林瑞景	菁莪山莊上的一場新詩饗宴	14 卷 7 期	(163)	頁 100~111	1998 年 12 月
5105	王窈賢	教學集錦（廿五）：談立意與取材的作文教學	14 卷 8 期	(164)	頁 95~103	1999 年 1 月
5106	蕭　蕭	新文藝教學設計（三）：國中現代詩教學設計(習作篇)——以〈車過枋寮〉、〈一枚銅幣〉、〈竹〉為例	14 卷 11 期	(167)	頁 79~83	1999 年 4 月
5107	楊鴻銘	作文教室：國小作文教學思考	14 卷 11 期	(167)	頁 101~110	1999 年 4 月
5108	林瑞景	週三進修創作出「最美的容顏」	15 卷 1 期	(169)	頁 12~21	1999 年 6 月
5109	蘇秀錦	由賞析「散文詩」引導初學者寫詩	15 卷 1 期	(169)	頁 22~26	1999 年 6 月
5110	楊鴻銘	新詩琢磨的方法	15 卷 1 期	(169)	頁 27~29	1999 年 6 月
5111	蘇秀錦	淺談如何指導學生寫有創見的文章——善用反向思維	15 卷 2 期	(170)	頁 104~109	1999 年 7 月
5112	楊鴻銘	記敘文構思的方法	15 卷 5 期	(173)	頁 110~112	1999 年 10 月
5113	范曉雯	咬詞嚼句——好的造詞與造句使得摹寫更細膩	15 卷 7 期	(175)	頁 105~109	1999 年 12 月
5114	范曉雯	尚還粗糙，卻令人心喜的實驗室一隅——心得感想的寫作	15 卷 9 期	(177)	頁 101~106	2000 年 2 月
5115	楊鴻銘	文章「唯最」的寫法——以作文題「我最投入的事」為例	15 卷 11 期	(179)	頁 25~27	2000 年 4 月
5116	林瑞景	一堂可以上電視的作文課	15 卷 11 期	(179)	頁 104~108	2000 年 4 月
5117	范曉雯	腦內 V8 開麥拉——記敘文的寫法	15 卷 12 期	(180)	頁 108~111	2000 年 5 月
5118	范曉雯	站在巨人的肩上——傳記閱讀與作文	16 卷 2 期	(182)	頁 107~111	2000 年 7 月
5119	林淑芬	作文學習單——〈晏子列傳〉仿作練習	16 卷 3 期	(183)	頁 27	2000 年 8 月
5120	范曉雯	為學生安排文學的秀場——心得感想的寫作	16 卷 3 期	(183)	頁 103~111	2000 年 8 月
5121	陳智弘	從這隻豬，我們看到什麼？	16 卷 5 期	(185)	頁 108~110	2000 年 10 月
5122	李敏勇	關於一首詩的形成	16 卷 6 期	(186)	頁 4~6	2000 年 11 月

5123	吳清員	我如何教「詩歌改寫」	16 卷 6 期	(186) 頁 7~12	2000 年 11 月
5124	林瑞景	創意新詩教學——看水果寫新詩	16 卷 6 期	(186) 頁 13~18	2000 年 11 月
5125	陳嘉英	在排列組合中尋找詩——新詩創作教學示例	16 卷 6 期	(186) 頁 19~26	2000 年 11 月
5126	仇小屏	試談中學生新詩習作的批改	16 卷 6 期	(186) 頁 27~32	2000 年 11 月
5127	陳智弘	當 Y 世代碰到八股文	16 卷 6 期	(186) 頁 108~111	2000 年 11 月
5128	宋　裕	作文書目舉要	16 卷 7 期	(187) 頁 97	2000 年 12 月
5129	范曉雯	沖泡一杯討喜的三合一咖啡——雜感文章的寫法	16 卷 7 期	(187) 頁 107~111	2000 年 12 月
5130	林瑞景	誰最偉大？小小劇場——教你怎樣編寫劇本	16 卷 8 期	(188) 頁 106~109	2001 年 1 月
5131	陳智弘	添枝加葉，化簡單為豐繁——談「擴寫」	16 卷 11 期	(191) 頁 106~111	2001 年 4 月
5132	黃金玉	舊瓶新酒，掌握原作菁華（上）——談「仿寫」	16 卷 12 期	(192) 頁 107~112	2001 年 5 月
5133	黃金玉	舊瓶新酒，掌握原作菁華（下）——談「仿寫」	17 卷 1 期	(193) 頁 107~112	2001 年 6 月
5134	范曉雯	改頭換面，造型設計 DIY——談改寫型作文	17 卷 2 期	(194) 頁 104~110	2001 年 7 月
5135	陳智弘	故事的糖衣——談「寓言寫作」	17 卷 3 期	(195) 頁 106~111	2001 年 8 月
5136	陳智弘	再接再厲‧補缺空為完整——談「補寫」	17 卷 5 期	(197) 頁 105~111	2001 年 10 月
5137	蘇秀錦	一本現代詩習作教學的左右手——《一首詩的誕生》	17 卷 6 期	(198) 頁 11~16	2001 年 11 月
5138	杜淑貞	用「形象思維」打破寫詩僵局——如何教兒童寫詩	17 卷 6 期	(198) 頁 26~32	2001 年 11 月
5139	陳蕙安	顏色的無限想像——談創意聯想	17 卷 6 期	(198) 頁 109~112	2001 年 11 月
5140	范曉雯	景則映簾而入，文則指間寫出——寫景文章略說	17 卷 7 期	(199) 頁 106~111	2001 年 12 月
5141	范曉雯	記物文章略說	17 卷 8 期	(200) 頁 107~111	2002 年 1 月
5142	陳嘉英	味之魔術	17 卷 9 期	(201) 頁 106~112	2002 年 2 月
5143	張春榮	擴寫與創造性思考	18 卷 1 期	(205) 頁 4~7	2002 年 6 月
5144	范曉雯	有關新型作文	18 卷 1 期	(205) 頁 11~16	2002 年 6 月
5145	陳嘉英	打翻一缸染料—顏色的渲染與跳躍	18 卷 1 期	(205) 頁 17~22	2002 年 6 月
5146	蘇秀錦	兩文一較開思辨寫作之路——〈小書〉與〈風箏〉	18 卷 1 期	(205) 頁 23~27	2002 年 6 月
5147	劉寶珠	章法學運用在作文教學之操作實例	18 卷 1 期	(205) 頁 33~39	2002 年 6 月
5148	廖大國	關於高校文科寫作教學的思考	18 卷 2 期	(206) 頁 27~32	2002 年 7 月

5149	張春榮	故事續寫	18 卷 2 期	(206)	頁 106~112	2002 年 7 月
5150	仇小屏	新詩習作（一）：自畫像——學生新詩寫作練習	18 卷 3 期	(207)	頁 107~111	2002 年 8 月
5151	仇小屏	新詩習作（二）：抓住你了——詠物詩寫作練習	18 卷 4 期	(208)	頁 106~111	2002 年 9 月
5152	仇小屏	新詩習作（三）：畫畫又寫寫——談圖像詩的寫作	18 卷 5 期	(209)	頁 107~111	2002 年 10 月
5153	仇小屏	新詩習作（四）：反過來說——談正反法在新詩寫作中的運用	18 卷 6 期	(210)	頁 109~112	2002 年 11 月
5154	張春榮	喻寫題型	18 卷 7 期	(211)	頁 102~106	2002 年 12 月
5155	仇小屏	新詩習作（五）：填空遊戲——談一種新詩習作的訓練方式	18 卷 7 期	(211)	頁 107~112	2002 年 12 月
5156	王昌煥	談「窗外」一文的引導寫作	18 卷 10 期	(214)	頁 98~104	2003 年 3 月
5157	陳嘉英	唐詩與新詩的轉譯	18 卷 11 期	(215)	頁 73~80	2003 年 4 月
5158	仇小屏	一句詩——談如何以判斷句寫詩	18 卷 12 期	(216)	頁 68~72	2003 年 5 月
5159	陳嘉英 陳美娟	聲音的舞蹈——一則聲音的作文教學法（上）	18 卷 12 期	(216)	頁 106~112	2003 年 5 月
5160	張春榮	創意造句擂台賽（名詞篇）	19 卷 1 期	(217)	頁 94~99	2003 年 6 月
5161	陳嘉英 陳美娟	聲音的舞蹈——一則聲音的作文教學法（下）	19 卷 1 期	(217)	頁 100~104	2003 年 6 月
5162	張春榮	創意造句擂台賽（動詞篇）	19 卷 2 期	(218)	頁 107~112	2003 年 7 月
5163	范文鳳	讓課本變劇本〈記承天寺夜遊〉（現代版）	19 卷 3 期	(219)	頁 104~107	2003 年 8 月
5164	陳智弘	作文課‧開心玩	19 卷 5 期	(221)	頁 104~108	2003 年 10 月
5165	陳智弘	刀鏟鍋爐間的魔法術——談「飲食文學」的閱讀與寫作-	19 卷 6 期	(222)	頁 94~97	2003 年 11 月
5166	林瑞景	與高中老師來一場海闊天空的新詩教寫	19 卷 7 期	(223)	頁 93~99	2003 年 12 月
5167	張春榮	「愛情」喻寫	19 卷 8 期	(224)	頁 99~103	2004 年 1 月
5168	陳嘉英	「看不見，卻依然存在」的精靈——氣味（上）	19 卷 9 期	(225)	頁 97~102	2004 年 2 月
5169	陳嘉英	「看不見，卻依然存在」的精靈——氣味（下）	19 卷 10 期	(226)	頁 98~102	2004 年 3 月
5170	潘麗珠	從學測閱卷談我對「閱讀」的一些看法	19 卷 11 期	(227)	頁 28~33	2004 年 4 月
5171	李昊青	一次作文教學之經驗分享	19 卷 11 期	(227)	頁 103~112	2004 年 4 月
5172	李翠瑛	論創意組合與一首新詩的完成	20 卷 1 期	(229)	頁 93~98	2004 年 6 月
5173	陳滿銘	辭章學在「讀」與「寫」教學中的	20 卷 4 期	(232)	頁 4~18	2004 年 9 月

		運用				
5174	張春榮	修辭學在「讀」與「寫」教學中的運用	20 卷 4 期	(232)	頁 20~26	2004 年 9 月
5175	楊如雪	文法學在「讀」與「寫」教學中的運用	20 卷 4 期	(232)	頁 27~38	2004 年 9 月
5176	仇小屏	章法學在「讀」與「寫」教學中的運用	20 卷 4 期	(232)	頁 39~50	2004 年 9 月
5177	陳嘉英	與世界親密接觸的作文課──觸覺的描寫（上）	20 卷 5 期	(233)	頁 108~112	2004 年 10 月
5178	閔秋英	走入新詩美麗的園地──新詩創作教學的幾個策略	20 卷 6 期	(234)	頁 77~83	2004 年 11 月
5179	陳嘉英	與世界親密接觸的作文課──觸覺的描寫（下）	20 卷 6 期	(234)	頁 101~104	2004 年 11 月
5180	王昌煥	作文診療室──讀書生涯感想	20 卷 7 期	(235)	頁 103~109	2004 年 12 月
5181	陳嘉英	馳騁創意的四季書寫	21 卷 3 期	(243)	頁 99~106	2005 年 8 月
5182	林怜秀	大家來教現代詩	21 卷 8 期	(248)	頁 19~25	2006 年 1 月
5183	王基倫	文章的開頭──從葉聖陶的觀點談起	21 卷 8 期	(248)	頁 78~83	2006 年 1 月
5184	侯玉芳	給學生一把寫作的梯子	21 卷 8 期	(248)	頁 105~110	2006 年 1 月
5185	王基倫	文章的結尾：從葉聖陶的觀點談起	21 卷 9 期	(249)	頁 63~69	2006 年 2 月
5186	宋 裕	作文書目舉要	21 卷 9 期	(249)	頁 81~82	2006 年 2 月
5187	鍾文宏	比喻寫作的擴寫教學	21 卷 12 期	(252)	頁 17~25	2006 年 5 月
5188	陳佳君	橋樑意象寫作教學	22 卷 1 期	(253)	頁 27~31	2006 年 6 月
5189	簡蕙宜	凡目法在國中作文運材教學中的應用	22 卷 1 期	(253)	頁 32~37	2006 年 6 月
5190	張玉明	寓言寫作教學設計──以「北風與太陽」為例，訓練學生多角度思維創意	22 卷 3 期	(255)	頁 66~71	2006 年 8 月
5191	蕭千金	觀察力與凡目法的作文理論與教學實務	23 卷 1 期	(265)	頁 67~72	2007 年 6 月
5192	陳滿銘	偏離理論在作文教學上之運用	23 卷 4 期	(268)	頁 77~86	2007 年 9 月
5193	陳佳君	凡目法在小學讀寫教學中的應用	23 卷 5 期	(269)	頁 61~65	2007 年 10 月
5194	陳嘉英	歷史的鑄縫──想像與建構的風景	23 卷 5 期	(269)	頁 106~112	2007 年 10 月
5195	朱榮智	閱讀與寫作	23 卷 7 期	(271)	頁 59~65	2007 年 12 月
5196	張春榮	國小作文教學的引導藝術	23 卷 8 期	(272)	頁 4~9	2008 年 1 月
5197	陳秀娟	曼陀羅思考法在國小寫作教學與應用	23 卷 8 期	(272)	頁 10~13	2008 年 1 月
5198	徐麗玲	國小二年級感官作文的思維力	23 卷 8 期	(272)	頁 14~18	2008 年 1 月
5199	葉素吟	國小成語寫作教學的設計與展望	23 卷 8 期	(272)	頁 19~25	2008 年 1 月

5200	林秀娥	心智繪圖的理論與應用	23 卷 8 期	(272)	頁 33~39	2008 年 1 月
5201	田玉真	多元智能與看圖作文	23 卷 8 期	(272)	頁 40~44	2008 年 1 月
5202	劉秀瑩	寓言寫作教學—— 以劉基〈良桐〉為例	24 卷 5 期	(281)	頁 10~14	2008 年 10 月
5203	呂秋蓉	寓言寫作教學—— 以〈鷸蚌相爭〉為創造思考的實作 練習	24 卷 5 期	(281)	頁 15~21	2008 年 10 月
5204	陳秀虹	添圖寫童詩的理論與應用	24 卷 6 期	(282)	頁 17~22	2008 年 11 月
5205	謝玉祺	看圖寫作教學	24 卷 6 期	(282)	頁 23~28	2008 年 11 月
5206	蘇秀錦	影音佐心像寫作試探（上）	24 卷 7 期	(283)	頁 108~112	2008 年 12 月
5207	蘇秀錦	影音佐心像寫作試探（下）	24 卷 8 期	(284)	頁 106~110	2009 年 1 月
5208	林照蘭	深耕範文閱讀 輕鬆模擬寫作	24 卷 10 期	(286)	頁 61~70	2009 年 3 月
5209	馬皖婉	正反法在新式作文的應用	25 卷 3 期	(291)	頁 69~79	2009 年 8 月
5210	劉 瑩	讀而優則寫—— 論童話之「讀寫一貫」教學策略	25 卷 5 期	(293)	頁 4~16	2009 年 10 月
5211	王年双	讀書心得寫作的策略與評量	25 卷 5 期	(293)	頁 25~31	2009 年 10 月
5212	蔡宜勳	國中學生閱讀與作文能力相關因子 解析應用	25 卷 5 期	(293)	頁 38~43	2009 年 10 月
5213	余崇生	閱讀與寫作潛能	25 卷 11 期	(299)	頁 4~7	2010 年 4 月
5214	林均珈	創造力的根本在閱讀	25 卷 11 期	(299)	頁 8~12	2010 年 4 月
5215	陳伊婷	閱讀與書寫——教學中的實例舉隅	25 卷 11 期	(299)	頁 13~17	2010 年 4 月
5216	王偉忠	閱讀與寫作—— 一個教學經驗的分享	25 卷 11 期	(299)	頁 18~23	2010 年 4 月
5217	謝淑熙	積學與儲寶——閱讀與寫作能力	25 卷 11 期	(299)	頁 24~28	2010 年 4 月
5218	牟方芝	下載美感的作文課	25 卷 11 期	(299)	頁 29~34	2010 年 4 月

9.5.3　應考作文教學

5219	楊鴻銘	文章縮寫的方法—— 以豐子愷〈車廂社會〉為例 （限一百二十字）	11 卷 3 期	(123)	頁 84~86	1995 年 8 月
5220	楊鴻銘	命題限意引導作文的寫法—— 以今年大學聯考國文作文「慚愧」 為例	14 卷 3 期	(159)	頁 90~92	1998 年 8 月
5221	陳志哲	小學「限制式寫作」情境式命題教 學探究——以第二階段兒童為實施 對象（上）	18 卷 11 期	(215)	頁 85~88	2003 年 4 月
5222	陳志哲	小學「限制式寫作」情境式命題教 學探究——以第二階段兒童為實施 對象（下）	18 卷 12 期	(216)	頁 73~77	2003 年 5 月

5223	仇小屏	「限制式寫作」題組之設計與實作 ——鎖定譬喻能力	19 卷 11 期	(227)	頁 77~85	2004 年 4 月
5224	仇小屏	「限制式寫作」題組織設計與實作 ——鎖定修辭能力 （移覺格、倒反格）	19 卷 12 期	(228)	頁 74~82	2004 年 5 月
5225	仇小屏	「限制式寫作」題組之設計與實作 ——鎖定取材能力	20 卷 1 期	(229)	頁 83~92	2004 年 6 月
5226	仇小屏	「限制式寫作」題型與能力	21 卷 3 期	(243)	頁 87~91	2005 年 8 月
5227	仇小屏	寫作教學的新天地—— 談何謂「限制式寫作」？	22 卷 1 期	(253)	頁 4~10	2006 年 6 月
5228	李靜雯	論「限制式寫作」題組在國中寫作 教學中的運用——鎖定主旨置於篇 首與篇腹的能力	22 卷 1 期	(253)	頁 11~20	2006 年 6 月
5229	顏智英	鎖定「修辭」能力談「限制式寫作」	22 卷 1 期	(253)	頁 21~26	2006 年 6 月
5230	李靜雯	論「限制式寫作」題組在國中寫作 教學中的運用——鎖定主旨置於篇 末與篇外的能力	22 卷 2 期	(254)	頁 68~75	2006 年 7 月
5231	李靜雯	論「限制式寫作」題組在國中寫作 教學中的運用——鎖定「運用詞彙」 的能力	22 卷 7 期	(259)	頁 73~80	2006 年 12 月
5232	張仁青	不滿 60 分，一概不取—— 國文科應考須知	1 卷 4 期	(4)	頁 42~45	1985 年 9 月
5233	楊永英	作文如何得高分？	1 卷 12 期	(12)	頁 82~85	1986 年 5 月
5234	丹 巖	作文得高分的要訣	4 卷 2 期	(38)	頁 22~24	1988 年 7 月
5235	王新華	作文如何拿高分	4 卷 2 期	(38)	頁 24~26	1988 年 7 月
5236	陳滿銘	怎樣寫好命題作文—— 向大學聯招考生叮嚀幾句話	4 卷 2 期	(38)	頁 39~41	1988 年 7 月
5237	林政華	淺俗與高明—— 由聯考作文命題到教學	4 卷 4 期	(40)	頁 26~28	1988 年 9 月
5238	楊鴻銘	談臨場寫作方法—— 以七十八年大學聯考作文「論虛心」 為例	5 卷 4 期	(52)	頁 54~56	1989 年 9 月
5239	楊鴻銘	談作文拓境的方法—— 以七十六年大學聯考作文「論同情」 一題為例	5 卷 9 期	(57)	頁 66~68	1990 年 2 月
5240	楊鴻銘	作文公式—— 以「戰勝自己」一題為例	6 卷 2 期	(62)	頁 60~62	1990 年 7 月
5241	楊鴻銘	作文公式（二）—— 以七十九年大學聯考作文「愛國愛 鄉愛人愛己」一題為例	6 卷 12 期	(72)	頁 77~79	1991 年 5 月
5242	楊鴻銘	作文立意的方法——	7 卷 3 期	(75)	頁 108~109	1991 年 8 月

		以八十年大學聯考作文「根」一題為例			
5243	歐陽宜璋	輻射式聯考作文的全方位思考——以北一建中補校聯招作文〈掌聲〉為例	9 卷 5 期	(101) 頁 78~84	1993 年 10 月
5244	陳滿銘	談幾種非傳統的作文命題方式	9 卷 11 期	(107) 頁 46~64	1994 年 4 月
5245	陳滿銘	談作文命題的原則	10 卷 3 期	(111) 頁 47~54	1994 年 8 月
5246	楊鴻銘	排比作文的方法——以今年夜大國文作文「歲月的痕跡」為例	11 卷 4 期	(124) 頁 61~63	1995 年 9 月
5247	王窈賢	教學集錦（廿一）：單字題命題作文的寫作方法	13 卷 11 期	(155) 頁 95~101	1998 年 4 月
5248	楊鴻銘	明示段意引導作文的寫法——以今年大學聯考作文「等待」為例	14 卷 5 期	(161) 頁 90~92	1998 年 10 月
5249	楊鴻銘	有關事的寫法——以今年北區夜大國文作文「同學會」為例	14 卷 8 期	(164) 頁 92~94	1999 年 1 月
5250	楊鴻銘	聯想作文的寫法——以今年大學聯考作文「車站」為例	15 卷 3 期	(171) 頁 32~33	1999 年 8 月
5251	林聆慈	傾聽大自然「不同」的聲音——談今年北區高中聯招作文兩種作法	15 卷 3 期	(171) 頁 45~48	1999 年 8 月
5252	楊鴻銘	限選作文的寫法——以八十八年大學聯考作文題為例	15 卷 10 期	(178) 頁 108~110	2000 年 3 月
5253	謝蓮芬	聯考作文的「首與尾」	16 卷 1 期	(181) 頁 104~111	2000 年 6 月
5254	楊振良	赤兔之死——由大陸高考國文榜首作文省思國文教育	18 卷 1 期	(205) 頁 8~10	2002 年 6 月
5255	王昌煥	這一題，真的很難作答嗎？——兼論海峽兩岸有關詩的作文題	19 卷 2 期	(218) 頁 97~106	2003 年 7 月
5256	陳滿銘	談命題作文的分項指引	19 卷 4 期	(220) 頁 92~97	2003 年 9 月
5257	王基西	談應考作文教學	19 卷 11 期	(227) 頁 24~27	2004 年 4 月
5258	張春榮	看圖造句的視覺智能	19 卷 12 期	(228) 頁 108~111	2004 年 5 月
5259	張春榮	看圖作文三部曲	20 卷 1 期	(229) 頁 110~112	2004 年 6 月
5260	陳滿銘	國文科資優生讀寫的指導與評量	20 卷 3 期	(231) 頁 86~94	2004 年 8 月
5261	張春榮	看圖作文的展望	20 卷 10 期	(238) 頁 103~105	2005 年 3 月
5262	陳嘉英 陳智弘	由六級分看國中寫作與教學	21 卷 9 期	(249) 頁 75~80	2006 年 2 月
5263	簡蕙宜	談如何寫好學測作文：「雨季的故事」——從「觀察力」、「聯想力」、「立意取材」之寫作訓練切入	21 卷 10 期	(250) 頁 67~74	2006 年 3 月

5264	張春榮	極短篇仿寫教學	22 卷 8 期	(260)	頁 102~112	2007 年 1 月
5265	陳秀虹	繪本引導五年級創思寫作題型之研究	22 卷 10 期	(262)	頁 70~75	2007 年 3 月
5266	蒲基維	基測作文與三層語文能力	22 卷 12 期	(264)	頁 8~19	2007 年 5 月
5267	簡蕙宜	基測寫作的思維鍛鍊	22 卷 12 期	(264)	頁 28~35	2007 年 5 月
5268	蒲基維	談基測作文的補救教學——從 96 年國民中學第一次基測之寫作測驗談起	23 卷 2 期	(266)	頁 73~78	2007 年 7 月
5269	陳嘉英 陳智弘	掌握情勢・活化教學——96 年國中基測寫作測驗之後	23 卷 2 期	(266)	頁 106~112	2007 年 7 月
5270	許育喬	基測作文練習——鎖定「立意取材」之「取材—色彩運用」能力	23 卷 3 期	(267)	頁 107~112	2007 年 8 月
5271	黃心怡	續寫題型的理論初探	23 卷 8 期	(272)	頁 26~32	2008 年 1 月
5272	陳滿銘 林廷芬	談新式作文之「縮寫」題型	24 卷 2 期	(278)	頁 76~85	2008 年 7 月
5273	何方宜	凡目法的作文命題與實作	24 卷 4 期	(280)	頁 83~89	2008 年 9 月
5274	林素珍	由新型作文談閱讀與寫作的關係	25 卷 5 期	(293)	頁 32~37	2009 年 10 月

9.5.4　應用文教學

5275	段醒民	何必一邊涼快去？——信封收件人的寫法	1 卷 1 期	(1)	頁 70~71	1985 年 6 月
5276	周虎林	「某某校長吾兄如晤」——學生作文不通怎麼辦？	1 卷 3 期	(3)	頁 49~51	1985 年 8 月
5277	史墨卿	應用文中的一些問題——從訃聞談起	1 卷 3 期	(3)	頁 52~55	1985 年 8 月
5278	趙□颺	〈大惑不解集〉：信封的寫法	1 卷 11 期	(11)	頁 22	1986 年 4 月
5279	史墨卿	入土不安——疑問重重的訃告	2 卷 2 期	(14)	頁 78~81	1986 年 7 月
5280	江超平	高普考論文公正寫作要領	2 卷 2 期	(14)	頁 90	1986 年 7 月
5281	張仁青	信封的寫法	2 卷 3 期	(15)	頁 66~68	1986 年 8 月
5282	何懷碩	誘人出錯的應用文——關於應用文的現代化	2 卷 5 期	(17)	頁 68~69	1986 年 10 月
5283	史墨卿	再談「信封的寫法」	2 卷 5 期	(17)	頁 70	1986 年 10 月
5284	陳益源記錄	應用文，如何應用？——「應用文現代化」座談會	2 卷 10 期	(22)	頁 18~23	1987 年 3 月
5285	劉兆祐	現代應用文舉例	2 卷 10 期	(22)	頁 24~26	1987 年 3 月
5286	馮珍芝採訪	要適應現代社會	2 卷 10 期	(22)	頁 30~31	1987 年 3 月
5287	顏崑陽	「啟」「收」的用法	3 卷 4 期	(28)	頁 14	1987 年 9 月
5288	黃志民	恭賀新禧——教您寫賀卡	3 卷 7 期	(31)	頁 90~91	1987 年 12 月

5289	黃志民	啟封詞用法	3 卷 8 期	(32)	頁 7~8	1988 年 1 月
5290	史墨卿	對國家元首的稱謂和抬頭	3 卷 12 期	(36)	頁 10	1988 年 5 月
5291	史墨卿	應用文的特性	4 卷 11 期	(47)	頁 75~77	1989 年 4 月
5292	王偉勇	「惠請」多予利用？	5 卷 9 期	(57)	頁 8~9	1990 年 2 月
5293	孫振志	習見「查收」，未見「察收」	6 卷 6 期	(66)	頁 112	1990 年 11 月
5294	黎建寰	均鑒、鈞鑒如何分別？	7 卷 9 期	(81)	頁 7~8	1992 年 2 月
5295	王偉勇	「恭請」、「敬請」、「謹請」如何使用？	11 卷 3 期	(123)	頁 9	1995 年 8 月
5296	史墨卿	應用文的現代化之一——電子郵件（E-mail）	15 卷 12 期	(180)	頁 105~107	2000 年 5 月
5297	歐陽炯	對聯的寫作與鑑賞	22 卷 4 期	(256)	頁 4~14	2006 年 9 月
5298	董家珮	應用寫作教學（上）——以廣告文案為例	24 卷 9 期	(285)	頁 108~112	2009 年 2 月
5299	董家珮	應用寫作教學（下）——以廣告文案為例	24 卷 10 期	(286)	頁 107~111	2009 年 3 月

9.6 考試相關

9.6.1　通論

5300	傅錫王	大學聯招主科加重計分之商榷	1 卷 1 期	(1)	頁 40~43	1985 年 6 月
5301	林義烈	「主旨」不是「大意」——從一則競試的題目談起	3 卷 10 期	(34)	頁 100~102	1988 年 3 月
5302	林瑞娟	高中及專科聯考作文應如何命題	4 卷 2 期	(38)	頁 19~21	1988 年 7 月
5303	張高評	借箸代籌——談大學聯考作文題目的設計	4 卷 2 期	(38)	頁 36~39	1988 年 7 月
5304	邵曼珣記錄	「作文評分的公正性與高中語文教學」座談會	4 卷 4 期	(40)	頁 10~16	1988 年 9 月
5305	李威熊	聯考作文的缺失與評分的客觀化	4 卷 4 期	(40)	頁 17~19	1988 年 9 月
5306	林義烈	高中及五專聯考作文出題的趨勢	5 卷 1 期	(49)	頁 44~47	1989 年 6 月
5307	蘇清守	什麼是「題庫」？	6 卷 9 期	(69)	頁 61	1991 年 2 月
5308	編輯部	教育部八十一學年高中國文學科資賦優異學生保送大學名單	8 卷 12 期	(96)	頁 102~105	1993 年 5 月
5309	范文芳	語文教育・作文教學・命題作文——從四十年來中、台兩地大學聯考作文命題談起	9 卷 1 期	(97)	頁 34~39	1993 年 6 月
5310	陳慶煌	一般考試閱卷作文評分得失利弊之探討	9 卷 1 期	(97)	頁 66~69	1993 年 6 月
5311	李清筠	走過一季春——八十一學年度高中國文資優保送甄	9 卷 1 期	(97)	頁 130~133	1993 年 6 月

試側記

5312	王志成	大陸高考（大學聯考）作文評改方式的突破	9 卷 2 期	(98)	頁 53~63	1993 年 7 月
5313	歐陽宜璋	創意題型設計——驛動的心	10 卷 11 期	(119)	頁 85~87	1995 年 4 月
5314	王熙元	博士班入學筆試不宜廢除	11 卷 5 期	(125)	頁 10~11	1995 年 10 月
5315	王金凌	國文能力與國文試題	11 卷 8 期	(128)	頁 6~7	1996 年 1 月
5316	陳滿銘	國文科測驗題命題的一般原則——以大學考試題為例	12 卷 11 期	(143)	頁 88~92	1997 年 4 月
5317	林繼生	上窮碧落下黃泉——國文科出題方式面面觀（一）	13 卷 10 期	(154)	頁 91~97	1998 年 3 月
5318	林繼生	上窮碧落下黃泉——國文科出題方式面面觀（二）	13 卷 11 期	(155)	頁 102~108	1998 年 4 月
5319	林繼生	上窮碧落下黃泉——國文科出題方式面面觀（三）	13 卷 12 期	(156)	頁 87~92	1998 年 5 月
5320	林繼生	上窮碧落下黃泉——國文科出題方式面面觀（四）	14 卷 1 期	(157)	頁 92~97	1998 年 6 月
5321	林繼生	上窮碧落下黃泉——國文科出題方式面面觀（五）	14 卷 2 期	(158)	頁 94~99	1998 年 7 月
5322	楊鴻銘	甄試與聯考新詩解題的方法	14 卷 9 期	(165)	頁 99~106	1999 年 2 月
5323	蘇秀錦	多元智慧理論在國文科紙上試題的運用（上）	16 卷 2 期	(182)	頁 69~73	2000 年 7 月
5324	蘇秀錦	多元智慧理論在國文科紙上試題的運用（中）	16 卷 3 期	(183)	頁 77~83	2000 年 8 月
5325	蘇秀錦	多元智慧理論在國文科紙上試題的運用（下）	16 卷 4 期	(184)	頁 74~78	2000 年 9 月
5326	賴哲信	借推甄試題，畫教育願景——給大考中心等出題單位進一言	16 卷 11 期	(191)	頁 79~86	2001 年 4 月
5327	郭美美	從文字過渡到文學——對九十年度學力測驗國文試題之二三建言	16 卷 11 期	(191)	頁 92~94	2001 年 4 月
5328	林瑞景	教改路上用心走！——國三學生參加全國基本學力測驗的心聲	17 卷 1 期	(193)	頁 102~106	2001 年 6 月
5329	鄭圓鈴	基本學力測驗對國文教學與評量的影響	17 卷 3 期	(195)	頁 68~75	2001 年 8 月
5330	鄭圓鈴	國高中學力測驗的指標與範例（一）——能說出字詞的相關知識	17 卷 4 期	(196)	頁 61~66	2001 年 9 月
5331	鄭圓鈴	國高中學力測驗的指標與範例（二）——能說出句子的相關知識	17 卷 5 期	(197)	頁 78~83	2001 年 10 月
5332	鄭圓鈴	國高中學力測驗的指標與範例（三）	17 卷 6 期	(198)	頁 87~91	2001 年 11 月

――能說出段落的相關知識

5333	鄭圓鈴	國高中學力測驗的指標與範例（四） ――題組型閱讀理解能力（一）	17 卷 7 期	(199)	頁 70~76	2001 年 12 月
5334	鄭圓鈴	國高中學力測驗的指標與範例（五） ――題組型閱讀理解能力（二）	17 卷 8 期	(200)	頁 96~102	2002 年 1 月
5335	鄭圓鈴	國高中學力測驗的指標與範例（六） ――選擇型語文表達能力	17 卷 9 期	(201)	頁 99~105	2002 年 2 月
5336	陳智弘	語文能力提升之必要，加強閱讀之 必要――從九十四年國中基本學力 測驗談起	21 卷 3 期	(243)	頁 40~49	2005 年 8 月
5337	仇小屏	試談寫作測驗客觀性的提升與閱卷 工作的簡化	21 卷 8 期	(248)	頁 84~87	2006 年 1 月
5338	仇小屏	基測作文與「引導/限制」式寫作	22 卷 12 期	(264)	頁 4~7	2007 年 5 月
5339	謝奇懿	論國中基本學力測驗寫作測驗之 評分方式	22 卷 12 期	(264)	頁 20~27	2007 年 5 月
5340	謝奇懿	國中基本學力測驗寫作測驗評分 實例舉隅	23 卷 1 期	(265)	頁 57~66	2007 年 6 月
5341	李素真	失衡的學測	23 卷 12 期	(276)	頁 71~72	2008 年 5 月

9.6.2　試題分析

9.6.2.1　報考高中

5342	郭麗華	從命中率百分之九十八談起―― 高中聯招國文試題的省思	2 卷 3 期	(15)	頁 90~92	1986 年 8 月
5343	楊　棟	從省聯與北聯「綜合測驗題」看 出題趨勢	4 卷 2 期	(38)	頁 13~16	1988 年 7 月
5344	曾士良	「閱讀測驗」分析與預測	4 卷 2 期	(38)	頁 16~18	1988 年 7 月
5345	楊　格	本年高中北聯國文科試題析評	4 卷 3 期	(39)	頁 98~100	1988 年 8 月
5346	陳素美	本年高中省聯國文科試題析評	4 卷 3 期	(39)	頁 101~102	1988 年 8 月
5347	林繼生	避「重」就「輕」，換湯不換藥― ―今年北市高中聯考國文試題分析	5 卷 4 期	(52)	頁 57~58	1989 年 9 月
5348	林秀珠	七十八學年度臺灣省暨高雄市立 高中聯招國文科試題解析	5 卷 4 期	(52)	頁 59~61	1989 年 9 月
5349	林繼生	期望與失望之間―― 七十九年臺北區公立高中聯招國文 科試題分析	6 卷 4 期	(64)	頁 60~62	1990 年 9 月
5350	林繼生	瑕瑜互見，美中不足―― 八十年臺北區公立高中聯招國文科 試題分析	7 卷 4 期	(76)	頁 86~88	1991 年 9 月

5351	劉醇鑫	海峽兩岸高中聯考作文試題之探討	8 卷 7 期	(91)	頁 76~90	1992 年 12 月
5352	林繼生	大同小異，萬變不離其宗—— 八十一年台北區公立高中聯招國文 科試題分析	8 卷 8 期	(92)	頁 93~97	1993 年 1 月
5353	曾士良	高中聯考話國文	9 卷 1 期	(97)	頁 54~65	1993 年 6 月
5354	林繼生	蕭規曹隨，難易適中—— 台北區八十二年高中聯考國文科 試題分析	9 卷 4 期	(100)	頁 58~63	1993 年 9 月
5355	郭美美導航 歐陽宜璋撰述	好酷的〈一場及時雨〉—— 　八十三年高中聯招作文管窺	10 卷 3 期	(111)	頁 55~59	1994 年 8 月
5356	林繼生	意料之中與意料之外—— 台北區八十三年高中聯考國文科試 題分析	10 卷 3 期	(111)	頁 60~66	1994 年 8 月
5357	林繼生	守成與創新之間—— 八十四年台北區公立高中聯招國文 科試題分析	11 卷 4 期	(124)	頁 54~60	1995 年 9 月
5358	林繼生	美麗與爭議—— 台北區八十五學年度高中聯招國文 科試題分析	12 卷 5 期	(137)	頁 57~63	1996 年 10 月
5359	林繼生	規矩與繩墨之外—— 台北區公立高級中學八十六學年度 聯合招生國文科試題分析	13 卷 4 期	(148)	頁 104~109	1997 年 9 月
5360	林繼生	理想與現實之間—— 台北區公立高級中學八十七學年度 聯招國文試題分析	14 卷 4 期	(160)	頁 41~46	1998 年 9 月
5361	曾士良	今年台省高中聯招國文科試題分析	14 卷 4 期	(160)	頁 47~51	1998 年 9 月
5362	楊如雪	「追亡逐北」與「茹冰飲雪」—— 本年度大學、北區高中聯考國文科 二大語法題	15 卷 3 期	(171)	頁 27~31	1999 年 8 月
5363	林繼生	末代餘光—— 台北區公立高中八十八學年度聯招 國文科試題分析	15 卷 3 期	(171)	頁 40~44	1999 年 8 月
5364	林聆慈	傾聽大自然「不同」的聲音—— 談今年北區高中聯招作文兩種作法	15 卷 3 期	(171)	頁 45~48	1999 年 8 月
5365	林繼生	是開始也是結束—— 台北區公立高中八十九學年度聯招 國科試題分析，兼論基本學力測驗	16 卷 4 期	(184)	頁 60~64	2000 年 9 月
5366	莊秋媛	八十九學年度台北區公立高中聯招 　國文科試題解析	16 卷 4 期	(184)	頁 65~66	2000 年 9 月
5367	陳智弘	令人沉重的「心動」	16 卷 4 期	(184)	頁 67~70	2000 年 9 月
5368	韓佩錦	臨去秋波—— 試談台灣省八十九年高中聯招國文	16 卷 4 期	(184)	頁 71~73	2000 年 9 月

試題

5369	林繼生	新的開始，新的震撼——國中基本學力測驗第一次測驗國文科試題分析	16 卷 12 期 (192)	頁 97~103	2001 年 5 月
5370	王盈芬 陳嘉英	九十年度高中甄選語文測驗題分析	17 卷 3 期 (195)	頁 76~83	2001 年 8 月
5371	楊鴻銘	譯文修飾的方法——以大考中心測試題為例	17 卷 8 期 (200)	頁 81~82	2002 年 1 月
5372	陳光明	「美玉出藍田」與「藍田出美玉」的語法分析	17 卷 12 期 (204)	頁 69~70	2002 年 5 月
5373	侯亮宇	判斷句的解讀——以九十一年第一次國中國文科基本學力測驗為例	18 卷 5 期 (209)	頁 69~74	2002 年 10 月
5374	侯亮宇	從「格語法」的觀點解讀「擬人化詞彙」——以九十一年第一次基本學力測驗題為例	18 卷 8 期 (212)	頁 88~93	2003 年 1 月
5375	鄭圓鈴	九十二年第一次國中基測國文科試題分析	19 卷 4 期 (220)	頁 4~12	2003 年 9 月
5376	游適宏	從閱讀評量看九十二年國中基本學力測驗國文科試題	19 卷 4 期 (220)	頁 13~18	2003 年 9 月
5377	陳慧英	大醇小疵，拍案驚奇——淺談九十二年國文科指考選擇題	19 卷 4 期 (220)	頁 19~26	2003 年 9 月
5378	汪文祺 林淑雲	「猜」不完的故事——九十二學年度大學指定科目考試國文科寫作題答題現象分析	19 卷 4 期 (220)	頁 27~33	2003 年 9 月
5379	王昌煥	九十二學年度指定考科國文作文題解析	19 卷 4 期 (220)	頁 34~41	2003 年 9 月
5380	仇小屏	論九十三年國中基本學力測驗國文科試題——從辭章學知識與國語文能力之養成切入	20 卷 2 期 (230)	頁 86~90	2004 年 7 月
5381	鄭圓鈴	九十三年國中基本學力測驗國文科試題分析	20 卷 4 期 (232)	頁 78~86	2004 年 9 月
5382	仇小屏	從「能力」角度看九十三年第二次國中基本學力測驗	20 卷 5 期 (233)	頁 92~97	2004 年 10 月
5383	林繼生	輸家與贏家之間——九四年第一次國中基本學力測驗國文科試題分析	21 卷 2 期 (242)	頁 80~84	2005 年 7 月
5384	王昌煥	九十四年基測國文考題所浮現的兩個問題	21 卷 3 期 (243)	頁 30~39	2005 年 8 月
5385	劉雅薇	國中基測「新詩題型」解題探究——以九〇至九三學年度基測為例	21 卷 7 期 (247)	頁 88~96	2005 年 12 月

5386	蒲基維	談基測作文的補救教學——從96年國民中學第一次基測之寫作測驗談起	23 卷 2 期	(266)	頁 73~78	2007 年 7 月
5387	林怡佩	成不成？很重要！——從93～95 學年國中基測中談成語在基測中的重要性	23 卷 6 期	(270)	頁 61~66	2007 年 11 月
5388	遙　光 詹芷琳	考題變難？還是學生程度不足？——97 基測國文重新吹回復古風	24 卷 2 期	(278)	頁 90~95	2008 年 7 月

9.6.2.2　報考大學

5389	陳國鈞	最近十年大學聯考常識測驗——作者人物部分的總整理	1 卷 11 期	(11)	頁 54~58	1986 年 4 月
5390	宋　裕	七十五學年度大學聯考國文科試題解析	2 卷 3 期	(15)	頁 88~89	1986 年 8 月
5391	邱燮友	大學聯考試題問惑	3 卷 5 期	(29)	頁 17	1987 年 10 月
5392	葛芳譚	從今年大學聯考國文科命題談起	3 卷 5 期	(29)	頁 93~99	1987 年 10 月
5393	姚榮松	翻譯與文法	3 卷 8 期	(32)	頁 66~69	1988 年 1 月
5394	陳滿銘	今年大學聯考國文試題評析	4 卷 4 期	(40)	頁 20~22	1988 年 9 月
5395	姚榮松	倉皇雜湊——聯考翻譯的錯誤	4 卷 4 期	(40)	頁 22~25	1988 年 9 月
5396	林政華	淺俗與高明——由聯考作文命題到教學	4 卷 4 期	(40)	頁 26~28	1988 年 9 月
5397	林慶彰	什麼是「摘要」？	4 卷 4 期	(40)	頁 29	1988 年 9 月
5398	陳正家	淺談七十八年大學聯考國文科試題	5 卷 5 期	(53)	頁 64~69	1989 年 10 月
5399	王志成	四十年來大陸高考（大學聯考）作文試題鳥瞰	9 卷 1 期	(97)	頁 8~32	1993 年 6 月
5400	劉培翊	「行有餘力，則以學文」乎？——從大學聯考國文試題談起	9 卷 4 期	(100)	頁 53~57	1993 年 9 月
5401	王志成	考完聯考之後——大陸高考（大學聯考）作文檢討的省思	9 卷 4 期	(100)	頁 64~74	1993 年 9 月
5402	連文萍	回應與挑戰：大一新鮮人談兩岸大學聯考（高考）作文試題	9 卷 9 期	(105)	頁 98~103	1994 年 2 月
5403	陳慧英	近六年來日大國文試題評析	11 卷 6 期	(126)	頁 86~91	1995 年 11 月
5404	劉若緹	從「八十六年大學入學甄選考試國文科試題」——看國文教學的新方向	13 卷 1 期	(145)	頁 111~113	1997 年 6 月
5405	楊鴻銘	作文教室（廿一）：作文錯落的寫法——以八十六年北區夜大國文作文「分享」為例	13 卷 7 期	(151)	頁 112~114	1997 年 12 月
5406	楊鴻銘	作文教室（廿五）：短語引導作文的寫法——以今年大學甄試國文作	13 卷 11 期	(155)	頁 91~94	1998 年 4 月

文「追求流行，表現自我」為例

| 5407 | 楊鴻銘 | 作文教室（廿八）：閱讀引導作文的寫法——以今年大學甄試「八面玲瓏」為例 | 14 卷 2 期 | (158) | 頁 110~112 | 1998 年 7 月 |

| 5408 | 楊鴻銘 | 命題限意引導作文的寫法——以今年大學聯考國文作文「慚愧」為例 | 14 卷 3 期 | (159) | 頁 90~92 | 1998 年 8 月 |

| 5409 | 何永清 | 八十七年度大考國文科文法題解析 | 14 卷 3 期 | (159) | 頁 93~95 | 1998 年 8 月 |

| 5410 | 陳滿銘 | 今年大學聯招國文科試題分析 | 14 卷 4 期 | (160) | 頁 5~21 | 1998 年 9 月 |

| 5411 | 陳慧英 | 淺論今年度大學聯考國文科試題 | 14 卷 4 期 | (160) | 頁 22~28 | 1998 年 9 月 |

| 5412 | 陳惠齡 | 請端出一盤看得見「牛肉」的佳餚——談大學聯招國文科試題的淺俗化 | 14 卷 4 期 | (160) | 頁 29~34 | 1998 年 9 月 |

| 5413 | 林繼生 | 顛覆與傳統之間——八十七年大學聯考國文試題分析 | 14 卷 4 期 | (160) | 頁 35~40 | 1998 年 9 月 |

| 5414 | 陳慧英 | 八十七年度大學聯考作文題作法舉隅 | 14 卷 5 期 | (161) | 頁 86~89 | 1998 年 10 月 |

| 5415 | 楊鴻銘 | 明示段意引導作文的寫法——以今年大學聯考作文「等待」為例 | 14 卷 5 期 | (161) | 頁 90~92 | 1998 年 10 月 |

| 5416 | 林繼生 | 活潑與媚俗，傳統與古板之間——八十七學年度大學入學考試學科能力測驗國文科試題分析 | 15 卷 2 期 | (170) | 頁 96~99 | 1999 年 7 月 |

| 5417 | 陳滿銘 | 八十八年大學聯招國文科試題略析 | 15 卷 3 期 | (171) | 頁 9~21 | 1999 年 8 月 |

| 5418 | 林繼生 | 平實中見瑕疵——八十八學年度大學聯招國文科試題分析 | 15 卷 3 期 | (171) | 頁 22~26 | 1999 年 8 月 |

| 5419 | 楊如雪 | 「追亡逐北」與「茹冰飲雪」——本年度大學、北區高中聯考國文科二大語法題 | 15 卷 3 期 | (171) | 頁 27~31 | 1999 年 8 月 |

| 5420 | 楊鴻銘 | 聯想作文的寫法——以今年大學聯考作文「車站」為例 | 15 卷 3 期 | (171) | 頁 32~33 | 1999 年 8 月 |

| 5421 | 陳慧英 | 一大一小三選一——試說八十八年度大學聯考作文題 | 15 卷 3 期 | (171) | 頁 34~39 | 1999 年 8 月 |

| 5422 | 向 陽 | 期待具有創意的學習之旅——我看八十八學年度大學聯考國文科非選擇題試題 | 15 卷 5 期 | (173) | 頁 98~100 | 1999 年 10 月 |

| 5423 | 楊鴻銘 | 限選作文的寫法——以八十八年大學聯考作文題為例 | 15 卷 10 期 | (178) | 頁 108~110 | 2000 年 3 月 |

| 5424 | 陳滿銘 | 改革有成——談大考中心八十九學年度學科能力測驗國文科「非選擇題」的命題與閱卷 | 15 卷 11 期 | (179) | 頁 5~18 | 2000 年 4 月 |

5425	李清筠	高三生的語文鑑賞與表達能力——由「非選擇題」答案卷談起	15 卷 11 期 (179)	頁 19~24	2000 年 4 月
5426	林繼生	守成有餘——國文科試題分析	15 卷 11 期 (179)	頁 28~34	2000 年 4 月
5427	蘇秀錦	甄試中從不缺席的「重組題」解題妙招	15 卷 11 期 (179)	頁 35~41	2000 年 4 月
5428	楊鴻銘	文章賞析的方法——以今年學科能力測驗文章賞析題為例	15 卷 12 期 (180)	頁 90~92	2000 年 5 月
5429	蔡振豐	八十九年大學聯招國文科試題略論	16 卷 3 期 (183)	頁 5~10	2000 年 8 月
5430	林繼生	矯枉過正，大而瑣細——八十九年大學聯招國文科試題分析	16 卷 3 期 (183)	頁 11~18	2000 年 8 月
5431	楊鴻銘	短文的寫法——以今年大學聯考的作文題為例	16 卷 3 期 (183)	頁 19~20	2000 年 8 月
5432	陳慧英	「時間或金錢」的付出與擁有——八十九年大學聯考作文	16 卷 3 期 (183)	頁 21~26	2000 年 8 月
5433	林麗雲	欠乏缺時代意識與命題理念——八十九年大學聯考國文科試題評議	16 卷 8 期 (188)	頁 75~82	2001 年 1 月
5434	林繼生	語文表達能力測驗——大學入學考試的新神主牌？	16 卷 8 期 (188)	頁 83~90	2001 年 1 月
5435	黃士蔚	關於「語文表達能力測驗」座談	16 卷 8 期 (188)	頁 91~94	2001 年 1 月
5436	陳慧英	活潑有機趣，創意留斧痕——90 年推甄國文科試題評議	16 卷 11 期 (191)	頁 87~91	2001 年 4 月
5437	郭美美	從文字過渡到文學——對九十年度學力測驗國文試題之二三建言	16 卷 11 期 (191)	頁 92~94	2001 年 4 月
5438	林繼生	今夕的餘暉，明朝的曙光——從末代大學聯考國文試題談未來的學力測驗	17 卷 3 期 (195)	頁 84~88	2001 年 8 月
5439	蘇秀錦	從指定考科參考試卷看修辭題新趨勢	17 卷 8 期 (200)	頁 76~80	2002 年 1 月
5440	王昌煥	九十一年學科能力測驗語文表達能力解析——選擇型語文表達能力	17 卷 11 期 (203)	頁 79~86	2002 年 4 月
5441	范曉雯	有關新型作文	18 卷 1 期 (205)	頁 11~16	2002 年 6 月
5442	鄭圓鈴	國文指定考科試題分析	18 卷 4 期 (208)	頁 4~10	2002 年 9 月
5443	李清筠	斷裂性與模式化——非選擇題答案卷的現象觀察	18 卷 4 期 (208)	頁 11~16	2002 年 9 月
5444	王昌煥	91 年指定科目考試非選擇題解析	18 卷 4 期 (208)	頁 17~24	2002 年 9 月
5445	陳慧英	看似尋常最奇崛，成如容易卻艱辛——試論 91 年指考三道題組及其他	18 卷 4 期 (208)	頁 25~32	2002 年 9 月
5446	蒲基維	變調的閱讀計劃與走味的「悲」文——九十二年大學學測國文科非選	18 卷 10 期 (214)	頁 105~112	2003 年 3 月

擇題考生答題現象分析

5447	仇小屏	近十年大學升學考試新詩考題分析	18 卷 11 期 (215) 頁 89~98	2003 年 4 月
5448	王昌煥	92 年大考學測作文題解析與範例（上）	18 卷 11 期 (215) 頁 99~105	2003 年 4 月
5449	蕭嫻慈	薛寶釵〈臨江仙〉淺探	18 卷 12 期 (216) 頁 57~59	2003 年 5 月
5450	王昌煥	92 年大考學測作文題解析與範例(下)	18 卷 12 期 (216) 頁 101~105	2003 年 5 月
5451	許錟輝	九十二年大考中心指定科目國文作文中錯別字探析	19 卷 7 期 (223) 頁 4~18	2003 年 12 月
5452	鄭圓鈴	九十三年大學學科能力測驗國文考科試題分析	19 卷 11 期 (227) 頁 4~11	2004 年 4 月
5453	黃培青	人與蛙的聯想、失業者悲歌與鬍子變奏曲──九十三年大學學測作文現象分析	19 卷 11 期 (227) 頁 12~23	2004 年 4 月
5454	鄭圓鈴	九十三年大學指考國文科試題分析	20 卷 3 期 (231) 頁 4~15	2004 年 8 月
5455	仇小屏	論九十三年指定考科國文試題──從辭章學知識與國語文能力之養成切入	20 卷 3 期 (231) 頁 16~21	2004 年 8 月
5456	溫光華	「偶像」文化現形記──九十三年大學入學指定科目考試國文科非選擇題答題現象評析	20 卷 3 期 (231) 頁 22~28	2004 年 8 月
5457	林繼生	風雨中的考題──九十三年大學指定考試國文科試題分析	20 卷 3 期 (231) 頁 29~39	2004 年 8 月
5458	陳慧英	上錯舞台唱錯腔──漫談九十三年指考國文考科	20 卷 3 期 (231) 頁 40~47	2004 年 8 月
5459	潘麗珠	錯把「穴烏」當「穴鳥」，復將「失去」改另題──今年大考中心學測國文科非選擇題閱卷之我見	20 卷 10 期 (238) 頁 4~7	2005 年 3 月
5460	鄭圓鈴	九十四年學測國文科試題分析	20 卷 10 期 (238) 頁 8~18	2005 年 3 月
5461	仇小屏	論九十四年學科能力測驗國文科試題──從國語文能力切入	20 卷 10 期 (238) 頁 19~25	2005 年 3 月
5462	徐國能	淺探中學生寫作能力之提升──從九十四年大考學測國文非選擇題的一些問題談起	20 卷 10 期 (238) 頁 26~30	2005 年 3 月
5463	王昌煥	雷同？相同？──大考考題出問題了？（上）	20 卷 10 期 (238) 頁 71~77	2005 年 3 月
5464	王昌煥	雷同？相同？──大考考題出問題了？（下）	20 卷 11 期 (239) 頁 72~78	2005 年 4 月
5465	林繼生	題形不變，爭議迭起──九十四年大學學測國文試題分析	20 卷 11 期 (239) 頁 79~83	2005 年 4 月

5466	韓學宏	穴烏、穴鳥與寒鴉── 九十四學年度大學學力測驗國文科 非選擇題的疑義	21 卷 1 期	(241)	頁 81~84	2005 年 6 月
5467	鄭圓鈴	九十四年大學指考國文科試題分析	21 卷 3 期	(243)	頁 4~11	2005 年 8 月
5468	游適宏	從媒體對大學指考學測及國中基測 的報導談流行文化與國文測試	21 卷 3 期	(243)	頁 12~21	2005 年 8 月
5469	陳慧英	也是回家── 淺說九十四年大學指考國文科試題	21 卷 3 期	(243)	頁 22~29	2005 年 8 月
5470	仇小屏	歷屆升大學考試「新型作文」考題 之分析與檢討	21 卷 4 期	(244)	頁 70~74	2005 年 9 月
5471	蒲基維	九十五年大學學科能力測驗國文科 試題分析──以辭章學及語文能力 的理論為分析導向	21 卷 10 期	(250)	頁 60~66	2006 年 3 月
5472	簡蕙宜	談如何寫好學測作文:「雨季的故 事」──從「觀察力」、「聯想力」、 「立意取材」之寫作訓練切入	21 卷 10 期	(250)	頁 67~74	2006 年 3 月
5473	游適宏	仿舊而匠心── 試評 95 學年度指定科目考試國文 考科選擇題	22 卷 3 期	(255)	頁 4~11	2006 年 8 月
5474	黃貴寅	錯置的一年── 談九十五年指定考科選擇題	22 卷 3 期	(255)	頁 12~18	2006 年 8 月
5475	王昌煥	95 年大學指定科目考試非選擇題解析	22 卷 3 期	(255)	頁 19~28	2006 年 8 月
5476	游適宏	orz 後的 all are easy── 試評 96 學年度學科能力測驗國文 考科選擇題	22 卷 11 期	(263)	頁 4~14	2007 年 4 月
5477	王昌煥	96 年學測國文非選擇題解析── 兼看一位國中生試寫的大考作文	22 卷 11 期	(263)	頁 15~23	2007 年 4 月
5478	溫光華	凡走過必留下痕跡── 九十六年大學學測國文科非選擇題 寫作狀況評析	22 卷 11 期	(263)	頁 24~30	2007 年 4 月
5479	李清筠	中規中矩、平穩踏實── 96 年大學國文指考試題評析	23 卷 3 期	(267)	頁 4~7	2007 年 8 月
5480	游適宏	96 學年指定科目考試國文考科 選擇題評析	23 卷 3 期	(267)	頁 8~15	2007 年 8 月
5481	李金鴦	用心探索,萬象皆新── 96 年大學入學指定考試國文科 非選擇題題型寫作分析	23 卷 3 期	(267)	頁 16~26	2007 年 8 月
5482	蘇秀錦	技巧性解國文科大考試題── 以 96 學測、指考某一題型為例	23 卷 7 期	(271)	頁 66~70	2007 年 12 月
5483	游適宏	預見新課綱的考試趨向── 97 學年度學科能力測驗國文考科	23 卷 10 期	(274)	頁 4~15	2008 年 3 月

選擇題評析

5484	陳智弘	讀與寫的增強—— 從 97 年學測非選擇題想到	23 卷 10 期 (274) 頁 16~24	2008 年 3 月
5485	蘇秀錦	從解題角度試析大考選擇題的題幹 類型——以 96 指考、97 學測為例	23 卷 10 期 (274) 頁 25~33	2008 年 3 月
5486	游適宏	從指定科目考試的性質觀察 97 學年 指考國文選擇題	24 卷 3 期 (279) 頁 82~89	2008 年 8 月
5487	游適宏	98 學年指定科目考試國文考科試題 略評	25 卷 3 期 (291) 頁 62~68	2009 年 8 月
5488	游適宏	課文趨多,「解」「析」並重—— 99 學年學科能力測驗國文考科試題 簡評	25 卷 10 期 (298) 頁 74~81	2010 年 3 月

9.6.2.3 報考技職專科

5489	高　儒	閱「頑皮」卷	1 卷 5 期 (5) 頁 36~39	1985 年 10 月
5490	吳順令	今年北區五專作文題目析評	3 卷 6 期 (30) 頁 96~98	1987 年 11 月
5491	柯萬成	今年二技聯招作文閱卷有感	15 卷 3 期 (171) 頁 49~51	1999 年 8 月
5492	游適宏	九十一年四技二專統一入學測驗 國文科試題評析	18 卷 6 期 (210) 頁 69~73	2002 年 11 月
5493	鄭圓鈴	二技統一入學測驗國文科試題分析	19 卷 1 期 (217) 頁 4~11	2003 年 6 月
5494	游適宏	技專統測語文表達能力測驗淺析	19 卷 1 期 (217) 頁 12~17	2003 年 6 月
5495	李新霖	92 年四技二專統測國文科試題特色 說明	19 卷 1 期 (217) 頁 18~23	2003 年 6 月
5496	陳美蘭	從二技入學測驗國文考科的試題 變革談專科國文教學的調整	19 卷 1 期 (217) 頁 24~29	2003 年 6 月
5497	張素靜	92 學年度四技二專統一入學測驗 國文科試題評析	19 卷 1 期 (217) 頁 30~32	2003 年 6 月
5498	鄭圓鈴	九十三年二技統一入學測驗試題 分析	20 卷 2 期 (230) 頁 76~85	2004 年 7 月
5499	游適宏	九十三年四技二專統一入學測驗 國文科試題評析	20 卷 3 期 (231) 頁 95~101	2004 年 8 月
5500	鄭圓鈴	九十四學年度二技統測試題分析	21 卷 1 期 (241) 頁 69~75	2005 年 6 月

9.6.2.4 其他

5501	何淑貞	語詞多重選擇的方法	1 卷 9 期 (9) 頁 11	1986 年 2 月
5502	陳嘉英	教師甄選的武林秘笈	19 卷 1 期 (217) 頁 85~91	2003 年 6 月
5503	范曉雯	怪與不怪無所謂—— 台北區高中下學期第三次國文模擬 考作文題的淺見	19 卷 7 期 (223) 頁 87~92	2003 年 12 月

| 5504 | 仇小屏 | 從「國語文能力」角度看國語文能力測驗——以「九十四年度高級中等以下學校及幼稚園教師資格檢定考試」為考察對象 | 21 卷 1 期 | (241) | 頁 76~80 | 2005 年 6 月 |
| 5505 | 夏 鄉 | 紙上座談會——教師甄試經驗談（田家瑄 許家瑞 李宜樺 楊子霈 陳明緻 呂佳蓉 何宜欣 江心蓮 劉芙蓉 林燕媚等） | 21 卷 4 期 | (244) | 頁 4~42 | 2005 年 9 月 |

9.6.3　考試準備

5506	梁桂珍	與考生談如何念好國文——舊學新知鎔一爐，讀書提筆興趣高	1 卷 1 期	(1)	頁 44~45	1985 年 6 月
5507		「考試前夕談國中生如何讀好國文」座談會	1 卷 2 期	(2)	頁 16~20	1985 年 7 月
5508	宋 裕	大學聯考國文科命題趨勢與應考對策（一）——成語測驗的準備方向	1 卷 8 期	(8)	頁 76~78	1986 年 1 月
5509	宋 裕	大學聯考國文科命題趨勢與應考對策（二）——常識測驗的準備方向	1 卷 9 期	(9)	頁 71~75	1986 年 2 月
5510	楊鴻銘	高中聯考國文科命題趨勢與應考對策（一）	1 卷 9 期	(9)	頁 76~77	1986 年 2 月
5511	宋 裕	大學聯考國文科命題趨勢與應考對策（三）——文意測驗得準備方向	1 卷 10 期	(10)	頁 78~81	1986 年 3 月
5512	楊鴻銘	高中聯考前四個月的精讀法	1 卷 10 期	(10)	頁 82~83	1986 年 3 月
5513	魏靖峰	一字不漏背注釋	1 卷 10 期	(10)	頁 83	1986 年 3 月
5514	陳益源	研究所考前三十分——命題型式與應考對策	1 卷 11 期	(11)	頁 48~50	1986 年 4 月
5515	江煜坤	面對聯考，從容應戰——談國文科的準備策略	1 卷 11 期	(11)	頁 51~53	1986 年 4 月
5516	蕭 蕭	如何以卅天道貫四書	2 卷 1 期	(13)	頁 102~105	1986 年 6 月
5517	楊鴻銘	如何準備國文科聯考	2 卷 7 期	(19)	頁 7~8	1986 年 12 月
5518	吳正吉	高中聯考作文衝刺	2 卷 12 期	(24)	頁 94~97	1987 年 5 月
5519	文 燈	高中聯考作文的全壘打	3 卷 1 期	(25)	頁 94~97	1987 年 6 月
5520	楊 棟	從省聯與北聯「綜合測驗題」看出題趨勢	4 卷 2 期	(38)	頁 13~16	1988 年 7 月
5521	曾士良	「閱讀測驗」分析與預測	4 卷 2 期	(38)	頁 16~18	1988 年 7 月
5522	丹 巖	作文得高分的要訣	4 卷 2 期	(38)	頁 22~24	1988 年 7 月
5523	王新華	作文如何拿高分	4 卷 2 期	(38)	頁 24~26	1988 年 7 月
5524	林寶芬	從趵突泉到一線天——談作文中想像力的迸射	4 卷 2 期	(38)	頁 27~29	1988 年 7 月

5525	呂榮華	「頭」「頭」是道	4 卷 2 期	(38)	頁 29~30	1988 年 7 月
5526	鄭柳燕	平時、平實的作文教學	4 卷 2 期	(38)	頁 30~31	1988 年 7 月
5527	江寶釵	漫談少年習作	4 卷 2 期	(38)	頁 31~33	1988 年 7 月
5528	厲 揭	「翻譯題」的答題技巧	4 卷 2 期	(38)	頁 33~36	1988 年 7 月
5529	陳滿銘	怎樣寫好命題作文——向大學聯招考生叮嚀幾句話	4 卷 2 期	(38)	頁 39~41	1988 年 7 月
5530	蔡宗陽	擊出作文的全壘打——如何準備大學聯考的作文	7 卷 10 期	(82)	頁 95~98	1992 年 3 月
5531	梁桂珍	飛越大學聯考作文的險關	9 卷 1 期	(97)	頁 40~44	1993 年 6 月
5532	林繼生	千磨萬擊還堅勁，任爾東西南北風——談北聯國文應考之道	9 卷 1 期	(97)	頁 46~53	1993 年 6 月
5533	李素珍	最後的叮嚀——作文如何得高分	10 卷 2 期	(110)	頁 80~86	1994 年 7 月
5534	趙公正	八十四年台北市高中第一次聯合模擬考作文「窗」之剖析	11 卷 2 期	(122)	頁 90~95	1995 年 7 月
5535	歐陽宜璋	用「掌聲」搭一座「橋」——輻射式聯考作文過招	11 卷 2 期	(122)	頁 100~101	1995 年 7 月
5536	謝蓮芬	聯考作文的「首與尾」	16 卷 1 期	(181)	頁 104~111	2000 年 6 月
5537	陳嘉英 陳智弘	學測指考作文應試秘笈（上）	22 卷 12 期	(264)	頁 108~112	2007 年 5 月
5538	陳嘉英 陳智弘	學測指考作文應試秘笈（下）	23 卷 1 期	(265)	頁 106~112	2007 年 6 月

9.7 華語教學

5539	吳 薇	對國內華語教學的反省與建議	1 卷 1 期	(1)	頁 17	1985 年 6 月
5540	胡天蘭	國文，在海外	1 卷 8 期	(8)	頁 22~23	1986 年 1 月
5541	金榮華	越南華僑華文教育之現況及瞻望	10 卷 2 期	(110)	頁 70~79	1994 年 7 月
5542	陳 玄	教老外讀「四聲成語」	10 卷 6 期	(114)	頁 68~69	1994 年 11 月
5543	侯亮宇	從「格語法」的觀點解讀「擬人化詞彙」——以九十一年第一次基本學力測驗題為例	18 卷 8 期	(212)	頁 88~93	2003 年 1 月
5544	亓婷婷	當前「華文熱」的觀察與省思	21 卷 5 期	(245)	頁 73~83	2005 年 10 月
5545	孫劍秋	從事華語文教師的新契機	24 卷 7 期	(283)	頁 30~31	2008 年 12 月
5546	黃芬絹	美、加、馬、韓、泰五國詩詞教學及吟唱教學實錄	25 卷 7 期	(295)	頁 16~27	2009 年 12 月
5547	鄭頤壽	動態語法觀	25 卷 10 期	(298)	頁 4~17	2010 年 3 月

10 文學類

10.1 通論

10.1.1 文學史

5548	呂正惠	怎樣選擇中國文學史？	1 卷 3 期	(3)	頁 9	1985 年 8 月
5549	呂正惠	他改寫了文學史—— 白話文學史六十年後	1 卷 12 期	(12)	頁 28~31	1986 年 5 月
5550	高寶琳	中國的第一本文學史	2 卷 1 期	(13)	頁 69	1986 年 6 月
5551	鄭靖時	金代文學說略（上）	3 卷 7 期	(31)	頁 80~82	1987 年 12 月
5552	鄭靖時	金代文學說略（下）	3 卷 8 期	(32)	頁 52~55	1988 年 1 月
5553	黃文吉	文學史的歷史—— 談《中國文學史書目提要》	4 卷 6 期	(42)	頁 92~94	1988 年 11 月
5554	方 介	道統與文統	6 卷 4 期	(64)	頁 83~84	1990 年 9 月
5555	葉洪生	為大陸史學界「盲俠」看病開方（上）	7 卷 2 期	(74)	頁 74~78	1991 年 7 月
5556	葉洪生	為大陸史學界「盲俠」看病開方（下） ——論羅立群《中國武俠小說史》 之得失	7 卷 3 期	(75)	頁 76~77	1991 年 8 月
5557	張 健	隔海的文學觀察—— 評介古遠清《台灣當代文學理論批 評史》	15 卷 1 期	(169)	頁 83~84	1999 年 6 月
5558	楊宗翰	典範生成？—— 關於台灣文學史「再現賴和」之檢討	16 卷 2 期	(182)	頁 37~43	2000 年 7 月
5559	楊宗翰	猶待兩岸倡「雙黃」—— 文學史家黃人與黃得時	17 卷 9 期	(201)	頁 67~70	2002 年 2 月
5560	莊蕙綺	晚明文人的悲歌	24 卷 9 期	(285)	頁 54~59	2009 年 2 月
5561	邱筱君	中國古代婦女的心靈歷程—— 介紹《歷代婦女著作考》（增訂本）	24 卷 12 期	(288)	頁 94~97	2009 年 5 月
5562	林彥廷	研究北朝儒學的兩本新作—— 《北朝文化特質與文學進程》與 《北朝儒學及其歷史作用》	24 卷 12 期	(288)	頁 98~101	2009 年 5 月
5563	何海燕	高潔猶慕，嫌見獨醒—— 北宋文人與屈原論略	25 卷 1 期	(289)	頁 39~43	2009 年 6 月

10.1.2 臺灣文學

5564	謝佩芬記錄	臺灣文學批評思潮的遞變—— 張漢良與廖咸浩對談	4 卷 4 期	(40)	頁 34~41	1988 年 9 月
5565	林紫慧記錄	八〇年代臺灣小說的發展—— 蔡源煌與張大春對談	4 卷 5 期	(41)	頁 33~39	1988 年 10 月

5566	彭瑞金	打下第一鋤，撒下第一粒種籽——賴和與臺灣新文學	7 卷 5 期	(77)	頁 12~16	1991 年 10 月
5567	呂興昌	文章千古事，得失寸心知——評王昶雄〈奔流〉的校訂本	7 卷 5 期	(77)	頁 17~22	1991 年 10 月
5568	施 淑	在前哨——讀楊守愚的小說	7 卷 5 期	(77)	頁 23~28	1991 年 10 月
5569	莊淑芝	宿命的女性——論龍瑛宗的〈一個女人的記錄〉和〈不知道的幸福〉	7 卷 5 期	(77)	頁 29~34	1991 年 10 月
5570	許素蘭	「幻影之人」翁鬧及其小說	7 卷 5 期	(77)	頁 35~39	1991 年 10 月
5571	張恆豪	追風及其小說〈她要往何處去〉	7 卷 5 期	(77)	頁 40~44	1991 年 10 月
5572	陳萬益	張文環的小說藝術	7 卷 5 期	(77)	頁 45~47	1991 年 10 月
5573	葉瓊霞	走充滿荊棘的苦難之道——讀王詩琅的小說	7 卷 5 期	(77)	頁 48~51	1991 年 10 月
5574	黃英哲	許壽裳與戰後初期臺灣的魯迅文學介紹	7 卷 5 期	(77)	頁 74~78	1991 年 10 月
5575	秦賢次 林瑞明	《勿忘臺灣落花夢》的相關疑惑	7 卷 8 期	(80)	頁 7~8	1992 年 1 月
5576	焦 桐	現代文學（七）：意識型態拼圖——兩報副刊在鄉土文學論戰中的權力操作	13 卷 7 期	(151)	頁 48~58	1997 年 12 月
5577	張 健	隔海的文學觀察——評介古遠清《台灣當代文學理論批評史》	15 卷 1 期	(169)	頁 83~84	1999 年 6 月
5578	莫 渝	鐵窗的吶喊	15 卷 1 期	(169)	頁 93~97	1999 年 6 月
5579	許俊雅	生動的尖山農家耕作圖——賞讀鍾理和的〈做田〉	15 卷 4 期	(172)	頁 95~98	1999 年 9 月
5580	陳益源	為你說民俗（十八）：台灣歲時唸謠〈正月正〉——兼介康原《台灣農村一百年》	15 卷 5 期	(173)	頁 30~32	1999 年 10 月
5581	譚達先	務實、新穎、深刻、獨到——讀陳益源著《台灣民間文學採錄》	15 卷 7 期	(175)	頁 47~53	1999 年 12 月
5582	張子樟	懷舊與關懷——簡介「台灣兒童文學一百」中的少年小說	15 卷 8 期	(176)	頁 103~104	2000 年 1 月
5583	陳昭瑛	吳濁流《亞細亞的孤兒》中的儒學思想	15 卷 12 期	(180)	頁 68~73	2000 年 5 月
5584	楊宗翰	典範生成？——關於台灣文學史「再現賴和」之檢討	16 卷 2 期	(182)	頁 37~43	2000 年 7 月
5585	鍾肇政	臺灣文學的坎坷歲月——從葉石濤的榮耀說起	16 卷 5 期	(185)	頁 5~9	2000 年 10 月

5586	葉石濤	戰前的台灣小說	16 卷 5 期	(185)	頁 10~15	2000 年 10 月
5587	羊子喬	戰前的台灣新詩	16 卷 5 期	(185)	頁 16~25	2000 年 10 月
5588	李 喬	戰後台灣小說的文化批評	16 卷 5 期	(185)	頁 26~33	2000 年 10 月
5589	游適宏	十八世紀的台灣風土百科——王必昌的〈台灣賦〉	16 卷 5 期	(185)	頁 34~38	2000 年 10 月
5590	呂新昌	《台灣文藝》與台灣文學	16 卷 5 期	(185)	頁 39~44	2000 年 10 月
5591	錢鴻鈞	戰後台灣文學的小窗——從鍾肇政書簡看兩大「台叢」	16 卷 5 期	(185)	頁 45~53	2000 年 10 月
5592	施懿琳	台南府城古典文學概述（上）	16 卷 7 期	(187)	頁 56~60	2000 年 12 月
5593	彭瑞金	戰後的台灣小說	16 卷 7 期	(187)	頁 61~67	2000 年 12 月
5594	施懿琳	台南府城古典文學概述（下）	16 卷 8 期	(188)	頁 57~61	2001 年 1 月
5595	廖振富	台灣中部地區的古典詩人及其作品（上）	16 卷 8 期	(188)	頁 62~67	2001 年 1 月
5596	廖振富	台灣中部地區的古典詩人及其作品（下）	16 卷 9 期	(189)	頁 56~60	2001 年 2 月
5597	黃美娥	北台灣傳統文學發展概述——清代至日治時代（上）	16 卷 9 期	(189)	頁 61~68	2001 年 2 月
5598	黃美娥	北台灣傳統文學發展概述——清代至日治時代（下）	16 卷 10 期	(190)	頁 59~66	2001 年 3 月
5599	江寶釵	雲嘉地區的民間文學管見	16 卷 10 期	(190)	頁 67~71	2001 年 3 月
5600	林聆慈	寬厚的心‧樸實的筆——鍾理和作品的內容	16 卷 11 期	(191)	頁 28~33	2001 年 4 月
5601	趙公正	解讀鍾理和〈做田〉	16 卷 11 期	(191)	頁 34~40	2001 年 4 月
5602	黃憲作	花蓮地區的傳統文學（上）	16 卷 12 期	(192)	頁 77~81	2001 年 5 月
5603	黃憲作	花蓮地區的傳統文學（下）	17 卷 1 期	(193)	頁 86~89	2001 年 6 月
5604	羅肇錦	台灣文學、客家文學與客家民間文學	17 卷 2 期	(194)	頁 4~9	2001 年 7 月
5605	黃恆秋	何謂客家文學	17 卷 2 期	(194)	頁 10~13	2001 年 7 月
5606	彭維杰	台灣客家歌謠的文化面向探討——以《苗栗縣客語歌謠集》為例	17 卷 2 期	(194)	頁 14~22	2001 年 7 月
5607	陳秀琪	客語民間故事的跨國性	17 卷 2 期	(194)	頁 23~29	2001 年 7 月
5608	林文寶	我們的台灣文學——《台灣文學》序	17 卷 2 期	(194)	頁 69~73	2001 年 7 月
5609	陳正平	台灣歌謠聯想曲——從「菅芒花」到「蒹葭」	17 卷 2 期	(194)	頁 74~76	2001 年 7 月
5610	曾子良	基隆俚諺之蒐集及其內容（上）——自然俚諺介紹	17 卷 3 期	(195)	頁 19~25	2001 年 8 月
5611	溫秀雯	李文祐與邱罔舍	17 卷 3 期	(195)	頁 26~32	2001 年 8 月

5612	陳益源	為你說民俗（二七）：《雲林縣民間文學集》的內容與運用	17 卷 4 期	(196)	頁 34~37	2001 年 9 月
5613	曾子良	基隆俚諺之蒐集及其內容（中）——人文俚諺介紹	17 卷 4 期	(196)	頁 78~83	2001 年 9 月
5614	曾子良	基隆俚諺之蒐集及其內容（下）——基隆俚諺與其他地區俚諺之關係	17 卷 5 期	(197)	頁 58~63	2001 年 10 月
5615	游勝冠	我不幸為俘囚，豈關種族他人優——由歷史的差異觀點看賴和不同於魯迅的啟蒙立場	17 卷 10 期	(202)	頁 4~8	2002 年 3 月
5616	陳建忠	反殖民文學的文學形式——論賴和小說中的對話性敘事	17 卷 10 期	(202)	頁 9~16	2002 年 3 月
5617	施家雯	〈惹事〉與〈浪漫外紀〉的流氓形象	17 卷 10 期	(202)	頁 17~22	2002 年 3 月
5618	陳淑娟	頭顱換得自由身，始是人間一個人——賴和漢詩中的人本思想	17 卷 10 期	(202)	頁 23~29	2002 年 3 月
5619	戴景尼	黃春明小說中鄉土人物的世界	17 卷 10 期	(202)	頁 70~76	2002 年 3 月
5620	戴景尼	黃春明小說中的台灣俚語	18 卷 3 期	(207)	頁 67~73	2002 年 8 月
5621	羅夏美	擎起黑暗的閘門——論陳映真的三篇小說新作	18 卷 4 期	(208)	頁 60~66	2002 年 9 月
5622	柯榮三	兩張「台灣文學史年表」中的小問題——關於吳漫沙《莎秧的鐘》，兼談其戰後遭到查禁	18 卷 4 期	(208)	頁 71~76	2002 年 9 月
5623	歐宗智	絕望的愛戀及其象徵意義——以吳濁流、鍾肇政、東方白日據時代背景小說為例	18 卷 5 期	(209)	頁 53~62	2002 年 10 月
5624	李若鶯	賴和相思古今情	18 卷 6 期	(210)	頁 104~108	2002 年 11 月
5625	戶田一康	不可名狀的悲哀——從日本人的眼裡看賴和	18 卷 7 期	(211)	頁 67~70	2002 年 12 月
5626	高麗敏	「鄉土教育」美哉！桃仔園——從桃園縣傳說故事看其歷史文化與思想特色	18 卷 8 期	(212)	頁 73~80	2003 年 1 月
5627	施佳瑩	戰後台灣文學史的建構與女作家小說（上）	19 卷 2 期	(218)	頁 70~74	2003 年 7 月
5628	施佳瑩	戰後台灣文學史的建構與女作家小說（下）	19 卷 3 期	(219)	頁 64~69	2003 年 8 月
5629	歐宗智	再現逝去的時代及地域風情——論東方白《浪淘沙》小說環境的掌握與表現	19 卷 4 期	(220)	頁 80~85	2003 年 9 月
5630	石木南	有人在嗎？——析論台灣現代詩裡「都市人」的存在形象	19 卷 5 期	(221)	頁 68~74	2003 年 10 月

5631	蕭水順	台灣文學的共構關係與交疊現象	20 卷 1 期	(229)	頁 106~109	2004 年 6 月
5632	丁鳳珍	在卑屈的生存中遇見生命的感動 ——論洪醒夫小說中「田庄讀冊人的形象」	20 卷 5 期	(233)	頁 24~33	2004 年 10 月
5633	陳姿妃	論賴和〈一桿「稱仔」〉之反殖民主義觀	20 卷 5 期	(233)	頁 34~39	2004 年 10 月
5634	方美芬	文化地理學思考下的閩奧地區——台灣文學研究特性分析	20 卷 6 期	(234)	頁 105~112	2004 年 11 月
5635	陳正平	台灣歌謠聯想曲—— 從〈西北雨〉到〈關雎〉	20 卷 10 期	(238)	頁 110~112	2005 年 3 月
5636	歐宗智	台灣文學的發聲原音帶—— 鍾肇政相關書簡對於建構台灣文學之意義	20 卷 12 期	(240)	頁 101~103	2005 年 5 月
5637	曾文樹	日治末期張文環小說中的環境建構	21 卷 2 期	(242)	頁 90~96	2005 年 7 月
5638	歐宗智	嘉義琳琅山閣主人張李德和詞作探珠	21 卷 7 期	(247)	頁 107~111	2005 年 12 月
5639	余育婷	從鄭用錫、陳維英、施瓊芳看清代道咸時期臺灣詩人的傳承與發展	21 卷 10 期	(250)	頁 87~91	2006 年 3 月
5640	吳品誼	上帝遺棄的英雄—— 論王文興《十五篇小說》的命運觀	22 卷 5 期	(257)	頁 61~66	2006 年 10 月
5641	莊有志	找尋硝煙散盡後的歸途—— 淺談鍾理和〈第四日〉	22 卷 5 期	(257)	頁 67~71	2006 年 10 月
5642	陳美雪	台灣文學研究的里程碑—— 《日治時期台灣文藝評論集》評介	22 卷 10 期	(262)	頁 95~98	2007 年 3 月
5643	李東霖	從〈古橘岡詩序〉看早期臺灣文學與中國文學的關係	23 卷 3 期	(267)	頁 63~67	2007 年 8 月
5644	羅詩雲	「小我」與「大我」—— 初探臺灣古典女詩人石中英詩作中的自我形象	23 卷 4 期	(268)	頁 71~76	2007 年 9 月
5645	陳水福	臺灣古典散文的總彙—— 《全臺文》簡介	23 卷 9 期	(273)	頁 105~108	2008 年 2 月
5646	陳水福	臺灣漢文小說的寶庫—— 《日治時期臺灣小說彙編》簡介	24 卷 2 期	(278)	頁 104~107	2008 年 7 月
5647	羅詩雲	獻身日本・采風臺灣—— 論西川滿小說的書寫構圖	24 卷 3 期	(279)	頁 90~94	2008 年 8 月
5648	陳亦伶	臺灣文學創作成果的總帳簿—— 《2007 臺灣作家作品目錄》評介	25 卷 2 期	(290)	頁 96~99	2009 年 7 月
5649	林慧君	日據時期在台日人小說中灣生的認同歷程	25 卷 3 期	(291)	頁 56~61	2009 年 8 月
5650	林靜慧	從《台灣文學年鑑》（1996～2006）的結構編排方式論其得失	25 卷 4 期	(292)	頁 72~83	2009 年 9 月

10.1.3 女性文學

5651	康來新	誰之過？〈女兒篇〉	3 卷 1 期	(25)	頁 68~73	1987 年 6 月
5652	高寶琳	現代與反現代—— 幾篇早期女作家的小說	3 卷 2 期	(26)	頁 53~56	1987 年 7 月
5653	水　晶	快樂的墮落—— 羅敷與沈瓊枝所透露的「女性」訊息	5 卷 8 期	(56)	頁 86~91	1990 年 1 月
5654	林積萍	女性主義帶來的詮釋新向度—— 以葉兆言的《綠色陷阱》為演練實例	10 卷 1 期	(109)	頁 4~13	1994 年 6 月
5655	魏光霞	試觀男性文化典律下昭君形象的扭曲	10 卷 1 期	(109)	頁 14~26	1994 年 6 月
5656	曾恆源	從女性立場看王安憶《三戀》中的女性	10 卷 1 期	(109)	頁 27~35	1994 年 6 月
5657	吳淑慧	《救風塵》的衝突結構—— 巧計與自覺	10 卷 1 期	(109)	頁 36~47	1994 年 6 月
5658	林春美	東南亞華文文學（四）：女生境地 ——論九十年代潘雨桐小說的 「女」「性」	13 卷 7 期	(151)	頁 74~79	1997 年 12 月
5659	巫小黎	女性欲望與男性權威的建構—— 張賀平戀愛小說的敘事模式及其 文化闡釋	15 卷 8 期	(176)	頁 64~69	2000 年 1 月
5660	王　健	黃金枷鎖桎梏的兩條女性生命—— 曹七巧與蟬阿姨形象評析	15 卷 9 期	(177)	頁 53~57	2000 年 2 月
5661	陳碧月	張潔〈祖母綠〉的女性意識	15 卷 12 期	(180)	頁 74~76	2000 年 5 月
5662	趙爾宛	綺霞麗天 輝映半壁—— 「海外華文女作家協會」及創作論述	16 卷 2 期	(182)	頁 44~50	2000 年 7 月
5663	陳惠齡	鑄一座女性苦難紀念碑—— 老舍《駱駝祥子》中的虎妞、小福子	17 卷 7 期	(199)	頁 59~63	2001 年 12 月
5664	陳碧月	淺談兩岸的女性愛情小說	17 卷 11 期	(203)	頁 64~66	2002 年 4 月
5665	廖冰凌	悲壯審美與內在人格的整合—— 試論蘇雪林前期作品中的男性角色 （上）	18 卷 8 期	(212)	頁 64~69	2003 年 1 月
5666	廖冰凌	悲壯審美與內在人格的整合—— 試論蘇雪林前期作品中的男性角色 （下）	18 卷 9 期	(213)	頁 79~84	2003 年 2 月
5667	鄒依琳	簡媜《女兒紅》中的女性形象剖析	18 卷 10 期	(214)	頁 38~46	2003 年 3 月
5668	施佳瑩	戰後台灣文學史的建構與女作家 小說（上）	19 卷 2 期	(218)	頁 70~74	2003 年 7 月
5669	施佳瑩	戰後台灣文學史的建構與女作家 小說（下）	19 卷 3 期	(219)	頁 64~69	2003 年 8 月

5670	羅中琦	凌叔華小說中的群芳圖── 新舊交替中的女性世界	19 卷 4 期	(220)	頁 73~79	2003 年 9 月
5671	荀　潔	女性「一間自己的屋子」── 從社會性別角度看中國目前的女性 網站	19 卷 8 期	(224)	頁 108~112	2004 年 1 月
5672	張詩宜	戰後初期女性創作中婚戀自主的呈 現──以林海音、潘人木、徐鍾珮 為例	20 卷 4 期	(232)	頁 91~98	2004 年 9 月
5673	王金城	馮青詩論── 女性與人生的現代訴求	20 卷 12 期	(240)	頁 86~89	2005 年 5 月
5674	莊仁傑	對蘇童〈妻妾成群〉的評析	20 卷 12 期	(240)	頁 95~100	2005 年 5 月
5675	歐宗智	嘉義琳琅山閣主人張李德和詞作探珠	21 卷 7 期	(247)	頁 107~111	2005 年 12 月
5676	林月惠	女性自主權的展現── 試論〈杜十娘怒沉百寶箱〉和 〈賣油郎獨占花魁〉妓院愛情悲喜 劇比較	21 卷 12 期	(252)	頁 45~49	2006 年 5 月
5677	余韻柔	蝨子爬滿了華美的袍── 張愛玲電影劇本《太太萬歲》中的 陳思珍形象析評	22 卷 9 期	(261)	頁 46~51	2007 年 2 月
5678	陳宜伶	王禎和筆下原住民女性角色的呈現 ──以〈夏日〉為例	22 卷 9 期	(261)	頁 60~65	2007 年 2 月
5679	梁敏兒	從《小紅帽》與《老虎外婆》看 女性成長的故事	22 卷 11 期	(263)	頁 52~58	2007 年 4 月
5680	羅詩雲	「小我」與「大我」── 初探臺灣古典女詩人石中英詩作中 的自我形象	23 卷 4 期	(268)	頁 71~76	2007 年 9 月
5681	葉依儂	封建婚姻的斑駁痕跡── 析論琦君〈橘子紅了〉中之婦女處境	23 卷 11 期	(275)	頁 70~74	2008 年 4 月
5682	陳碧月	大陸當代女性小說的關懷意識	23 卷 12 期	(276)	頁 56~61	2008 年 5 月
5683	陳秀香	自身可養自身來── 試論陳端生《再生緣》中的女性意識	25 卷 9 期	(297)	頁 48~53	2010 年 2 月
5684	陳盈宏	鍾文音母女書寫之研究── 以《女島紀行》為例	25 卷 9 期	(297)	頁 59~63	2010 年 2 月
5685	蔡霈瑀	當 XX 遇上 XY── 探析《圍城》中四個女人的愛情與 婚姻	25 卷 9 期	(297)	頁 64~71	2010 年 2 月
5686	陳碧月	職業身份：當代大陸女作家筆下的 男性形象	25 卷 10 期	(298)	頁 56~60	2010 年 3 月
5687	陳碧月	當代大陸女性小說中的男性性格書寫	25 卷 12 期	(300)	頁 62~66	2010 年 5 月

10.1.4　民間文學

5688	龔鵬程	孟姜女研究	1 卷 2 期	(2)	頁 64~65	1985 年 7 月
5689	周純一	王小玉說的到底是什麼書？	1 卷 4 期	(4)	頁 79~81	1985 年 9 月
5690	蔡孟珍	詩詞吟唱的新趨向——從蘇州彈詞「木蘭辭」談起	1 卷 5 期	(5)	頁 60~62	1985 年 10 月
5691	蔡孟珍	「木蘭辭」的曲譜	1 卷 6 期	(6)	頁 9	1985 年 11 月
5692	鄭志明	醒世文要點醒什麼？	1 卷 9 期	(9)	頁 30~31	1986 年 2 月
5693	張啟超	變文：目連救母變文／降魔變文／伍子胥變文／孟姜女變文／王昭君變文	2 卷 3 期	(15)	頁 64~65	1986 年 8 月
5694	陳益源	從前，有一隻兔子……	2 卷 9 期	(21)	頁 19~23	1987 年 2 月
5695	陳益源記錄	「民間文學」座談會	3 卷 5 期	(29)	頁 22~28	1987 年 10 月
5696	黃志民	讓她回歸中國文學的大家庭吧！	3 卷 5 期	(29)	頁 29~30	1987 年 10 月
5697	鄭阿財	唐代民間故事	3 卷 5 期	(29)	頁 31~35	1987 年 10 月
5698	王國良 朱鳳玉輯	中國民間文學書目——簡例	3 卷 5 期	(29)	頁 36~40	1987 年 10 月
5699	廖振富	西施哪裡去了——談西施故事的演變及其下落之謎	3 卷 5 期	(29)	頁 42~51	1987 年 10 月
5700	李 李	中國人對龜的看法——以廣義的民間故事為佐證	4 卷 11 期	(47)	頁 87~89	1989 年 4 月
5701	陳慶浩	來自民間，回到民間——推介《中國民間故事全集》	5 卷 2 期	(50)	頁 98~100	1989 年 7 月
5702	李 李	中國人對蛇的看法——以廣義的民間故事為佐證	5 卷 4 期	(52)	頁 72~74	1989 年 9 月
5703	陳益源	「民間文學國際研討會」呼籲搶救臺灣民間文學	5 卷 5 期	(53)	頁 104~105	1989 年 10 月
5704	柯 楊	洮岷「花兒」與農家生活	5 卷 12 期	(60)	頁 75~78	1990 年 5 月
5705	賴芳伶	狐仙的傳奇	6 卷 3 期	(63)	頁 34~37	1990 年 8 月
5706	陳益源採訪	畫圖唸歌詩——張李富的生活故事	6 卷 5 期	(65)	頁 54~57	1990 年 10 月
5707	林政言	添壽向誰求？——掌管人間壽命的神祇傳說	6 卷 5 期	(65)	頁 111~112	1990 年 10 月
5708	陳益源	傻女婿拜壽故事三部曲	6 卷 6 期	(66)	頁 100~102	1990 年 11 月
5709	王聖宗	「丟丟銅仔」考	6 卷 10 期	(70)	頁 56~58	1991 年 3 月
5710	鄭自立	我看「丟丟銅仔」	6 卷 10 期	(70)	頁 58~60	1991 年 3 月
5711	徐惠隆	斷絃試問誰能曉——「丟丟銅仔」民謠探源	6 卷 10 期	(70)	頁 60~63	1991 年 3 月
5712	洪惟仁	「丟丟銅」的來源與語源	6 卷 10 期	(70)	頁 63~66	1991 年 3 月
5713	姚榮松	還給民歌素樸的本色——從頭解讀「丟丟銅」	6 卷 10 期	(70)	頁 66~68	1991 年 3 月

5714	俞為民	孟姜女的哭與她哭倒的城	8 卷 5 期	(89)	頁 86~87	1992 年 10 月
5715	江寶釵	試論民間故事之定義與特色	9 卷 2 期	(98)	頁 48~52	1993 年 7 月
5716	周慶華	混沌與秩序—— 民間文學研究的困境及其化解途徑	10 卷 5 期	(113)	頁 76~87	1994 年 10 月
5717	周嘉慧記錄	「俗文學教學與研究」座談會	13 卷 4 期	(148)	頁 6~17	1997 年 9 月
5718	曾永義	民間文學、俗文學、通俗文學 　命義之商榷	13 卷 4 期	(148)	頁 18~29	1997 年 9 月
5719	曾子良	與朱一貴抗清事件有關的俗文學作品	13 卷 4 期	(148)	頁 34~39	1997 年 9 月
5720	洪淑苓	描繪玲瓏的姿影—— 　巧女故事的類型與深層結構	13 卷 4 期	(148)	頁 40~43	1997 年 9 月
5721	丁肇琴	包公為什麼是黑臉—— 　兼談包公的一些傳說	13 卷 4 期	(148)	頁 44~48	1997 年 9 月
5722	葉欣欣	活躍於宮廷民間的百戲雜技	13 卷 4 期	(148)	頁 49~53	1997 年 9 月
5723	劉進寶	敦煌變文	13 卷 10 期	(154)	頁 47~52	1998 年 3 月
5724	譚達先	論析深入，新穎獨創—— 讀陳益源著《民俗文化與民間文學》	13 卷 10 期	(154)	頁 112~117	1998 年 3 月
5725	陳益源	為你說民俗（四）：台灣原住民「不吃狗肉」的習俗——兼介李福清著《從神話到鬼話》	13 卷 11 期	(155)	頁 12~15	1998 年 4 月
5726	鍾　鍾	民歌的故事	14 卷 8 期	(164)	頁 57~59	1999 年 1 月
5727	鍾　鍾	說書和施耐庵的水滸傳	14 卷 10 期	(166)	頁 54~57	1999 年 3 月
5728	陳益源	為你說民俗（十五）：台北風水傳說	14 卷 12 期	(168)	頁 25~27	1999 年 5 月
5729	陳益源	為你說民俗（十八）：台灣歲時唸謠〈正月正〉——兼介康原《台灣農村一百年》	15 卷 5 期	(173)	頁 30~32	1999 年 10 月
5730	陳益源	為你說民俗（十九）：台灣原住民 　的地震傳說	15 卷 6 期	(174)	頁 18~21	1999 年 11 月
5731	譚達先	務實、新穎、深刻、獨到—— 　讀陳益源著《台灣民間文學採錄》	15 卷 7 期	(175)	頁 47~53	1999 年 12 月
5732	陳益源	為你說民俗（廿）：台灣三國故事 與寺廟彩繪——寫在「三國演義文化藝術展」之前	15 卷 7 期	(175)	頁 54~56	1999 年 12 月
5733	陳美玲	到「瓦舍」一觀—— 論宋、元「說話」藝術中陽剛之美的表現	16 卷 2 期	(182)	頁 26~30	2000 年 7 月
5734	江寶釵	雲嘉地區的民間文學管見	16 卷 10 期	(190)	頁 67~71	2001 年 3 月
5735	陳益源	為你說民俗（二六）：地方傳說與歷史記憶、民俗風情——《台中縣地方傳說讀本》導論	16 卷 12 期	(192)	頁 40~43	2001 年 5 月

5736	羅肇錦	台灣文學、客家文學與客家民間文學	17 卷 2 期	(194)	頁 4~9	2001 年 7 月
5737	彭維杰	台灣客家歌謠的文化面向探討——以《苗栗縣客語歌謠集》為例	17 卷 2 期	(194)	頁 14~22	2001 年 7 月
5738	陳秀琪	客語民間故事的跨國性	17 卷 2 期	(194)	頁 23~29	2001 年 7 月
5739	陳正平	台灣歌謠聯想曲——從「菅芒花」到「蕹葭」	17 卷 2 期	(194)	頁 74~76	2001 年 7 月
5740	邱燮友	唐代長沙窯茶壺詩初探	17 卷 3 期	(195)	頁 4~10	2001 年 8 月
5741	鹿憶鹿	洪水傳說中的石獅子	17 卷 3 期	(195)	頁 11~18	2001 年 8 月
5742	溫秀雯	李文牯與邱岡舍	17 卷 3 期	(195)	頁 26~32	2001 年 8 月
5743	高麗敏	「鄉土教育」美哉！桃仔園——從桃園縣傳說故事看其歷史文化與思想特色	18 卷 8 期	(212)	頁 73~80	2003 年 1 月
5744	江國貞	孟姜女哭倒了長城？——故事的流變與省思	19 卷 1 期	(217)	頁 33~36	2003 年 6 月
5745	陳正平	台灣歌謠聯想曲——從〈相思海〉到〈有所思〉	19 卷 1 期	(217)	頁 59~61	2003 年 6 月
5746	陳正平	台灣歌謠聯想曲——從〈望春風〉到〈子夜歌〉	19 卷 10 期	(226)	頁 103~104	2004 年 3 月
5747	陳正平	台灣歌謠聯想曲——從〈西北雨〉到〈關雎〉	20 卷 10 期	(238)	頁 110~112	2005 年 3 月
5748	陳伯軒	讀曾永義著《俗文學概論》	21 卷 6 期	(246)	頁 106~108	2005 年 11 月
5749	林均珈	清代說唱曲藝——《紅樓夢》子弟書簡介	21 卷 8 期	(248)	頁 38~41	2006 年 1 月
5750	肖學周	中國古代愛情傳說中體現之神異色彩與民間精神	21 卷 10 期	(250)	頁 38~44	2006 年 3 月
5751	潘玲玲	民間傳說的再生——以李喬〈水鬼・城隍〉為例	21 卷 11 期	(251)	頁 56~59	2006 年 4 月
5752	江育豪	客家童謠「伯公伯婆」之賞析及教學策略	22 卷 2 期	(254)	頁 76~81	2006 年 7 月
5753	孫瑋騂	淺談望夫石傳說	22 卷 5 期	(257)	頁 41~47	2006 年 10 月
5754	蔡宏杰	從語言特色與修辭技巧談客家山歌的藝術特色	22 卷 7 期	(259)	頁 24~32	2006 年 12 月
5755	張逸品	敦煌文學民間觀點之醜女主題述評	22 卷 8 期	(260)	頁 4~11	2007 年 1 月
5756	陳俊揚	從「白水素女」到《別有香》——一則被豔情化的螺女故事	23 卷 3 期	(267)	頁 37~43	2007 年 8 月
5757	邱宜文	帝力於我何有哉——真摯淳厚的古歌謠	23 卷 9 期	(273)	頁 66~73	2008 年 2 月
5758	陳惠美	報刊中的俗文學資料——《二十世紀俗文學周刊總目》簡介	23 卷 10 期	(274)	頁 95~98	2008 年 3 月

| 5759 | 陳秀香 | 自身可養自身來——
試論陳端生《再生緣》中的女性意識 | 25 卷 9 期 | (297) | 頁 48~53 | 2010 年 2 月 |
| 5760 | 蕭愛蓉 | 另類「童謠」——
趣談古代童謠的意涵 | 25 卷 12 期 | (300) | 頁 57~60 | 2010 年 5 月 |

10.1.5 其他

5761	Richard E. Palmer 著 李正治譯	詮釋學的三十個論題	1 卷 4 期	(4)	頁 82~87	1985 年 9 月
5762	蔡英俊	一本真正的「文學理論導論」	1 卷 5 期	(5)	頁 82~83	1985 年 10 月
5763	黃斂柔	你不得不讀下去——精彩的開場白	1 卷 7 期	(7)	頁 38~41	1985 年 12 月
5764	羅　斯著 鄭曉村譯	哲學在文學中的角色	1 卷 8 期	(8)	頁 52~57	1986 年 1 月
5765	羅悅玲	親嘗與會意	1 卷 8 期	(8)	頁 88~89	1986 年 1 月
5766	連清吉	什麼是六藝？	1 卷 10 期	(10)	頁 11~12	1986 年 3 月
5767	林政華	近期報紙副刊文字的疑誤	1 卷 12 期	(12)	頁 0	1986 年 5 月
5768	羅悅珠	相承與更新	2 卷 2 期	(14)	頁 66~68	1986 年 7 月
5769	蔡英俊譯述	《詩歌鑑賞方法論》導言	2 卷 3 期	(15)	頁 45~49	1986 年 8 月
5770	楊振良	十年一覺揚州夢——說「夢」	2 卷 4 期	(16)	頁 26~27	1986 年 9 月
5771	蔡英俊譯述	語言、經驗與詩的表現（上）	2 卷 4 期	(16)	頁 66~68	1986 年 9 月
5772	蔡英俊譯述	語言、經驗與詩的表現（下）	2 卷 5 期	(17)	頁 72~75	1986 年 10 月
5773	蔡英俊	意象	2 卷 6 期	(18)	頁 48~50	1986 年 11 月
5774	溥心整理	至情衹可酬知己	2 卷 8 期	(20)	頁 48~49	1987 年 1 月
5775	何丙郁	科學與文學	2 卷 11 期	(23)	頁 68~75	1987 年 4 月
5776	王熙元	經國先生的文學風格	3 卷 9 期	(33)	頁 13~14	1988 年 2 月
5777	杜松柏	神妙「運思力」的形成	3 卷 11 期	(35)	頁 66~68	1988 年 4 月
5778	張又齡	夢是怎樣編成的？	4 卷 5 期	(41)	頁 59	1988 年 10 月
5779	陳益源	東方文學的比較研究—— 與高麗大學丁奎福教授一夕談	4 卷 8 期	(44)	頁 48~50	1989 年 1 月
5780	曾錦坤	文學與文學語言	4 卷 9 期	(45)	頁 98~102	1989 年 2 月
5781	張雙英	西洋人眼中的現代中國文學—— 以〈現代中國文學裏的國家主義〉 一文為例	4 卷 11 期	(47)	頁 94~97	1989 年 4 月
5782	連文萍	大陸出版的文學年鑑（下）	5 卷 2 期	(50)	頁 95~97	1989 年 7 月
5783	呂正惠	「詩人」胡適	6 卷 7 期	(67)	頁 90~93	1990 年 12 月
5784	王更生	詩的特質和走向——從古典到現代	8 卷 1 期	(85)	頁 83~90	1992 年 6 月
5785	詹文豪	建構桃花源	9 卷 11 期	(107)	頁 20~28	1994 年 4 月

5786	林覺中	文學流派的試析	10 卷 6 期	(114)	頁 34~36	1994 年 11 月
5787	徐夢林	中外逃獄秘笈—— 談《連城訣》與《基度山恩仇記》	11 卷 1 期	(121)	頁 62~67	1995 年 6 月
5788	楊夢茹	驚世駭俗 各不相讓—— 《今古奇觀》與歌德	12 卷 6 期	(138)	頁 104~109	1996 年 11 月
5789	文　方	鄉下人談詩	12 卷 11 期	(143)	頁 116~118	1997 年 4 月
5790	魏光霞	從本文翻譯談創作—— 另一種作文形式	13 卷 2 期	(146)	頁 109~113	1997 年 7 月
5791	卜國光	漫談詩文妙趣	15 卷 7 期	(175)	頁 64~66	1999 年 12 月
5792	羅敬之	甄后與曹丕兄弟是否有「三角」關 係——讀〈洛神甄宓戀歌傳奇〉後	17 卷 1 期	(193)	頁 75~78	2001 年 6 月
5793	馬衛中	中國文學與西方思想的橋樑—— 王國維	17 卷 3 期	(195)	頁 37~40	2001 年 8 月
5794	陳大為	從猛禽特寫探討自然寫作的讀者 意識（上）	17 卷 3 期	(195)	頁 59~63	2001 年 8 月
5795	陳大為	從猛禽特寫探討自然寫作的讀者 意識（下）	17 卷 4 期	(196)	頁 54~58	2001 年 9 月
5796	吳　曉	詩歌的平易美及其語言策略	17 卷 4 期	(196)	頁 97~100	2001 年 9 月
5797	杜淑貞	標點符號 V.S 文學作品的「張力 效應」	17 卷 5 期	(197)	頁 64~67	2001 年 10 月
5798	車潤豐	人不到筆到無不到	18 卷 8 期	(212)	頁 51~52	2003 年 1 月
5799	邱偉雲	「大成若缺」—— 留白藝術及其語文教學	21 卷 7 期	(247)	頁 82~87	2005 年 12 月
5800	宗守雲	文體學偏離理論與修辭學偏離理論	22 卷 12 期	(264)	頁 65~73	2007 年 5 月
5801	蔡志鴻	〈蘇東坡突圍〉之後設論述	25 卷 1 期	(289)	頁 52~55	2009 年 6 月
5802	甯登國	授人以漁 度人金針—— 漫談《中國古代文學跨學科研究》 的方法論內涵	25 卷 8 期	(296)	頁 93~96	2010 年 1 月

10.2 中國古典文學

10.2.1 通論

5803	呂正惠	中國文學中的兩種基本精神	1 卷 2 期	(2)	頁 78~79	1985 年 7 月
5804	顏崑陽	中國文學藝術之「虛」及其與老莊 思想的關係	1 卷 2 期	(2)	頁 83~93	1985 年 7 月
5805	蔣　勳	萍水相逢——我與中國文學	1 卷 7 期	(7)	頁 22~27	1985 年 12 月
5806	劉憲雄	從小說「衝突」之元素鑑賞「背影」 及「田單復國」二文	1 卷 8 期	(8)	頁 45~46	1986 年 1 月
5807	周純一	什麼是陽關三疊？	1 卷 8 期	(8)	頁 60~63	1986 年 1 月

5808	陳慶煌	傳統文學式微了？	1 卷 12 期	(12)	頁 20~24	1986 年 5 月
5809	陳慶煌	傳統文學式微了？	2 卷 4 期	(16)	頁 12~13	1986 年 9 月
5810	陳慶煌	近代傳統文學入門書目	2 卷 7 期	(19)	頁 6	1986 年 12 月
5811	劉文清 盧貞玲	前七子／後七子／童心說／三袁／公安派／竟陵派／晚明小品	2 卷 7 期	(19)	頁 80~81	1986 年 12 月
5812	龔鵬程	顧炎武、王國維主張文體進化嗎？	2 卷 10 期	(22)	頁 75	1987 年 3 月
5813	康來新	誰之過？〈女兒篇〉	3 卷 1 期	(25)	頁 68~73	1987 年 6 月
5814	魏子雲	致語	3 卷 3 期	(27)	頁 15~16	1987 年 8 月
5815	邱燮友	中國詩詞古譜蒐集與整理	3 卷 6 期	(30)	頁 36~43	1987 年 11 月
5816	丘秀芷	隨意最好	3 卷 7 期	(31)	頁 66~67	1987 年 12 月
5817	陳滿銘	演繹法在詩詞裡的運用	3 卷 9 期	(33)	頁 98~101	1988 年 2 月
5818	曾忠華	詩文中的音樂性	3 卷 10 期	(34)	頁 67~71	1988 年 3 月
5819	陳滿銘	歸納法在詩詞裡的運用	3 卷 11 期	(35)	頁 99~102	1988 年 4 月
5820	賈順先	楊慎的文學思想	3 卷 12 期	(36)	頁 56~60	1988 年 5 月
5821	林覺中	癡情的詩文	3 卷 12 期	(36)	頁 90~93	1988 年 5 月
5822	黃文吉	研究中國古典文學的一座指標——談《中國古典文學研究論文索引》	4 卷 1 期	(37)	頁 88~90	1988 年 6 月
5823	黃文吉	近三年來中國古典文學討論會概述——一九八五年部分	4 卷 3 期	(39)	頁 84~87	1988 年 8 月
5824	孫秀玲	我讀《劉大杰古典文學論文選集》	4 卷 4 期	(40)	頁 98~99	1988 年 9 月
5825	黃文吉	近三年來中國古典文學討論會概述——一九八六年部分	4 卷 4 期	(40)	頁 100~013	1988 年 9 月
5826	黃文吉	近三年來中國古典文學討論會概述——一九八七年部分	4 卷 5 期	(41)	頁 96~99	1988 年 10 月
5827	陳季蔓	一曲琵琶彈至今——昭君故事的歷史面貌	4 卷 6 期	(42)	頁 54~57	1988 年 11 月
5828	陳慶煌	賞詩品曲過新年	4 卷 9 期	(45)	頁 10~13	1989 年 2 月
5829	邱德修	《中國古典文學名著題解》簡介	4 卷 9 期	(45)	頁 94~95	1989 年 2 月
5830	李錦全	讀東坡詩詞記蘇軾的人生旨趣	4 卷 11 期	(47)	頁 40~43	1989 年 4 月
5831	車潤豐	文學中的剛柔	5 卷 2 期	(50)	頁 90~91	1989 年 7 月
5832	編輯部	「清代思想與文學研討會議」後記	5 卷 7 期	(55)	頁 106	1989 年 12 月
5833	簡恩定	帝王之尊‧文士之藝——漫談皇帝的詩詞創作	5 卷 8 期	(56)	頁 43~46	1990 年 1 月
5834	袁行霈	陶淵明的自然之義	5 卷 8 期	(56)	頁 92~94	1990 年 1 月
5835	李錦全	有心救世，無力回天——讀龔定庵詩詞誌感	5 卷 9 期	(57)	頁 85~88	1990 年 2 月
5836	劉淑爾	佛經故事的一些文學特色	5 卷 9 期	(57)	頁 92~95	1990 年 2 月

5837	簡恩定	再談唐人以詩賦取士嗎？—— 兼論「詩賦」在唐代進士科考中的地位	5 卷 10 期 (58)	頁 92~94	1990 年 3 月
5838	呂正惠	風流仗劍，慷慨賦詩—— 古典詩詞中的游俠與英雄	5 卷 12 期 (60)	頁 25~27	1990 年 5 月
5839	劉兆祐	挖掘文學聚寶盆—— 我國編纂文學總集的回顧與展望	6 卷 2 期 (62)	頁 11~15	1990 年 7 月
5840	王碧蘭	用文字作畫—— 中國詩詞中的顏色應用	6 卷 2 期 (62)	頁 74~77	1990 年 7 月
5841	邱德修	燃燒自己，照亮別人的事業—— 簡介《簡明中國古典文學辭典》	6 卷 3 期 (63)	頁 112~114	1990 年 8 月
5842	黃文吉	一種蛾眉明月夜，南宮歌管北宮愁 ——談皇后的文學創作	6 卷 9 期 (69)	頁 37~42	1991 年 2 月
5843	蘇雪林	蘇雪林教授答客問	6 卷 11 期 (71)	頁 52~55	1991 年 4 月
5844	洪順隆	建安風骨領騷壇—— 曹氏父子的文學成就	6 卷 12 期 (72)	頁 21~26	1991 年 5 月
5845	陳弘治	洛陽紙貴文章價—— 左思、左芬兄妹的詩賦才情	6 卷 12 期 (72)	頁 27~31	1991 年 5 月
5846	王保珍	不廢江河萬古流—— 三蘇的文學天地	6 卷 12 期 (72)	頁 42~47	1991 年 5 月
5847	簡恩定	逐退群星與殘月—— 帝王的象徵・太陽	7 卷 1 期 (73)	頁 82~83	1991 年 6 月
5848	楊振良	落月遙情滿江樹—— 中國文人筆下的月光	7 卷 1 期 (73)	頁 84~85	1991 年 6 月
5849	鄧仕樑	說俠義—— 試論中國文學裡的俠義精神	7 卷 2 期 (74)	頁 68~73	1991 年 7 月
5850	黃文吉	從詩到曲，一代宗師—— 鄭因百先生	7 卷 4 期 (76)	頁 54~58	1991 年 9 月
5851	林明德	文人與酒——酒的傳奇篇	7 卷 8 期 (80)	頁 11	1992 年 1 月
5852	劉詠聰	中國古代文學作品中智取功名的女性	7 卷 12 期 (84)	頁 22~24	1992 年 5 月
5853	沈福煦	詩詞與景觀摭談	8 卷 7 期 (91)	頁 33~38	1992 年 12 月
5854	宗 鷹	觀志比德—— 中國文學品賞的性質論	8 卷 8 期 (92)	頁 51~54	1993 年 1 月
5855	宗 鷹	感心移性—— 中國文學品賞的功能論	8 卷 9 期 (93)	頁 82~85	1993 年 2 月
5856	曾守正	唐初史官的文學折衷論	9 卷 1 期 (97)	頁 88~93	1993 年 6 月
5857	黃沛榮	有趣的文字遊戲	9 卷 3 期 (99)	頁 25~31	1993 年 8 月
5858	周慶華	敦煌文學在研究上運用的問題	9 卷 11 期 (107)	頁 29~31	1994 年 4 月
5859	張 健	詩詞曲中的人生比喻	9 卷 12 期 (108)	頁 32~39	1994 年 5 月

5860	段美華	白娘子形象的歷史嬗變	10 卷 4 期	(112)	頁 37~39	1994 年 9 月
5861	李　明	《古文真寶》及其版本	10 卷 5 期	(113)	頁 94~98	1994 年 10 月
5862	熊道麟	文學作品中的「窺浴」趣談	10 卷 6 期	(114)	頁 40~43	1994 年 11 月
5863	鄭向恒	從儒家仁愛思想談文學使命	10 卷 7 期	(115)	頁 69~71	1994 年 12 月
5864	張麗芬	笑問鴛鴦二字怎生書—— 古典詩詞中的鶼鰈笑語	10 卷 9 期	(117)	頁 50~56	1995 年 2 月
5865	吳盛青	浮生若夢—— 由中國敘事文學的一個課題所引發 的思考	10 卷 11 期	(119)	頁 94~100	1995 年 4 月
5866	宗　鷹	涵詠玩索—— 中國文學品賞的方法論	10 卷 12 期	(120)	頁 23~27	1995 年 5 月
5867	黃文吉	無邊光景一時新—— 張高評主編《宋代文學研究叢刊· 創刊號》評介	11 卷 2 期	(122)	頁 111~115	1995 年 7 月
5868	易俊傑	妙批趣話	11 卷 4 期	(124)	頁 97~99	1995 年 9 月
5869	譚錦家	古文朗讀略談	11 卷 10 期	(130)	頁 99~105	1996 年 3 月
5870	呂正惠	方塊字堆砌的藝術—— 宏觀中國文學	14 卷 5 期	(161)	頁 31~34	1998 年 10 月
5871	傅武光	千里鶯啼綠映紅——「全陪」的話	14 卷 6 期	(162)	頁 4~6	1998 年 11 月
5872	簡錦松	今宵燈下渾多事，臥看從前小字書 （上）	15 卷 11 期	(179)	頁 68~74	2000 年 4 月
5873	簡錦松	今宵燈下渾多事，臥看從前小字書 （下）	15 卷 12 期	(180)	頁 57~61	2000 年 5 月
5874	郭中一	山色有無「晴」「雨」中	16 卷 2 期	(182)	頁 86~89	2000 年 7 月
5875	陳啟鵬 （遙光）	再一次，開天、闢地—— 「傳統中國文學」網站與古典文學 新生	16 卷 2 期	(182)	頁 100~104	2000 年 7 月
5876	朱榮智	中國傳統文人的三種生命情調—— 以屈原、陶淵明、蘇東坡為例	16 卷 11 期	(191)	頁 48~54	2001 年 4 月
5877	郭中一	雨絲風片孤煙直	17 卷 2 期	(194)	頁 101~103	2001 年 7 月
5878	蔣長棟	中國韻文格律的美學趣尚	18 卷 2 期	(206)	頁 50~57	2002 年 7 月
5879	陳嘉英	由居室看文人的生活情韻—— 以廬山草堂、黃州竹樓為例	18 卷 5 期	(209)	頁 44~47	2002 年 10 月
5880	鮑延毅	「三孔」碑刻中的唯一：「白話碑」	19 卷 7 期	(223)	頁 56~58	2003 年 12 月
5881	鍾　年	黃鶴樓的故事與詩文	20 卷 6 期	(234)	頁 84~89	2004 年 11 月
5882	陳冠甫	喜占東風第一枝	20 卷 9 期	(237)	頁 4~18	2005 年 2 月
5883	王更生	古典詩詞吟唱在歷代學者心目中的 地位	21 卷 1 期	(241)	頁 107~112	2005 年 6 月

5884	王福湘	中國人的虐戀心理和文學中的虐戀描寫	21 卷 3 期	(243)	頁 94~98	2005 年 8 月
5885	趙皖君	一點浩然氣，千里快哉風——論蘇軾與張懷民之貶謫情懷	22 卷 9 期	(261)	頁 41~45	2007 年 2 月
5886	王昌煥	詩詞曲賞析的技巧	23 卷 9 期	(273)	頁 81~87	2008 年 2 月
5887	陳麗禎	白蛇故事中的兩性關係	23 卷 10 期	(274)	頁 72~76	2008 年 3 月
5888	許慧淳	古典文學研究的入門書——《中國歷代文學總集述評》簡介	24 卷 1 期	(277)	頁 95~98	2008 年 6 月
5889	邱詩雯	《宋代文學研究叢刊》的創辦與理念	24 卷 8 期	(284)	頁 92~95	2009 年 1 月
5890	張玉芳	九邊爛熟等雕蟲，遠志真看小草同——談古代的藥名文學	24 卷 11 期	(287)	頁 20~24	2009 年 4 月
5891	吳曉琪	梁啟超談韻文中的自然美	25 卷 1 期	(289)	頁 29~33	2009 年 6 月
5892	莊喬惠	《中國文學年鑑（1981—2007）》述評	25 卷 3 期	(291)	頁 34~38	2009 年 8 月
5893	林均諭	《唐代文學研究年鑑》	25 卷 3 期	(291)	頁 39~43	2009 年 8 月
5894	董妙津	千年修煉 萬樣蛻變——論《白蛇傳》之前世今生	25 卷 6 期	(294)	頁 43~47	2009 年 11 月
5895	林慶彰	評《中國文學研究要覽》（1978—2007）	25 卷 10 期	(298)	頁 88~91	2010 年 3 月

10.2.2 辭賦

5896	傅錫任	國殤是描寫人頭祭嗎？	1 卷 5 期	(5)	頁 66~67	1985 年 10 月
5897	蘇雪林	蘇雪林教授答客問	6 卷 11 期	(71)	頁 52~55	1991 年 4 月
5898	王熙元	芬芳高潔的期許——〈離騷〉中香草的隱喻意義	8 卷 12 期	(96)	頁 8~13	1993 年 5 月
5899	王宏仁	〈九歌〉詮釋的另一視野	8 卷 12 期	(96)	頁 14~19	1993 年 5 月
5900	高秋鳳	一首奇特的問題詩——《楚辭·天問》	8 卷 12 期	(96)	頁 20~25	1993 年 5 月
5901	黃耀堃	楚樂新探	8 卷 12 期	(96)	頁 26~37	1993 年 5 月
5902	褚斌杰	〈離騷〉「正則」、「靈均」解——兼論對屈〈騷〉構思的理解	8 卷 12 期	(96)	頁 38~41	1993 年 5 月
5903	邱宜文	採芳遺珮——試談《詩經》、《楚辭》中男女贈物之寄託意涵	13 卷 9 期	(153)	頁 46~51	1998 年 2 月
5904	張來芳	《離騷》雄渾悲壯的藝術美	13 卷 11 期	(155)	頁 43~47	1998 年 4 月
5905	高秋鳳	楚人的浪漫——《楚辭》	14 卷 10 期	(166)	頁 16~18	1999 年 3 月
5906	黃春貴	〈國殤〉賞析	15 卷 1 期	(169)	頁 4~11	1999 年 6 月
5907	魯瑞菁	屈原、宋玉與月亮	16 卷 4 期	(184)	頁 4~7	2000 年 9 月
5908	李南杰	〈橘頌〉所頌是柚不是橘	16 卷 10 期	(190)	頁 33~38	2001 年 3 月

胡　超

5909	徐道彬	〈離騷〉——夢幻式的抒情詩	17 卷 1 期	(193)	頁 42~46	2001 年 6 月
5910	溫光華	標放言之致—— 談〈卜居〉的創作意識與寫作藝術	17 卷 1 期	(193)	頁 47~50	2001 年 6 月
5911	陳怡良	中國古典美學講座：楚騷美學—— 以屈原作品為論述主軸（一）	20 卷 6 期	(234)	頁 56~60	2004 年 11 月
5912	陳怡良	中國古典美學講座：楚騷美學—— 以屈原作品為論述主軸（二）	20 卷 7 期	(235)	頁 49~58	2004 年 12 月
5913	劉楚荊	若有人兮山之阿—— 《九歌・山鬼》探究	22 卷 1 期	(253)	頁 56~63	2006 年 6 月
5914	陳惠玲	〈國殤〉一文兵器考	23 卷 12 期	(276)	頁 37~41	2008 年 5 月
5915	顧敏耀	揭開〈國殤〉的神秘面紗—— 回應陳惠玲〈〈國殤〉一文兵器考〉	24 卷 7 期	(283)	頁 37~43	2008 年 12 月
5916	林伯謙	〈思舊賦〉寫得不倫不類？	8 卷 4 期	(88)	頁 74~79	1992 年 9 月
5917	畢萬忱	話說建安三國賦的新變	8 卷 10 期	(94)	頁 51~61	1993 年 3 月
5918	魏子雲	〈歸去來兮辭〉三解	17 卷 7 期	(199)	頁 89~90	2001 年 12 月
5919	張窈慈	左芬詠物賦析論	23 卷 11 期	(275)	頁 53~59	2008 年 4 月
5920	祁立峰	穿越時空的「同人誌」—— 談謝惠連〈雪賦〉、謝莊〈月賦〉	24 卷 3 期	(279)	頁 66~68	2008 年 8 月
5921	郭乃禎	鮑照〈蕪城賦〉所展現的獨特風貌	25 卷 11 期	(299)	頁 53~58	2010 年 4 月
5922	甘克誠	試譯〈阿房宮賦〉	5 卷 10 期	(58)	頁 89~91	1990 年 3 月
5923	馬寶蓮	王勃〈寒梧棲鳳賦〉與唐代律賦發展	8 卷 11 期	(95)	頁 32~39	1993 年 4 月
5924	謝育爭	李白〈悲清秋賦〉的藝術特色	25 卷 10 期	(298)	頁 51~55	2010 年 3 月
5925	高明誠	「赤壁賦」弦外之音	2 卷 6 期	(18)	頁 14~15	1986 年 11 月
5926	王邦雄	「赤壁賦」的人生悲感與宇宙情懷	3 卷 4 期	(28)	頁 16~17	1987 年 9 月
5927	陳安桂	〈赤壁賦〉與蘇東坡的人生哲學	6 卷 6 期	(66)	頁 78~79	1990 年 11 月
5928	鍾來因	蘇軾的崇道名作〈赤壁賦〉	8 卷 6 期	(90)	頁 21~29	1992 年 11 月
5929	傅武光	哲理散文鑑賞（一）—— 〈前赤壁賦〉	8 卷 12 期	(96)	頁 74~76	1993 年 5 月
5930	高明誠	談〈赤壁賦〉	11 卷 5 期	(125)	頁 102~105	1995 年 10 月
5931	顧柔利	論北宋理趣賦的意境	15 卷 2 期	(170)	頁 62~65	1999 年 7 月
5932	邱敏捷	從〈後赤壁賦〉看東坡被貶後內在 心境之轉化	16 卷 7 期	(187)	頁 8~10	2000 年 12 月
5933	陳正榮	是「東望武昌」或是「西望武昌」？ ——蘇軾〈前赤壁賦〉之方位問題	16 卷 7 期	(187)	頁 23~25	2000 年 12 月
5934	陳嘉英	赤壁詞賦間的對話	18 卷 4 期	(208)	頁 45~52	2002 年 9 月
5935	黃淑貞	《秋聲賦》辭章意象探析	21 卷 5 期	(245)	頁 37~46	2005 年 10 月

5936　黃水雲　會稀別遠、意滿情長——　　16 卷 3 期　(183)　頁 43~45　2000 年 8 月
　　　　　　　談方苞〈七夕賦〉

5937　曹　虹　說「不歌而誦謂之賦」　　　　 8 卷 3 期　 (87)　頁 44~49　1992 年 8 月

5938　簡宗梧　生鏽的文學主環——賦　　　　14 卷 6 期　(162)　頁 7~11　1998 年 11 月

5939　游適宏　十八世紀的台灣風土百科——　16 卷 5 期　(185)　頁 34~38　2000 年 10 月
　　　　　　　王必昌的〈台灣賦〉

5940　廖國棟　古典辭賦的主題與技巧　　　　18 卷 9 期　(213)　頁 4~15　2003 年 2 月

5941　陳讚華　《風》《騷》比較 集其大成——　22 卷 12 期 (264)　頁 90~93　2007 年 5 月
　　　　　　　《風騷比較新論》簡介

10.2.3 文

10.2.3.1 通論

5942　連清吉　戰國縱橫家說話的技巧——　　 4 卷 7 期　 (43)　頁 64~66　1988 年 12 月
　　　　　　　以〈觸讋說趙太后〉為例

5943　張高評　「左氏浮誇」的歷史意義——　 5 卷 2 期　 (50)　頁 74~75　1989 年 7 月
　　　　　　　《左傳・晉景公夢大厲》鑑賞

5944　傅武光　哲理散文鑑賞（二）——〈養生主〉 9 卷 2 期　 (98)　頁 30~31　1993 年 7 月

5945　倪芳芳　《論語》的文學價值　　　　　13 卷 7 期　(151)　頁 37~41　1997 年 12 月

5946　江煜坤　政治人物的宿命——　　　　　15 卷 8 期　(176)　頁 4~15　2000 年 1 月
　　　　　　　從《左傳》兩篇文章談起

5947　左德成　「輔」與「車」要如何相依？——15 卷 8 期　(176)　頁 16~23　2000 年 1 月
　　　　　　　〈宮之奇諫假道〉析疑

5948　吳惠玲　《墨子・法儀》的文章藝術　　16 卷 8 期　(188)　頁 28~31　2001 年 1 月

5949　張高評　《左傳》外交辭令的典範——　16 卷 8 期　(188)　頁 95~98　2001 年 1 月
　　　　　　　〈燭之武退秦師〉文章鑑賞

5950　葉政欣　關於《左傳》「以亂易整，不武」17 卷 1 期　(193)　頁 94~95　2001 年 6 月
　　　　　　　的解釋

5951　方慶雲　〈觸讋說趙太后〉對話技巧之分析 17 卷 9 期　(201)　頁 80~82　2002 年 2 月

5952　魏子雲　齊伯率諸侯伐楚——　　　　　18 卷 3 期　(207)　頁 79~80　2002 年 8 月
　　　　　　　「齊桓公伐楚盟屈完」章名之誤

5953　邱湘雲　《孟》、《荀》二書語言表達方式 21 卷 11 期 (251)　頁 64~70　2006 年 4 月
　　　　　　　比較

5954　黃素嬌　莊子為何夢為「蝴蝶」？　　　23 卷 3 期　(267)　頁 33~36　2007 年 8 月

5955　蔡妙貞　真實與虛構——　　　　　　　23 卷 6 期　(270)　頁 19~29　2007 年 11 月
　　　　　　　《左傳》敘事技巧及其效果

5956　陳純純　《左傳》敘事之言外有意　　　23 卷 6 期　(270)　頁 30~37　2007 年 11 月

5957　林聰舜　虛矯的豪傑與怙勢凌人的權臣——2 卷 9 期　 (21)　頁 44~49　1987 年 2 月

魏其武安兩外戚

5958	閻振益	賈誼和他的政論文	9 卷 2 期	(98)	頁 32~37	1993 年 7 月
5959	李　栖	《史記・滑稽列傳》的寫作手法	12 卷 9 期	(141)	頁 108~113	1997 年 2 月
5960	黃坤堯	讀淮陰侯烈傳	15 卷 1 期	(169)	頁 72~76	1999 年 6 月
5961	汪少華	與余英時先生論鴻門宴坐次尊卑	17 卷 12 期	(204)	頁 43~46	2002 年 5 月
5962	黃志傑	《史記・滑稽列傳》析探（上）	18 卷 1 期	(205)	頁 87~91	2002 年 6 月
5963	黃志傑	《史記・滑稽列傳》析探（下）	18 卷 2 期	(206)	頁 91~95	2002 年 7 月
5964	蘇子敬	伯夷列傳析詮（上）	20 卷 12 期	(240)	頁 34~39	2005 年 5 月
5965	蘇子敬	伯夷列傳析詮（下）	21 卷 1 期	(241)	頁 44~49	2005 年 6 月
5966	黃意明	在傳奇與現實之間—— 重讀《史記・李將軍列傳》	21 卷 9 期	(249)	頁 46~49	2006 年 2 月
5967	林初乾	司馬遷〈報任少卿書〉「太史公牛 馬走」辨正	23 卷 11 期	(275)	頁 46~52	2008 年 4 月
5968	譚潤生	《史記・呂不韋列傳》探索	23 卷 12 期	(276)	頁 42~46	2008 年 5 月
5969	魏素足	辭采壯麗，音調流靡—— 析李陵〈答蘇武書〉	24 卷 2 期	(278)	頁 63~66	2008 年 7 月
5970	周兆祥	山水駢文的佳作—— 讀吳均〈與宋元思書〉	4 卷 6 期	(42)	頁 68~69	1988 年 11 月
5971	徐公持	出師一表真名世—— 說諸葛亮的〈出師表〉	5 卷 1 期	(49)	頁 72~74	1989 年 6 月
5972	易俊傑	奇山異水，天下獨絕—— 吳均〈與宋元思書〉賞析	6 卷 5 期	(65)	頁 92~95	1990 年 10 月
5973	詹文豪	弱勢者的困境解脫—— 從談判策略與技巧看〈陳情表〉	8 卷 2 期	(86)	頁 80~88	1992 年 7 月
5974	方北辰	模山範水有吳均——讀〈與顧章書〉	8 卷 5 期	(89)	頁 42~44	1992 年 10 月
5975	李運瑛 何　必	豪華落盡見真淳—— 〈與陳伯之書〉名句賞析	8 卷 8 期	(92)	頁 20~22	1993 年 1 月
5976	張　舜	妙語服敵將，一信勝萬夫—— 淺析丘遲〈與陳伯之書〉的說服人 藝術	8 卷 8 期	(92)	頁 26~29	1993 年 1 月
5977	方北辰	惠風清氣洗人心—— 春夜讀〈蘭亭集序〉	8 卷 11 期	(95)	頁 20~23	1993 年 4 月
5978	戴朝服	「報本返始」的孝思與孝情—— 讀李密〈陳情表〉	10 卷 10 期	(118)	頁 48~50	1995 年 3 月
5979	彭元岐	桃源不遠歸去來—— 從「心形對比」與「內外之別」看 陶公兩篇名作旨意	11 卷 9 期	(129)	頁 80~85	1996 年 2 月
5980	周碧香	〈桃花源記〉「外人」另釋	13 卷 6 期	(150)	頁 105~110	1997 年 11 月

5981	張崇琛	諸葛亮的《又誡子書》是寫給誰的？	14 卷 12 期 (168)	頁 107~110	1999 年 5 月
5982	譚家健	魯褒的〈錢神論〉及其影響（上）	17 卷 3 期 (195)	頁 41~44	2001 年 8 月
5983	譚家健	魯褒的〈錢神論〉及其影響（下）	17 卷 4 期 (196)	頁 38~41	2001 年 9 月
5984	王岫林	由《世說》中的人物品評看六朝嗜美之風	19 卷 12 期 (228)	頁 44~51	2004 年 5 月
5985	梁頌成	《桃花源記》的「欣然規往」應為「欣然親往」	21 卷 12 期 (252)	頁 89~91	2006 年 5 月
5986	張玉龍	〈錢神論〉對儒家的反諷	24 卷 9 期 (285)	頁 49~53	2009 年 2 月
5987	陳啟佑	唐代山水小品中的名勝	1 卷 10 期 (10)	頁 36~39	1986 年 3 月
5988	齊衛國	走了樣的女暴君——從「討武曌檄」談「一代女皇」	1 卷 10 期 (10)	頁 48~49	1986 年 3 月
5989	楊宗瑩主講 高金美整理	由〈廬山草堂記〉談白居易的轉變	4 卷 3 期 (39)	頁 50~53	1988 年 8 月
5990	李如鸞	短小、精粹、雋永——劉禹錫〈陋室銘〉賞析	4 卷 9 期 (45)	頁 75~77	1989 年 2 月
5991	陳仲奇	一曲情至無文的千年絕唱——讀韓愈〈祭十二郎文〉	4 卷 12 期 (48)	頁 100~102	1989 年 5 月
5992	林邦鈞	山水有靈，當驚知己於千古——淺談柳宗元的〈永州八記〉	4 卷 12 期 (48)	頁 103~105	1989 年 5 月
5993	方北辰	筆端變化自多姿——讀〈滕王閣序〉	5 卷 10 期 (58)	頁 95~96	1990 年 3 月
5994	筧文生	日本唐代散文研究概況	7 卷 6 期 (78)	頁 65~69	1991 年 11 月
5995	李 李	韓愈〈送董邵南序〉賞析	11 卷 12 期 (132)	頁 96~98	1996 年 5 月
5996	張 覺	韓愈發牢騷的技巧——〈進學解〉「詭道」發微	12 卷 2 期 (134)	頁 102~104	1996 年 7 月
5997	張 覺	明應暗合 破而後立——試析〈始得西山宴遊記〉藝術構思之妙	12 卷 11 期 (143)	頁 50~54	1997 年 4 月
5998	黃春貴	韓愈〈師說〉精講（上）	15 卷 5 期 (173)	頁 81~88	1999 年 10 月
5999	黃春貴	韓愈〈師說〉精講（中）	15 卷 6 期 (174)	頁 78~84	1999 年 11 月
6000	黃春貴	韓愈〈師說〉精講（下）	15 卷 7 期 (175)	頁 93~101	1999 年 12 月
6001	楊鴻銘	李白〈春夜宴從弟桃花園序〉析評	16 卷 2 期 (182)	頁 74~78	2000 年 7 月
6002	顧關元	瑯琊山與〈醉翁亭記〉	16 卷 11 期 (191)	頁 55~56	2001 年 4 月
6003	白金銑	借師言道——論韓愈〈師說〉的側面意涵（上）	19 卷 9 期 (225)	頁 71~74	2004 年 2 月
6004	白金銑	借師言道——論韓愈〈師說〉的側面意涵（下）	19 卷 10 期 (226)	頁 75~80	2004 年 3 月
6005	吳鈞堯	〈張中丞傳後序〉的小說性	20 卷 5 期 (233)	頁 54~59	2004 年 10 月
6006	陳嘉英	〈永州八記〉——	20 卷 7 期 (235)	頁 59~69	2004 年 12 月

		柳宗元尋找自我的影像			
6007	謝永珍	劉禹錫〈陋室銘〉篇章結構探析	23 卷 10 期	(274)	頁 89~94	2008 年 3 月
6008	陳成文	答客難系列的壓卷之作——韓愈〈進學解〉試析	24 卷 1 期	(277)	頁 4~9	2008 年 6 月
6009	方學文	柳宗元傳體散文的變創與特色	24 卷 1 期	(277)	頁 10~16	2008 年 6 月
6010	陳俊翰	〈陋室銘〉——孤芳者的神思	25 卷 1 期	(289)	頁 58~61	2009 年 6 月
6011	黃進德	說蘇洵的〈六國論〉	5 卷 2 期	(50)	頁 76~78	1989 年 7 月
6012	臧克家	重讀〈岳陽樓記〉	5 卷 3 期	(51)	頁 63~65	1989 年 8 月
6013	何永清	〈喜雨亭記〉的文章特色	5 卷 3 期	(51)	頁 66~67	1989 年 8 月
6014	曾棗莊	不讓清人專美——談中國最大的斷代文章總集《全宋文》	6 卷 2 期	(62)	頁 16~19	1990 年 7 月
6015	鍾淑芬	〈瀧岡阡表〉為誰而作？	6 卷 6 期	(66)	頁 52~53	1990 年 11 月
6016	余崇生	謝枋得與《文章軌範》	8 卷 9 期	(93)	頁 96~99	1993 年 2 月
6017	傅 貴	回到文學現場（六）：醉翁、醉翁亭、〈醉翁亭記〉	11 卷 11 期	(131)	頁 46~50	1996 年 4 月
6018	徐景洲	范仲淹為何不記岳陽樓	12 卷 9 期	(141)	頁 98~100	1997 年 2 月
6019	黃春貴	〈新五代史伶官傳序〉賞析（上）	14 卷 8 期	(164)	頁 104~109	1999 年 1 月
6020	黃春貴	〈新五代史伶官傳序〉賞析（下）	14 卷 9 期	(165)	頁 107~112	1999 年 2 月
6021	陳滿銘	蘇軾「留侯論」結構分析	14 卷 10 期	(166)	頁 86~89	1999 年 3 月
6022	黃春貴	〈愛蓮說〉賞析	14 卷 12 期	(168)	頁 96~103	1999 年 5 月
6023	黃春貴	蘇洵〈六國論〉疑難詞句精講（上）	15 卷 9 期	(177)	頁 67~74	2000 年 2 月
6024	陳友冰	三篇〈六國論〉比較	15 卷 9 期	(177)	頁 75~82	2000 年 2 月
6025	黃春貴	蘇洵〈六國論〉疑難詞句精講（下）	15 卷 10 期	(178)	頁 94~97	2000 年 3 月
6026	錢玉蘭	蘇洵〈六國論〉篇旨探析	15 卷 10 期	(178)	頁 98~104	2000 年 3 月
6027	方慶雲	〈記承天寺夜遊〉的聲調技巧	16 卷 7 期	(187)	頁 11~12	2000 年 12 月
6028	溫光華	傳記散文的別格——談蘇軾〈方山子傳〉的傳記寫作藝術	16 卷 10 期	(190)	頁 89~91	2001 年 3 月
6029	黃淑貞	從大小法探析歐陽修二記的美感效果——〈醉翁亭記〉與〈豐樂亭記〉	17 卷 4 期	(196)	頁 14~18	2001 年 9 月
6030	黃惠君	蘇轍〈上樞密韓太尉書〉的養氣說	17 卷 4 期	(196)	頁 30~33	2001 年 9 月
6031	陳佳君	蘇轍〈黃州快哉亭記〉結構分析	17 卷 7 期	(199)	頁 97~100	2001 年 12 月
6032	陳滿銘	蘇軾〈超然臺記〉篇章結構分析	18 卷 12 期	(216)	頁 96~100	2003 年 5 月
6033	王樹林	一篇元代散文「論述」之作者懸案釋疑	20 卷 10 期	(238)	頁 47~50	2005 年 3 月
6034	謝佳惠	〈縱囚論〉的文勢營造——從修辭、文法、結構切入	21 卷 4 期	(244)	頁 77~82	2005 年 9 月

6035	李怡芬	蘇軾〈方山子傳〉中的電影手法	22 卷 5 期	(257)	頁 48~52	2006 年 10 月
6036	趙鴻中	論歐陽脩「事信言文」的理論與實踐	24 卷 1 期	(277)	頁 17~22	2008 年 6 月
6037	楊茹惠	蘇軾碑記文承上啟下的關鍵地位	24 卷 1 期	(277)	頁 23~28	2008 年 6 月
6038	游坤峰	南宋散文概述	24 卷 1 期	(277)	頁 29~34	2008 年 6 月
6039	王基倫	陳衍《石遺室論文》論宋代古文	24 卷 1 期	(277)	頁 35~41	2008 年 6 月
6040	林冉欣	曾鞏〈墨池記〉的篇章結構	25 卷 2 期	(290)	頁 22~29	2009 年 7 月
6041	適 生	〈尚節亭記〉文章風格	4 卷 1 期	(37)	頁 66~67	1988 年 6 月
6042	周兆祥	數點梅花亡國淚，二分明月故臣心 ——讀全祖望的〈梅花嶺記〉	8 卷 5 期	(89)	頁 50~54	1992 年 10 月
6043	李立信	試析歸有光〈項脊軒志〉	10 卷 6 期	(114)	頁 22~26	1994 年 11 月
6044	陳嘉英	閱讀〈項脊軒志〉裡的空間	17 卷 6 期	(198)	頁 57~64	2001 年 11 月
6045	張 平	試論徐渭的適媚觀	19 卷 10 期	(226)	頁 44~51	2004 年 3 月
6046	陳一弘	三讀〈李龍眠畫羅漢記〉	20 卷 7 期	(235)	頁 89~92	2004 年 12 月
6047	施筱雲	〈項脊軒志〉婉曲之筆	21 卷 11 期	(251)	頁 71~76	2006 年 4 月
6048	廖建智	明代茶文之研究	22 卷 11 期	(263)	頁 46~51	2007 年 4 月
6049	張則桐	晚明書畫風氣對張岱文藝思想的影響	24 卷 6 期	(282)	頁 47~52	2008 年 11 月
6050	陳儀玲	「更定」考—— 張岱夜訪湖心亭時間釐定	25 卷 7 期	(295)	頁 56~60	2009 年 12 月
6051	沈 謙	浮生堪記閨房樂—— 沈三百與陳芸的藝術性情	6 卷 12 期	(72)	頁 53~57	1991 年 5 月
6052	蔡雲雀	從《浮生六記》一窺沈三白的夫妻 生活	12 卷 9 期	(141)	頁 60~61	1997 年 2 月
6053	余力文	案頭山水 心中園林—— 淺析張潮之《幽夢影》	14 卷 6 期	(162)	頁 83~85	1998 年 11 月
6054	黃春貴	〈為學一首示子姪〉賞析	14 卷 7 期	(163)	頁 93~99	1998 年 12 月
6055	李運瑛	事事關情 語語入情—— 〈祭妹文〉賞析	16 卷 4 期	(184)	頁 88~91	2000 年 9 月
6056	余力文	一塊純美的水晶—— 《浮生六記》的藝術觀照	16 卷 9 期	(189)	頁 52~53	2001 年 2 月
6057	高旖璐	探討《幽夢影》的審美手法	19 卷 12 期	(228)	頁 56~61	2004 年 5 月
6058	范文鳳	從「既嫁從夫」角度看陳芸悲情的 一生	22 卷 5 期	(257)	頁 53~60	2006 年 10 月
6059	黃文吉	藍鼎元及其〈紀水沙連〉探析	22 卷 11 期	(263)	頁 65~71	2007 年 4 月
6060	江慧玲	浪漫下的哀愁—— 從《浮生六記》看沈三白夫婦坎坷 人生之緣由	22 卷 12 期	(264)	頁 48~54	2007 年 5 月
6061	蔡根祥	沈復《浮生六記》研究的新高潮	24 卷 3 期	(279)	頁 53~65	2008 年 8 月

		——新資料之發現與研究				
6062	鍾怡雯	《幽夢影》與林語堂	24 卷 11 期	(287)	頁 54~55	2009 年 4 月
6063	林慶彰	駢文的源流	2 卷 1 期	(13)	頁 14	1986 年 6 月
6064	曹淑娟	溫潤之情與清明之理—— 古典散文中的母愛	3 卷 12 期	(36)	頁 34~38	1988 年 5 月
6065	劉兆祐	「八股文」的比法	5 卷 4 期	(52)	頁 6	1989 年 9 月
6066	胡楚生	是母鹿還是小鹿？	7 卷 1 期	(73)	頁 8~9	1991 年 6 月
6067	王志成	關於古文賞析的書籍	7 卷 9 期	(81)	頁 105~109	1992 年 2 月
6068	沈惠如	〈醉鄉記〉與〈桃花源〉	8 卷 7 期	(91)	頁 55~59	1992 年 12 月
6069	王志成 溫光華	古文選讀指津	10 卷 12 期	(120)	頁 33~46	1995 年 5 月
6070	陳滿銘	談〈與宋元思書〉與〈溪頭的竹子〉 二文在結構上的異同	11 卷 7 期	(127)	頁 46~51	1995 年 12 月
6071	張高評	文苑長青樹——古文	14 卷 6 期	(162)	頁 21~25	1998 年 11 月
6072	張仁青	落霞與孤鶩齊飛 秋水共長天一色 ——駢文	14 卷 6 期	(162)	頁 26~31	1998 年 11 月
6073	張高評	古典散文的主題和技巧—— 以唐宋古文為論述核心	18 卷 9 期	(213)	頁 44~51	2003 年 2 月
6074	陳水福	臺灣古典散文的總彙—— 《全臺文》簡介	23 卷 9 期	(273)	頁 105~108	2008 年 2 月

10.2.3.2 創作

6075	謝春聘	起承轉合	10 卷 11 期	(119)	頁 107	1995 年 4 月
6076	陳新雄	北京天祥祠重修記	11 卷 9 期	(129)	頁 106~108	1996 年 2 月

10.2.4 詩

10.2.4.1 通論

6077	黃基正	詩經中的「齊侯之子」究竟是誰？	1 卷 5 期	(5)	頁 64	1985 年 10 月
6078	于　淵	雞鳴、蛙鳴與蒼蠅鳴—— 詩經的一首情詩	1 卷 5 期	(5)	頁 80~81	1985 年 10 月
6079		「摽梅之年」是什麼年？	1 卷 7 期	(7)	頁 10	1985 年 12 月
6080	黃基正	詩經中的兒歌	2 卷 2 期	(14)	頁 74	1986 年 7 月
6081	陳新雄	詩經中的楊柳意象象徵什麼？	2 卷 4 期	(16)	頁 36~39	1986 年 9 月
6082	黃忠慎	詩經是戰國中期的出產品嗎？	2 卷 11 期	(23)	頁 96~97	1987 年 4 月
6083	簡　媜	漢廣	3 卷 1 期	(25)	頁 66~67	1987 年 6 月
6084	林宗宏	詩經傳統意識（上）——	3 卷 2 期	(26)	頁 58~63	1987 年 7 月

解析與重建

6085	林宗宏	詩經傳統意識（下）—— 解析與重建	3 卷 3 期	(27)	頁 50~55	1987 年 8 月
6086	黃亦真	從《詩經》尋找大自然的真趣	4 卷 2 期	(38)	頁 84~87	1988 年 7 月
6087	鄭良樹	云誰之思，涕泗滂沱—— 《詩經》戀詩賞析	6 卷 1 期	(61)	頁 105~109	1990 年 6 月
6088	鄭良樹	思君令人老，軒車來何遲—— 《詩經》戀詩賞析	6 卷 12 期	(72)	頁 94~98	1991 年 5 月
6089	杜　濤	〈蒹葭〉何以美	8 卷 10 期	(94)	頁 62~67	1993 年 3 月
6090	藍若天	《詩經‧關雎》鑑賞	9 卷 2 期	(98)	頁 24~29	1993 年 7 月
6091	藍若天	《詩經‧行露》篇鑑賞	9 卷 4 期	(100)	頁 26~32	1993 年 9 月
6092	藍若天	《詩經‧野有死麕》篇鑑賞	9 卷 6 期	(102)	頁 46~51	1993 年 11 月
6093	藍若天	《詩經‧卷耳》篇鑑賞	9 卷 7 期	(103)	頁 64~68	1993 年 12 月
6094	藍若天	《詩經‧雄雉》篇鑑賞	9 卷 8 期	(104)	頁 60~65	1994 年 1 月
6095	藍若天	《詩經‧靜女》篇鑑賞	9 卷 10 期	(106)	頁 58~63	1994 年 3 月
6096	藍若天	《詩經‧桑中》篇鑑賞	10 卷 1 期	(109)	頁 96~100	1994 年 6 月
6097	藍若天	《詩經‧氓》篇鑑賞	10 卷 4 期	(112)	頁 90~96	1994 年 9 月
6098	藍若天	《詩經‧有狐》篇鑑賞	10 卷 6 期	(114)	頁 70~75	1994 年 11 月
6099	施議對	敏求居說詩：「窈窕淑女，君子好 逑」《詩經‧周南‧關雎》賞析	10 卷 7 期	(115)	頁 27~28	1994 年 12 月
6100	施議對	敏求居說詩：少男少女三月三—— 《詩經‧鄭風‧溱洧》賞析	10 卷 8 期	(116)	頁 4~5	1995 年 1 月
6101	施議對	敏求居說詩：「靜女奇姝，俟我於 城隅」——一個生動的幽會場面	10 卷 10 期	(118)	頁 36~37	1995 年 3 月
6102	藍若天	《詩經‧君子于役》篇鑑賞	10 卷 10 期	(118)	頁 81~85	1995 年 3 月
6103	施議對	敏求居說詩：「漢有游女，不可求 思」——崇高的愛情寄託	10 卷 11 期	(119)	頁 4~5	1995 年 4 月
6104	施議對	敏求居說詩：采采卷耳，不盈頃筐 ——一種特殊的結構方法	11 卷 2 期	(122)	頁 66~67	1995 年 7 月
6105	施議對	敏求居說詩：〈將仲子〉中的「牆」 ——不可踰越的愛情阻隔	11 卷 5 期	(125)	頁 91~93	1995 年 10 月
6106	施議對	敏求居說詩：「野有蔓草、零露漙 兮」——一首意象縹緲的愛情詩	11 卷 9 期	(129)	頁 86~87	1996 年 2 月
6107	施議對	敏求居說詩：宛在水中央—— 一種崇高的愛情追求	11 卷 11 期	(131)	頁 75~77	1996 年 4 月
6108	邱宜文	採芳遺珮—— 試談《詩經》、《楚辭》中男女 贈物之寄託意涵	13 卷 9 期	(153)	頁 46~51	1998 年 2 月

6109	曹順慶	《詩經》解說三題	15 卷 8 期	(176)	頁 49~52	2000 年 1 月
6110	蘇建洲	也談「輔車相依」—— 兼論〈小雅・正月〉的「輔」	16 卷 4 期	(184)	頁 34~38	2000 年 9 月
6111	高明誠	解惑篇：雎鳩是什麼鳥	16 卷 6 期	(186)	頁 75	2000 年 11 月
6112	周春健	〈召南・野有死麕〉主題辨析	18 卷 12 期	(216)	頁 44~49	2003 年 5 月
6113	李金坤	「其葉沃若」、「其黃而隕」喻旨 正解	19 卷 1 期	(217)	頁 46~48	2003 年 6 月
6114	林翠華	無盡情意傳唱古今—— 從《詩經・蒹葭》到陳義芝〈蒹葭〉	20 卷 5 期	(233)	頁 51~53	2004 年 10 月
6115	周春健 張友彬	「《詩經》發展史」與「《詩經》 研究史」漫議	20 卷 8 期	(236)	頁 37~42	2005 年 1 月
6116	周玉珠	從《詩經・豳風・伐柯》看周人 「共牢合巹」之婚俗	20 卷 10 期	(238)	頁 51~54	2005 年 3 月
6117	聶永華	人倫傳統與《詩經》中的親情詩	21 卷 3 期	(243)	頁 55~59	2005 年 8 月
6118	林佳惠	《詩・大雅》中周族敘事詩初探 ——以〈生民〉中「棄」的形構為 核心	21 卷 7 期	(247)	頁 43~48	2005 年 12 月
6119	邱慧芬	《詩經》中的婦女形象	22 卷 10 期	(262)	頁 4~12	2007 年 3 月
6120	王清信	《詩經》詩篇的寫作技巧	22 卷 10 期	(262)	頁 13~22	2007 年 3 月
6121	洪楷萱	源自《詩經》的成語	22 卷 10 期	(262)	頁 23~29	2007 年 3 月
6122	陳明義	朱熹把情詩當作「淫詩」	22 卷 10 期	(262)	頁 30~36	2007 年 3 月
6123	陳文采	談談胡適和郭沫若的《詩經》新解	22 卷 10 期	(262)	頁 37~44	2007 年 3 月
6124	陳讚華	《風》《騷》比較 集其大成—— 《風騷比較新論》簡介	22 卷 12 期	(264)	頁 90~93	2007 年 5 月
6125	張鴻愷	從經學到詩學看「興」義內涵之轉變	23 卷 3 期	(267)	頁 47~53	2007 年 8 月
6126	蕭千金	《詩經・小雅》之〈隰桑〉的立意 與章法分析	23 卷 4 期	(268)	頁 87~92	2007 年 9 月
6127	朱孟庭	縱橫以觀，詩義畢現—— 《詩經》鑑賞舉要	24 卷 4 期	(280)	頁 52~58	2008 年 9 月
6128	林偉雄	從男女身體書寫觀看—— 《詩經》〈周南〉、〈召南〉的 男女身體權力象徵	24 卷 10 期	(286)	頁 46~50	2009 年 3 月
6129	蔡宗陽	從文法與修辭析論《詩經・陳風・ 東門之池》	25 卷 4 期	(292)	頁 84~87	2009 年 9 月
6130	蔡宗陽	《詩經修辭研究》序	25 卷 7 期	(295)	頁 55	2009 年 12 月
6131	陳書金	「東門行」二首	2 卷 2 期	(14)	頁 76~77	1986 年 7 月
6132	林春蘭	歡躍的情思—— 析古詩「客從遠方來」	2 卷 4 期	(16)	頁 88~91	1986 年 9 月

6133	黃盛雄	莫教我兒飢且寒—— 樂府詩中的母子情	3 卷 12 期	(36)	頁 27~30	1988 年 5 月
6134	黃景進	永恒的悲劇—— 〈公無渡河〉的結構與象徵意義	4 卷 5 期	(41)	頁 57~59	1988 年 10 月
6135	鄭向恒	胡笳曲韻悲憤詩—— 蔡邕、蔡琰父女的悲情故事	6 卷 12 期	(72)	頁 16~20	1991 年 5 月
6136	徐傳勝 林蔚蘭	委婉含蓄，餘味無盡—— 《古詩十九首・冉冉孤生竹》賞析	8 卷 5 期	(89)	頁 64~68	1992 年 10 月
6137	俞允堯	安得猛士兮守四方？—— 西漢樂府與其著名歌曲	9 卷 3 期	(99)	頁 68~69	1993 年 8 月
6138	林吳三英	從漢與六朝樂府詩試探當時的社會 型態	9 卷 9 期	(105)	頁 62~69	1994 年 2 月
6139	高莉芬	落入人間的仙子—— 論漢魏詩歌中的織女	16 卷 3 期	(183)	頁 32~36	2000 年 8 月
6140	陳宣諭	台灣歌謠聯想曲—— 從〈上邪〉到〈愛你無惜代價〉	21 卷 10 期	(250)	頁 83~86	2006 年 3 月
6141	張克濟	從「猛志逸四海」到「採菊東籬下」 ——陶淵明的思想與詩風	1 卷 1 期	(1)	頁 26~28	1985 年 6 月
6142	簡錦松	唐詩三百首裡為什麼沒有陶淵明詩？	1 卷 5 期	(5)	頁 67	1985 年 10 月
6143	簡錦松	南朝的寺廟	1 卷 5 期	(5)	頁 67	1985 年 10 月
6144	呂興昌	再談陶淵明的無弦琴	1 卷 10 期	(10)	頁 40~45	1986 年 3 月
6145	陳怡良	陶淵明的無絃琴與有絃琴—— 敬答呂興昌先生	2 卷 4 期	(16)	頁 40~44	1986 年 9 月
6146	柴劍虹	聲情搖曳，意味無窮—— 南朝民歌〈西洲曲〉賞析	4 卷 11 期	(47)	頁 90~91	1989 年 4 月
6147	張高評	〈木蘭詩〉賞析	4 卷 12 期	(48)	頁 96~98	1989 年 5 月
6148	李渝福	山水詩人謝靈運	5 卷 3 期	(51)	頁 28~31	1989 年 8 月
6149	李渝福	從《文心雕龍》批評論的觀點看 謝靈運詩二首	5 卷 4 期	(52)	頁 78~80	1989 年 9 月
6150	許逸民	不戚往年・憂世不治—— 讀曹操〈秋胡行〉二首	5 卷 5 期	(53)	頁 94~97	1989 年 10 月
6151	江寶釵	從史詩的角度讀〈木蘭詩〉—— 兼談南北樂府詩之情調差異	6 卷 3 期	(63)	頁 86~87	1990 年 8 月
6152	林吳三英	從漢與六朝樂府詩試探當時的社會 型態	9 卷 9 期	(105)	頁 62~69	1994 年 2 月
6153	王宜瑗	輕舉與回歸—— 魏晉遊仙詩人的心態	10 卷 8 期	(116)	頁 76~80	1995 年 1 月
6154	王力堅	多情而婉麗—— 蕭繹〈燕歌行〉解析	13 卷 3 期	(147)	頁 48~52	1997 年 8 月

6155	王力堅	曹植《雜詩》（其一）母題解讀	13 卷 10 期 (154)	頁 43~46	1998 年 3 月
6156	王力堅	謝靈運〈石壁精舍還湖中作〉情景理之間的關係	14 卷 1 期 (157)	頁 46~49	1998 年 6 月
6157	傅武光	陶淵明的〈飲酒〉詩	14 卷 10 期 (166)	頁 48~53	1999 年 3 月
6158	段莉芬	從〈歸去來辭〉看陶淵明的精神在現代社會的意義	15 卷 7 期 (175)	頁 19~23	1999 年 12 月
6159	羅秀美	蘇東坡的和陶詩	15 卷 9 期 (177)	頁 12~20	2000 年 2 月
6160	陳友冰	〈木蘭詩〉與〈木蘭歌〉	16 卷 1 期 (181)	頁 69~76	2000 年 6 月
6161	高莉芬	落入人間的仙子——論漢魏詩歌中的織女	16 卷 3 期 (183)	頁 32~36	2000 年 8 月
6162	洪順隆	六朝詩歌中的七夕民俗意象	16 卷 3 期 (183)	頁 37~42	2000 年 8 月
6163	鄭源發	陶淵明的變身手段——陶詩中的酒與鳥	17 卷 6 期 (198)	頁 4~10	2001 年 11 月
6164	何海燕	陶詩在唐宋的顯晦及其文化探因——從錢鍾書《談藝錄》中的〈陶淵明詩顯晦〉談起	17 卷 12 期 (204)	頁 55~60	2002 年 5 月
6165	何美諭	〈孔雀東南飛〉與〈木蘭辭〉婦女處境之比較	18 卷 6 期 (210)	頁 54~62	2002 年 11 月
6166	龔于芬	庾信的〈怨歌行〉	18 卷 7 期 (211)	頁 88~93	2002 年 12 月
6167	蘇曼如	魏晉民歌與物色之間的互動關係——以〈子夜四時歌〉為例	19 卷 5 期 (221)	頁 48~53	2003 年 10 月
6168	潘銘基	誰是荊軻的知己——兼論陶淵明〈詠荊軻〉的注釋問題	19 卷 8 期 (224)	頁 12~16	2004 年 1 月
6169	蔡琇瑩	〈飲酒其四〉賞析	21 卷 5 期 (245)	頁 66~72	2005 年 10 月
6170	李金坤	「山氣日夕佳」新解	22 卷 1 期 (253)	頁 64~65	2006 年 6 月
6171	楊宗錫	〈木蘭〉「唧唧」為哪樁	24 卷 5 期 (281)	頁 69~74	2008 年 10 月
6172	黃良瑩	管窺北朝樂府民歌中的服飾	25 卷 2 期 (290)	頁 39~43	2009 年 7 月
6173	劉依芸	論《玉臺新詠》中之燈燭意象	25 卷 8 期 (296)	頁 48~53	2010 年 1 月
6174	黃永武	「碧空盡」與「碧山盡」那個對？	1 卷 2 期 (2)	頁 6	1985 年 7 月
6175	蔡英俊	怎樣讀李賀詩	1 卷 3 期 (3)	頁 9~10	1985 年 8 月
6176	王文進	盛唐之音的前奏曲——談張若虛「春江花月夜」	1 卷 3 期 (3)	頁 88~90	1985 年 8 月
6177	呂正惠	史提芬・歐文的「盛唐詩」	1 卷 5 期 (5)	頁 75	1985 年 10 月
6178	蕭繼宗	我說孟浩然詩	1 卷 7 期 (7)	頁 70~73	1985 年 12 月
6179	龔鵬程	周棄子手批賈島詩集注	1 卷 11 期 (11)	頁 38~41	1986 年 4 月
6180	許紹明	一首詩，幾個問題——看杜甫「後出塞」	1 卷 11 期 (11)	頁 65~67	1986 年 4 月

6181	葉　峰	杜甫後出塞詩辨正	2 卷 1 期	(13)	頁 76~77	1986 年 6 月
6182	黃永武	敦煌本唐詩校勘舉例——試校敦煌伯二五五五號卷子中的二十七首唐詩	2 卷 6 期	(18)	頁 68~76	1986 年 11 月
6183	張夢機	杜詩	2 卷 8 期	(20)	頁 18	1987 年 1 月
6184	元　之	錢牧齋寫校李商隱詩集	2 卷 9 期	(21)	頁 43	1987 年 2 月
6185	洪淑苓	廿五讀杜詩兩首	2 卷 10 期	(22)	頁 10~11	1987 年 3 月
6186	李文憲	王維「出塞作」的瑕疵及課本編選之不當	3 卷 4 期	(28)	頁 18~19	1987 年 9 月
6187	簡恩定	王維「出塞作」問題釋疑	3 卷 4 期	(28)	頁 19~20	1987 年 9 月
6188	黃盛雄	人間有情託神仙——李義山的神仙詩	3 卷 7 期	(31)	頁 70~71	1987 年 12 月
6189	江國貞	燕子樓佳人關盼盼	3 卷 7 期	(31)	頁 75~79	1987 年 12 月
6190	許清雲	〈古意呈喬補闕知之〉詩解	4 卷 3 期	(39)	頁 7	1988 年 8 月
6191	葉　峰	蜀道之難難於上青天——淺析〈蜀道難〉	4 卷 3 期	(39)	頁 58~61	1988 年 8 月
6192	張高評	岑參〈白雪歌送武判官歸京〉賞析	4 卷 5 期	(41)	頁 48~49	1988 年 10 月
6193	袁行霈	憤激的呼喊——淺析陳子昂〈登幽州台歌〉	4 卷 7 期	(43)	頁 62~63	1988 年 12 月
6194	黃明理	論杜甫〈丹青引〉之韓幹畫馬	4 卷 8 期	(44)	頁 85~87	1989 年 1 月
6195	簡恩定	杜甫〈丹青引〉：「幹惟畫肉不畫骨，忍使驊騮氣凋喪。」	4 卷 11 期	(47)	頁 92~93	1989 年 4 月
6196	沈秋雄	一首喜心翻倒的詩——杜甫〈聞官軍收河南河北〉賞析	4 卷 12 期	(48)	頁 98~99	1989 年 5 月
6197	蔡崇名	〈桃花谿〉一首是張旭的詩嗎？	5 卷 1 期	(49)	頁 75~77	1989 年 6 月
6198	郭鶴鳴	也談杜甫〈丹青引〉之韓幹畫馬	5 卷 1 期	(49)	頁 78~82	1989 年 6 月
6199	陳秀端	三百篇之遺音——〈兵車行〉賞析	5 卷 1 期	(49)	頁 83~85	1989 年 6 月
6200	劉萬梓	王維〈出塞作〉中的「重用字」	5 卷 3 期	(51)	頁 87~89	1989 年 8 月
6201	梁錫華	也撥〈錦瑟〉絃	5 卷 4 期	(52)	頁 81~87	1989 年 9 月
6202	陳文華	澎湃昂揚的軍聲——說盧綸〈和張僕射塞下曲〉	5 卷 5 期	(53)	頁 90~91	1989 年 10 月
6203	連文萍	啞啞思親曲·苦苦勸世歌——白居易〈慈烏夜啼〉賞析	5 卷 5 期	(53)	頁 92~93	1989 年 10 月
6204	李　渡	我們不需要拼裝車——《唐詩新賞》的資料來源	5 卷 5 期	(53)	頁 98~101	1989 年 10 月
6205	蔡根祥	聞道長安似奕棋	5 卷 9 期	(57)	頁 89	1990 年 2 月
6206	周延燕	部伍各見招——杜甫〈後出塞〉詩疑義探析	5 卷 12 期	(60)	頁 62~63	1990 年 5 月

6207	張伯偉	杜甫〈江村〉詩心說—— 兼評傳統的說詩方法	6 卷 4 期	(64)	頁 85~89	1990 年 9 月
6208	方　瑜	曾經滄海難為水，除卻巫山不是雲	6 卷 6 期	(66)	頁 7	1990 年 11 月
6209	浦忠成	韓愈〈秋懷詩〉十一首試解	6 卷 10 期	(70)	頁 88~92	1991 年 3 月
6210	杜松柏	行到水窮處，坐看雲起時—— 唐詩中的禪趣	7 卷 2 期	(74)	頁 25~30	1991 年 7 月
6211	袁行霈	如夢似幻的夜曲—— 張若虛〈春江花月夜〉賞析	7 卷 2 期	(74)	頁 79~82	1991 年 7 月
6212	鄧仕樑	從「崔顥題詩在上頭」說起—— 試析幾首唐宋黃鶴樓詩	7 卷 12 期	(84)	頁 37~43	1992 年 5 月
6213	陳勝吉	相逢何必曾相識—— 白居易琵琶行探微	8 卷 1 期	(85)	頁 78~82	1992 年 6 月
6214	王利器	詁杜三題	8 卷 2 期	(86)	頁 32~39	1992 年 7 月
6215	衣若芬	從唐人詩畫中馬的意象看盛唐風光	8 卷 3 期	(87)	頁 22~31	1992 年 8 月
6216	戴尚文	盧綸〈塞下曲〉詩義	8 卷 5 期	(89)	頁 60~61	1992 年 10 月
6217	孫移泰	畫筆驚風雨　題詩泣鬼神—— 杜甫題畫詩〈奉先劉少府新畫山水 障歌〉賞析	8 卷 6 期	(90)	頁 63~68	1992 年 11 月
6218	陳秀端	景語？情語？——李白〈長干行〉	8 卷 7 期	(91)	頁 45~50	1992 年 12 月
6219	徐傳勝	以微見著　含蓄精深—— 說杜牧〈過華清宮絕句〉（其三）	8 卷 9 期	(93)	頁 70~72	1993 年 2 月
6220	許清雲	讀〈兩首登鸛鵲樓詩之比較〉迴響	9 卷 2 期	(98)	頁 86~87	1993 年 7 月
6221	陳明恩	論科舉試詩與唐詩發展的關係—— 一個新的理解角度	9 卷 3 期	(99)	頁 70~77	1993 年 8 月
6222	陳秀端	晶瑩的明珠——義山「無題」詩	9 卷 6 期	(102)	頁 58~63	1993 年 11 月
6223	劉崇義	敬覆許清雲教授—— 補充說明兩首〈登鸛鵲樓〉詩的 作者問題	9 卷 6 期	(102)	頁 81~83	1993 年 11 月
6224	戴寶珠	清淡與弱勢—— 淺論李商隱詩中的逸品	10 卷 1 期	(109)	頁 60~65	1994 年 6 月
6225	龔嘉英	我從杜詩中發現「詩有三動」	10 卷 3 期	(111)	頁 44~46	1994 年 8 月
6226	林政華	李白黃鶴樓詩的兩個異文	10 卷 3 期	(111)	頁 72~73	1994 年 8 月
6227	王熙元	談李白的小詩〈靜夜思〉	10 卷 6 期	(114)	頁 14~16	1994 年 11 月
6228	黃浴沂	盛唐詩文王維—— 兼析其〈輞川閑居贈裴秀才迪〉詩	10 卷 8 期	(116)	頁 6~12	1995 年 1 月
6229	羅鳳珠	攜手同行古籍自動化的路（二）： 不廢江河萬古流——DIY 唐詩多媒 體網路系統規劃理念	10 卷 11 期	(119)	頁 46~51	1995 年 4 月
6230	陳慶煌	李白〈靜夜思〉為甚麼會有文字上	10 卷 12 期	(120)	頁 13~14	1995 年 5 月

的差異？

6231	黃慶祥	巴峽、巫峽、襄陽、洛陽——談杜甫的歸鄉路	10 卷 12 期 (120)	頁 15~19	1995 年 5 月
6232	趙其鈞	略論抒情詩的興旺與唐絕句的敘事藝術	11 卷 1 期 (121)	頁 4~8	1995 年 6 月
6233	羅鳳珠	攜手同行古籍自動化的路（三）：不廢江河萬古流——DIY 唐詩多媒體網路系統架構設計	11 卷 1 期 (121)	頁 105~111	1995 年 6 月
6234	陳民珠	韋莊詩詞中「月」的意境	11 卷 2 期 (122)	頁 52~59	1995 年 7 月
6235	徐遠祥	再談〈靜相思〉	11 卷 4 期 (124)	頁 112~115	1995 年 9 月
6236	陳慶煌	〈靜相思〉的體式與格律	11 卷 4 期 (124)	頁 116~118	1995 年 9 月
6237	陳滿銘	談崔顥〈黃鶴樓〉與李白〈登金陵鳳凰臺〉二詩的異同	11 卷 9 期 (129)	頁 36~43	1996 年 2 月
6238	唐翼明	試用新批評理論解讀王昌齡〈閨怨〉	12 卷 1 期 (133)	頁 72~76	1996 年 6 月
6239	葉國良	詩文與禮制（十七）：白居易的家有多大	12 卷 6 期 (138)	頁 26~29	1996 年 11 月
6240	亞俠	清寒瑩骨肝膽醒 一生思慮無由邪——談韓愈詩中的李花	12 卷 7 期 (139)	頁 82~86	1996 年 12 月
6241	張覺	〈青冢〉賞析——邊塞傑作鑑賞	12 卷 9 期 (141)	頁 58~59	1997 年 2 月
6242	江國貞	漠漠水田飛白鷺，陰陰夏木囀黃鸝——王維取用了李嘉祐的詩句嗎？	12 卷 10 期 (142)	頁 50~55	1997 年 3 月
6243	張維用	盪胸生層雲——杜甫〈望嶽〉	12 卷 11 期 (143)	頁 36~40	1997 年 4 月
6244	何根海	「杏花村」新辨	12 卷 11 期 (143)	頁 46~49	1997 年 4 月
6245	熊明陶	漫話〈霓裳羽衣曲〉	13 卷 1 期 (145)	頁 55~57	1997 年 6 月
6246	龔嘉英	杜詩〈春望〉題解	13 卷 2 期 (146)	頁 117~119	1997 年 7 月
6247	王啟屏	珊瑚撐月——試析李白〈黃鶴樓送孟浩然之廣陵〉	13 卷 11 期 (155)	頁 32~37	1998 年 4 月
6248	王清源	杜牧和他的詩	13 卷 11 期 (155)	頁 48~51	1998 年 4 月
6249	劉廣定	〈清明〉詩的作者與「杏花村」的地點	13 卷 12 期 (156)	頁 29~31	1998 年 5 月
6250	李文憲	由格律談崔顥之〈黃鶴樓〉詩	14 卷 7 期 (163)	頁 90~92	1998 年 12 月
6251	黃盛雄	白居易的〈琵琶行〉應屬樂府詩還是新樂府詩？	14 卷 11 期 (167)	頁 34	1999 年 4 月
6252	黃雅淳	從〈將進酒〉看李白	14 卷 11 期 (167)	頁 54~58	1999 年 4 月
6253	張靖遠	淺探〈琵琶行〉的構篇	14 卷 11 期 (167)	頁 59~65	1999 年 4 月
6254	陳昭銘	略談有關〈琵琶行〉的幾個問題	15 卷 2 期 (170)	頁 110~112	1999 年 7 月
6255	陳必正	無我之境與著我之景——論王維《輞川集》與錢起《藍田溪	15 卷 6 期 (174)	頁 38~41	1999 年 11 月

雜詠》

6256	蔡忠道	古典的深情與現代的浪漫── 讀〈長千行〉	15卷7期	(175) 頁12~18	1999年12月
6257	冷 草	王之渙與文學	15卷9期	(177) 頁43~46	2000年2月
6258	李昌年	枯荷聽雨的審美情調── 李義山〈宿駱氏亭懷崔雍崔袞〉 詩的主題的商榷	15卷11期	(179) 頁75~80	2000年4月
6259	饒少平	一首被誤解了的送行名作	16卷5期	(185) 頁63~65	2000年10月
6260	蕭麗華	從神話原型看李杜詩中的神鳥意象	16卷8期	(188) 頁42~50	2001年1月
6261	王者馨	由李白詩的色彩淺探其人格特質	16卷8期	(188) 頁51~56	2001年1月
6262	江國貞	可憐夜半虛前席‧不問蒼生問鬼神 ──李義山對漢文帝的譏諷合理 嗎？	17卷2期	(194) 頁47~49	2001年7月
6263	侯作珍	唐代文人的仕途與詩歌創作（上）	17卷4期	(196) 頁50~53	2001年9月
6264	邱素雲	深爐敲火炙新茶── 從唐宋茶聯談飲茶文化	17卷5期	(197) 頁31~35	2001年10月
6265	侯作珍	唐代文人的仕途與詩歌創作（下）	17卷5期	(197) 頁46~50	2001年10月
6266	陳益裕	請問杜牧‧「杏花村」在那裡？	17卷6期	(198) 頁39~43	2001年11月
6267	李昌年	柳宗元「禪語詩」疑義辨析	17卷6期	(198) 頁51~56	2001年11月
6268	胡其德	結構與詞韻──也論〈春江花月夜〉	17卷7期	(199) 頁84~88	2001年12月
6269	郭中一	目窮千里更登樓	17卷7期	(199) 頁101~103	2001年12月
6270	李金坤	「丰神情韻」與「筋骨思理」── 從同題〈詠柳〉看唐宋詩風格之差異	17卷8期	(200) 頁43~48	2002年1月
6271	龔彥士	也由崔顥〈黃鶴樓〉詩談格律問題	17卷8期	(200) 頁89~91	2002年1月
6272	吳品著	由〈哀箏〉一詩看李商隱對心靈世 界的深層挖掘	18卷2期	(206) 頁58~63	2002年7月
6273	亓婷婷	詩歌與音樂── 李賀〈李憑箜篌引〉析論（上）	18卷3期	(207) 頁51~55	2002年8月
6274	亓婷婷	詩歌與音樂── 李賀〈李憑箜篌引〉析論（下）	18卷4期	(208) 頁41~44	2002年9月
6275	謝明輝	李商隱〈流鶯〉一詩解析	18卷4期	(208) 頁97~101	2002年9月
6276	何海燕	樂天心相與淵明形神── 白居易〈效陶潛體詩〉與陶詩之比較	18卷5期	(209) 頁48~52	2002年10月
6277	胡小石講 裴普賢記錄	杜詩研究筆記（上）	18卷6期	(210) 頁44~49	2002年11月
6278	胡小石講 裴普賢記錄	杜詩研究筆記（下）	18卷7期	(211) 頁46~52	2002年12月
6279	顧關元	〈楓橋夜泊〉詩碑軼話	18卷10期	(214) 頁54~56	2003年3月

6280	林淑貞	魏徵〈述懷〉用典之美感意涵	19 卷 1 期	(217)	頁 49~52	2003 年 6 月
6281	周　雯	英雄造時勢，時勢造英雄——略談杜甫何以為「詩聖」	19 卷 3 期	(219)	頁 80~84	2003 年 8 月
6282	徐錦成	談唐、宋詩中的「搖落」	19 卷 7 期	(223)	頁 66~70	2003 年 12 月
6283	林淑貞	李白〈宣州謝朓樓餞別校書叔雲〉「抑揚格」結構與生命之頓挫	19 卷 8 期	(224)	頁 4~7	2004 年 1 月
6284	李金坤	同寫客愁 各臻妙境——〈楓橋夜泊〉與〈題金陵渡〉對讀	19 卷 8 期	(224)	頁 17~21	2004 年 1 月
6285	林淑慧	李商隱〈無題〉二首詩舊箋商榷及詩作賞析	19 卷 8 期	(224)	頁 22~28	2004 年 1 月
6286	林翠華	關懷民生的新樂府——白居易〈賣炭翁〉與林雙不〈賣菜〉	19 卷 8 期	(224)	頁 29~34	2004 年 1 月
6287	林曉筠	談白居易感傷詩（上）	19 卷 9 期	(225)	頁 54~59	2004 年 2 月
6288	林曉筠	談白居易感傷詩（下）	19 卷 10 期	(226)	頁 59~62	2004 年 3 月
6289	林淑貞	李義山〈嫦娥〉之「言內意」與「言外意」	20 卷 1 期	(229)	頁 63~68	2004 年 6 月
6290	林翠華	古今禪思——比較王維〈過香積寺〉與洛夫〈金龍禪寺〉	20 卷 2 期	(230)	頁 60~63	2004 年 7 月
6291	鍾　華	柳宗元〈江雪〉的章法和辭格的綜合運用簡析	20 卷 2 期	(230)	頁 104~105	2004 年 7 月
6292	林淑貞	杜甫〈哀江頭〉中的歷史事件與自我圖像	20 卷 8 期	(236)	頁 48~51	2005 年 1 月
6293	謝明輝	談王建詩對婦女之關懷	20 卷 9 期	(237)	頁 78~83	2005 年 2 月
6294	李菁菁	百年三萬六千日 一日需傾三百杯——李白的詩言醉語	21 卷 2 期	(242)	頁 62~68	2005 年 7 月
6295	王秋香	一代詩豪劉禹錫——沅湘情	21 卷 5 期	(245)	頁 56~60	2005 年 10 月
6296	李怡芬	對立的統一——杜詩中的樂景哀情	21 卷 5 期	(245)	頁 61~65	2005 年 10 月
6297	蕭佳琳	王維《山居秋暝》篇章結構分析	21 卷 6 期	(246)	頁 4~10	2005 年 11 月
6298	江春玉	杜甫《登樓》篇章結構分析	21 卷 6 期	(246)	頁 11~18	2005 年 11 月
6299	王雯怡	天才躁動不安的靈魂之鄉——淺析李白詩歌中「月」的意象	21 卷 6 期	(246)	頁 55~61	2005 年 11 月
6300	聶永華	上官儀的詩歌創作	21 卷 7 期	(247)	頁 49~54	2005 年 12 月
6301	黃淑貞	杜甫〈贈司空王公思禮〉辭章意象之形成及其美感	21 卷 8 期	(248)	頁 92~98	2006 年 1 月
6302	林淑貞	從〈與諸公登峴山〉看孟浩然的境遇感	21 卷 9 期	(249)	頁 41~45	2006 年 2 月
6303	陳清彬	柳宗元山水田園詩中的矛盾書寫	21 卷 10 期	(250)	頁 45~50	2006 年 3 月

6304	趙麗莎	別裁偽體親風雅，轉益多師是汝師 ——杜甫〈戲為六絕句〉探析	21 卷 11 期 (251) 頁 49~55	2006 年 4 月
6305	趙路得	聽覺意象的心理美學分析—— 以李賀〈李憑箜篌引〉、〈龍夜吟〉 為例	21 卷 12 期 (252) 頁 50~55	2006 年 5 月
6306	左秀靈	白居易詩在日本	21 卷 12 期 (252) 頁 82~83	2006 年 5 月
6307	張鴻愷	淺談唐詩的時空藝術	22 卷 6 期 (258) 頁 45~51	2006 年 11 月
6308	張鴻愷	試論道教「尚真」的美學思想對 李白詩歌創作及其人格之影響	22 卷 8 期 (260) 頁 50~54	2007 年 1 月
6309	張 覺	眼前有景道不得 日後作詩勝一籌 ——李白〈登金陵鳳凰台〉賞析	23 卷 3 期 (267) 頁 44~46	2007 年 8 月
6310	廖藤葉	由〈贈衛八處士〉談參、商永不相見	23 卷 12 期 (276) 頁 32~36	2008 年 5 月
6311	宋邦珍	從白居易〈琵琶行〉談音樂與人心 感發的關係	24 卷 1 期 (277) 頁 54~56	2008 年 6 月
6312	羅家欣	不是為窮常見隔，祇應嫌醉不相過 ——從貫休詩作探析其宦遊之心	24 卷 2 期 (278) 頁 67~71	2008 年 7 月
6313	陳惠青	李商隱的雨中詩意	24 卷 4 期 (280) 頁 64~68	2008 年 9 月
6314	李金坤	物我諧和的唐詩自然生態世界	24 卷 10 期 (286) 頁 28~32	2009 年 3 月
6315	李金坤	哀悼詩中的千古絕唱—— 杜牧《清明》詩之魅力賞論	25 卷 1 期 (289) 頁 62~69	2009 年 6 月
6316	李旻憓	杜甫〈石壕吏〉的篇章結構	25 卷 2 期 (290) 頁 15~21	2009 年 7 月
6317	羅郁華	論王維的詩畫美學意涵	25 卷 2 期 (290) 頁 44~49	2009 年 7 月
6318	吳斐甄	淺論寒山詩中透顯的佛學思想	25 卷 2 期 (290) 頁 50~55	2009 年 7 月
6319	張白虹	臺閣體詩新評—— 以岑參、王維、杜甫詩為例	25 卷 3 期 (291) 頁 47~52	2009 年 8 月
6320	曾秀雲	唐詩中的反戰、反暴政思想	25 卷 4 期 (292) 頁 66~70	2009 年 9 月
6321	李金坤	鑿池偷天 妙賞自然—— 杜牧《盆池》詩品讀	25 卷 6 期 (294) 頁 48~51	2009 年 11 月
6322	溫毓華	論王昌齡邊塞詩的情感內容與藝術 特色——以〈從軍行〉、〈出塞〉 兩組詩為例	25 卷 9 期 (297) 頁 54~58	2010 年 2 月
6323	張至廷	李義山詩中的長卿情結	25 卷 10 期 (298) 頁 46~50	2010 年 3 月
6324	顏崑陽	陸游詩	1 卷 7 期 (7) 頁 11	1985 年 12 月
6325	陳文華	「柳暗花明」的作者問題	1 卷 11 期 (11) 頁 19~20	1986 年 4 月
6326	熊秉明	春風又綠江南岸	2 卷 6 期 (18) 頁 44~47	1986 年 11 月
6327	沈秋雄	梅聖俞「秋日家居」詩賞析	3 卷 4 期 (28) 頁 55	1987 年 9 月
6328	畢 璞	塞上長城空自許	3 卷 8 期 (32) 頁 70~71	1988 年 1 月
6329	張高評	研究宋詩的方便之門——	6 卷 2 期 (62) 頁 20~24	1990 年 7 月

《全宋詩》編纂與宋詩研究

6330	孫欽善	巧合的「英雄所見」—— 大陸《全宋詩》編纂概況	6 卷 2 期	(62)	頁 25~28	1990 年 7 月
6331	李 栖	《聲畫集》所收黃庭堅三首佚詩的 討論	6 卷 6 期	(66)	頁 74~77	1990 年 11 月
6332	許錟輝	「腹有詩畫氣自華」出自何人詩句	7 卷 11 期	(83)	頁 5	1992 年 4 月
6333	葉憶如	東坡「渡海詩」淺析	8 卷 6 期	(90)	頁 38~43	1992 年 11 月
6334	孔慶茂	〈江上漁者〉新析	8 卷 9 期	(93)	頁 72~74	1993 年 2 月
6335	劉廣定	也談《全宋詩》的出版事件	8 卷 10 期	(94)	頁 4~5	1993 年 3 月
6336	黃益元	詩人的夢和夢中的詩人—— 陸游紀夢詩解析	8 卷 10 期	(94)	頁 68~80	1993 年 3 月
6337	張 健	蘇舜欽的七絕	10 卷 5 期	(113)	頁 14~19	1994 年 10 月
6338	黃奕珍	自我的進入與退出—— 四靈詩的視野	11 卷 1 期	(121)	頁 15~19	1995 年 6 月
6339	蔡根祥	〈正氣歌〉「為嚴將軍頭」釋疑	11 卷 9 期	(129)	頁 48~53	1996 年 2 月
6340	王熙元	謝枋得詩句中的疑義	11 卷 10 期	(130)	頁 8~9	1996 年 3 月
6341	賴橋本	薩都剌〈雨傘〉詩釋疑	11 卷 12 期	(132)	頁 9	1996 年 5 月
6342	劉 石	蘇詩比喻淺說	13 卷 12 期	(156)	頁 32~37	1998 年 5 月
6343	余力文	映日荷花別樣紅—— 楊萬里與詠花詩	15 卷 2 期	(170)	頁 72~73	1999 年 7 月
6344	羅秀美	蘇東坡的和陶詩	15 卷 9 期	(177)	頁 12~20	2000 年 2 月
6345	張高評	王安石〈明妃曲〉及其寫作特色	15 卷 12 期	(180)	頁 62~67	2000 年 5 月
6346	陳秀端	妙處可識不可誇—— 丘葵〈次放翁梅花韻〉	16 卷 7 期	(187)	頁 50~52	2000 年 12 月
6347	邱素雲	深爐敲火炙新茶—— 從唐宋茶聯談飲茶文化	17 卷 5 期	(197)	頁 31~35	2001 年 10 月
6348	廖學隆	意造無法的東坡書法—— 由〈石蒼舒醉墨堂〉詩談起	17 卷 8 期	(200)	頁 31~36	2002 年 1 月
6349	李金坤	「丰神情韻」與「筋骨思理」—— 從同題〈詠柳〉看唐宋詩風格之差異	17 卷 8 期	(200)	頁 43~48	2002 年 1 月
6350	李英華	「白髮永無懷橘日，六年怊悵荔支 紅」——漫談黃庭堅詩中的荔枝	17 卷 9 期	(201)	頁 61~64	2002 年 2 月
6351	周惠泉	論元好問	18 卷 10 期	(214)	頁 64~70	2003 年 3 月
6352	徐錦成	談唐、宋詩中的「搖落」	19 卷 7 期	(223)	頁 66~70	2003 年 12 月
6353	王 萱	與東風有約—— 談蘇軾〈正月二十日出東門詩〉 三首（上）	20 卷 3 期	(231)	頁 70~75	2004 年 8 月
6354	王 萱	與東風有約——	20 卷 4 期	(232)	頁 63~69	2004 年 9 月

		談蘇軾〈正月二十日出東門詩〉 三首（下）				
6355	蔡根祥	「雁止衡陽」說探源—— 兼論黃庭堅〈寄黃幾復〉詩中的問題	20 卷 9 期	(237)	頁 64~69	2005 年 2 月
6356	宋邦珍	論陸游、楊萬里之交誼	21 卷 7 期	(247)	頁 34~37	2005 年 12 月
6357	鄭頤壽	詩人辭章學之首部論著—— 讀歐陽炯教授《楊萬里詩歌辭章學》	21 卷 8 期	(248)	頁 57~64	2006 年 1 月
6358	莊斐喬	論蘇軾詠唐代美人詩	23 卷 4 期	(268)	頁 57~64	2007 年 9 月
6359	林青蓓	朱熹哲理詩的理趣	23 卷 11 期	(275)	頁 60~63	2008 年 4 月
6360	林青蓓	邵雍觀物詩之樂趣	24 卷 6 期	(282)	頁 54~58	2008 年 11 月
6361	顏智英	略論東坡詩中的「魚」	24 卷 10 期	(286)	頁 10~15	2009 年 3 月
6362	邱文俊	楊萬里詩論淺探	25 卷 2 期	(290)	頁 56~60	2009 年 7 月
6363	王　政 臧志攀	略說宋詩中的祈雨	25 卷 9 期	(297)	頁 41~45	2010 年 2 月
6364	吳宏一	晚明的詩壇風氣	2 卷 8 期	(20)	頁 56~63	1987 年 1 月
6365	章培恒	從先進走向落後—— 談明代文學及《全明詩》的編纂	6 卷 2 期	(62)	頁 29~32	1990 年 7 月
6366	黃景進	為誰風露立中宵	7 卷 2 期	(74)	頁 9	1991 年 7 月
6367	黃文吉 許清雲	文嘉的〈明日詩〉	7 卷 3 期	(75)	頁 8	1991 年 8 月
6368	朱曉露	萬紫千紅香燭具—— 明代滇詩人李元陽詠花詩賞介	8 卷 9 期	(93)	頁 76~81	1993 年 2 月
6369	張　健	高啟的五絕	8 卷 11 期	(95)	頁 28~31	1993 年 4 月
6370	林麗娟	隨處看山隨處樂—— 談王陽明詩中的閒適之樂	11 卷 10 期	(130)	頁 30~33	1996 年 3 月
6371	林麗娟	談王陽明詩中的悟道之樂	12 卷 1 期	(133)	頁 35~39	1996 年 6 月
6372	林麗娟	「隨處風波只晏然」—— 從龍場事變談王陽明詩中的灑落胸懷	12 卷 2 期	(134)	頁 27~31	1996 年 7 月
6373	林麗娟	何以當歌—— 談王陽明詩中的歌謠觀念	12 卷 7 期	(139)	頁 27~33	1996 年 12 月
6374	龍建春	曾國藩兩伎聯辨析	13 卷 4 期	(148)	頁 90~93	1997 年 9 月
6375	羅敬之	從《聊齋》詩看蒲松齡的自適生涯	14 卷 3 期	(159)	頁 45~48	1998 年 8 月
6376	林麗娟	「平生忠赤有天知」—— 談王陽明詩中的忠愛精神	14 卷 6 期	(162)	頁 54~57	1998 年 11 月
6377	林麗娟	王陽明詩中的美人意象	15 卷 10 期	(178)	頁 63~67	2000 年 3 月
6378	徐錦成	龔自珍的「童心」	16 卷 11 期	(191)	頁 68~69	2001 年 4 月
6379	黃清順	魚書與燈花—— 談〈偶成〉一詩中的兩個典故	16 卷 12 期	(192)	頁 57~63	2001 年 5 月

6380	亓婷婷	談陳本禮注釋之〈李憑箜篌引〉	17 卷 8 期	(200)	頁 40~42	2002 年 1 月
6381	張　平	試論徐渭的謔媚觀	19 卷 10 期	(226)	頁 44~51	2004 年 3 月
6382	余育婷	從鄭用錫、陳維英、施瓊芳看清代道咸時期臺灣詩人的傳承與發展	21 卷 10 期	(250)	頁 87~91	2006 年 3 月
6383	王　翬	寫竹盡托生平意──徐渭的畫竹詩	22 卷 3 期	(255)	頁 45~50	2006 年 8 月
6384	許如蘋	陸賈風流案，千年而始發──楊慎〈素馨花〉新解	22 卷 10 期	(262)	頁 63~65	2007 年 3 月
6385	廖建智	明代茶詩之研究	23 卷 1 期	(265)	頁 45~50	2007 年 6 月
6386	廖建智	清代詠茶泉詩之研究	23 卷 10 期	(274)	頁 47~53	2008 年 3 月
6387	林保全	「經世思想」與「地志知識」融入詩歌典故的巧妙技法──顧炎武〈十九年元旦〉詩解析	24 卷 7 期	(283)	頁 60~63	2008 年 12 月
6388	羅詩雲	番人、雨水、桃花源──初探清代宜蘭地區古典詩歌特色	24 卷 7 期	(283)	頁 70~76	2008 年 12 月
6389	李金坤	劉鶚豔情詩詞探微	25 卷 3 期	(291)	頁 53~55	2009 年 8 月
6390	龔鵬程	張眉叔先生手批蒼虯閣詩集	2 卷 7 期	(19)	頁 10~16	1986 年 12 月
6391	張高評	胡適的古典詩學述評	6 卷 7 期	(67)	頁 85~89	1990 年 12 月
6392	吳小如	黃遵憲的詩歌成就	7 卷 8 期	(80)	頁 59~60	1992 年 1 月
6393	張堂錡	夏晨荷葉上的露珠──讀黃遵憲〈山歌〉九首	7 卷 8 期	(80)	頁 63~65	1992 年 1 月
6394	簡恩定	胸襟與才力──論當代三位古典詩家	8 卷 1 期	(85)	頁 91~93	1992 年 6 月
6395	李梁淑	舊夢重溫──從周作人《兒童雜事詩》談起	14 卷 6 期	(162)	頁 77~82	1998 年 11 月
6396	程毅中	略談啟功先生的詩論與詩作	21 卷 7 期	(247)	頁 26~33	2005 年 12 月
6397	楊四平	從「五四」的人道主義到「後五四」的消費主義──百年現代漢詩流變概略	22 卷 2 期	(254)	頁 63~67	2006 年 7 月
6398	羅詩雲	「小我」與「大我」──初探臺灣古典女詩人石中英詩作中的自我形象	23 卷 4 期	(268)	頁 71~76	2007 年 9 月
6399	朱正茂	談近體詩的聲調結構	1 卷 3 期	(3)	頁 60~61	1985 年 8 月
6400	陳文華	近體詩聲調結構的一些重要觀念	1 卷 4 期	(4)	頁 54~57	1985 年 9 月
6401	龔鵬程	為什麼要讀專家詩？	1 卷 6 期	(6)	頁 49~51	1985 年 11 月
6402	洛　夫 洪淑苓記錄	語言的魔力──談詩語言的特色	1 卷 7 期	(7)	頁 33~37	1985 年 12 月
6403	龔鵬程	怎樣讀專家詩？	1 卷 8 期	(8)	頁 9~10	1986 年 1 月
6404	羅宗濤	從詩歌看中國人的倫理觀	1 卷 8 期	(8)	頁 16~19	1986 年 1 月

6405	羅宗濤	詩歌中的親子倫理	1 卷 10 期	(10)	頁 22~25	1986 年 3 月
6406	曾永義	舊詩的體製規律及其原理（上）	2 卷 2 期	(14)	頁 56~61	1986 年 7 月
6407	張仁青	懷抱思今古	2 卷 3 期	(15)	頁 4	1986 年 8 月
6408	陳慶煌	好一幅南宮畫	2 卷 3 期	(15)	頁 4	1986 年 8 月
6409	曾永義	舊詩的體製規律及其原理（下）	2 卷 3 期	(15)	頁 58~63	1986 年 8 月
6410	陳文華	近體詩的正格與變格	2 卷 7 期	(19)	頁 9	1986 年 12 月
6411	顏崑陽	你是你自己	2 卷 8 期	(20)	頁 32~33	1987 年 1 月
6412	羅 尚	不只為妝點門面——新春談聯語	2 卷 9 期	(21)	頁 14~15	1987 年 2 月
6413	陳 香	疊字詞語入詩句	2 卷 9 期	(21)	頁 78~79	1987 年 2 月
6414	羅悅玲	詠物與抒懷	2 卷 10 期	(22)	頁 79~81	1987 年 3 月
6415	張夢機	白雲軒茗話賦呈同席	2 卷 12 期	(24)	頁 82	1987 年 5 月
6416	簡松興	「蹈襲」也有佳作	2 卷 12 期	(24)	頁 84~85	1987 年 5 月
6417	趙允琳	閑話詩鐘	3 卷 2 期	(26)	頁 57	1987 年 7 月
6418	方 瑜	深情無悔——略說李義山與王靜安	3 卷 2 期	(26)	頁 72~74	1987 年 7 月
6419	朱秀娟	詩心詞意	3 卷 3 期	(27)	頁 80~82	1987 年 8 月
6420	史墨卿	探微居聯話——龍門式	3 卷 4 期	(28)	頁 12	1987 年 9 月
6421	羅 門	詩的追蹤	3 卷 4 期	(28)	頁 62~66	1987 年 9 月
6422	編輯部	新春聯語賀吉祥	3 卷 9 期	(33)	頁 4	1988 年 2 月
6423	顏崑陽	仰望陽光的小草—— 古典詩歌中的母親	3 卷 12 期	(36)	頁 30~34	1988 年 5 月
6424	邱德修	《中國詩歌藝術研究》簡介	4 卷 5 期	(41)	頁 94~95	1988 年 10 月
6425	江應龍	「一股」是否為「一枝」？	4 卷 6 期	(42)	頁 7	1988 年 11 月
6426	魏子雲	詩也講究章句嗎？	4 卷 8 期	(44)	頁 88~91	1989 年 1 月
6427	潘麗珠	畫風手與繪雨師	4 卷 9 期	(45)	頁 77~79	1989 年 2 月
6428	胡載陽	神童詩大家談（王國良 郭冠英 黃碧珍等）	5 卷 7 期	(55)	頁 9~11	1989 年 12 月
6429	編輯部	神童詩大公開	5 卷 8 期	(56)	頁 9~10	1990 年 1 月
6430	編輯部	《神童詩》的另一種版本	5 卷 9 期	(57)	頁 11~12	1990 年 2 月
6431	林覺中	詩人筆下的歷史	5 卷 10 期	(58)	頁 86~88	1990 年 3 月
6432	沈 謙	古詩、樂府三問	6 卷 2 期	(62)	頁 78~79	1990 年 7 月
6433	袁行霈	鬼愛吟詩其句多悲—— 關於鬼詩的考索	6 卷 3 期	(63)	頁 38~42	1990 年 8 月
6434	王國良	《千家詩》淺探	6 卷 4 期	(64)	頁 34~38	1990 年 9 月
6435	王水照	茶話——與君共聽水沸聲	6 卷 9 期	(69)	頁 96~97	1991 年 2 月
6436	陳文華	古詩、樂府、新樂府	6 卷 10 期	(70)	頁 85~87	1991 年 3 月

6437	陳文華	關於「想多、情多人語」	7 卷 5 期	(77)	頁 9	1991 年 10 月
6438	邱燮友	詩歌朗誦教學之探討	7 卷 9 期	(81)	頁 100~104	1992 年 2 月
6439	李 猷	辛苦孳詩六十年	8 卷 2 期	(86)	頁 44~47	1992 年 7 月
6440	蔡華同	自然見真情—— 詩歌語言藝術漫談之一	8 卷 4 期	(88)	頁 70~73	1992 年 9 月
6441	王熙元	中國情詩之美	8 卷 5 期	(89)	頁 34~40	1992 年 10 月
6442	李以莊	耐人尋味的「閃回鏡頭」	8 卷 5 期	(89)	頁 62~63	1992 年 10 月
6443	金鐘吾	兩個不同層次的文學定義	8 卷 7 期	(91)	頁 39~44	1992 年 12 月
6444	張 覺	較短論長——詩詞賞析漫議之一	8 卷 8 期	(92)	頁 55~56	1993 年 1 月
6445	張維用	西嶽詩徵	8 卷 9 期	(93)	頁 62~66	1993 年 2 月
6446	馬欣來	詩的梅花 梅花的詩	8 卷 9 期	(93)	頁 67~69	1993 年 2 月
6447	江應龍	聯語文學	9 卷 3 期	(99)	頁 16~24	1993 年 8 月
6448	張高評	談詩歌語言與言外之意（上）	9 卷 4 期	(100)	頁 42~46	1993 年 9 月
6449	曹 爽	中國古代神童詩	9 卷 4 期	(100)	頁 47~52	1993 年 9 月
6450	徐傳武	絕代紅顏土一堆—— 談談楊妃墓及有關的詩文	9 卷 5 期	(101)	頁 53~56	1993 年 10 月
6451	張高評	談詩歌語言與言外之意（下）	9 卷 6 期	(102)	頁 51~57	1993 年 11 月
6452	唐文德	文學創作與象徵表現	9 卷 9 期	(105)	頁 58~61	1994 年 2 月
6453	編輯部	讀者接招——大家來論「新古詩」	9 卷 9 期	(105)	頁 112~113	1994 年 2 月
6454	潘麗珠	詩歌「吟、唱、誦、讀」的觀念及 要領	9 卷 11 期	(107)	頁 70~75	1994 年 4 月
6455	白 堅	弘揚民族優秀傳統是詩人的職責— —范著〈新古詩序〉商兌	9 卷 11 期	(107)	頁 89~93	1994 年 4 月
6456	陳慶煌	論「新古詩」	9 卷 11 期	(107)	頁 94~95	1994 年 4 月
6457	高明誠	論「新古詩」	9 卷 11 期	(107)	頁 95	1994 年 4 月
6458	仲 彭	對范光陵教授推行「新古詩」有感	9 卷 11 期	(107)	頁 96	1994 年 4 月
6459	文 方	大家來論「新古詩」建言	9 卷 11 期	(107)	頁 97	1994 年 4 月
6460	林秋華	論新古詩	9 卷 11 期	(107)	頁 98	1994 年 4 月
6461	管仁健	「新古詩」真的新嗎？—— 一個中文系學生的質疑	9 卷 11 期	(107)	頁 98	1994 年 4 月
6462	李幼良	我對「新古體詩」的淺見	9 卷 11 期	(107)	頁 99	1994 年 4 月
6463	魏旭妍	有關孟姜女敘事詩的探究	10 卷 2 期	(110)	頁 11~19	1994 年 7 月
6464	許紹明	招字旗幟解的補述	10 卷 5 期	(113)	頁 107~108	1994 年 10 月
6465	孫振志	唧唧、促織與蟋蟀經驗談	10 卷 8 期	(116)	頁 104~105	1995 年 1 月
6466	王熙元	古典詩鍊字的構思方向	11 卷 1 期	(121)	頁 9~14	1995 年 6 月
6467	何永清	《神童詩》中對聯	11 卷 2 期	(122)	頁 46~49	1995 年 7 月

6468	趙以武	古詩唱和體說略	11 卷 7 期	(127)	頁 90~94	1995 年 12 月
6469	林覺中	讀詩的困擾	12 卷 1 期	(133)	頁 103~105	1996 年 6 月
6470	傅　貴	回到文學現場（九）：滁州西澗尋幽	12 卷 2 期	(134)	頁 32~36	1996 年 7 月
6471	黃　梁	澄明詩歌發展的客觀因素——簡辯〈讀詩的困惑〉一文	12 卷 2 期	(134)	頁 65	1996 年 7 月
6472	陳貴麟	談「倒三救」在近體詩中拗律的妙用	12 卷 4 期	(136)	頁 85~87	1996 年 9 月
6473	葉國良	詩文與禮制（十六）：一日能織幾許布	12 卷 5 期	(137)	頁 40~43	1996 年 10 月
6474	葉國良	詩文與禮制（十九）：會心不遠	12 卷 8 期	(140)	頁 24~28	1997 年 1 月
6475	葉國良	詩文與禮制（廿）：何處是「長安」？	12 卷 9 期	(141)	頁 36~38	1997 年 2 月
6476	葉國良	詩文與禮制（廿一）：七夕曝書？	12 卷 10 期	(142)	頁 11~13	1997 年 3 月
6477	洪淑苓	兩情若是久長時——談七夕詩歌之美	13 卷 3 期	(147)	頁 38~40	1997 年 8 月
6478	楊惠南	兩首有關臺灣僧人抗清的詩作	13 卷 6 期	(150)	頁 117~120	1997 年 11 月
6479	林伯謙	對〈叩鐘〉一文的幾點疑惑	13 卷 9 期	(153)	頁 4~7	1998 年 2 月
6480	儲大泓	禪僧不識衣冠	13 卷 10 期	(154)	頁 36~37	1998 年 3 月
6481	林家驪	釋「四聲八病」	13 卷 11 期	(155)	頁 52~55	1998 年 4 月
6482	儲大泓	借寫景以言情	13 卷 12 期	(156)	頁 52~53	1998 年 5 月
6483	黃盛雄	萬古鮮新的奇葩異卉——詩	14 卷 6 期	(162)	頁 11~14	1998 年 11 月
6484	郭存孝	革故鼎新 中西融合——太平天國楹聯瑣談	14 卷 9 期	(165)	頁 69~72	1999 年 2 月
6485	陳文華	詩眼	14 卷 10 期	(166)	頁 111~112	1999 年 3 月
6486	蔣力餘	詩歌禪境美感特徵初探	15 卷 6 期	(174)	頁 42~47	1999 年 11 月
6487	陳友冰	在濃縮中開拓昇華——談三首思鄉詩的繼承和創新	15 卷 8 期	(176)	頁 53~57	2000 年 1 月
6488	戴尚文	我國最早的愛國女詩人	16 卷 4 期	(184)	頁 44~46	2000 年 9 月
6489	邱素雲	千卷藏書一盞茶——元、明、清三代的茶聯	17 卷 9 期	(201)	頁 42~48	2002 年 2 月
6490	邱素雲	無一物中無盡藏——古今茶莊、茶葉行應用聯	17 卷 10 期	(202)	頁 41~45	2002 年 3 月
6491	林聆慈	古典詩詞中的月意象	17 卷 10 期	(202)	頁 56~61	2002 年 3 月
6492	趙奎生	溫州江心寺名聯	17 卷 12 期	(204)	頁 47~48	2002 年 5 月
6493	陳水雲	漢語與山水詩的造境	18 卷 6 期	(210)	頁 85~89	2002 年 11 月
6494	林淑貞	古典詩學資料的檢索與利用	18 卷 8 期	(212)	頁 4~12	2003 年 1 月
6495	廖美玉	古典詩的主題與技巧	18 卷 9 期	(213)	頁 16~27	2003 年 2 月
6496	余德泉	春聯的由來與寫作	20 卷 9 期	(237)	頁 19~25	2005 年 2 月

6497	王更生	古典詩詞吟唱的三點要素	20 卷 10 期 (238)	頁 106~109	2005 年 3 月
6498	王更生	古典詩詞吟唱的技法之一	20 卷 11 期 (239)	頁 102~108	2005 年 4 月
6499	紀千惠	當俄國形式派遇上中國古典詩	20 卷 12 期 (240)	頁 67~71	2005 年 5 月
6500	王更生	古典詩詞吟唱的技法之二	20 卷 12 期 (240)	頁 104~112	2005 年 5 月
6501	傅武光	律詩對偶法則新探	21 卷 2 期 (242)	頁 57~61	2005 年 7 月
6502	王更生	古典詩詞吟唱見在書錄	21 卷 2 期 (242)	頁 106~112	2005 年 7 月
6503	毛正天	心學與詩學—— 中國古代詩學的民族特色（上）	21 卷 3 期 (243)	頁 67~72	2005 年 8 月
6504	毛正天	心學與詩學—— 中國古代詩學的民族特色（下）	21 卷 4 期 (244)	頁 55~58	2005 年 9 月
6505	古遠清	數字入詩妙趣生	22 卷 3 期 (255)	頁 41~44	2006 年 8 月
6506	歐陽炯	對聯的寫作與鑑賞	22 卷 4 期 (256)	頁 4~14	2006 年 9 月
6507	崔成宗	說長聯	22 卷 4 期 (256)	頁 22~35	2006 年 9 月
6508	趙奎生	說說嵌名聯	22 卷 4 期 (256)	頁 42~44	2006 年 9 月
6509	許清雲	饒有趣的全球徵聯活動	22 卷 4 期 (256)	頁 45~51	2006 年 9 月
6510	張　覺	咬文嚼字—— 古代詩歌鑑賞法漫議之一	22 卷 9 期 (261)	頁 39`40	2007 年 2 月
6511	古遠清	從「隔牆誘竹」說開去	22 卷 10 期 (262)	頁 59~62	2007 年 3 月
6512	張　覺	含英咀華—— 古代詩歌鑑賞法漫議之二	22 卷 11 期 (263)	頁 43~45	2007 年 4 月
6513	張　覺	較短論長—— 古代詩歌鑑賞法漫議之三	23 卷 1 期 (265)	頁 43~44	2007 年 6 月
6514	張　覺	映此襯彼—— 古代詩歌鑑賞法漫議之四	23 卷 5 期 (269)	頁 52~54	2007 年 10 月
6515	洪惟仁	詩吟新論（上）	23 卷 8 期 (272)	頁 57~60	2008 年 1 月
6516	洪惟仁	詩吟新論（下）	23 卷 9 期 (273)	頁 56~65	2008 年 2 月
6517	古遠清	別趣 諧趣 奇趣 隱趣	24 卷 8 期 (284)	頁 73~77	2009 年 1 月
6518	陳茂仁	平仄譜之運用—— 談春聯之選擇與貼法	24 卷 9 期 (285)	頁 43~48	2009 年 2 月
6519	林淑貞	站在詩學的風景線上—— 《古典詩歌研究彙刊》一至六輯概述	25 卷 5 期 (293)	頁 95~98	2009 年 10 月
6520	陳冠甫	古典詩詞在近代臺灣的傳承及其開展	25 卷 7 期 (295)	頁 4~10	2009 年 12 月
6521	楊君潛	臺灣古典詩的傳承與發展	25 卷 7 期 (295)	頁 11~13	2009 年 12 月
6522	林正三	就瀛社之現況來審視臺灣古典詩的 傳承	25 卷 7 期 (295)	頁 14~15	2009 年 12 月
6523	趙文懷	臺灣與中日韓的詩學交流	25 卷 7 期 (295)	頁 28~31	2009 年 12 月
6524	胡迎建	大陸古典詩發展近況	25 卷 7 期 (295)	頁 32~37	2009 年 12 月

6525	陳秀香	論「詩人之詩」與「學人之詩」	25 卷 7 期	(295)	頁 113~124	2009 年 12 月
6526	陳　新	樂府詩少女姓名小考	25 卷 8 期	(296)	頁 54~58	2010 年 1 月
6527	葉嘉瑩講 安　易整理	《陶淵明詩》講錄之一（第一講、第二講）	8 卷 4 期	(88)	頁 53~63	1992 年 9 月
6528	葉嘉瑩講 安　易整理	《陶淵明詩》講錄之二（第三講、第四講）	8 卷 5 期	(89)	頁 22~33	1992 年 10 月
6529	葉嘉瑩講 安　易整理	《陶淵明詩》講錄之三（第五講）	8 卷 6 期	(90)	頁 54~62	1992 年 11 月
6530	葉嘉瑩講 安　易整理	古詩十九首講錄（第一講）	10 卷 1 期	(109)	頁 48~58	1994 年 6 月
6531	葉嘉瑩講 安　易整理	古詩十九首講錄（第二講）——〈行行重行行〉	10 卷 2 期	(110)	頁 4~10	1994 年 7 月
6532	葉嘉瑩講 安　易整理	古詩十九首講錄（第三講）——〈青青河畔草〉、〈今日良宴會〉	10 卷 3 期	(111)	頁 37~43	1994 年 8 月
6533	葉嘉瑩講 安　易整理	古詩十九首講錄（第四講）——〈西北有高樓〉	10 卷 4 期	(112)	頁 28~36	1994 年 9 月
6534	葉嘉瑩講 安　易 楊愛娣整理	古詩十九首講錄（第五講）——〈東城高且長〉	10 卷 5 期	(113)	頁 7~13	1994 年 10 月
6535	葉嘉瑩講 安　易整理	嘉瑩談詩：詩歌的感發（第一講）	11 卷 2 期	(122)	頁 16~21	1995 年 7 月
6536	葉嘉瑩講 安　易整理	嘉瑩談詩：詩歌的感發（第二講）	11 卷 3 期	(123)	頁 49~55	1995 年 8 月
6537	葉嘉瑩講 安　易整理	嘉瑩談詩：詩歌中形象與情意的關係（第一講）	11 卷 4 期	(124)	頁 26~33	1995 年 9 月
6538	葉嘉瑩講 安　易整理	嘉瑩談詩：詩歌中形象與情意的關聯（第二講）	11 卷 5 期	(125)	頁 24~32	1995 年 10 月
6539	葉嘉瑩講 安　易整理	嘉瑩談詩：詩體的演變（第一講）	11 卷 6 期	(126)	頁 33~41	1995 年 11 月
6540	葉嘉瑩講 安　易整理	嘉瑩談詩：詩體的演變（第二講）	11 卷 7 期	(127)	頁 38~45	1995 年 12 月
6541	葉嘉瑩講 安　易整理	嘉瑩談詩：詩體的演變（第三講）	11 卷 8 期	(128)	頁 67~77	1996 年 1 月
6542	葉嘉瑩講 安　易 楊愛娣整理	嘉瑩談詩：建安詩歌講錄（第一講）	11 卷 9 期	(129)	頁 72~79	1996 年 2 月
6543	葉嘉瑩講 安　易 楊愛娣整理	嘉瑩談詩：建安詩歌講錄（第二講）	11 卷 10 期	(130)	頁 67~73	1996 年 3 月
6544	葉嘉瑩講	嘉瑩談詩：建安詩歌講錄（第三講上）	11 卷 11 期	(131)	頁 68~74	1996 年 4 月

安　易
楊愛娣整理

6545	葉嘉瑩講 安　易 楊愛娣整理	嘉瑩談詩：建安詩歌講錄（第三講下）	11 卷 12 期	(132)	頁 82~89	1996 年 5 月
6546	葉嘉瑩講 安　易 楊愛娣整理	嘉瑩談詩：建安詩歌講錄（第四講上）	12 卷 1 期	(133)	頁 77~85	1996 年 6 月
6547	葉嘉瑩講 安　易 楊愛娣整理	嘉瑩談詩：建安詩歌講錄（第四講下）	12 卷 2 期	(134)	頁 98~101	1996 年 7 月
6548	葉嘉瑩講 安　易 楊愛娣整理	嘉瑩談詩：建安詩歌講錄（第五講上）	12 卷 3 期	(135)	頁 94~100	1996 年 8 月
6549	葉嘉瑩講 安　易 楊愛娣整理	嘉瑩談詩：建安詩歌講錄（第五講下）	12 卷 4 期	(136)	頁 73~79	1996 年 9 月
6550	葉嘉瑩講 安　易 楊愛娣整理	嘉瑩談詩：建安詩歌講錄（第六講上）	12 卷 5 期	(137)	頁 76~85	1996 年 10 月
6551	葉嘉瑩講 安　易 楊愛娣整理	嘉瑩談詩：建安詩歌講錄（第六講下）	12 卷 6 期	(138)	頁 75~79	1996 年 11 月
6552	葉嘉瑩講 安　易 楊愛娣整理	嘉瑩談詩：建安詩歌講錄（第七講）	12 卷 7 期	(139)	頁 72~81	1996 年 12 月
6553	葉嘉瑩講 安　易 楊愛娣整理	嘉瑩談詩：建安詩歌講錄（第八講）	12 卷 8 期	(140)	頁 54~64	1997 年 1 月
6554	葉嘉瑩講 安　易 楊愛娣整理	嘉瑩談詩：建安詩歌講錄（第九講）	12 卷 9 期	(141)	頁 49~57	1997 年 2 月
6555	葉嘉瑩講 安　易 楊愛娣整理	嘉瑩談詩：建安詩歌講錄（第十講）	12 卷 10 期	(142)	頁 42~49	1997 年 3 月
6556	葉嘉瑩講 安　易 楊愛娣整理	嘉瑩談詩：正始詩歌講錄（正始詩人簡介上）	12 卷 11 期	(143)	頁 32~35	1997 年 4 月
6557	葉嘉瑩講 安　易 楊愛娣整理	嘉瑩談詩：正始詩歌講錄（正始詩人簡介下）	12 卷 12 期	(144)	頁 46~51	1997 年 5 月
6558	葉嘉瑩講 安　易	嘉瑩談詩：正始詩歌講錄（第一講）	13 卷 1 期	(145)	頁 34~42	1997 年 6 月

楊愛娣整理

6559	葉嘉瑩講 徐曉莉整理	嘉瑩談詩：正始詩歌講錄（第二講）	13 卷 2 期	(146)	頁 40~47	1997 年 7 月
6560	葉嘉瑩講 徐曉莉整理	嘉瑩談詩：正使詩歌講錄（第三講上）	13 卷 3 期	(147)	頁 41~47	1997 年 8 月
6561	葉嘉瑩講 徐曉莉整理	嘉瑩談詩：正始詩歌講錄（第三講下）	13 卷 5 期	(149)	頁 78~88	1997 年 10 月
6562	葉嘉瑩講 徐曉莉整理	嘉瑩談詩：正始詩歌講錄（第四講）	13 卷 6 期	(150)	頁 41~47	1997 年 11 月
6563	葉嘉瑩主講 徐曉莉整理	嘉瑩談詩：正始詩歌講錄—— 第五講（阮籍五上）	13 卷 7 期	(151)	頁 26~31	1997 年 12 月
6564	葉嘉瑩主講 徐曉莉整理	嘉瑩談詩：正始詩歌講錄—— 第五講（阮籍五下）	13 卷 8 期	(152)	頁 31~37	1998 年 1 月
6565	葉嘉瑩主講 徐曉莉整理	嘉瑩談詩：正始詩歌講錄—— 第六講（阮籍六）	13 卷 9 期	(153)	頁 32~40	1998 年 2 月
6566	葉嘉瑩主講 徐曉莉整理	嘉瑩談詩：正始詩歌講錄—— 第七講（嵇康一上）	13 卷 10 期	(154)	頁 38~42	1998 年 3 月
6567	葉嘉瑩主講 徐曉莉整理	嘉瑩談詩：正始詩歌講錄—— 第七講（嵇康一下）	13 卷 11 期	(155)	頁 26~31	1998 年 4 月
6568	葉嘉瑩主講 徐曉莉整理	嘉瑩談詩：正始詩歌講錄—— 第八講（嵇康二上）	13 卷 12 期	(156)	頁 46~51	1998 年 5 月
6569	葉嘉瑩主講 徐曉莉整理	嘉瑩談詩：正始詩歌講錄—— 第八講（嵇康二下）	14 卷 2 期	(158)	頁 43~48	1998 年 7 月
6570	葉嘉瑩主講 徐曉莉整理	嘉瑩談詩：正始詩歌講錄—— 第九講（嵇康三上）	14 卷 3 期	(159)	頁 36~39	1998 年 8 月
6571	葉嘉瑩主講 徐曉莉整理	嘉瑩談詩：太康詩歌講錄（潘岳上）	14 卷 4 期	(160)	頁 64~67	1998 年 9 月
6572	葉嘉瑩主講 徐曉莉整理	嘉瑩談詩：太康詩歌講錄（潘岳下）	14 卷 5 期	(161)	頁 48~52	1998 年 10 月
6573	葉嘉瑩主講 徐曉莉整理	嘉瑩談詩：太康詩歌講錄（張華）	14 卷 6 期	(162)	頁 58~62	1998 年 11 月
6574	葉嘉瑩主講 徐曉莉整理	嘉瑩談詩：太康詩歌講錄（左思一上）	14 卷 7 期	(163)	頁 63~68	1998 年 12 月
6575	葉嘉瑩主講 徐曉莉整理	嘉瑩談詩：太康詩歌講錄（左思一下）	14 卷 8 期	(164)	頁 47~52	1999 年 1 月
6576	葉嘉瑩主講 安　易 楊愛娣整理	嘉瑩談詩：太康詩歌講錄（左思二上）	14 卷 9 期	(165)	頁 54~59	1999 年 2 月
6577	葉嘉瑩主講 安　易	嘉瑩談詩：太康詩歌講錄（左思二下）	14 卷 10 期	(166)	頁 42~44	1999 年 3 月

楊愛娣整理

6578	葉嘉瑩主講 安 易 楊愛娣整理	嘉瑩談詩：太康詩歌講錄（左思三）	14 卷 11 期 (167) 頁 40~47	1999 年 4 月
6579	葉嘉瑩主講 安 易 楊愛娣整理	嘉瑩談詩：太康詩歌講錄（左思四上）	14 卷 12 期 (168) 頁 39~44	1999 年 5 月
6580	葉嘉瑩主講 安 易 楊愛娣整理	嘉瑩談詩：太康詩歌講錄（左思四下）	15 卷 1 期 (169) 頁 59~62	1999 年 6 月
6581	葉嘉瑩主講 徐曉莉整理	嘉瑩談詩：太康詩歌講錄（陸機一）	15 卷 2 期 (170) 頁 51~57	1999 年 7 月
6582	葉嘉瑩主講 徐曉莉整理	嘉瑩談詩 ：太康詩歌講錄（陸機二上）	15 卷 3 期 (171) 頁 76~80	1999 年 8 月
6583	葉嘉瑩主講 徐曉莉整理	嘉瑩談詩：太康詩歌講錄（陸機二下）	15 卷 4 期 (172) 頁 65~73	1999 年 9 月
6584	葉嘉瑩主講 徐曉莉整理	嘉瑩談詩：太康詩歌講錄（傅玄一）	15 卷 5 期 (173) 頁 40~44	1999 年 10 月
6585	葉嘉瑩主講 徐曉莉整理	嘉瑩談詩：太康詩歌講錄（傅玄二上）	15 卷 6 期 (174) 頁 22~26	1999 年 11 月
6586	葉嘉瑩主講 徐曉莉整理	嘉瑩談詩：太康詩歌講錄（傅玄二中）	15 卷 7 期 (175) 頁 57~60	1999 年 12 月
6587	葉嘉瑩主講 徐曉莉整理	嘉瑩談詩：太康詩歌講錄（傅玄二下）	15 卷 8 期 (176) 頁 42~45	2000 年 1 月
6588	葉嘉瑩	嘉瑩談詩：永嘉詩歌講錄（劉琨一）	15 卷 9 期 (177) 頁 38~41	2000 年 2 月
6589	葉嘉瑩主講 安 易 楊愛娣整理	嘉瑩談詩：永嘉詩歌講錄（劉琨二）	15 卷 10 期 (178) 頁 42~46	2000 年 3 月
6590	葉嘉瑩主講 曾慶雨整理	嘉瑩談詩：唐詩系列講座	16 卷 2 期 (182) 頁 19~23	2000 年 7 月
6591	葉嘉瑩主講 曾慶雨整理	唐詩系列講座：初唐詩人之一（上） ——說王績詩一首	16 卷 6 期 (186) 頁 60~66	2000 年 11 月
6592	葉嘉瑩主講 曾慶雨整理	唐詩系列講座：初唐詩人之一（下） ——說王績詩一首	16 卷 7 期 (187) 頁 41~49	2000 年 12 月
6593	葉嘉瑩主講 曾慶雨整理	唐詩系列講座：初唐詩人之二（上） ——說杜審言詩一首	16 卷 8 期 (188) 頁 37~41	2001 年 1 月
6594	葉嘉瑩主講 曾慶雨整理	唐詩系列講座：初唐詩人之二（下） ——說杜審言詩一首	16 卷 9 期 (189) 頁 46~51	2001 年 2 月
6595	葉嘉瑩主講 曾慶雨整理	唐詩系列講座：初唐詩人之三（上） ——王勃	16 卷 10 期 (190) 頁 49~53	2001 年 3 月

6596	葉嘉瑩主講 曾慶雨整理	唐詩系列講座：初唐詩人之三（下） ——王勃	16 卷 11 期 (191) 頁 57~60	2001 年 4 月
6597	葉嘉瑩主講 曾慶雨整理	唐詩系列講座：初唐詩人之四（上） ——駱賓王	16 卷 12 期 (192) 頁 48~52	2001 年 5 月
6598	葉嘉瑩主講 曾慶雨整理	唐詩系列講座：初唐詩人之四（下） ——駱賓王	17 卷 1 期 (193) 頁 79~81	2001 年 6 月
6599	葉嘉瑩主講 曾慶雨整理	唐詩系列講座：陳子昂詩講錄（一）	17 卷 2 期 (194) 頁 35~41	2001 年 7 月
6600	葉嘉瑩主講 曾慶雨整理	唐詩系列講座：陳子昂詩講錄（二）	17 卷 3 期 (195) 頁 50~55	2001 年 8 月
6601	葉嘉瑩主講 曾慶雨整理	唐詩系列講座：陳子昂詩講錄（三）	17 卷 4 期 (196) 頁 43~47	2001 年 9 月
6602	葉嘉瑩主講 曾慶雨整理	唐詩系列講座：陳子昂詩講錄（四）	17 卷 5 期 (197) 頁 36~41	2001 年 10 月
6603	葉嘉瑩主講 曾慶雨整理	唐詩系列講座：陳子昂詩講錄（五）	17 卷 6 期 (198) 頁 44~50	2001 年 11 月
6604	葉嘉瑩主講 曾慶雨整理	唐詩系列講座：論張九齡詩	17 卷 7 期 (199) 頁 36~42	2001 年 12 月
6605	葉嘉瑩主講 曾慶雨整理	唐詩系列講座：孟浩然詩講錄（一）	17 卷 9 期 (201) 頁 54~60	2002 年 2 月
6606	葉嘉瑩主講 曾慶雨整理	唐詩系列講座：孟浩然詩講錄（二）	17 卷 10 期 (202) 頁 46~51	2002 年 3 月
6607	葉嘉瑩主講 曾慶雨整理	唐詩系列講座：孟浩然詩講錄（三）	17 卷 11 期 (203) 頁 45~48	2002 年 4 月
6608	葉嘉瑩主講 曾慶雨整理	唐詩系列講座：孟浩然詩講錄（四）	17 卷 12 期 (204) 頁 49~54	2002 年 5 月
6609	葉嘉瑩主講 曾慶雨整理	唐詩系列講座：孟浩然詩講錄（五）	18 卷 1 期 (205) 頁 50~55	2002 年 6 月
6610	葉嘉瑩主講 曾慶雨整理	唐詩系列講座：王維詩（一）	18 卷 8 期 (212) 頁 53~57	2003 年 1 月
6611	葉嘉瑩主講 曾慶雨整理	唐詩系列講座：王維詩（二）	18 卷 10 期 (214) 頁 57~63	2003 年 3 月
6612	葉嘉瑩主講 曾慶雨整理	唐詩系列講座：王維詩（三）	18 卷 11 期 (215) 頁 48~53	2003 年 4 月
6613	葉嘉瑩主講 曾慶雨整理	唐詩系列講座：王維詩（四）	18 卷 12 期 (216) 頁 50~56	2003 年 5 月
6614	葉嘉瑩主講 曾慶雨整理	唐詩系列講座：王維詩（五）	19 卷 1 期 (217) 頁 39~45	2003 年 6 月
6615	葉嘉瑩主講 曾慶雨整理	唐詩系列講座：王維詩（六）	19 卷 2 期 (218) 頁 43~48	2003 年 7 月

6616	葉嘉瑩主講 曾慶雨整理	唐詩系列講座：王維詩（七）	19 卷 3 期	(219)	頁 42~48	2003 年 8 月
6617	葉嘉瑩主講 曾慶雨整理	唐詩系列講座：李白詩（一）	19 卷 4 期	(220)	頁 56~62	2003 年 9 月
6618	葉嘉瑩主講 楊愛娣整理	唐詩系列講座：李白詩（二）	19 卷 5 期	(221)	頁 54~59	2003 年 10 月
6619	葉嘉瑩主講 楊愛娣整理	唐詩系列講座：李白詩（三）	19 卷 6 期	(222)	頁 44~51	2003 年 11 月
6620	葉嘉瑩主講 楊愛娣整理	唐詩系列講座：李白詩（四）	19 卷 7 期	(223)	頁 59~65	2003 年 12 月
6621	葉嘉瑩主講 楊愛娣整理	唐詩系列講座：李白詩（五）	19 卷 8 期	(224)	頁 44~51	2004 年 1 月
6622	葉嘉瑩主講 楊愛娣整理	唐詩系列講座：李白詩（六）	19 卷 9 期	(225)	頁 48~53	2004 年 2 月
6623	葉嘉瑩主講 楊愛娣整理	唐詩系列講座：李白、王昌齡詩	19 卷 10 期	(226)	頁 54~58	2004 年 3 月
6624	葉嘉瑩主講 楊愛娣整理	唐詩系列講座：王昌齡、王之渙詩	19 卷 11 期	(227)	頁 47~53	2004 年 4 月
6625	葉嘉瑩主講 楊愛娣整理	唐詩系列講座：高適（上）	19 卷 12 期	(228)	頁 52~55	2004 年 5 月
6626	葉嘉瑩主講 楊愛娣整理	唐詩系列講座：高適（中）	20 卷 1 期	(229)	頁 58~62	2004 年 6 月
6627	葉嘉瑩主講 楊愛娣整理	唐詩系列講座：高適（下）	20 卷 2 期	(230)	頁 56~59	2004 年 7 月
6628	葉嘉瑩主講 楊愛娣整理	唐詩系列講座：岑參詩	20 卷 3 期	(231)	頁 63~69	2004 年 8 月
6629	陳新雄	蘇詩賞析（一）：舟中夜起	11 卷 11 期	(131)	頁 78~83	1996 年 4 月
6630	陳新雄	蘇詩賞析（二）：淡妝濃抹	11 卷 12 期	(132)	頁 94~95	1996 年 5 月
6631	陳新雄	蘇詩賞析（三）：成嶺成峰	12 卷 1 期	(133)	頁 70~71	1996 年 6 月
6632	陳新雄	蘇詩賞析（四）：澄黃橘綠	12 卷 2 期	(134)	頁 82~85	1996 年 7 月
6633	陳新雄	蘇詩賞析（五）：海棠心聲	12 卷 3 期	(135)	頁 84~86	1996 年 8 月
6634	陳新雄	蘇詩賞析（六）：春江水暖	12 卷 4 期	(136)	頁 66~69	1996 年 9 月
6635	陳新雄	蘇詩賞析（七）：鏗然曳杖聲	12 卷 5 期	(137)	頁 72~75	1996 年 10 月
6636	陳新雄	蘇詩賞析（八）：輕打五更鐘	12 卷 6 期	(138)	頁 80~83	1996 年 11 月
6637	陳新雄	蘇詩賞析（九）：天容海色	12 卷 7 期	(139)	頁 68~71	1996 年 12 月
6638	陳新雄	蘇詩賞析（十）：雪泥鴻爪	12 卷 8 期	(140)	頁 45~49	1997 年 1 月
6639	陳新雄	蘇詩賞析（十一）：荔支情懷	12 卷 9 期	(141)	頁 44~48	1997 年 2 月
6640	陳新雄	蘇詩賞析（十二）：取仁行違	12 卷 10 期	(142)	頁 37~41	1997 年 3 月

6641	陳新雄	蘇詩賞析（十三）：荔枝情懷—— 食荔枝二首之二	12 卷 11 期	(143)	頁 41~45	1997 年 4 月
6642	陳新雄	蘇詩賞析（十四）：董卓詩意—— 董卓	12 卷 12 期	(144)	頁 52~55	1997 年 5 月
6643	陳新雄	蘇詩賞析（十五）：白衣仙人—— 雨中游天竺靈感觀音院	13 卷 1 期	(145)	頁 43~51	1997 年 6 月
6644	陳新雄	蘇詩賞析（十六）：暮靄山孤—— 望湖亭	13 卷 2 期	(146)	頁 48~53	1997 年 7 月
6645	陳新雄	蘇詩賞析（十七）：鶴林神女	13 卷 3 期	(147)	頁 34~37	1997 年 8 月
6646	陳新雄	蘇詩賞析（十八）：國色天香	13 卷 4 期	(148)	頁 86~89	1997 年 9 月
6647	陳新雄	蘇詩賞析（十九）：傷鴻戢翼	13 卷 5 期	(149)	頁 89~91	1997 年 10 月
6648	陳新雄	蘇詩賞析（二十）：誠懸筆諫—— 柳氏二外甥求筆跡二首	13 卷 6 期	(150)	頁 38~40	1997 年 11 月
6649	陳新雄	蘇詩賞析（廿一）：謀道不計身 ——陸龍圖詵挽詞	13 卷 7 期	(151)	頁 32~36	1997 年 12 月
6650	陳新雄	蘇詩賞析（廿二）：矯矯龍之姿 ——隆中	13 卷 8 期	(152)	頁 28~30	1998 年 1 月
6651	陳新雄	蘇詩賞析（廿三）：凱風吹盡—— 胡完夫母周夫人挽詞	13 卷 9 期	(153)	頁 41~45	1998 年 2 月
6652	陳新雄	蘇詩賞析（廿四）：前後三游—— 遊三游洞	13 卷 10 期	(154)	頁 34~35	1998 年 3 月
6653	陳新雄	蘇詩賞析（廿五）：瘦馬殘月	13 卷 11 期	(155)	頁 38~42	1998 年 4 月
6654	陳新雄	蘇詩賞析（廿六）：萬歲郿塢	14 卷 2 期	(158)	頁 49~52	1998 年 7 月
6655	陳新雄	蘇詩賞析（廿七）：君門九重	14 卷 3 期	(159)	頁 40~44	1998 年 8 月
6656	陳新雄	蘇詩賞析（廿八）：畫馬公案	14 卷 5 期	(161)	頁 53~57	1998 年 10 月
6657	陳新雄	蘇詩賞析（廿九）：入峽喜巉巖	14 卷 6 期	(162)	頁 63~70	1998 年 11 月
6658	陳新雄	蘇詩賞析（卅）：出峽愛平曠	14 卷 7 期	(163)	頁 69~74	1998 年 12 月
6659	陳新雄	蘇詩賞析（卅一）：不老孤松	14 卷 9 期	(165)	頁 60~63	1999 年 2 月
6660	陳新雄	蘇詩賞析（卅二）：久立蒼茫	14 卷 10 期	(166)	頁 45~47	1999 年 3 月
6661	陳新雄	蘇詩賞析（卅三）：飄蕩何求	14 卷 11 期	(167)	頁 48~49	1999 年 4 月
6662	陳新雄	蘇詩賞析（卅四）：百步洪二首	14 卷 12 期	(168)	頁 45~51	1999 年 5 月
6663	陳新雄	蘇詩賞析（卅五）：人生無離別 誰知恩愛重	15 卷 1 期	(169)	頁 63~68	1999 年 6 月
6664	陳新雄	蘇詩賞析（卅六）：每求神倦	15 卷 2 期	(170)	頁 58~61	1999 年 7 月
6665	陳新雄	蘇詩賞析（卅七）：石鼓之歌	15 卷 3 期	(171)	頁 81~91	1999 年 8 月
6666	陳新雄	蘇詩賞析（卅八）：神品與妙品 ——王維吳道子畫	15 卷 5 期	(173)	頁 45~50	1999 年 10 月

6667	陳新雄	蘇詩賞析（卅九）：蘇黃首次唱和	15 卷 6 期	(174)	頁 27~33	1999 年 11 月
6668	陳新雄	蘇詩賞析（四十）：剛健婀娜	15 卷 8 期	(176)	頁 46~48	2000 年 1 月
6669	陳新雄	蘇詩賞析（四一）：竹西好語	15 卷 10 期	(178)	頁 47~59	2000 年 3 月
6670	陳新雄	蘇詩賞析（四二）：縱橫多態	15 卷 12 期	(180)	頁 52~56	2000 年 5 月
6671	陳新雄	蘇詩賞析（四三）：名花幽獨	16 卷 1 期	(181)	頁 36~43	2000 年 6 月
6672	陳新雄	蘇詩賞析（四四）：倒瀉瓊魂	16 卷 2 期	(182)	頁 24~25	2000 年 7 月
6673	陳新雄	蘇詩賞析（四五）：汲江煎茶	16 卷 3 期	(183)	頁 58~60	2000 年 8 月
6674	陳新雄	蘇詩賞析（四六）：世世為兄弟	16 卷 6 期	(186)	頁 67~73	2000 年 11 月
6675	陳新雄	蘇詩賞析（四七）：春夢無痕——兼論東坡疊韻詩（上）	17 卷 1 期	(193)	頁 82~85	2001 年 6 月
6676	陳新雄	蘇詩賞析（四七）：春夢無痕——兼論東坡疊韻詩（下）	17 卷 2 期	(194)	頁 42~46	2001 年 7 月
6677	陳新雄	蘇詩賞析（四八）：洗兒戲作	17 卷 4 期	(196)	頁 48~49	2001 年 9 月
6678	陳新雄	蘇詩賞析（四九）：無耐能開頃刻花	17 卷 7 期	(199)	頁 43~50	2001 年 12 月
6679	陳新雄	蘇詩賞析（五十）：宛丘先生	17 卷 11 期	(203)	頁 49~55	2002 年 4 月
6680	陳新雄	蘇詩賞析（五一）：孤山孤絕	18 卷 1 期	(205)	頁 56~63	2002 年 6 月
6681	陳新雄	蘇詩賞析（五二）：江心炬火	18 卷 3 期	(207)	頁 46~50	2002 年 8 月
6682	陳新雄	蘇詩賞析（五三）：美仁破顏・驚塵濺血	18 卷 6 期	(210)	頁 50~53	2002 年 11 月
6683	陳新雄	蘇詩賞析（五四）：瓊雷隔海・許遙相望	18 卷 8 期	(212)	頁 58~61	2003 年 1 月
6684	陳新雄	蘇詩賞析（五五）：千山鱗甲・萬谷笙鐘	18 卷 11 期	(215)	頁 54~57	2003 年 4 月

10.2.4.2 創作

6685	丁國智	長談／雨後／淡江夜望	25 卷 8 期	(296)	頁 59	2010 年 1 月
6686	尤信雄	西堂詩稿	3 卷 6 期	(30)	頁 49	1987 年 11 月
6687	尤信雄	藥樓雅集	23 卷 10 期	(274)	頁 54	2008 年 3 月
6688	文幸福	藥樓雅集	23 卷 10 期	(274)	頁 55	2008 年 3 月
6689	文幸福	江陳台北會和樹衡韻	24 卷 8 期	(284)	頁 111	2009 年 1 月
6690	文幸福	莫拉克颱風過後	25 卷 6 期	(294)	頁 87	2009 年 11 月
6691	王叔岷	《故國行》絕句廿二首	8 卷 5 期	(89)	頁 69~71	1992 年 10 月
6692	王靜涵	秋菊	23 卷 6 期	(270)	頁 89	2007 年 11 月
6693	王靜涵	秋思	23 卷 8 期	(272)	頁 87	2008 年 1 月
6694	白　堅	甲午之戰人物八詠——為甲午百年紀念作	10 卷 2 期	(110)	頁 112~113	1994 年 7 月

6695	石濤白	陽明山之遊	25 卷 4 期	(292)	頁 71	2009 年 9 月
6696	余思璇	四川汶川等地震災行	24 卷 1 期	(277)	頁 42	2008 年 6 月
6697	余思璇	故友送別	25 卷 10 期	(298)	頁 87	2010 年 3 月
6698	余家仁	秋日感懷	25 卷 10 期	(298)	頁 87	2010 年 3 月
6699	吳政哲	詠四川災變詩	24 卷 2 期	(278)	頁 45	2008 年 7 月
6700	呂盈瑩	失眠	25 卷 4 期	(292)	頁 71	2009 年 9 月
6701	宋哲生	詩人節懷屈原／其二	23 卷 4 期	(268)	頁 111	2007 年 9 月
6702	宋哲生	寶島／大溪探幽／臺灣茶香	23 卷 6 期	(270)	頁 88	2007 年 11 月
6703	宋哲生	殘燭／路燈	23 卷 12 期	(276)	頁 54	2008 年 5 月
6704	宋哲生	凱子外交／反貪／慈濟大愛	24 卷 4 期	(280)	頁 51	2008 年 9 月
6705	宋哲生	論詩 二首	24 卷 6 期	(282)	頁 53	2008 年 11 月
6706	李星瑩	出遊	25 卷 10 期	(298)	頁 87	2010 年 3 月
6707	李 猷	游美續稿——戊辰六月至八月	4 卷 9 期	(45)	頁 85	1989 年 2 月
6708	李 猷	癸酉游美詩卷	9 卷 8 期	(104)	頁 100~103	1994 年 1 月
6709	李睿奇	梅（五古）	23 卷 8 期	(272)	頁 87	2008 年 1 月
6710	李翠瑛	清明	24 卷 12 期	(288)	頁 65	2009 年 5 月
6711	李翠瑛	江湖—— 讀水滸武松／記梁山泊好漢	25 卷 10 期	(298)	頁 87	2010 年 3 月
6712	李翠瑛	觀陶製圓瓶有感／吐魯番綠葡萄／ 嘉裕關	25 卷 12 期	(300)	頁 61	2010 年 5 月
6713	沈秋雄	七絕六首	3 卷 7 期	(31)	頁 72~73	1987 年 12 月
6714	沈秋雄	雲在盦近詩	4 卷 7 期	(43)	頁 68~69	1988 年 12 月
6715	汪 中	雨盦詩稿	4 卷 9 期	(45)	頁 84	1989 年 2 月
6716	汪 中	雨盦詩選	9 卷 10 期	(106)	頁 113	1994 年 3 月
6717	周耕宇	秋行山	25 卷 10 期	(298)	頁 87	2010 年 3 月
6718	林吟屏	貧富差距	23 卷 6 期	(270)	頁 89	2007 年 11 月
6719	林宜陵	嘆劉禪	23 卷 2 期	(266)	頁 105	2007 年 7 月
6720	林宜陵	喜遊水都威尼斯	23 卷 12 期	(276)	頁 54	2008 年 5 月
6721	林彥伶	中秋	25 卷 4 期	(292)	頁 71	2009 年 9 月
6722	林姵君	贈友人（五古）	23 卷 8 期	(272)	頁 87	2008 年 1 月
6723	林琥發	初冬觀（七古）	23 卷 12 期	(276)	頁 55	2008 年 5 月
6724	邱燮友	大陸紀遊	11 卷 2 期	(122)	頁 102~103	1995 年 7 月
6725	邱燮友	迎端午／苗栗山中茗香草茶品詩	23 卷 4 期	(268)	頁 111	2007 年 9 月
6726	邱燮友	板橋扶輪社四十周年慶賀詩	23 卷 8 期	(272)	頁 86	2008 年 1 月
6727	邱燮友	停雲詩社冬集	23 卷 10 期	(274)	頁 54	2008 年 3 月

6728	邱燮友	四川汶川災變行	24 卷 1 期	(277)	頁 43	2008 年 6 月
6729	邱燮友	《健遊詠懷》再版序	24 卷 5 期	(281)	頁 29~30	2008 年 10 月
6730	邱燮友	八月秋桂 二首	24 卷 6 期	(282)	頁 53	2008 年 11 月
6731	邱燮友	南庄行樂府四則	24 卷 8 期	(284)	頁 111	2009 年 1 月
6732	邱燮友	元智大學四時歌	24 卷 10 期	(286)	頁 45	2009 年 3 月
6733	邱燮友	三月春櫻四首	24 卷 12 期	(288)	頁 65	2009 年 5 月
6734	邱燮友	題梁秀中教授國畫詩三首	25 卷 2 期	(290)	頁 61	2009 年 7 月
6735	邱燮友	2009 年 4 月 24 日 上午 5:30 出發—桃園機場	25 卷 4 期	(292)	頁 71	2009 年 9 月
6736	邱燮友	酒花／夏荷四則	25 卷 6 期	(294)	頁 87	2009 年 11 月
6737	邱燮友	答尋隱者不遇／憶武夷山記遊二首	25 卷 8 期	(296)	頁 59	2010 年 1 月
6738	邱燮友	北京行／國家劇院	25 卷 10 期	(298)	頁 87	2010 年 3 月
6739	邱燮友	北二高高速公路上　四首絕句	25 卷 12 期	(300)	頁 61	2010 年 5 月
6740	邱馨儀	不如昔	23 卷 6 期	(270)	頁 89	2007 年 11 月
6741	胡爾泰	南橫春日即事／不老溫泉	25 卷 8 期	(296)	頁 59	2010 年 1 月
6742	徐世澤	以色列教授遭槍擊／巨富在美入獄／基隆河污染	23 卷 4 期	(268)	頁 112	2007 年 9 月
6743	徐世澤	觀浪奇景／染髮／八百壯士（上海）	23 卷 6 期	(270)	頁 88	2007 年 11 月
6744	徐世澤	色戒／嘮叨／農民苦	23 卷 12 期	(276)	頁 54	2008 年 5 月
6745	徐世澤	學童被壓傷／二王廟震垮	24 卷 1 期	(277)	頁 43	2008 年 6 月
6746	徐世澤	新氣象／啃老族	24 卷 2 期	(278)	頁 45	2008 年 7 月
6747	徐世澤	四川大地震／母護幼童／撤離居民	24 卷 4 期	(280)	頁 51	2008 年 9 月
6748	徐世澤	南京全球漢詩大會感賦	24 卷 10 期	(286)	頁 45	2009 年 3 月
6749	徐世澤	台北大稻埕煙火節	24 卷 10 期	(286)	頁 45	2009 年 3 月
6750	徐世澤	貪財觸法／哈韓	24 卷 12 期	(288)	頁 65	2009 年 5 月
6751	徐世澤	月球／牙病	25 卷 2 期	(290)	頁 61	2009 年 7 月
6752	徐敬婷	急雨	23 卷 6 期	(270)	頁 89	2007 年 11 月
6753	徐敬婷	雞鳴（五古）	23 卷 8 期	(272)	頁 87	2008 年 1 月
6754	徐敬婷	課中隨感（五古）	23 卷 12 期	(276)	頁 55	2008 年 5 月
6755	徐敬婷	冬夜詠懷	24 卷 2 期	(278)	頁 45	2008 年 7 月
6756	徐敬婷	丹青雜思	24 卷 6 期	(282)	頁 53	2008 年 11 月
6757	翁榕翎	美人怨	23 卷 6 期	(270)	頁 89	2007 年 11 月
6758	翁榕翎	歸行	23 卷 8 期	(272)	頁 87	2008 年 1 月
6759	張以仁	大陸行雜詠	6 卷 5 期	(65)	頁 92~95	1990 年 10 月
6760	張以仁	臺大晨運戲為四絕句等	7 卷 8 期	(80)	頁 76	1992 年 1 月

6761	張以仁	美加之行雜詠	7 卷 11 期	(83)	頁 63~64	1992 年 4 月
6762	張以仁	哭母詩并序	8 卷 8 期	(92)	頁 61~62	1993 年 1 月
6763	張以仁	旅美詩草——〈親友篇〉	9 卷 1 期	(97)	頁 75	1993 年 6 月
6764	張以仁	旅美詩草——〈親友篇〉	9 卷 1 期	(97)	頁 101	1993 年 6 月
6765	張以仁	旅美詩草——〈賞遊篇〉	9 卷 2 期	(98)	頁 102~103	1993 年 7 月
6766	張以仁	旅美詩草——〈賞遊篇〉	9 卷 7 期	(103)	頁 122~123	1993 年 12 月
6767	張以仁	旅美詩草——〈讀詞篇〉	9 卷 8 期	(104)	頁 104~108	1994 年 1 月
6768	張以仁	旅美詩草——〈親友篇〉	10 卷 6 期	(114)	頁 96~100	1994 年 11 月
6769	張以仁	旅美詩草	10 卷 7 期	(115)	頁 102~104	1994 年 12 月
6770	張以仁	旅美詩草——〈風土篇〉	10 卷 8 期	(116)	頁 99~101	1995 年 1 月
6771	張以仁	旅美詩草——〈感懷篇〉	10 卷 9 期	(117)	頁 120~122	1995 年 2 月
6772	張以仁	滬遊雜詠	11 卷 2 期	(122)	頁 104~106	1995 年 7 月
6773	張以仁	涵怡集（并序）（上）	13 卷 7 期	(151)	頁 42~45	1997 年 12 月
6774	張以仁	涵怡集（并序）（中）	13 卷 8 期	(152)	頁 43~46	1998 年 1 月
6775	張以仁	涵怡集（并序）（下）	13 卷 9 期	(153)	頁 52~54	1998 年 2 月
6776	張以仁	晴川集乙酉稿	21 卷 5 期	(245)	頁 112	2005 年 10 月
6777	張以仁	晴川集乙酉稿——童年拾翠之二	21 卷 7 期	(247)	頁 112	2005 年 12 月
6778	張以仁	晴川集乙酉稿——童年拾翠之三	21 卷 9 期	(249)	頁 112	2006 年 2 月
6779	張以仁	晴川集乙酉稿——童年拾翠之四	21 卷 11 期	(251)	頁 112	2006 年 4 月
6780	張以仁	晴川集乙酉稿——童年拾翠之四	22 卷 1 期	(253)	頁 112	2006 年 6 月
6781	張以仁	晴川集乙酉稿——童年拾翠之六	22 卷 3 期	(255)	頁 112	2006 年 8 月
6782	張以仁	晴川集乙酉稿——童年拾翠之七	22 卷 5 期	(257)	頁 112	2006 年 10 月
6783	張以仁	晴川集乙酉稿——童年拾翠之八	22 卷 7 期	(259)	頁 112	2006 年 12 月
6784	張以仁	涵怡續集（一）	23 卷 11 期	(275)	頁 112	2008 年 4 月
6785	張以仁	川北震災八首	24 卷 1 期	(277)	頁 42	2008 年 6 月
6786	張以仁	涵怡續集（二）	24 卷 2 期	(278)	頁 112	2008 年 7 月
6787	張以仁	涵怡續集（三）	24 卷 4 期	(280)	頁 112	2008 年 9 月
6788	張以仁	涵怡續集（四）	24 卷 6 期	(282)	頁 112	2008 年 11 月
6789	張以仁	涵怡續集（五）	24 卷 8 期	(284)	頁 112	2009 年 1 月
6790	張以仁	涵怡續集（六）	24 卷 10 期	(286)	頁 112	2009 年 3 月
6791	張以仁	涵怡續集（七）	24 卷 12 期	(288)	頁 112	2009 年 5 月
6792	張以仁	涵怡續集（八）	25 卷 2 期	(290)	頁 112	2009 年 7 月
6793	張以仁	涵怡續集（九）	25 卷 4 期	(292)	頁 112	2009 年 9 月
6794	張以仁	涵怡續集（十一）	25 卷 8 期	(296)	頁 112	2010 年 1 月

6795	張以仁	涵怡續集（十二）	25 卷 10 期 (298) 頁 112	2010 年 3 月
6796	張圻清	哀靈均	23 卷 6 期 (270) 頁 89	2007 年 11 月
6797	張哲耀	勸學	23 卷 6 期 (270) 頁 89	2007 年 11 月
6798	張哲耀	春遊	23 卷 8 期 (272) 頁 87	2008 年 1 月
6799	張娣明	悼九二一亡者	24 卷 2 期 (278) 頁 45	2008 年 7 月
6800	張娣明	贈同窗丘彥遂	24 卷 8 期 (284) 頁 111	2009 年 1 月
6801	張娣明	秋溯橫溪	24 卷 12 期 (288) 頁 65	2009 年 5 月
6802	張夢機	師橘堂詩	3 卷 12 期 (36) 頁 61	1988 年 5 月
6803	張夢機	過台北市／玫瑰城秋日／郊城	23 卷 2 期 (266) 頁 105	2007 年 7 月
6804	張夢機	逝川／久不晤崑陽卻寄／偶成	23 卷 6 期 (270) 頁 88	2007 年 11 月
6805	張夢機	輓戎庵詩老／不羨／世澤醫師過話／寫意／睡起／偃蹇	23 卷 8 期 (272) 頁 86	2008 年 1 月
6806	張夢機	藥樓雅集	23 卷 10 期 (274) 頁 54	2008 年 3 月
6807	張夢機	停雲詩社冬集	23 卷 10 期 (274) 頁 54	2008 年 3 月
6808	張夢機	遲暮／贈文華教授／安坑閒居	23 卷 12 期 (276) 頁 54	2008 年 5 月
6809	張夢機	川震有感二首	24 卷 1 期 (277) 頁 43	2008 年 6 月
6810	張夢機	哭李中民／有感	24 卷 2 期 (278) 頁 45	2008 年 7 月
6811	張夢機	祖蔭世澤正三建華諸詩老過訪／墨卿久疏手泐賦此訊之／閒坐無俚書懷作	24 卷 4 期 (280) 頁 51	2008 年 9 月
6812	張夢機	向晚／疊本韻再寄伯元／藥樓感秋作	24 卷 6 期 (282) 頁 53	2008 年 11 月
6813	張夢機	一憾	24 卷 10 期 (286) 頁 45	2009 年 3 月
6814	張夢機	秋夜不寐惘惘成詩	24 卷 10 期 (286) 頁 45	2009 年 3 月
6815	張夢機	薰風／端午	24 卷 12 期 (288) 頁 65	2009 年 5 月
6816	張夢機	夜讀／賈誼／論學	25 卷 2 期 (290) 頁 61	2009 年 7 月
6817	張夢機	山寺／鳳凰花	25 卷 4 期 (292) 頁 71	2009 年 9 月
6818	張夢機	山寺／鳳凰花	25 卷 12 期 (300) 頁 61	2010 年 5 月
6819	張寶鴻	早春	23 卷 6 期 (270) 頁 89	2007 年 11 月
6820	張寶鴻	丙戌季春天候不定有感	23 卷 8 期 (272) 頁 87	2008 年 1 月
6821	梁芳瑜	四川震變	24 卷 1 期 (277) 頁 42	2008 年 6 月
6822	許永德	遣懷	23 卷 6 期 (270) 頁 89	2007 年 11 月
6823	許永德	箏（五古）	23 卷 12 期 (276) 頁 55	2008 年 5 月
6824	許芝瑋	記四川災變詩	24 卷 1 期 (277) 頁 42	2008 年 6 月
6825	郭由融	冬日即景（五古）	23 卷 12 期 (276) 頁 55	2008 年 5 月
6826	陳文華	盤舍詩稿	3 卷 11 期 (35) 頁 44	1988 年 4 月

6827	陳文華	繼青女史蒞臺鬘演《牡丹亭》感賦四絕奉呈留念	9 卷 10 期	(106)	頁 113	1994 年 3 月
6828	陳文華	丁亥歲杪停雲社友別久重聚藥樓次主人韻二首	23 卷 10 期	(274)	頁 55	2008 年 3 月
6829	陳以瑄	悲四川境內校舍行	24 卷 1 期	(277)	頁 43	2008 年 6 月
6830	陳姿岑	思君	23 卷 6 期	(270)	頁 89	2007 年 11 月
6831	陳姿岑	昭君曲	23 卷 8 期	(272)	頁 87	2008 年 1 月
6832	陳姿岑	詠荷（七絕）	23 卷 12 期	(276)	頁 55	2008 年 5 月
6833	陳姿岑	離鄉（五古）	24 卷 10 期	(286)	頁 45	2009 年 3 月
6834	陳思璇	暮春閒步金山南路	23 卷 4 期	(268)	頁 112	2007 年 9 月
6835	陳家頎	四更天	25 卷 2 期	(290)	頁 61	2009 年 7 月
6836	陳健星	夢	23 卷 6 期	(270)	頁 89	2007 年 11 月
6837	陳健星	清明	23 卷 8 期	(272)	頁 87	2008 年 1 月
6838	陳健星	觀戲（七絕）	23 卷 12 期	(276)	頁 55	2008 年 5 月
6839	陳健星	玄燕詩	24 卷 6 期	(282)	頁 53	2008 年 11 月
6840	陳新雄	鍥不舍齋詩稿	10 卷 9 期	(117)	頁 116~119	1995 年 2 月
6841	陳新雄	藥樓雅集	23 卷 10 期	(274)	頁 54	2008 年 3 月
6842	陳滿銘	遊歐小吟	3 卷 5 期	(29)	頁 19	1987 年 10 月
6843	陳滿銘	藥樓雅集	23 卷 10 期	(274)	頁 55	2008 年 3 月
6844	陳慶容	睡起	23 卷 6 期	(270)	頁 89	2007 年 11 月
6845	陳慶容	三峽大漢溪隨想（五絕）	23 卷 12 期	(276)	頁 55	2008 年 5 月
6846	陳慶容	秋思	24 卷 4 期	(280)	頁 51	2008 年 9 月
6847	陳慶煌	生男能做飛將軍	2 卷 7 期	(19)	頁 6~7	1986 年 12 月
6848	陳慶煌	一寸江山一寸血	2 卷 7 期	(19)	頁 7	1986 年 12 月
6849	陳慶煌	心月樓近作	3 卷 8 期	(32)	頁 56	1988 年 1 月
6850	陳慶煌	前總統嚴公挽詞	9 卷 11 期	(107)	頁 78	1994 年 4 月
6851	陳慶煌	丁似盦〈治磬〉百齡冥誕紀念	9 卷 11 期	(107)	頁 78	1994 年 4 月
6852	陳慶煌	心月樓近詩	10 卷 8 期	(116)	頁 102~103	1995 年 1 月
6853	陳慶煌	秋思	3 卷 5 期	(29)	頁 18	1987 年 10 月
6854	陳慶煌等	龜山朝日唱和集	9 卷 12 期	(108)	頁 107~111	1994 年 5 月
6855	陳樹衡	十月小陽春	24 卷 8 期	(284)	頁 111	2009 年 1 月
6856	陳樹衡	再疊前題前韻	24 卷 8 期	(284)	頁 111	2009 年 1 月
6857	陳樹衡	奉步前題前韻	25 卷 6 期	(294)	頁 87	2009 年 11 月
6858	陳薏帆	秋臺	25 卷 2 期	(290)	頁 61	2009 年 7 月
6859	陳耀安	雅舍詩稿	10 卷 7 期	(115)	頁 106~107	1994 年 12 月

6860	陳耀安	雅舍詩稿	10 卷 8 期	(116)	頁 59	1995 年 1 月
6861	陳耀安	雅舍詩稿：八十三年台中縣書法 研習心得六首	10 卷 12 期	(120)	頁 116	1995 年 5 月
6862	曾仕豪	桐花	25 卷 4 期	(292)	頁 71	2009 年 9 月
6863	黃千葵	記四川五月十二日大地震詩	24 卷 1 期	(277)	頁 42	2008 年 6 月
6864	黃　文	月夜	25 卷 2 期	(290)	頁 61	2009 年 7 月
6865	黃基正	月夜感懷	4 卷 7 期	(43)	頁 69~70	1988 年 12 月
6866	黃詠渝	金融海嘯紀事	25 卷 8 期	(296)	頁 59	2010 年 1 月
6867	潘家宏	讀莊子有感	24 卷 8 期	(284)	頁 111	2009 年 1 月
6868	潘家宏	萬相	25 卷 2 期	(290)	頁 61	2009 年 7 月
6869	蔡亞芝	懷鄉憶母	23 卷 8 期	(272)	頁 87	2008 年 1 月
6870	蔡亞芝	邊塞懷古（五古）	23 卷 12 期	(276)	頁 55	2008 年 5 月
6871	蔡孟庭	秋曉	25 卷 4 期	(292)	頁 71	2009 年 9 月
6872	鄭頤壽	人月圓・恭賀郭昌恕博士與仇小屏 博士關雎之喜	23 卷 10 期	(274)	頁 55	2008 年 3 月
6873	蕭竹均	記四川大地震詩	24 卷 1 期	(277)	頁 43	2008 年 6 月
6874	賴依玲	飲酒詩	24 卷 8 期	(284)	頁 111	2009 年 1 月
6875	謝大寧	為兩岸統合事遠赴北京因思歷史恩 怨之糾結難解感而賦之／晚春偕妻 遊陽明山	25 卷 6 期	(294)	頁 87	2009 年 11 月
6876	謝宛融	憶別	25 卷 12 期	(300)	頁 61	2010 年 5 月
6877	謝承諭	東海岸騎遊並序	25 卷 10 期	(298)	頁 87	2010 年 3 月
6878	簡彥姈	重返校園	25 卷 12 期	(300)	頁 61	2010 年 5 月
6879	蘇心一	清明上河圖（下平八庚韻）	24 卷 10 期	(286)	頁 45	2009 年 3 月
6880	蘇心一	雪中紅梅／師大旁聽	25 卷 6 期	(294)	頁 87	2009 年 11 月
6881	龔鵬程	秋思	3 卷 5 期	(29)	頁 18	1987 年 10 月

10.2.5　詞

10.2.5.1 通論

6882	葉嘉瑩	論溫庭筠、韋莊、馮延巳、李煜 四家詞	2 卷 7 期	(19)	頁 44~48	1986 年 12 月
6883	羅　蘭	長風萬里送秋雁	2 卷 9 期	(21)	頁 56~57	1987 年 2 月
6884	葉嘉瑩	論南唐中主李璟詞	2 卷 11 期	(23)	頁 54~60	1987 年 4 月
6885	方　瑜	深情無悔——略說李義山與王靜安	3 卷 2 期	(26)	頁 72~74	1987 年 7 月
6886	南　堅	讚美青春與愛情的歌——	5 卷 7 期	(55)	頁 90~91	1989 年 12 月

析敦煌曲子詞〈竹枝子〉

6887	樂秀拔	秦樓夢斷，何處是歸程？—— 李白〈憶秦娥〉、〈菩薩蠻〉鑑賞	5 卷 12 期	(60)	頁 79~81	1990 年 5 月
6888	張 璋	速寫詞談先趨的面貌—— 談唐五代詞及《全唐五代詞》的編纂	6 卷 2 期	(62)	頁 33~36	1990 年 7 月
6889	王偉勇	人生長恨水長東—— 南唐中主、後主的淒美詞境	6 卷 12 期	(72)	頁 32~36	1991 年 5 月
6890	李 栖	敦煌曲子詞簡介	8 卷 2 期	(86)	頁 48~55	1992 年 7 月
6891	高國藩	一顆憂傷而徬徨的心—— 析敦煌詞〈破陣子〉	8 卷 5 期	(89)	頁 56~59	1992 年 10 月
6892	黃雅莉	談溫詞幽隱的藝術技巧	12 卷 4 期	(136)	頁 80~84	1996 年 9 月
6893	陳滿銘	李煜〈清平樂〉詞賞析	14 卷 1 期	(157)	頁 70~73	1998 年 6 月
6894	李 李	李後主〈菩薩蠻〉詞賞析	17 卷 12 期	(204)	頁 73~75	2002 年 5 月
6895	王偉勇	古典詞的主題與技巧—— 以唐宋詞為論述核心	18 卷 9 期	(213)	頁 28~43	2003 年 2 月
6896	林淑貞	〈憶秦娥〉蒼茫悲壯的歷史意象	19 卷 2 期	(218)	頁 84~88	2003 年 7 月
6897	梁姿茵	《花間集》的心理敘寫探析	21 卷 12 期	(252)	頁 84~88	2006 年 5 月
6898	葉嘉瑩	論晏殊詞	2 卷 9 期	(21)	頁 38~41	1987 年 2 月
6899	葉嘉瑩	論歐陽修詞	2 卷 10 期	(22)	頁 12~16	1987 年 3 月
6900	葉嘉瑩	論晏幾道詞	2 卷 12 期	(24)	頁 74~81	1987 年 5 月
6901	蘇偉貞	一一風荷舉	3 卷 6 期	(30)	頁 64~65	1987 年 11 月
6902	尹雪曼	問世間情是何物	3 卷 9 期	(33)	頁 72~73	1988 年 2 月
6903	張高評	體物華妙見清真—— 周邦彥〈六醜〉詞欣賞	4 卷 1 期	(37)	頁 68~71	1988 年 6 月
6904	劉昭明	東坡在黃州	4 卷 4 期	(40)	頁 52~57	1988 年 9 月
6905	趙仁珪	結構巧妙、意境高遠—— 辛棄疾〈青玉案〉（東風夜放花千 樹）賞析	5 卷 6 期	(54)	頁 76~77	1989 年 11 月
6906	宋 定	壯志飢餐胡虜肉，笑談渴飲匈奴血 ——漫談〈滿江紅〉與民族意識	5 卷 7 期	(55)	頁 94~95	1989 年 12 月
6907	陳如江	一洗五代舊習——談王安石詞	5 卷 9 期	(57)	頁 82~84	1990 年 2 月
6908	秋 虹	紅杏枝頭春意鬧—— 試析宋祁〈玉樓春〉	5 卷 12 期	(60)	頁 82~83	1990 年 5 月
6909	陳子良	抒離情別緒，寄身遇之感—— 秦少游〈滿庭芳〉淺賞	5 卷 12 期	(60)	頁 87~88	1990 年 5 月
6910	陳滿銘	落花微雨燕歸來—— 晏氏父子詞中的花與燕	6 卷 12 期	(72)	頁 37~41	1991 年 5 月
6911	王熙元	人比黃河瘦幾分——	6 卷 12 期	(72)	頁 48~52	1991 年 5 月

李清照與趙明誠的生活情趣

6912	邱燮友	小窗風雨碎人腸—— 賀鑄〈西江月〉賞析	7 卷 3 期	(75)	頁 64~65	1991 年 8 月
6913	陳滿銘	綠楊歸路，燕子西飛去—— 賀鑄〈點絳唇〉賞析	7 卷 3 期	(75)	頁 65~67	1991 年 8 月
6914	黃文吉	相思成病底情懷—— 賀鑄〈芳草渡〉賞析	7 卷 3 期	(75)	頁 67~69	1991 年 8 月
6915	邱燮友	水邊燈火漸人行	7 卷 12 期	(84)	頁 46~47	1992 年 5 月
6916	陳滿銘	聽徹梅花弄	7 卷 12 期	(84)	頁 47~49	1992 年 5 月
6917	王保珍	任是無情也動人	7 卷 12 期	(84)	頁 50~52	1992 年 5 月
6918	林玫儀	飛紅萬點愁如海	7 卷 12 期	(84)	頁 52~55	1992 年 5 月
6919	仇小屏	談辛棄疾的「中秋詞」	8 卷 5 期	(89)	頁 72~75	1992 年 10 月
6920	解靖仁	贊蘇軾的婉約詞	8 卷 6 期	(90)	頁 30~37	1992 年 11 月
6921	王　棟	愛君憂國孤臣淚，臨水登山節士心 ——辛棄疾〈水龍吟〉登建康賞心亭	8 卷 8 期	(92)	頁 48~50	1993 年 1 月
6922	張小平	辛棄疾〈西江月〉之誤解	8 卷 8 期	(92)	頁 57~60	1993 年 1 月
6923	陳秀端	心在天山，身老滄洲——談放翁詞	9 卷 3 期	(99)	頁 86~92	1993 年 8 月
6924	吳曉華	詞畫如一的〈行香子〉—— 「過七里瀨」	9 卷 9 期	(105)	頁 70~73	1994 年 2 月
6925	葉憶如	辛棄疾〈西江月〉（夜行黃沙道中） 析探	9 卷 10 期	(106)	頁 64~69	1994 年 3 月
6926	陳民珠	韋莊詩詞中「月」的意境	11 卷 2 期	(122)	頁 52~59	1995 年 7 月
6927	黃麗月	《夢窗詞選再箋》：（一）〈絳都 春〉——燕亡久矣，京口適見似人， 悵然有感	11 卷 3 期	(123)	頁 111~114	1995 年 8 月
6928	姜　宇	「歸」與「不歸」—— 從《東坡樂府》看蘇軾的遊子心態	11 卷 7 期	(127)	頁 85~89	1995 年 12 月
6929	陳滿銘	凡目法在蘇辛詞裡的運用（上）	11 卷 11 期	(131)	頁 36~44	1996 年 4 月
6930	陳滿銘	凡目法在蘇辛詞裡的運用（下）	11 卷 12 期	(132)	頁 56~65	1996 年 5 月
6931	周懋昌	消瘦的身影 沉重的心靈—— 李清照〈醉花陰〉、〈武陵春〉比較	12 卷 8 期	(140)	頁 50~53	1997 年 1 月
6932	王兆鵬 劉尊明	視野宏通的詞家研究—— 評黃文吉《北宋十大詞家研究》	12 卷 12 期	(144)	頁 56~59	1997 年 5 月
6933	陳　強	野雲有跡，白石無瑕—— 小議姜夔的詞風	13 卷 12 期	(156)	頁 38~42	1998 年 5 月
6934	黃雅莉	情感與現實的矛盾—— 談蘇軾悼亡詞的藝術感染力	14 卷 12 期	(168)	頁 62~66	1999 年 5 月
6935	陳滿銘	周邦彥〈蘇幕遮〉詞賞析	14 卷 12 期	(168)	頁 92~95	1999 年 5 月

6936	王力堅	一種相思 兩處閑愁—— 歐陽修〈踏莎行〉析評	15 卷 6 期	(174)	頁 34~37	1999 年 11 月
6937	陳滿銘	東坡詞與陶淵明—— 從一首〈江城子〉詞談起	15 卷 9 期	(177)	頁 5~11	2000 年 2 月
6938	陳滿銘	談蘇東坡的幾首清峻詞	16 卷 4 期	(184)	頁 93~100	2000 年 9 月
6939	張高評	以詩為詞，開創豪放詞風—— 蘇軾〈念奴嬌赤壁懷古〉鑑賞	16 卷 7 期	(187)	頁 4~7	2000 年 12 月
6940	高聖峰	似花非花還客淚—— 蘇軾〈楊花詞〉題旨索繹	16 卷 7 期	(187)	頁 13~17	2000 年 12 月
6941	王璧寰	「西北望，射天狼」解疑—— 談東坡詞的小失誤	16 卷 7 期	(187)	頁 18~22	2000 年 12 月
6942	冷　風	庭院深深 問花不語—— 說歐陽修〈蝶戀花〉	16 卷 7 期	(187)	頁 53~55	2000 年 12 月
6943	張高評	千古創格，絕世奇文—— 李清照〈聲聲慢〉詞賞析	16 卷 12 期	(192)	頁 89~92	2001 年 5 月
6944	李　揚	艷：一個宋代詞學批評的「精靈」	17 卷 7 期	(199)	頁 51~54	2001 年 12 月
6945	陳嘉英	赤壁詞賦間的對話	18 卷 4 期	(208)	頁 45~52	2002 年 9 月
6946	賴溫如	「紅」與「綠」在《小山詞》中的 作用	18 卷 6 期	(210)	頁 81~84	2002 年 11 月
6947	王偉勇	古典詞的主題與技巧—— 以唐宋詞為論述核心	18 卷 9 期	(213)	頁 28~43	2003 年 2 月
6948	周惠泉	論元好問	18 卷 10 期	(214)	頁 64~70	2003 年 3 月
6949	李金坤	「滿地黃花堆積」句意辯說	19 卷 5 期	(221)	頁 60~61	2003 年 10 月
6950	黃雅莉	珠圓玉潤的思致美—— 晏殊〈浣溪沙〉賞析	19 卷 6 期	(222)	頁 52~54	2003 年 11 月
6951	林淑貞	究竟何人樓上愁？—— 〈菩薩蠻〉「平林漠漠煙如織」試詮	19 卷 7 期	(223)	頁 79~81	2003 年 12 月
6952	羅賢淑	朱敦儒〈西江月〉賞析	19 卷 8 期	(224)	頁 8~11	2004 年 1 月
6953	張春榮	歐陽修〈采桑子〉中「晴日催花暖 欲然」的修辭手法	20 卷 8 期	(236)	頁 112	2005 年 1 月
6954	賴溫如	晁補之與李清照詞學觀點之分析 ——從評論各家詞作談起	21 卷 1 期	(241)	頁 50~56	2005 年 6 月
6955	施夙芬	《念奴嬌・赤壁懷古》的誠與美	21 卷 4 期	(244)	頁 48~54	2005 年 9 月
6956	陳育玲	柳永《雨霖鈴》篇章結構分析	21 卷 6 期	(246)	頁 19~25	2005 年 11 月
6957	張淑珍	蘇軾《卜算子・黃州定慧院寓居作》 篇章結構分析	21 卷 6 期	(246)	頁 26~32	2005 年 11 月
6958	王如意	辛棄疾《摸魚兒》篇章結構分析	21 卷 6 期	(246)	頁 33~39	2005 年 11 月
6959	李金坤	「晚來風急」之辨正	21 卷 7 期	(247)	頁 80~81	2005 年 12 月

6960	裴 偉	佛狸江飲馬 愴古稼軒詞——《稼軒詞》中的佛狸祠及佛狸新解	21 卷 11 期 (251) 頁 44~48	2006 年 4 月
6961	楊晉綺	遊賞之樂與清空之韻——論姜夔「題序詞」之「序文」與「詞文」間互文張合的美學典式	21 卷 12 期 (252) 頁 56~60	2006 年 5 月
6962	賴惠娟	談東坡〈念奴嬌・赤壁懷古〉一詞的時空設計	22 卷 9 期 (261) 頁 55~59	2007 年 2 月
6963	廖秋艾	李清照的詠物詞	23 卷 11 期 (275) 頁 4~9	2008 年 4 月
6964	卓芳宇	李清照的詠梅詞	23 卷 11 期 (275) 頁 10~16	2008 年 4 月
6965	張佳瑤	李清照的詠菊詞	23 卷 11 期 (275) 頁 17~22	2008 年 4 月
6966	陳淑芬	李清照的詠酒詞	23 卷 11 期 (275) 頁 23~29	2008 年 4 月
6967	楊惠婷	李清照〈一剪梅〉詞的意象表現	23 卷 11 期 (275) 頁 30~35	2008 年 4 月
6968	楊蕭衡	蘇軾「以詩為詞」之美學意境創作拓殖	23 卷 12 期 (276) 頁 47~53	2008 年 5 月
6969	廖淑卿	周邦彥〈浣溪沙〉篇章結構探析	24 卷 3 期 (279) 頁 34~40	2008 年 8 月
6970	黃文吉	文學三要素與宋南渡詞人研究	24 卷 9 期 (285) 頁 16~20	2009 年 2 月
6971	嚴翠玉	從〈定風波〉看東坡謫黃之自適	24 卷 11 期 (287) 頁 63~69	2009 年 4 月
6972	盧雪玲	淺論辛稼軒遊仙詞的文化意涵	25 卷 2 期 (290) 頁 73~77	2009 年 7 月
6973	曹杏一	李清照詞通感藝術手法之探析	25 卷 4 期 (292) 頁 57~62	2009 年 9 月
6974	莊斐雯	《淮海詞》水意象探析	25 卷 7 期 (295) 頁 76~82	2009 年 12 月
6975	宇文卒	相思樹底說相思，多情應解思公子——讀梁啟超〈臺灣竹枝詞〉	5 卷 11 期 (59) 頁 118~120	1990 年 4 月
6976	張 璋	聽我說句公道話——論明代的詞及《全明詞》的編纂	6 卷 2 期 (62) 頁 37~41	1990 年 7 月
6977	張宏生	再創詞學新境界——《全清詞》編纂述略	6 卷 2 期 (62) 頁 42~45	1990 年 7 月
6978	黎活仁	悲秋的詞——黃侃詞的時間意識研究（上）	6 卷 8 期 (68) 頁 89~93	1991 年 1 月
6979	黎活仁	悲秋的詞——黃侃詞的時間意識研究（下）	6 卷 9 期 (69) 頁 92~95	1991 年 2 月
6980	朱歧祥	悲情與哲思——王國維《人間詞》選評（一）	10 卷 9 期 (117) 頁 45~49	1995 年 2 月
6981	朱歧祥	悲情與哲思——王國維《人間詞》選評（二）	10 卷 10 期 (118) 頁 51~53	1995 年 3 月
6982	朱歧祥	悲情與哲思——王國維《人間詞》選評（三）	10 卷 11 期 (119) 頁 6~8	1995 年 4 月
6983	朱歧祥	悲情與哲思——王國維《人間詞》選評（四）	11 卷 1 期 (121) 頁 41~43	1995 年 6 月

6984	朱歧祥	悲情與哲思—— 王國維《人間詞》選評（五）	11 卷 2 期	(122)	頁 60~63	1995 年 7 月
6985	朱歧祥	悲情與哲思—— 王國維《人間詞》選評（六）	11 卷 5 期	(125)	頁 97~101	1995 年 10 月
6986	朱歧祥	悲情與哲思—— 王國維《人間詞》選評（七）	11 卷 11 期	(131)	頁 84~87	1996 年 4 月
6987	施議對	中國當代詞壇解放派首領胡適	11 卷 12 期	(132)	頁 100~107	1996 年 5 月
6988	施議對	中國當代詞壇「胡適之體」正名	12 卷 12 期	(144)	頁 36~41	1997 年 5 月
6989	吉廣興	一種曉寒殘夢—— 《納蘭詞》鑑賞之一	13 卷 6 期	(150)	頁 32~37	1997 年 11 月
6990	吉廣興	一往情深深幾許—— 《納蘭詞》鑑賞之二	14 卷 1 期	(157)	頁 40~45	1998 年 6 月
6991	吉廣興	一種煙波各自愁—— 《納蘭詞》鑑賞之三	14 卷 2 期	(158)	頁 57~64	1998 年 7 月
6992	陳蘭行	王船山〈玉連環〉與逍遙境界	18 卷 2 期	(206)	頁 64~70	2002 年 7 月
6993	羅賢淑	說項廷紀詞三首	20 卷 9 期	(237)	頁 58~63	2005 年 2 月
6994	陳滿銘	讀《近三百年名家詞選》	20 卷 9 期	(237)	頁 105~111	2005 年 2 月
6995	夏志穎 陳　璇	文獻刊佈與清詞研究—— 略談《清詞珍本叢刊》的學術價值	24 卷 3 期	(279)	頁 109~112	2008 年 8 月
6996	劉　深	觀念的更新和資料的發現—— 《清詞研究叢書》出版	24 卷 6 期	(282)	頁 94~97	2008 年 11 月
6997	李金坤	劉鶚豔情詩詞探微	25 卷 3 期	(291)	頁 53~55	2009 年 8 月
6998	陳敬介	平埔族寫真—— 郁永河〈土番竹枝詞〉探析	25 卷 7 期	(295)	頁 38~42	2009 年 12 月
6999	呂　凱	關於「盧師聲伯的聲影與往事」	1 卷 9 期	(9)	頁 10~11	1986 年 2 月
7000	宋美瑩	長短句：詩餘／小令／慢詞／片／ 過片	2 卷 4 期	(16)	頁 74~75	1986 年 9 月
7001	朱秀娟	詩心詞意	3 卷 3 期	(27)	頁 80~82	1987 年 8 月
7002	黃志民	濃霧斜陽與暗月—— 詞的造境和寫境	4 卷 1 期	(37)	頁 72~73	1988 年 6 月
7003	鄭定國	〈小重山〉當年	4 卷 2 期	(38)	頁 80~81	1988 年 7 月
7004	邱德修	《唐五代兩宋詞選釋》簡介	4 卷 7 期	(43)	頁 94~95	1988 年 12 月
7005	黃文吉	詞學論評的總匯—— 增訂本《詞話叢編》評介	4 卷 11 期	(47)	頁 100~103	1989 年 4 月
7006	陳慶煌	詞要如何用典？	5 卷 3 期	(51)	頁 90~93	1989 年 8 月
7007	王熙元	江南風光與故國情懷—— 試析李珣〈南鄉子〉與朱敦儒 〈相見歡〉	5 卷 4 期	(52)	頁 88~90	1989 年 9 月

7008	林玫儀採訪	詞學的現代觀—— 葉嘉瑩教授訪問記	5 卷 6 期	(54)	頁 91~97	1989 年 11 月
7009	楊元忠	從發現〈水調歌頭〉的樂譜來看填詞	5 卷 12 期	(60)	頁 84~86	1990 年 5 月
7010	陳慶煌	詞何以要用典	5 卷 12 期	(60)	頁 89~90	1990 年 5 月
7011	邱燮友	歌盡桃花扇底風—— 詞的音樂與吟唱	6 卷 11 期	(71)	頁 85~90	1991 年 4 月
7012	閔宗述	文士、樂工倚聲填詞有何不同？	6 卷 12 期	(72)	頁 7~8	1991 年 5 月
7013	陳滿銘	「多情」如何解？	7 卷 11 期	(83)	頁 6	1992 年 4 月
7014	賴橋本	詞比近體詩自由嗎？	7 卷 12 期	(84)	頁 6	1992 年 5 月
7015	繆　鉞	冰繭庵札記——填詞經驗兩篇	8 卷 2 期	(86)	頁 40~43	1992 年 7 月
7016	李以莊	空鏡頭不空	8 卷 6 期	(90)	頁 69~70	1992 年 11 月
7017	黃文吉	衣帶漸寬終不悔—— 我編《詞學研究書目》 （一九一二～一九九二）	8 卷 11 期	(95)	頁 24~27	1993 年 4 月
7018	黃文吉	從詞學界的「北山」談學術交流	9 卷 2 期	(98)	頁 94~97	1993 年 7 月
7019	王熙元	詞中的移情作用	10 卷 8 期	(116)	頁 13~20	1995 年 1 月
7020	郭娟玉	試析〈調笑〉詞之藝術特色	14 卷 3 期	(159)	頁 52~56	1998 年 8 月
7021	陳文華	源自婉轉歌喉的綺麗世界——詞	14 卷 6 期	(162)	頁 14~18	1998 年 11 月
7022	葉嘉瑩	從文本之潛能與讀者之詮釋談令詞 的評賞（上）	15 卷 11 期	(179)	頁 61~67	2000 年 4 月
7023	葉嘉瑩	從文本之潛能與讀者之詮釋談令詞 的評賞（下）	15 卷 12 期	(180)	頁 46~51	2000 年 5 月
7024	林聆慈	古典詩詞中的月意象	17 卷 10 期	(202)	頁 56~61	2002 年 3 月
7025	黃文吉	詞學資料的檢索與利用	18 卷 8 期	(212)	頁 21~27	2003 年 1 月
7026	王更生	古典詩詞吟唱的三點要素	20 卷 10 期	(238)	頁 106~109	2005 年 3 月
7027	王更生	古典詩詞吟唱的技法之一	20 卷 11 期	(239)	頁 102~108	2005 年 4 月
7028	王更生	古典詩詞吟唱的技法之二	20 卷 12 期	(240)	頁 104~112	2005 年 5 月
7029	王更生	古典詩詞吟唱見在書錄	21 卷 2 期	(242)	頁 106~112	2005 年 7 月
7030	嚴玉珊	七夕詞反映之愛情觀研究	22 卷 2 期	(254)	頁 51~56	2006 年 7 月
7031	蘇淑芬	詞的對仗	22 卷 4 期	(256)	頁 15~21	2006 年 9 月
7032	陳冠甫	古典詩詞在近代臺灣的傳承及其開展	25 卷 7 期	(295)	頁 4~10	2009 年 12 月
7033	陳滿銘	唐宋詞拾玉（一）：李白的〈菩薩蠻〉	11 卷 6 期	(126)	頁 28~29	1995 年 11 月
7034	陳滿銘	唐宋詞拾玉（二）：李白的〈憶秦娥〉	11 卷 8 期	(128)	頁 64~66	1996 年 1 月
7035	陳滿銘	唐宋詞拾玉（三）：張志和的〈漁夫〉	11 卷 10 期	(130)	頁 64~66	1996 年 3 月
7036	陳滿銘	唐宋詞拾玉（四）：辛棄疾的 〈賀新郎〉	12 卷 1 期	(133)	頁 66~69	1996 年 6 月

7037	陳滿銘	唐宋詞拾玉（五）：白居易的〈長相思〉	12 卷 3 期	(135)	頁 80~83	1996 年 8 月
7038	陳滿銘	唐宋詞拾玉（六）：溫庭筠的〈菩薩蠻〉	12 卷 7 期	(139)	頁 60~63	1996 年 12 月
7039	陳滿銘	唐宋詞拾玉（七）：溫庭筠的〈更漏子〉	12 卷 10 期	(142)	頁 34~36	1997 年 3 月
7040	陳滿銘	唐宋詞拾玉（八）：韋莊的〈菩薩蠻〉（一）	12 卷 12 期	(144)	頁 42~45	1997 年 5 月
7041	陳滿銘	唐宋詞拾玉（九）：韋莊的〈菩薩蠻〉（二）	13 卷 2 期	(146)	頁 36~39	1997 年 7 月
7042	陳滿銘	唐宋詞拾玉（十）：馮延巳的〈謁金門〉	13 卷 4 期	(148)	頁 82~84	1997 年 9 月
7043	陳滿銘	唐宋詞拾玉（十一）：馮延巳的〈蝶戀花〉（一）	13 卷 6 期	(150)	頁 28~31	1997 年 11 月
7044	陳滿銘	唐宋詞拾玉（十二）：馮延巳的〈蝶戀花〉（二）	13 卷 9 期	(153)	頁 28~31	1998 年 2 月
7045	陳滿銘	唐宋詞拾玉（十三）：李璟的〈攤破浣溪沙〉（一）	13 卷 10 期	(154)	頁 30~33	1998 年 3 月
7046	陳滿銘	唐宋詞拾玉（十四）：李煜的〈相見歡〉（一）	13 卷 12 期	(156)	頁 26~28	1998 年 5 月
7047	陳滿銘	唐宋詞拾玉（十五）：李璟的〈攤破浣溪沙〉（二）	14 卷 2 期	(158)	頁 53~56	1998 年 7 月
7048	陳滿銘	唐宋詞拾玉（十六）：李煜的〈相見歡〉（二）	14 卷 8 期	(164)	頁 53~56	1999 年 1 月
7049	陳滿銘	唐宋詞拾玉（十七）：李煜的〈浪淘沙〉	14 卷 11 期	(167)	頁 50~53	1999 年 4 月
7050	陳滿銘	唐宋詞拾玉（十八）：范仲淹的〈蘇幕遮〉	15 卷 1 期	(169)	頁 69~71	1999 年 6 月
7051	陳滿銘	唐宋詞拾玉（十九）：張先的〈天仙子〉	15 卷 4 期	(172)	頁 74~76	1999 年 9 月
7052	陳滿銘	唐宋詞拾玉（二十）：張先的〈青門引〉	15 卷 7 期	(175)	頁 61~63	1999 年 12 月
7053	陳滿銘	唐宋詞拾玉（二一）：晏殊的〈浣溪沙〉	15 卷 10 期	(178)	頁 60~62	2000 年 3 月
7054	陳滿銘	唐宋詞拾玉（二二）：晏殊的〈踏莎行〉	16 卷 3 期	(183)	頁 61~64	2000 年 8 月
7055	陳滿銘	唐宋詞拾玉（二三）：歐陽修的〈踏莎行〉	16 卷 5 期	(185)	頁 59~62	2000 年 10 月
7056	陳滿銘	唐宋詞拾玉（二四）：歐陽修的〈木蘭花〉	16 卷 10 期	(190)	頁 54~56	2001 年 3 月

7057	陳滿銘	唐宋詞拾玉（二五）：柳永的〈雨霖鈴〉	16 卷 12 期 (192)	頁 53~56	2001 年 5 月
7058	陳滿銘	唐宋詞拾玉（二六）：柳永的〈八聲甘州〉	17 卷 3 期 (195)	頁 56~58	2001 年 8 月
7059	陳滿銘	唐宋詞拾玉（二七）：蘇軾的〈水調歌頭〉	17 卷 5 期 (197)	頁 42~45	2001 年 10 月
7060	陳滿銘	唐宋詞拾玉（二八）：蘇軾的〈賀新郎〉	17 卷 8 期 (200)	頁 37~39	2002 年 1 月
7061	陳滿銘	唐宋詞拾玉（二九）：蘇軾的〈念奴嬌〉	17 卷 10 期 (202)	頁 52~55	2002 年 3 月
7062	陳滿銘	唐宋詞拾玉（三十）：晏幾道的〈臨江仙〉	18 卷 5 期 (209)	頁 41~43	2002 年 10 月
7063	陳滿銘	唐宋詞拾玉（三一）：晏幾道的〈鷓鴣天〉	19 卷 3 期 (219)	頁 49~51	2003 年 8 月

10.2.5.2 創作

7064	文幸福	減字木蘭花・藥樓雅集用山谷中秋無雨韻	23 卷 11 期 (275)	頁 75	2008 年 4 月
7065	老 馬	江城子／述夢	1 卷 6 期 (6)	頁 91	1985 年 11 月
7066	吳 浩	蔣捷《竹山詞》的篇章結構	25 卷 2 期 (290)	頁 30~38	2009 年 7 月
7067	邱燮友	減字木蘭花・客居台灣日有情	23 卷 11 期 (275)	頁 75	2008 年 4 月
7068	韋金滿	減字木蘭花・丁亥仲冬與停雲詩友過張夢機於藥樓後伯元用山谷中秋多雨韻寄贈爰泚筆答和	23 卷 11 期 (275)	頁 75	2008 年 4 月
7069	張澄仁	倚風樓詞稿：攬勝詠懷	4 卷 7 期 (43)	頁 70~71	1988 年 12 月
7070	梁雅英	浣溪沙・雨窗	23 卷 8 期 (272)	頁 87	2008 年 1 月
7071	許永德	千秋歲、感舊，三用少游韻	24 卷 4 期 (280)	頁 51	2008 年 9 月
7072	陳新雄	伯元倚聲（一）	10 卷 11 期 (119)	頁 108~111	1995 年 4 月
7073	陳新雄	伯元倚聲	10 卷 12 期 (120)	頁 111~115	1995 年 5 月
7074	陳新雄	減字木蘭花・藥樓雅集用山谷中秋無雨韻	23 卷 11 期 (275)	頁 75	2008 年 4 月
7075	陳滿銘	遊歐小吟	3 卷 5 期 (29)	頁 19	1987 年 10 月
7076	陳滿銘	減字木蘭花・藥樓雅集懷子良用山谷中秋無雨韻	23 卷 11 期 (275)	頁 75	2008 年 4 月
7077	黃秋芳	雨霖鈴／醉別	1 卷 2 期 (2)	頁 66	1985 年 7 月
7078	黃秋芳	臨江仙／紅顏	1 卷 2 期 (2)	頁 67	1985 年 7 月
7079	黃秋芳	玉樓春／舊歡	1 卷 3 期 (3)	頁 25	1985 年 8 月
7080	鄭圓鈴	客愁	1 卷 10 期 (10)	頁 69	1986 年 3 月

10.2.6.2 創作

| 7103 | 陳耀安 | 雅舍曲稿 | 10 卷 1 期 | (109) | 頁 95 | 1994 年 6 月 |

10.2.7　戲曲

7104	王安祈	南戲／雜劇／宋雜劇／院本元雜劇／明雜劇／清雜劇	2 卷 2 期	(14)	頁 42~43	1986 年 7 月
7105	康來新	誰是孩子的母親？——灰蘭外的兩婦人	2 卷 9 期	(21)	頁 62~66	1987 年 2 月
7106	林玟玲	南北合套	2 卷 9 期	(21)	頁 71	1987 年 2 月
7107	陳兆南	梁山好漢魯智深	2 卷 9 期	(21)	頁 82~85	1987 年 2 月
7108	楊振良	外內不相及——對尼姑思凡的說明	3 卷 1 期	(25)	頁 80~81	1987 年 6 月
7109	周純一	細說——中國舞台劇劇本（上）	3 卷 3 期	(27)	頁 84~89	1987 年 8 月
7110	周純一	細說——中國舞台劇劇本	3 卷 4 期	(28)	頁 76~80	1987 年 9 月
7111	林　玲	讓鑼鼓聲依舊響起	3 卷 5 期	(29)	頁 78~83	1987 年 10 月
7112	范長華	母在子不寒——古典戲曲中的後母	3 卷 12 期	(36)	頁 39~41	1988 年 5 月
7113	王安祈	由弋陽腔在戲曲上的成就談起	4 卷 5 期	(41)	頁 46~47	1988 年 10 月
7114	賴橋本	《琵琶記・糟糠自厭》的格律	4 卷 5 期	(41)	頁 50~56	1988 年 10 月
7115	陳慶煌	《西廂記》的賓白之美	4 卷 10 期	(46)	頁 78~83	1989 年 3 月
7116	編輯部	「思凡」曲文	4 卷 11 期	(47)	頁 22~24	1989 年 4 月
7117	賴橋本	崑曲「思凡」的來源	4 卷 11 期	(47)	頁 25~28	1989 年 4 月
7118	王安祈	「思凡」與「下山」的表演藝術	4 卷 11 期	(47)	頁 29~32	1989 年 4 月
7119	張啟超	借問靈山多少路——崑劇「思凡」的文學話題	4 卷 11 期	(47)	頁 33~37	1989 年 4 月
7120	曾永義	細數臺灣歌仔戲的發展腳步	5 卷 11 期	(59)	頁 87~90	1990 年 4 月
7121	陳益源	金童玉女，才子佳人	6 卷 9 期	(69)	頁 100~103	1991 年 2 月
7122	江武昌	男女老幼不分，生旦淨丑有份——八仙戲中永遠的配角	6 卷 11 期	(71)	頁 105~108	1991 年 4 月
7123	柯友稚	回顧南管戲曲遺存民俗——談「丟丟銅仔」與臺灣早期流行歌淵源	7 卷 2 期	(74)	頁 91~94	1991 年 7 月
7124	賴橋本	何謂過曲？	7 卷 5 期	(77)	頁 8~9	1991 年 10 月
7125	賴漢屏	疏朗點染，別具風情——讀孔尚任〈傍花村尋梅記〉	7 卷 5 期	(77)	頁 65~67	1991 年 10 月
7126	王安祈	酒醉鴻飥飥——談幾齣醉酒戲曲	7 卷 9 期	(81)	頁 26~29	1992 年 2 月
7127	楊丙玉	一幅珍貴的元代戲曲壁畫	7 卷 9 期	(81)	頁 61~62	1992 年 2 月
7128	林　玲	湯顯祖筆下的杜麗娘——兼談〈驚夢〉的搬演	7 卷 10 期	(82)	頁 59~63	1992 年 3 月
7129	楊振良	望鄉心與雁南飛——	7 卷 11 期	(83)	頁 67~69	1992 年 4 月

《琵琶記》中蔡伯喈的性格

7130	丁言昭	翻開中國木偶史	8 卷 2 期	(86)	頁 75~79	1992 年 7 月
7131	宋　輝	最後一頁滄桑—— 從《桃花扇・入道》看孔尚任的 悲劇意識	8 卷 3 期	(87)	頁 37~41	1992 年 8 月
7132	洪惟助	花落春猶在當代延續崑劇薪火的六 大崑劇團	8 卷 4 期	(88)	頁 7~14	1992 年 9 月
7133	張啟超	源遠流長，燦爛輝煌—— 崑劇緣起話從頭	8 卷 4 期	(88)	頁 15~18	1992 年 9 月
7134	蔡欣欣	崑曲名劇簡介	8 卷 4 期	(88)	頁 19~24	1992 年 9 月
7135	劉有恒	崑曲——音樂文學的極致	8 卷 4 期	(88)	頁 25~28	1992 年 9 月
7136	周純一	近代崑曲表演態勢略述	8 卷 4 期	(88)	頁 29~30	1992 年 9 月
7137	王定一 王希一	崑曲詞曲唱作欣賞之一—— 〈琴挑〉	8 卷 4 期	(88)	頁 36~38	1992 年 9 月
7138	張惠新	崑曲詞曲唱作欣賞之二—— 《鐵冠圖・刺虎》	8 卷 4 期	(88)	頁 39~42	1992 年 9 月
7139	蔡孟珍	一派輝煌絢麗的雅正之聲——崑曲	8 卷 4 期	(88)	頁 43~45	1992 年 9 月
7140	編輯部	坊間可購得之崑曲資料簡目	8 卷 4 期	(88)	頁 46~49	1992 年 9 月
7141	蔡孟珍	始悟南崑勝北崑—— 兼記兩岸的一段崑曲因緣	8 卷 7 期	(91)	頁 52~54	1992 年 12 月
7142	范長華	元雜劇裡的衙內式人物	8 卷 11 期	(95)	頁 52~56	1993 年 4 月
7143	俞為民	別情依依愁思長—— 《西廂記・長亭送別》賞析	8 卷 11 期	(95)	頁 57~61	1993 年 4 月
7144	仇小屏	試論《牡丹亭》的愛情觀	8 卷 11 期	(95)	頁 62~65	1993 年 4 月
7145	潘麗珠	復興劇團推出京崑傳奇〈關漢卿〉	9 卷 1 期	(97)	頁 134~137	1993 年 6 月
7146	楊振良	作傳奇者、善驅睡魔—— 古典戲曲中的語文趣味	9 卷 3 期	(99)	頁 32~36	1993 年 8 月
7147	林鶴宜	台灣地區「中國古典戲曲研究」博、 碩士學位論文寫作概況（民國四十 五～八十二）（上）	9 卷 5 期	(101)	頁 92~97	1993 年 10 月
7148	林鶴宜	台灣地區「中國古典戲曲研究」博、 碩士學位論文寫作概況（民國四十 五～八十二）（下）	9 卷 6 期	(102)	頁 102~109	1993 年 11 月
7149	范長華	淺探《霸王別姬》的悲劇美	9 卷 7 期	(103)	頁 74~81	1993 年 12 月
7150	張金城	一盞燈火—— 迎浙江崑劇團來台公演	9 卷 7 期	(103)	頁 129~130	1993 年 12 月
7151	賴橋本	四十年來台灣的崑曲活動	9 卷 8 期	(104)	頁 8~13	1994 年 1 月
7152	吳新雷	南京大學的曲學薪傳	9 卷 8 期	(104)	頁 14~17	1994 年 1 月

7153	俞為民	古代戲曲史上的南北曲	9 卷 8 期	(104)	頁 18~23	1994 年 1 月
7154	魏子雲	舞台上的藝術家—— 兼談張繼青女士的崑曲藝術	9 卷 8 期	(104)	頁 24~28	1994 年 1 月
7155	胡　忌	張繼青——崑曲藝術的驕傲	9 卷 8 期	(104)	頁 28~31	1994 年 1 月
7156	楊振良	欲明曲理、須先唱曲—— 崑曲研究的「學」與「術」	9 卷 8 期	(104)	頁 32~36	1994 年 1 月
7157	蔡孟珍	傳古人之神方為上乘—— 談崑曲的咬字	9 卷 8 期	(104)	頁 37~42	1994 年 1 月
7158	潘麗珠	好戲報知音（一）—— 元劇《漁樵記》和崑劇《朱買臣休 妻》、《爛柯山》	9 卷 8 期	(104)	頁 71~76	1994 年 1 月
7159	黃文錫	杜麗娘性格發展淺析	9 卷 9 期	(105)	頁 74~78	1994 年 2 月
7160	沈惠如	假鳳虛凰、倒轉乾坤—— 古典戲曲中忽男忽女的舞台趣味	9 卷 9 期	(105)	頁 79~84	1994 年 2 月
7161	潘麗珠	好戲報知音——美哉越劇《西廂記》	9 卷 10 期	(106)	頁 70~74	1994 年 3 月
7162	莊惠綺	看戲之人參湯——試論鄭恆之作用	9 卷 10 期	(106)	頁 76~80	1994 年 3 月
7163	賴橋本	張繼青到臺灣傳播崑曲藝術	9 卷 11 期	(107)	頁 32~37	1994 年 4 月
7164	吳淑慧	《救風塵》的衝突結構—— 巧計與自覺	10 卷 1 期	(109)	頁 36~47	1994 年 6 月
7165	潘麗珠	好戲報知音—— 蘭陽戲劇團的歌仔戲《錯配姻緣》	10 卷 1 期	(109)	頁 66~69	1994 年 6 月
7166	周志煌	台灣北管「子弟班」所反映的社群 分類現象——以西皮福祿及軒園之 爭為中心的探索	10 卷 1 期	(109)	頁 70~75	1994 年 6 月
7167	陳美雪	傳統戲曲和曲藝研究的寶庫—— 《清蒙古車王府藏曲本》簡介	10 卷 1 期	(109)	頁 101~105	1994 年 6 月
7168	陳誠中	唱作俱佳的福州戲—— 聆賞福州閩劇院一團來花公演有感	10 卷 4 期	(112)	頁 40~43	1994 年 9 月
7169	魏子雲	難以言詮的梅家舞台藝術	10 卷 7 期	(115)	頁 6~9	1994 年 12 月
7170	馬少波	梅蘭芳的藝術道路	10 卷 7 期	(115)	頁 10~15	1994 年 12 月
7171	徐城北	梅蘭芳與花衫	10 卷 7 期	(115)	頁 16~21	1994 年 12 月
7172	言慧珠	平易近人、博大精深—— 談梅派唱腔特點	10 卷 7 期	(115)	頁 22~26	1994 年 12 月
7173	陳誠中	《天鵝宴》與《孟麗君》—— 介紹兩齣福州的名戲	10 卷 9 期	(117)	頁 57~59	1995 年 2 月
7174	陳美雪	古典戲曲研究的總帳冊—— 談莊一拂編《古典戲曲存目彙考》	11 卷 1 期	(121)	頁 68~71	1995 年 6 月
7175	陳美雪	元明清戲曲作家生平資料總匯—— 《方志著錄元明清曲家傳略》評介	11 卷 5 期	(125)	頁 86~90	1995 年 10 月

7200	廖素琴	從雜劇《陳母教子》談關漢卿對科舉考試之態度	21 卷 10 期 (250)	頁 8~12	2006 年 3 月
7201	楊寶蓮	匯集文物，見證戲曲滄桑——《中國戲劇圖史》簡介	22 卷 1 期 (253)	頁 93~96	2006 年 6 月
7202	楊寶蓮	「榮興」十年薪傳，今日開花結果——兼論《採茶戲・人魚傳說》	22 卷 2 期 (254)	頁 39~42	2006 年 7 月
7203	李 芳	戲曲文獻發掘與研究的新收穫——黃仕忠《戲曲文獻研究叢稿》評介	22 卷 8 期 (260)	頁 84~87	2007 年 1 月
7204	楊寶蓮	匯集兩岸學者，呈現戲曲研究成果——《國家戲曲研究叢書》簡介	22 卷 9 期 (261)	頁 83~86	2007 年 2 月
7205	楊寶蓮	榮興劇團經典戲曲《丹青魂》——臺灣客家採茶大戲定型的界碑	23 卷 7 期 (271)	頁 37~42	2007 年 12 月
7206	陳美雪	《中國近代戲曲論著總目》的學術價值	24 卷 4 期 (280)	頁 94~97	2008 年 9 月
7207	劉原州	李漁《奈何天》傳奇析論（上）	24 卷 7 期 (283)	頁 50~54	2008 年 12 月
7208	全婉澄	一部《西廂記》版本目錄文獻的集大成之作——評陳旭耀博士的《現存明刊〈西廂記〉綜錄》	24 卷 10 期 (286)	頁 92~95	2009 年 3 月

10.2.8　小說

7209	胡萬川	〈孔明借箭〉有什麼時代意義？	7 卷 6 期 (78)	頁 100~103	1991 年 11 月
7210	胡萬川	關於〈孔明借箭〉的一點補充資料	7 卷 11 期 (83)	頁 98~99	1992 年 4 月
7211	鄭鐵生	《三國演義》回目的創立及其演進	8 卷 12 期 (96)	頁 68~73	1993 年 5 月
7212	張力中	淺談《三國演義》〈空城計〉、〈草船借箭〉之相關史實	13 卷 2 期 (146)	頁 114~116	1997 年 7 月
7213	莊 姜	網路罪人羅貫中寫爛了孔明？——兼公佈孔明的「十大罪」	17 卷 8 期 (200)	頁 103~106	2002 年 1 月
7214	黃文榮	《三國演義》的「技術性錯誤」——以「曹嵩之死」、「關羽的襄陽太守職」及「曹操割髮代首」為例	21 卷 4 期 (244)	頁 75~76	2005 年 9 月
7215	陳瑞秀	《三國演義》成書時代及其創作主題之關係試論	24 卷 7 期 (283)	頁 44~49	2008 年 12 月
7216	陳瑞秀	夢繫紅樓 情有獨鍾——《說紅樓・談三國：無盡藏樓小說論叢》寫作緣由	24 卷 8 期 (284)	頁 45~51	2009 年 1 月
7217	鄭明娳	新說西遊記圖像	2 卷 2 期 (14)	頁 52~55	1986 年 7 月
7218	周明儀	祝壽為什麼要用壽桃——由孫悟空偷吃蟠桃說起	6 卷 6 期 (66)	頁 98~99	1990 年 11 月
7219	施忠賢	《魔戒——首部曲》與《西遊記》之中西魔性對照（下）	19 卷 3 期 (219)	頁 58~63	2003 年 8 月

7220	黃振郎	從《西遊記》看吳承恩的貞節觀	23 卷 5 期	(269)	頁 41~46	2007 年 10 月
7221	魏子雲	大陸的金瓶梅研究	1 卷 8 期	(8)	頁 64~67	1986 年 1 月
7222	魏子雲	怎能忽略歷史因素── 從大陸學人研究《金瓶梅》說起	2 卷 7 期	(19)	頁 54~57	1986 年 12 月
7223	康來新	失嬰記──論李瓶兒與祥林嫂之死	2 卷 10 期	(22)	頁 42~47	1987 年 3 月
7224	黃 強	金瓶梅與飲食養生	15 卷 2 期	(170)	頁 30~34	1999 年 7 月
7225	魏子雲	金瓶梅閒話：西門慶這個人物	15 卷 3 期	(171)	頁 71~74	1999 年 8 月
7226	魏子雲	濃粥與雞尖湯── 《金瓶梅》中的吃喝	15 卷 4 期	(172)	頁 109~112	1999 年 9 月
7227	魏子雲	《金瓶梅》(詞話)的語言── 抽樣指出三幾字	16 卷 10 期	(190)	頁 79~82	2001 年 3 月
7228	陳 新	《金瓶梅》歇後語的民俗文化色彩 及修辭特徵	23 卷 6 期	(270)	頁 49~55	2007 年 11 月
7229	周純一	從殺人強盜到行者武松	2 卷 4 期	(16)	頁 51~55	1986 年 9 月
7230	陳兆南	梁山好漢魯智深	2 卷 9 期	(21)	頁 82~85	1987 年 2 月
7231	王明居	武松打虎的美	8 卷 12 期	(96)	頁 52~55	1993 年 5 月
7232	李東洪	沒有結局的故事── 讀《古本水滸傳》	13 卷 2 期	(146)	頁 54~59	1997 年 7 月
7233	徐傳武	黑旋風與小旋風	14 卷 7 期	(163)	頁 61~62	1998 年 12 月
7234	鮑延毅	宋江的字與號	14 卷 9 期	(165)	頁 52~53	1999 年 2 月
7235	鮑延毅	「閹人」李達	14 卷 10 期	(166)	頁 37~39	1999 年 3 月
7236	鍾 鍾	說書和施耐庵的水滸傳	14 卷 10 期	(166)	頁 54~57	1999 年 3 月
7237	鮑延毅	「花和尚」的「花」	14 卷 11 期	(167)	頁 35~36	1999 年 4 月
7238	徐傳武	「豹子頭」什麼樣子？	14 卷 12 期	(168)	頁 37~38	1999 年 5 月
7239	徐傳武	「花和尚」與「武行者」	15 卷 2 期	(170)	頁 49~50	1999 年 7 月
7240	劉典嚴	一樣題目，兩樣文字── 水滸故事中雷同類型的巧妙處理	17 卷 5 期	(197)	頁 4~5	2001 年 10 月
7241	徐傳武	說「大蟲」──《水滸》小札	17 卷 9 期	(201)	頁 65~66	2002 年 2 月
7242	林慧君	金聖嘆教你讀《水滸》── 淺談金批《水滸》與讀者的關係	19 卷 11 期	(227)	頁 66~69	2004 年 4 月
7243	楊蕭衡	武松圖像之消融與建構── 試以宋、元時代為考察範圍	22 卷 7 期	(259)	頁 50~55	2006 年 12 月
7244	潘重規	我探索紅樓夢的歷程	1 卷 3 期	(3)	頁 72~79	1985 年 8 月
7245	鄭明娳	紅樓夢中的夢	1 卷 4 期	(4)	頁 92~93	1985 年 9 月
7246	康來新	金針刺在肋骨上──偏心的賈母	2 卷 8 期	(20)	頁 34~37	1987 年 1 月
7247	王以安	《紅樓夢》秦氏之死	3 卷 2 期	(26)	頁 92~95	1987 年 7 月
7248	盧明瑜	論《紅樓夢》裏的平兒	5 卷 3 期	(51)	頁 73~77	1989 年 8 月

7249	王大方	說夢猜夢讀《紅樓》	5 卷 6 期	(54)	頁 89~90	1989 年 11 月
7250	吳安蘭	漫談秦可卿—— 賈寶玉難以啟口的第一次	5 卷 7 期	(55)	頁 96~98	1989 年 12 月
7251	王大方	薛寶釵的管理哲學	5 卷 9 期	(57)	頁 96~99	1990 年 2 月
7252	康來新提供	《紅樓夢》機智問答	6 卷 1 期	(61)	頁 89	1990 年 6 月
7253	康來新提供	《紅樓夢》機智問答	6 卷 2 期	(62)	頁 73	1990 年 7 月
7254	康來新提供	《紅樓夢》機智問答	6 卷 3 期	(63)	頁 75	1990 年 8 月
7255	孫 遜	頌讚與哀歌——大觀園裡的春天	6 卷 3 期	(63)	頁 93~95	1990 年 8 月
7256	康來新提供	《紅樓夢》機智問答	6 卷 4 期	(64)	頁 59	1990 年 9 月
7257	陳 詔	紅樓夢花卉與人物—— 《紅樓夢群芳圖譜》臺灣版序	6 卷 6 期	(66)	頁 81~83	1990 年 11 月
7258	康來新提供	《紅樓夢》機智問答	6 卷 6 期	(66)	頁 84~85	1990 年 11 月
7259	呂啟祥	胡適與「紅學」	6 卷 7 期	(67)	頁 98~103	1990 年 12 月
7260	古清美	無立足境，方是乾淨—— 漫談紅樓夢中的情與禪	7 卷 2 期	(74)	頁 43~47	1991 年 7 月
7261	張欣伯	雪芹應誕生於康熙五十五年	7 卷 7 期	(79)	頁 76	1991 年 12 月
7262	周汝昌	大觀園的情思	7 卷 7 期	(79)	頁 79~86	1991 年 12 月
7263	李淳玲	試解紅樓夢中史湘雲結局疑案	8 卷 7 期	(91)	頁 20~32	1992 年 12 月
7264	李淳玲	再解史湘雲結局疑案（上）	9 卷 1 期	(97)	頁 76~87	1993 年 6 月
7265	李淳玲	再解史湘雲結局疑案（下）	9 卷 2 期	(98)	頁 38~46	1993 年 7 月
7266	羅鳳珠	探一探以多媒體觀念製作國文教材 的路——「紅樓夢多媒體系統」介紹	9 卷 4 期	(100)	頁 97~103	1993 年 9 月
7267	劉淑爾	《紅樓夢》真的要反清復明嗎？ ——讀〈續談紅樓夢的發端〉所給 我的觸發	9 卷 7 期	(103)	頁 4~8	1993 年 12 月
7268	羅賢淑	小論《紅樓夢》書中的世事洞明與 人情練達	9 卷 7 期	(103)	頁 9~20	1993 年 12 月
7269	莊宜文	大觀景備，雅集詩才—— 大觀園中的詩社活動	9 卷 7 期	(103)	頁 22~33	1993 年 12 月
7270	陳妮昂	由《紅樓夢》及其續書探討賈寶玉 之角色變遷	9 卷 7 期	(103)	頁 33~41	1993 年 12 月
7271	張麗芬	古典的現代人—— 《紅樓夢》人物紅玉淺析	9 卷 7 期	(103)	頁 42~49	1993 年 12 月
7272	霍國玲原著 詹宇錦修訂	反照風月寶鑑—— 試論《紅樓夢》的主線	10 卷 2 期	(110)	頁 32~41	1994 年 7 月
7273	潘重規	從曹雪芹生卒談紅樓夢的作者	10 卷 4 期	(112)	頁 103~109	1994 年 9 月
7274	霍國玲原著 詹宇錦修訂	曹雪芹的生辰年月	10 卷 5 期	(113)	頁 20~32	1994 年 10 月

7275	霍國玲原著 詹宇錦修訂	《紅樓夢》中隱入了何人何事	10 卷 7 期	(115)	頁 38~57	1994 年 12 月
7276	洪 濤	論雪芹生卒與《紅樓夢》作者	10 卷 7 期	(115)	頁 110~111	1994 年 12 月
7277	龔鵬程	紅樓情史	10 卷 9 期	(117)	頁 4~15	1995 年 2 月
7278	霍國玲原著 詹宇錦修訂	試論《紅樓夢》一書的寫作目的（一）	10 卷 9 期	(117)	頁 21~27	1995 年 2 月
7279	周慶華	紅樓夢與「紅樓夢」	10 卷 9 期	(117)	頁 28~30	1995 年 2 月
7280	俞辰文	紅學界最近新說：大觀園原型在天津	10 卷 9 期	(117)	頁 31~32	1995 年 2 月
7281	謝春彥	戴敦邦與《紅樓夢群芳圖譜》	10 卷 9 期	(117)	頁 34~35	1995 年 2 月
7282	林憶雯	晴雯的人物性格及其悲劇性之探討	10 卷 9 期	(117)	頁 36~44	1995 年 2 月
7283	管仁健	誰識紅樓夢裡人？—— 〈反照風月寶鑑〉讀後感	10 卷 9 期	(117)	頁 123~124	1995 年 2 月
7284	陳益源	《紅樓夢》裡的同性戀：與世界對 話——甲戌年（一九九四）世界 紅學會議	10 卷 11 期	(119)	頁 10~25	1995 年 4 月
7285	霍國玲原著 詹宇錦修訂	試論《紅樓夢》一書的寫作目的（二）	10 卷 12 期	(120)	頁 28~32	1995 年 5 月
7286	梅新林	眼光・功力・涵養—— 評陳益源新著《從嬌紅記到紅樓夢》	13 卷 4 期	(148)	頁 112~114	1997 年 9 月
7287	王關仕	《紅樓夢》、《西遊記》之命名	13 卷 7 期	(151)	頁 6	1997 年 12 月
7288	朱嘉雯	從曹雪芹到瓊瑤，愛情本質不變 ——論現代作家瓊瑤與古典小說 《紅樓夢》的關係	14 卷 2 期	(158)	頁 70~76	1998 年 7 月
7289	周慶華	《紅樓夢》中的自殺事件	14 卷 3 期	(159)	頁 49~51	1998 年 8 月
7290	陳有昇	靈肉合一的性文學—— 再論《夢紅樓夢》	15 卷 2 期	(170)	頁 25~29	1999 年 7 月
7291	朱嘉雯	將傳統融入現代—— 白先勇與《紅樓夢》的關係	15 卷 7 期	(175)	頁 24~31	1999 年 12 月
7292	周慶華	天譴、人譴與無常譴—— 《紅樓夢》治「淫」有妙方	16 卷 1 期	(181)	頁 49~51	2000 年 6 月
7293	周安邦	驗明正身—— 破譯《紅樓夢》卷首之兩則神話	16 卷 11 期	(191)	頁 61~67	2001 年 4 月
7294	林聆慈	劉姥姥究竟幾進榮國府	17 卷 5 期	(197)	頁 10~12	2001 年 10 月
7295	林翠華	薛寶釵的冷香丸	21 卷 8 期	(248)	頁 26~28	2006 年 1 月
7296	林均珈	清代說唱曲藝—— 《紅樓夢》子弟書簡介	21 卷 8 期	(248)	頁 38~41	2006 年 1 月
7297	黃家家	神祕的魔法石—— 從女媧煉石補天神話談《紅樓夢》 中的「石頭」	22 卷 7 期	(259)	頁 56~60	2006 年 12 月

7298	陳瑞秀	夢繫紅樓 情有獨鍾——《說紅樓‧談三國：無盡藏樓小說論叢》寫作緣由	24 卷 8 期	(284)	頁 45~51	2009 年 1 月
7299	鄭雅心	《紅樓夢》白海棠詩賞析及其人物性格	25 卷 9 期	(297)	頁 76~80	2010 年 2 月
7300	陳冠甫	百代紅學允獨步——序李著《紅樓夢真相大發現（一）、（二）、（三）》	25 卷 11 期	(299)	頁 47~52	2010 年 4 月
7301	王夢鷗	關於「唐人小說校釋」	1 卷 1 期	(1)	頁 72~75	1985 年 6 月
7302	前野直彬作 吳璧雍譯	「小說」（上）	1 卷 11 期	(11)	頁 60~63	1986 年 4 月
7303	前野直彬作 吳璧雍譯	「小說」（中）	1 卷 12 期	(12)	頁 68~69	1986 年 5 月
7304	前野直彬作 吳璧雍譯	「小說」（下）	2 卷 1 期	(13)	頁 80~81	1986 年 6 月
7305	洪淑苓	小說：志怪／志人小說／傳奇／話本／詩話、詞話、評話／擬話本／章回小說	2 卷 5 期	(17)	頁 82~83	1986 年 10 月
7306	劉　潔	「強棒出擊」的問題	2 卷 10 期	(22)	頁 76~78	1987 年 3 月
7307	鹿憶鹿	華歆不是小人	2 卷 12 期	(24)	頁 92~93	1987 年 5 月
7308	黃基正	《搜神記》斷句有誤	3 卷 3 期	(27)	頁 49	1987 年 8 月
7309	王三慶	越南漢文筆記小說	3 卷 9 期	(33)	頁 90~94	1988 年 2 月
7310	王國良	何謂「說部」？	4 卷 3 期	(39)	頁 7	1988 年 8 月
7311	王大方	唐人小說中的三對眷侶	5 卷 3 期	(51)	頁 68~72	1989 年 8 月
7312	董國炎	考場上的常敗將軍——談狐說鬼蒲松齡	5 卷 7 期	(55)	頁 48~51	1989 年 12 月
7313	康來新	問學應憶江東——明清小說金陵研討記	6 卷 1 期	(61)	頁 90~92	1990 年 6 月
7314	葉慶炳	蒲松齡筆下的甄后——奸瞞之篡子，何必有貞婦？	6 卷 3 期	(63)	頁 26~28	1990 年 8 月
7315	林明德	六朝志怪的魅力	6 卷 3 期	(63)	頁 43~45	1990 年 8 月
7316	康來新	追隨亞當——古典小說的人物命名	6 卷 3 期	(63)	頁 105~107	1990 年 8 月
7317	夏元瑜	俠客‧刺客‧老蓋仙	6 卷 4 期	(64)	頁 70~73	1990 年 9 月
7318	編輯部	關於《三刻拍案驚奇》	6 卷 4 期	(64)	頁 110~111	1990 年 9 月
7319	康來新	畫夢錄	6 卷 6 期	(66)	頁 11	1990 年 11 月
7320	易竹賢	談胡適的小說考證	6 卷 7 期	(67)	頁 94~97	1990 年 12 月
7321	吳智和	小說與茶	6 卷 8 期	(68)	頁 56~61	1991 年 1 月
7322	鄭阿財	唐人豪俠小說名篇〈虬髯客傳〉	7 卷 6 期	(78)	頁 104~107	1991 年 11 月

7323	劉廣定	為「程高本」辯冤	7 卷 7 期	(79)	頁 73~75	1991 年 12 月
7324	黃碧端	烏托邦文學與回鄉夢	7 卷 7 期	(79)	頁 75	1991 年 12 月
7325	胡萬川	關於《醒世姻緣傳》的成書年代	7 卷 8 期	(80)	頁 69~74	1992 年 1 月
7326	林繼生	從極短篇小說觀點看孟子〈齊人〉章	7 卷 11 期	(83)	頁 100~103	1992 年 4 月
7327	余崇生	謫仙醉草嚇蠻書—— 從神仙傳說到意識轉化	8 卷 1 期	(85)	頁 46~48	1992 年 6 月
7328	周寅賓	談文言小說中的「雜錄」	8 卷 3 期	(87)	頁 96~99	1992 年 8 月
7329	呂明修	風雨飄零紅妓淚—— 談《老殘遊記》裡的翠環	8 卷 6 期	(90)	頁 71~75	1992 年 11 月
7330	陳益源	《情義奇姻》與《劉方三義傳》	8 卷 12 期	(96)	頁 62~67	1993 年 5 月
7331	陳益源	一部未受注意的明代小說—— 《雙卿筆記》	9 卷 4 期	(100)	頁 33~39	1993 年 9 月
7332	陳 遼	評權著《型世言研究》	9 卷 12 期	(108)	頁 112~113	1994 年 5 月
7333	高碧蓮	談《隋史遺文》—— 秦叔寶的冷靜與衝動	10 卷 2 期	(110)	頁 20~30	1994 年 7 月
7334	李 栖	魏晉清談的場面—— 以《世說新語》為例	10 卷 7 期	(115)	頁 30~37	1994 年 12 月
7335	簡光明	莊子在小說中的形象—— 淺談王應遴的《逍遙游》	10 卷 8 期	(116)	頁 22~27	1995 年 1 月
7336	張稔穰 牛學恕	儒家倫理道德與古代小說藝術形象	10 卷 8 期	(116)	頁 81~87	1995 年 1 月
7337	程國賦	漫談〈崑崙奴〉及其嬗變作品的 敘事視角	11 卷 2 期	(122)	頁 68~70	1995 年 7 月
7338	吳禮權	英雄俠義小說與中國人的阿Q精神	11 卷 8 期	(128)	頁 84~87	1996 年 1 月
7339	陳巍仁	用歷史寫小說—— 從秦晉韓之戰比較《左傳》與 《東周列國志》的戰爭敘述	11 卷 10 期	(130)	頁 94~98	1996 年 3 月
7340	葉國良	詩文與禮制（十三）：非官名	12 卷 2 期	(134)	頁 19~21	1996 年 7 月
7341	李瑞騰	從《老殘遊記》的版本談起	12 卷 4 期	(136)	頁 4~5	1996 年 9 月
7342	張維用	回到文學現場（十）：百年泄艷猶 如許——蒲松齡在嶗山寫〈香玉〉	12 卷 4 期	(136)	頁 36~41	1996 年 9 月
7343	蔡雲雀	淺談《聊齋》的愛情理念	12 卷 5 期	(137)	頁 86~89	1996 年 10 月
7344	程國賦	唐代小說研究述評	13 卷 1 期	(145)	頁 52~54	1997 年 6 月
7345	莊宜文	是超越還是陷溺—— 從《鶯鶯傳》看傳統女性的愛情困境	14 卷 5 期	(161)	頁 58~64	1998 年 10 月
7346	葉經柱	曹樸與孽海花	14 卷 8 期	(164)	頁 60~70	1999 年 1 月
7347	黃崇期	〈三言〉中的妓院愛情及其意蘊	14 卷 10 期	(166)	頁 58~61	1999 年 3 月
7348	郭玉雯	才子佳人與酷哥辣妹的對話（二）	14 卷 12 期	(168)	頁 58~61	1999 年 5 月

7349	葉經柱	李百川的《綠野仙蹤》（上）	15 卷 2 期	(170)	頁 66~71	1999 年 7 月
7350	葉經柱	李百川的《綠野仙蹤》（下）	15 卷 3 期	(171)	頁 92~94	1999 年 8 月
7351	鮑延毅	虎・登徒子・艾豭——小議王英	15 卷 4 期	(172)	頁 63~64	1999 年 9 月
7352	吳禮權	中國古典言情小說模式與中國傳統文化心理	16 卷 1 期	(181)	頁 44~48	2000 年 6 月
7353	簡繡鈺	我看李靖	16 卷 1 期	(181)	頁 52~53	2000 年 6 月
7354	張春榮	網路問答：鴛鴦蝴蝶派小說與才子佳人小說之關係	16 卷 6 期	(186)	頁 74	2000 年 11 月
7355	王關仕	網路問答：中國古典小說中「有詩為證」的手法究竟有什麼意義	16 卷 8 期	(188)	頁 73	2001 年 1 月
7356	顧關元	話說「京語小說」	16 卷 9 期	(189)	頁 54~55	2001 年 2 月
7357	蔡雲雀	《聊齋》中所呈現的童趣童話	16 卷 10 期	(190)	頁 57~58	2001 年 3 月
7358	仇小屏	談成人之美的虯髯客——附〈虯髯客傳〉結構分析表	16 卷 12 期	(192)	頁 104~106	2001 年 5 月
7359	林心暉	命運與情愛之糾葛——〈虯髯客〉人物心裡探索	17 卷 5 期	(197)	頁 13~18	2001 年 10 月
7360	李金松	金聖嘆對小說敘事觀點的採索	17 卷 5 期	(197)	頁 19~23	2001 年 10 月
7361	方慶雲	「宗定伯」角色心理分析	18 卷 2 期	(206)	頁 87~88	2002 年 7 月
7362	劉楚荊	熱烈執著的璩秀秀與心直口快的李翠蓮——漫談話本小說裡兩個叛逆的女性	18 卷 4 期	(208)	頁 53~59	2002 年 9 月
7363	陳正平	人性的實驗室——看唐人傳奇〈杜子春〉中呈現的人性	18 卷 7 期	(211)	頁 53~55	2002 年 12 月
7364	鄭誼慧	古典小說資料的檢索與利用	18 卷 8 期	(212)	頁 40~46	2003 年 1 月
7365	王三慶	古典小說中的書寫主題及技巧	18 卷 9 期	(213)	頁 52~70	2003 年 2 月
7366	朴炫坤	論《世說新語》之人物美學的形體美	19 卷 3 期	(219)	頁 27~33	2003 年 8 月
7367	吳麗珠	從《四庫全書總目提要》看紀昀的小說觀	19 卷 4 期	(220)	頁 67~72	2003 年 9 月
7368	王秋文	姑妄言之姑聽之？——試論《閱微草堂筆記》的實證精神	20 卷 6 期	(234)	頁 61~65	2004 年 11 月
7369	陳瑀軒	從《掃迷帚》論晚清蘇杭「迷信」風俗	20 卷 9 期	(237)	頁 37~45	2005 年 2 月
7370	王岫林	六朝志怪小說中的報應觀	20 卷 10 期	(238)	頁 38~46	2005 年 3 月
7371	王妙純	從《世說新語》看魏晉人的尚情特質	20 卷 11 期	(239)	頁 56~60	2005 年 4 月
7372	林敬文	脫胎換骨後的王冕——以正史和小說人物作對照的淺探	20 卷 12 期	(240)	頁 72~74	2005 年 5 月
7373	宋孔弘	試探《幽明錄・劉晨阮肇》的人物塑型與仙鄉造景	21 卷 6 期	(246)	頁 62~67	2005 年 11 月

10.2.9 　其他文類

10.2.9.1 神話傳說

7394	王孝廉	關於白川靜《中國神話》的中文翻譯——敬答傅錫王先生	2 卷 4 期	(16)	頁 45~47	1986 年 9 月
7395	李豐楙	山海經的特質	2 卷 5 期	(17)	頁 6~7	1986 年 10 月
7396	阮昌銳	從月亮逃婚說起——淺介臺灣漢族及原住民的神話故事	5 卷 11 期	(59)	頁 111~114	1990 年 4 月
7397	李威熊	迢迢牽牛星，皎皎河漢女——牛郎織女的故事	7 卷 1 期	(73)	頁 90~92	1991 年 6 月
7398	王國良	鍥而不捨，金石可鏤——介紹神話研究專家袁珂	7 卷 5 期	(77)	頁 58~63	1991 年 10 月
7399	朱 焰	遠古歌謠及神話傳說	8 卷 1 期	(85)	頁 42~45	1992 年 6 月
7400	凌德祥	試論華夏民族「鑽木取火」的傳說	8 卷 1 期	(85)	頁 49~53	1992 年 6 月
7401	張維用	八仙過海——關於八仙	8 卷 1 期	(85)	頁 54~58	1992 年 6 月
7402	何滿子	月亮神話的漫談	8 卷 1 期	(85)	頁 59~62	1992 年 6 月
7403	江寶釵	神話、仙話與鬼話	8 卷 11 期	(95)	頁 69~72	1993 年 4 月
7404	鹿憶鹿	中國南方民族的洪水神話	13 卷 4 期	(148)	頁 30~33	1997 年 9 月
7405	浦忠成	原住民的月亮神話	16 卷 4 期	(184)	頁 15~17	2000 年 9 月
7406	蕭麗華	從神話原型看李杜詩中的神鳥意象	16 卷 8 期	(188)	頁 42~50	2001 年 1 月
7407	鍾 年	從《創世紀》說開去——談談中國各民族的人類起源神話	17 卷 11 期	(203)	頁 36~39	2002 年 4 月
7408	紀千惠	僬僥神話	20 卷 8 期	(236)	頁 31~36	2005 年 1 月
7409	胡曉蓓	九頭鳥小考	21 卷 12 期	(252)	頁 39~44	2006 年 5 月
7410	黃素嬌	從神話原型批評的角度談「莊周夢蝶」故事	23 卷 6 期	(270)	頁 45~48	2007 年 11 月
7411	沈素因	悲劇英雄與代罪羔羊——談《山海經》鯀的故事	25 卷 1 期	(289)	頁 34~38	2009 年 6 月

10.2.9.2 寓言

7412	王 甦	什麼是寓言？	1 卷 10 期	(10)	頁 9~10	1986 年 3 月
7413	羅肇錦	寓言的玄機——修辭技巧之五	3 卷 11 期	(35)	頁 69~73	1988 年 4 月
7414	杜榮琛	小小魔袋、變化萬千——淺介《中國現代寓言選》	5 卷 7 期	(55)	頁 102~105	1989 年 12 月
7415	鮑延毅 鮑 欣	引蒙「香草」易為功（下）——寓言與童蒙教育初探	17 卷 1 期	(193)	頁 96~100	2001 年 6 月
7416	詹雅筑	劉基《郁離子・狙公》篇旨及章法結構	20 卷 5 期	(233)	頁 98~105	2004 年 10 月
7417	雷麗欽	《艾子雜說》的角色與寓意	24 卷 5 期	(281)	頁 4~9	2008 年 10 月

10.2.9.3 笑話

7418	林文寶	雖屬小道，不無學問—— 閒話「笑話」	5 卷 10 期	(58)	頁 16~18	1990 年 3 月
7419	劉兆祐	古代笑話知多少？	5 卷 10 期	(58)	頁 19~22	1990 年 3 月
7420	王溢嘉	心有所領，意有所會—— 笑話的心理分析	5 卷 10 期	(58)	頁 23~24	1990 年 3 月
7421	清　華	笑話如何使人想笑？—— 從中國古代笑話的藝術特質和寫作 技巧談起	5 卷 10 期	(58)	頁 25~28	1990 年 3 月
7422	蔡君逸	笑話中的眾生百態	5 卷 10 期	(58)	頁 29~32	1990 年 3 月
7423	陳清俊	世間情萬種，盡付一笑中—— 談古代笑話的功能和價值	5 卷 10 期	(58)	頁 33~36	1990 年 3 月
7424	王國良	《歷代笑話集叢刊》計劃書	5 卷 10 期	(58)	頁 37~39	1990 年 3 月
7425	龔鵬程	《笑林廣記》是淫書嗎？	5 卷 10 期	(58)	頁 40~41	1990 年 3 月
7426	楊仲揆	古代反話共欣賞	6 卷 5 期	(65)	頁 96~98	1990 年 10 月
7427	吳禮權	創意造言的藝術—— 蘇軾與劉攽的排調語篇解構	11 卷 6 期	(126)	頁 98~101	1995 年 11 月

10.3　近現代文學

10.3.1　通論

10.3.1.1 網路文學

7428	楊維仁	古典詩創作在網際網路上的概況	15 卷 8 期	(176)	頁 58~63	2000 年 1 月
7429	陳啟鵬 （遙光）	再一次，開天、闢地—— 「傳統中國文學」網站與古典文學 新生	16 卷 2 期	(182)	頁 100~104	2000 年 7 月
7430	諸葛俊元	略論網路文學創作之現況	16 卷 10 期	(190)	頁 100~105	2001 年 3 月
7431	莊　姜	網路罪人羅貫中寫爛了孔明？—— 兼公佈孔明的「十大罪」	17 卷 8 期	(200)	頁 103~106	2002 年 1 月
7432	吳慧茹	上網看童詩—— 台灣地區網路的童詩現象初探	18 卷 7 期	(211)	頁 25~33	2002 年 12 月
7433	劉　渼	台灣網路詩的超越性—— 超文類與超時空　（上）	19 卷 6 期	(222)	頁 98~102	2003 年 11 月
7434	荀　潔	女性「一間自己的屋子」—— 從社會性別角度看中國目前的女性 網站	19 卷 8 期	(224)	頁 108~112	2004 年 1 月
7435	傅耀珍	超文本文學的美學探討與未來危機 ——以台灣超文本文學為例	20 卷 4 期	(232)	頁 105~111	2004 年 9 月
7436	鄭凰英受訪	桃花源的遇合——	21 卷 5 期	(245)	頁 107~111	2005 年 10 月

陳靖如撰稿 「古雅臺語人」創站經驗與網路
教學資源

10.3.1.2 其他

7437	蘊 苑	如果我們看不懂文言文——白話文運動的另一種考察	1 卷 2 期	(2)	頁 37~39	1985 年 7 月
7438	王 樾	有時文字像女人——從廣告的標題談起	1 卷 2 期	(2)	頁 62~63	1985 年 7 月
7439	周志文	信念與迷思——初期的白話文學運動	1 卷 12 期	(12)	頁 18~19	1986 年 5 月
7440	龔鵬程	他們的文字為什麼差勁？	2 卷 8 期	(20)	頁 22~23	1987 年 1 月
7441	林 萌	台灣國語	2 卷 10 期	(22)	頁 70	1987 年 3 月
7442	黃英烈	與胡適之先生談白話文——聽他一番話，勝讀十年書	3 卷 12 期	(36)	頁 53~55	1988 年 5 月
7443	龔顯宗	霜天夜雨說廬隱	5 卷 8 期	(56)	頁 96~100	1990 年 1 月
7444	王宏志	新月派綜論	6 卷 1 期	(61)	頁 20~25	1990 年 6 月
7445	張 健	魯迅的精神與文學業績——《魯迅全集》谷風版序	6 卷 4 期	(64)	頁 90~92	1990 年 9 月
7446	林瑞明	石在，火種是不會絕的——魯迅與賴和	7 卷 4 期	(76)	頁 18~24	1991 年 9 月
7447	黃英哲	許壽裳與戰後初期臺灣的魯迅文學介紹	7 卷 5 期	(77)	頁 74~78	1991 年 10 月
7448	秦賢次	一位大器晚成的學人——夏濟安的一生及其對文學的貢獻	7 卷 5 期	(77)	頁 104~108	1991 年 10 月
7449	葉維廉演講 曾秀華記錄	有效的歷史意識與中國現代文學	7 卷 9 期	(81)	頁 50~57	1992 年 2 月
7450	陳青生	漢奸文學，怎麼界定？——兼談劉心皇的錯誤標準	9 卷 5 期	(101)	頁 57~61	1993 年 10 月
7451	施議對	中國當代詞壇解放派首領胡適	11 卷 12 期	(132)	頁 100~107	1996 年 5 月
7452	楊昌年	新文藝名家名作析評（三）：濃麗華美——徐志摩的詩與散文	12 卷 11 期	(143)	頁 79~83	1997 年 4 月
7453	楊昌年	新文藝名家名作析評（四）：唯美與真誠——郁達夫的詩與文	12 卷 12 期	(144)	頁 60~67	1997 年 5 月
7454	莊宜文	台灣現代文學（八）：在君父的城邦——三三文學集團研究（上）	13 卷 8 期	(152)	頁 58~70	1998 年 1 月
7455	莊宜文	台灣現代文學（八）：在君父的城邦——三三文學集團研究（下）	13 卷 9 期	(153)	頁 62~75	1998 年 2 月
7456	張 健	百卉齊發的新聞——現代文學	14 卷 6 期	(162)	頁 36~39	1998 年 11 月
7457	張 健	漂泊者的尋覓與思考——	16 卷 4 期	(184)	頁 47~48	2000 年 9 月

評介《漂泊與尋覓》

7458	史墨卿	應用文現代化的取向	16 卷 7 期	(187)	頁 92~96	2000 年 12 月
7459	唐翼明	沒有主義的高行健	16 卷 9 期	(189)	頁 70~75	2001 年 2 月
7460	朱棟霖	中國現代文學對傳統的認同	18 卷 2 期	(206)	頁 18~26	2002 年 7 月
7461	莊建國	我國現代文學史料數位化典藏與服務（上）	18 卷 8 期	(212)	頁 104~110	2003 年 1 月
7462	莊健國	我國現代文學史料數位化典藏與服務（中）	18 卷 9 期	(213)	頁 105~111	2003 年 2 月
7463	宋 裕	中文字典、辭典舉要	18 卷 9 期	(213)	頁 111~112	2003 年 2 月
7464	莊健國	我國現代文學史料數位化典藏與服務（下）	18 卷 10 期	(214)	頁 91~97	2003 年 3 月
7465	鍾名誠	朱光潛的作文觀及其啟示	19 卷 2 期	(218)	頁 64~69	2003 年 7 月
7466	劉 渼	台灣網路詩的超越性——超文類與超時空 （下）	19 卷 7 期	(223)	頁 100~107	2003 年 12 月
7467	朱巧雲	中國大陸葉嘉瑩研究述評	21 卷 6 期	(246)	頁 74~82	2005 年 11 月
7468	段大明	文學殿堂裡的「微雕藝術」——「手機文學」的勃興及其文化特徵	21 卷 6 期	(246)	頁 109~112	2005 年 11 月

10.3.2　新詩

7469	黃 梁	新詩點評（一）：半夜深巷琵琶	11 卷 9 期	(129)	頁 68~69	1996 年 2 月
7470	黃 梁	新詩點評（一）：末日	11 卷 9 期	(129)	頁 70~71	1996 年 2 月
7471	黃 梁	新詩點評（二）：寄之琳	11 卷 10 期	(130)	頁 74~75	1996 年 3 月
7472	黃 梁	新詩點評（二）：深閉的園子	11 卷 10 期	(130)	頁 76~77	1996 年 3 月
7473	黃 梁	新詩點評（三）：雪夜	11 卷 11 期	(131)	頁 88~89	1996 年 4 月
7474	黃 梁	新詩點評（三）：音塵	11 卷 11 期	(131)	頁 90~91	1996 年 4 月
7475	黃 梁	新詩點評（四）：還魂草	11 卷 12 期	(132)	頁 90~91	1996 年 5 月
7476	黃 梁	新詩點評（四）：吠月的犬	11 卷 12 期	(132)	頁 92~93	1996 年 5 月
7477	黃 梁	新詩點評（五）：無聲的話	12 卷 1 期	(133)	頁 86~87	1996 年 6 月
7478	黃 梁	新詩點評（五）：女犯監獄	12 卷 1 期	(133)	頁 88~89	1996 年 6 月
7479	黃 梁	新詩點評（六）：信鴿	12 卷 2 期	(134)	頁 93~95	1996 年 7 月
7480	黃 梁	新詩點評（六）：金屬性的雨	12 卷 2 期	(134)	頁 96~97	1996 年 7 月
7481	黃 梁	新詩點評（七）：溶化的風景	12 卷 4 期	(136)	頁 70~72	1996 年 9 月
7482	黃 梁	新詩點評（八）：山水詩	12 卷 5 期	(137)	頁 90~92	1996 年 10 月
7483	黃 梁	新詩點評（九）：招魂的短笛	12 卷 6 期	(138)	頁 70~72	1996 年 11 月
7484	黃 梁	新詩點評（九）：蟹爪花	12 卷 6 期	(138)	頁 73~74	1996 年 11 月
7485	黃 梁	新詩點評（十）：滿臉梨花詞	12 卷 7 期	(139)	頁 64~65	1996 年 12 月

7486	黃　梁	新詩點評（十）：雪	12 卷 7 期	(139)	頁 66~67	1996 年 12 月
7487	黃　梁	新詩點評（十一）：再見，遠方 ——舊金山「紅木林」偶得	12 卷 9 期	(141)	頁 90~91	1997 年 2 月
7488	黃　梁	新詩點評（十一）：乞丐	12 卷 9 期	(141)	頁 92~94	1997 年 2 月
7489	黃　梁	新詩點評（十二）：裸的先知	12 卷 10 期	(142)	頁 83~86	1997 年 3 月
7490	洛　夫 洪淑苓記錄	語言的魔力——談詩語言的特色	1 卷 7 期	(7)	頁 33~37	1985 年 12 月
7491	王文進	秋空下的旅人—— 談鄭愁予的「編秋草」	2 卷 1 期	(13)	頁 106~108	1986 年 6 月
7492	羅　門	詩的追蹤	3 卷 4 期	(28)	頁 62~66	1987 年 9 月
7493	朱錦娥	如何引導青少年走進新詩的園地	3 卷 4 期	(28)	頁 88~89	1987 年 9 月
7494	龔顯宗	現代詩人中的先聖鬼	3 卷 7 期	(31)	頁 56~61	1987 年 12 月
7495	吳　當	楊喚童詩欣賞：春天在哪兒啊	3 卷 11 期	(35)	頁 86~87	1988 年 4 月
7496	林覺中	新詩的反省	4 卷 2 期	(38)	頁 76~77	1988 年 7 月
7497	吳　當	楊喚童詩析賞——家	4 卷 2 期	(38)	頁 78~79	1988 年 7 月
7498	孟　樊	夏日炎炎書解悶—— 好書推薦：現代詩書單	4 卷 3 期	(39)	頁 29~31	1988 年 8 月
7499	鄭明俊記錄	權力架構與現代詩的發展—— 張錯與林燿德對談	4 卷 3 期	(39)	頁 32~39	1988 年 8 月
7500	吳　當	楊喚童詩析賞：下雨了	4 卷 3 期	(39)	頁 46~47	1988 年 8 月
7501	龔顯宗	三十年代文壇回顧：忠實於時代的 艾青	4 卷 4 期	(40)	頁 42~47	1988 年 9 月
7502	吳　當	楊喚童詩析賞：美麗島	4 卷 5 期	(41)	頁 40~42	1988 年 10 月
7503	吳　當	楊喚童詩析賞：七彩的虹	4 卷 8 期	(44)	頁 96~97	1989 年 1 月
7504	潘亞暾	向心靈世界掘進——羅門詩歌淺析	4 卷 9 期	(45)	頁 86~89	1989 年 2 月
7505	吳　當	楊喚童詩析賞：眼睛	4 卷 11 期	(47)	頁 98~99	1989 年 4 月
7506	簡政珍	新世代詩人陳克華	5 卷 1 期	(49)	頁 90~91	1989 年 6 月
7507	吳　當	楊喚童詩析賞：夏夜	5 卷 3 期	(51)	頁 78~81	1989 年 8 月
7508	潘亞暾	求真、從善、揚美—— 蓉子短詩賞析	5 卷 3 期	(51)	頁 82~86	1989 年 8 月
7509	潘亞暾	演化而常新——楊牧近期的新詩	5 卷 7 期	(55)	頁 85~89	1989 年 12 月
7510	潘亞暾	獻給後工業社會的揶揄之歌—— 林燿德的《都市終端機》賞析	5 卷 12 期	(60)	頁 91~93	1990 年 5 月
7511	杜　萱	彩蝶掉眼淚—— 談「人性化」轉化法在童詩創作上 的運用	5 卷 12 期	(60)	頁 94~98	1990 年 5 月
7512	白　靈	處處回眸的天鵝——漫談新詩流派	6 卷 1 期	(61)	頁 11~18	1990 年 6 月

7513	編輯部	沙揚娜拉——贈日本女郎	6 卷 1 期	(61)	頁 19	1990 年 6 月
7514	秦賢次	新月詩人二十六家（上）	6 卷 1 期	(61)	頁 26~30	1990 年 6 月
7515	吳奔星	一群詩人的樂窩——新月詩派新評	6 卷 1 期	(61)	頁 32~37	1990 年 6 月
7516	卞之琳	繽紛的花雨——我看徐志摩的詩	6 卷 1 期	(61)	頁 38~43	1990 年 6 月
7517	呂正惠	聞一多的成就有多少？	6 卷 1 期	(61)	頁 44~48	1990 年 6 月
7518	李瑞騰	蹣跚於曠漠之原中—— 試探朱湘的詩之主題	6 卷 1 期	(61)	頁 50~54	1990 年 6 月
7519	吳奔星	不讓胡笳篡奪琴和瑟的光榮—— 饒孟侃的詩論與詩風	6 卷 1 期	(61)	頁 55~61	1990 年 6 月
7520	陳子善	大雨元帥—— 淺談孫大雨的新詩成就	6 卷 1 期	(61)	頁 62~66	1990 年 6 月
7521	朱細林	流浪詩人劉夢葦	6 卷 1 期	(61)	頁 67~72	1990 年 6 月
7522	秦賢次	新月詩人二十六家（中）	6 卷 2 期	(62)	頁 55~59	1990 年 7 月
7523	秦賢次	新月詩人二十六家（下）	6 卷 3 期	(63)	頁 51~55	1990 年 8 月
7524	編輯部	相遇已成過去	6 卷 3 期	(63)	頁 80	1990 年 8 月
7525	杜萱	張開想像的羽翼—— 談「物性化」轉化法在童詩創作上 的運用	6 卷 6 期	(66)	頁 86~92	1990 年 11 月
7526	吳當	水果們的晚會——楊喚童詩賞析	6 卷 6 期	(66)	頁 92~95	1990 年 11 月
7527	吳奔星	胡適與中國新詩	6 卷 8 期	(68)	頁 84~88	1991 年 1 月
7528	白靈	什麼是「商籟十四行體」	7 卷 1 期	(73)	頁 7~8	1991 年 6 月
7529	呂正惠	中國新詩裡的現代主義詩派	7 卷 1 期	(73)	頁 13~15	1991 年 6 月
7530	吳奔星	中國象徵詩派的祖師爺—— 李金髮其人其詩	7 卷 1 期	(73)	頁 16~22	1991 年 6 月
7531	呂興昌	用殘損的手掌觸摸殘損的江山—— 戴望舒的生平與作品	7 卷 1 期	(73)	頁 23~27	1991 年 6 月
7532	黃維樑	新月派、現代派和卞之琳	7 卷 1 期	(73)	頁 28~33	1991 年 6 月
7533	吳兆朋	永遠的九葉—— 九葉詩人與現代詩派	7 卷 1 期	(73)	頁 34~39	1991 年 6 月
7534	呂正惠	不朽的風旗—— 中國現代主義詩歌的貢獻與成就	7 卷 1 期	(73)	頁 40~45	1991 年 6 月
7535	陳信元	落葉悲歌—— 現代主義詩派在中國大陸之悲情命運	7 卷 1 期	(73)	頁 46~53	1991 年 6 月
7536	趙天儀	「移植之花」遍地開—— 臺灣現代派與大陸現代派的關係	7 卷 1 期	(73)	頁 54~58	1991 年 6 月
7537	編輯部策劃	詩人黃遵憲特輯	7 卷 8 期	(80)	頁 59	1992 年 1 月
7538	吳小如	黃遵憲的詩歌成就	7 卷 8 期	(80)	頁 59~60	1992 年 1 月

7539	古清遠	來自臺灣大學的現代詩講義—— 評張健的《中國現代詩》	7 卷 8 期	(80)	頁 81~84	1992 年 1 月
7540	瘂 弦	現代詩人與酒——飲者點將錄	7 卷 9 期	(81)	頁 40~48	1992 年 2 月
7541	劉祥安	雨巷中的尋夢者—— 略論抒情詩人戴望舒	8 卷 2 期	(86)	頁 61~66	1992 年 7 月
7542	辛 鬱	順興茶館所見	8 卷 9 期	(93)	頁 18~19	1993 年 2 月
7543		別了，順興茶館	8 卷 9 期	(93)	頁 20~21	1993 年 2 月
7544	潘麗珠 黃思維	新詩的守護神和永遠的青鳥—— 訪燈屋裡的羅門與蓉子	9 卷 3 期	(99)	頁 118~127	1993 年 8 月
7545	吳 當	楊喚童詩析賞——森林的詩	9 卷 5 期	(101)	頁 24~26	1993 年 10 月
7546	劉揚烈	羅門詩中卓越的詩才與自覺的選擇	9 卷 7 期	(103)	頁 82~87	1993 年 12 月
7547	古遠清	「一種清清楚楚的曖昧」—— 評張健的詩集《神秘的第五季》	10 卷 2 期	(110)	頁 107~109	1994 年 7 月
7548	張 健	〈植物人生〉自詮	10 卷 2 期	(110)	頁 110	1994 年 7 月
7549	羅 門	詩在人類世界中的永恆價值	10 卷 4 期	(112)	頁 44~49	1994 年 9 月
7550	張展源	對新詩美學的一些反省	10 卷 5 期	(113)	頁 33~40	1994 年 10 月
7551	陳啟佑	渡也與竹	10 卷 5 期	(113)	頁 48~52	1994 年 10 月
7552	小 小	寫詩給孩子	10 卷 5 期	(113)	頁 112	1994 年 10 月
7553	龔韻蘅	現代詩與現代畫	10 卷 7 期	(115)	頁 64~68	1994 年 12 月
7554	小 小	寫詩給孩子	10 卷 7 期	(115)	頁 108~109	1994 年 12 月
7555	渡 也	新詩補給站	10 卷 11 期	(119)	頁 34~36	1995 年 4 月
7556	潘麗珠	豪華落盡見真淳—— 鄭愁予〈寂寞的人坐著看花〉	11 卷 1 期	(121)	頁 24~26	1995 年 6 月
7557	陳大為	析論卞之琳《十年詩草》的敘述策略	11 卷 1 期	(121)	頁 27~31	1995 年 6 月
7558	楊昌年演講 汪惠蘭記錄	現代詩的創作與欣賞	11 卷 6 期	(126)	頁 12~19	1995 年 11 月
7559	張雙英	高雅的獨白—— 談現代詩未能普及的原因	11 卷 7 期	(127)	頁 80~84	1995 年 12 月
7560	陳素雲	余光中詩中的台灣關懷—— 民國七十四年定居高雄之後（上）	12 卷 2 期	(134)	頁 86~92	1996 年 7 月
7561	林瑞景	回響‧感謝‧解惑—— 兼試解〈讀詩的困惑〉	12 卷 3 期	(135)	頁 67~69	1996 年 8 月
7562	黃 梁	感於哀樂，緣事而發—— 梅新近作的詩學簡論	12 卷 3 期	(135)	頁 88~93	1996 年 8 月
7563	陳素雲	余光中詩中的台灣關懷—— 民國七十四年定居高雄之後（下）	12 卷 3 期	(135)	頁 101~105	1996 年 8 月
7564	林覺中	讀詩淺識——敬答黃梁先生	12 卷 4 期	(136)	頁 94~95	1996 年 9 月

7565	黃　梁	新詩的多元美學——議論〈讀詩淺識〉	12 卷 5 期	(137)	頁 98~99	1996 年 10 月
7566	古遠清	「一面小旗，滿天風勢」——評張健的詩集《春夏秋冬》	12 卷 6 期	(138)	頁 90~93	1996 年 11 月
7567	黃　梁	台灣新生代作家（一）：詩與詩的演出——劉季陵〈日課表〉的結構分析	12 卷 8 期	(140)	頁 87~94	1997 年 1 月
7568	楊鴻銘	鄭愁予〈錯誤〉析評	12 卷 8 期	(140)	頁 99~103	1997 年 1 月
7569	陳鵬翔	台灣現代文學（一）：跨世紀的星群——新生代詩人論	12 卷 9 期	(141)	頁 62~77	1997 年 2 月
7570	李瑞騰	東南亞華文文學（二）：新加坡五月詩社的發展歷程	12 卷 11 期	(143)	頁 70~78	1997 年 4 月
7571	楊鴻銘	林冷〈不繫之舟〉析評	12 卷 11 期	(143)	頁 93~97	1997 年 4 月
7572	辛金順	台灣新生代作家（二）：歷史曠野上的星光——論陳大為的詩	12 卷 12 期	(144)	頁 68~79	1997 年 5 月
7573	黃　梁	大陸當代文學（四）：滅了頂的我和我們——探索楊煉〈水〉詩四首	12 卷 12 期	(144)	頁 80~86	1997 年 5 月
7574	蕭　蕭	情采鄭愁予	13 卷 1 期	(145)	頁 58~65	1997 年 6 月
7575	林　綠	鄭愁予〈錯誤〉的傳統訊契	13 卷 1 期	(145)	頁 66~68	1997 年 6 月
7576	丁威仁	〈錯誤〉的因式分解	13 卷 1 期	(145)	頁 69~70	1997 年 6 月
7577	唐　捐	縱一葦之所知——讀林冷的〈不繫之舟〉	13 卷 2 期	(146)	頁 60~63	1997 年 7 月
7578	楊宗翰	刺人的黃昏——林冷〈不繫之舟〉的一種讀法	13 卷 2 期	(146)	頁 64~66	1997 年 7 月
7579	楊鴻銘	作文教室（十六）：新詩過峽的寫法——以「冬」為例	13 卷 2 期	(146)	頁 106~108	1997 年 7 月
7580	陳大為	台灣現代文學（五）：羅門都市文本的「雄渾」氣象	13 卷 3 期	(147)	頁 70~79	1997 年 8 月
7581	楊鴻銘	作文教室（十九）：童詩的寫法——以楊翼琪〈暑假〉為例	13 卷 5 期	(149)	頁 101~103	1997 年 10 月
7582	李瑞騰	東南亞華文文學（三）：馬華詩壇七字輩——詩獎與詩選的考察	13 卷 6 期	(150)	頁 67~75	1997 年 11 月
7583	黃錦樹	台灣現代文學（六）：詞的流亡——張貴興和他的寫作道路	13 卷 6 期	(150)	頁 76~89	1997 年 11 月
7584	梅　新	大陸當代文學（七）：山村的「一天」，歷史的「一天」	13 卷 8 期	(152)	頁 47~51	1998 年 1 月
7585	陳大為	東南亞華文文學（五）：感官與思維的冷盤——九〇年代馬華新詩裡的都市影像	13 卷 8 期	(152)	頁 71~83	1998 年 1 月

7586	奚　密	台灣現代文學（十）：台灣現代詩論戰──再論「一場未完成的革命」	13 卷 10 期 (154)	頁 72~81	1998 年 3 月
7587	李癸雲	台灣現代文學（十一）：現實底下的潛航──馮青詩研究	13 卷 11 期 (155)	頁 72~82	1998 年 4 月
7588	陳明柔	台灣現代文學（十三）：楊牧詩作〈秂〉之語意分析	14 卷 1 期 (157)	頁 58~66	1998 年 6 月
7589	楊宗翰	現代詩劇，休走！──從楊牧《吳鳳》談起	14 卷 4 期 (160)	頁 80~88	1998 年 9 月
7590	莫　渝	覃子豪〈追求〉賞析	14 卷 11 期 (167)	頁 72~73	1999 年 4 月
7591	莫　渝	鐵窗的吶喊	15 卷 1 期 (169)	頁 93~97	1999 年 6 月
7592	莫　渝	新詩賞析：秋	15 卷 2 期 (170)	頁 80~81	1999 年 7 月
7593	莫　渝	讓世界在穩定發光──談洪志明的詩	15 卷 3 期 (171)	頁 101~102	1999 年 8 月
7594	郭鶴鳴	沈尹默的〈三弦〉	15 卷 4 期 (172)	頁 102~105	1999 年 9 月
7595	林于弘	憧憬的追尋與幻滅──談徐志摩的愛與詩	15 卷 12 期 (180)	頁 19~26	2000 年 5 月
7596	仇小屏	談幾種章法在新詩裡的運用	16 卷 1 期 (181)	頁 83~90	2000 年 6 月
7597	易俊傑	劉半農與教我如何不想「她」	16 卷 3 期 (183)	頁 70~71	2000 年 8 月
7598	陳清俊	童詩中的月亮	16 卷 4 期 (184)	頁 8~14	2000 年 9 月
7599	羊子喬	戰前的台灣新詩	16 卷 5 期 (185)	頁 16~25	2000 年 10 月
7600	劉滌凡	從語言學看現代詩神思的效用	16 卷 6 期 (186)	頁 33~39	2000 年 11 月
7601	丁旭輝	讓〈錯誤〉更美麗	16 卷 6 期 (186)	頁 102~107	2000 年 11 月
7602	陳大為	走進詩的版圖	16 卷 9 期 (189)	頁 76~78	2001 年 2 月
7603	丁旭輝	一首令人絕倒的圖象詩──賞析管管的〈車站〉	16 卷 9 期 (189)	頁 79~80	2001 年 2 月
7604	仇小屏	下在我眼眸裡的雪──八十九學年度成功高中文藝新詩獎評介	16 卷 9 期 (189)	頁 98~105	2001 年 2 月
7605	方慶雲	〈再致母親〉主題探索	16 卷 11 期 (191)	頁 75~78	2001 年 4 月
7606	陳啟佑	新詩賞析策略（上）	17 卷 1 期 (193)	頁 64~70	2001 年 6 月
7607	陳啟佑	新詩賞析策略（下）	17 卷 2 期 (194)	頁 50~56	2001 年 7 月
7608	丁旭輝	從蘇紹連的〈七尺布〉談起	17 卷 2 期 (194)	頁 57~60	2001 年 7 月
7609	丁旭輝	標點符號在現代詩中的意義與節奏功能	17 卷 5 期 (197)	頁 74~77	2001 年 10 月
7610	仇小屏	情詩二三	17 卷 6 期 (198)	頁 17~21	2001 年 11 月
7611	馬衛中	西方文學思想的湧入衝擊──近代詩歌流派繁榮原因探尋	17 卷 6 期 (198)	頁 33~38	2001 年 11 月

7612	丁旭輝	標點符號在現代詩中的圖像與情意暗示	17 卷 6 期	(198)	頁 69~74	2001 年 11 月
7613	張春榮	愛亞〈打電話〉與余光中〈天國地府〉	17 卷 7 期	(199)	頁 77~79	2001 年 12 月
7614	許恬怡	鄭愁予〈小小的島〉評析	17 卷 9 期	(201)	頁 90~93	2002 年 2 月
7615	陳淑娟	頭顱換得自由身，始是人間一個人——賴和漢詩中的人本思想	17 卷 10 期	(202)	頁 23~29	2002 年 3 月
7616	張春榮	鄭愁予〈厝骨塔〉與鄒敦怜〈同學會〉——兼談「改寫」	17 卷 10 期	(202)	頁 80~84	2002 年 3 月
7617	丁旭輝	〈再別康橋〉的永恆魅力	17 卷 10 期	(202)	頁 88~93	2002 年 3 月
7618	吳 曉	詩的空靈美與空靈境界	17 卷 11 期	(203)	頁 56~59	2002 年 4 月
7619	楊顯榮	永遠的青鳥——蓉子成就初探	18 卷 5 期	(209)	頁 63~68	2002 年 10 月
7620	黃 粱	點評梅新〈今年生肖屬狗〉	18 卷 5 期	(209)	頁 102~103	2002 年 10 月
7621	李若鶯	胡適詩賞析	18 卷 5 期	(209)	頁 104~106	2002 年 10 月
7622	李若鶯	賴和相思古今情	18 卷 6 期	(210)	頁 104~108	2002 年 11 月
7623	吳慧茹	上網看童詩——台灣地區網路的童詩現象初探	18 卷 7 期	(211)	頁 25~33	2002 年 12 月
7624	文曉村	一盞小燈，永恆的追尋	18 卷 10 期	(214)	頁 71~73	2003 年 3 月
7625	張鴻愷	淺談新月派格律理論	19 卷 1 期	(217)	頁 53~57	2003 年 6 月
7626	仇小屏	新詩藝術論之一——從修辭（含煉詞）與文法切入	19 卷 1 期	(217)	頁 71~74	2003 年 6 月
7627	潘麗珠	一九八一～二〇〇一年的台灣現代詩研究略論——以中（國）文研究所博、碩士論文為例	19 卷 2 期	(218)	頁 4~10	2003 年 7 月
7628	黃芬絹	余光中與廈門街	19 卷 2 期	(218)	頁 11~16	2003 年 7 月
7629	羅任玲	周夢蝶詩中的二元對立與和諧——以《十三朵白菊花》、《約會》為例	19 卷 2 期	(218)	頁 17~29	2003 年 7 月
7630	林怡君	羅門都市詩中「窗」、「玻璃大廈」的意象探析	19 卷 2 期	(218)	頁 30~36	2003 年 7 月
7631	仇小屏	新詩藝術論之二——主題與意象切入	19 卷 2 期	(218)	頁 89~93	2003 年 7 月
7632	仇小屏	新詩藝術論之三——從題目、章法(結構)與風格切入	19 卷 3 期	(219)	頁 75~79	2003 年 8 月
7633	楊顯榮	繆思最鍾愛的右手——余光中詩作評析	19 卷 3 期	(219)	頁 98~103	2003 年 8 月
7634	仇小屏	新詩藝術論之四——從聲律與句子長短切入	19 卷 4 期	(220)	頁 98~101	2003 年 9 月
7635	陳允元	末日預言——陳克華的末日意象與都市詩（上）	19 卷 5 期	(221)	頁 64~67	2003 年 10 月
7636	石木南	有人在嗎？——	19 卷 5 期	(221)	頁 68~74	2003 年 10 月

		析論台灣現代詩裡「都市人」的 存在形象			
7637	仇小屏	新詩藝術論之五—— 從分行、圖象與標點符號切入	19 卷 5 期	(221) 頁 93~96	2003 年 10 月
7638	陳允元	末日預言—— 陳克華的末日意象與都市詩（下）	19 卷 6 期	(222) 頁 55~58	2003 年 11 月
7639	黃沛勤	跳跳歷史的房子—— 論《西西詩集》中的英雄與帝王	19 卷 6 期	(222) 頁 59~64	2003 年 11 月
7640	劉　渼	台灣網路詩的超越性—— 超文類與超時空 （上）	19 卷 6 期	(222) 頁 98~102	2003 年 11 月
7641	劉　渼	台灣網路詩的超越性—— 超文類與超時空 （下）	19 卷 7 期	(223) 頁 100~107	2003 年 12 月
7642	林翠華	關懷民生的新樂府—— 白居易〈賣炭翁〉與林雙不〈賣菜〉	19 卷 8 期	(224) 頁 29~34	2004 年 1 月
7643	陳惠鈴	論夏宇詩的遊戲特徵	19 卷 8 期	(224) 頁 59~64	2004 年 1 月
7644	林　廣	平凡與厚實——〈土〉評析	19 卷 9 期	(225) 頁 103~106	2004 年 2 月
7645	張春榮	吳晟新詩〈野餐〉的修辭問題	20 卷 1 期	(229) 頁 46	2004 年 6 月
7646	林翠華	古今禪思—— 比較王維〈過香積寺〉與洛夫 〈金龍禪寺〉	20 卷 2 期	(230) 頁 60~63	2004 年 7 月
7647	林翠華	無盡情意傳唱古今—— 從《詩經・蒹葭》到陳義芝〈蒹葭〉	20 卷 5 期	(233) 頁 51~53	2004 年 10 月
7648	楊顯榮	不盡長江滾滾來：詩壇重鎮，一代 風範——羅門研究	20 卷 8 期	(236) 頁 101~111	2005 年 1 月
7649	曾潔明	一本厚厚的大書—— 論吳晟詩文中的母親形象	20 卷 10 期	(238) 頁 91~102	2005 年 3 月
7650	王金城	馮青詩論—— 女性與人生的現代訴求	20 卷 12 期	(240) 頁 86~89	2005 年 5 月
7651	李孟毓	鄭愁予《錯誤》篇章結構分析	21 卷 6 期	(246) 頁 40~47	2005 年 11 月
7652	李立明	永遠的白蓮—— 余光中〈迴旋曲〉析論	21 卷 8 期	(248) 頁 4~9	2006 年 1 月
7653	楊宗翰	穿不穿燈草絨的衣服—— 閱讀瘂弦〈在中國街上〉	21 卷 8 期	(248) 頁 10~12	2006 年 1 月
7654	孫瑋騂	海妖的歌聲——淺談夏宇愛情小詩	21 卷 8 期	(248) 頁 13~18	2006 年 1 月
7655	陳忠信	巨震重現—— 試析向陽〈黑暗沉落下來〉之九二 一地震書寫	21 卷 11 期	(251) 頁 60~63	2006 年 4 月
7656	楊顯榮	就是那樣日夜奔騰的長河—— 林煥彰論	21 卷 12 期	(252) 頁 61~66	2006 年 5 月
7657	洪靜君	從「一棵開花的樹」談起——	21 卷 12 期	(252) 頁 67~73	2006 年 5 月

看席慕蓉的詩人特質

7658	楊四平	談談鄭愁予〈錯誤〉的可寫性	22 卷 1 期	(253)	頁 82~84	2006 年 6 月
7659	張春榮	視覺智能——同一形象，不同想像	22 卷 2 期	(254)	頁 107~112	2006 年 7 月
7660	朱美黛	偶開天眼覷紅塵，卻歎身是眼中人 ——周夢蝶〈斷魂記〉評析	22 卷 3 期	(255)	頁 62~65	2006 年 8 月
7661	高宜君	從《寂寞的人坐著看花》談鄭愁予 的生命情懷	22 卷 4 期	(256)	頁 67~71	2006 年 9 月
7662	仇小屏	略論新詩中之「用典」技巧	22 卷 7 期	(259)	頁 10~13	2006 年 12 月
7663	陳嘉英	以六書形塑的詩趣	22 卷 9 期	(261)	頁 101~107	2007 年 2 月
7664	陳佳君	新年祈願詩〈世界啊〉篇章結構探析	22 卷 12 期	(264)	頁 83~85	2007 年 5 月
7665	羅安琪	舊典與新詩如何約會—— 以周夢蝶詩作為例	23 卷 10 期	(274)	頁 56~60	2008 年 3 月
7666	王怡蘋	鄭愁予〈賦別〉藝術技巧探析—— 以色彩意象與音樂性為討論範圍	24 卷 7 期	(283)	頁 55~59	2008 年 12 月
7667	陳大為	風格的煉成（上）—— 評呂育陶詩集《黃襪子，自辯書。》	24 卷 8 期	(284)	頁 58~62	2009 年 1 月
7668	陳大為	風格的煉成（下）—— 評呂育陶詩集《黃襪子，自辯書。》	24 卷 9 期	(285)	頁 60~63	2009 年 2 月
7669	曾潔明	論吳晟詩歌中的水稻意象	24 卷 10 期	(286)	頁 16~20	2009 年 3 月
7670	余崇生	小詩的美學詮釋	25 卷 1 期	(289)	頁 4~7	2009 年 6 月
7671	張以仁	涵怡續集（九）	25 卷 6 期	(294)	頁 112	2009 年 11 月
7672	吳明足	蔡宗陽教授〈亦師‧亦父‧交友〉 析論	25 卷 12 期	(300)	頁 67~69	2010 年 5 月
7673	張以仁	涵怡續集（十三）	25 卷 12 期	(300)	頁 112	2010 年 5 月

10.3.3 散文

7674	王文進	火車（子敏）	1 卷 1 期	(1)	頁 91~93	1985 年 6 月
7675	陳信元	朱自清與清華—— 兼談「背影」「荷塘月色」二文	1 卷 2 期	(2)	頁 22~25	1985 年 7 月
7676	王文進	漢魏古詩式的散文—— 析論「失根的蘭花」	1 卷 4 期	(4)	頁 90~91	1985 年 9 月
7677	梁實秋	雅舍小品合訂本後記	2 卷 1 期	(13)	頁 12~13	1986 年 6 月
7678	張春榮	現代散文的六大特色	2 卷 2 期	(14)	頁 84~87	1986 年 7 月
7679	溥　心整理	現代散文縱橫論	2 卷 8 期	(20)	頁 46~48	1987 年 1 月
7680	蔡芳定	朱自清為什麼偏愛秦淮河的船？ ——「槳聲燈影的秦淮河」的歷史 憧憬	2 卷 10 期	(22)	頁 82~84	1987 年 3 月
7681	簡宗梧	散文、小說的分界	3 卷 1 期	(25)	頁 15~16	1987 年 6 月

7682	何寄澎	真幻之際，物我之間（上）——林文月散文中的生命觀照及胞與情懷	3 卷 1 期	(25)	頁 82~86	1987 年 6 月
7683	何寄澎	真幻之際·物我之間（下）——林文月散文中的生命觀照及胞與情懷	3 卷 2 期	(26)	頁 68~71	1987 年 7 月
7684	鄭明娳	情趣理趣兼容的小品散文	3 卷 3 期	(27)	頁 46~48	1987 年 8 月
7685	台 平	為閱讀現代散文導遊——評介《現代散文類型論》	3 卷 11 期	(35)	頁 78~79	1988 年 4 月
7686	蔡素芬記錄	鄭名娳、簡媜對談散文創作	4 卷 2 期	(38)	頁 66~74	1988 年 7 月
7687	陳信元	夏日炎炎書解悶——好書推薦：現代散文書單	4 卷 3 期	(39)	頁 27~29	1988 年 8 月
7688	簡宗梧	談品賞白話散文	4 卷 5 期	(41)	頁 23~26	1988 年 10 月
7689	杜 萱	現代散文的古典源頭	4 卷 7 期	(43)	頁 34~35	1988 年 12 月
7690	杜 萱	現代散文的特質與賞析	4 卷 8 期	(44)	頁 92~95	1989 年 1 月
7691	龔顯宗	冰心——同情和愛戀	4 卷 9 期	(45)	頁 90~93	1989 年 2 月
7692	鄭明娳	現代散文中的意象	5 卷 1 期	(49)	頁 86~88	1989 年 6 月
7693	郭明福	歲月來去總關情——讀《花房之歌》	5 卷 8 期	(56)	頁 101~103	1990 年 1 月
7694	編輯部	新月詩派與新月派	6 卷 1 期	(61)	頁 18	1990 年 6 月
7695	郭明福	在誤解與苛求之間——我對散文的一些看法	6 卷 2 期	(62)	頁 85~88	1990 年 7 月
7696	簡政珍	沉默和眾聲喧嘩	6 卷 4 期	(64)	頁 92~94	1990 年 9 月
7697	范伯群	簡論冰心的散文精品——為冰心九秩壽誕而作	6 卷 5 期	(65)	頁 87~91	1990 年 10 月
7698	鄭明娳	陸沈的夢——關於陸蠡散文集	7 卷 4 期	(76)	頁 73~77	1991 年 9 月
7699	林明德	梁啟超的散文風格	7 卷 10 期	(82)	頁 78~83	1992 年 3 月
7700	李翠瑛	現實的與浪漫的——沈從文鄉土散文之主要藝術特色	9 卷 5 期	(101)	頁 8~15	1993 年 10 月
7701	李欽業	品梁實秋散文《雅舍小品》	9 卷 5 期	(101)	頁 16~23	1993 年 10 月
7702	江奇龍	楊牧《一首詩的完成》的幾種修辭格	9 卷 10 期	(106)	頁 29~35	1994 年 3 月
7703	曾心怡	從修辭角度看席慕蓉《寫給幸福》	9 卷 11 期	(107)	頁 38~44	1994 年 4 月
7704	黃麗娜	充滿社會關懷的利筆——談許達然的散文集《水邊》	10 卷 6 期	(114)	頁 28~33	1994 年 11 月
7705	羅宏益	擬古與創新——評林文月擬古散文之創作	10 卷 9 期	(117)	頁 60~66	1995 年 2 月
7706	林怡芳	有以與人的採蓮女子——張曉風的散文世界	10 卷 11 期	(119)	頁 37~45	1995 年 4 月
7707	范培松	梁實秋《雅舍小品》的概括藝術	11 卷 3 期	(123)	頁 94~97	1995 年 8 月
7708	楊昌年	新文藝名家名作析評（一）：凝鍊	12 卷 8 期	(140)	頁 69~73	1997 年 1 月

的沉黯——魯迅散文

7709	楊昌年	新文藝名家名作析評（二）：冷與 澀味——周作人散文	12 卷 9 期	(141)	頁 78~80	1997 年 2 月
7710	鍾怡雯	大陸當代文學（一）：歷史文本的 影像化——余秋雨散文的敘事策略	12 卷 9 期	(141)	頁 81~89	1997 年 2 月
7711	楊昌年	台灣現代文學（二）：翹首天南看 五新——評介九十年代五位散文新銳	12 卷 10 期	(142)	頁 58~70	1997 年 3 月
7712	楊昌年	新文藝名家名作析評（五）：具象 與情緒——夏丏尊散文	13 卷 1 期	(145)	頁 71~74	1997 年 6 月
7713	張堂錡	台灣現代文學（三）：現代散文的 新趨向	13 卷 1 期	(145)	頁 75~89	1997 年 6 月
7714	向　陽	台灣現代文學（四）；　被忽視者 的重返——小論知性散文的時代意義	13 卷 2 期	(146)	頁 77~89	1997 年 7 月
7715	楊昌年	新文藝名家名作析評（七）：樸素 與真誠——豐子愷的散文	13 卷 3 期	(147)	頁 53~56	1997 年 8 月
7716	楊昌年	新文藝名家名作析評（十）：澀味 與優美——廢名的散文	13 卷 7 期	(151)	頁 66~73	1997 年 12 月
7717	楊昌年	新文藝名家名作析評（十一）：移 情與深密——茅盾的散文	13 卷 8 期	(152)	頁 52~57	1998 年 1 月
7718	田應國	大陸當代文學（八）：九十年代散 文的主體人格形象淺論	13 卷 10 期	(154)	頁 63~71	1998 年 3 月
7719	蔣蘇岑	大陸焦點學人（十五）：散文研究 新銳王堯	13 卷 11 期	(155)	頁 6~11	1998 年 4 月
7720	楊昌年	新文藝名家名作析評（十四）：純 真與反諷——馮至的散文	13 卷 11 期	(155)	頁 56~57	1998 年 4 月
7721	李梁淑	百草園的天空—— 從《朝花夕拾》看魯迅的童年生活	13 卷 11 期	(155)	頁 109~113	1998 年 4 月
7722	古遠清	散文的野味—— 讀張健的《請到二十世紀的台北來》	14 卷 5 期	(161)	頁 65~68	1998 年 10 月
7723	李梁淑	天真的禮讚—— 豐子愷圖文並茂的兒童世界	14 卷 10 期	(166)	頁 68~73	1999 年 3 月
7724	莫　渝	人與土地悲苦的側顏—— 談鍾喬的散文	14 卷 12 期	(168)	頁 78~80	1999 年 5 月
7725	石曉楓	楊牧〈野櫻〉的主題意涵—— 兼論其散文創作的理論與實踐	15 卷 1 期	(169)	頁 85~92	1999 年 6 月
7726	許俊雅	生動的尖山農家耕作圖—— 賞讀鍾理和的〈做田〉	15 卷 4 期	(172)	頁 95~98	1999 年 9 月
7727	陳佩筠	撫摸歷史的傷痕—— 談余秋雨《文化苦旅》與鍾阿城 《棋王樹王孩子王》中的文化省思	15 卷 6 期	(174)	頁 101~103	1999 年 11 月

7728	黃肇基	文化現場的思考——柳侯祠	15 卷 6 期	(174)	頁 104~105	1999 年 11 月
7729	閔秋英	文明的點燈者——淺介余秋雨先生的「人文山水」	15 卷 6 期	(174)	頁 106~110	1999 年 11 月
7730	黃睿弘 呂美怡	〈遇見一株樹〉的悸動	15 卷 8 期	(176)	頁 100~102	2000 年 1 月
7731	黃肇基	從〈夏之絕句〉談簡媜的文心	15 卷 8 期	(176)	頁 108~109	2000 年 1 月
7732	蔡雲雀	簡媜的有惑	15 卷 8 期	(176)	頁 109~111	2000 年 1 月
7733	莫渝	清朗和平靜——談謝霜天的散文	15 卷 9 期	(177)	頁 47~52	2000 年 2 月
7734	賴嘉麒	凡塵中的明珠——閱讀《水問》	15 卷 9 期	(177)	頁 108~109	2000 年 2 月
7735	韓佩錦	最初的葡萄——閱讀《水問》	15 卷 9 期	(177)	頁 110~111	2000 年 2 月
7736	趙公正	絕妙散文——解讀簡媜〈夏之絕句〉	16 卷 3 期	(183)	頁 65~69	2000 年 8 月
7737	邱敏捷	豐子愷〈阿難〉一文的生命觀	16 卷 8 期	(188)	頁 68~69	2001 年 1 月
7738	卓翠鑾	另類的鄉情書寫——淺析楊牧的〈山谷記載〉	16 卷 8 期	(188)	頁 70~72	2001 年 1 月
7739	王堯	關於余秋雨散文創作的再思考	16 卷 10 期	(190)	頁 4~9	2001 年 3 月
7740	欒梅健	杯葛余秋雨的來龍去脈（上）	16 卷 10 期	(190)	頁 10~16	2001 年 3 月
7741	陳秉貞	余秋雨的散文創作觀——對散文主題和內涵的思索	16 卷 10 期	(190)	頁 17~23	2001 年 3 月
7742	趙公正	解讀鍾理和〈做田〉	16 卷 11 期	(191)	頁 34~40	2001 年 4 月
7743	欒梅健	杯葛余秋雨的來龍去脈（中）	16 卷 11 期	(191)	頁 70~74	2001 年 4 月
7744	欒梅健	杯葛余秋雨的來龍去脈（下）	16 卷 12 期	(192)	頁 64~68	2001 年 5 月
7745	王昌煥	夏丏尊〈生活的藝術〉的修辭策略	17 卷 2 期	(194)	頁 77~81	2001 年 7 月
7746	周杏芬	從〈髻〉看琦君洞達世情的人生體悟	17 卷 4 期	(196)	頁 59~60	2001 年 9 月
7747	魏赤	眼因淚而清明，心因憂患而溫厚——論琦君的散文（上）	17 卷 5 期	(197)	頁 51~54	2001 年 10 月
7748	王昌煥	標點符號在散文中的妙用——以余光中〈聽聽那冷雨〉為例	17 卷 5 期	(197)	頁 68~73	2001 年 10 月
7749	魏赤	眼因淚而清明，心因憂患而溫厚——論琦君的散文（下）	17 卷 6 期	(198)	頁 65~68	2001 年 11 月
7750	陳秉貞	余秋雨的散文創作觀——對散文形式和效果的注重	17 卷 9 期	(201)	頁 71~76	2002 年 2 月
7751	張堂錡	清唱的魅力——略論王堯的散文研究（上）	17 卷 10 期	(202)	頁 62~66	2002 年 3 月
7752	蔡雲雀	勇敢的殘疾——閱讀《五體不滿足》	17 卷 11 期	(203)	頁 44	2002 年 4 月
7753	張堂錡	清唱的魅力——略論王堯的散文研究（下）	17 卷 11 期	(203)	頁 60~63	2002 年 4 月
7754	鍾怡雯	從莫言《會唱歌的牆》論散文的	17 卷 12 期	(204)	頁 61~68	2002 年 5 月

暴露與雄辯

7755	王昌煥	鍾怡雯〈芝麻開門〉的思維圖景	18 卷 5 期	(209)	頁 4~7	2002 年 10 月
7756	林欣怡	阿盛散文中的社會變遷	18 卷 5 期	(209)	頁 8~15	2002 年 10 月
7757	楊宗穎	不安的顫抖—— 林燿德散文中的「焦慮書寫」	18 卷 5 期	(209)	頁 16~22	2002 年 10 月
7758	陳嘉英	展開時間膠卷與過去對話—— 談楊牧的三本文學自傳	18 卷 7 期	(211)	頁 56~63	2002 年 12 月
7759	何亭慧	流浪在物質世界—— 論張惠菁散文的新世代風格	18 卷 7 期	(211)	頁 64~66	2002 年 12 月
7760	王昌煥	樸實清暢、深情至性—— 林文月〈給母親梳頭髮〉一文賞析	18 卷 7 期	(211)	頁 81~87	2002 年 12 月
7761	何永清	「風」言「風」語—— 〈白馬湖之冬〉析賞	18 卷 8 期	(212)	頁 100~102	2003 年 1 月
7762	耿秋芳	談白馬湖作家—— 夏丏尊的散文風格	18 卷 10 期	(214)	頁 4~15	2003 年 3 月
7763	古慧芬	琦君及其筆下童年時期的人物	18 卷 10 期	(214)	頁 16~26	2003 年 3 月
7764	余椒雪	林文月散文中的重要意象	18 卷 10 期	(214)	頁 27~37	2003 年 3 月
7765	鄒依琳	簡媜《女兒紅》中的女性形象剖析	18 卷 10 期	(214)	頁 38~46	2003 年 3 月
7766	黃雅莉	從顏崑陽〈窺夢人〉談現代散文中 的寓言與象徵	18 卷 11 期	(215)	頁 58~65	2003 年 4 月
7767	蔡雲雀	文學紀實—汪洋中的一條船	19 卷 1 期	(217)	頁 58	2003 年 6 月
7768	簡婉姿	重新認識台灣—— 論劉克襄的自然旅記	19 卷 5 期	(221)	頁 75~82	2003 年 10 月
7769	陳虹霖	老饕的私房雜繪—— 逯耀東飲食散文的構成元素	19 卷 9 期	(225)	頁 63~68	2004 年 2 月
7770	朱美黛	試探《文化苦旅・酒公墓》的悲劇 性反諷結構	19 卷 9 期	(225)	頁 75~81	2004 年 2 月
7771	黃雅莉	對未知的探索與等待的熱情—— 讀季季的〈小草之未知〉	19 卷 11 期	(227)	頁 70~76	2004 年 4 月
7772	黃雅莉	一段因戰火而早凋的童稚幼戀—— 談王鼎鈞〈紅頭繩兒〉的情感意蘊	20 卷 5 期	(233)	頁 14~23	2004 年 10 月
7773	黃雅莉	擦肩而過，卻在心頭住了下來—— 談張愛玲的〈愛〉的蒼涼與無奈	20 卷 7 期	(235)	頁 4~10	2004 年 12 月
7774	王慧茹	重生與再出發的可能—— 簡媜〈貼身暗影〉評析	20 卷 8 期	(236)	頁 70~76	2005 年 1 月
7775	簡培如	論三毛旅行散文中的浪漫召喚	20 卷 8 期	(236)	頁 81~88	2005 年 1 月
7776	陳冠甫	文化心旅—— 余秋雨《文化苦旅》閱讀導引（上）	20 卷 10 期	(238)	頁 84~90	2005 年 3 月
7777	陳冠甫	文化心旅——	20 卷 11 期	(239)	頁 94~101	2005 年 4 月

余秋雨《文化苦旅》閱讀引導（下）

7778	鍾名誠	朱光潛的散文藝術觀及散文創作	21 卷 6 期	(246)	頁 68~73	2005 年 11 月
7779	洪唯婷	淺談散文筆法—— 以頓筆、繞筆、伏筆、插筆為範圍 （上）	21 卷 6 期	(246)	頁 83~89	2005 年 11 月
7780	洪唯婷	淺談散文筆法—— 以頓筆、繞筆、伏筆、插筆為範圍 （下）	21 卷 7 期	(247)	頁 75~79	2005 年 12 月
7781	楊雅儒	唐捐散文中「父親形象」的書寫	21 卷 9 期	(249)	頁 57~62	2006 年 2 月
7782	陳伯軒	嚐鮮與懷舊—— 讀林文月《飲膳札記》	21 卷 10 期	(250)	頁 57~59	2006 年 3 月
7783	涂文芳	蔣勳散文的美學觀	22 卷 1 期	(253)	頁 72~77	2006 年 6 月
7784	陳盈君	朱自清〈背影〉篇章結構探析	22 卷 2 期	(254)	頁 20~27	2006 年 7 月
7785	劉雅薇	魔幻寫實式描寫初探—— 以簡媜作品為觀察核心	22 卷 3 期	(255)	頁 51~56	2006 年 8 月
7786	張俐雯	從豐子愷到蔣勳的衣裝之美	22 卷 4 期	(256)	頁 62~66	2006 年 9 月
7787	劉德玲	鍾怡雯散文中的老人形象	22 卷 7 期	(259)	頁 61~67	2006 年 12 月
7788	劉佳欣	文化與文明—— 〈快刀俠咻咻咻〉新解讀	22 卷 8 期	(260)	頁 72~78	2007 年 1 月
7789	聶永華	魯迅、聞一多的〈莊子〉散文藝術 研究	22 卷 12 期	(264)	頁 60~64	2007 年 5 月
7790	張輝誠	獨不與世人談彈同調—— 論舒國治散文	23 卷 3 期	(267)	頁 54~57	2007 年 8 月
7791	張春榮	當全真劍法碰上玉女劍法—— 評李翠瑛、王昌煥《散文仙境傳說》	23 卷 3 期	(267)	頁 87~88	2007 年 8 月
7792	鍾怡雯	五十年來的馬華散文	23 卷 8 期	(272)	頁 61~63	2008 年 1 月
7793	朱心怡	張秀亞〈父與女〉賞析	23 卷 8 期	(272)	頁 68~72	2008 年 1 月
7794	高碧蓮	蕭颯〈我兒漢生〉分析及其在教學 上的應用	23 卷 10 期	(274)	頁 64~71	2008 年 3 月
7795	曾怡玲	從《幸福在他方》談林文義的散文 追尋	24 卷 2 期	(278)	頁 72~75	2008 年 7 月
7796	王萬儀	置放在角落的特寫鏡頭—— 朱自清的〈背影〉	24 卷 4 期	(280)	頁 80~82	2008 年 9 月
7797	鄭宛真	徐志摩記遊散文中景物的描寫技巧	24 卷 5 期	(281)	頁 79~84	2008 年 10 月
7798	陳美琪	傳統信仰與現代醫療的決戰—— 《蘭嶼行醫記》中的醫病關係	24 卷 11 期	(287)	頁 31~35	2009 年 4 月
7799	彭帆辰	《天地有大美》—— 蔣勳生活美學的實踐	25 卷 1 期	(289)	頁 17~22	2009 年 6 月
7800	蔡宗陽	如何解決心中的疑惑——	25 卷 1 期	(289)	頁 56~57	2009 年 6 月

推介《西瓜節》

7801	黃淑靜	王鼎鈞散文的「言外之意」	25 卷 4 期	(292)	頁 4~12	2009 年 9 月
7802	鄭如真	簡媜散文的修辭特色	25 卷 4 期	(292)	頁 13~21	2009 年 9 月
7803	涂文芳	蔣勳散文的意象經營	25 卷 4 期	(292)	頁 22~29	2009 年 9 月
7804	黃雅炘	林良散文的藝術經營	25 卷 4 期	(292)	頁 30~42	2009 年 9 月
7805	朱心怡	解讀陳之藩的寂寞	25 卷 7 期	(295)	頁 61~65	2009 年 12 月
7806	王君儀	愛情的堆築與傾毀—— 比較婚變前後周芬伶散文中的 「愛情觀」	25 卷 10 期	(298)	頁 61~65	2010 年 3 月

10.3.4　小說

7807	康來新	失嬰記——論李瓶兒與祥林嫂之死	2 卷 10 期	(22)	頁 42~47	1987 年 3 月
7808	簡宗梧	散文、小說的分界	3 卷 1 期	(25)	頁 15~16	1987 年 6 月
7809	李為之	朱天文談小說與電影	3 卷 2 期	(26)	頁 24~25	1987 年 7 月
7810	高寶琳	現代與反現代—— 幾篇早期女作家的小說	3 卷 2 期	(26)	頁 53~56	1987 年 7 月
7811	呂正惠	夏日炎炎書解悶—— 好書推薦：現代小說書單	4 卷 3 期	(39)	頁 24~26	1988 年 8 月
7812	林紫慧記錄	八〇年代臺灣小說的發展—— 蔡源煌與張大春對談	4 卷 5 期	(41)	頁 33~39	1988 年 10 月
7813	龔顯宗	冰心——同情和愛戀	4 卷 9 期	(45)	頁 90~93	1989 年 2 月
7814	范伯羣	鴛鴦蝴蝶——《禮拜六》派	5 卷 6 期	(54)	頁 82~88	1989 年 11 月
7815	莊練	武林大俠何處尋？	5 卷 12 期	(60)	頁 17~20	1990 年 5 月
7816	陳葆文	一逐孤雲天外去—— 短篇小說中的女俠形象探討	5 卷 12 期	(60)	頁 21~24	1990 年 5 月
7817	葉洪生	武林盟主與九大門派—— 速寫近代武俠小說中之「俠變」	5 卷 12 期	(60)	頁 32~35	1990 年 5 月
7818	呂興昌	文章千古事，得失寸心知—— 評王昶雄〈奔流〉的校訂本	7 卷 5 期	(77)	頁 17~22	1991 年 10 月
7819	施淑	在前哨——讀楊守愚的小說	7 卷 5 期	(77)	頁 23~28	1991 年 10 月
7820	莊淑芝	宿命的女性—— 論龍瑛宗的〈一個女人的記錄〉和 〈不知道的幸福〉	7 卷 5 期	(77)	頁 29~34	1991 年 10 月
7821	許素蘭	「幻影之人」翁鬧及其小說	7 卷 5 期	(77)	頁 35~39	1991 年 10 月
7822	張恆豪	追風及其小說〈她要往何處去〉	7 卷 5 期	(77)	頁 40~44	1991 年 10 月
7823	陳萬益	張文環的小說藝術	7 卷 5 期	(77)	頁 45~47	1991 年 10 月
7824	葉瓊霞	走充滿荊棘的苦難之道—— 讀王詩琅的小說	7 卷 5 期	(77)	頁 48~51	1991 年 10 月

7825	鄭良偉	主流派的融合與互動—— 從臺灣當代小說的詞法看漢語語法 的演變	7 卷 6 期	(78)	頁 37~45	1991 年 11 月
7826	悠哉讀書會 提供 江煜坤整理	黃禍讀後札記	7 卷 8 期	(80)	頁 77~78	1992 年 1 月
7827	陳慧英	中國的最後，最後的中國	7 卷 9 期	(81)	頁 68~69	1992 年 2 月
7828	王海林	答庸醫—— 關於葉洪生〈為大陸史學界「盲俠」 看病開方〉一文	7 卷 12 期	(84)	頁 105~109	1992 年 5 月
7829	葉洪生	詖辭與遁辭	7 卷 12 期	(84)	頁 107~109	1992 年 5 月
7830	徐斯年	可以知世，可以論文，可以娛人 ——關於近代通俗小說的斷想	8 卷 12 期	(96)	頁 56~60	1993 年 5 月
7831	林幸謙	流亡的悲愴—— 白先勇小說中的放逐主題	9 卷 5 期	(101)	頁 27~30	1993 年 10 月
7832	林積萍	女性主義帶來的詮釋新向度—— 以葉兆言的《綠色陷阱》為演練實例	10 卷 1 期	(109)	頁 4~13	1994 年 6 月
7833	曾恆源	從女性立場看王安憶《三戀》中的 女性	10 卷 1 期	(109)	頁 27~35	1994 年 6 月
7834	陳碧月	白先勇小說人物所揭示的社會意義	10 卷 7 期	(115)	頁 58~63	1994 年 12 月
7835	吳達芸	華年的刻印——教學生寫小說	11 卷 3 期	(123)	頁 32~37	1995 年 8 月
7836	周芬伶	誰是小說終結者？	11 卷 3 期	(123)	頁 40~44	1995 年 8 月
7837	鍾怡雯	〈謀殺〉的後設陷阱—— 論韓少功的小說〈謀殺〉	11 卷 4 期	(124)	頁 100~106	1995 年 9 月
7838	楊昌年	人生荒涼與人性蒼涼—— 由張愛玲創作中的「月」意象談起	11 卷 5 期	(125)	頁 4~8	1995 年 10 月
7839	唐翼明演講 鍾怡雯記錄	大陸當代小說概況	11 卷 6 期	(126)	頁 20~26	1995 年 11 月
7840	吳禮權	英雄俠義小說與中國人的阿Q精神	11 卷 8 期	(128)	頁 84~87	1996 年 1 月
7841	張子樟	大陸小說何去何從	12 卷 6 期	(138)	頁 6~7	1996 年 11 月
7842	林保淳	便作釣魚人，也在風波裡—— 讀《笑傲江湖》（上）	12 卷 6 期	(138)	頁 98~103	1996 年 11 月
7843	金宏達	徐訏話鬼	12 卷 7 期	(139)	頁 92~94	1996 年 12 月
7844	林保淳	便作釣魚人，也在風波裡—— 讀《笑傲江湖》（中）	12 卷 7 期	(139)	頁 95~99	1996 年 12 月
7845	林保淳	便作釣魚人，也在風波裡—— 讀《笑傲江湖》（下）	12 卷 8 期	(140)	頁 36~39	1997 年 1 月
7846	楊小濱	大陸當代文學（二）：瘋狂與荒誕 ——徐曉鶴小說中的文本政治	12 卷 10 期	(142)	頁 71~82	1997 年 3 月

7847	唐翼明	大陸當代文學（三）：我看大陸當代先鋒小說	12 卷 11 期	(143)	頁 55~69	1997 年 4 月
7848	楊昌年	新文藝名家名作析評（六）：鄉土與氛圍——沈從文和他的《邊城》	13 卷 2 期	(146)	頁 67~76	1997 年 7 月
7849	黃錦樹	大陸當代文學（五）：意識型態的物質化——論王安憶《紀實與虛構》中的虛構與紀實	13 卷 3 期	(147)	頁 57~69	1997 年 8 月
7850	楊昌年	新文藝名家名作析評（八）：濡沫與自棄——老舍的《駱駝祥子》	13 卷 5 期	(149)	頁 92~100	1997 年 10 月
7851	楊昌年	新文藝名家名作析評（九）：艱危的肯定與疲乏——徐訏的《風蕭蕭》	13 卷 6 期	(150)	頁 48~58	1997 年 11 月
7852	林春美	東南亞華文文學（四）：女生境地——論九十年代潘雨桐小說的「女」「性」	13 卷 7 期	(151)	頁 74~79	1997 年 12 月
7853	劉恆興	台灣現代文學（九）：王禎和《玫瑰玫瑰我愛你》中的諷刺特徵——兼論中國傳統文學中的諷刺技巧	13 卷 9 期	(153)	頁 76~88	1998 年 2 月
7854	楊昌年	新文藝名家名作析評（十三）：錯置與桃源——徐訏的中篇小說	13 卷 10 期	(154)	頁 54~62	1998 年 3 月
7855	丁威仁	大陸當代文學（九）：趙樹理文藝思想初探	13 卷 11 期	(155)	頁 58~71	1998 年 4 月
7856	呂素端	台灣現代文學（十二）：佛洛伊德〈作家與白日夢〉之理論檢討與應用——以七等生小說〈我愛黑眼珠〉為例	13 卷 12 期	(156)	頁 69~78	1998 年 5 月
7857	朱嘉雯	從曹雪芹到瓊瑤，愛情本質不變——論現代作家瓊瑤與古典小說《紅樓夢》的關係	14 卷 2 期	(158)	頁 70~76	1998 年 7 月
7858	陳靜宜	論蕭颯外遇小說	14 卷 3 期	(159)	頁 58~71	1998 年 8 月
7859	李梁淑	寂寞的童年——蕭紅《呼蘭河傳》裡的小女孩	14 卷 8 期	(164)	頁 77~82	1999 年 1 月
7860	張春榮	極短篇的主題意涵	15 卷 5 期	(173)	頁 60~64	1999 年 10 月
7861	張春榮	極短篇的多重結局	15 卷 6 期	(174)	頁 54~56	1999 年 11 月
7862	陳佩筠	撫摸歷史的傷痕——談余秋雨《文化苦旅》與鍾阿城《棋王樹王孩子王》中的文化省思	15 卷 6 期	(174)	頁 101~103	1999 年 11 月
7863	蔡忠道	古典的深情與現代的浪漫——讀〈長千行〉	15 卷 7 期	(175)	頁 12~18	1999 年 12 月
7864	朱嘉雯	將傳統融入現代——論白先勇與《紅樓夢》的關係	15 卷 7 期	(175)	頁 24~31	1999 年 12 月
7865	巫小黎	女性欲望與男性權威的建構——	15 卷 8 期	(176)	頁 64~69	2000 年 1 月

		張資平戀愛小說的敘事模式及其 文化闡釋				
7866	徐錦成	《阿輝的心》──少年小說里程碑	15 卷 8 期	(176)	頁 105~107	2000 年 1 月
7867	王　健	黃金枷鎖桎梏的兩條女性生命── 曹七巧與蟬阿姨形象評析	15 卷 9 期	(177)	頁 53~57	2000 年 2 月
7868	邱子寧	閃閃的淚光──鍾肇政的《魯冰花》	15 卷 11 期	(179)	頁 109	2000 年 4 月
7869	林聆慈	人格的尊嚴與追求── 談黃春明小說中的社會意識	15 卷 11 期	(179)	頁 110~111	2000 年 4 月
7870	蔡雲雀	從〈死去活來〉談社會的省思	15 卷 11 期	(179)	頁 111~112	2000 年 4 月
7871	陳昭瑛	吳濁流《亞細亞的孤兒》中的儒學 思想	15 卷 12 期	(180)	頁 68~73	2000 年 5 月
7872	陳碧月	張潔〈祖母綠〉的女性意識	15 卷 12 期	(180)	頁 74~76	2000 年 5 月
7873	張春榮	大酒席與水果盤── 短篇小說與極短篇的異同	16 卷 1 期	(181)	頁 54~58	2000 年 6 月
7874	凌性傑	愛慾寶鑑── 虹影《K》中的「真相」與「想像」	16 卷 1 期	(181)	頁 59~61	2000 年 6 月
7875	王忠愈	現代散文化抒情小說── 王蒙與魯迅、郁達夫的一脈相承	16 卷 1 期	(181)	頁 62~68	2000 年 6 月
7876	謝奇峰	人性的頹靡──莫言〈猿酒〉初探	16 卷 4 期	(184)	頁 49~53	2000 年 9 月
7877	葉石濤	戰前的台灣小說	16 卷 5 期	(185)	頁 10~15	2000 年 10 月
7878	李　喬	戰後台灣小說的文化批評	16 卷 5 期	(185)	頁 26~33	2000 年 10 月
7879	劉乃慈	新「聊」齋誌「異」── 論袁瓊瓊的《恐怖時代》	16 卷 5 期	(185)	頁 71~76	2000 年 10 月
7880	彭瑞金	戰後的台灣小說	16 卷 7 期	(187)	頁 61~67	2000 年 12 月
7881	陳惠齡	老舍《駱駝祥子》中悲劇人物的典 型──人力車夫的血淚控訴	16 卷 12 期	(192)	頁 69~76	2001 年 5 月
7882	陳碧月	看大陸作家池莉為「灰色」的新寫 實小說換裝	17 卷 7 期	(199)	頁 55~58	2001 年 12 月
7883	陳惠齡	鑄一座女性苦難紀念碑── 老舍《駱駝祥子》中的虎妞、小福子	17 卷 7 期	(199)	頁 59~63	2001 年 12 月
7884	張春榮	愛亞〈打電話〉與余光中〈天國地府〉	17 卷 7 期	(199)	頁 77~79	2001 年 12 月
7885	游勝冠	我不幸為俘囚,豈關種族他人優 ──由歷史的差異觀點看賴和不同 於魯迅的啟蒙立場	17 卷 10 期	(202)	頁 4~8	2002 年 3 月
7886	陳建忠	反殖民文學的文學形式── 論賴和小說中的對話性敘事	17 卷 10 期	(202)	頁 9~16	2002 年 3 月
7887	施家雯	〈惹事〉與〈浪漫外紀〉的流氓形象	17 卷 10 期	(202)	頁 17~22	2002 年 3 月
7888	敬　賢	關於陳忠實及其《白鹿原》	17 卷 10 期	(202)	頁 67~69	2002 年 3 月

7889	戴景尼	黃春明小說中鄉土人物的世界	17 卷 10 期 (202) 頁 70~76	2002 年 3 月
7890	張春榮	鄭愁予〈厝骨塔〉與鄒敦怜〈同學會〉──兼談「改寫」	17 卷 10 期 (202) 頁 80~84	2002 年 3 月
7891	陳碧月	淺談兩岸的女性愛情小說	17 卷 11 期 (203) 頁 64~66	2002 年 4 月
7892	吳聰敏	攀越靈山而見日出──論高行健《靈山》的小說藝術（上）	18 卷 3 期 (207) 頁 56~60	2002 年 8 月
7893	戴景尼	黃春明小說中的台灣俚語	18 卷 3 期 (207) 頁 67~73	2002 年 8 月
7894	羅夏美	擎起黑暗的閘門──論陳映真的三篇小說新作	18 卷 4 期 (208) 頁 60~66	2002 年 9 月
7895	吳聰敏	攀越靈山而見日出──論高行健《靈山》的小說藝術（下）	18 卷 4 期 (208) 頁 67~70	2002 年 9 月
7896	戴景尼	黃春明小說中的象徵意義──以《放生》為例	18 卷 5 期 (209) 頁 23~29	2002 年 10 月
7897	歐宗智	絕望的愛戀及其象徵意義──以吳濁流、鍾肇政、東方白日據時代背景小說為例	18 卷 5 期 (209) 頁 53~62	2002 年 10 月
7898	許淑婷	由谷崎潤一郎《麒麟》淺談孔子思想	18 卷 6 期 (210) 頁 40~43	2002 年 11 月
7899	巫小黎	張資平早期小說與客家山歌	18 卷 6 期 (210) 頁 63~65	2002 年 11 月
7900	黃玉蘭	神話故事與少年小說之間──談《永遠的狄家》一書	18 卷 6 期 (210) 頁 66~68	2002 年 11 月
7901	黃秋芳	黃易從歷史真實跨向武俠虛構	18 卷 7 期 (211) 頁 10~15	2002 年 12 月
7902	戶田一康	不可名狀的悲哀──從日本人的眼裡看賴和	18 卷 7 期 (211) 頁 67~70	2002 年 12 月
7903	廖冰凌	悲壯審美與內在人格的整合──試論蘇雪林前期作品中的男性角色（上）	18 卷 8 期 (212) 頁 64~69	2003 年 1 月
7904	洪珊慧	拒絕長大的「放逐歷程」──重讀《麥田捕手》	18 卷 8 期 (212) 頁 70~72	2003 年 1 月
7905	廖冰凌	悲壯審美與內在人格的整合──試論蘇雪林前期作品中的男性角色（下）	18 卷 9 期 (213) 頁 79~84	2003 年 2 月
7906	歐宗智	東方白大河小說《浪淘沙》俗諺之運用探析	18 卷 10 期 (214) 頁 74~78	2003 年 3 月
7907	蔡雲雀	「天生我才必有用」──閱讀《用腳飛翔的女孩》	18 卷 11 期 (215) 頁 66	2003 年 4 月
7908	戴景尼	〈忠孝公園〉裡的藝術手法	18 卷 12 期 (216) 頁 60~64	2003 年 5 月
7909	施忠賢	《魔戒──首部曲》與《西遊記》之中西魔性對照（上）	19 卷 2 期 (218) 頁 59~63	2003 年 7 月
7910	施佳瑩	戰後台灣文學史的建構與女作家	19 卷 2 期 (218) 頁 70~74	2003 年 7 月

小說（上）

7911	施佳瑩	戰後台灣文學史的建構與女作家小說（下）	19 卷 3 期	(219)	頁 64~69	2003 年 8 月
7912	羅中琦	凌叔華小說中的群芳圖——新舊交替中的女性世界	19 卷 4 期	(220)	頁 73~79	2003 年 9 月
7913	歐宗智	再現逝去的時代及地域風情——論東方白《浪淘沙》小說環境的掌握與表現	19 卷 4 期	(220)	頁 80~85	2003 年 9 月
7914	戶田一康	葉石濤與芥川龍之介——十字架的問題	19 卷 7 期	(223)	頁 71~75	2003 年 12 月
7915	歐宗智	東方白大河小說《浪陶沙》次要女性角色之塑造	19 卷 10 期	(226)	頁 4~11	2004 年 3 月
7916	鄭　軍	外國科幻小說與中國	19 卷 12 期	(228)	頁 83~90	2004 年 5 月
7917	劉慧珠	「惡」的書寫——〈金閣寺〉讀後	19 卷 12 期	(228)	頁 91~92	2004 年 5 月
7918	林哲璋　王宇清	陳素宜少年小說中的台灣少女——不是問題少女，卻有少女問題……	20 卷 1 期	(229)	頁 4~13	2004 年 6 月
7919	陳素宜	試論林滿秋的少年小說創作作品	20 卷 1 期	(229)	頁 14~22	2004 年 6 月
7920	王麗櫻	「大頭春系列」中的青少年形象	20 卷 1 期	(229)	頁 23~33	2004 年 6 月
7921	陳雅慧	少年小說中的原住民形象——以李潼《少年噶瑪蘭》、《博士‧布都與我》為例	20 卷 1 期	(229)	頁 34~45	2004 年 6 月
7922	蔡孟娟	析沈從文〈月下小景〉中的心理距離	20 卷 2 期	(230)	頁 95~100	2004 年 7 月
7923	張春榮	極短篇〈蛻變〉賞析	20 卷 3 期	(231)	頁 110~111	2004 年 8 月
7924	張詩宜	戰後初期女性創作中婚戀自主的呈現——以林海音、潘人木、徐鍾珮為例	20 卷 4 期	(232)	頁 91~98	2004 年 9 月
7925	丁鳳珍	在卑屈的生存中遇見生命的感動——論洪醒夫小說中「田庄讀冊人的形象」	20 卷 5 期	(233)	頁 24~33	2004 年 10 月
7926	陳姿妃	論賴和〈一桿「稱仔」〉之反殖民主義觀	20 卷 5 期	(233)	頁 34~39	2004 年 10 月
7927	石曉楓	情愛中的雅俗演繹與人性表現——張愛玲〈紅玫瑰與白玫瑰〉試析	20 卷 7 期	(235)	頁 11~14	2004 年 12 月
7928	吳鈞堯	論張愛玲小說〈傾城之戀〉的「四在效果」	20 卷 7 期	(235)	頁 15~19	2004 年 12 月
7929	翁靚芰	張愛玲短篇小說中男性主體的失落	20 卷 7 期	(235)	頁 23~~28	2004 年 12 月
7930	陳益源	台灣黃海岱布袋戲與金庸《倚天屠龍記》	20 卷 8 期	(236)	頁 93~100	2005 年 1 月
7931	朱美黛	流動的空間，憂傷的記憶——試探《遊園驚夢》主人翁的憂傷意識	20 卷 9 期	(237)	頁 90~94	2005 年 2 月

7956	陳宜伶	王禎和筆下原住民女性角色的呈現 ——以〈夏日〉為例	22 卷 9 期	(261)	頁 60~65	2007 年 2 月
7957	葉依儂	紅與白的魅惑—— 析論白先勇〈永遠的尹雪豔〉中的 色彩意象	22 卷 10 期	(262)	頁 66~69	2007 年 3 月
7958	李麗美	不眼見如何為憑？—— 論史鐵生〈命若琴弦〉	22 卷 11 期	(263)	頁 59~64	2007 年 4 月
7959	余韻柔	壓抑的背後—— 張愛玲《情場如戰場》與《半生緣》 中的姐妹情愫析讀	22 卷 12 期	(264)	頁 55~59	2007 年 5 月
7960	劉雅薇	楊青矗〈在室男〉初探	23 卷 1 期	(265)	頁 51~56	2007 年 6 月
7961	洪士惠	驢子會說話？—— 李銳長篇小說中「國」家與 「家」國的對話	23 卷 3 期	(267)	頁 58~62	2007 年 8 月
7962	歐宗智	公理正義與現實功利之對比—— 談《台灣大風雲》的人物塑造	23 卷 3 期	(267)	頁 67~70	2007 年 8 月
7963	林慧君	聽，誰在說話—— 談〈孔乙己〉與〈社戲〉的敘述者	23 卷 4 期	(268)	頁 65~70	2007 年 9 月
7964	趙銘豐	緋紅色的傷口—— 李岳華〈紅顏男子〉情愛書寫之析論	23 卷 5 期	(269)	頁 55~60	2007 年 10 月
7965	王怡心	從張愛玲到李安—— 談小說〈色，戒〉的電影元素	23 卷 6 期	(270)	頁 56~60	2007 年 11 月
7966	葉依儂	棄婦的輓歌—— 論琦君〈橘子紅了〉之象徵技巧	23 卷 7 期	(271)	頁 54~58	2007 年 12 月
7967	黃玉琴	誰來為張愛玲說句話？—— 談「李安的」《色，戒》	23 卷 11 期	(275)	頁 64~69	2008 年 4 月
7968	葉依儂	封建婚姻的斑駁痕跡—— 析論琦君〈橘子紅了〉中之婦女處境	23 卷 11 期	(275)	頁 70~74	2008 年 4 月
7969	陳碧月	大陸當代女性小說的關懷意識	23 卷 12 期	(276)	頁 56~61	2008 年 5 月
7970	鄭中信	臺灣棒球史的一頁荒謬記憶—— 論楊照〈一九九七〉	23 卷 12 期	(276)	頁 62~64	2008 年 5 月
7971	翁慧娟	郁達夫〈蔦蘿行〉敘事觀點分析	24 卷 1 期	(277)	頁 64~68	2008 年 6 月
7972	陳水福	臺灣漢文小說的寶庫—— 《日治時期臺灣小說彙編》簡介	24 卷 2 期	(278)	頁 104~107	2008 年 7 月
7973	郭佩琦	老舍〈微神〉中的聯想賞析	24 卷 3 期	(279)	頁 69~73	2008 年 8 月
7974	羅詩雲	獻身日本‧采風臺灣—— 論西川滿小說的書寫構圖	24 卷 3 期	(279)	頁 90~94	2008 年 8 月
7975	莊世明	論《火裡來，水裡去》	24 卷 4 期	(280)	頁 69~74	2008 年 9 月
7976	趙立寰	談林海音小說的價值及其影響	24 卷 5 期	(281)	頁 45~50	2008 年 10 月

7977	李佩嬬	論林海音〈金鯉魚的百襉裙〉、吳濁流〈泥沼中的金鯉〉中的女性婚戀形象	24 卷 10 期 (286) 頁 21~27	2009 年 3 月
7978	柯鈞齡	《傷心咖啡店之歌》中的英雄養成歷程	24 卷 10 期 (286) 頁 51~56	2009 年 3 月
7979	白依璇	勇士光芒的消逝：論拓拔斯‧塔瑪匹瑪〈最後的獵人〉中的獵人困境	24 卷 10 期 (286) 頁 74~78	2009 年 3 月
7980	葉錦霞	匹夫無罪，懷病為罪──黃春明〈鮮紅蝦──「下消樂仔」這個掌故〉的疾病敘事	24 卷 11 期 (287) 頁 36~40	2009 年 4 月
7981	陳崑榮	生命的婚禮切片──論張愛玲小說〈鴻鸞禧〉	24 卷 12 期 (288) 頁 45~50	2009 年 5 月
7982	陳英傑	自我觀看與人性試煉──解讀梁寒衣的〈殺死和尚！〉	25 卷 1 期 (289) 頁 44~51	2009 年 6 月
7983	王金烽	烽火燎原下的孤寂靈魂──鍾理和〈第四日〉評析	25 卷 2 期 (290) 頁 62~66	2009 年 7 月
7984	李東霖	鄭清文〈合歡〉的存在主義「自由」思想	25 卷 2 期 (290) 頁 67~69	2009 年 7 月
7985	林慧君	日據時期在台日人小說中灣生的認同歷程	25 卷 3 期 (291) 頁 56~61	2009 年 8 月
7986	邱若琪	英雄的悲歌──司馬中原小說中的英雄塑造	25 卷 6 期 (294) 頁 52~56	2009 年 11 月
7987	蘇曼如	〈自莽林躍出〉的戲劇演出	25 卷 6 期 (294) 頁 57~60	2009 年 11 月
7988	李宜靜	存在感的追尋──張愛玲〈茉莉香片〉解讀	25 卷 7 期 (295) 頁 66~70	2009 年 12 月
7989	朱孟庭	為人生而藝術──魯迅的小說藝術論	25 卷 8 期 (296) 頁 60~65	2010 年 1 月
7990	陳盈宏	鍾文音母女書寫之研究──以《女島紀行》為例	25 卷 9 期 (297) 頁 59~63	2010 年 2 月
7991	蔡霈瑀	當 XX 遇上 XY──探析《圍城》中四個女人的愛情與婚姻	25 卷 9 期 (297) 頁 64~71	2010 年 2 月
7992	歐宗智	儒道互補的人生哲學──談林語堂《京華煙雲》的主題意涵	25 卷 11 期 (299) 頁 60~62	2010 年 4 月
7993	陳碧月	當代大陸女性小說中的男性性格書寫	25 卷 12 期 (300) 頁 62~66	2010 年 5 月

10.3.5 戲劇

7994	康來新	誰是孩子的母親？──灰蘭外的兩婦人	2 卷 9 期 (21) 頁 62~66	1987 年 2 月
7995	鄭黛瓊	賴聲川的舞台創作	3 卷 2 期 (26) 頁 26~28	1987 年 7 月

7996	劉小梅	為廣播劇本把脈	3 卷 2 期	(26)	頁 30~32	1987 年 7 月
7997	楊昌年	新文藝名家名作析評（十二）：自然與寫實——曹禺的《原野》與《日出》	13 卷 9 期	(153)	頁 55~61	1998 年 2 月
7998	楊宗翰	現代詩劇，休走！——從楊牧《吳鳳》談起	14 卷 4 期	(160)	頁 80~88	1998 年 9 月
7999	楊昌年	天人之際？——析評高行健的〈絕對信號〉	16 卷 7 期	(187)	頁 73~80	2000 年 12 月
8000	邱敏捷	談高行健《八月雪》	17 卷 8 期	(200)	頁 60~65	2002 年 1 月
8001	王　健	痛不可擋的身體和寂寞發狂的心——重讀繁漪	18 卷 2 期	(206)	頁 71~74	2002 年 7 月
8002	林淑貞	淺論曹禺《雷雨》「欲求反失」與「人倫位階錯置」之悲劇	19 卷 10 期	(226)	頁 17~21	2004 年 3 月
8003	宋桂友	個人話語空間的公共化——談高行健的戲劇文學創作	21 卷 7 期	(247)	頁 59~67	2005 年 12 月

10.3.6　電影

8004	李為之	朱天文談小說與電影	3 卷 2 期	(26)	頁 24~25	1987 年 7 月
8005	蔡登山	劇本——文字視聽	3 卷 2 期	(26)	頁 32~33	1987 年 7 月
8006	謝鵬雄	編劇現代化	3 卷 2 期	(26)	頁 34~35	1987 年 7 月
8007	馬驥伸	電視劇對話上幾個現象探討	3 卷 2 期	(26)	頁 35~37	1987 年 7 月
8008	楊月蓀	連續劇，難看	3 卷 2 期	(26)	頁 37~39	1987 年 7 月
8009	李幼新	算電影語文的帳	3 卷 2 期	(26)	頁 39~44	1987 年 7 月
8010	范文芳	我們有喜劇嗎？	3 卷 8 期	(32)	頁 26~33	1988 年 1 月
8011	李清筠記錄	「河殤的衝擊與省思」座談會	4 卷 8 期	(44)	頁 10~21	1989 年 1 月
8012	傅武光採訪 劉　漢記錄	訪牟宗三先生談「河殤」	4 卷 8 期	(44)	頁 21~24	1989 年 1 月
8013	王家儉	從歷史看「河殤」	4 卷 8 期	(44)	頁 24~26	1989 年 1 月
8014	瞿海源	「河殤」的悲劇性格與改革的困境	4 卷 8 期	(44)	頁 27~28	1989 年 1 月
8015	張鎮邦	「河殤」的爭議	4 卷 8 期	(44)	頁 28~32	1989 年 1 月
8016	楊仲揆	日本儒學與日本現代化	4 卷 8 期	(44)	頁 32~37	1989 年 1 月
8017	編輯部	「河殤」在臺日誌	4 卷 8 期	(44)	頁 38~41	1989 年 1 月
8018	景　翔	藝術創作不容外力干擾——談「基督的最後誘惑」	4 卷 11 期	(47)	頁 38~39	1989 年 4 月
8019	師大附中 六七三班	是夢還是真？——探究黑澤明的「夢」	7 卷 4 期	(76)	頁 107~114	1991 年 9 月
8020	儲海雲	由老舍《茶館》看茶的文化人生	8 卷 9 期	(93)	頁 9~11	1993 年 2 月

8021	楊龍立	包青天連續劇透露的文化特質	9 卷 2 期	(98)	頁 6~7	1993 年 7 月
8022	陳雅莉	電影「鋼琴師和她的情人」美學	10 卷 8 期	(116)	頁 28~33	1995 年 1 月
8023	余昭玟	電影在國文教學上的運用—— 以「春風化雨」為例	13 卷 1 期	(145)	頁 114~119	1997 年 6 月
8024	焦慧蘭	重讀作家，長留身影	13 卷 3 期	(147)	頁 30	1997 年 8 月
8025	蔡登山	夢中人語——關於「作家身影」	13 卷 3 期	(147)	頁 31~33	1997 年 8 月
8026	卓翠鑾	另類的作文教室—— 試探電影「鐵達尼號」文學創作 技巧的運用	15 卷 2 期	(170)	頁 100~103	1999 年 7 月
8027	林淑雲	始知鎖向金籠聽，不及林間自在啼 ——《大紅燈籠高高掛》電影賞析	17 卷 10 期	(202)	頁 33~40	2002 年 3 月
8028	天涼無心	現代人的「眾生相」—— 電影《神隱少女》的線索與思考	17 卷 12 期	(204)	頁 78~84	2002 年 5 月
8029	施忠賢	《魔戒——首部曲》與《西遊記》 之中西魔性對照（上）	19 卷 2 期	(218)	頁 59~63	2003 年 7 月
8030	施忠賢	《魔戒——首部曲》與《西遊記》 之中西魔性對照（下）	19 卷 3 期	(219)	頁 58~63	2003 年 8 月
8031	林宗毅	談《霸王別姬》電影中傳統劇目的 運用	19 卷 9 期	(225)	頁 60~62	2004 年 2 月
8032	柯佩君	《童年往事》—— 阿孝咕與空間的關係	20 卷 5 期	(233)	頁 60~65	2004 年 10 月
8033	陳佳君	兒童動畫《嘰哩咕與女巫（KiriKou and Sorceress）》的敘事結構	20 卷 8 期	(236)	頁 67~69	2005 年 1 月
8034	林宗毅	評國片《我的美麗與哀愁》	21 卷 2 期	(242)	頁 85~89	2005 年 7 月
8035	林淑貞	電影〈天堂的孩子〉「遇困—— 求解」的敘事模式	21 卷 4 期	(244)	頁 85~91	2005 年 9 月
8036	張春榮 顏靄珠	電影媒體教學	21 卷 6 期	(246)	頁 101~103	2005 年 11 月
8037	張春榮 顏荷郁	電影中的愛情佳句	21 卷 9 期	(249)	頁 83~85	2006 年 2 月
8038	莊君如	假面的告白—— 詮釋神隱少女中「無臉男」的存有 三態及現代意義	22 卷 8 期	(260)	頁 61~67	2007 年 1 月
8039	余韻柔	蚤子爬滿了華美的袍—— 張愛玲電影劇本《太太萬歲》中的 陳思珍形象析評	22 卷 9 期	(261)	頁 46~51	2007 年 2 月
8040	王怡心	從張愛玲到李安—— 談小說〈色，戒〉的電影元素	23 卷 6 期	(270)	頁 56~60	2007 年 11 月
8041	林淑雲	衣帶漸寬終不悔，為伊消得人憔悴 ——《我的父親母親》電影淺析	23 卷 9 期	(273)	頁 74~80	2008 年 2 月

8065	呂正惠	夏日炎炎書解悶—— 好書推薦：現代小說書單	4 卷 3 期	(39)	頁 24~26	1988 年 8 月
8066	陳信元	夏日炎炎書解悶—— 好書推薦：現代散文書單	4 卷 3 期	(39)	頁 27~29	1988 年 8 月
8067	孟 樊	夏日炎炎書解悶—— 好書推薦：現代詩書單	4 卷 3 期	(39)	頁 29~31	1988 年 8 月
8068	吳 當	楊喚童詩析賞：下雨了	4 卷 3 期	(39)	頁 46~47	1988 年 8 月
8069	吳 當	楊喚童詩析賞：美麗島	4 卷 5 期	(41)	頁 40~42	1988 年 10 月
8070	吳 當	楊喚童詩析賞：七彩的虹	4 卷 8 期	(44)	頁 96~97	1989 年 1 月
8071	吳 當	楊喚童詩析賞：眼睛	4 卷 11 期	(47)	頁 98~99	1989 年 4 月
8072	潘麗珠採訪 陳毓璞記錄	在月光下織錦的人—— 訪林良先生談兒童文學	5 卷 1 期	(49)	頁 10~15	1989 年 6 月
8073	雷僑雲採訪	訪旅美兒童文學家葉詠琍女士	5 卷 1 期	(49)	頁 16~19	1989 年 6 月
8074	徐守濤	兒童文學在師範院校的未來發展	5 卷 1 期	(49)	頁 20~22	1989 年 6 月
8075	林政華	落實兒童文學教育方法的芻議	5 卷 1 期	(49)	頁 23~25	1989 年 6 月
8076	陳木城	當前兒童文學的大趨勢	5 卷 1 期	(49)	頁 26~28	1989 年 6 月
8077	吳 當	兒童的文學欣賞與寫作	5 卷 1 期	(49)	頁 29~31	1989 年 6 月
8078	李漢偉	我們都是白雪公主？—— 對當前童話教學的一些省察	5 卷 1 期	(49)	頁 32~35	1989 年 6 月
8079	邱各容	他山之石，何以攻錯	5 卷 1 期	(49)	頁 36~39	1989 年 6 月
8080	林文寶	臺灣地區兒童文學論述譯著書目 （民國三十八年～七十七年）（上）	5 卷 1 期	(49)	頁 93~95	1989 年 6 月
8081	雷僑雲	中國沒有兒童文學嗎？—— 屬於中國人的傳統兒童文學	5 卷 2 期	(50)	頁 50~53	1989 年 7 月
8082	林文寶	臺灣地區兒童文學論述譯者書目 （下）	5 卷 2 期	(50)	頁 92~94	1989 年 7 月
8083	吳 當	楊喚童詩析賞：夏夜	5 卷 3 期	(51)	頁 78~81	1989 年 8 月
8084	杜榮琛	一本值得細讀的兒童文學論著—— 《現代兒童文學的先驅》	5 卷 3 期	(51)	頁 101~104	1989 年 8 月
8085	林煥彰	童謠和遊戲—— 臺灣早年流傳的童謠	5 卷 11 期	(59)	頁 109~110	1990 年 4 月
8086	杜 萱	彩蝶掉眼淚—— 談「人性化」轉化法在童詩創作上 的運用	5 卷 12 期	(60)	頁 94~98	1990 年 5 月
8087	杜 萱	張開想像的羽翼—— 談「物性化」轉化法在童詩創作上 的運用	6 卷 6 期	(66)	頁 86~92	1990 年 11 月
8088	吳 當	水果們的晚會——楊喚童詩賞析	6 卷 6 期	(66)	頁 92~95	1990 年 11 月

8089	李怡慧採訪	「星星俠」家族的故事—— 小野和他的童話書	7 卷 11 期 (83) 頁 11~13	1992 年 4 月
8090	吳　當	給孩子一把詩的鑰匙	7 卷 11 期 (83) 頁 14~21	1992 年 4 月
8091	簡上仁	從自我承諾到播下音樂種籽	7 卷 11 期 (83) 頁 22~24	1992 年 4 月
8092	林淑芬採訪	讓孩子也有選擇權—— 蔡志忠談漫畫	7 卷 11 期 (83) 頁 25~27	1992 年 4 月
8093	姚配義	我愛《七龍珠》	7 卷 11 期 (83) 頁 28~30	1992 年 4 月
8094	編輯部	租書店即景	7 卷 11 期 (83) 頁 29~30	1992 年 4 月
8095	林淑貞	漫畫所引發的青少年效應	12 卷 2 期 (134) 頁 70~76	1996 年 7 月
8096	楊鴻銘	作文教室（十九）：童詩的寫法 ——以楊翼琪〈暑假〉為例	13 卷 5 期 (149) 頁 101~103	1997 年 10 月
8097	李梁淑	舊夢重溫—— 從周作人《兒童雜事詩》談起	14 卷 6 期 (162) 頁 77~82	1998 年 11 月
8098	李梁淑	天真的禮讚—— 豐子愷圖文並茂的兒童世界	14 卷 10 期 (166) 頁 68~73	1999 年 3 月
8099	吳文薰	太平天國——歷史的另類書寫	15 卷 7 期 (175) 頁 110~112	1999 年 12 月
8100	張子樟	懷舊與關懷—— 簡介「台灣兒童文學一百」中的 少年小說	15 卷 8 期 (176) 頁 103~104	2000 年 1 月
8101	徐錦成	《阿輝的心》——少年小說里程碑	15 卷 8 期 (176) 頁 105~107	2000 年 1 月
8102	黃玉蘭	緬懷冬陽—— 謝冰瑩《小冬流浪記》簡介	15 卷 9 期 (177) 頁 58	2000 年 2 月
8103	吳聲淼	航向美麗的未來—— 黃海《奇異的航行》簡介	15 卷 10 期 (178) 頁 111	2000 年 3 月
8104	洪曉菁	心靈的追溯之旅——《再見天人菊》	15 卷 12 期 (180) 頁 112	2000 年 5 月
8105	林宛宜	歲月紀實——《老三甲的故事》	16 卷 1 期 (181) 頁 112	2000 年 6 月
8106	林芳妃	奇異的時空之旅——《少年噶瑪蘭》	16 卷 2 期 (182) 頁 112	2000 年 7 月
8107	楊　絢	女性勇者的塑像——《小婉心》	16 卷 3 期 (183) 頁 112	2000 年 8 月
8108	陳清俊	童詩中的月亮	16 卷 4 期 (184) 頁 8~14	2000 年 9 月
8109	郭鍠莉	戰火浮生——《小英雄與老郵差》	16 卷 5 期 (185) 頁 111	2000 年 10 月
8110	蔡雲雀	閱讀《小王子》	16 卷 6 期 (186) 頁 112	2000 年 11 月
8111	郭鈴惠	笑看人間悲喜劇——《落鼻祖師》	16 卷 8 期 (188) 頁 112	2001 年 1 月
8112	洪美珍	變調的親情——《我的爸爸是流氓》	16 卷 10 期 (190) 頁 112	2001 年 3 月
8113	廖素珠	我是白癡？	17 卷 2 期 (194) 頁 111	2001 年 7 月
8114	陳大為	另類章回：論香港武俠漫畫的蛻變	17 卷 8 期 (200) 頁 49~59	2002 年 1 月
8115	鮑延毅	第一個伊索寓言白話漢譯本—— 新發現的另一種《海國妙喻》	18 卷 4 期 (208) 頁 33~37	2002 年 9 月

8116	黃玉蘭	神話故事與少年小說之間—— 談《永遠的狄家》一書	18 卷 6 期	(210) 頁 66~68	2002 年 11 月
8117	邱子寧	試說「青少年文學」	18 卷 7 期	(211) 頁 4~9	2002 年 12 月
8118	黃秋芳	黃易從歷史真實跨向武俠虛構	18 卷 7 期	(211) 頁 10~15	2002 年 12 月
8119	林德姮	圖畫書的滋味	18 卷 7 期	(211) 頁 16~24	2002 年 12 月
8120	吳慧茹	上網看童詩—— 台灣地區網路的童詩現象初探	18 卷 7 期	(211) 頁 25~33	2002 年 12 月
8121	洪珊慧	拒絕長大的「放逐歷程」—— 重讀《麥田捕手》	18 卷 8 期	(212) 頁 70~72	2003 年 1 月
8122	陳瀅如	追尋現實與虛幻中的波拉農—— 宮澤賢治《傳說中的廣場與波拉農》	18 卷 12 期	(216) 頁 9~14	2003 年 5 月
8123	鄭如晴	集中營文學裡的鬼魅—— 松谷美代子《閣樓裡的秘密》	18 卷 12 期	(216) 頁 15~18	2003 年 5 月
8124	盧貞穎	童話空間的發生—— 工藤直子《大海》《草原》的朋友	18 卷 12 期	(216) 頁 19~25	2003 年 5 月
8125	紀采婷	擺盪在新與舊之間—— 角野榮子《魔女宅急便》	18 卷 12 期	(216) 頁 26~29	2003 年 5 月
8126	林詩屏	演奏生命的五個樂章—— 湯本香樹實《夏之庭》	18 卷 12 期	(216) 頁 30~34	2003 年 5 月
8127	王韻明	勇敢的面對死亡—— 湯本香樹實《白楊樹之秋》	18 卷 12 期	(216) 頁 35~37	2003 年 5 月
8128	林哲璋 王宇清	陳素宜少年小說中的台灣少女—— 不是問題少女，卻有少女問題……	20 卷 1 期	(229) 頁 4~13	2004 年 6 月
8129	陳素宜	試論林滿秋的少年小說創作作品	20 卷 1 期	(229) 頁 14~22	2004 年 6 月
8130	王麗櫻	「大頭春系列」中的青少年形象	20 卷 1 期	(229) 頁 23~33	2004 年 6 月
8131	陳雅慧	少年小說中的原住民形象—— 以李潼《少年噶瑪蘭》、《博士‧ 布都與我》為例	20 卷 1 期	(229) 頁 34~45	2004 年 6 月
8132	陳素宜	女兒心‧女兒情‧《女兒泉》	20 卷 8 期	(236) 頁 5~7	2005 年 1 月
8133	陳慧鎂	小小的期待，小小的滿足—— 《媽媽，買綠豆》	20 卷 8 期	(236) 頁 8~9	2005 年 1 月
8134	陳靜儀	心境與空間的連續體驗——《逛街》	20 卷 8 期	(236) 頁 10~11	2005 年 1 月
8135	梁雅琪	韻律十足的韻律書—— 《起床了，皇帝！》	20 卷 8 期	(236) 頁 12~13	2005 年 1 月
8136	張瓊文	輕鬆學習地景知識——《咱去看山》	20 卷 8 期	(236) 頁 14~15	2005 年 1 月
8137	吳婷琲	饒富哲學興味的巧思—— 《我變成一隻噴火龍了！》	20 卷 8 期	(236) 頁 16~17	2005 年 1 月
8138	王宇清	對自身意識型態的反照—— 《黑白村莊》	20 卷 8 期	(236) 頁 18~19	2005 年 1 月

8139	梁麗雯	不一樣的水鳥圖鑑——《穿紅背心的野鴨》	20 卷 8 期	(236)	頁 20~21	2005 年 1 月
8140	鐘尹萱	胖胖的希望——《我要大公雞》	20 卷 8 期	(236)	頁 22~24	2005 年 1 月
8141	謝忻汝	接納有缺陷的自我——《皇后的尾巴》	20 卷 8 期	(236)	頁 25~27	2005 年 1 月
8142	鄭雅馨	吐出顆顆會心一笑的木瓜仔——《子兒，吐吐》	20 卷 8 期	(236)	頁 28~30	2005 年 1 月
8143	陳佳君	兒童動畫《嘰哩咕與女巫（KiriKou and Sorceress）》的敘事結構	20 卷 8 期	(236)	頁 67~69	2005 年 1 月
8144	張春榮	視覺智能——同一形象，不同想像	22 卷 2 期	(254)	頁 107~112	2006 年 7 月
8145	梁敏兒	從《小紅帽》與《老虎外婆》看女性成長的故事	22 卷 11 期	(263)	頁 52~58	2007 年 4 月
8146	梁敏兒 白雲開	〈白雪公主〉與魔鏡	23 卷 5 期	(269)	頁 4~9	2007 年 10 月
8147	邱子寧	安徒生童話東遊——〈小人魚〉之文化譯解	23 卷 5 期	(269)	頁 10~16	2007 年 10 月
8148	黃百合	讀她百遍也不厭——淺談〈小紅帽〉經典閱讀	23 卷 5 期	(269)	頁 17~24	2007 年 10 月
8149	黃嬿瑜	愛情，喚醒沈睡中的睡美人	23 卷 5 期	(269)	頁 25~32	2007 年 10 月
8150	葉品君	灰姑娘的前世今生	23 卷 5 期	(269)	頁 33~40	2007 年 10 月
8151	王蕙瑄	從 2000～2006 年的翻譯書現象看臺灣童書	24 卷 6 期	(282)	頁 59~66	2008 年 11 月
8152	傅鳳琴	從邊陲到主體——試說臺灣原住民兒童圖畫書	24 卷 8 期	(284)	頁 4~12	2009 年 1 月
8153	林哲彰	國語運動、白話文運動與兒童文學	24 卷 8 期	(284)	頁 13~20	2009 年 1 月
8154	吳 岩 房立華	大陸科幻文學（兒童文學）對人與自然關係的書寫	24 卷 8 期	(284)	頁 21~28	2009 年 1 月
8155	李利芳	全球化語境中的中國西部兒童文學	24 卷 8 期	(284)	頁 29~36	2009 年 1 月
8156	陳晞如	為兒童教育紮根，將閱讀深植台灣——談陳國政兒童文學獎（1993—2001）	25 卷 1 期	(289)	頁 113~128	2009 年 6 月
8157	鍾名誠	給孩子有深度的閱讀——黃蓓佳的兒童文學觀	25 卷 5 期	(293)	頁 58~62	2009 年 10 月
8158	王蕙瑄 陳玉金	知識與幸福的饗宴——日本東京童書店	25 卷 8 期	(296)	頁 30~35	2010 年 1 月

10.3.9 圖畫書

| 8159 | 林德姮 | 圖畫書的滋味 | 18 卷 7 期 | (211) | 頁 16~24 | 2002 年 12 月 |
| 8160 | 林淑貞 | 宛如盲女遊走探尋的人生行旅—— | 20 卷 5 期 | (233) | 頁 4~13 | 2004 年 10 月 |

		幾米《地下鐵》繪本所透顯的人世況味			
8161	林文寶	前言	20 卷 8 期	(236) 頁 4	2005 年 1 月
8162	陳素宜	女兒心・女兒情・《女兒泉》	20 卷 8 期	(236) 頁 5~7	2005 年 1 月
8163	陳慧鎂	小小的期待，小小的滿足——《媽媽，買綠豆》	20 卷 8 期	(236) 頁 8~9	2005 年 1 月
8164	陳靜儀	心境與空間的連續體驗——《逛街》	20 卷 8 期	(236) 頁 10~11	2005 年 1 月
8165	梁雅琪	韻律十足的韻律書——《起床了，皇帝！》	20 卷 8 期	(236) 頁 12~13	2005 年 1 月
8166	張瓊文	輕鬆學習地景知識——《咱去看山》	20 卷 8 期	(236) 頁 14~15	2005 年 1 月
8167	吳婷琲	饒富哲學興味的巧思——《我變成一隻噴火龍了！》	20 卷 8 期	(236) 頁 16~17	2005 年 1 月
8168	王宇清	對自身意識型態的反照——《黑白村莊》	20 卷 8 期	(236) 頁 18~19	2005 年 1 月
8169	梁麗雯	不一樣的水鳥圖鑑——《穿紅背心的野鴨》	20 卷 8 期	(236) 頁 20~21	2005 年 1 月
8170	鐘尹萱	胖胖的希望——《我要大公雞》	20 卷 8 期	(236) 頁 22~24	2005 年 1 月
8171	謝忻汝	接納有缺陷的自我——《皇后的尾巴》	20 卷 8 期	(236) 頁 25~27	2005 年 1 月
8172	鄭雅馨	吐出顆顆會心一笑的木瓜仔——《子兒，吐吐》	20 卷 8 期	(236) 頁 28~30	2005 年 1 月
8173	傅鳳琴	從邊陲到主體——試說臺灣原住民兒童圖畫書	24 卷 8 期	(284) 頁 4~12	2009 年 1 月

10.4　外國文學

8174	王文進	被夢魘攫住的鬱金香——談雷馬克「奈何天」	1 卷 2 期	(2) 頁 94~96	1985 年 7 月
8175	王文進	「曲終人不見，江上數峰青」——談「伊豆的踊子」中最後出現的老人	1 卷 6 期	(6) 頁 54~55	1985 年 11 月
8176	劉君燦	我怎樣譯愛因斯坦——「人類存在的目的」	1 卷 6 期	(6) 頁 60~61	1985 年 11 月
8177	方祖燊	寫實主義及其流派	4 卷 3 期	(39) 頁 40~45	1988 年 8 月
8178	馬健君	永遠不會死的怪鬼——瑪麗雪萊的「科學怪人」	6 卷 3 期	(63) 頁 46~50	1990 年 8 月
8179	孔　立	可憐一卷茶花女，斷盡支那蕩子腸——介紹翻譯家林紓	6 卷 4 期	(64) 頁 48~51	1990 年 9 月
8180	胡品清	關於《給阿貝拉的書簡》	6 卷 6 期	(66) 頁 6	1990 年 11 月
8181	胡品清	漫談阿爾豐斯・都德	7 卷 5 期	(77) 頁 102~103	1991 年 10 月
8182	艾　雯	讓一切美，閃爍著我的愛	7 卷 12 期	(84) 頁 10~11	1992 年 5 月

8183	陳旻志	晚鐘棲隱、逆旅驚塵——色相與空靈之間的川端美學層境	9 卷 9 期	(105)	頁 32~44	1994 年 2 月
8184	林春美	東南亞華文文學（一）：近十年來馬華文學的中國情節	12 卷 8 期	(140)	頁 74~86	1997 年 1 月
8185	鮑延毅	《意拾喻言（伊索寓言）》問世的意義及影響	13 卷 3 期	(147)	頁 20~24	1997 年 8 月
8186	李瑞騰	東南亞華文文學（三）：馬華詩壇七字輩——詩獎與詩選的考察	13 卷 6 期	(150)	頁 67~75	1997 年 11 月
8187	陳大為	東南亞華文文學（五）：感官與思維的冷盤——九〇年代馬華新詩裡的都市影像	13 卷 8 期	(152)	頁 71~83	1998 年 1 月
8188	陳大為	當代泰華文學的湄南圖象（上）	18 卷 1 期	(205)	頁 64~68	2002 年 6 月
8189	陳大為	當代泰華文學的湄南圖象（下）	18 卷 2 期	(206)	頁 75~79	2002 年 7 月
8190	鮑延毅	第一個伊索寓言白話漢譯本——新發現的另一種《海國妙喻》	18 卷 4 期	(208)	頁 33~37	2002 年 9 月
8191	許淑婷	由谷崎潤一郎《麒麟》淺談孔子思想	18 卷 6 期	(210)	頁 40~43	2002 年 11 月
8192	洪珊慧	拒絕長大的「放逐歷程」——重讀《麥田捕手》	18 卷 8 期	(212)	頁 70~72	2003 年 1 月
8193	陳瀅如	追尋現實與虛幻中的波拉農——宮澤賢治《傳說中的廣場與波拉農》	18 卷 12 期	(216)	頁 9~14	2003 年 5 月
8194	鄭如晴	集中營文學裡的鬼魅——松谷美代子《閣樓裡的秘密》	18 卷 12 期	(216)	頁 15~18	2003 年 5 月
8195	盧貞穎	童話空間的發生——工藤直子《大海》《草原》的朋友	18 卷 12 期	(216)	頁 19~25	2003 年 5 月
8196	紀采婷	擺盪在新與舊之間——角野榮子《魔女宅急便》	18 卷 12 期	(216)	頁 26~29	2003 年 5 月
8197	林詩屏	演奏生命的五個樂章——湯本香樹實《夏之庭》	18 卷 12 期	(216)	頁 30~34	2003 年 5 月
8198	王韻明	勇敢的面對死亡——湯本香樹實《白楊樹之秋》	18 卷 12 期	(216)	頁 35~37	2003 年 5 月
8199	戶田一康	葉石濤與芥川龍之介——十字架的問題	19 卷 7 期	(223)	頁 71~75	2003 年 12 月
8200	岳　峰	論《到燈塔去》的「非個人化」	19 卷 10 期	(226)	頁 22~27	2004 年 3 月
8201	陳大為	當代馬華文學的三大板塊	19 卷 10 期	(226)	頁 28~43	2004 年 3 月
8202	鄭　軍	外國科幻小說與中國	19 卷 12 期	(228)	頁 83~90	2004 年 5 月
8203	劉慧珠	「惡」的書寫——〈金閣寺〉讀後	19 卷 12 期	(228)	頁 91~92	2004 年 5 月
8204	顏瑞芳	清代伊索寓言的漢譯與流傳	21 卷 4 期	(244)	頁 43~47	2005 年 9 月
8205	岳　峰	論 E・M・福斯特小說中的「發育不良的心」母題	22 卷 6 期	(258)	頁 56~61	2006 年 11 月

8206	陳佳君	新年祈願詩〈世界啊〉篇章結構探析	22 卷 12 期	(264)	頁 83~85	2007 年 5 月
8207	梁敏兒 白雲開	〈白雪公主〉與魔鏡	23 卷 5 期	(269)	頁 4~9	2007 年 10 月
8208	邱子寧	安徒生童話東遊── 〈小人魚〉之文化譯解	23 卷 5 期	(269)	頁 10~16	2007 年 10 月
8209	黃百合	讀她百遍也不厭── 淺談〈小紅帽〉經典閱讀	23 卷 5 期	(269)	頁 17~24	2007 年 10 月
8210	黃嬿瑜	愛情，喚醒沈睡中的睡美人	23 卷 5 期	(269)	頁 25~32	2007 年 10 月
8211	葉品君	灰姑娘的前世今生	23 卷 5 期	(269)	頁 33~40	2007 年 10 月
8212	鍾怡雯	五十年來的馬華散文	23 卷 8 期	(272)	頁 61~63	2008 年 1 月
8213	張春榮 顏荷郁	馬克吐溫的機智火花── 西洋名人智慧語賞析	23 卷 11 期	(275)	頁 76~79	2008 年 4 月
8214	張春榮 顏荷郁	王爾德的反諷人生── 西洋名人智慧語賞析	23 卷 12 期	(276)	頁 65~70	2008 年 5 月
8215	張春榮 顏荷郁	梭羅的大自然之愛── 西洋名人智慧語賞析	24 卷 1 期	(277)	頁 69~74	2008 年 6 月
8216	張春榮 顏荷郁	英國首相邱吉爾的真知灼見── 西洋名人智慧語賞析	24 卷 2 期	(278)	頁 86~89	2008 年 7 月
8217	張春榮 顏荷郁	莎士比亞的曠世文才── 西洋名人智慧語賞析	24 卷 3 期	(279)	頁 74~81	2008 年 8 月
8218	張春榮 顏荷郁	珍‧奧斯汀的敏覺細緻── 西洋名人智慧語賞析	24 卷 4 期	(280)	頁 75~79	2008 年 9 月
8219	張春榮 顏荷郁	印度聖雄甘地的和平風骨── 世界名人智慧語賞析	24 卷 5 期	(281)	頁 51~56	2008 年 10 月
8220	王怡婷	香氣氤氳的黑色慾望── 淺談德國小說家徐四金之《香水》	24 卷 12 期	(288)	頁 51~54	2009 年 5 月

10.5　文學批評

8221	李正治譯	詮釋學導論	1 卷 1 期	(1)	頁 76~81	1985 年 6 月
8222	莊耀郎	「典論論文」中的氣	1 卷 9 期	(9)	頁 11~12	1986 年 2 月
8223	余手民	評《中國文學批評資料彙編》	1 卷 9 期	(9)	頁 64~65	1986 年 2 月
8224	康來新等	建立一個中國文學理論體系── 會評劉若愚《中國文學理論》	2 卷 4 期	(16)	頁 20~24	1986 年 9 月
8225	鄭毓瑜	《比與物色情景交融》	2 卷 4 期	(16)	頁 80~82	1986 年 9 月
8226	林明德	韓國漢文小說的舞臺背景與中國的 關係	2 卷 6 期	(18)	頁 56~57	1986 年 11 月
8227	詹海雲	周振甫的《文章例話》	2 卷 7 期	(19)	頁 82~85	1986 年 12 月
8228	鄭明娳	大家來關心文學批評	2 卷 12 期	(24)	頁 44~45	1987 年 5 月
8229	王更生	《典論》的篇數	3 卷 6 期	(30)	頁 7	1987 年 11 月

8230	莊耀郎	讀典論論文的沈思	3 卷 6 期	(30)	頁 92~95	1987 年 11 月
8231	張雙英	也談「實際文學批評」的過程——〈文學批評的層次〉讀後感	3 卷 12 期	(36)	頁 74~77	1988 年 5 月
8232	謝佩芬記錄	臺灣文學批評思潮的遞變——張漢良與廖咸浩對談	4 卷 4 期	(40)	頁 34~41	1988 年 9 月
8233	莊耀郎	《典論》的篇數	4 卷 8 期	(44)	頁 7	1989 年 1 月
8234	楊鴻銘	何以文以「氣」為主？	4 卷 8 期	(44)	頁 7~8	1989 年 1 月
8235	杜松柏	鍊意與立意（上）	4 卷 9 期	(45)	頁 103~106	1989 年 2 月
8236	韓中慧	《詩人主客圖》淺述	4 卷 10 期	(46)	頁 88~89	1989 年 3 月
8237	杜松柏	鍊意與立意（下）	4 卷 10 期	(46)	頁 104~106	1989 年 3 月
8238	黃文吉	詞學論評的總匯——增訂本《詞話叢編》評介	4 卷 11 期	(47)	頁 100~103	1989 年 4 月
8239	李渝福	從《文心雕龍》批評論的觀點看謝靈運詩二首	5 卷 4 期	(52)	頁 78~80	1989 年 9 月
8240	王更生	《文心・銘箴》中的一段話	6 卷 3 期	(63)	頁 6	1990 年 8 月
8241	潘重規	徐復觀〈文心雕龍的文體論〉商榷	6 卷 4 期	(64)	頁 80~82	1990 年 9 月
8242	張伯偉	杜甫〈江村〉詩心說——兼評傳統的說詩方法	6 卷 4 期	(64)	頁 85~89	1990 年 9 月
8243	黎活仁	緯書對文心雕龍的影響	7 卷 11 期	(83)	頁 55~58	1992 年 4 月
8244	徐漢昌	文心雕龍辨騷篇淺析	7 卷 11 期	(83)	頁 59~62	1992 年 4 月
8245	李正治	《文心雕龍》札記——辭訓之異，宜體於要	8 卷 2 期	(86)	頁 105~107	1992 年 7 月
8246	宗鷹	入情締構——中國文學品賞的特徵論	8 卷 10 期	(94)	頁 48~50	1993 年 3 月
8247	游喚	理論旅行——海峽兩岸古代文論研究的觀念突破	12 卷 1 期	(133)	頁 4~5	1996 年 6 月
8248	唐翼明	試用新批評理論解讀王昌齡〈閨怨〉	12 卷 1 期	(133)	頁 72~76	1996 年 6 月
8249	余崇生	孫德謙與《六朝麗指》	12 卷 8 期	(140)	頁 40~44	1997 年 1 月
8250	林春美	東南亞華文文學（四）：女生境地——論九十年代潘雨桐小說的「女」「性」	13 卷 7 期	(151)	頁 74~79	1997 年 12 月
8251	沈謙	文學的審美者——文學批評	14 卷 6 期	(162)	頁 31~36	1998 年 11 月
8252	王更生	震古鑠今的文苑樞機——文心雕龍	14 卷 12 期	(168)	頁 7~10	1999 年 5 月
8253	翁以倫	文以氣為主——略談孟子的文氣觀	14 卷 12 期	(168)	頁 67~71	1999 年 5 月
8254	張健	隔海的文學觀察——評介古遠清《台灣當代文學理論批評史》	15 卷 1 期	(169)	頁 83~84	1999 年 6 月
8255	朱歧祥	有無之境——	15 卷 5 期	(173)	頁 51~53	1999 年 10 月

談王國維《人間詞話》的境界

8256	葉嘉瑩	從文本之潛能與讀者之詮釋談令詞的評賞（上）	15 卷 11 期 (179) 頁 61~67	2000 年 4 月
8257	葉嘉瑩	從文本之潛能與讀者之詮釋談令詞的評賞（下）	15 卷 12 期 (180) 頁 46~51	2000 年 5 月
8258	高秋鳳	網路問答：舒位七律三變說的變化依據	16 卷 2 期 (182) 頁 105~106	2000 年 7 月
8259	李金松	金聖嘆對小說敘事觀點的採索	17 卷 5 期 (197) 頁 19~23	2001 年 10 月
8260	彭菏成	《文心雕龍》一個重要版本的考察——王惟儉《文心雕龍訓故》	17 卷 5 期 (197) 頁 26~30	2001 年 10 月
8261	李 揚	艷：一個宋代詞學批評的「精靈」	17 卷 7 期 (199) 頁 51~54	2001 年 12 月
8262	陳裕鑫	文學鑑賞的意義與價值	17 卷 11 期 (203) 頁 97~99	2002 年 4 月
8263	范培松	20 世紀中國散文批評概觀（上）	18 卷 1 期 (205) 頁 40~44	2002 年 6 月
8264	范培松	20 世紀中國散文批評概觀（中）	18 卷 2 期 (206) 頁 39~44	2002 年 7 月
8265	范培松	二十世紀中國散文批評概觀（下）	18 卷 3 期 (207) 頁 31~37	2002 年 8 月
8266	連文萍	詩話資料的檢索與利用	18 卷 8 期 (212) 頁 13~20	2003 年 1 月
8267	吳宥潔	鍾嶸《詩品》「滋味」說的品鑑美學	19 卷 3 期 (219) 頁 19~26	2003 年 8 月
8268	施淑婷	東坡「文理自然，姿態橫生」之美學風格	19 卷 3 期 (219) 頁 4~11	2003 年 8 月
8269	林慧君	金聖嘆教你讀《水滸》——淺談金批《水滸》與讀者的關係	19 卷 11 期 (227) 頁 66~69	2004 年 4 月
8270	王岫林	「綺靡以傷情」——談劉勰在《文心·辨騷》中對〈九歌〉之批評	20 卷 8 期 (236) 頁 52~57	2005 年 1 月
8271	蔡翔宇	宋代詩學研究的寶庫——《宋詩話全編》簡介	23 卷 1 期 (265) 頁 93~95	2007 年 6 月
8272	林大礎 鄭娟榕	《文心雕龍》辭章論概要	23 卷 7 期 (271) 頁 43~53	2007 年 12 月
8273	蔡翔宇	遼、金、元三代詩話的寶庫——《遼金元詩話全編》簡介	23 卷 7 期 (271) 頁 96~99	2007 年 12 月
8274	蔡翔宇	明代詩學研究的寶庫——《明詩話全編》簡介	23 卷 9 期 (273) 頁 109~112	2008 年 2 月
8275	趙鴻中	論歐陽脩「事信言文」的理論與實踐	24 卷 1 期 (277) 頁 17~22	2008 年 6 月
8276	古遠清	無理而妙	24 卷 2 期 (278) 頁 59~62	2008 年 7 月
8277	黃智明	文章學的寶庫——《歷代文話》簡介	24 卷 5 期 (281) 頁 95~98	2008 年 10 月
8278	李蕙如	王國維的文學演進觀——從《人間詞話》第五十三、五十四則談起	24 卷 8 期 (284) 頁 63~66	2009 年 1 月

10.6　辭章學

10.6.1　通論

8299	陳滿銘	迎接辭章學「花團錦簇」的明天 ——從兩岸學術交流談起	20 卷 6 期	(234)	頁 90~94	2004 年 11 月
8300	陳滿銘	層次邏輯與辭章意象系統	20 卷 7 期	(235)	頁 96~102	2004 年 12 月
8301	孟建安	培育了強大的研究隊伍，取得了豐碩的科研成果——「陳滿銘對辭章章法學研究的貢獻」系列研究之一	20 卷 11 期	(239)	頁 89~93	2005 年 4 月
8302	霍四通	評鄭頤壽的《辭章學導論》	20 卷 11 期	(239)	頁 109~112	2005 年 4 月
8303	孟建安	闡釋了新穎的章法思想，解決了重大的理論問題（上）——「陳滿銘對辭章章法學研究的貢獻」系列研究之二	20 卷 12 期	(240)	頁 75~81	2005 年 5 月
8304	孟建安	闡釋了新穎的章法思想，解決了重大的理論問題（下）——「陳滿銘對辭章章法學研究的貢獻」系列研究之三	21 卷 1 期	(241)	頁 85~92	2005 年 6 月
8305	李立明	章法與辭章活動過程例析	21 卷 5 期	(245)	頁 23~29	2005 年 10 月
8306	陳滿銘	淺論意象系統	21 卷 5 期	(245)	頁 30~36	2005 年 10 月
8307	黃淑貞	《秋聲賦》辭章意象探析	21 卷 5 期	(245)	頁 37~46	2005 年 10 月
8308	鄭頤壽	詩人辭章學之首部論著——讀歐陽炯教授《楊萬里詩歌辭章學》	21 卷 8 期	(248)	頁 57~64	2006 年 1 月
8309	黃淑貞	杜甫〈贈司空王公思禮〉辭章意象之形成及其美感	21 卷 8 期	(248)	頁 92~98	2006 年 1 月
8310	梁錦興	推介《大學辭章學》這本好書	21 卷 8 期	(248)	頁 111~112	2006 年 1 月
8311	陳滿銘	意象學研究的新方向（上）	22 卷 1 期	(253)	頁 50~55	2006 年 6 月
8312	陳滿銘	意象學研究的新方向（下）	22 卷 2 期	(254)	頁 43~46	2006 年 7 月
8313	鄭頤壽	研究篇章藝術的國學——讀陳滿銘的《篇章辭章學》、《辭章學十論》	22 卷 4 期	(256)	頁 83~90	2006 年 9 月
8314	陳滿銘	以「構」連結「意象」成「軌」之三種類型——以格式塔「異質同構」說切入作考察	22 卷 7 期	(259)	頁 86~93	2006 年 12 月
8315	林大礎 鄭娟榕	當代漢語辭章學奠基史（上）	22 卷 8 期	(260)	頁 79~83	2007 年 1 月
8316	林大礎 鄭娟榕	當代漢語辭章學奠基史（中）	22 卷 9 期	(261)	頁 77~82	2007 年 2 月
8317	林大礎 鄭娟榕	當代漢語辭章學奠基史（下）	22 卷 10 期	(262)	頁 89~94	2007 年 3 月
8318	蔡宗陽	陳滿銘教授是辭章章法學的思想家、理論家、實踐家——寫在《陳滿銘與辭章章法學》出版前夕	23 卷 5 期	(269)	頁 77~87	2007 年 10 月

10.6.2　文法

中心語、加語、副語、補語

8340	戴璉璋校訂 賴麗蓉分析	論語論學選── 　國中國文第一冊第十八課	1 卷 9 期	(9)	頁 66~67	1986 年 2 月
8341	孫振志	「坐」、「昧」的詞性	1 卷 10 期	(10)	頁 13	1986 年 3 月
8342	呂正惠	「無時無刻」是否合適	2 卷 1 期	(13)	頁 15~16	1986 年 6 月
8343	李 邁	火車廂內的標語	2 卷 1 期	(13)	頁 75	1986 年 6 月
8344	陳 香	疊字詞語入詩句	2 卷 9 期	(21)	頁 78~79	1987 年 2 月
8345	賴明德	兩個「其」字的詞性	2 卷 11 期	(23)	頁 9~10	1987 年 4 月
8346	黃慶萱	「之」的用法	2 卷 12 期	(24)	頁 12~13	1987 年 5 月
8347	何淑貞	「使」「使」二字的詞性	3 卷 1 期	(25)	頁 15	1987 年 6 月
8348	湯廷池	國語語法研究── 　過去、現在與未來	3 卷 1 期	(25)	頁 46~49	1987 年 6 月
8349	適 生	什麼是判斷句	3 卷 2 期	(26)	頁 11	1987 年 7 月
8350	黃義郎	國中國文語法試析── 　第三冊第十課「老馬識途」	3 卷 5 期	(29)	頁 88~92	1987 年 10 月
8351	野 渡	「端的」之「的」非語助詞	3 卷 6 期	(30)	頁 87	1987 年 11 月
8352	孫振志	木蘭詩裏的「相」	3 卷 9 期	(33)	頁 9~10	1988 年 2 月
8353	駱 梵	我們需要一部人人可用的句法典	3 卷 10 期	(34)	頁 74~75	1988 年 3 月
8354	楊連樹	學文法有什麼用？	4 卷 5 期	(41)	頁 102~103	1988 年 10 月
8355	許明瑲	「的」「地」「得」在語言中的角色	4 卷 7 期	(43)	頁 87~89	1988 年 12 月
8356	劉崇義	國中文言文分析句子的原則	4 卷 7 期	(43)	頁 98~99	1988 年 12 月
8357	陳素素	「余從狄君以田渭濱」的「以」字 用法	5 卷 1 期	(49)	頁 8	1989 年 6 月
8358	陳素素	「誰以易之」的文法問題	5 卷 2 期	(50)	頁 6	1989 年 7 月
8359	劉崇義	對〈「的」、「地」、「得」在語 文中的角色〉一文的兩點疑義	5 卷 2 期	(50)	頁 42~44	1989 年 7 月
8360	王輔羊	看一則宣傳海報	5 卷 2 期	(50)	頁 47	1989 年 7 月
8361	鄭雅霞 黃居仁	成語的語法表達形式與自然語言剖析	5 卷 6 期	(54)	頁 58~62	1989 年 11 月
8362	姚榮松	老虎獅子？虎子老獅？	5 卷 12 期	(60)	頁 61	1990 年 5 月
8363	張文彬	複詞詞素的區分	7 卷 1 期	(73)	頁 9	1991 年 6 月
8364	黃慶萱	「東西」是名詞或代名詞？	7 卷 7 期	(79)	頁 9	1991 年 12 月
8365	張文彬	關於「相」字的詞性	7 卷 8 期	(80)	頁 89~90	1992 年 1 月
8366	戴璉璋	「之」字的詞性	7 卷 9 期	(81)	頁 6~7	1992 年 2 月
8367	劉崇義	「徵於色，發於聲，而後喻」三句 的主語是誰？	8 卷 2 期	(86)	頁 108~110	1992 年 7 月

賓語

8389	楊如雪	秦伯說，「與鄭人」盟：介賓結構之三——表示交與關係的次賓語	11 卷 4 期	(124)	頁 67~75	1995 年 9 月
8390	楊如雪	文法結構辨析	11 卷 5 期	(125)	頁 14~15	1995 年 10 月
8391	楊如雪	當時余心之悲，蓋不能「以寸管」形容之：介賓結構之四——表示憑藉關係的次賓語（上）	11 卷 6 期	(126)	頁 73~77	1995 年 11 月
8392	楊如雪	當時余心之悲，蓋不能「以寸管」形容之：介賓結構之四——表示憑藉關係的次賓語（下）	11 卷 7 期	(127)	頁 62~66	1995 年 12 月
8393	梅　廣	介而馳，初不甚「疾」	11 卷 8 期	(128)	頁 9	1996 年 1 月
8394	楊如雪	太陽從山巔昇起，展開在無涯際的海面：介賓結構之五——表示處所的次賓語（上）	11 卷 8 期	(128)	頁 42~45	1996 年 1 月
8395	侯亮宇	引語的表現形式及其語法探討	11 卷 8 期	(128)	頁 59~63	1996 年 1 月
8396	楊如雪	太陽從山巔昇起，展開在無涯際的海面：介賓結構之五——表示處所的次賓語（中）	11 卷 9 期	(129)	頁 55~57	1996 年 2 月
8397	楊如雪	太陽從山巔昇起，展開在無涯際的海面：介賓結構之五——表示處所的次賓語（下）	11 卷 10 期	(130)	頁 52~55	1996 年 3 月
8398	黃義郎	「恢復疲勞」？好奇怪的詞語！	12 卷 1 期	(133)	頁 8~9	1996 年 6 月
8399	楊如雪	自小牧羊，不習仕宦：介賓結構之六——表示時間的次賓語（上）	12 卷 1 期	(133)	頁 60~65	1996 年 6 月
8400	楊如雪	自小牧羊，不習仕宦：介賓結構之六——表示時間的次賓語（中）	12 卷 2 期	(134)	頁 46~51	1996 年 7 月
8401	楊如雪	釋「大勝」與「大敗」	12 卷 3 期	(135)	頁 9~11	1996 年 8 月
8402	楊如雪	自小牧羊，不習仕宦：介賓結構之六——表示時間的次賓語（下）	12 卷 3 期	(135)	頁 54~57	1996 年 8 月
8403	老志鈞	歐化以後詞尾「們」的發展與濫用	12 卷 6 期	(138)	頁 110~113	1996 年 11 月
8404	侯亮宇	從文句使用者的立場及情境——談「相」字的作用	12 卷 10 期	(142)	頁 104~108	1997 年 3 月
8405	侯亮宇	互「相」句主語的構造與表現	13 卷 3 期	(147)	頁 114~117	1997 年 8 月
8406	楊如雪	〈師說〉釋疑	13 卷 10 期	(154)	頁 6~9	1998 年 3 月
8407	姚榮松	您的複數用法	14 卷 3 期	(159)	頁 34	1998 年 8 月
8408	侯亮宇	「歷歷如繪」的語法商榷	14 卷 7 期	(163)	頁 85~86	1998 年 12 月
8409	楊如雪	漫談四音節熟語的結構	15 卷 7 期	(175)	頁 76~81	1999 年 12 月
8410	老志鈞	中文主語的用和不用	16 卷 5 期	(185)	頁 81~84	2000 年 10 月
8411	劉崇義	白居易〈琵琶行并序〉及〈馮諼客	16 卷 10 期	(190)	頁 83	2001 年 3 月

10.6.3　修辭

8436	蔡宗陽	中學修辭講座——譬喻的解說與活用	8 卷 12 期	(96)	頁 88~96	1993 年 5 月
8437	蔡宗陽	中學修辭講座——設問的解說與活用	9 卷 1 期	(97)	頁 110~118	1993 年 6 月
8438	蔡宗陽	中學修辭講座——類疊的解說與活用	9 卷 2 期	(98)	頁 64~70	1993 年 7 月
8439	蔡宗陽	中學修辭講座——辭格的辨析	9 卷 3 期	(99)	頁 96~99	1993 年 8 月
8440	蔡宗陽	中學修辭講座——誇飾的解說與活用	9 卷 4 期	(100)	頁 83~87	1993 年 9 月
8441	蔡宗陽	中學修辭講座——摹寫的解說與活用	9 卷 5 期	(101)	頁 67~73	1993 年 10 月
8442	蔡宗陽	中學修辭講座——引用的解說與活用	9 卷 6 期	(102)	頁 69~74	1993 年 11 月
8443	蔡宗陽	中學修辭講座——對偶的解說與活用	9 卷 7 期	(103)	頁 101~105	1993 年 12 月
8444	蔡宗陽	中學修辭講座——排比的解說與活用	9 卷 8 期	(104)	頁 85~91	1994 年 1 月
8445	蔡宗陽	中學修辭講座——互文的解說與活用	9 卷 9 期	(105)	頁 90~93	1994 年 2 月
8446	蔡宗陽	中學修辭講座——頂針的解說與活用	9 卷 10 期	(106)	頁 16~20	1994 年 3 月
8447	蔡宗陽	中學修辭講座——回文的解說與活用	9 卷 11 期	(107)	頁 66~69	1994 年 4 月
8448	蔡宗陽	中學修辭講座——映襯的解說與活用	9 卷 12 期	(108)	頁 76~78	1994 年 5 月
8449	蔡宗陽	中學修辭講座——層遞的解說活用	10 卷 1 期	(109)	頁 86~89	1994 年 6 月
8450	蔡宗陽	中學修辭講座——轉化的解說與活用	10 卷 2 期	(110)	頁 56~59	1994 年 7 月
8451	蔡宗陽	中學修辭講座——錯綜的解說與活用	10 卷 3 期	(111)	頁 68~71	1994 年 8 月
8452	蔡宗陽	中學修辭講座——拈連的解說與活用	10 卷 4 期	(112)	頁 62~65	1994 年 9 月
8453	蔡宗陽	中學修辭講座——示現的解說與活用	10 卷 5 期	(113)	頁 44~47	1994 年 10 月
8454	蔡宗陽	中學修辭講座——借代的解說與活用	10 卷 6 期	(114)	頁 56~60	1994 年 11 月
8455	蔡宗陽	中學修辭講座——對偶與排比的比較	10 卷 7 期	(115)	頁 72~75	1994 年 12 月
8456	蔡宗陽	中學修辭講座——譬喻與轉化的比較	10 卷 8 期	(116)	頁 35~39	1995 年 1 月
8457	蔡宗陽	中學修辭講座——象徵的解說與活用	10 卷 9 期	(117)	頁 67~71	1995 年 2 月
8458	蔡宗陽	中學修辭講座——譬喻與象徵的比較	10 卷 10 期	(118)	頁 64~67	1995 年 3 月
8459	蔡宗陽	中學修辭講座——兼格的修辭	10 卷 11 期	(119)	頁 52~55	1995 年 4 月
8460	鄭雪花	七姑姑的美——「火鷓鴣鳥」的修辭技巧	1 卷 7 期	(7)	頁 79~81	1985 年 12 月
8461	關世榴撰 黃慶萱校訂	試論朱自清先生「匆匆」的修辭技巧	1 卷 9 期	(9)	頁 82~83	1986 年 2 月
8462	陳振忠	談「我所知道的康橋」的修辭	1 卷 10 期	(10)	頁 86~88	1986 年 3 月
8463	陳 香	詩中的怪誕借喻	2 卷 1 期	(13)	頁 95	1986 年 6 月
8464	羅肇錦	相對的妙用——談修辭技巧之一	2 卷 2 期	(14)	頁 36~38	1986 年 7 月
8465	羅肇錦	可逆的神奇——談修辭技巧之二	2 卷 4 期	(16)	頁 48~50	1986 年 9 月
8466	劉 圓	玲瓏愛纖姿——梁實秋「鳥」的修辭技巧	2 卷 6 期	(18)	頁 88~91	1986 年 11 月
8467	羅肇錦	有無的互補——談修辭技巧之三	2 卷 8 期	(20)	頁 76~78	1987 年 1 月

8468	蔡英俊	修辭語言（一）明喻與隱喻	2 卷 9 期	(21)	頁 72~75	1987 年 2 月
8469	黃慶萱	修辭學問惑	3 卷 4 期	(28)	頁 15	1987 年 9 月
8470	羅肇錦	距離的運用——談修辭技巧之四	3 卷 6 期	(30)	頁 76~80	1987 年 11 月
8471	駱 梵	修辭學未討論的省略法	3 卷 9 期	(33)	頁 55	1988 年 2 月
8472	羅肇錦	寓言的玄機——修辭技巧之五	3 卷 11 期	(35)	頁 69~73	1988 年 4 月
8473	黃慶萱	「驚天地、泣鬼神」是擬人法嗎？	4 卷 2 期	(38)	頁 10~11	1988 年 7 月
8474	張春榮	「載不動許多愁」的修辭	5 卷 2 期	(50)	頁 88~89	1989 年 7 月
8475	黃慶萱	「瓢囊」是否屬「借代」？	5 卷 3 期	(51)	頁 8	1989 年 8 月
8476	楊鴻銘	高中國文百種章法修辭釋例（上）	5 卷 5 期	(53)	頁 73~77	1989 年 10 月
8477	楊鴻銘	高中國文百種章法修辭釋例（下）	5 卷 6 期	(54)	頁 66~69	1989 年 11 月
8478	許錟輝	生民塗炭與百姓困苦	6 卷 5 期	(65)	頁 7	1990 年 10 月
8479	朱守亮	「塞向墐戶」是否為當句對	7 卷 4 期	(76)	頁 9	1991 年 9 月
8480	黃景進	如何區別「暗喻」與「借喻」	7 卷 8 期	(80)	頁 9	1992 年 1 月
8481	蔡宗陽	〈與陳伯之書〉的修辭技巧	8 卷 8 期	(92)	頁 12~19	1993 年 1 月
8482	楊鴻銘	丘遲〈與陳伯之書〉的對偶方法	8 卷 8 期	(92)	頁 23~25	1993 年 1 月
8483	高梅憶	〈與陳伯之書〉對比技巧之分析	8 卷 8 期	(92)	頁 30~35	1993 年 1 月
8484	宗廷虎	十年來大陸的漢語修辭學	8 卷 9 期	(93)	頁 90~95	1993 年 2 月
8485	楊如雪	我的機車很「法拉利」／詞類活用（一）：名詞的活用	9 卷 2 期	(98)	頁 72~79	1993 年 7 月
8486	張春榮	二分法與修辭	9 卷 7 期	(103)	頁 96~100	1993 年 12 月
8487	彭元岐	「變」之與「異」——「互文」及「錯綜」修辭界說之釐清	9 卷 7 期	(103)	頁 106~112	1993 年 12 月
8488	黃麗貞	常用易混修辭格的辨析	9 卷 10 期	(106)	頁 8~15	1994 年 3 月
8489	張春榮	轉折與修辭	9 卷 10 期	(106)	頁 20~25	1994 年 3 月
8490	翁以倫	是春華秋實？還是峰峰相接？——略談對偶與排比之分際	9 卷 10 期	(106)	頁 26~28	1994 年 3 月
8491	江奇龍	楊牧《一首詩的完成》的幾種修辭格	9 卷 10 期	(106)	頁 29~35	1994 年 3 月
8492	劉麗娟	具體、抽象和比喻法在童詩教學中的運用	9 卷 10 期	(106)	頁 36~41	1994 年 3 月
8493	葉憶如	辛棄疾〈西江月〉（夜行黃沙道中）析探	9 卷 10 期	(106)	頁 64~69	1994 年 3 月
8494	曾心怡	從修辭角度看席慕蓉《寫給幸福》	9 卷 11 期	(107)	頁 38~44	1994 年 4 月
8495	鄭芳郁	張曉風《步下紅毯之後》的四種修辭格試探	9 卷 12 期	(108)	頁 66~75	1994 年 5 月
8496	王熙元	詞中的移情作用	10 卷 8 期	(116)	頁 13~20	1995 年 1 月
8497	張春榮	補詞與辭格	10 卷 11 期	(119)	頁 26~33	1995 年 4 月

8498	高明誠	何謂「頂真格」？	11 卷 2 期	(122)	頁 12~13	1995 年 7 月
8499	王窈賢	教學集錦（三）：那顆燦爛在修辭夜空的天津四——令人讚嘆的比喻（一）	12 卷 5 期	(137)	頁 67~71	1996 年 10 月
8500	王窈賢	教學集錦（五）：那顆燦爛在修辭夜空的天津四——令人讚嘆的比喻（二）	12 卷 7 期	(139)	頁 54~59	1996 年 12 月
8501	蔡謀芳	敘事觀點的跳換——示現與呼告	15 卷 1 期	(169)	頁 103~107	1999 年 6 月
8502	韓曉光	絕句中常見的句法形式	15 卷 2 期	(170)	頁 87~92	1999 年 7 月
8503	溫光華	排偶修辭綜論	15 卷 12 期	(180)	頁 77~80	2000 年 5 月
8504	黃春貴	句子的語氣分類和作用	15 卷 12 期	(180)	頁 86~89	2000 年 5 月
8505	陳光明	日常語言的修辭技巧	16 卷 2 期	(182)	頁 62~63	2000 年 7 月
8506	杜淑貞	從廣告談修辭藝術	16 卷 3 期	(183)	頁 72~75	2000 年 8 月
8507	吳禮權	照花前後鏡，花面交相映——論中國文學中的雙關修辭模式	16 卷 4 期	(184)	頁 39~43	2000 年 9 月
8508	蔣力餘	略論《易經》的比興	16 卷 4 期	(184)	頁 104~108	2000 年 9 月
8509	杜淑貞	認識「拈連法」之妙用	16 卷 6 期	(186)	頁 91~97	2000 年 11 月
8510	蔡宗陽	「一葦」在修辭上屬借代或借喻	16 卷 7 期	(187)	頁 99	2000 年 12 月
8511	宋　裕	修辭書目舉要	16 卷 8 期	(188)	頁 99	2001 年 1 月
8512	蔡謀芳	譬喻、比擬與轉化	16 卷 9 期	(189)	頁 81~87	2001 年 2 月
8513	張春榮	「像霧像雨又像風」屬何類譬喻？	16 卷 11 期	(191)	頁 100~101	2001 年 4 月
8514	蒲基維	談修辭格的聯貫作用（上）——以高中國文課文為例	16 卷 12 期	(192)	頁 82~86	2001 年 5 月
8515	蒲基維	談修辭格的聯貫作用（下）——以高中國文課文為例	17 卷 1 期	(193)	頁 90~93	2001 年 6 月
8516	張春榮	「她紅紅的臉好像是紅蘋果一樣」屬「明喻」或「隱喻」？	17 卷 1 期	(193)	頁 101	2001 年 6 月
8517	王昌煥	夏丏尊〈生活的藝術〉的修辭策略	17 卷 2 期	(194)	頁 77~81	2001 年 7 月
8518	陳光明	〈師說〉中的修辭技巧——丫叉句法	17 卷 4 期	(196)	頁 11~13	2001 年 9 月
8519	林慧雅	論蘇軾散文的「設問」手法——以高中課文為例	17 卷 4 期	(196)	頁 24~29	2001 年 9 月
8520	張春榮	以簡御繁——修辭觀念的調整	17 卷 4 期	(196)	頁 91~96	2001 年 9 月
8521	張春榮	執正馭奇——評斷修辭的三個標準	17 卷 5 期	(197)	頁 88~92	2001 年 10 月
8522	王基倫	舉足涉水，已非前水——評張春榮《修辭新思維》	17 卷 6 期	(198)	頁 92~93	2001 年 11 月
8523	鐘玖英	語法雙關	17 卷 6 期	(198)	頁 94~96	2001 年 11 月
8524	楊鴻銘	譯文修飾的方法——	17 卷 8 期	(200)	頁 81~82	2002 年 1 月

以大考中心測試題為例

8551	孟憲愛	諧音的方方面面（二）	20 卷 4 期	(232)	頁 73~77	2004 年 9 月
8552	孟憲愛	諧音的方方面面（三）	20 卷 5 期	(233)	頁 66~70	2004 年 10 月
8553	孟建安	得體性原則的層次觀（上）	20 卷 6 期	(234)	頁 66~71	2004 年 11 月
8554	唐雪凝 傅 寧	從認知角度看網絡新聞的隱喻運用 ──以網絡媒體對二〇〇四年美國 總統的競選報導為例	20 卷 6 期	(234)	頁 72~76	2004 年 11 月
8555	李翠瑛	現代詩中「懸想示現」疆域的擴張 ──多種修辭格之綜合呈現	20 卷 8 期	(236)	頁 58~65	2005 年 1 月
8556	張春榮	歐陽修〈采桑子〉中「晴日催花暖 欲然」的修辭手法	20 卷 8 期	(236)	頁 112	2005 年 1 月
8557	謝奇峰	略談漢魏樂府及古詩中的頂真修辭	20 卷 10 期	(238)	頁 64~67	2005 年 3 月
8558	李子榮	論發展中的「四個世界」理論	20 卷 11 期	(239)	頁 64~71	2005 年 4 月
8559	張春榮	辭格會通	20 卷 12 期	(240)	頁 48~54	2005 年 5 月
8560	李子榮	論普遍語用學的「四個世界」說 ──兼與修辭學的「四個世界」比較	20 卷 12 期	(240)	頁 55~61	2005 年 5 月
8561	周春健 李桂生	「引用」格次範疇分類條辨	21 卷 1 期	(241)	頁 39~43	2005 年 6 月
8562	王希杰	「無理而妙」說	21 卷 2 期	(242)	頁 69~77	2005 年 7 月
8563	王昌煥	國中修辭教學的桂林山水──張春 榮《國中國文修辭教學》一書賞評	21 卷 2 期	(242)	頁 100~105	2005 年 7 月
8564	曾月卿	變異重疊── 以舞鶴的小說語言為例	21 卷 3 期	(243)	頁 74~78	2005 年 8 月
8565	謝佳惠	〈縱囚論〉的文勢營造── 從修辭、文法、結構切入	21 卷 4 期	(244)	頁 77~82	2005 年 9 月
8566	王希杰	修辭學和修辭學轉向	21 卷 5 期	(245)	頁 4~9	2005 年 10 月
8567	蔡謀芳	「欲濟無舟楫」是雙關？是譬喻？ ──論雙關格的界域	21 卷 5 期	(245)	頁 10~14	2005 年 10 月
8568	李名方	關於中國修辭學史的分期	21 卷 7 期	(247)	頁 68~74	2005 年 12 月
8569	胡習之	略論《漢語修辭學》（修訂本）的 修辭理論貢獻	21 卷 8 期	(248)	頁 65~71	2006 年 1 月
8570	李晗蕾	依見山水是山水，悟了還同未悟時 ──讀修訂本《漢語修辭學》	21 卷 8 期	(248)	頁 72~77	2006 年 1 月
8571	張春榮	修辭教學設計	21 卷 12 期	(252)	頁 4~10	2006 年 5 月
8572	顏荷郁	西洋電影中的矛盾語法	21 卷 12 期	(252)	頁 11~16	2006 年 5 月
8573	陳麗雲	「層遞」修辭格教學	21 卷 12 期	(252)	頁 26~31	2006 年 5 月
8574	紀怡如	修辭教學碩士論文初探	21 卷 12 期	(252)	頁 32~36	2006 年 5 月
8575	王希杰	修辭活動與闡釋活動	22 卷 1 期	(253)	頁 85~92	2006 年 6 月
8576	施筱雲	譬喻和轉化──	22 卷 2 期	(254)	頁 82~88	2006 年 7 月

8600	王希杰	王易和中國現代修辭學——王易《修辭學通詮》新版序言	24卷11期 (287) 頁70~79	2009年4月
8601	張春榮	實用修辭的寫作原則	24卷12期 (288) 頁66~76	2009年5月
8602	張春榮	修辭的思考帽	25卷2期 (290) 頁78~85	2009年7月
8603	蔡宗陽	《文法與修辭探驪》序——此情可待成追憶	25卷3期 (291) 頁93~94	2009年8月
8604	黃淑靜	王鼎鈞散文的「言外之意」	25卷4期 (292) 頁4~12	2009年9月
8605	鄭如真	簡媜散文的修辭特色	25卷4期 (292) 頁13~21	2009年9月
8606	黃雅炘	林良散文的藝術經營	25卷4期 (292) 頁30~42	2009年9月
8607	蔡宗陽	從文法與修辭析論《詩經・陳風・東門之池》	25卷4期 (292) 頁84~87	2009年9月
8608	鍾玖英	雙關在政治生活中的語用功能和語用特徵	25卷5期 (293) 頁89~94	2009年10月
8609	孟建安	修辭轉化的語境策略意識	25卷6期 (294) 頁68~74	2009年11月
8610	李鍑倫	兩種英譯本《周易》修辭語體韻律的對比分析	25卷6期 (294) 頁113~128	2009年11月
8611	蔡宗陽	《詩經修辭研究》序	25卷7期 (295) 頁55	2009年12月
8612	徐筠絜	溫柔的暗示——談張曼娟《妖物誌》的譬喻修辭	25卷7期 (295) 頁83~88	2009年12月
8613	古遠清	精言不能追其極	25卷9期 (297) 頁72~75	2010年2月
8614	郭玉梅	漢語修辭格的遊戲娛樂功能	25卷12期 (300) 頁75~78	2010年5月

10.6.4 章法

8615	陳滿銘	辨語文能力與辭章研究之關係——以「多」、「二」、「一（○）」的螺旋結構切入作考察	20卷5期 (233) 頁80~91	2004年10月
8616	陳滿銘	談思維力與語文螺旋結構的關係	21卷3期 (243) 頁79~86	2005年8月
8617	陳滿銘	辨意象與聯想力、想像力的關係——以「多」、「二」、「一（○）」螺旋結構切入作觀察	21卷7期 (247) 頁97~106	2005年12月
8618	陳滿銘	辭章章法的「多」、「二」、「一（○）」螺旋結構	21卷11期 (251) 頁88~94	2006年4月
8619	陳滿銘	論章法結構與意象系統之疊合——以「多」、「二」、「一（○）」螺旋結構切入作考察	22卷2期 (254) 頁4~9	2006年7月
8620	陳滿銘	層次邏輯系統與「多」、「二」、「一（0）」螺旋結構	22卷5期 (257) 頁36~40	2006年10月
8621	陳滿銘	對「多」、「二」、「一（○）」螺旋結構之確認（上）	23卷8期 (272) 頁77~85	2008年1月

李白的〈憶秦娥〉

8648	陳滿銘	談崔顥〈黃鶴樓〉與李白〈登金陵 鳳凰臺〉二詩的異同	11 卷 9 期	(129)	頁 36~43	1996 年 2 月
8649	陳滿銘	唐宋詞拾玉（三）：張志和的〈漁夫〉	11 卷 10 期	(130)	頁 64~66	1996 年 3 月
8650	陳滿銘	凡目法在蘇辛詞裡的運用（上）	11 卷 11 期	(131)	頁 36~44	1996 年 4 月
8651	陳滿銘	凡目法在蘇辛詞裡的運用（下）	11 卷 12 期	(132)	頁 56~65	1996 年 5 月
8652	陳滿銘	唐宋詞拾玉（四）：辛棄疾的 〈賀新郎〉	12 卷 1 期	(133)	頁 66~69	1996 年 6 月
8653	陳滿銘	談補敘法在詞章裡的運用	12 卷 6 期	(138)	頁 38~43	1996 年 11 月
8654	楊鴻銘	劉基〈司馬季主論卜〉析評	12 卷 6 期	(138)	頁 60~67	1996 年 11 月
8655	陳滿銘	唐宋詞拾玉（六）：溫庭筠的 〈菩薩蠻〉	12 卷 7 期	(139)	頁 60~63	1996 年 12 月
8656	楊鴻銘	鄭愁予〈錯誤〉析評	12 卷 8 期	(140)	頁 99~103	1997 年 1 月
8657	陳滿銘	唐宋詞拾玉（七）：溫庭筠的 〈更漏子〉	12 卷 10 期	(142)	頁 34~36	1997 年 3 月
8658	楊鴻銘	林泠〈不繫之舟〉析評	12 卷 11 期	(143)	頁 93~97	1997 年 4 月
8659	陳滿銘	唐宋詞拾玉（八）：韋莊的 〈菩薩蠻〉（一）	12 卷 12 期	(144)	頁 42~45	1997 年 5 月
8660	陳滿銘	唐宋詞拾玉（九）：韋莊的 〈菩薩蠻〉（二）	13 卷 2 期	(146)	頁 36~39	1997 年 7 月
8661	陳滿銘	談詞章主旨在凡目結構中的安排	13 卷 3 期	(147)	頁 84~92	1997 年 8 月
8662	陳滿銘	唐宋詞拾玉（十）：馮延巳的 〈謁金門〉	13 卷 4 期	(148)	頁 82~84	1997 年 9 月
8663	陳滿銘	談三疊法在詞章裡的運用	13 卷 5 期	(149)	頁 104~111	1997 年 10 月
8664	陳滿銘	唐宋詞拾玉（十一）：馮延巳的 〈蝶戀花〉（一）	13 卷 6 期	(150)	頁 28~31	1997 年 11 月
8665	陳滿銘	談詞章章法的主要內容（上）	13 卷 7 期	(151)	頁 84~93	1997 年 12 月
8666	陳滿銘	談詞章章法的主要內容（下）	13 卷 8 期	(152)	頁 105~117	1998 年 1 月
8667	陳滿銘	高中國文〈散曲選〉課文結構分析	14 卷 6 期	(162)	頁 104~107	1998 年 11 月
8668	陳滿銘	高中國文〈近體詩選〉（一）課文 結構分析	14 卷 7 期	(163)	頁 87~89	1998 年 12 月
8669	李運瑛	一字定主腦 片語通經絡—— 「巧置文眼」例說	14 卷 8 期	(164)	頁 83~86	1999 年 1 月
8670	陳滿銘	蘇軾「留侯論」結構分析	14 卷 10 期	(166)	頁 86~89	1999 年 3 月
8671	阮淑芳	「散戲」一文的章法與文學手法	14 卷 11 期	(167)	頁 84~89	1999 年 4 月
8672	陳滿銘	談篇章結構（上）—— 以中學國文教材為例	15 卷 5 期	(173)	頁 65~75	1999 年 10 月
8673	陳佳君	情景法的理論與應用——	15 卷 5 期	(173)	頁 76~80	1999 年 10 月

8700	劉寶珠	章法學運用在作文教學之操作實例	18 卷 1 期	(205)	頁 33~39	2002 年 6 月
8701	陳滿銘	論篇章的「敲擊」結構	18 卷 1 期	(205)	頁 96~101	2002 年 6 月
8702	陳佳君	昆明大觀樓長聯章法探析	18 卷 1 期	(205)	頁 102~105	2002 年 6 月
8703	陳滿銘	論篇章的「偏全」結構	18 卷 2 期	(206)	頁 102~105	2002 年 7 月
8704	陳滿銘	《章法叢書》序	18 卷 3 期	(207)	頁 101~103	2002 年 8 月
8705	陳滿銘	論篇章的「圖底」結構	18 卷 4 期	(208)	頁 102~105	2002 年 9 月
8706	王希杰	章法學門外閑談	18 卷 5 期	(209)	頁 92~101	2002 年 10 月
8707	陳滿銘	論「因果」章法的母性	18 卷 7 期	(211)	頁 94~101	2002 年 12 月
8708	陳滿銘	論章法與層次邏輯	18 卷 9 期	(213)	頁 98~104	2003 年 2 月
8709	陳滿銘	談章法結構的節奏與韻律—— 以幾首詩詞為例	18 卷 10 期	(214)	頁 85~90	2003 年 3 月
8710	陳滿銘	蘇軾〈超然臺記〉篇章結構分析	18 卷 12 期	(216)	頁 96~100	2003 年 5 月
8711	張秋娥	謝枋得評點中的「章法」觀	19 卷 1 期	(217)	頁 80~84	2003 年 6 月
8712	陳瓊薇	陶淵明〈桃花源記〉篇章結構分析	19 卷 5 期	(221)	頁 4~10	2003 年 10 月
8713	黎俐均	陶淵明〈歸園田居・其三〉之篇旨 集章法分析	19 卷 5 期	(221)	頁 11~17	2003 年 10 月
8714	李麗英	陶淵明〈飲酒詩之五〉篇旨探析	19 卷 5 期	(221)	頁 18~23	2003 年 10 月
8715	曾素珍	蘇東坡〈記承天寺夜遊〉用材探析	19 卷 5 期	(221)	頁 24~29	2003 年 10 月
8716	戴忞臻	蘇東坡〈水調歌頭〉詞篇旨探析	19 卷 5 期	(221)	頁 30~35	2003 年 10 月
8717	鄧絜馨	蘇東坡〈念奴嬌〉詞篇旨探析	19 卷 5 期	(221)	頁 36~41	2003 年 10 月
8718	陳滿銘	章法風格中剛柔成份之量化	19 卷 6 期	(222)	頁 86~93	2003 年 11 月
8719	林大礎 鄭娟榕	台灣辭章學研究的又一新秀新作 ——陳佳君《虛實章法析論》評介	19 卷 7 期	(223)	頁 108~111	2003 年 12 月
8720	林大礎 鄭娟榕	台灣辭章學苑的燦爛新花—— 仇小屏《文章章法論》評介	19 卷 8 期	(224)	頁 104~107	2004 年 1 月
8721	陳滿銘	科學化章法學體系之建立	19 卷 9 期	(225)	頁 85~96	2004 年 2 月
8722	陳滿銘	論章法的秩序律與思考訓練	19 卷 10 期	(226)	頁 94~97	2004 年 3 月
8723	陳滿銘	論章法的變化律與思考訓練	19 卷 11 期	(227)	頁 86~90	2004 年 4 月
8724	鍾　華	柳宗元〈江雪〉的章法和辭格的 綜合運用簡析	20 卷 2 期	(230)	頁 104~105	2004 年 7 月
8725	仇小屏	章法學在「讀」與「寫」教學中的 運用	20 卷 4 期	(232)	頁 39~50	2004 年 9 月
8726	詹雅筑	劉基《郁離子・狙公》篇旨及章法 結構	20 卷 5 期	(233)	頁 98~105	2004 年 10 月
8727	陳滿銘	談因果律與層次邏輯	20 卷 8 期	(236)	頁 77~80	2005 年 1 月
8728	王希杰	章法三論	20 卷 9 期	(237)	頁 84~89	2005 年 2 月

8756	陳滿銘	章法學研究之回顧	22 卷 10 期 (262)	頁 81~88	2007 年 3 月
8757	陳滿銘	章法學研究團隊近幾年來之編書服務（上）	22 卷 11 期 (263)	頁 87~94	2007 年 4 月
8758	陳滿銘	章法學研究團隊近幾年來之編書服務（下）	22 卷 12 期 (264)	頁 77~82	2007 年 5 月
8759	陳佳君	新年祈願詩〈世界啊〉篇章結構探析	22 卷 12 期 (264)	頁 83~85	2007 年 5 月
8760	仇小屏	章法學研究的五個廣度——側記第二屆章法學學術研討會	23 卷 1 期 (265)	頁 78~82	2007 年 6 月
8761	孟建安	章法學體系建構的系統性原則	23 卷 1 期 (265)	頁 83~87	2007 年 6 月
8762	仇小屏	大一學生眼中的章法教學	23 卷 3 期 (267)	頁 71~74	2007 年 8 月
8763	蕭千金	《詩經·小雅》之〈隰桑〉的立意與章法分析	23 卷 4 期 (268)	頁 87~92	2007 年 9 月
8764	謝永珍	劉禹錫〈陋室銘〉篇章結構探析	23 卷 10 期 (274)	頁 89~94	2008 年 3 月
8765	廖淑卿	周邦彥〈浣溪沙〉篇章結構探析	24 卷 3 期 (279)	頁 34~40	2008 年 8 月
8766	林曉筠	〈枕中記〉篇章結構探析	24 卷 3 期 (279)	頁 41~47	2008 年 8 月
8767	陳滿銘	論王希杰「潛顯與兼格」之章法觀	24 卷 6 期 (282)	頁 87~93	2008 年 11 月
8768	曹嘉玲	歐陽脩〈醉翁亭記〉篇章結構探析	24 卷 7 期 (283)	頁 83~89	2008 年 12 月
8769	孟建安	章法學理論體系建構的方法論原則	24 卷 9 期 (285)	頁 79~83	2009 年 2 月
8770	陳滿銘	論王希杰「零點與偏離」之章法觀	24 卷 12 期 (288)	頁 80~87	2009 年 5 月
8771	陳佳君	〈文殊菩薩禮讚文〉的篇章結構	25 卷 2 期 (290)	頁 12~14	2009 年 7 月
8772	李旻憓	杜甫〈石壕吏〉的篇章結構	25 卷 2 期 (290)	頁 15~21	2009 年 7 月
8773	林冉欣	曾鞏〈墨池記〉的篇章結構	25 卷 2 期 (290)	頁 22~29	2009 年 7 月
8774	吳浩	蔣捷《竹山詞》的篇章結構	25 卷 2 期 (290)	頁 30~38	2009 年 7 月
8775	陳滿銘	章法四律與言之有理	25 卷 6 期 (294)	頁 79~86	2009 年 11 月
8776	陳滿銘	論二元移位與章法結構	25 卷 8 期 (296)	頁 83~88	2010 年 1 月
8777	陳滿銘	論二元包孕與章法結構	25 卷 11 期 (299)	頁 80~87	2010 年 4 月

10.7　成語與典故、俗諺與謎語

10.7.1　成語

8778	高寶琳	使用成語豈能不小心？	1 卷 2 期 (2)	頁 15	1985 年 7 月
8779	廖文彬圖	螳螂捕蟬	1 卷 8 期 (8)	頁 75	1986 年 1 月
8780	廖文彬圖	盲人騎瞎馬	1 卷 9 期 (9)	頁 21	1986 年 2 月
8781	廖文彬圖	破釜沈舟	1 卷 9 期 (9)	頁 51	1986 年 2 月
8782	廖文彬圖	奇貨可居	1 卷 9 期 (9)	頁 88	1986 年 2 月
8783	李豐	成語中的科學——垂涎三尺·饞涎欲滴	1 卷 11 期 (11)	頁 30~32	1986 年 4 月

8817	鄭松維	人言可畏	3 卷 11 期	(35)	頁 50	1988 年 4 月
8818	鄭松維	借刀殺人	3 卷 12 期	(36)	頁 77	1988 年 5 月
8819	鄭松維	偃旗息鼓	4 卷 1 期	(37)	頁 49	1988 年 6 月
8820	鄭松維	予取予求	4 卷 3 期	(39)	頁 78	1988 年 8 月
8821	洪邦棣	兔走觸株，折頸而死	4 卷 7 期	(43)	頁 63	1988 年 12 月
8822	鄭雅霞 黃居仁	成語的語法表達形式與自然語言剖析	5 卷 6 期	(54)	頁 58~62	1989 年 11 月
8823	求放子	約定俗成——成語別用的始作俑者	9 卷 10 期	(106)	頁 106~109	1994 年 3 月
8824	熊道麟	七、八聯用成語所表現的「亂」象	11 卷 5 期	(125)	頁 70~76	1995 年 10 月
8825	張榮明	說「約法三章」	11 卷 9 期	(129)	頁 104~105	1996 年 2 月
8826	翁以倫	年羹堯擅改成語惹禍	12 卷 2 期	(134)	頁 77~78	1996 年 7 月
8827	凌鼎年	〈畫蛇添足篇〉添足	12 卷 3 期	(135)	頁 74~75	1996 年 8 月
8828	蘇美鳳	繁弦急管探成語	14 卷 3 期	(159)	頁 83~87	1998 年 8 月
8829	陳鶯萍圖 編輯部文	徐娘半老	14 卷 9 期	(165)	頁 59	1999 年 2 月
8830	陳鶯萍圖 編輯部文	紙上談兵	14 卷 10 期	(166)	頁 85	1999 年 3 月
8831	陳鶯萍圖 編輯部文	分道揚鑣	14 卷 11 期	(167)	頁 47	1999 年 4 月
8832	陳鶯萍圖 編輯部文	揠苗助長	14 卷 12 期	(168)	頁 81	1999 年 5 月
8833	陳鶯萍圖 編輯部文	阮囊羞澀	15 卷 1 期	(169)	頁 58	1999 年 6 月
8834	張　敏	《孫子》成語初探	15 卷 2 期	(170)	頁 82~86	1999 年 7 月
8835	黃福鎮	成語十二生肖	15 卷 9 期	(177)	頁 25~28	2000 年 2 月
8836	辜麗珍	成語動動腦——填字遊戲	17 卷 7 期	(199)	頁 104~105	2001 年 12 月
8837	黃明理	「掌上明珠」的使用對象與時機	20 卷 3 期	(231)	頁 112	2004 年 8 月
8838	洪梅珍	「曇花」？一現	21 卷 9 期	(249)	頁 86~90	2006 年 2 月
8839	左秀靈	當頭棒喝：會不會頭破血流腦震盪？	22 卷 3 期	(255)	頁 78~79	2006 年 8 月
8840	洪楷萱	源自《詩經》的成語	22 卷 10 期	(262)	頁 23~29	2007 年 3 月
8841	陳　新	漢語成語典故的語源本義與文化 色彩及情感價值	22 卷 10 期	(262)	頁 76~80	2007 年 3 月
8842	林怡佩	成不成？很重要！—— 從 93～95 學年國中基測中談成語在 基測中的重要性	23 卷 6 期	(270)	頁 61~66	2007 年 11 月
8843	張　宏	成語的變異運用及其修辭闡釋	23 卷 9 期	(273)	頁 93~98	2008 年 2 月

10.7.2　典故

8875	徐傳武	連累推及的一種詞語	11 卷 6 期	(126)	頁 102~103	1995 年 11 月
8876	周幹家	「為嚴將軍頭」請疑	11 卷 7 期	(127)	頁 60~61	1995 年 12 月
8877	王關仕	「坐、請坐、請上坐」、「茶、好茶、泡好茶」出處解疑	11 卷 8 期	(128)	頁 8	1996 年 1 月
8878	高明誠	清明節的典故	12 卷 1 期	(133)	頁 10~11	1996 年 6 月
8879	王關仕	「嫣然一笑」典故之由來	13 卷 11 期	(155)	頁 4	1998 年 4 月
8880	左秀靈	詞語探源：華夏	16 卷 1 期	(181)	頁 77	2000 年 6 月
8881	郭　瑩	「敲竹槓」溯源	16 卷 2 期	(182)	頁 17~18	2000 年 7 月
8882	鮑延毅	詞語新探：「龍生九子」說起於何時？	16 卷 2 期	(182)	頁 64~68	2000 年 7 月
8883	黃清順	魚書與燈花——談〈偶成〉一詩中的兩個典故	16 卷 12 期	(192)	頁 57~63	2001 年 5 月
8884	顧關元	「不求甚解」考說	17 卷 2 期	(194)	頁 112	2001 年 7 月
8885	顧關元	漫話「書香」	17 卷 7 期	(199)	頁 35	2001 年 12 月
8886	洪如薇	從類書看中元普渡祭典的由來	19 卷 3 期	(219)	頁 34~37	2003 年 8 月
8887	汪少華	「縣古槐根出，官清馬骨高」出處之謎	19 卷 8 期	(224)	頁 52~55	2004 年 1 月
8888	顧關元	「和尚」考說	19 卷 10 期	(226)	頁 52~53	2004 年 3 月
8889	黃信榮	雄黃酒及其由來	20 卷 1 期	(229)	頁 47~55	2004 年 6 月
8890	顧關元	夷場・彝場・洋場	20 卷 4 期	(232)	頁 59~60	2004 年 9 月
8891	余德泉	春聯的由來與寫作	20 卷 9 期	(237)	頁 19~25	2005 年 2 月
8892	蔡根祥	「雁止衡陽」說探源——兼論黃庭堅〈寄黃幾復〉詩中的問題	20 卷 9 期	(237)	頁 64~69	2005 年 2 月
8893	王裕民	「臥薪嘗膽」新考	21 卷 6 期	(246)	頁 90~92	2005 年 11 月
8894	唐雪凝 丁建川	典故詞語運用辨析	22 卷 9 期	(261)	頁 72~76	2007 年 2 月
8895	陳　新	漢語成語典故的語源本義與文化色彩及情感價值	22 卷 10 期	(262)	頁 76~80	2007 年 3 月

10.7.3　俗諺

8896	洪維仁	臺灣婚俗名諺〈嫁翁篇〉	2 卷 6 期	(18)	頁 63~65	1986 年 11 月
8897	陳益源	不到黃河心不死	2 卷 11 期	(23)	頁 76~78	1987 年 4 月
8898	陳益源	千里送鵝毛	2 卷 12 期	(24)	頁 57~59	1987 年 5 月
8899	陳益源	三人共五目	3 卷 1 期	(25)	頁 58~59	1987 年 6 月
8900	陳益源	對牛彈琴	3 卷 3 期	(27)	頁 67~70	1987 年 8 月
8901	朱介凡	喜見朱炳海《氣象諺語》	4 卷 1 期	(37)	頁 98	1988 年 6 月
8902	姚漢秋	十三省難得尋——	5 卷 11 期	(59)	頁 106~108	1990 年 4 月

漫談臺灣舊日俚諺

8903	謎　徒	啞謎早已人猜破—— 略說「古詩文的斷章式歇後法」	9 卷 6 期	(102)	頁 84~88	1993 年 11 月
8904	張文軒	蘭州話中的歇後語	10 卷 2 期	(110)	頁 42~46	1994 年 7 月
8905	林孝璘	台灣俗語的智慧	16 卷 4 期	(184)	頁 102~103	2000 年 9 月
8906		訪朱介凡先生談諺語之蒐集與研究 （曾子良等採訪　黃婪孌　高皓庭等 整理）	16 卷 6 期	(186)	頁 53~59	2000 年 11 月
8907	曾子良	基隆俚諺之蒐集及其內容（上） ——自然俚諺介紹	17 卷 3 期	(195)	頁 19~25	2001 年 8 月
8908	曾子良	基隆俚諺之蒐集及其內容（中） ——人文俚諺介紹	17 卷 4 期	(196)	頁 78~83	2001 年 9 月
8909	曾子良	基隆俚諺之蒐集及其內容（下） ——基隆俚諺與其他地區俚諺之關係	17 卷 5 期	(197)	頁 58~63	2001 年 10 月
8910	戴景尼	黃春明小說中的台灣俚語	18 卷 3 期	(207)	頁 67~73	2002 年 8 月
8911	歐宗智	東方白大河小說《浪淘沙》俗諺之 運用探析	18 卷 10 期	(214)	頁 74~78	2003 年 3 月
8912	王良友	河洛歌仔戲對於歇後語的援引狀況 ——以雙關式為例	19 卷 2 期	(218)	頁 75~78	2003 年 7 月
8913	黃絢親	台灣諺語的結構與教學運用—— 台灣情、俗語美	20 卷 9 期	(237)	頁 74~77	2005 年 2 月
8914	洪惟仁	祖先智慧的寶石——哲諺	20 卷 9 期	(237)	頁 95~100	2005 年 2 月
8915	張窈慈	從台灣鄉土俚諺初探傳統喪葬文化 及俗諺特色	21 卷 9 期	(249)	頁 91~97	2006 年 2 月

10.7.4　謎語

8916	洪邦棣	猜謎——國文教學中的腦筋急轉彎	6 卷 10 期	(70)	頁 38~46	1991 年 3 月
8917	黃忠天	謎語在國文教學上的應用	8 卷 7 期	(91)	頁 92~100	1992 年 12 月
8918	王熙元	令人著迷的隱語—— 說謎語的趣味及其教學應用	9 卷 3 期	(99)	頁 6~10	1993 年 8 月
8919	廖振富	以近取譬，滿室生春—— 巧用學生姓名製燈謎	9 卷 2 期	(98)	頁 80~85	1993 年 7 月
8920	王朝聞	謎語、歇後語的藝術效果	9 卷 3 期	(99)	頁 11~14	1993 年 8 月
8921	許又尹等	傳統燈謎與鄉土謎猜 （洪慧鈺　陳品君　詹小楠　呂宛蓁 洪育仁　吳佩熙　蕭丹禪）	16 卷 9 期	(189)	頁 4~15	2001 年 2 月
8922	黃慶祥	校園燈謎	16 卷 9 期	(189)	頁 16~18	2001 年 2 月
8923		「台灣鄉土猜謎」謎底	16 卷 9 期	(189)	頁 111	2001 年 2 月

10.2.5 詞

10.2.5.1 通論

6929	陳滿銘	凡目法在蘇辛詞裡的運用（上）	11 卷 11 期 (131) 頁 36~44	1996 年 4 月
6930	陳滿銘	凡目法在蘇辛詞裡的運用（下）	11 卷 12 期 (132) 頁 56~65	1996 年 5 月
6931	周懋昌	消瘦的身影 沉重的心靈—— 李清照〈醉花陰〉、〈武陵春〉比較	12 卷 8 期 (140) 頁 50~53	1997 年 1 月
6932	王兆鵬 劉尊明	視野宏通的詞家研究—— 評黃文吉《北宋十大詞家研究》	12 卷 12 期 (144) 頁 56~59	1997 年 5 月
6933	陳 強	野雲有跡，白石無瑕—— 小議姜夔的詞風	13 卷 12 期 (156) 頁 38~42	1998 年 5 月
6934	黃雅莉	情感與現實的矛盾—— 談蘇軾悼亡詞的藝術感染力	14 卷 12 期 (168) 頁 62~66	1999 年 5 月
6935	陳滿銘	周邦彥〈蘇幕遮〉詞賞析	14 卷 12 期 (168) 頁 92~95	1999 年 5 月
6936	王力堅	一種相思 兩處閑愁—— 歐陽修〈踏莎行〉析評	15 卷 6 期 (174) 頁 34~37	1999 年 11 月
6937	陳滿銘	東坡詞與陶淵明—— 從一首〈江城子〉詞談起	15 卷 9 期 (177) 頁 5~11	2000 年 2 月
6938	陳滿銘	談蘇東坡的幾首清峻詞	16 卷 4 期 (184) 頁 93~100	2000 年 9 月
6939	張高評	以詩為詞，開創豪放詞風—— 蘇軾〈念奴嬌赤壁懷古〉鑑賞	16 卷 7 期 (187) 頁 4~7	2000 年 12 月
6940	高聖峰	似花非花遷客淚—— 蘇軾〈楊花詞〉題旨索繹	16 卷 7 期 (187) 頁 13~17	2000 年 12 月
6941	王璧寰	「西北望，射天狼」解疑—— 談東坡詞的小失誤	16 卷 7 期 (187) 頁 18~22	2000 年 12 月
6942	泠 風	庭院深深 問花不語—— 說歐陽修〈蝶戀花〉	16 卷 7 期 (187) 頁 53~55	2000 年 12 月
6943	張高評	千古創格，絕世奇文—— 李清照〈聲聲慢〉詞賞析	16 卷 12 期 (192) 頁 89~92	2001 年 5 月
6944	李 揚	艷：一個宋代詞學批評的「精靈」	17 卷 7 期 (199) 頁 51~54	2001 年 12 月
6945	陳嘉英	赤壁詞賦間的對話	18 卷 4 期 (208) 頁 45~52	2002 年 9 月
6946	賴溫如	「紅」與「綠」在《小山詞》中的 作用	18 卷 6 期 (210) 頁 81~84	2002 年 11 月
6947	王偉勇	古典詞的主題與技巧—— 以唐宋詞為論述核心	18 卷 9 期 (213) 頁 28~43	2003 年 2 月
6948	周惠泉	論元好問	18 卷 10 期 (214) 頁 64~70	2003 年 3 月
6949	李金坤	「滿地黃花堆積」句意辯說	19 卷 5 期 (221) 頁 60~61	2003 年 10 月
6950	黃雅莉	珠圓玉潤的思致美—— 晏殊〈浣溪沙〉賞析	19 卷 6 期 (222) 頁 52~54	2003 年 11 月
6951	林淑貞	究竟何人樓上愁？—— 〈菩薩蠻〉「平林漠漠煙如織」試詮	19 卷 7 期 (223) 頁 79~81	2003 年 12 月

6978	黎活仁	悲秋的詞—— 黃侃詞的時間意識研究（上）	6 卷 8 期	(68)	頁 89~93	1991 年 1 月
6979	黎活仁	悲秋的詞—— 黃侃詞的時間意識研究（下）	6 卷 9 期	(69)	頁 92~95	1991 年 2 月
6980	朱歧祥	悲情與哲思—— 王國維《人間詞》選評（一）	10 卷 9 期	(117)	頁 45~49	1995 年 2 月
6981	朱歧祥	悲情與哲思—— 王國維《人間詞》選評（二）	10 卷 10 期	(118)	頁 51~53	1995 年 3 月
6982	朱歧祥	悲情與哲思—— 王國維《人間詞》選評（三）	10 卷 11 期	(119)	頁 6~8	1995 年 4 月
6983	朱歧祥	悲情與哲思—— 王國維《人間詞》選評（四）	11 卷 1 期	(121)	頁 41~43	1995 年 6 月
6984	朱歧祥	悲情與哲思—— 王國維《人間詞》選評（五）	11 卷 2 期	(122)	頁 60~63	1995 年 7 月
6985	朱歧祥	悲情與哲思—— 王國維《人間詞》選評（六）	11 卷 5 期	(125)	頁 97~101	1995 年 10 月
6986	朱歧祥	悲情與哲思—— 王國維《人間詞》選評（七）	11 卷 11 期	(131)	頁 84~87	1996 年 4 月
6987	施議對	中國當代詞壇解放派首領胡適	11 卷 12 期	(132)	頁 100~107	1996 年 5 月
6988	施議對	中國當代詞壇「胡適之體」正名	12 卷 12 期	(144)	頁 36~41	1997 年 5 月
6989	吉廣輿	一種曉寒殘夢—— 《納蘭詞》鑑賞之一	13 卷 6 期	(150)	頁 32~37	1997 年 11 月
6990	吉廣輿	一往情深深幾許—— 《納蘭詞》鑑賞之二	14 卷 1 期	(157)	頁 40~45	1998 年 6 月
6991	吉廣輿	一種煙波各自愁—— 《納蘭詞》鑑賞之三	14 卷 2 期	(158)	頁 57~64	1998 年 7 月
6992	陳蘭行	王船山〈玉連環〉與逍遙境界	18 卷 2 期	(206)	頁 64~70	2002 年 7 月
6993	羅賢淑	說項廷紀詞三首	20 卷 9 期	(237)	頁 58~63	2005 年 2 月
6994	陳滿銘	讀《近三百年名家詞選》	20 卷 9 期	(237)	頁 105~111	2005 年 2 月
6995	夏志穎 陳　璇	文獻刊佈與清詞研究—— 略談《清詞珍本叢刊》的學術價值	24 卷 3 期	(279)	頁 109~112	2008 年 8 月
6996	劉　深	觀念的更新和資料的發現—— 《清詞研究叢書》出版	24 卷 6 期	(282)	頁 94~97	2008 年 11 月
6997	李金坤	劉鶚豔情詩詞探微	25 卷 3 期	(291)	頁 53~55	2009 年 8 月
6998	陳敬介	平埔族寫真—— 郁永河〈土番竹枝詞〉探析	25 卷 7 期	(295)	頁 38~42	2009 年 12 月
6999	呂　凱	關於「盧師聲伯的聲影與往事」	1 卷 9 期	(9)	頁 10~11	1986 年 2 月
7000	宋美瑩	長短句：詩餘／小令／慢詞／片／ 過片	2 卷 4 期	(16)	頁 74~75	1986 年 9 月

7028	王更生	古典詩詞吟唱的技法之二	20 卷 12 期	(240)	頁 104~112	2005 年 5 月
7029	王更生	古典詩詞吟唱見在書錄	21 卷 2 期	(242)	頁 106~112	2005 年 7 月
7030	嚴玉珊	七夕詞反映之愛情觀研究	22 卷 2 期	(254)	頁 51~56	2006 年 7 月
7031	蘇淑芬	詞的對仗	22 卷 4 期	(256)	頁 15~21	2006 年 9 月
7032	陳冠甫	古典詩詞在近代臺灣的傳承及其開展	25 卷 7 期	(295)	頁 4~10	2009 年 12 月
7033	陳滿銘	唐宋詞拾玉（一）：李白的〈菩薩蠻〉	11 卷 6 期	(126)	頁 28~29	1995 年 11 月
7034	陳滿銘	唐宋詞拾玉（二）：李白的〈憶秦娥〉	11 卷 8 期	(128)	頁 64~66	1996 年 1 月
7035	陳滿銘	唐宋詞拾玉（三）：張志和的〈漁夫〉	11 卷 10 期	(130)	頁 64~66	1996 年 3 月
7036	陳滿銘	唐宋詞拾玉（四）：辛棄疾的〈賀新郎〉	12 卷 1 期	(133)	頁 66~69	1996 年 6 月
7037	陳滿銘	唐宋詞拾玉（五）：白居易的〈長相思〉	12 卷 3 期	(135)	頁 80~83	1996 年 8 月
7038	陳滿銘	唐宋詞拾玉（六）：溫庭筠的〈菩薩蠻〉	12 卷 7 期	(139)	頁 60~63	1996 年 12 月
7039	陳滿銘	唐宋詞拾玉（七）：溫庭筠的〈更漏子〉	12 卷 10 期	(142)	頁 34~36	1997 年 3 月
7040	陳滿銘	唐宋詞拾玉（八）：韋莊的〈菩薩蠻〉（一）	12 卷 12 期	(144)	頁 42~45	1997 年 5 月
7041	陳滿銘	唐宋詞拾玉（九）：韋莊的〈菩薩蠻〉（二）	13 卷 2 期	(146)	頁 36~39	1997 年 7 月
7042	陳滿銘	唐宋詞拾玉（十）：馮延巳的〈謁金門〉	13 卷 4 期	(148)	頁 82~84	1997 年 9 月
7043	陳滿銘	唐宋詞拾玉（十一）：馮延巳的〈蝶戀花〉（一）	13 卷 6 期	(150)	頁 28~31	1997 年 11 月
7044	陳滿銘	唐宋詞拾玉（十二）：馮延巳的〈蝶戀花〉（二）	13 卷 9 期	(153)	頁 28~31	1998 年 2 月
7045	陳滿銘	唐宋詞拾玉（十三）：李璟的〈攤破浣溪沙〉（一）	13 卷 10 期	(154)	頁 30~33	1998 年 3 月
7046	陳滿銘	唐宋詞拾玉（十四）：李煜的〈相見歡〉（一）	13 卷 12 期	(156)	頁 26~28	1998 年 5 月
7047	陳滿銘	唐宋詞拾玉（十五）：李璟的〈攤破浣溪沙〉（二）	14 卷 2 期	(158)	頁 53~56	1998 年 7 月
7048	陳滿銘	唐宋詞拾玉（十六）：李煜的〈相見歡〉（二）	14 卷 8 期	(164)	頁 53~56	1999 年 1 月
7049	陳滿銘	唐宋詞拾玉（十七）：李煜的〈浪淘沙〉	14 卷 11 期	(167)	頁 50~53	1999 年 4 月
7050	陳滿銘	唐宋詞拾玉（十八）：范仲淹的〈蘇幕遮〉	15 卷 1 期	(169)	頁 69~71	1999 年 6 月

10.2.5.2 創作

7072	陳新雄	伯元倚聲（一）	10 卷 11 期 (119)	頁 108~111	1995 年 4 月
7073	陳新雄	伯元倚聲	10 卷 12 期 (120)	頁 111~115	1995 年 5 月
7074	陳新雄	減字木蘭花・藥樓雅集用山谷中秋無雨韻	23 卷 11 期 (275)	頁 75	2008 年 4 月
7075	陳滿銘	遊歐小吟	3 卷 5 期 (29)	頁 19	1987 年 10 月
7076	陳滿銘	減字木蘭花・藥樓雅集懷子良用山谷中秋無雨韻	23 卷 11 期 (275)	頁 75	2008 年 4 月
7077	黃秋芳	雨霖鈴／醉別	1 卷 2 期 (2)	頁 66	1985 年 7 月
7078	黃秋芳	臨江仙／紅顏	1 卷 2 期 (2)	頁 67	1985 年 7 月
7079	黃秋芳	玉樓春／舊歡	1 卷 3 期 (3)	頁 25	1985 年 8 月
7080	鄭圓鈴	客愁	1 卷 10 期 (10)	頁 69	1986 年 3 月
7081	鄭頤壽	臨江仙・陽明山攬勝	23 卷 11 期 (275)	頁 75	2008 年 4 月

10.2.6　散曲

10.2.6.1 通論

7082	林玫玲	散曲	3 卷 1 期 (25)	頁 79	1987 年 6 月
7083	顏天佑	典雅通俗同本色——析論盧摯的兩首「沉醉東風」	3 卷 8 期 (32)	頁 45~47	1988 年 1 月
7084	范長華	元曲散套中的珍品——上高監司套	4 卷 9 期 (45)	頁 80~83	1989 年 2 月
7085	范長華	明末英雄夏完淳及其散曲	4 卷 10 期 (46)	頁 73~75	1989 年 3 月
7086	黃　克	小令中的天籟——〈天淨沙〉	4 卷 10 期 (46)	頁 76~77	1989 年 3 月
7087	曾永義	「人家」與「平沙」——馬致遠〈天淨沙〉的異文及其意境	5 卷 2 期 (50)	頁 79~80	1989 年 7 月
7088	賴橋本	〈曲藻序〉一席話如何解釋？	5 卷 8 期 (56)	頁 8	1990 年 1 月
7089	謝伯陽	搶救全明散曲——談《全明散曲》的編纂	6 卷 2 期 (62)	頁 46~50	1990 年 7 月
7090	邱燮友	漁歌・樵唱・元散曲——元曲的音樂與吟唱	6 卷 3 期 (63)	頁 88~92	1990 年 8 月
7091	賴橋本	馬致遠〈題西湖〉套的曲譜	7 卷 8 期 (80)	頁 91~94	1992 年 1 月
7092	賴橋本	末曲是否就是尾聲？	7 卷 11 期 (83)	頁 5~6	1992 年 4 月
7093	吳建華	淺談元曲小令的押韻及襯字	10 卷 12 期 (120)	頁 20~22	1995 年 5 月
7094	張　兵	遺民心態的絕妙展示——論歸莊〈萬古愁〉曲	12 卷 6 期 (138)	頁 84~89	1996 年 11 月
7095	顏天佑	琵琶弦上說相思——曲	14 卷 6 期 (162)	頁 18~21	1998 年 11 月
7096	孫蓉蓉	傷心秦漢　懷古嘆世——張可久〈賣花聲・懷古〉賞析	17 卷 9 期 (201)	頁 87~89	2002 年 2 月

八仙戲中永遠的配角

7123	柯友稚	回顧南管戲曲遺存民俗── 談「丟丟銅仔」與臺灣早期流行歌淵源	7 卷 2 期	(74)	頁 91~94	1991 年 7 月
7124	賴橋本	何謂過曲？	7 卷 5 期	(77)	頁 8~9	1991 年 10 月
7125	賴漢屏	疏朗點染，別具風情── 讀孔尚任〈傍花村尋梅記〉	7 卷 5 期	(77)	頁 65~67	1991 年 10 月
7126	王安祈	酒醉鴻氍毹──談幾齣醉酒戲曲	7 卷 9 期	(81)	頁 26~29	1992 年 2 月
7127	楊丙玉	一幅珍貴的元代戲曲壁畫	7 卷 9 期	(81)	頁 61~62	1992 年 2 月
7128	林 玲	湯顯祖筆下的杜麗娘── 兼談〈驚夢〉的搬演	7 卷 10 期	(82)	頁 59~63	1992 年 3 月
7129	楊振良	望鄉心與雁南飛── 《琵琶記》中蔡伯喈的性格	7 卷 11 期	(83)	頁 67~69	1992 年 4 月
7130	丁言昭	翻開中國木偶史	8 卷 2 期	(86)	頁 75~79	1992 年 7 月
7131	宋 輝	最後一頁滄桑── 從《桃花扇‧入道》看孔尚任的悲劇意識	8 卷 3 期	(87)	頁 37~41	1992 年 8 月
7132	洪惟助	花落春猶在當代延續崑劇薪火的六大崑劇團	8 卷 4 期	(88)	頁 7~14	1992 年 9 月
7133	張啟超	源遠流長，燦爛輝煌── 崑劇緣起話從頭	8 卷 4 期	(88)	頁 15~18	1992 年 9 月
7134	蔡欣欣	崑曲名劇簡介	8 卷 4 期	(88)	頁 19~24	1992 年 9 月
7135	劉有恒	崑曲──音樂文學的極致	8 卷 4 期	(88)	頁 25~28	1992 年 9 月
7136	周純一	近代崑曲表演態勢略述	8 卷 4 期	(88)	頁 29~30	1992 年 9 月
7137	王定一 王希一	崑曲詞曲唱作欣賞之一── 〈琴挑〉	8 卷 4 期	(88)	頁 36~38	1992 年 9 月
7138	張惠新	崑曲詞曲唱作欣賞之二── 《鐵冠圖‧刺虎》	8 卷 4 期	(88)	頁 39~42	1992 年 9 月
7139	蔡孟珍	一派輝煌絢麗的雅正之聲──崑曲	8 卷 4 期	(88)	頁 43~45	1992 年 9 月
7140	編輯部	坊間可購得之崑曲資料簡目	8 卷 4 期	(88)	頁 46~49	1992 年 9 月
7141	蔡孟珍	始悟南崑勝北崑── 兼記兩岸的一段崑曲因緣	8 卷 7 期	(91)	頁 52~54	1992 年 12 月
7142	范長華	元雜劇裡的衙內式人物	8 卷 11 期	(95)	頁 52~56	1993 年 4 月
7143	俞為民	別情依依愁思長── 《西廂記‧長亭送別》賞析	8 卷 11 期	(95)	頁 57~61	1993 年 4 月
7144	仇小屏	試論《牡丹亭》的愛情觀	8 卷 11 期	(95)	頁 62~65	1993 年 4 月
7145	潘麗珠	復興劇團推出京崑傳奇〈關漢卿〉	9 卷 1 期	(97)	頁 134~137	1993 年 6 月
7146	楊振良	作傳奇者、善驅睡魔──	9 卷 3 期	(99)	頁 32~36	1993 年 8 月

聆賞福州閩劇院一團來花公演有感

7169	魏子雲	難以言詮的梅家舞台藝術	10 卷 7 期	(115)	頁 6~9	1994 年 12 月
7170	馬少波	梅蘭芳的藝術道路	10 卷 7 期	(115)	頁 10~15	1994 年 12 月
7171	徐城北	梅蘭芳與花衫	10 卷 7 期	(115)	頁 16~21	1994 年 12 月
7172	言慧珠	平易近人、博大精深—— 　　談梅派唱腔特點	10 卷 7 期	(115)	頁 22~26	1994 年 12 月
7173	陳誠中	《天鵝宴》與《孟麗君》—— 　　介紹兩齣福州的名戲	10 卷 9 期	(117)	頁 57~59	1995 年 2 月
7174	陳美雪	古典戲曲研究的總帳冊—— 　　談莊一拂編《古典戲曲存目彙考》	11 卷 1 期	(121)	頁 68~71	1995 年 6 月
7175	陳美雪	元明清戲曲作家生平資料總匯—— 　　《方志著錄元明清曲家傳略》評介	11 卷 5 期	(125)	頁 86~90	1995 年 10 月
7176	林　玲	「宮調、曲牌及其他」—— 　　寫在師大附中劇曲研討會之後	13 卷 7 期	(151)	頁 115~118	1997 年 12 月
7177	張玲瑜	中國戲曲的旦角—— 　　你一半是女人，一半是夢	13 卷 8 期	(152)	頁 38~42	1998 年 1 月
7178	陳益源	為你說民俗（七）：四川的陽戲	14 卷 2 期	(158)	頁 22~25	1998 年 7 月
7179	張健軍	歌盡桃花扇底風—— 　　秦淮名妓李香君	14 卷 4 期	(160)	頁 68~70	1998 年 9 月
7180	顏天佑	琵琶弦上說相思——曲	14 卷 6 期	(162)	頁 18~21	1998 年 11 月
7181	蔡欣欣	國光「台灣三部曲」之 　　《鄭成功與台灣》	14 卷 7 期	(163)	頁 75~77	1998 年 12 月
7182	范長華	聲徹閨閣的雜劇作家——鄭光祖	14 卷 11 期	(167)	頁 14~17	1999 年 4 月
7183	李惠綿	才子佳人與酷哥辣妹的對話（一）	14 卷 12 期	(168)	頁 52~57	1999 年 5 月
7184	林振良	攜雲握雨，非以宣淫—— 　　古典戲曲中幽雅的情愛描寫	15 卷 2 期	(170)	頁 20~24	1999 年 7 月
7185	王安祈	傳統與創新的迴旋折衝之路—— 　　台灣京劇五十年	15 卷 7 期	(175)	頁 4~11	1999 年 12 月
7186	鍾　年	粉墨生涯話優伶	16 卷 12 期	(192)	頁 44~47	2001 年 5 月
7187	半　蠡	「朝飛暮捲，雲霞翠軒」的曲意	17 卷 3 期	(195)	頁 112	2001 年 8 月
7188	孫蓉蓉	馬致遠《漢宮秋》賞析—— 　　〈牧羊關〉與〈新水令〉	18 卷 2 期	(206)	頁 96~99	2002 年 7 月
7189	陳蕙文	戲曲資料的檢索與利用	18 卷 8 期	(212)	頁 34~39	2003 年 1 月
7190	王良友	戲談《蓬萊大仙》李鐵拐	18 卷 11 期	(215)	頁 41~47	2003 年 4 月
7191	王良友	河洛歌仔戲對於歇後語的援引狀況 　　——以雙關式為例	19 卷 2 期	(218)	頁 75~78	2003 年 7 月
7192	孫蓉蓉	對天地的控訴—— 　　〈竇娥冤〉第三折[端正好][滾繡球]	19 卷 3 期	(219)	頁 85~86	2003 年 8 月

賞析

10.2.8　小說

7214	黃文榮	《三國演義》的「技術性錯誤」——以「曹嵩之死」、「關羽的襄陽太守職」及「曹操割髮代首」為例	21 卷 4 期	(244)	頁 75~76	2005 年 9 月
7215	陳瑞秀	《三國演義》成書時代及其創作主題之關係試論	24 卷 7 期	(283)	頁 44~49	2008 年 12 月
7216	陳瑞秀	夢繫紅樓 情有獨鍾——《說紅樓・談三國：無盡藏樓小說論叢》寫作緣由	24 卷 8 期	(284)	頁 45~51	2009 年 1 月
7217	鄭明娳	新說西遊記圖像	2 卷 2 期	(14)	頁 52~55	1986 年 7 月
7218	周明儀	祝壽為什麼要用壽桃——由孫悟空偷吃蟠桃說起	6 卷 6 期	(66)	頁 98~99	1990 年 11 月
7219	施忠賢	《魔戒——首部曲》與《西遊記》之中西魔性對照（下）	19 卷 3 期	(219)	頁 58~63	2003 年 8 月
7220	黃振郎	從《西遊記》看吳承恩的貞節觀	23 卷 5 期	(269)	頁 41~46	2007 年 10 月
7221	魏子雲	大陸的金瓶梅研究	1 卷 8 期	(8)	頁 64~67	1986 年 1 月
7222	魏子雲	怎能忽略歷史因素——從大陸學人研究《金瓶梅》說起	2 卷 7 期	(19)	頁 54~57	1986 年 12 月
7223	康來新	失嬰記——論李瓶兒與祥林嫂之死	2 卷 10 期	(22)	頁 42~47	1987 年 3 月
7224	黃 強	金瓶梅與飲食養生	15 卷 2 期	(170)	頁 30~34	1999 年 7 月
7225	魏子雲	金瓶梅閒話：西門慶這個人物	15 卷 3 期	(171)	頁 71~74	1999 年 8 月
7226	魏子雲	濃粥與雞尖湯——《金瓶梅》中的吃喝	15 卷 4 期	(172)	頁 109~112	1999 年 9 月
7227	魏子雲	《金瓶梅》(詞話)的語言——抽樣指出三幾字	16 卷 10 期	(190)	頁 79~82	2001 年 3 月
7228	陳 新	《金瓶梅》歇後語的民俗文化色彩及修辭特徵	23 卷 6 期	(270)	頁 49~55	2007 年 11 月
7229	周純一	從殺人強盜到行者武松	2 卷 4 期	(16)	頁 51~55	1986 年 9 月
7230	陳兆南	梁山好漢魯智深	2 卷 9 期	(21)	頁 82~85	1987 年 2 月
7231	王明居	武松打虎的美	8 卷 12 期	(96)	頁 52~55	1993 年 5 月
7232	李東洪	沒有結局的故事——讀《古本水滸傳》	13 卷 2 期	(146)	頁 54~59	1997 年 7 月
7233	徐傳武	黑旋風與小旋風	14 卷 7 期	(163)	頁 61~62	1998 年 12 月
7234	鮑延毅	宋江的字與號	14 卷 9 期	(165)	頁 52~53	1999 年 2 月
7235	鮑延毅	「闍人」李逵	14 卷 10 期	(166)	頁 37~39	1999 年 3 月
7236	鍾 鍾	說書和施耐庵的水滸傳	14 卷 10 期	(166)	頁 54~57	1999 年 3 月
7237	鮑延毅	「花和尚」的「花」	14 卷 11 期	(167)	頁 35~36	1999 年 4 月
7238	徐傳武	「豹子頭」什麼樣子？	14 卷 12 期	(168)	頁 37~38	1999 年 5 月
7239	徐傳武	「花和尚」與「武行者」	15 卷 2 期	(170)	頁 49~50	1999 年 7 月

7268	羅賢淑	小論《紅樓夢》書中的世事洞明與人情練達	9 卷 7 期	(103)	頁 9~20	1993 年 12 月
7269	莊宜文	大觀景備，雅集詩才——大觀園中的詩社活動	9 卷 7 期	(103)	頁 22~33	1993 年 12 月
7270	陳妮昂	由《紅樓夢》及其續書探討賈寶玉之角色變遷	9 卷 7 期	(103)	頁 33~41	1993 年 12 月
7271	張麗芬	古典的現代人——《紅樓夢》人物紅玉淺析	9 卷 7 期	(103)	頁 42~49	1993 年 12 月
7272	霍國玲原著詹宇錦修訂	反照風月寶鑑——試論《紅樓夢》的主線	10 卷 2 期	(110)	頁 32~41	1994 年 7 月
7273	潘重規	從曹雪芹生卒談紅樓夢的作者	10 卷 4 期	(112)	頁 103~109	1994 年 9 月
7274	霍國玲原著詹宇錦修訂	曹雪芹的生辰年月	10 卷 5 期	(113)	頁 20~32	1994 年 10 月
7275	霍國玲原著詹宇錦修訂	《紅樓夢》中隱入了何人何事	10 卷 7 期	(115)	頁 38~57	1994 年 12 月
7276	洪濤	論雪芹生卒與《紅樓夢》作者	10 卷 7 期	(115)	頁 110~111	1994 年 12 月
7277	龔鵬程	紅樓情史	10 卷 9 期	(117)	頁 4~15	1995 年 2 月
7278	霍國玲原著詹宇錦修訂	試論《紅樓夢》一書的寫作目的（一）	10 卷 9 期	(117)	頁 21~27	1995 年 2 月
7279	周慶華	紅樓夢與「紅樓夢」	10 卷 9 期	(117)	頁 28~30	1995 年 2 月
7280	俞辰文	紅學界最近新說：大觀園原型在天津	10 卷 9 期	(117)	頁 31~32	1995 年 2 月
7281	謝春彥	戴敦邦與《紅樓夢群芳圖譜》	10 卷 9 期	(117)	頁 34~35	1995 年 2 月
7282	林憶雯	晴雯的人物性格及其悲劇性之探討	10 卷 9 期	(117)	頁 36~44	1995 年 2 月
7283	管仁健	誰識紅樓夢裡人？——〈反照風月寶鑑〉讀後感	10 卷 9 期	(117)	頁 123~124	1995 年 2 月
7284	陳益源	《紅樓夢》裡的同性戀：與世界對話——甲戌年（一九九四）世界紅學會議	10 卷 11 期	(119)	頁 10~25	1995 年 4 月
7285	霍國玲原著詹宇錦修訂	試論《紅樓夢》一書的寫作目的（二）	10 卷 12 期	(120)	頁 28~32	1995 年 5 月
7286	梅新林	眼光‧功力‧涵養——評陳益源新著《從嬌紅記到紅樓夢》	13 卷 4 期	(148)	頁 112~114	1997 年 9 月
7287	王關仕	《紅樓夢》、《西遊記》之命名	13 卷 7 期	(151)	頁 6	1997 年 12 月
7288	朱嘉雯	從曹雪芹到瓊瑤，愛情本質不變——論現代作家瓊瑤與古典小說《紅樓夢》的關係	14 卷 2 期	(158)	頁 70~76	1998 年 7 月
7289	周慶華	《紅樓夢》中的自殺事件	14 卷 3 期	(159)	頁 49~51	1998 年 8 月
7290	陳有昇	靈肉合一的性文學——再論《夢紅樓夢》	15 卷 2 期	(170)	頁 25~29	1999 年 7 月

7366	朴炫坤	論《世說新語》之人物美學的形體美	19 卷 3 期	(219) 頁 27~33	2003 年 8 月
7367	吳麗珠	從《四庫全書總目提要》看紀昀的 小說觀	19 卷 4 期	(220) 頁 67~72	2003 年 9 月
7368	王秋文	姑妄言之姑聽之？—— 試論《閱微草堂筆記》的實證精神	20 卷 6 期	(234) 頁 61~65	2004 年 11 月
7369	陳瑀軒	從《掃迷帚》論晚清蘇杭「迷信」 風俗	20 卷 9 期	(237) 頁 37~45	2005 年 2 月
7370	王岫林	六朝志怪小說中的報應觀	20 卷 10 期	(238) 頁 38~46	2005 年 3 月
7371	王妙純	從《世說新語》看魏晉人的尚情特質	20 卷 11 期	(239) 頁 56~60	2005 年 4 月
7372	林敬文	脫胎換骨後的王冕—— 以正史和小說人物作對照的淺探	20 卷 12 期	(240) 頁 72~74	2005 年 5 月
7373	宋孔弘	試探《幽明錄・劉晨阮肇》的人物 塑型與仙鄉造景	21 卷 6 期	(246) 頁 62~67	2005 年 11 月
7374	張惠喬	癡情郎與節行倡—— 《李娃傳》中的愛情描寫和戲劇衝突	21 卷 8 期	(248) 頁 29~37	2006 年 1 月
7375	張秋華	若託大儒言，是名善戲謔—— 淺談〈神偷興寄一枝梅〉、〈宋四 公大鬧禁魂張〉中的戲耍與智巧	21 卷 10 期	(250) 頁 13~17	2006 年 3 月
7376	林美君	清代俠義公案小說的烏托邦建構 ——以《三俠五義》為例	21 卷 10 期	(250) 頁 19~26	2006 年 3 月
7377	潘玲玲	民間傳說的再生—— 以李喬〈水鬼・城隍〉為例	21 卷 11 期	(251) 頁 56~59	2006 年 4 月
7378	林月惠	女性自主權的展現—— 試論〈杜十娘怒沉百寶箱〉和〈賣 油郎獨占花魁〉妓院愛情悲喜劇比較	21 卷 12 期	(252) 頁 45~49	2006 年 5 月
7379	蔡明蓉	筆記小說裡的乾坤世界—— 《歷代筆記小說集成》介紹	22 卷 10 期	(262) 頁 99~102	2007 年 3 月
7380	陳美琴	人生自是有情癡：從〈韓憑夫婦〉 故事試論古代殉情悲劇塑造	23 卷 5 期	(269) 頁 47~51	2007 年 10 月
7381	徐雪鎂	誰教王嬌鸞百年長恨	23 卷 8 期	(272) 頁 45~48	2008 年 1 月
7382	謝文女	《平閩全傳》中的神怪研究	24 卷 1 期	(277) 頁 57~63	2008 年 6 月
7383	曾秀雲	唐人俠義小說中的俠	24 卷 2 期	(278) 頁 54~58	2008 年 7 月
7384	林曉筠	〈枕中記〉篇章結構探析	24 卷 3 期	(279) 頁 41~47	2008 年 8 月
7385	劉原州	李漁《奈何天》傳奇析論（下）	24 卷 8 期	(284) 頁 52~57	2009 年 1 月
7386	曾秀雲	唐人俠義小說中的史才特質	24 卷 8 期	(284) 頁 67~72	2009 年 1 月
7387	鄧聲國 江楊峰	試論「三言」「二拍」中的新型 商人形象	24 卷 10 期	(286) 頁 33~37	2009 年 3 月
7388	卓美惠	醫術、方術與騙術—— 以清代小說《客窗閒話》、《續客	24 卷 11 期	(287) 頁 25~30	2009 年 4 月

10.2.9 其他文類

10.2.9.1 神話傳說

談《山海經》鯀的故事

10.2.9.2 寓言

7412	王 甦	什麼是寓言？	1 卷 10 期	(10)	頁 9~10	1986 年 3 月
7413	羅肇錦	寓言的玄機——修辭技巧之五	3 卷 11 期	(35)	頁 69~73	1988 年 4 月
7414	杜榮琛	小小魔袋、變化萬千—— 淺介《中國現代寓言選》	5 卷 7 期	(55)	頁 102~105	1989 年 12 月
7415	鮑延毅 鮑 欣	引蒙「香草」易為功（下）—— 寓言與童蒙教育初探	17 卷 1 期	(193)	頁 96~100	2001 年 6 月
7416	詹雅筑	劉基《郁離子・狙公》篇旨及章法 結構	20 卷 5 期	(233)	頁 98~105	2004 年 10 月
7417	雷麗欽	《艾子雜說》的角色與寓意	24 卷 5 期	(281)	頁 4~9	2008 年 10 月

10.2.9.3 笑話

7418	林文寶	雖屬小道，不無學問—— 閒話「笑話」	5 卷 10 期	(58)	頁 16~18	1990 年 3 月
7419	劉兆祐	古代笑話知多少？	5 卷 10 期	(58)	頁 19~22	1990 年 3 月
7420	王溢嘉	心有所領，意有所會—— 笑話的心理分析	5 卷 10 期	(58)	頁 23~24	1990 年 3 月
7421	清 華	笑話如何使人想笑？—— 從中國古代笑話的藝術特質和寫作 技巧談起	5 卷 10 期	(58)	頁 25~28	1990 年 3 月
7422	蔡君逸	笑話中的眾生百態	5 卷 10 期	(58)	頁 29~32	1990 年 3 月
7423	陳清俊	世間情萬種，盡付一笑中—— 談古代笑話的功能和價值	5 卷 10 期	(58)	頁 33~36	1990 年 3 月
7424	王國良	《歷代笑話集叢刊》計劃書	5 卷 10 期	(58)	頁 37~39	1990 年 3 月
7425	龔鵬程	《笑林廣記》是淫書嗎？	5 卷 10 期	(58)	頁 40~41	1990 年 3 月
7426	楊仲揆	古代反話共欣賞	6 卷 5 期	(65)	頁 96~98	1990 年 10 月
7427	吳禮權	創意造言的藝術—— 蘇軾與劉攽的排調語篇解構	11 卷 6 期	(126)	頁 98~101	1995 年 11 月

10.3 近現代文學

10.3.1 通論

10.3.1.1 網路文學

| 7428 | 楊維仁 | 古典詩創作在網際網路上的概況 | 15 卷 8 期 | (176) | 頁 58~63 | 2000 年 1 月 |
| 7429 | 陳啟鵬 | 再一次，開天、闢地—— | 16 卷 2 期 | (182) | 頁 100~104 | 2000 年 7 月 |

10.3.1.2 其他

7449	葉維廉演講 曾秀華記錄	有效的歷史意識與中國現代文學	7 卷 9 期	(81)	頁 50~57	1992 年 2 月
7450	陳青生	漢奸文學，怎麼界定？── 兼談劉心皇的錯誤標準	9 卷 5 期	(101)	頁 57~61	1993 年 10 月
7451	施議對	中國當代詞壇解放派首領胡適	11 卷 12 期	(132)	頁 100~107	1996 年 5 月
7452	楊昌年	新文藝名家名作析評（三）：濃麗 華美──徐志摩的詩與散文	12 卷 11 期	(143)	頁 79~83	1997 年 4 月
7453	楊昌年	新文藝名家名作析評（四）：唯美 與真誠──郁達夫的詩與文	12 卷 12 期	(144)	頁 60~67	1997 年 5 月
7454	莊宜文	台灣現代文學（八）：在君父的城 邦──三三文學集團研究（上）	13 卷 8 期	(152)	頁 58~70	1998 年 1 月
7455	莊宜文	台灣現代文學（八）：在君父的城 邦──三三文學集團研究（下）	13 卷 9 期	(153)	頁 62~75	1998 年 2 月
7456	張　健	百卉齊發的新圃──現代文學	14 卷 6 期	(162)	頁 36~39	1998 年 11 月
7457	張　健	漂泊者的尋覓與思考── 評介《漂泊與尋覓》	16 卷 4 期	(184)	頁 47~48	2000 年 9 月
7458	史墨卿	應用文現代化的取向	16 卷 7 期	(187)	頁 92~96	2000 年 12 月
7459	唐翼明	沒有主義的高行健	16 卷 9 期	(189)	頁 70~75	2001 年 2 月
7460	朱棟霖	中國現代文學對傳統的認同	18 卷 2 期	(206)	頁 18~26	2002 年 7 月
7461	莊建國	我國現代文學史料數位化典藏與服 務（上）	18 卷 8 期	(212)	頁 104~110	2003 年 1 月
7462	莊健國	我國現代文學史料數位化典藏與服 務（中）	18 卷 9 期	(213)	頁 105~111	2003 年 2 月
7463	宋　裕	中文字典、辭典舉要	18 卷 9 期	(213)	頁 111~112	2003 年 2 月
7464	莊健國	我國現代文學史料數位化典藏與服 務（下）	18 卷 10 期	(214)	頁 91~97	2003 年 3 月
7465	鍾名誠	朱光潛的作文觀及其啟示	19 卷 2 期	(218)	頁 64~69	2003 年 7 月
7466	劉　漢	台灣網路詩的超越性── 超文類與超時空　（下）	19 卷 7 期	(223)	頁 100~107	2003 年 12 月
7467	朱巧雲	中國大陸葉嘉瑩研究述評	21 卷 6 期	(246)	頁 74~82	2005 年 11 月
7468	段大明	文學殿堂裡的「微雕藝術」── 「手機文學」的勃興及其文化特徵	21 卷 6 期	(246)	頁 109~112	2005 年 11 月

10.3.2　新詩

7469	黃　梁	新詩點評（一）：半夜深巷琵琶	11 卷 9 期	(129)	頁 68~69	1996 年 2 月
7470	黃　梁	新詩點評（一）：末日	11 卷 9 期	(129)	頁 70~71	1996 年 2 月
7471	黃　梁	新詩點評（二）：寄之琳	11 卷 10 期	(130)	頁 74~75	1996 年 3 月
7472	黃　梁	新詩點評（二）：深閉的園子	11 卷 10 期	(130)	頁 76~77	1996 年 3 月

7557	陳大為	析論卞之琳《十年詩草》的敘述策略	11 卷 1 期	(121) 頁 27~31	1995 年 6 月
7558	楊昌年演講 汪惠蘭記錄	現代詩的創作與欣賞	11 卷 6 期	(126) 頁 12~19	1995 年 11 月
7559	張雙英	高雅的獨白—— 談現代詩未能普及的原因	11 卷 7 期	(127) 頁 80~84	1995 年 12 月
7560	陳素雲	余光中詩中的台灣關懷—— 民國七十四年定居高雄之後（上）	12 卷 2 期	(134) 頁 86~92	1996 年 7 月
7561	林瑞景	回響・感謝・解惑—— 兼試解〈讀詩的困惑〉	12 卷 3 期	(135) 頁 67~69	1996 年 8 月
7562	黃　梁	感於哀樂，緣事而發—— 梅新近作的詩學簡論	12 卷 3 期	(135) 頁 88~93	1996 年 8 月
7563	陳素雲	余光中詩中的台灣關懷—— 民國七十四年定居高雄之後（下）	12 卷 3 期	(135) 頁 101~105	1996 年 8 月
7564	林覺中	讀詩淺識——敬答黃梁先生	12 卷 4 期	(136) 頁 94~95	1996 年 9 月
7565	黃　梁	新詩的多元美學—— 議論〈讀詩淺識〉	12 卷 5 期	(137) 頁 98~99	1996 年 10 月
7566	古遠清	「一面小旗，滿天風勢」—— 評張健的詩集《春夏秋冬》	12 卷 6 期	(138) 頁 90~93	1996 年 11 月
7567	黃　梁	台灣新生代作家（一）：詩與詩的 演出——劉季陵〈日課表〉的結構 分析	12 卷 8 期	(140) 頁 87~94	1997 年 1 月
7568	楊鴻銘	鄭愁予〈錯誤〉析評	12 卷 8 期	(140) 頁 99~103	1997 年 1 月
7569	陳鵬翔	台灣現代文學（一）：跨世紀的星 群——新生代詩人論	12 卷 9 期	(141) 頁 62~77	1997 年 2 月
7570	李瑞騰	東南亞華文文學（二）：新加坡五 月詩社的發展歷程	12 卷 11 期	(143) 頁 70~78	1997 年 4 月
7571	楊鴻銘	林冷〈不繫之舟〉析評	12 卷 11 期	(143) 頁 93~97	1997 年 4 月
7572	辛金順	台灣新生代作家（二）：歷史曠野 上的星光——論陳大為的詩	12 卷 12 期	(144) 頁 68~79	1997 年 5 月
7573	黃　梁	大陸當代文學（四）：滅了頂的我 和我們——探索楊煉〈水〉詩四首	12 卷 12 期	(144) 頁 80~86	1997 年 5 月
7574	蕭　蕭	情采鄭愁予	13 卷 1 期	(145) 頁 58~65	1997 年 6 月
7575	林　綠	鄭愁予〈錯誤〉的傳統訊契	13 卷 1 期	(145) 頁 66~68	1997 年 6 月
7576	丁威仁	〈錯誤〉的因式分解	13 卷 1 期	(145) 頁 69~70	1997 年 6 月
7577	唐　捐	縱一葦之所知—— 讀林冷的〈不繫之舟〉	13 卷 2 期	(146) 頁 60~63	1997 年 7 月
7578	楊宗翰	刺人的黃昏—— 林冷〈不繫之舟〉的一種讀法	13 卷 2 期	(146) 頁 64~66	1997 年 7 月
7579	楊鴻銘	作文教室（十六）：新詩過峽的寫	13 卷 2 期	(146) 頁 106~108	1997 年 7 月

10.3.3 　散文

7699	林明德	梁啟超的散文風格	7 卷 10 期 (82)	頁 78~83	1992 年 3 月
7700	李翠瑛	現實的與浪漫的—— 沈從文鄉土散文之主要藝術特色	9 卷 5 期 (101)	頁 8~15	1993 年 10 月
7701	李欽業	品梁實秋散文《雅舍小品》	9 卷 5 期 (101)	頁 16~23	1993 年 10 月
7702	江奇龍	楊牧《一首詩的完成》的幾種修辭格	9 卷 10 期 (106)	頁 29~35	1994 年 3 月
7703	曾心怡	從修辭角度看席慕蓉《寫給幸福》	9 卷 11 期 (107)	頁 38~44	1994 年 4 月
7704	黃麗娜	充滿社會關懷的利筆—— 談許達然的散文集《水邊》	10 卷 6 期 (114)	頁 28~33	1994 年 11 月
7705	羅宏益	擬古與創新—— 評林文月擬古散文之創作	10 卷 9 期 (117)	頁 60~66	1995 年 2 月
7706	林怡芳	有以與人的採蓮女子—— 張曉風的散文世界	10 卷 11 期 (119)	頁 37~45	1995 年 4 月
7707	范培松	梁實秋《雅舍小品》的概括藝術	11 卷 3 期 (123)	頁 94~97	1995 年 8 月
7708	楊昌年	新文藝名家名作析評（一）：凝鍊 的沉黯——魯迅散文	12 卷 8 期 (140)	頁 69~73	1997 年 1 月
7709	楊昌年	新文藝名家名作析評（二）：冷與 澀味——周作人散文	12 卷 9 期 (141)	頁 78~80	1997 年 2 月
7710	鍾怡雯	大陸當代文學（一）：歷史文本的 影像化——余秋雨散文的敘事策略	12 卷 9 期 (141)	頁 81~89	1997 年 2 月
7711	楊昌年	台灣現代文學（二）：翹首天南看 五新——評介九十年代五位散文新銳	12 卷 10 期 (142)	頁 58~70	1997 年 3 月
7712	楊昌年	新文藝名家名作析評（五）：具象 與情緒——夏丏尊散文	13 卷 1 期 (145)	頁 71~74	1997 年 6 月
7713	張堂錡	台灣現代文學（三）：現代散文的 新趨向	13 卷 1 期 (145)	頁 75~89	1997 年 6 月
7714	向　陽	台灣現代文學（四）；　被忽視者 的重返——小論知性散文的時代意義	13 卷 2 期 (146)	頁 77~89	1997 年 7 月
7715	楊昌年	新文藝名家名作析評（七）：樸素 與真誠——豐子愷的散文	13 卷 3 期 (147)	頁 53~56	1997 年 8 月
7716	楊昌年	新文藝名家名作析評（十）：澀味 與優美——廢名的散文	13 卷 7 期 (151)	頁 66~73	1997 年 12 月
7717	楊昌年	新文藝名家名作析評（十一）：移 情與深密——茅盾的散文	13 卷 8 期 (152)	頁 52~57	1998 年 1 月
7718	田應國	大陸當代文學（八）：九十年代散 文的主體人格形象淺論	13 卷 10 期 (154)	頁 63~71	1998 年 3 月
7719	蔣蘇苓	大陸焦點學人（十五）：散文研究 新銳王堯	13 卷 11 期 (155)	頁 6~11	1998 年 4 月
7720	楊昌年	新文藝名家名作析評（十四）：純 真與反諷——馮至的散文	13 卷 11 期 (155)	頁 56~57	1998 年 4 月

7747	魏　赤	眼因淚而清明，心因憂患而溫厚 ——論琦君的散文（上）	17 卷 5 期	(197)	頁 51~54	2001 年 10 月
7748	王昌煥	標點符號在散文中的妙用 ——以余光中〈聽聽那冷雨〉為例	17 卷 5 期	(197)	頁 68~73	2001 年 10 月
7749	魏　赤	眼因淚而清明，心因憂患而溫厚 ——論琦君的散文（下）	17 卷 6 期	(198)	頁 65~68	2001 年 11 月
7750	陳秉貞	余秋雨的散文創作觀—— 對散文形式和效果的注重	17 卷 9 期	(201)	頁 71~76	2002 年 2 月
7751	張堂錡	清唱的魅力—— 略論王堯的散文研究（上）	17 卷 10 期	(202)	頁 62~66	2002 年 3 月
7752	蔡雲雀	勇敢的殘疾——閱讀《五體不滿足》	17 卷 11 期	(203)	頁 44	2002 年 4 月
7753	張堂錡	清唱的魅力—— 略論王堯的散文研究（下）	17 卷 11 期	(203)	頁 60~63	2002 年 4 月
7754	鍾怡雯	從莫言《會唱歌的牆》論散文的 暴露與雄辯	17 卷 12 期	(204)	頁 61~68	2002 年 5 月
7755	王昌煥	鍾怡雯〈芝麻開門〉的思維圖景	18 卷 5 期	(209)	頁 4~7	2002 年 10 月
7756	林欣怡	阿盛散文中的社會變遷	18 卷 5 期	(209)	頁 8~15	2002 年 10 月
7757	楊宗穎	不安的顫抖—— 林燿德散文中的「焦慮書寫」	18 卷 5 期	(209)	頁 16~22	2002 年 10 月
7758	陳嘉英	展開時間膠卷與過去對話—— 談楊牧的三本文學自傳	18 卷 7 期	(211)	頁 56~63	2002 年 12 月
7759	何亭慧	流浪在物質世界—— 論張惠菁散文的新世代風格	18 卷 7 期	(211)	頁 64~66	2002 年 12 月
7760	王昌煥	樸實清暢、深情至性—— 林文月〈給母親梳頭髮〉一文賞析	18 卷 7 期	(211)	頁 81~87	2002 年 12 月
7761	何永清	「風」言「風」語—— 〈白馬湖之冬〉析賞	18 卷 8 期	(212)	頁 100~102	2003 年 1 月
7762	耿秋芳	談白馬湖作家—— 夏丏尊的散文風格	18 卷 10 期	(214)	頁 4~15	2003 年 3 月
7763	古慧芬	琦君及其筆下童年時期的人物	18 卷 10 期	(214)	頁 16~26	2003 年 3 月
7764	余椒雪	林文月散文中的重要意象	18 卷 10 期	(214)	頁 27~37	2003 年 3 月
7765	鄒依琳	簡媜《女兒紅》中的女性形象剖析	18 卷 10 期	(214)	頁 38~46	2003 年 3 月
7766	黃雅莉	從顏崑陽〈窺夢人〉談現代散文中 的寓言與象徵	18 卷 11 期	(215)	頁 58~65	2003 年 4 月
7767	蔡雲雀	文學紀實——汪洋中的一條船	19 卷 1 期	(217)	頁 58	2003 年 6 月
7768	簡婉姿	重新認識台灣—— 論劉克襄的自然旅記	19 卷 5 期	(221)	頁 75~82	2003 年 10 月
7769	陳虹霖	老饕的私房雜燴—— 逯耀東飲食散文的構成元素	19 卷 9 期	(225)	頁 63~68	2004 年 2 月

7792	鍾怡雯	五十年來的馬華散文	23 卷 8 期	(272)	頁 61~63	2008 年 1 月
7793	朱心怡	張秀亞〈父與女〉賞析	23 卷 8 期	(272)	頁 68~72	2008 年 1 月
7794	高碧蓮	蕭颯〈我兒漢生〉分析及其在教學上的應用	23 卷 10 期	(274)	頁 64~71	2008 年 3 月
7795	曾怡玲	從《幸福在他方》談林文義的散文追尋	24 卷 2 期	(278)	頁 72~75	2008 年 7 月
7796	王萬儀	置放在角落的特寫鏡頭——朱自清的〈背影〉	24 卷 4 期	(280)	頁 80~82	2008 年 9 月
7797	鄭宛真	徐志摩記遊散文中景物的描寫技巧	24 卷 5 期	(281)	頁 79~84	2008 年 10 月
7798	陳美琪	傳統信仰與現代醫療的決戰——《蘭嶼行醫記》中的醫病關係	24 卷 11 期	(287)	頁 31~35	2009 年 4 月
7799	彭帆辰	《天地有大美》——蔣勳生活美學的實踐	25 卷 1 期	(289)	頁 17~22	2009 年 6 月
7800	蔡宗陽	如何解決心中的疑惑——推介《西瓜節》	25 卷 1 期	(289)	頁 56~57	2009 年 6 月
7801	黃淑靜	王鼎鈞散文的「言外之意」	25 卷 4 期	(292)	頁 4~12	2009 年 9 月
7802	鄭如真	簡媜散文的修辭特色	25 卷 4 期	(292)	頁 13~21	2009 年 9 月
7803	涂文芳	蔣勳散文的意象經營	25 卷 4 期	(292)	頁 22~29	2009 年 9 月
7804	黃雅妡	林良散文的藝術經營	25 卷 4 期	(292)	頁 30~42	2009 年 9 月
7805	朱心怡	解讀陳之藩的寂寞	25 卷 7 期	(295)	頁 61~65	2009 年 12 月
7806	王君儀	愛情的堆築與傾毀——比較婚變前後周芬伶散文中的「愛情觀」	25 卷 10 期	(298)	頁 61~65	2010 年 3 月

10.3.4　小說

7807	康來新	失嬰記——論李瓶兒與祥林嫂之死	2 卷 10 期	(22)	頁 42~47	1987 年 3 月
7808	簡宗梧	散文、小說的分界	3 卷 1 期	(25)	頁 15~16	1987 年 6 月
7809	李為之	朱天文談小說與電影	3 卷 2 期	(26)	頁 24~25	1987 年 7 月
7810	高寶琳	現代與反現代——幾篇早期女作家的小說	3 卷 2 期	(26)	頁 53~56	1987 年 7 月
7811	呂正惠	夏日炎炎書解悶——好書推薦：現代小說書單	4 卷 3 期	(39)	頁 24~26	1988 年 8 月
7812	林紫慧記錄	八〇年代臺灣小說的發展——蔡源煌與張大春對談	4 卷 5 期	(41)	頁 33~39	1988 年 10 月
7813	龔顯宗	冰心——同情和愛戀	4 卷 9 期	(45)	頁 90~93	1989 年 2 月
7814	范伯羣	鴛鴦蝴蝶——《禮拜六》派	5 卷 6 期	(54)	頁 82~88	1989 年 11 月
7815	莊練	武林大俠何處尋？	5 卷 12 期	(60)	頁 17~20	1990 年 5 月

7838	楊昌年	人生荒涼與人性蒼涼——由張愛玲創作中的「月」意象談起	11 卷 5 期	(125)	頁 4~8	1995 年 10 月
7839	唐翼明演講 鍾怡雯記錄	大陸當代小說概況	11 卷 6 期	(126)	頁 20~26	1995 年 11 月
7840	吳禮權	英雄俠義小說與中國人的阿Q精神	11 卷 8 期	(128)	頁 84~87	1996 年 1 月
7841	張子樟	大陸小說何去何從	12 卷 6 期	(138)	頁 6~7	1996 年 11 月
7842	林保淳	便作釣魚人，也在風波裡——讀《笑傲江湖》（上）	12 卷 6 期	(138)	頁 98~103	1996 年 11 月
7843	金宏達	徐訏話鬼	12 卷 7 期	(139)	頁 92~94	1996 年 12 月
7844	林保淳	便作釣魚人，也在風波裡——讀《笑傲江湖》（中）	12 卷 7 期	(139)	頁 95~99	1996 年 12 月
7845	林保淳	便作釣魚人，也在風波裡——讀《笑傲江湖》（下）	12 卷 8 期	(140)	頁 36~39	1997 年 1 月
7846	楊小濱	大陸當代文學（二）：瘋狂與荒誕——徐曉鶴小說中的文本政治	12 卷 10 期	(142)	頁 71~82	1997 年 3 月
7847	唐翼明	大陸當代文學（三）：我看大陸當代先鋒小說	12 卷 11 期	(143)	頁 55~69	1997 年 4 月
7848	楊昌年	新文藝名家名作析評（六）：鄉土與氛圍——沈從文和他的《邊城》	13 卷 2 期	(146)	頁 67~76	1997 年 7 月
7849	黃錦樹	大陸當代文學（五）：意識型態的物質化——論王安憶《紀實與虛構》中的虛構與紀實	13 卷 3 期	(147)	頁 57~69	1997 年 8 月
7850	楊昌年	新文藝名家名作析評（八）：濡沫與自棄——老舍的《駱駝祥子》	13 卷 5 期	(149)	頁 92~100	1997 年 10 月
7851	楊昌年	新文藝名家名作析評（九）：艱危的肯定與疲乏——徐訏的《風蕭蕭》	13 卷 6 期	(150)	頁 48~58	1997 年 11 月
7852	林春美	東南亞華文文學（四）：女生境地——論九十年代潘雨桐小說的「女」「性」	13 卷 7 期	(151)	頁 74~79	1997 年 12 月
7853	劉恆興	台灣現代文學（九）：王禎和《玫瑰玫瑰我愛你》中的諷刺特徵——兼論中國傳統文學中的諷刺技巧	13 卷 9 期	(153)	頁 76~88	1998 年 2 月
7854	楊昌年	新文藝名家名作析評（十三）：錯置與桃源——徐訏的中篇小說	13 卷 10 期	(154)	頁 54~62	1998 年 3 月
7855	丁威仁	大陸當代文學（九）：趙樹理文藝思想初探	13 卷 11 期	(155)	頁 58~71	1998 年 4 月
7856	呂素端	台灣現代文學（十二）：佛洛伊德〈作家與白日夢〉之理論檢討與應用——以七等生小說〈我愛黑眼珠〉為例	13 卷 12 期	(156)	頁 69~78	1998 年 5 月

7880	彭瑞金	戰後的台灣小說	16 卷 7 期	(187)	頁 61~67	2000 年 12 月
7881	陳惠齡	老舍《駱駝祥子》中悲劇人物的典型──人力車夫的血淚控訴	16 卷 12 期	(192)	頁 69~76	2001 年 5 月
7882	陳碧月	看大陸作家池莉為「灰色」的新寫實小說換裝	17 卷 7 期	(199)	頁 55~58	2001 年 12 月
7883	陳惠齡	鑄一座女性苦難紀念碑──老舍《駱駝祥子》中的虎妞、小福子	17 卷 7 期	(199)	頁 59~63	2001 年 12 月
7884	張春榮	愛亞〈打電話〉與余光中〈天國地府〉	17 卷 7 期	(199)	頁 77~79	2001 年 12 月
7885	游勝冠	我不幸為俘囚，豈關種族他人優──由歷史的差異觀點看賴和不同於魯迅的啟蒙立場	17 卷 10 期	(202)	頁 4~8	2002 年 3 月
7886	陳建忠	反殖民文學的文學形式──論賴和小說中的對話性敘事	17 卷 10 期	(202)	頁 9~16	2002 年 3 月
7887	施家雯	〈惹事〉與〈浪漫外紀〉的流氓形象	17 卷 10 期	(202)	頁 17~22	2002 年 3 月
7888	敬　賢	關於陳忠實及其《白鹿原》	17 卷 10 期	(202)	頁 67~69	2002 年 3 月
7889	戴景尼	黃春明小說中鄉土人物的世界	17 卷 10 期	(202)	頁 70~76	2002 年 3 月
7890	張春榮	鄭愁予〈厝骨塔〉與鄒敦怜〈同學會〉──兼談「改寫」	17 卷 10 期	(202)	頁 80~84	2002 年 3 月
7891	陳碧月	淺談兩岸的女性愛情小說	17 卷 11 期	(203)	頁 64~66	2002 年 4 月
7892	吳聰敏	攀越靈山而見日出──論高行健《靈山》的小說藝術(上)	18 卷 3 期	(207)	頁 56~60	2002 年 8 月
7893	戴景尼	黃春明小說中的台灣俚語	18 卷 3 期	(207)	頁 67~73	2002 年 8 月
7894	羅夏美	擎起黑暗的閘門──論陳映真的三篇小說新作	18 卷 4 期	(208)	頁 60~66	2002 年 9 月
7895	吳聰敏	攀越靈山而見日出──論高行健《靈山》的小說藝術(下)	18 卷 4 期	(208)	頁 67~70	2002 年 9 月
7896	戴景尼	黃春明小說中的象徵意義──以《放生》為例	18 卷 5 期	(209)	頁 23~29	2002 年 10 月
7897	歐宗智	絕望的愛戀及其象徵意義──以吳濁流、鍾肇政、東方白日據時代背景小說為例	18 卷 5 期	(209)	頁 53~62	2002 年 10 月
7898	許淑婷	由谷崎潤一郎《麒麟》淺談孔子思想	18 卷 6 期	(210)	頁 40~43	2002 年 11 月
7899	巫小黎	張資平早期小說與客家山歌	18 卷 6 期	(210)	頁 63~65	2002 年 11 月
7900	黃玉蘭	神話故事與少年小說之間──談《永遠的狄家》一書	18 卷 6 期	(210)	頁 66~68	2002 年 11 月
7901	黃秋芳	黃易從歷史真實跨向武俠虛構	18 卷 7 期	(211)	頁 10~15	2002 年 12 月
7902	戶田一康	不可名狀的悲哀──從日本人的眼裡看賴和	18 卷 7 期	(211)	頁 67~70	2002 年 12 月

7924	張詩宜	戰後初期女性創作中婚戀自主的呈現——以林海音、潘人木、徐鍾珮為例	20 卷 4 期	(232)	頁 91~98	2004 年 9 月
7925	丁鳳珍	在卑屈的生存中遇見生命的感動——論洪醒夫小說中「田庄讀冊人的形象」	20 卷 5 期	(233)	頁 24~33	2004 年 10 月
7926	陳姿妃	論賴和〈一桿「稱仔」〉之反殖民主義觀	20 卷 5 期	(233)	頁 34~39	2004 年 10 月
7927	石曉楓	情愛中的雅俗演繹與人性表現——張愛玲〈紅玫瑰與白玫瑰〉試析	20 卷 7 期	(235)	頁 11~14	2004 年 12 月
7928	吳鈞堯	論張愛玲小說〈傾城之戀〉的「四在效果」	20 卷 7 期	(235)	頁 15~19	2004 年 12 月
7929	翁靚芠	張愛玲短篇小說中男性主體的失落	20 卷 7 期	(235)	頁 23~~28	2004 年 12 月
7930	陳益源	台灣黃海岱布袋戲與金庸《倚天屠龍記》	20 卷 8 期	(236)	頁 93~100	2005 年 1 月
7931	朱美黛	流動的空間，憂傷的記憶——試探《遊園驚夢》主人翁的憂傷意識	20 卷 9 期	(237)	頁 90~94	2005 年 2 月
7932	朱崇科	邊緣童話——諫言(建言)香港：淺論西西的故事新編小說	20 卷 12 期	(240)	頁 90~94	2005 年 5 月
7933	莊仁傑	對蘇童〈妻妾成群〉的評析	20 卷 12 期	(240)	頁 95~100	2005 年 5 月
7934	曾文樹	日治末期張文環小說中的環境建構	21 卷 2 期	(242)	頁 90~96	2005 年 7 月
7935	曾月卿	變異重疊——以舞鶴的小說語言為例	21 卷 3 期	(243)	頁 74~78	2005 年 8 月
7936	張春榮	袁瓊瓊極短篇〈父親〉賞析	21 卷 3 期	(243)	頁 92~93	2005 年 8 月
7937	張春榮	袁瓊瓊極短篇〈望遠鏡〉賞析	21 卷 4 期	(244)	頁 83~84	2005 年 9 月
7938	鄒依霖	非典型隔離——讀白先勇〈遊園驚夢〉	21 卷 5 期	(245)	頁 84~86	2005 年 10 月
7939	常秀珍	鹿橋〈鷂鷹〉析論（上）	21 卷 7 期	(247)	頁 55~58	2005 年 12 月
7940	王明科	魯迅與無名氏的文化反思比較	21 卷 8 期	(248)	頁 46~51	2006 年 1 月
7941	常秀珍	鹿橋〈鷂鷹〉析論（下）	21 卷 8 期	(248)	頁 52~56	2006 年 1 月
7942	邢建勇	邊緣與中心——沈從文邊緣創作的價值	21 卷 9 期	(249)	頁 4~9	2006 年 2 月
7943	關英偉	湘西山水總關情——沈從文小說喻體的文化內涵解讀	21 卷 9 期	(249)	頁 10~15	2006 年 2 月
7944	冷 草	解讀《阿 Q 正傳》	21 卷 9 期	(249)	頁 16~19	2006 年 2 月
7945	楊明璋	論賴和小說敘述的多語言現象	21 卷 9 期	(249)	頁 20~24	2006 年 2 月
7946	王瑞華	華美而悲哀的城——張愛玲小說裡的香港定位	21 卷 9 期	(249)	頁 25~31	2006 年 2 月

7967	黃玉琴	誰來為張愛玲說句話？──談「李安的」《色，戒》	23 卷 11 期 (275) 頁 64~69	2008 年 4 月
7968	葉依儂	封建婚姻的斑駁痕跡──析論琦君〈橘子紅了〉中之婦女處境	23 卷 11 期 (275) 頁 70~74	2008 年 4 月
7969	陳碧月	大陸當代女性小說的關懷意識	23 卷 12 期 (276) 頁 56~61	2008 年 5 月
7970	鄭中信	臺灣棒球史的一頁荒謬記憶──論楊照〈一九九七〉	23 卷 12 期 (276) 頁 62~64	2008 年 5 月
7971	翁慧娟	郁達夫〈蔦蘿行〉敘事觀點分析	24 卷 1 期 (277) 頁 64~68	2008 年 6 月
7972	陳水福	臺灣漢文小說的寶庫──《日治時期臺灣小說彙編》簡介	24 卷 2 期 (278) 頁 104~107	2008 年 7 月
7973	郭佩琦	老舍〈微神〉中的聯想賞析	24 卷 3 期 (279) 頁 69~73	2008 年 8 月
7974	羅詩雲	獻身日本・采風臺灣──論西川滿小說的書寫構圖	24 卷 3 期 (279) 頁 90~94	2008 年 8 月
7975	莊世明	論《火裡來，水裡去》	24 卷 4 期 (280) 頁 69~74	2008 年 9 月
7976	趙立寰	談林海音小說的價值及其影響	24 卷 5 期 (281) 頁 45~50	2008 年 10 月
7977	李佩嬬	論林海音〈金鯉魚的百襉裙〉、吳濁流〈泥沼中的金鯉〉中的女性婚戀形象	24 卷 10 期 (286) 頁 21~27	2009 年 3 月
7978	柯鈞齡	《傷心咖啡店之歌》中的英雄養成歷程	24 卷 10 期 (286) 頁 51~56	2009 年 3 月
7979	白依璇	勇士光芒的消逝：論拓拔斯・塔瑪匹瑪〈最後的獵人〉中的獵人困境	24 卷 10 期 (286) 頁 74~78	2009 年 3 月
7980	葉錦霞	匹夫無罪，懷病為罪──黃春明〈鮮紅蝦──「下消樂仔」這個掌故〉的疾病敘事	24 卷 11 期 (287) 頁 36~40	2009 年 4 月
7981	陳崑榮	生命的婚禮切片──論張愛玲小說〈鴻鸞禧〉	24 卷 12 期 (288) 頁 45~50	2009 年 5 月
7982	陳英傑	自我觀看與人性試煉──解讀梁寒衣的〈殺死和尚！〉	25 卷 1 期 (289) 頁 44~51	2009 年 6 月
7983	王金烽	烽火燎原下的孤寂靈魂──鍾理和〈第四日〉評析	25 卷 2 期 (290) 頁 62~66	2009 年 7 月
7984	李東霖	鄭清文〈合歡〉的存在主義「自由」思想	25 卷 2 期 (290) 頁 67~69	2009 年 7 月
7985	林慧君	日據時期在台日人小說中灣生的認同歷程	25 卷 3 期 (291) 頁 56~61	2009 年 8 月
7986	邱若琪	英雄的悲歌──司馬中原小說中的英雄塑造	25 卷 6 期 (294) 頁 52~56	2009 年 11 月
7987	蘇曼如	〈自莽林躍出〉的戲劇演出	25 卷 6 期 (294) 頁 57~60	2009 年 11 月
7988	李宜靜	存在感的追尋──	25 卷 7 期 (295) 頁 66~70	2009 年 12 月

　　　　　　　張愛玲〈茉莉香片〉解讀

7989　朱孟庭　　為人生而藝術——　　　　　　25 卷 8 期　(296)　頁 60~65　2010 年 1 月
　　　　　　　　魯迅的小說藝術論

7990　陳盈宏　　鍾文音母女書寫之研究——　　25 卷 9 期　(297)　頁 59~63　2010 年 2 月
　　　　　　　　以《女島紀行》為例

7991　蔡霈瑀　　當 XX 遇上 XY——　　　　　　25 卷 9 期　(297)　頁 64~71　2010 年 2 月
　　　　　　　　探析《圍城》中四個女人的愛情與
　　　　　　　　婚姻

7992　歐宗智　　儒道互補的人生哲學——　　　　25 卷 11 期 (299)　頁 60~62　2010 年 4 月
　　　　　　　　談林語堂《京華煙雲》的主題意涵

7993　陳碧月　　當代大陸女性小說中的男性性格書寫　25 卷 12 期 (300)　頁 62~66　2010 年 5 月

10.3.5　戲劇

10.3.6　電影

陳思珍形象析評

8040	王怡心	從張愛玲到李安—— 談小說〈色，戒〉的電影元素	23 卷 6 期	(270)	頁 56~60	2007 年 11 月
8041	林淑雲	衣帶漸寬終不悔，為伊消得人憔悴 ——《我的父親母親》電影淺析	23 卷 9 期	(273)	頁 74~80	2008 年 2 月
8042	黃玉琴	誰來為張愛玲說句話？—— 談「李安的」《色，戒》	23 卷 11 期	(275)	頁 64~69	2008 年 4 月

10.3.7　歌詞

8043	編輯部製作	為流行歌詞打分數	2 卷 1 期	(13)	頁 24~29	1986 年 6 月
8044	趙燕客	誰是評審歌詞專家	2 卷 1 期	(13)	頁 30	1986 年 6 月
8045	杜奇榮	從「明天會更好」談起	2 卷 1 期	(13)	頁 31~33	1986 年 6 月
8046	江靜芳	作詞的人這麼說—— 訪慎芝、陳克華、陳桂珠	2 卷 1 期	(13)	頁 34~37	1986 年 6 月
8047	夏　雲	聽歌的人這麼說	2 卷 1 期	(13)	頁 38~39	1986 年 6 月
8048	黃榮村	從社會與心理的變遷看流行歌詞	2 卷 1 期	(13)	頁 40~42	1986 年 6 月
8049	曾子良	談新年歌	4 卷 9 期	(45)	頁 22~25	1989 年 2 月
8050	林煥彰	童謠和遊戲—— 臺灣早年流傳的童謠	5 卷 11 期	(59)	頁 109~110	1990 年 4 月
8051	柯友稚	回顧南管戲曲遺存民俗—— 談「丟丟銅仔」與臺灣早期流行歌 淵源	7 卷 2 期	(74)	頁 91~94	1991 年 7 月
8052	傅含章	聲情韻美評詩歌—— 以聲韻學角度析論〈One Night In 北京〉	20 卷 5 期	(233)	頁 71~79	2004 年 10 月
8053	陳宣諭	台灣歌謠聯想曲—— 從〈上邪〉到〈愛你無惜代價〉	21 卷 10 期	(250)	頁 83~86	2006 年 3 月
8054	陳佳君	談星辰在情歌中的意象	22 卷 3 期	(255)	頁 57~61	2006 年 8 月
8055	尹代秀	方文山中國風歌詞特點	24 卷 1 期	(277)	頁 92~94	2008 年 6 月

10.3.8　兒童與青少年文學

8056	黃忠慎	談談我們的兒童讀物	2 卷 11 期	(23)	頁 44~47	1987 年 4 月
8057	邱各容	青史留鴻爪—— 請重視兒童文學史料	3 卷 8 期	(32)	頁 85~87	1988 年 1 月
8058	郭立誠	傳統童蒙教材敘錄四	3 卷 8 期	(32)	頁 88~93	1988 年 1 月
8059	吳　當	楊喚童詩欣賞：春天在哪兒啊	3 卷 11 期	(35)	頁 86~87	1988 年 4 月
8060	王輔羊	關懷我們的兒童文學吧	4 卷 1 期	(37)	頁 85	1988 年 6 月
8061	吳　當	楊喚童詩析賞：家	4 卷 2 期	(38)	頁 78~79	1988 年 7 月

10.3.9　圖畫書

10.4　外國文學

10.5　文學批評

關係

8277	黃智明	文章學的寶庫——《歷代文話》簡介	24 卷 5 期	(281)	頁 95~98	2008 年 10 月
8278	李蕙如	王國維的文學演進觀——從《人間詞話》第五十三、五十四則談起	24 卷 8 期	(284)	頁 63~66	2009 年 1 月
8279	許瑞誠	從《談藝錄》談「興」義——以「水」為觀察主題	24 卷 9 期	(285)	頁 71~76	2009 年 2 月
8280	王樹林	略論元好問《詩文自警》中的散文審美觀	24 卷 11 期	(287)	頁 56~62	2009 年 4 月
8281	林均珈	王國維的美學——以《人間詞話》為例	25 卷 1 期	(289)	頁 8~12	2009 年 6 月
8282	蔡宗陽	《文心雕龍·序志》詮證（上）	25 卷 11 期	(299)	頁 39~46	2010 年 4 月
8283	蔡宗陽	《文心雕龍·序志》詮證（下）	25 卷 12 期	(300)	頁 47~56	2010 年 5 月

10.6　辭章學

10.6.1　通論

8284	林佳樺	泛具法在辭章裡的運用	16 卷 3 期	(183)	頁 91~99	2000 年 8 月
8285	陳滿銘	論辭章章法的四大律	17 卷 4 期	(196)	頁 101~107	2001 年 9 月
8286	鄭頤壽	台灣辭章學研究述評	17 卷 10 期	(202)	頁 99~107	2002 年 3 月
8287	鄭頤壽	中華文化沃土，辭章學圃奇葩——讀陳滿銘的《章法學新裁》及其相關著作	18 卷 3 期	(207)	頁 93~100	2002 年 8 月
8288	鄭頤壽	辭章學研究的回顧與前瞻	19 卷 3 期	(219)	頁 87~97	2003 年 8 月
8289	鄭頤壽	含「篇法」的「辭章章法學」的發展——評介陳滿銘《章法學論粹》及其相關論著	19 卷 4 期	(220)	頁 106~112	2003 年 9 月
8290	陳滿銘	從意象看辭章之內涵	19 卷 5 期	(221)	頁 97~103	2003 年 10 月
8291	鄭頤壽	文藝辭章學的新著——評介張春榮《作文新饗宴》	19 卷 5 期	(221)	頁 109~112	2003 年 10 月
8292	鄭頤壽	播種詩心苗紅紫——仇小屏新詩辭章理論與實踐述評	19 卷 6 期	(222)	頁 103~112	2003 年 11 月
8293	陳滿銘	從意象看辭章之內容成分	19 卷 8 期	(224)	頁 93~98	2004 年 1 月
8294	鄭頤壽主講 田家瑄記錄	漫話辭章學——在台灣師大國文系的演講	19 卷 12 期	(228)	頁 93~100	2004 年 5 月
8295	陳滿銘	鄭頤壽教授在辭章學研究上的成就——序《辭章學導論》、《辭章學新論》	20 卷 2 期	(230)	頁 101~103	2004 年 7 月
8296	陳滿銘	辭章學在「讀」與「寫」教學中的運用	20 卷 4 期	(232)	頁 4~18	2004 年 9 月

鄭娟榕

8318	蔡宗陽	陳滿銘教授是辭章章法學的思想家、理論家、實踐家——寫在《陳滿銘與辭章章法學》出版前夕	23 卷 5 期	(269)	頁 77~87	2007 年 10 月
8319	鄭頤壽	陳滿銘創建篇章辭章學——《陳滿銘與辭章章法學——陳滿銘辭章章法學術思想論集》代序	23 卷 6 期	(270)	頁 90~94	2007 年 11 月
8320	林大礎 鄭娟榕	《文心雕龍》辭章論概要	23 卷 7 期	(271)	頁 43~53	2007 年 12 月
8321	陳滿銘	辭章通海西——記辭章學在臺灣與福建之交流	23 卷 10 期	(274)	頁 87~88	2008 年 3 月
8322	陳滿銘	論意象之組合方式——承續與層遞	24 卷 3 期	(279)	頁 29~33	2008 年 8 月
8323	陳滿銘	「辭章章法學」研究概況——寫在「第三屆辭章章法學學術研討會」前夕	24 卷 5 期	(281)	頁 85~94	2008 年 10 月
8324	陳思穎	略論賦、比、興之意象運用——兼及「比、興」與西方「象徵」之異同	24 卷 7 期	(283)	頁 77~82	2008 年 12 月
8325	陳滿銘	論意象之組合方式——對比與反諷	24 卷 10 期	(286)	頁 4~9	2009 年 3 月
8326	魏形峰	重大創新之作——評鄭頤壽的《辭章體裁風格學》	24 卷 11 期	(287)	頁 80~87	2009 年 4 月
8327	陳滿銘	辭章篇旨鑑賞——以其潛性與顯性切入作探討	25 卷 1 期	(289)	頁 80~88	2009 年 6 月
8328	陳滿銘	篇章意象的轉位結構	25 卷 2 期	(290)	頁 4~11	2009 年 7 月
8329	陳滿銘	楚望樓詩文篇章意象探析——紀念成惕軒先生百歲誕辰	25 卷 3 期	(291)	頁 86~92	2009 年 8 月
8330	涂文芳	蔣勳散文的意象經營	25 卷 4 期	(292)	頁 22~29	2009 年 9 月
8331	陳滿銘	論辭章意、象「異質同構」的表現	25 卷 12 期	(300)	頁 79~86	2010 年 5 月

10.6.2 文法

8332	王仁鈞	到掉鑰匙的地方找鑰匙——注意文法	1 卷 1 期	(1)	頁 60~61	1985 年 6 月
8333	戴璉璋	中國語法中語句分析的商榷	1 卷 1 期	(1)	頁 62~69	1985 年 6 月
8334	羅肇錦	「詞」的結構	1 卷 2 期	(2)	頁 46~47	1985 年 7 月
8335	王仁鈞	駕八龍之婉婉兮 載雲旗之委蛇——「實詞」、「虛詞」以及詞類區分	1 卷 3 期	(3)	頁 62~65	1985 年 8 月
8336	王仁鈞	什麼是副詞	1 卷 4 期	(4)	頁 10	1985 年 9 月
8337	王仁鈞	借庖丁之刀，解萬載之牛——辨別句類・句型和主語・謂語	1 卷 4 期	(4)	頁 69~71	1985 年 9 月

8367	劉崇義	「徵於色，發於聲，而後喻」三句的主語是誰？	8 卷 2 期	(86)	頁 108~110	1992 年 7 月
8368	陳滿銘	〈五柳先生傳〉的分段問題／「黔婁之妻有言」或「黔婁有言」／「茲若人之儔乎」之語法結構	8 卷 3 期	(87)	頁 4~5	1992 年 8 月
8369	張尤麗 古秀如	國語略語之構詞規則	8 卷 4 期	(88)	頁 97~100	1992 年 9 月
8370	楊如雪	婆婆、媽媽 VS 婆婆媽媽　手足 ≠ 手 &足？──國語的構詞法	8 卷 6 期	(90)	頁 89~95	1992 年 11 月
8371	楊如雪	詞類的區分及實詞的本用	8 卷 8 期	(92)	頁 82~92	1993 年 1 月
8372	楊如雪	語的結構	8 卷 11 期	(95)	頁 96~104	1993 年 4 月
8373	楊如雪	句子的基本類型	8 卷 12 期	(96)	頁 78~86	1993 年 5 月
8374	劉崇義	代詞是否受修飾	9 卷 1 期	(97)	頁 120~123	1993 年 6 月
8375	楊如雪	奔向「羅曼蒂克」、飛進浪漫歐洲／詞類活用（二）──形容詞的活用	9 卷 4 期	(100)	頁 88~93	1993 年 9 月
8376	楊如雪	悼歌驚起「睡」鴛鴦／詞類活用（三）──動詞的活用	9 卷 6 期	(102)	頁 75~80	1993 年 11 月
8377	楊如雪	習之中人「甚」矣哉／詞類活用（四）──副詞及其他實詞的活用	9 卷 8 期	(104)	頁 92~97	1994 年 1 月
8378	楊如雪	教我如何不想他──致使句和致動用法（上）	9 卷 10 期	(106)	頁 100~105	1994 年 3 月
8379	楊如雪	明月別枝「驚」鵲，清風半夜「鳴」蟬──致使句和致動用法（下）	9 卷 12 期	(108)	頁 85~90	1994 年 5 月
8380	楊如雪	「眾人皆以奢靡為榮，吾心獨以儉素為美」──意謂句和意動用法（上）	10 卷 2 期	(110)	頁 60~69	1994 年 7 月
8381	楊如雪	「常人『貴』遠『賤』近，向聲背實」──意謂句和意動用法（下）	10 卷 4 期	(112)	頁 66~71	1994 年 9 月
8382	老志鈞	「進行」之濫用	10 卷 5 期	(113)	頁 53~55	1994 年 10 月
8383	楊如雪	「別有幽愁闇恨生，此時無聲勝有聲」──有無句遞繫式及其相關問題（上）	10 卷 6 期	(114)	頁 61~65	1994 年 11 月
8384	許逸之	三友齋文法集談（一）：教科書文法質疑	10 卷 8 期	(116)	頁 47~50	1995 年 1 月
8385	楊如雪	「有朋自遠方來，不亦樂乎」──有無句遞繫式及其相關問題（下）	10 卷 9 期	(117)	頁 79~84	1995 年 2 月
8386	楊如雪	蓋追先帝之殊遇，欲「報之於陛下」：介賓結構之一──表示受事或授事對象的次賓語	10 卷 11 期	(119)	頁 56~62	1995 年 4 月
8387	許逸之	三友齋文法集談（三）：詞品是怎	11 卷 1 期	(121)	頁 78~84	1995 年 6 月

8410	老志鈞	中文主語的用和不用	16 卷 5 期	(185)	頁 81~84	2000 年 10 月
8411	劉崇義	白居易〈琵琶行并序〉及〈馮諼客孟嘗君〉兩則問題	16 卷 10 期	(190)	頁 83	2001 年 3 月
8412	楊如雪	是判斷句？還是表態句？——答賓玉玫老師問	17 卷 5 期	(197)	頁 84~87	2001 年 10 月
8413	楊如雪	「忘懷」是不是偏義複詞？——從構詞法看「忘懷」的構詞方式	17 卷 7 期	(199)	頁 80~83	2001 年 12 月
8414	侯亮宇	判斷句的解讀——以九十一年第一次國中國文科基本學力測驗為例	18 卷 5 期	(209)	頁 69~74	2002 年 10 月
8415	楊如雪	追趕跑跳蹦——認識「動詞」	18 卷 7 期	(211)	頁 71~76	2002 年 12 月
8416	楊如雪	名詞的親密朋友——認識「形容詞」	18 卷 8 期	(212)	頁 81~87	2003 年 1 月
8417	董金裕 楊如雪	介詞 VS.助詞——淺談名詞或代詞後的「之」與「的」的詞性	18 卷 12 期	(216)	頁 65~67	2003 年 5 月
8418	洪芸琳	試論新聞標題——從文法角度切入	19 卷 2 期	(218)	頁 79~83	2003 年 7 月
8419	張　覺	古漢語中名詞作動詞的鑑別標誌	19 卷 3 期	(219)	頁 70~74	2003 年 8 月
8420	李玄玉	人體名詞和「上」「下」	19 卷 6 期	(222)	頁 6~12	2003 年 11 月
8421	楊如雪	文法學在「讀」與「寫」教學中的運用	20 卷 4 期	(232)	頁 27~38	2004 年 9 月
8422	羊芙葳	量詞的反覆・量詞的重疊	20 卷 7 期	(235)	頁 75~80	2004 年 12 月
8423	王希杰	肉夾饃 饃夾肉？	21 卷 11 期	(251)	頁 77~80	2006 年 4 月
8424	蔡宗陽	從文法與修辭析論《詩經・周南・關雎》	23 卷 3 期	(267)	頁 81~86	2007 年 8 月
8425	蔡宗陽	短語的類型（上）	23 卷 6 期	(270)	頁 67~77	2007 年 11 月
8426	蔡宗陽	短語的類型（下）	23 卷 7 期	(271)	頁 71~81	2007 年 12 月
8427	蔡宗陽	「語法」、「文法」的燈塔	23 卷 8 期	(272)	頁 64~65	2008 年 1 月
8428	何永清	「徐噴以煙」是倒裝的句子？	24 卷 1 期	(277)	頁 90~91	2008 年 6 月
8429	黃　元	特殊量詞淺說	24 卷 2 期	(278)	頁 101~103	2008 年 7 月
8430	周日安	「N1+ 手」的語義分析	24 卷 12 期	(288)	頁 77~79	2009 年 5 月
8431	蔡宗陽	《文法與修辭探驪》序——此情可待成追憶	25 卷 3 期	(291)	頁 93~94	2009 年 8 月
8432	許長謨 王季香	笑裏藏道——笑話中的語法應用	25 卷 5 期	(293)	頁 77~88	2009 年 10 月
8433	楊如雪	成語的語法特色	25 卷 10 期	(298)	頁 18~28	2010 年 3 月
8434	王希杰	受歡迎的「名名」三字格	25 卷 10 期	(298)	頁 29~35	2010 年 3 月
8435	徐富美	重讀《表達的技術：語法十七講》——兼談現代漢語語法研究的新發展	25 卷 10 期	(298)	頁 36~40	2010 年 3 月

10.6.3　修辭

8523	鐘玖英	語法雙關	17 卷 6 期	(198)	頁 94~96	2001 年 11 月
8524	楊鴻銘	譯文修飾的方法—— 以大考中心測試題為例	17 卷 8 期	(200)	頁 81~82	2002 年 1 月
8525	張春榮	極短篇的比喻	17 卷 9 期	(201)	頁 77~79	2002 年 2 月
8526	方慶雲	〈觸讋說趙太后〉對話技巧之分析	17 卷 9 期	(201)	頁 80~82	2002 年 2 月
8527	程培元 鐘玖英	新理論・新視野・新理念—— 評王希杰先生《修辭學導論》	17 卷 10 期	(202)	頁 85~87	2002 年 3 月
8528	鄭頤壽	漫步向「文藝辭章學」百花園的佳 作——張春榮《修辭新思維》評介	17 卷 11 期	(203)	頁 72~74	2002 年 4 月
8529	蘇秀錦	逆向譬喻創造名言錦句	17 卷 11 期	(203)	頁 75~78	2002 年 4 月
8530	陳光明	「美玉出藍田」與「藍田出美玉」 的語法分析	17 卷 12 期	(204)	頁 69~70	2002 年 5 月
8531	李晗蕾	名名並列式標題的修辭分析	18 卷 1 期	(205)	頁 81~86	2002 年 6 月
8532	張春榮	答修辭三問	18 卷 2 期	(206)	頁 100~101	2002 年 7 月
8533	吳禮權	吞吐之間，蓄意無窮—— 留白的表達策略	18 卷 3 期	(207)	頁 76~78	2002 年 8 月
8534	趙奎生	對聯運用比喻修辭舉隅	18 卷 7 期	(211)	頁 77~80	2002 年 12 月
8535	張春榮	辭格的會通	18 卷 8 期	(212)	頁 103	2003 年 1 月
8536	仇小屏	從主謂句的角度看以句構篇的幾首 新詩	18 卷 9 期	(213)	頁 85~90	2003 年 2 月
8537	張春榮	形象思維造句——擬人篇	18 卷 11 期	(215)	頁 67~69	2003 年 4 月
8538	陳蕙安	創意廣告招牌設計	19 卷 1 期	(217)	頁 62~66	2003 年 6 月
8539	高　群	說固定格式「失之……」與 「有失……」	19 卷 4 期	(220)	頁 89~91	2003 年 9 月
8540	鐘玖英	論雙關的文學功能	19 卷 5 期	(221)	頁 87~92	2003 年 10 月
8541	張春榮	把字句與辭格	19 卷 6 期	(222)	頁 29~36	2003 年 11 月
8542	李永勃	《晏子春秋》修辭四題	19 卷 8 期	(224)	頁 79~82	2004 年 1 月
8543	王天星	借代的自然基礎與內在機制	19 卷 10 期	(226)	頁 70~74	2004 年 3 月
8544	聶　焱	王希杰的學術研究及其修辭思想 研究現狀（上）	19 卷 12 期	(228)	頁 101~107	2004 年 5 月
8545	張春榮	吳晟新詩〈野餐〉的修辭問題	20 卷 1 期	(229)	頁 46	2004 年 6 月
8546	聶　焱	王希杰的學術研究及其修辭思想 研究現狀（下）	20 卷 1 期	(229)	頁 99~105	2004 年 6 月
8547	李翠瑛	以「重複」為基礎的修辭技巧論 新詩的節奏變化	20 卷 2 期	(230)	頁 64~73	2004 年 7 月
8548	王希杰	「實話實說」與「實話虛說」	20 卷 3 期	(231)	頁 81~82	2004 年 8 月
8549	孟憲愛	諧音的方方面面（一）	20 卷 3 期	(231)	頁 83~85	2004 年 8 月

8575	王希杰	修辭活動與闡釋活動	22 卷 1 期	(253) 頁 85~92	2006 年 6 月
8576	施筱雲	譬喻和轉化—— 談「你不妨搖曳著一頭的蓬草，不妨縱容你滿腮的苔蘚」的修辭	22 卷 2 期	(254) 頁 82~88	2006 年 7 月
8577	張春榮	辭格與敘事繁句	22 卷 7 期	(259) 頁 4~9	2006 年 12 月
8578	蔡謀芳	梧桐深院鎖清秋—— 「主賓拈連」商榷	22 卷 7 期	(259) 頁 14~16	2006 年 12 月
8579	林婉菁	探析《老子》文句「層遞」之美	22 卷 7 期	(259) 頁 17~23	2006 年 12 月
8580	蔡宏杰	從語言特色與修辭技巧談客家山歌的藝術特色	22 卷 7 期	(259) 頁 24~32	2006 年 12 月
8581	孟建安	《王希杰修辭思想研究》的特點與價值	22 卷 9 期	(261) 頁 66~71	2007 年 2 月
8582	李名方	略論修辭的科學化—— 兼評王希杰修辭思想	22 卷 11 期	(263) 頁 79~86	2007 年 4 月
8583	宗守雲	文體學偏離理論與修辭學偏離理論	22 卷 12 期	(264) 頁 65~73	2007 年 5 月
8584	朱少紅	修辭格和話語銜接	23 卷 2 期	(266) 頁 79~84	2007 年 7 月
8585	王希杰	倪寶元的修辭藝術	23 卷 2 期	(266) 頁 85	2007 年 7 月
8586	蔡宗陽	從文法與修辭析論《詩經・周南・關雎》	23 卷 3 期	(267) 頁 81~86	2007 年 8 月
8587	陳　新	《金瓶梅》歇後語的民俗文化色彩及修辭特徵	23 卷 6 期	(270) 頁 49~55	2007 年 11 月
8588	王希杰	修辭格的新觀念和辭格研究的新方法——兼評李晗蕾的《辭格學新論》	23 卷 7 期	(271) 頁 82~88	2007 年 12 月
8589	聶　焱	評史論道 繼往開來—— 散說王希杰的新著《漢語修辭學》（上）	23 卷 9 期	(273) 頁 88~92	2008 年 2 月
8590	張　宏	成語的變異運用及其修辭闡釋	23 卷 9 期	(273) 頁 93~98	2008 年 2 月
8591	聶　焱	評史論道 繼往開來—— 散說王希杰的新著《漢語修辭論》（下）	23 卷 10 期	(274) 頁 77~86	2008 年 3 月
8592	仇小屏	「摹寫」格名稱及其內涵的再商榷	23 卷 11 期	(275) 頁 90~93	2008 年 4 月
8593	曹德和	體大思深 謹嚴篤實—— 《中國修辭史》導言研讀	23 卷 12 期	(276) 頁 89~94	2008 年 5 月
8594	王希杰	修辭格的新觀念和辭格研究的新方法	24 卷 3 期	(279) 頁 4~10	2008 年 8 月
8595	盛愛萍	溫州地名中的辭格及其「修辭化」過程	24 卷 3 期	(279) 頁 11~16	2008 年 8 月
8596	林均珈	淺談類疊修辭格技巧之運用	24 卷 3 期	(279) 頁 17~22	2008 年 8 月
8597	朱少紅	修辭格與篇章建構	24 卷 3 期	(279) 頁 23~28	2008 年 8 月
8598	喬俊傑	李善《文選注》「連言」探析	24 卷 5 期	(281) 頁 75~78	2008 年 10 月

10.6.4　章法

8621	陳滿銘	對「多」、「二」、「一（○）」螺旋結構之確認（上）	23 卷 8 期	(272)	頁 77~85	2008 年 1 月
8622	陳滿銘	對「多」、「二」、「一（○）」螺旋結構之確認（下）	23 卷 9 期	(273)	頁 99~104	2008 年 2 月
8623	陳滿銘	論篇章內容與形式之關係──以多二一（○）螺旋結構切入作考察	25 卷 5 期	(293)	頁 69~76	2009 年 10 月
8624	陳滿銘	談主旨見於篇外的幾篇課文	3 卷 4 期	(28)	頁 92~96	1987 年 9 月
8625	陳滿銘	談主旨見於篇末的幾篇課文	3 卷 6 期	(30)	頁 88~91	1987 年 11 月
8626	陳滿銘	談主旨見於篇首的幾篇課文	3 卷 7 期	(31)	頁 96~98	1987 年 12 月
8627	陳滿銘	談主旨見於篇腹的幾篇課文	3 卷 8 期	(32)	頁 98~101	1988 年 1 月
8628	陳滿銘	演繹法在詩詞裡的運用	3 卷 9 期	(33)	頁 98~101	1988 年 2 月
8629	陳滿銘	歸納法在詩詞裡的運用	3 卷 11 期	(35)	頁 99~102	1988 年 4 月
8630	陳滿銘	談採先敘後論的形式所寫成的幾篇課文	3 卷 12 期	(36)	頁 100~102	1988 年 5 月
8631	魏子雲	詩也講究章句嗎？	4 卷 8 期	(44)	頁 88~91	1989 年 1 月
8632	楊鴻銘	高中國文百種章法修辭釋例（上）	5 卷 5 期	(53)	頁 73~77	1989 年 10 月
8633	楊鴻銘	高中國文百種章法修辭釋例（下）	5 卷 6 期	(54)	頁 66~69	1989 年 11 月
8634	陳滿銘	插敘法在詞章裡的運用	7 卷 4 期	(76)	頁 101~105	1991 年 9 月
8635	陳滿銘	談詞章主旨、綱領與內容的關係	7 卷 5 期	(77)	頁 112~114	1991 年 10 月
8636	陳滿銘	談詞章的兩種作法──泛寫與具寫	8 卷 2 期	(86)	頁 100~104	1992 年 7 月
8637	陳滿銘	凡目法在高中國文課文裡的運用（上）	8 卷 4 期	(88)	頁 84~88	1992 年 9 月
8638	陳滿銘	凡目法在高中國文課文裡的運用（下）	8 卷 5 期	(89)	頁 88~99	1992 年 10 月
8639	陳滿銘	凡目法在國中國文課文裡的運用	8 卷 8 期	(92)	頁 69~81	1993 年 1 月
8640	陳滿銘	談詞章剪裁的手段──以周敦頤〈愛蓮說〉與賈誼〈過秦論〉為例	9 卷 5 期	(101)	頁 62~66	1993 年 10 月
8641	陳滿銘	談詞章的義蘊與運材之關係	10 卷 6 期	(114)	頁 44~50	1994 年 11 月
8642	陳滿銘	談詞章主旨的顯與隱──以中學國文課文為例	11 卷 3 期	(123)	頁 76~81	1995 年 8 月
8643	彭元岐	而風何與焉──淺析〈黃州快哉亭記〉章法轉折之妙	11 卷 3 期	(123)	頁 87~93	1995 年 8 月
8644	陳滿銘	從軌數的多寡看凡目法在詞章裡的運用──以國、高中國文課文為例	11 卷 5 期	(125)	頁 50~57	1995 年 10 月
8645	陳滿銘	唐宋詞拾玉（一）：李白的〈菩薩蠻〉	11 卷 6 期	(126)	頁 28~29	1995 年 11 月
8646	陳滿銘	談〈與宋元思書〉與〈溪頭的竹子〉	11 卷 7 期	(127)	頁 46~51	1995 年 12 月

以中學國文教材為例

8673	陳佳君	情景法的理論與應用—— 以中學詩歌課文為例	15 卷 5 期	(173)	頁 76~80	1999 年 10 月
8674	陳滿銘	談篇章結構（下）—— 以中學國文教材為例	15 卷 6 期	(174)	頁 57~66	1999 年 11 月
8675	仇小屏	談章法在國中國文課文裡的應用	15 卷 6 期	(174)	頁 66~76	1999 年 11 月
8676	許秀美	敘論法的理論及其在高中國文教材 裡的應用	15 卷 7 期	(175)	頁 83~91	1999 年 12 月
8677	陳滿銘	談篇章結構分析的切入角度	15 卷 8 期	(176)	頁 86~94	2000 年 1 月
8678	仇小屏	談詩歌中的「時空交錯」結構	15 卷 8 期	(176)	頁 95~99	2000 年 1 月
8679	洪正玲	談主旨安置於篇末的謀篇方式—— 以高中國文課文為例	15 卷 9 期	(177)	頁 91~100	2000 年 2 月
8680	夏薇薇	賓主法的理論與應用—— 以高中國文課文為例	15 卷 10 期	(178)	頁 87~93	2000 年 3 月
8681	仇小屏	談幾種章法在新詩裡的運用	16 卷 1 期	(181)	頁 83~90	2000 年 6 月
8682	仇小屏	談詩文中的眾寡結構	16 卷 2 期	(182)	頁 79~85	2000 年 7 月
8683	王希杰	讀仇小屏博士的《文章章法論》	16 卷 4 期	(184)	頁 101	2000 年 9 月
8684	蒲基維	談兩宋「臺閣名勝記」（上）—— 以高中國文課文為例	16 卷 5 期	(185)	頁 100~107	2000 年 10 月
8685	蒲基維	談兩宋「臺閣名勝記」（下）—— 以高中國文課本為例	16 卷 6 期	(186)	頁 82~90	2000 年 11 月
8686	陳滿銘	談縱橫向疊合的篇章結構	16 卷 7 期	(187)	頁 100~106	2000 年 12 月
8687	陳滿銘	卻顧所來徑——《章法學新裁》代序	16 卷 8 期	(188)	頁 100~105	2001 年 1 月
8688	江錦玨	今昔法在古典詩歌的應用（上） ——以高中國文課文為例	16 卷 9 期	(189)	頁 106~110	2001 年 2 月
8689	江錦玨	今昔法在古典詩歌的應用（下） ——以高中國文課文為例	16 卷 10 期	(190)	頁 96~99	2001 年 3 月
8690	仇小屏	談成人之美的虬髯客—— 附〈虬髯客傳〉結構分析表	16 卷 12 期	(192)	頁 104~106	2001 年 5 月
8691	鄭韶風	漢語詞章學四十年述評	17 卷 2 期	(194)	頁 93~97	2001 年 7 月
8692	張春榮	拓植與深化——陳滿銘《章法學新裁》	17 卷 2 期	(194)	頁 98~100	2001 年 7 月
8693	黃淑貞	從大小法探析歐陽修二記的美感效 果——〈醉翁亭記〉與〈豐樂亭記〉	17 卷 4 期	(196)	頁 14~18	2001 年 9 月
8694	仇小屏	論「圖底」章法的空間結構—— 以幾首唐詩為例	17 卷 5 期	(197)	頁 100~104	2001 年 10 月
8695	仇小屏	情詩二三	17 卷 6 期	(198)	頁 17~21	2001 年 11 月
8696	陳滿銘	論章法與情意的關係	17 卷 6 期	(198)	頁 104~108	2001 年 11 月
8697	陳佳君	蘇轍〈黃州快哉亭記〉結構分析	17 卷 7 期	(199)	頁 97~100	2001 年 12 月

8727	陳滿銘	談因果律與層次邏輯	20 卷 8 期	(236)	頁 77~80	2005 年 1 月
8728	王希杰	章法三論	20 卷 9 期	(237)	頁 84~89	2005 年 2 月
8729	傅雪芬	陶淵明〈五柳先生傳〉篇章結構分析	20 卷 11 期	(239)	頁 4~11	2005 年 4 月
8730	李昊青	李白〈春夜宴從弟桃花園序〉篇章結構分析	20 卷 11 期	(239)	頁 12~18	2005 年 4 月
8731	徐惠玲	柳宗元〈捕蛇者說〉篇章結構探析	20 卷 11 期	(239)	頁 19~26	2005 年 4 月
8732	倪薇淳	周敦頤〈愛蓮說〉篇章結構探析	20 卷 11 期	(239)	頁 27~33	2005 年 4 月
8733	蔡怡婷	柳宗元〈江雪〉篇章結構探析	20 卷 11 期	(239)	頁 34~39	2005 年 4 月
8734	陳姵君	杜甫〈聞官軍收河南河北〉篇章結構探析	20 卷 11 期	(239)	頁 40~47	2005 年 4 月
8735	黃淑貞	從「因果」法談蘇軾〈稼說送張琥〉	20 卷 12 期	(240)	頁 82~85	2005 年 5 月
8736	吳兒容	〈庖丁解牛〉章法結構及義旨探析	21 卷 1 期	(241)	頁 93~99	2005 年 6 月
8737	陳滿銘	關於《篇章結構學》	21 卷 2 期	(242)	頁 97~99	2005 年 7 月
8738	陳滿銘	論意與象的連結——從格式塔「異質同構」說切入	21 卷 4 期	(244)	頁 59~64	2005 年 9 月
8739	謝佳惠	〈縱囚論〉的文勢營造——從修辭、文法、結構切入	21 卷 4 期	(244)	頁 77~82	2005 年 9 月
8740	仇小屏	談童詩的章法教學	21 卷 5 期	(245)	頁 15~22	2005 年 10 月
8741	蕭佳琳	王維《山居秋暝》篇章結構分析	21 卷 6 期	(246)	頁 4~10	2005 年 11 月
8742	江春玉	杜甫《登樓》篇章結構分析	21 卷 6 期	(246)	頁 11~18	2005 年 11 月
8743	陳育玲	柳永《雨霖鈴》篇章結構分析	21 卷 6 期	(246)	頁 19~25	2005 年 11 月
8744	張淑珍	蘇軾《卜算子·黃州定慧院寓居作》篇章結構分析	21 卷 6 期	(246)	頁 26~32	2005 年 11 月
8745	王如意	辛棄疾《摸魚兒》篇章結構分析	21 卷 6 期	(246)	頁 33~39	2005 年 11 月
8746	李孟毓	鄭愁予《錯誤》篇章結構分析	21 卷 6 期	(246)	頁 40~47	2005 年 11 月
8747	洪唯婷	淺談散文筆法——以頓筆、繞筆、伏筆、插筆為範圍（上）	21 卷 6 期	(246)	頁 83~89	2005 年 11 月
8748	洪唯婷	淺談散文筆法——以頓筆、繞筆、伏筆、插筆為範圍（下）	21 卷 7 期	(247)	頁 75~79	2005 年 12 月
8749	陳滿銘	章法的包孕式結構（上）	21 卷 9 期	(249)	頁 98~103	2006 年 2 月
8750	陳滿銘	章法的包孕式結構（下）	21 卷 10 期	(250)	頁 92~98	2006 年 3 月
8751	江姿慧	陶淵明〈歸去來兮辭〉與蘇東坡〈哨遍〉之章法結構分析比較	22 卷 2 期	(254)	頁 10~19	2006 年 7 月
8752	陳盈君	朱自清〈背影〉篇章結構探析	22 卷 2 期	(254)	頁 20~27	2006 年 7 月
8753	曾家麒	由章法結構中看《莊子·天下》對墨家的評論	22 卷 2 期	(254)	頁 28~33	2006 年 7 月
8754	楊雅貴	談章法的「兼法」現象	22 卷 5 期	(257)	頁 86~93	2006 年 10 月

10.7　成語與典故、俗諺與謎語

10.7.1　成語

8783	李　豐	成語中的科學—— 垂涎三尺・饞涎欲滴	1 卷 11 期	(11)	頁 30~32	1986 年 4 月
8784	劉天發	天空的星辰，海灘的沙粒—— 成語面面觀	1 卷 11 期	(11)	頁 81~85	1986 年 4 月
8785	夏瑞紅	艱鉅而寂寞的工作—— 現代文學史料的整理與運用	1 卷 12 期	(12)	頁 32~33	1986 年 5 月
8786	鄭松維圖	指桑罵槐	2 卷 1 期	(13)	頁 17	1986 年 6 月
8787	廖文彬圖	舐犢情深	2 卷 1 期	(13)	頁 49	1986 年 6 月
8788	鄭松維圖	戴盆望天	2 卷 1 期	(13)	頁 81	1986 年 6 月
8789	鄭松維圖	家賊難防	2 卷 1 期	(13)	頁 108	1986 年 6 月
8790	廖文彬圖	望塵莫及	2 卷 2 期	(14)	頁 35	1986 年 7 月
8791	廖文彬圖	道不拾遺	2 卷 2 期	(14)	頁 87	1986 年 7 月
8792	廖文彬圖	千鈞一髮	2 卷 3 期	(15)	頁 49	1986 年 8 月
8793	廖文彬圖	安步當車	2 卷 3 期	(15)	頁 63	1986 年 8 月
8794	廖文彬圖	望梅止渴	2 卷 3 期	(15)	頁 74	1986 年 8 月
8795	廖文彬圖	一箭雙雕	2 卷 4 期	(16)	頁 47	1986 年 9 月
8796	廖文彬圖	紙上談兵	2 卷 4 期	(16)	頁 82	1986 年 9 月
8797	黃忠慎	評《故鄉實用成語》	2 卷 5 期	(17)	頁 32~37	1986 年 10 月
8798	廖文彬圖	口若懸河	2 卷 5 期	(17)	頁 79	1986 年 10 月
8799	廖文彬圖	無妄之禍	2 卷 6 期	(18)	頁 62	1986 年 11 月
8800	廖文彬圖	強詞奪理	2 卷 6 期	(18)	頁 79	1986 年 11 月
8801	廖文彬	狡兔三窟	2 卷 9 期	(21)	頁 13	1987 年 2 月
8802	林　萌	弄璋誌喜	2 卷 9 期	(21)	頁 55	1987 年 2 月
8803	沈秋雄	幾個成語的字義	2 卷 10 期	(22)	頁 6	1987 年 3 月
8804	廖文彬	夜郎自大	2 卷 10 期	(22)	頁 51	1987 年 3 月
8805	廖文彬	兔死狐悲	2 卷 11 期	(23)	頁 78	1987 年 4 月
8806	黃慶萱	成語不可任意顛倒	2 卷 12 期	(24)	頁 15	1987 年 5 月
8807	林　萌	打成一片	2 卷 12 期	(24)	頁 51	1987 年 5 月
8808	鄭松維	對牛彈琴	3 卷 2 期	(26)	頁 52	1987 年 7 月
8809	陳益源	對牛彈琴	3 卷 3 期	(27)	頁 67~70	1987 年 8 月
8810	鄭松維	相依為命	3 卷 3 期	(27)	頁 70	1987 年 8 月
8811	鄭松維	李代桃僵	3 卷 4 期	(28)	頁 54	1987 年 9 月
8812	鄭松維	不可同日而語	3 卷 5 期	(29)	頁 56	1987 年 10 月
8813	許紹明	臨危受命乎	3 卷 7 期	(31)	頁 61	1987 年 12 月
8814	鄭松維	杜門卻掃	3 卷 8 期	(32)	頁 44	1988 年 1 月

| 8843 | 張　宏 | 成語的變異運用及其修辭闡釋 | 23 卷 9 期 | (273) | 頁 93~98 | 2008 年 2 月 |

10.7.2　典故

8844	陳文華	「山窮水盡」的出處	1 卷 3 期	(3)	頁 8	1985 年 8 月
8845	張素貞	楚靈王好男人細腰	1 卷 4 期	(4)	頁 75~77	1985 年 9 月
8846	鄭生仁	同性戀是不是舶來品？—— 中國同性戀的相關語辭與書籍	1 卷 6 期	(6)	頁 88~90	1985 年 11 月
8847	簡恩定	綠林／月見冰、八寶冰、青蛙下蛋 冰／理髮／鉛筆／糖霜	1 卷 7 期	(7)	頁 54~55	1985 年 12 月
8848	簡恩定	生活語典：灑米去邪／玻璃、琉璃 ／檳榔穿耳／熨斗／形象、偶象	1 卷 8 期	(8)	頁 30~32	1986 年 1 月
8849	簡恩定	魯男子／文定／饅頭／當歸／撲滿 ／死人覆面	1 卷 9 期	(9)	頁 42~43	1986 年 2 月
8850	陳慶煌	千山萬樹與燕子烏孫	1 卷 11 期	(11)	頁 18	1986 年 4 月
8851	張仁青	荀籠薛鳳	1 卷 12 期	(12)	頁 15	1986 年 5 月
8852	王熙元	司馬青衫，太上忘情	1 卷 12 期	(12)	頁 16	1986 年 5 月
8853	張仁青	華誕、壽誕	2 卷 1 期	(13)	頁 15	1986 年 6 月
8854	簡恩定	吃茶／殺青／陽春麵／萬歲／桃符	2 卷 1 期	(13)	頁 100~101	1986 年 6 月
8855	陳慶煌	千秋師弟美雙盧	2 卷 3 期	(15)	頁 5	1986 年 8 月
8856	黃慶萱	培養查原典的習慣	2 卷 3 期	(15)	頁 5	1986 年 8 月
8857	顏元叔	星期命名的由來	2 卷 4 期	(16)	頁 64~65	1986 年 9 月
8858	陳麗卿	「狗不理」？「苟不理」？	3 卷 1 期	(25)	頁 60	1987 年 6 月
8859	黃志民	「少康不忘出竇之辱」二句的典故	3 卷 3 期	(27)	頁 14	1987 年 8 月
8860	張仁青	「秦穆飲盜馬」二句的典故	3 卷 5 期	(29)	頁 16	1987 年 10 月
8861	胡萬川	「翦拂」何以為吉祥語？	3 卷 7 期	(31)	頁 8~9	1987 年 12 月
8862	傅武光旁白 蔡素芬語譯	開卷有益	3 卷 8 期	(32)	頁 84	1988 年 1 月
8863	游志誠	談典故	3 卷 9 期	(33)	頁 58~63	1988 年 2 月
8864	黃基正	「少康出竇」的故事	5 卷 2 期	(50)	頁 7	1989 年 7 月
8865	王國良	八字沒一撇	5 卷 5 期	(53)	頁 9	1989 年 10 月
8866	楊禮義	孔曰？孟說？	5 卷 5 期	(53)	頁 63	1989 年 10 月
8867	陳福康	木鐸之聲，長在人心	5 卷 7 期	(55)	頁 52~53	1989 年 12 月
8868	陳國強	「臺灣」名稱的由來	5 卷 11 期	(59)	頁 6~7	1990 年 4 月
8869	黃文吉	「月照西鄉」典故為何？	5 卷 12 期	(60)	頁 10	1990 年 5 月
8870	張崇根	「壯族」名稱的由來	7 卷 9 期	(81)	頁 9	1992 年 2 月
8871	王叔岷	八斗才	7 卷 10 期	(82)	頁 43~45	1992 年 3 月

10.7.3 俗諺

8900	陳益源	對牛彈琴	3 卷 3 期	(27)	頁 67~70	1987 年 8 月
8901	朱介凡	喜見朱炳海《氣象諺語》	4 卷 1 期	(37)	頁 98	1988 年 6 月
8902	姚漢秋	十三省難得尋—— 漫談臺灣舊日俚諺	5 卷 11 期	(59)	頁 106~108	1990 年 4 月
8903	謎　徒	啞謎早已人猜破—— 略說「古詩文的斷章式歇後法」	9 卷 6 期	(102)	頁 84~88	1993 年 11 月
8904	張文軒	蘭州話中的歇後語	10 卷 2 期	(110)	頁 42~46	1994 年 7 月
8905	林孝璘	台灣俗語的智慧	16 卷 4 期	(184)	頁 102~103	2000 年 9 月
8906		訪朱介凡先生談諺語之蒐集與研究 （曾子良等採訪　黃嫈孌　高皓庭等 整理）	16 卷 6 期	(186)	頁 53~59	2000 年 11 月
8907	曾子良	基隆俚諺之蒐集及其內容（上） ——自然俚諺介紹	17 卷 3 期	(195)	頁 19~25	2001 年 8 月
8908	曾子良	基隆俚諺之蒐集及其內容（中） ——人文俚諺介紹	17 卷 4 期	(196)	頁 78~83	2001 年 9 月
8909	曾子良	基隆俚諺之蒐集及其內容（下） ——基隆俚諺與其他地區俚諺之關係	17 卷 5 期	(197)	頁 58~63	2001 年 10 月
8910	戴景尼	黃春明小說中的台灣俚語	18 卷 3 期	(207)	頁 67~73	2002 年 8 月
8911	歐宗智	東方白大河小說《浪淘沙》俗諺之 運用探析	18 卷 10 期	(214)	頁 74~78	2003 年 3 月
8912	王良友	河洛歌仔戲對於歇後語的援引狀況 ——以雙關式為例	19 卷 2 期	(218)	頁 75~78	2003 年 7 月
8913	黃絢親	台灣諺語的結構與教學運用—— 台灣情、俗語美	20 卷 9 期	(237)	頁 74~77	2005 年 2 月
8914	洪惟仁	祖先智慧的寶石——哲諺	20 卷 9 期	(237)	頁 95~100	2005 年 2 月
8915	張窈慈	從台灣鄉土俚諺初探傳統喪葬文化 及俗諺特色	21 卷 9 期	(249)	頁 91~97	2006 年 2 月

10.7.4　謎語

8916	洪邦棣	猜謎——國文教學中的腦筋急轉彎	6 卷 10 期	(70)	頁 38~46	1991 年 3 月
8917	黃忠天	謎語在國文教學上的應用	8 卷 7 期	(91)	頁 92~100	1992 年 12 月
8918	王熙元	令人著迷的隱語—— 說謎語的趣味及其教學應用	9 卷 3 期	(99)	頁 6~10	1993 年 8 月
8919	廖振富	以近取譬，滿室生春—— 巧用學生姓名製燈謎	9 卷 2 期	(98)	頁 80~85	1993 年 7 月
8920	王朝聞	謎語、歇後語的藝術效果	9 卷 3 期	(99)	頁 11~14	1993 年 8 月
8921	許又尹等	傳統燈謎與鄉土謎猜 （洪慧鈺　陳品君　詹小楠　呂宛蓁 洪育仁　吳佩熙　蕭丹禪）	16 卷 9 期	(189)	頁 4~15	2001 年 2 月

8922	黃慶祥	校園燈謎	16 卷 9 期	(189)	頁 16~18	2001 年 2 月
8923		「台灣鄉土猜謎」謎底	16 卷 9 期	(189)	頁 111	2001 年 2 月
8924	蘇秀錦	以逆向思考創製科目整合的謎猜	18 卷 3 期	(207)	頁 81~86	2002 年 8 月
8925	韓廷一	燈謎淺探（一）	20 卷 2 期	(230)	頁 45~49	2004 年 7 月
8926	韓廷一	燈謎淺說（二）	20 卷 3 期	(231)	頁 48~52	2004 年 8 月
8927	韓廷一	燈謎淺說（三）	20 卷 4 期	(232)	頁 51~58	2004 年 9 月
8928	林　潛	有趣的字謎加減法	20 卷 9 期	(237)	頁 26~29	2005 年 2 月
8929	黎　蘭	春燈謎上話古今	20 卷 9 期	(237)	頁 30~36	2005 年 2 月

作者索引

二畫

丁

丁旭輝	3554(7609)　7601　7603　7608
	7612　7617
丁言昭	7130
丁亞傑	1215
丁　武	2284
丁威仁	0794　7576　7855
丁建川	8894
丁原基	0006　0391(3023)　3018　3094
丁原植	1433(2702)　1441(2703)　1450
丁國智	6685
丁肇琴	5721
丁鳳珍	5632(7925)

卜

卜問天	2351
卜國光	5791

三畫

上

上山大峻	0850

于

于　淵	1019　6078
于華剛	3088

大

大　愚	2406

小

小　小	7552　7554
小野山節	0853
小　照	2636

山

山　民	1767

中

中島敏	0837

丹

丹　巖	5234(5522)

四畫

尹

尹代秀	2501　3610　8055
尹雪曼	6902

仇

仇小屏	0676(8760)　3367　3603
	4480(8762)　4501　4507(8740)
	4713(8675)　5023　5024　5025
	5126　5150　5151　5152　5153
	5155　5158　5176(8725)　5223
	5224　5225　5226　5227　5337
	5338　5380　5382　5447　5455
	5461　5470　5504　6919　7144
	7358(8690)　7596(8681)　7604
	7610(8695)　7626　7631　7632
	7634　7637　7662　8536　8592
	8678　8682　8694

元

元　之	0257　0361　4985　6184

卞

卞之琳	2965(7516)

天

天涼無心	8028

孔

孔　立	2927(8179)　2585

孔仲溫　0263　0265　0266　0267(8816)
　　　　0269　3627　3783　3784　3788
　　　　3858　3866

孔慶茂　6334

尤

尤信雄　6686　6687

尤惠漓　4697

尤雅姿　3494

尤嘉玫　3596(4114)

戶

戶田一康　5625(7902)　7914(8199)

文

文　方　3537(3955)　5789　6459

文幸福　1029(2684)　1032　1053　4722
　　　　6688　6689　6690　7064

文曉村　7624

文　燈　5519

文　聯　2297

方　介　5554

方

方元珍　1511

方北辰　5974　5977　5993

方志豪　1573

方金雅　1420

方美芬　0124(2974)　0125(2975)　0145
　　　　5634

方祖猷　0943(2935)

方祖燊　0403　3718　8177

方雪莉　0926

方　瑜　0716　6208　6418(6885)

方慶雲　4956　5951(8526)　6027　7361
　　　　7605

方學文　6009

毛

毛子水　1232　1235　2185

毛文芳　2130　2843

毛正天　6503　6504

毛漢光　1841

水

水谷真成　0857

水　晶　5653

牛

牛學恕　7336

王

王力堅　6154　6155　6156　6936

王三慶　0591　0883(7309)　7365

王大方　7249　7251　7311

王仁鈞　1384　3452　4128　4569　4575
　　　　8332　8335　8336　8337　8338
　　　　8339

王元軍　2249

王天星　3599　8543

王文發　2052　2086　2282　2780　2797
　　　　2834

王文進　0748　6176　7491　7674　7676
　　　　8174　8175

王文顏　1030　4029　4169

王月琇　4699

王水照　6435

王世華　2903

王世豪　0499　3685

王世德　1585

王以安　7247

王冬珍　1373　1445　1455

王北岳　4214

王幼華　1802

王永泉	2823				
王申培	3445				
王任君	3359　3360				
王兆鵬	6932				
王同書	4378				
王如意	6958(8745)				
王宇清	7918(8128)　8138(8168)				
王安祈	7104　7113　7118　7126　7185				
王年双	5211				
王　聿	3061				
王作榮	2001				
王利器	6214				
王君儀	7806				
王妙純	7371				
王孝廉	0826(7394)				
王宏仁	5899				
王宏志	7444				
王希一	7137				
王希杰	2482(3567)　2483(3569)　3425				
	3560　3572　3575　3581　3603				
	3605　3606　4109　4119　8423				
	8434　8548　8562　8566　8575				
	8585　8588　8594　8600　8683				
	8706　8728				
王志成	0120　0275　0402(6069)　3903				
	4590　4593　4595　4596　4598				
	4602(6067)　5312　5399　5401				
王更生	0660　1258(4686)　1526　1998				
	3428　4140　4523　4531　4533				
	4536　4537　4538　4578　4601				
	4684　5784　5883　6497(7026)				
	6498(7027)　6500(7028)				
	6502(7029)　8229　8240　8252				
王良友	7195　7191(8912)　7190				
王邦雄	1322　1358　1359　1361　1362				

	1365　1427　1429　1430　1434				
	1481　1842　2407　5926				
王礽福	1410　1569(3056)				
王叔岷	0158　6691　8871				
王孟亮	2455				
王季香	8432				
王定一	7137				
王宜瑗	6153				
王岫林	1505(1577　2141)　1527　5984				
	7370　8270				
王忠林	0755				
王忠愈	7875				
王怡心	7965(8040)				
王怡婷	8220				
王怡禎	0719　0668				
王怡蘋	7666				
王昌煥	3553(7748)　4242(8563)　5156				
	5180　5255　5379　5384　5440				
	5444　5448　5450　5463　5464				
	5475　5477　5886　7745(8517)				
	7755　7760				
王明居	7231				
王明科	7940　7948				
王明通	3739				
王者寧	3509				
王者馨	6261				
王金城	5673(7650)				
王金凌	5315				
王金烽	7983				
王保珍	2105　2871(5846)　4062　6917				
王俊義	0224				
王俊嶸	2513				
王　政	6363				
王炳炎	5050				
王玲月	1304				

	0957	1228	1593(7019	8496)
	1843	2005	2182	2384	2423
	2751	2756	2872(6911)
	3196(5776)	3246	3722	3838
	3872	3909(4076)	3998	4008
	4121	4368(8918)	4484	4587
	4660(7007)	4835	4837	5314
	5898	6227	6340	6441	6466
	8852

王碧蘭	5840
王福湘	5884	7950
王福楨	1917
王翠萍	2919
王輔羊	1957	3431	3734	3748	3752
	3754	3766	3773	3794	3889
	3907	4041	4047	4087	4113
	4116	8060	8360
王德明	0783
王慧茹	1467	1564	1571	7774
王震邦	0535	0536
王翬	6383
王樹人	0650(1525)
王樹林	6033	8280
王興佳	3525	3529	3538	3548	3668
	3836
王蕙瑄	8151	8158
王錦慧	0283	3920
王靜涵	6692	6693
王樾	0946	7438
王彌穰	1479
王璦玲	0813(4209)
王蕾	1018(3157)
王賽時	2171
王璧寰	6941
王邇敦	1914	1915	2492

王鎮華	1958
王瓊玎	1491
王關仕	1110(2683)	2944	4013	4779
	7287	7355	8877	8879
王韻明	8127(8198)
王麗櫻	7920(8130)
王耀庭	2925	4814
王蘭	4551
王歡餘	2759
王讚源	1350(3308)	1970
王窓賢	1902(2247)	2028(2888)
	2029(2889)	2139	2628(4880)
	2629(4881)	2890(4889)	4704
	4705	4883	4884	4885	4886
	4890	4891	4893	5092	5094
	5095	5096	5099	5105	5247
	8499	8500

亓

| 亓允文 | 2538 |
| 亓婷婷 | 4637 | 5544 | 6273 | 6274 | 6380 |

五畫

丘

| 丘秀芷 | 5816 |
| 丘桓興 | 1788(2339) |

包

| 包根弟 | 0749 |
| 包遵信 | 1936 | 1939 | 1941 | 1942 | 1944 |

北

| 北一女國文教學會提供 | 4840 |
| 北一女圖書館研究組 | 4780 |

半

半　蠹　7187

古

古秀如　8369
古國順　4826
古清美　0420　1536　1539　1540
　　　　1682(7260)　4971
古清遠　6505　6511　6517　7539　7547
　　　　7566　7722　8276　8613
古慧芬　4950(7763)

司

司馬中原　1619
司　琦　3645(3834)

史

史墨卿　1436　1452　1847(5296)　3626
　　　　5277　5279　5283　5290　5291
　　　　6420　7458

台

台　平　7685

左

左秀靈　1343　2248　2306　2472　3409
　　　　3530　3546　3661　3665　3781
　　　　3786　3790　3913　4078　4147
　　　　4620　4621　4702　4703　4721
　　　　4862　4867　4887　4940　6306
　　　　8839　8880
左松超　1196(2681)　3828
左德成　4611(4919　5947)　4871　4872

甘

甘克誠　4082　4798　5922
甘訓賓　2475

田

田中正美　0835

田　夫　2102
田玉真　5201
田居儉　1383
田家瑄　0722(8294)　5505
田素蘭　2778
田啟文　1298
田博元　1736
田毓英　2060
田應國　7718

白

白化文　3087
白弘乾　4699
白先勇　3168
白依璇　7979
白金銑　6003　6004
白　堅　6455　6694
白鳥芳郎　0844
白雲開　2040　8146(8207)
白　靈　7512　7528

石

石木南　5630(7636)
石守謙　0048(0270　1581)
石　磊　1954(2595)
石曉楓　7725　7927
石濤白　6695
石鐘揚　0570

仝

仝婉澄　0146(7208)

六畫

伍

伍煥堅　0966(3423)

伏

伏俊連	2553
伏家芬	2997

仲

仲 彭	6458

任

任菊家	3167 5028

全

全寅初	0880

冰

冰花樓主	2532 3841

吉

吉田紹欽	0845
吉廣興	6989 6990 6991

向

向生榕	0155
向 陽	5422 7714
向 瓊	0723

宇

宇文卒	6975
宇野精一	0842
宇 曉	1953(2594)

安

安平秋	0094 2404
安 立	2955
安 易	6527 6528 6529 6530 6531
	6532 6533 6534 6535 6536
	6537 6538 6539 6540 6541
	6542 6543 6544 6545 6546
	6547 6548 6549 6550 6551
	6552 6553 6554 6555 6556
	6557 6558 6576 6577 6578
	6579 6580 6589

屹

屹 翁	0899

成

成中英	0986 2136
成 東	1867
成家徹郎	2711 2712

曲

曲彥斌	2487 3568 3593

朴

朴炫坤	1601(7366)

朱

朱介凡	8901
朱少紅	8584 8597
朱心怡	7793 7805
朱文華	2985
朱令峪	4599 4816
朱巧雲	7467
朱正茂	6399
朱仲玉	2381
朱守亮	1035 1037(3932) 3900 3911
	4802 8479
朱伯崑	0984
朱秀娟	6419(7001)
朱言明	2757
朱邦彥	0896(3689) 3715
朱孟庭	1102(6127) 7989
朱歧祥	0564 0569 2705 2706 2710
	3065 3251 3660 3670 3672
	3674(4330) 3964 4091 6980
	6981 6982 6983 6984 6985
	6986 8255

朱美郁	2734
朱美黛	7660　7770　7931
朱書萱	2261
朱國藩	0704
朱崇科	7932
朱細林	2966(7521)
朱棟霖	7460
朱　焰	7399
朱雲艷	2398
朱瑞玲	1923
朱瑞麟	0768
朱嘉雯	7288(7857)　7291(7864)
朱榮智	0058　0806　1345　1489　1510
	1512　2014(4157)　2468　2471
	2473　4716(4937)　4722　5195
	5876
朱榮貴	1307
朱銘源	0166　2356　3972
朱鳳玉	5698
朱曉露	6368
朱錦娥	4494(7493)
朱　鴻	2131

江

江心蓮	5505
江弘毅	0996(4479)
江育豪	4195(5752)
江奇龍	7702(8491)
江武昌	1765(7122)
江俊億	0320(1556)　0356
江姿慧	8751
江春玉	6298(8742)
江　涌	3116
江國貞	2512(2783)　2781　2832(6189)
	2844　2845　2879　5744　6242

	6262
江惜美	4440
江超平	5280
江楊峰	7387
江煜坤	0516(1108)　1695　5515
	5946(1204　4918)　7826
江慧玲	6060
江澄格	1280　2883　3248
江蓮碧	0701(4254)
江錦珏	4933(8688)　4935(8689)　4941
江靜芳	0238　8046
江應龍	0312　1991　2283　2648(2914)
	2898　6425　6447
江寶釵	5064(5527)　5599(5734)　5715
	6151　7403

牟

牟小東	0944(2936)　3031
牟方芝	5218
牟宗三	0697(1538)

竹

竹間工作坊	3173　3177　3181　3184
	3185　3187　3188　3190　3192
	3268(3302)　3269(3304)　3299

羊

羊子喬	5587(7599)
羊芙葳	8422

老

老志鈞	0404　3521　3528　3535　4088
	4370　4372　8382　8403　8410
老　馬	7065

艾

艾弘毅	4039
艾　雯	3233　8182

衣

衣若芬　0601(4167)　1138　2025
　　　　2233(2424　6215)

七畫

何

何三本　4259

何方宜　5273

何丙郁　1775(5775)

何　必　5975

何永清　4070　4349　4948　5409　6013
　　　　6467　7761　8428

何志華　0416　0454

何　依　2720　3617

何宜欣　5505

何金蘭　0727　0759

何亭慧　7759

何洵怡　4403

何美諭　6165

何根海　1068　2640　6244

何海燕　5563　6164　6276

何寄澎　2420　7682　7683

何啟治　0204

何淑貞　3756　5501　8347

何淑蘋　0220(0968)　0286　0893　3151

何畫瑰　1592

何雲鈞　0992

何聖芬　2721　3179　3180

何滿子　7402

何維欽　2009　4555　5079

何銘鴻　0870

何曉名　2464

何懷碩　0902　5282

何繼承　2659

余

余力文　2943　3347　6053　6056　6343

余手民　8223

余育婷　5639(6382)

余佩瑾　2855

余姒倩　1486

余宗宏　4859

余忠慶　4219

余　明　4626

余思璇　6696　6697

余昭玟　4377(8023)

余家仁　6698

余培林　1044　1056　1073　1375　1377
　　　　1380

余崇生　1609(7670)　2080(2682)　5213
　　　　6016　7327　8249

余椒雪　4951(7764)

余遠炫　0925

余劍英　0768

余德泉　6496(8891)

余韻柔　5677(8039)　7959

冷

冷　草　6257　7944

吳

吳力甫　4034

吳小如　6392(7538)

吳元暉　0795

吳文薰　8099

吳世旭　2344(3574)

吳正吉　5518

吳立甫　1128(1865)　2457　3826　3987
　　　　4027　4068

吳兆朋	7533			
吳列能	1844			
吳如嵩	1392(2754)			
吳安蘭	7250			
吳宏一	0395 6364			
吳秀餘	4348			
吳佩茹	4934			
吳佩熙	8921			
吳兒容	1469(8736)			
吳叔樺	4734			
吳奔星	2117 3229(7527) 3413(7530)			
	7515 7519			
吳宜霈	3426			
吳 岩	8154			
吳岱穎	0793			
吳幸娥	2162			
吳怡青	0151 0211 0218 0359(1195)			
	0866 3384			
吳明足	7672			
吳東權	3637 3638 3641			
吳炎途	0509 3169			
吳金娥	3912			
吳金華	0115(0740)			
吳俐雯	1769			
吳品蓄	6272			
吳品誼	5640(7951) 7955			
吳客禮	3618			
吳宥潔	1600(8267)			
吳建華	7093			
吳政哲	6699			
吳秋林	4179			
吳美幸	4309			
吳英純	4698			
吳 浩	7066(8774)			
吳國英	2140 2450 2456			

吳密察	3266			
吳敏而	0908(1962)			
吳清員	5123			
吳清淋	4170 5074			
吳淑慧	5657(7164)			
吳盛青	5865			
吳連珠	4699			
吳 傑	0542(2930 2976)			
吳傑儒	3398			
吳婷琲	8137(8167)			
吳惠玲	5948			
吳斐甄	6318			
吳智和	7321			
吳鈞堯	6005 7928			
吳順令	2286 5490			
吳新雷	0762(7152)			
吳新蓮	1194(2503)			
吳瑞青	0923			
吳 當	4351(8077) 7495(8059)			
	7497(8061) 7500(8068)			
	7502(8069) 7503(8070)			
	7505(8071) 7507(8083)			
	7526(8088) 7545 8090			
吳義勤	3027			
吳蜀魏	0556			
吳達芸	5088(7835)			
吳福助	0398 0456 0457 2511 2638			
吳福相	4397			
吳肇嘉	1488			
吳銘能	0163 0584			
吳廣定	3441			
吳慧茹	7432(7623 8120)			
吳慧蓮	2094			
吳輝榮	3705(3988) 4120			
吳 曉	5796 7618			

吳曉琪　　1614(5891)

吳曉華　　1141　4709　6924

吳　澤　　3025

吳興文　　0011

吳聲淼　　8103

吳聰敏　　7892　7895

吳聯益　　1463

吳　薇　　5539

吳璧雍　　0822(7302)　0823(7303)
　　　　　0824(7304)

吳禮權　　2133　7338(7840)　7352　7427
　　　　　8507　8533

吳麗琳　　4522　7367

呂

呂士朋　　4817

呂天行　　3234

呂正惠　　0884(6177)　2057(5838)
　　　　　3219(5783)　4322　4547　5548
　　　　　5549　5803　5870　7517　7529
　　　　　7534　7811(8065)　8342

呂妙芬　　0239　0521(3197)

呂佳蓉　　5505

呂宛蓁　　8921

呂明修　　7329

呂武志　　0365

呂盈瑩　　6700

呂秋蓉　　5203

呂美怡　　7730

呂素端　　7856

呂啟祥　　3220(7259)

呂祥竹　　0862(1555)

呂　凱　　1438　2952　4819　6999

呂新昌　　0208(5590)　3286(3354)　3353

呂瑞生　　3822

呂實強　　3208

呂榮華　　4526　5062(5525)

呂興昌　　2831　2967(7531)　3273(5567
　　　　　7818)　4773　6144

呂應鐘　　1774

妙

妙　云　　1697

宋

宋孔弘　　7373

宋兆麟　　2410

宋邦珍　　1508　6311　6356

宋　定　　6906

宋柏蓉　　4206

宋美瑩　　7000

宋哲生　　6701　6702　6703　6704　6705

宋桂友　　8003

宋　裕　　0285(7463)　2792　2793　2819
　　　　　2822　2847　2878　2880　2881
　　　　　2882　2884　2885　2886　2907
　　　　　2908　2942　3956　4241　4503
　　　　　5128　5186　5390　5508　5509
　　　　　5511　8511

宋滌姬　　1784　2466　4607

宋　輝　　7131

宋鎮豪　　3045(3651)

岑

岑溢成　　0461

巫

巫小黎　　3083　7865(5659)　7899

李

李　芳　　0376

李又寧　　0531(3224)

李子榮　　3588(8560)　8558

李元松	1676				
李元治	4976				
李少白	1578				
李文茹	0024	0912			
李文憲	4643(6186)	6250			
李日章	1339				
李以莊	6442	7016			
李占領	0534				
李平平	0035				
李幼良	6462				
李幼新	8009				
李正志	1579				
李正治	1587	1595	5761	8221	8245
李永勃	8542				
李玄玉	2489(3585)	8420			
李玉珍	4423				
李玉貴	4280				
李甲孚	2378	2379	2524		
李立明	7652	8305			
李立信	0560	6043			
李仲均	1832				
李光筠	0268(1031)	1034	3200		
李名方	8568	8582			
李如鸞	5990				
李利芳	8155				
李含冰	3159				
李志林	1334				
李　李	1658	1756	1762	2877	5700
	5702	5995	6894		
李亞明	3573	3595	3961	3965	3966
李佳信	4331				
李佩嫙	7977				
李周龍	4026				
李孟毓	7651(8746)				
李宗焜	2704				

李宜樺	5505				
李宜靜	7988				
李怡芬	6035	6296			
李怡慧	0709(4600)	8089			
李昌年	6258	6267			
李　明	0154(5861)				
李明德	2540				
李明輝	1939	1945			
李昊青	4736(8730)	5171			
李東洪	7232				
李東霖	5643	7984			
李秉乾	2598				
李　芳	0185	0881	7203		
李金坤	0662	1080(6113)	3797(6959)		
	4118	6170	6270(6349)	6284	
	6314	6315	6321	6389(6997)	
	6949				
李金松	7360(8259)				
李金城	4794				
李金蓮	3295				
李金蔦	5481				
李旻憓	6316(8772)				
李俊輝	2216				
李南杰	5908				
李威熊	0483	1223(3862)	1515	1995	
	2010	2053(2784)	2390		
	2527(2786)	2567	2777	5305	
	7397				
李建民	1803				
李　春	4517	4628			
李星瑩	6706				
李為之	2774(2856)	7809(8004)			
李炳南	2933	4829			
李玲語	4697				
李癸雲	7587				

李皇穎　3598(4334)

李紀祥　0524

李美燕　4243

李若鶯　5624(7622)　7621

李英華　6350

李修生　0106(0730)

李振興　2065　3744　3751　4030

李桂生　8561

李栩鈺　3006

李素珍　5533

李素真　0808(4274)　0809(4275)　4279
　　　　4282　4283　5341

李　耕　3835

李　栖　2555(5959)　2922　6331　6890
　　　　7334

李國俊　4486

李國祥　0113(0737)

李康馨　4847

李　彬　3105

李敏勇　5122

李梁淑　2988(7721)　3062　3066
　　　　6395(8097)　7723(8098)　7859

李淳玲　7263　7264　7265

李清筠　0696(2364　8011)　2288　4723
　　　　5311　5425　5443　5479

李淑慧　1302(2044)

李紹崑　3049

李　喬　5588(7878)

李惠綿　7183

李　揚　6944(8261)

李景遠　3667

李欽業　7701

李　渡　0049(6204)

李渝福　2811(6148)　6149(8239)

李甦平　1561

李菁菁　2042　3943　6294

李詠健　0965(3422)

李貴生　2039

李新霖　5495

李殿魁　0015　0563　0680　2163(4485)
　　　　2396　4489

李　猷　2956　3244(6439)　4217　6707
　　　　6708

李瑞琦　4697

李瑞騰　0791(7570)　7341　7518
　　　　7582(8186)

李葆嘉　3519

李運瑛　5975　6055　8669

李漢偉　0609　4253(8078)

李睿奇　6709

李　端　0680

李翠瑛　2263　5172　6710　6711　6712
　　　　7700　8547　8555

李銘宗　2440

李蕙如　1552　8278

李錦全　1936　1939　1940　5830　5835

李靜修　4612

李靜雯　5228　5230　5231

李　邁　1115　8343

李鴻儒　0366

李鍑倫　1004(8610)

李　鋻　1208

李　豐　8783

李豐楙　1617　1760　1800　1917　2047
　　　　2395　2419　2603(7395)

李麗美　7958

李麗英　4730(8714)

李麗霞　5031　5057　5058

李　籬　1813

李晗蕾　8531　8570

村

村山吉廣　0758

杜

杜升雲　1780

杜奇榮　8045

杜忠誥　2236　2713(3825)　3681

杜明德　3517

杜松柏　0386　0519　1366　1679(6210)
　　　　5059　5060　5777　8235　8237

杜淑貞　0928(8506)　3555(5797)　5138
　　　　8509

杜凱薇　1089(4159)

杜　萱　4232　7511(8086)　7525(8087)
　　　　7689　7690

杜榮琛　7414　8084

杜　濤　1046(6089)

求放子　1974　8823

沙

沙　笛　3183　3186　3189

沈

沈玉雯　4315

沈秋雄　3716　3717　6196　6327　6713
　　　　6714　8803

沈素因　7411

沈曼雯　3009

沈清松　0023　1936　4300

沈惠如　3084　6068　7160

沈福煦　5853

沈　寬　3653　4075

沈衛威　3069

沈　謙　0566　2928(6051)　6432　8251

汪

汪　中　6715　6716

汪中文　1173

汪少華　1895　2558(5961)　4063　4085
　　　　4093　4098　8887

汪文祺　5378

汪　淳　4301

汪惠蘭　7558

汪學文　3829

肖

肖學周　5750

言

言慧珠　7172

谷

谷　昆　2434

車

車行健　0177

車潤豐　5798　5831

車　輪　0575　2799

車錫倫　0171

辛

辛金順　7572

辛冠潔　0785　1558　1559　1560　1942
　　　　1943　1947

辛　鬱　7542

邢

邢建勇　7942

邢義田　1519

阮

阮小芳　1396

阮昌銳　7396

阮淑芳　4904(8671)

八畫

亞

亞　俠	6240

卓

卓芳宇	6964
卓美惠	1932(7388)
卓翠鸞	7738　8026

和

和田久德	0858

周

周少川	0226
周日安	3570　8430
周世躍	1752
周幼蘭	4230(8063)　4231(8064)　4552
周玉珠	1085(6116)
周兆祥	5970　6042
周先慎	3267
周安邦	1458(7293)
周汝昌	7262
周　何	0059　0279　1106　1107　1109
	1111　1112　1114　1116　1117
	1118　1119　1120　1121　1122
	1123　1124　1125　1126　1127
	1129　1130　1131　1133　1134
	1135　1136　1139　1142　1145
	1146　1147　1148　1149　1151
	1153　1154　1155　1156　1158
	1159　1160　1161　1162　1163
	1164　1165　1166　1167　1168
	1169　1170　1171　1175　1176
	1178　1179　1180　1181　1182
	1183　1184　1185　1186　1201
	1287　1290　1451　1840　2412
	3460　3690　3710　4009　4150
	4777
周志川	1193
周志文	2899　7439
周志煌	7166
周杏芬	7746
周延燕	4663(6206)　4861
周明儀	7218
周芬伶	7836
周虎林	5276
周彥文	4751
周春健	1079(6112)　1081(1213)
	1084(6115)　8561
周柏蓮	0412
周益忠	0895　3694
周　秦	0326　0761
周純一	3505　4291　4512　5689　5807
	7109　7110　7136　7229
周耕宇	6717
周寅賓	7328
周勛初	0107(0731)
周惠泉	6351(6948　7100)
周　雯	6281
周幹家	0073　1227　4196　4341　4443
	8876
周嘉慧	0472　0659(5717)
周碧香	1904(5980)
周韶華	4244(5029)
周鳳五	0256　0260　0305　0306　2672
	2677　3864　3865　3871
	3978(4757)　4021　4548　4642
周慶林	0279
周慶華	0465　5716　5858　7279　7289
	7292
周質平	2075

| 周戀昌 | 6931 |
| 周簡段 | 2446 |

孟

孟　玄	0946				
孟建安	3586	3592	3602	8301	8303
	8304	8553	8581	8609	8761
	8769				
孟　樊	7498(8067)				
孟憲愛	8549	8551	8552		
孟繁舉	2568				

季

季　健	3119				
季　進	1582(3030)	3022	3050	3107	
季維龍	3205				
季　默	3064				

宗

宗大筠	0197			
宗守雲	5800(8583)			
宗廷虎	3507(8484)			
宗　鷹	5854	5855	5866	8246

岳

| 岳　珍 | 0641 | |
| 岳　峰 | 7953(8205) | 8200 |

怡

| 怡　禎 | 0717 |

房

| 房立華 | 8154 |
| 房慧真 | 3387 |

易

易竹賢	7320			
易俊傑	1899(2451)	5868	5972	7597
易麗君	4968			

明

| 明復法師 | 1678 |

林

林二白	0091	4546			
林于弘	3003(7595)	4892			
林于盛	1501				
林大礎	0675	8272(8320)	8297	8298	
	8315	8316	8317	8719	8720
林中正	3280				
林中明	3844	3845	3846		
林中斌	3349				
林心暉	7359				
林文寶	0118(8080)	0119(8082)	0390		
	0775	0948(2037)	1986	4056	
	4524	5608	7418	8161	
林月惠	5676(7378)				
林冉欣	6040(8773)				
林平和	4813				
林正三	6522				
林玉體	0518	1939	1942	1944	
林安梧	0405	0572	0724	0946	1253
	1312	1318	1323	1324	1484
	1618	1938	2063	3154	
林伯謙	1698	1699	1700	1701	1702
	1703	1704	1705	1706	1707
	1708	1710	1711	1712	1713
	1714	1715	1717	1718	1719
	1722	1723	1724	1725	1726
	5916	6479			
林吳三英	0952	2070(6138	6152)		
林吟屏	6718				
林均珈	1610(8281)	3417	5214		
	5749(7296)	8596			
林均諭	0295(5893)				

林妙勳　3762

林孝璘　3540(4175)　4382　8905

林廷芬　5272

林志孟　1270

林秀娥　5200

林秀珠　5348

林　良　3293

林邦鈞　5992

林初乾　3778　4633　5967

林佳惠　1088(6118)

林佳靖　0798

林佳蓉　2896

林佳樺　8284

林佩芬　3166

林佩玲　4429

林其泉　1535

林其賢　4233　4553

林宗宏　1027(6084)　1028(6085)

林宗毅　8031　8034

林宜陵　6719　6720

林宛宜　8105

林幸謙　1583(1889)　7831

林怡仲　4650

林怡君　7630

林怡佩　5387(8842)

林怡芳　7706

林明照　1485

林明德　0043(0313　0878)　0876
　　　　0877(8226)　1043　1835　2602
　　　　5851　7315　7699

林欣怡　7756

林玟玲　7082　7106

林玟儀　2859　3343　6918　7008

林芳妃　8106

林芳儀　4442

林　芝　0040　0041　4724

林芝安　3426

林金龍　3666

林青蓓　6359　6360

林怜秀　5182

林保全　6387

林保淳　2111　2112　2289　7842　7844
　　　　7845

林帥月　0647(0763)　2290

林建宏　0946

林彥伶　6721

林彥廷　0231　1530(5562)

林思涵　0715(4269)

林政言　0699　0702(4255)　1140　5707

林政華　3522　3620　3622　3624　3625
　　　　3709(5767)　3719　3720　3996
　　　　4000　4033　4350(8075)　4775
　　　　4969　5237(5396)　6226

林春美　8184　5658(7852　8250)

林春蘭　6132

林　玲　7111　7128　7176

林珍瑩　1177

林秋華　6460

林　美　2110(3232)

林美君　7376

林美宏　4277

林貞均　4475(4960)

林姵君　6722

林哲彰　8153

林哲璋　7918(8128)

林家成　3785

林家驪　6481

林恭祖　3675

林振良　7184

林益勝　0982

林素芬	0889			
林素珍	5274			
林素英	1188			
林素清	0004			
林素蘭	4364			
林純芬	3780			
林軒鈺	3816(4449)			
林偉雄	1103(6128)			
林國鐘	4877			
林婉菁	1476(8579)			
林崇智	4977			
林惟仁	3407			
林啟屏	0476			
林　敏	0440			
林清玄	1680			
林清標	4910　5049			
林淑妙	2035			
林淑芬	2230　2972　4604　5119　8092			
林淑貞	0324(6519)　0428(6494)			
	1205(2766)　4445　6280　6283			
	6289　6292　6302　6896　6951			
	7947　8002　8035　8095　8160			
林淑雲	5378　8027　8041			
林淑儀	3597　3798			
林淑慧	4424　6285			
林祥徵	0471			
林聆慈	4383　4406　4912　4921			
	5251(5364)　5600　6491(7024)			
	7294　7869			
林章圻	4834			
林朝成	1603(1746)　1604(1747)			
林　琪	3293			
林琥發	6723			
林登昱	0955　0956			
林紫慧	5565(7812)			

林　萌	7441　8802　8807			
林貴真	4550			
林隆盛	1990(2693)			
林雯淑	0772			
林琤玲	4629			
林愷胤	0859			
林敬文	7372			
林　榆	3636			
林照蘭	5208			
林煥彰	8050(8085)			
林瑞玉	2162			
林瑞明	2970(3271　7446)　5575			
林瑞娟	5302			
林瑞景	2031(5328)　4498　4502　5036			
	5038　5093　5097　5098　5101			
	5102　5103　5104　5108　5116			
	5124　5130　5166　7561			
林瑜一	4192			
林瑜文	0019			
林義烈	4641　4657　4873　4875　5301			
	5306			
林聖傑	3823			
林　葉	3725			
林葉連	4035			
林裕學	1553			
林詩屏	8126(8197)			
林詩哲	0540			
林　瑋	3293			
林　綠	7575			
林維紅	2840			
林翠華	1083(6114　7647)　4561			
	6286(7642)　6290(7646)　7295			
林翠鳳	2017			
林劍鳴	0393(3098)　0486　2116			
林　廣	4954　7644			

林德俊	0797
林德姮	8119(8159)
林慶彰	0029　0031(0176)　0032　0034
	0036　0056(0942)　0071　0072
	0083　0132　0153(5895)　0175
	0187　0209　0221　0253　0262
	0279　0336　0400　0469　0544
	0555(3332)　0587　0835　0837
	0838　0839　0840　0841　0842
	0843　0844　0845　0846　0847
	0848　0849　0850　0851　0852
	0853　0854　0855　0856　0857
	0858　0873　0890　0937　1022
	1078　1191　1546　2002　2007
	3089　3095　3102　3127　3344
	3384　4966　5397　6063
林慶勳	3753　3740　3807　3947
林慧君	5649(7985)　7242(8269)　7963
林慧峰	0590(4302)　3176　3411
林慧真	2295
林慧雅	4944(8519)
林　潛	8928
林蔚蘭	6136
林　澐	0109(0733)
林憶雯	7282
林曉筠	2252　6287　6288　7384(8766)
林燕媚	5505
林燕勤	0573
林積萍	5654(7832)
林衡道	1984(2596)
林靜慧	0297(5650)
林聰舜	1238　1239　1242　1244　1308
	1435　2048　2362　2542(2772
	5957)　2543(2743)　2544(2744)
	2545(2745)　2548(2775)　2748

	2769　2770　2771
林鍾勇	4939　4943
林韻梅	4352　4457　4458　4461　4462
	4771　4811
林麗月	2088　2101　2392
林麗娟	6370　6371　6372　6373　6376
	6377
林麗雲	5433
林寶芬	5061(5524)
林寶珠	0949(4336)
林繼生	1254(7326)　4924　5067　5068
	5070　5071　5085　5089　5090
	5317　5318　5319　5320　5321
	5347　5349　5350　5352　5354
	5356　5357　5358　5359　5360
	5363　5365　5369　5383　5413
	5416　5418　5426　5430　5434
	5438　5457　5465　5532
林耀洞	4135
林耀椿	0014　0128(3053)　0202　1621
	3054　3055　3093
林耀潾	1325
林覺中	0510　2519(6431)　2918　4490
	5786　5821　6469　7496　7564
林　櫻	3293
林鶴宜	0129(7147)　0130(7148)
林鑾英	4416

松

松村潤	0838

武

武光仲	1791(2343)

法

法　天	3724　4069

冷

冷　風　6942

祈

祁立峰　5920

空

空　空　2016　4696

竺

竺家寧　0594(3853)　0633(3856)
　　　　0646(3514)　1045(3937)
　　　　2954(3412)　3204　3443
　　　　3488(3948)　3490　3491
　　　　3518(3857)　3692　3697　3847
　　　　3848　3849　3851　3861　3867
　　　　3873　3880　3897　3898　3904
　　　　3906(4688)　3922　3923　3924
　　　　3925　3926　3927　3928　3929
　　　　3930　3933　3936　3968

邵

邵曼珣　0597(5304)　0694(4974)　1930

邱

邱子寧　7868　8117　8147(8208)
邱文俊　6362
邱各容　0782　8057　8079
邱宜文　1072(5903)　6108)　1192(2348)
　　　　5757
邱若琪　7986
邱素雲　2478(6264　6347)　6489　6490
邱財貴　0697(1538)　1959　3165
邱偉雲　1528　4419(5799)
邱敏捷　1693　1696　4856　4868　4870
　　　　4874　4879　5932　7737　8000
邱勝旺　3191

邱湘雲　5953
邱順明　4199　4379　4691　4700
邱詩雯　0219(5889)
邱筱君　0147(5561)　3161
邱德修　0271(5841)　1197　4131　4651
　　　　5829　6424　7004
邱慧芬　1091(6119)
邱燮友　0037　0674　0745　2618(2630
　　　　2669)　2644　2779　3358　3755
　　　　3801　4491　4510　4515(7090)
　　　　4516(7011)　4518(6438)　4532
　　　　5391　5740　5815　6724　6725
　　　　6726　6727　6728　6729　6730
　　　　6731　6732　6733　6734　6735
　　　　6736　6737　6738　6739　6912
　　　　6915　7067
邱慧婷　0773
邱馨儀　6740

金

金　屯　1834
金宏達　7843
金谷治　0856　1387
金真姬　3676
金培懿　0482　0863
金善豐　1792(2342)
金榮華　4158　5541
金鐘吾　6443

九畫

侯

侯玉芳　5184
侯作珍　6263　6265
侯亮宇　3511　4719　5373(8414)

5374(5543)　8395　8404　8405
8408

侯美珍　0134(0958)　1082　1086　3102

俞

俞允堯　2626　2654　2910(2946)　6137

俞牡丹　2242

俞辰文　2653(7280)

俞為民　3038　5714　7143　7153

前

前野直彬　0822(7302)　0823(7303)
0824(7304)

勁

勁　士　3435　3437

南

南　堅　6886

姜

姜　宇　6928

姚

姚　拓　0206

姚彥淇　3390

姚配義　8093

姚國坤　2433

姚喁冰　0548(2093)

姚榮松　0604　0615　0616　0642　0898
2064　2675(3462)　3448　3463
3464　3465　3466　3468　3469
3472　3484　3498　3504　3576
3591(3678)　3698　3852　3883
3946　3957　3958　3959　3980
4045　4122　4184(4622)　4190
5055　5393　5395　5713　8362
8407

姚漢秋　2298　2302　2411　8902

思

思　果　3474

施

施　丁　3227

施夙芬　6955

施佳瑩　5627(5668　7910)　5628(5669
7911)

施忠賢　7219(8030)　7909(8029)

施炳華　0046(0940)

施家雯　5617(7887)

施　淑　3274(5568　7819)

施淑宜　2148

施淑婷　1598(8268)

施發筆　3611

施順生　3682

施筱雲　6047　8576

施聯朱　2589

施議對　1061(6099)　1062(6100)
1063(6101)　1065(6103)
1067(6104)　1069(6105)
1070(6106)　1071(6107)
3338(6987　7451)　6988

施懿琳　5592　5594

柯

柯友稚　1956　7123(8051)

柯先生　4059

柯佩君　8032

柯明傑　3400

柯鈞齡　7978

柯雅藍　4473

柯　楊　2383(5704)

柯萬成　5491

柯萬成　2557

柯榮三　0013　5622

段

段大明　7468

段建民　2319

段美華　5860

段莉芬　6158

段醒民　5275

洪

洪士惠　7961

洪少萍　0771

洪正玲　4920(8679)

洪如薇　1770(8886)

洪育仁　8921

洪邦棣　4155　4307　4358(8916)　4653
　　　　4670　4672　8821

洪芸琳　0930(8418)

洪春柳　4797

洪珊慧　7904(8121　8192)

洪美珍　8112

洪郁婷　1494

洪唯婷　7779(8747)　7780(8748)

洪惟仁　0277(3500)　0280(3501)
　　　　0281(3502)　0779　3493　3893
　　　　3894　3895　3901　3940(6515)
　　　　3941(6516)　4187　5712　8914

洪惟助　4985　7132

洪梅珍　8838

洪淑苓　0042　2329　5720　6185
　　　　6402(7490)　6477　7305

洪順隆　2330(6162)　2814(5844)

洪楷萱　0138　0375(2534)　1092(6121
　　　　8840)　2645　3140

洪維仁　8896

洪慧鈺　8921

洪曉菁　8104

洪澤南　4492　4519　4521

洪靜君　7657

洪　濤　2940(7276)

洛

洛　夫　6402(7490)

為

為　之　4221

為　成　4222

狩

狩野直禎　0843

秋

秋　虹　6908

紀

紀千惠　6499　7408

紀兆航　1523

紀怡如　4483(8574)

紀采婷　8125(8196)

胡

胡小石　6277　6278

胡天蘭　5540

胡月花　3259

胡仲權　3327

胡伯欣　4559

胡　忌　3103(7155)

胡其德　6268

胡昌明　2529

胡迎建　6524

胡厚宣　0159

胡品清　8180　8181

胡恩厚　2661　2664

胡習之	3571	8569			
胡　超	5908				
胡楚生	0135	1922	3691	3741	4586
	4785	6066			
胡　煥	4218				
胡萬川	1982(2100	2376)	7209	7210	
	7325	8861			
胡載陽	6428				
胡爾泰	6741				
胡曉翔	2244				
胡曉蓓	7409				

范

范文芳	1388(1777)	1936	1940	2085	
	4674	4675	5309	8010	
范文鳳	5163	6058			
范月嬌	0815	0816	0817	0818	0819
	0820	0821	0827		
范伯群	2993	7697	7814		
范長華	2902(7085)	4970	7084	7112	
	7142	7149	7182		
范美瓊	1492				
范能船	0117(0741)				
范培松	7707	8263	8264	8265	
范毓周	3652				
范曉雯	4392	4466	4471	5032	5033
	5039	5041	5042	5113	5114
	5117	5118	5120	5129	5134
	5140	5141	5144(5441)	5503	

若

若　水	3711

重

重　提	3235

韋

韋金滿	7068

候

候　剛	3086

十畫

倪

倪正芳	2486		
倪兆雄	4784		
倪其心	0114(0738)		
倪　沫	0932		
倪芳芳	1291(5945)		
倪瑋均	0215	0245(0452)	0344(1095)
	0892		
倪薇淳	4738(8732)		

凌

凌性傑	3123	7874		
凌鼎年	2458	3536	3793	8827
凌德祥	7400			

原

原田種成	0855

唐

唐文德	6452		
唐亦男	1225		
唐　捐	7577		
唐雪凝	8894		
唐雪凝	3824		
唐雪凝	0931	8554	
唐復光	0165	0360	
唐翼明	4288	4325	6238(8248)	7459
	7839	7847	

夏

夏元瑜	7317

夏志穎　　　0352(6995)

夏　鄉　　　5505

夏　雲　　　8047

夏傳才　　　2818

夏瑞紅　　　3191　4344　8785

夏薇薇　　　4925(8680)

奚

奚　密　　　7586

孫

孫秀玲　　　0310(0450)　0371(5824)　2374
　　　　　　4373

孫振志　　　3721　3761　3994　4017　4144
　　　　　　4655　4693　5293　6465　8341
　　　　　　8352

孫梓評　　　0792

孫移泰　　　2663　2665　6217

孫欽善　　　0027(0330　6330)　0104(0728)

孫瑋騂　　　1003　5753　7654

孫蓉蓉　　　7096　7097　7098　7188　7192

孫　遜　　　2225　7255

孫劍秋　　　0998　1000　5545

孫廣平　　　3763

孫慧娟　　　0829

孫麗華　　　3142

師

師大附中六七三班　　　8019

徐

徐千嵐　　　2251　2253　2279

徐小燕　　　3385

徐公持　　　5971

徐公超　　　1805

徐少知　　　0093

徐文助　　　1440　1448(2143)　1449(2144)

徐世澤　　　6742　6743　6744　6745　6746
　　　　　　6747　6748　6749　6750　6751

徐守濤　　　1721　4252(8074)

徐宗潔　　　7101

徐芹庭　　　0988

徐信義　　　2858

徐城北　　　3058(7171)

徐美加　　　4931

徐茂瑋　　　4828　4958

徐國能　　　5462

徐國源　　　3109

徐　梓　　　2041

徐淑玲　　　0690

徐淑娟　　　2266(3684)

徐雪鎂　　　7381

徐　婷　　　3820

徐富美　　　3557　8435

徐惠玲　　　4737(8731)

徐惠隆　　　3309　5711

徐斯年　　　7830

徐景洲　　　6018

徐傳武　　　1804　1828　2699(6450)　3659
　　　　　　4102　7233　7238　7239　7241
　　　　　　8873　8875

徐傳勝　　　6136　6219

徐微哲　　　0947(1750)

徐敬婷　　　6752　6753　6754　6755　6756

徐筠絜　　　7391(8612)

徐詩淵　　　0766

徐道彬　　　5909

徐夢林　　　5787

徐漢昌　　　0199(1374)　0756　1378　1382
　　　　　　1439　1514　1944　1945　4032
　　　　　　8244

徐福全　　　2293

徐遠和	1566	1935	1936	1938
徐遠祥	6235			
徐曉莉	6559	6560	6561	6562	6563
	6564	6565	6566	6567	6568
	6569	6570	6571	6572	6573
	6574	6575	6581	6582	6583
	6584	6585	6586	6587	
徐錦成	3792	6282	6352	6378
	7866(8101)			
徐麗玲	5198			
徐耀民	3817	3818	3820	
徐儷玲	2505			

晏

晏亦程	1398	4172	4342	4594	5066

桂

桂　強	2670	4160

柴

柴田篤	0859			
柴劍虹	0392(3034)	3085	3326	6146

殷

殷善培	2803

浦

浦忠成	4182	6209	7405

留

留金騰	0962(3420)

祝

祝鴻熹	0116(0739)

秦

秦賢次	0122(3222)	0123(3230)
	0538(2969)	2727(7514)
	2728(7522)	2729(7523)	2968

	3029	3242(7448)	4673	5575
素榮齋	4240	4853	4855	4860

翁

翁以倫	0468	3662	3777	3842	4080
	4103	4851	8253	8490	8826
翁廷辰	3526	3669			
翁敏修	0426	3680			
翁聖峰	0061(0933)				
翁榕翎	6757	6758			
翁慧娟	7971				
翁靚艾	7929				
翁燈上	4975				

耿

耿志堅	4452
耿秋芳	4949(7762)
耿雲志	3217(3446)

荒

荒木見悟	1547

茶

茶　餘	0906	0907	0909	0911

荀

荀　潔	5671(7434)

袁

袁行霈	2400	5834	6193	6211	6433
袁明嶸	0441	0451	3144	3147	
袁　武	2426				
袁信愛	1008(1399)				
袁清林	1776				
袁義明	2791(4072)				
袁顯相	1226(3991)				

馬

馬少波	3057(7170)

張

張力中　1432　2573(7212)　3282(3348)
　　　　4052

張又齡　5778

張于忻　3401

張子樟　5582(8100)　7841

張小平　6922

張仁青　2835　4123　5052　5232　5281
　　　　6072　6407　8851　8853　8860

張友彬　1084(6115)

張少中　1521

張心怡　2459

張文軒　8904

張文彬　3745　3974　4831(8365)　8363

張文朝　0181

張火慶　0886　3182　4296　4298

張世聰　4405

張以仁　6759　6760　6761　6762　6763
　　　　6764　6765　6766　6767　6768
　　　　6769　6770　6771　6772　6773
　　　　6774　6775　6776　6777　6778
　　　　6779　6780　6781　6782　6783
　　　　6784　6785　6786　6787　6788
　　　　6789　6790　6791　6792　6793
　　　　6794　6795　7671　7673

張　平　2254(6045　6381)

張幼農　4984

張正男　3884　3910　3917

張正義　0920

張永儁　1335　1936　1941

張玉明　0670　5190

張玉芳　1931(5890)

張玉龍　5986

張白虹　6319

張立文　1948

張仲陶　1839

張仲謀　3111　3112

張光宇　3461　3476　3477　3478　3480
　　　　3483　3487　3489(3949)　3854
　　　　3931　3935

張至廷　6323

張伯偉　6207(8242)

張克偉　1537

張克濟　2802(6141)

張　兵　7094

張圻清　6796

張　宏　8590(8843)

張宏生　0334(6977)

張宏庸　2402　2403

張　彤　2497

張秀惠　4698

張谷平　1584

張佳琪　4432

張佳瑤　6965

張來芳　1605(2668)　5904

張林川　1081(1213)

張欣伯　2929(7261)

張　波　3134

張炎憲　3265

張金城　7150

張金圈　3824

張金蘭　0669

張俐雯　7786

張則桐　6049

張屏生　3100(3510)　3393　4186

張建富　3270(3300)

張恆豪　3277(5571　7822)

張政偉　3395

張春榮　4420(8571)　4430　5034　5037

	5043　5143　5149　5154　5160
	5162　5167　5174(8550)　5196
	5258　5259　5261　5264
	6953(8556)　7354　7613(7884)
	7616(7890)　7645(8545)
	7659(8144)　7678　7791　7860
	7861　7873　7923　7936　7937
	8036　8037　8213　8214　8215
	8216　8217　8218　8219　8474
	8486　8489　8497　8513　8516
	8520　8521　8525　8532　8535
	8537　8541　8559　8577　8601
	8602　8692
張炳陽	1286(4077)
張　玲	4426
張玲瑜	7177
張秋娥	8711
張秋華	7375
張美煜	4181　4183　4191　4278
張茂榮	2460
張　英	2054
張英聲	4528
張修齡	4227
張哲耀	6797　6798
張娣明	1342(2145)　6799　6800　6801
張展源	1591(7550)
張　峰	3158
張振成	4610
張晏瑞	0137(0959)　0139(0299)
	0164(0357)　0216　0351　0437
	0445
張窈慈	2346(8915)　5919
張素貞	0673　1447　8845
張素卿	0239　0521(3197)
張素靜	5497

張起鈞	0726
張高評	0222　0329(6329)　0473　0474
	0489　0582　1198(5943)　1202
	1206(5949)　2495　2747　2750
	3218(6391)　3916　4019　4906
	4907　4913　4914　5078　5303
	6071　6073　6147　6192　6345
	6448　6451　6903　6939　6943
張　健	0052(7445)　0062(0373)　0460
	5557(5577　8254)　5859　6337
	6369　7456　7457　7548
張健軍	2909(7179)
張堂錡	0918　2625　6393　7713　7751
	7753
張尉聖	1531
張崇根	1987　2586　8870
張崇琛	2454　5981
張崑將	3391
張啟超	0921　1758　2753　5693　7119
	7133
張　敏	8834
張淑珍	6957(8744)
張淑霞	1999
張雪松	2876
張惠淑	0162(0364)
張惠喬	7374
張惠新	7138
張　舜	5976
張超然	3370
張逸品	5755
張雅茹	1529
張雯華	4333
張琬瑩	0233　0236(1349)　1355
張愛芳	3158
張愷輝	5091

張瑞芬	2978(3059)				
張瑞穗	0455				
張稔穰	7336				
張詩宜	5672(7924)				
張靖遠	0910	3989	4011	4782	4788
	4805	6253			
張瑋儀	1466	3376			
張夢機	2186	4148	6183	6415	6802
	6803	6804	6805	6806	6807
	6808	6809	6810	6811	6812
	6813	6814	6815	6816	6817
	6818				
張榮明	8825				
張維用	1709	1877	1894	1903	1905
	1906	2530	2639	6243	6445
	7342	7401			
張廣慶	0189	0370(0939)	0463		
	0786(3648)				
張慧玲	4327				
張澄仁	7069				
張 璋	0332(6888)	0333(6976)			
張衛東	0414				
張輝誠	4474	7790			
張曉生	0595(4249 8062)	1218	2510		
張曉風	4225	4323			
張 濤	0229(0935)	2707	2708	2709	
張濤甫	3113				
張鴻愷	1002(1344)	1098(1607 6125)			
	1101	1554	6307	6308	7625
張璧芬	4698				
張鎮邦	2368(8015)				
張雙英	0485	0561	4251	4582	4584
	5781	7559	8231		
張瓊文	8136(8166)				
張穩蘋	3150				

張麗伽	0020				
張麗芬	4464	4465	5072	5864	7271
張麗珠	0586				
張寶鴻	6819	6820			
張 覺	0098	0100	3545	3562	3583
	4149	4289	5996	5997	6241
	6309	6444	6510	6512	6513
	6514	8419			
張躍西	1720				

悠

悠哉讀書會	7826

戚

戚曉杰	3558
戚燕平	4099

晚

晚 晴	2084	2632

曹

曹之冠	1857			
曹任遠	0872			
曹杏一	6973			
曹金華	4865			
曹美秀	2021	2449		
曹 虹	5937			
曹貞吉	0764			
曹泰山	0546	2067	2069	
曹素萍	3152			
曹淑娟	0547	6064		
曹 爽	6449			
曹逢甫	3497			
曹順慶	1074(6109)			
曹嘉玲	4959(8768)			
曹德和	8593			
曹繼曾	1284	1830	4608	4695

梁

梁吉平　3609

梁存信　1833

梁秀中　2256

梁芳瑜　6821

梁姿茵　6897

梁桂平　7950

梁桂珍　0589　0684(4774)　2805　4727
4770　5506　5531

梁敏兒　2038　5679(8145)　8146(8207)

梁淑芳　1394

梁雅英　7070

梁雅琪　8135(8165)

梁頌成　5985

梁實秋　7677

梁銘越　2174

梁錫華　6201

梁錦興　8310

梁曙娟　4902

梁麗雯　8139(8169)

梅

梅原郁　0852

梅　新　0279　7584

梅新林　7286

梅　廣　3908　3944　8393

清

清　華　7421

牽

牽　山　3708

犁　牛　4980

畢

畢長樸　0459　3776

畢萬忱　5917

畢　璞　6328

盛

盛愛萍　2036　8595

莫

莫　渝　5578(7591)　7590　7592　7593
7724　7733

莊

莊仁傑　5674(7933)

莊世明　7975

莊吉發　1783　1872　2061　2380　2523
2570　2691

莊有志　5641(7952)

莊伯和　2230

莊君如　8038

莊宜文　0801(7454)　0802(7455)　7269
7345

莊　姜　7213(7431)

莊春蘭　4697

莊秋媛　4725　5366

莊健國　0434(7461)　0435(7462)
0436(7464)

莊淑芝　3275(5569　7820)

莊喬惠　0296(5892)

莊惠琴　4509

莊惠綺　7162

莊斐喬　6358

莊斐雯　6974

莊紫蓉　3289(3357)

莊雅州　0248　0753　1174　1379　3728
4133　4134

莊萬壽　1454　1936　1941　2049　2050
2090　2107(3212)　2135　2303
2522　2678　2833　4006　4263

	4972
莊銀珠	4554　4556
莊　練	1981(2099　2375)　2055(7815)
	2516　2526
莊蕙綺	5560(7199)
莊關通	2671
莊耀郎	1456　1487　1524　4763　8222
	8230　8233

許

許又尹	8921
許文獻	4482
許木柱	1952(2593)
許世瑮	2718　2726　2963　3201　3231
許永德	6822　6823　7071
許名瑲	3892
許如蘋	6384
許佑生	3178
許抗生	1390(1665)
許秀美	2334(2477)
許秀美	4917(8676)
許秀貞	0292(1315)
許育健	4428
許育喬	5270
許育嘉	1599
許良國	2590
許明瑲	3747(8355)
許明鎮	4235　4308
許芝瑋	6824
許金亭	4767
許長謨	3516　3534　8432
許俊雅	0480　5579(7726)
許建平	0180
許恬怡	7614
許政雄	0047(1977)　0387(3019)

	0530(3223)　2528(3048)　3051
	3097　3325
許若韞	4722
許迪鏘	0207
許家瑞	5505
許素蘭	3276(5570　7821)
許郢昭	3047
許悼雲	3186
許清雲	0092　0512　6190　6220　6367
	6509
許淑美	0196　1984(2596)　1985　2136
	2156(3317)　2528(3048)　3203
許淑貞	0770
許淑婷	7898(8191)
許紹明	3481　3712　3869　3990　3999
	4645　4647　4649　6180　6464
	8813
許惠玟	0800
許景昭	0964(3141)
許景重	3414
許　湛	2725
許華峰	1015
許逸之	3520　8384　8387
許逸民	6150
許瑞誠	8279
許維萍	0131(0834　0954)　0997　3101
許慧淳	0214(2537)　0864　3131　5888
許錟輝	0074　0078　0081　0084　0278
	0279　1009　2686　3341　3628
	3629　3630　3631　3632　3633
	3634　3635　3644　3646　3658
	3663　3671　3774　3837　3878
	3918　4656　4724　4836　4981
	5080(8872)　5451　6332　8478

連

連　子	1983
連文萍	0085　0200(0915)　0288
	0289(5782)　0394(3040)　0395
	0429(8266)　0477　0488　0645
	0708(4236)　0725(3316)　1326
	2147　2224　2588　3035　3155
	3228　3321(4197)　4203　4237
	4374　5402　6203
連清吉	1547　3397　5766　5942
連蔚勤	4453　4741

郭

郭乃禎	5921
郭小莊	3176
郭中一	1795　5874　5877　6269
郭玉梅	8614
郭玉雯	7348
郭由融	6825
郭立誠	1964　1967　1968　1969
	1972(8058)
郭存孝	1891　6484
郭妍伶	0867　0893　0894　3143　3151
郭佩琦	7973
郭　明	1639　2812　2839
郭明芳	0349(0934)　0447
郭明福	7693　7695
郭冠英	6428
郭美美	5327(5437)　5355
郭娟玉	7020
郭健二	4229　4783
郭梨華	1441(2703)
郭惠娥	4365
郭鈴惠	8111
郭慶山	4099

郭慶珠	4295
郭　瑩	2077　8881
郭燕橋	2238　2245
郭鍠莉	8109
郭鵬飛	1459
郭麗華	4455(4762)　5045　5342
郭鶴鳴	1401　1474　1475　1509　2073
	2089　2212(6198)　4004　4759
	4961　7594

野

野　渡	0261　3470　4028　8351

陳

陳一凡	3890　4043(4659)
陳一弘	6046
陳三井	2591(2923)
陳士全	2646
陳大為	0716　5794　5795　7557　7580
	7585　(8187)　7602　7667　7668
	8114　8188　8189　8201
陳子良	6909
陳子善	7520
陳之藩	0708(4236)
陳允元	7635　7638
陳友冰	6024　6160　6487
陳文采	0960(3418)　3092　1093(6123)
陳文華	0057　2389　2577　3324　3737
	6202　6325　6400　6410　6436
	6437　6485　6826　6827　6828
	7021　8844
陳文豪	0097　0372(2514)　0635(2697)
	1951　2551
陳木城	5054　8076
陳水雲	3566(6493)
陳水福	0141(2582)　0318　5645　6074

	0319(5646 7972) 0339(2564)
	0577 1572 3138 3156 3394
陳以瑄	6829
陳仕華	3372
陳弘治	2815(5845)
陳弘學	2828 4272
陳必正	6255
陳正一	3091 3362
陳正中	3963
陳正平	2491(2496) 5609(5739)
	5635(5747) 5745 5746 7363
陳正治	4619
陳正家	5398
陳正雄	0374
陳正榮	3561 3615 3843 4755 5933
陳民珠	6234(6926)
陳 玄	5542
陳玉金	8158
陳玉麟	3444
陳立夫	2114 4973
陳亦伶	0140 0148(0578) 0150 0160
	0212 0217 0323 0354(2740)
	0378 2950(3139) 5648(0149)
陳伊婷	5215
陳仲奇	5991
陳光明	3564 4927 5372(8530) 8505
	8518
陳光憲	3363
陳兆南	7107(7230)
陳如江	6907
陳如是	4294
陳安桂	2867 5927 4048
陳成文	6008
陳有昇	7290
陳伯軒	7782 5748

陳宏勉	1852 1856 1859 2269 2271
	2272 2273(3193) 2274 2275
	2276 2277 2278 2674
陳志哲	5221 5222
陳 來	1935 1936 1940
陳秀虹	5204 5265
陳秀香	5683(5759) 6525
陳秀娟	5197
陳秀桂	3607
陳秀琪	5607(5738)
陳秀端	2934 4825 6199 6218 6222
	6346 6923
陳育民	1472 1468
陳育玲	6956(8743)
陳佳君	1748(8771) 4711 8673 5188
	5193 6031(8697) 7664(8206
	8759) 8033(8143) 8054 8702
陳 來	1938
陳侃理	0223
陳侃章	2873
陳佩芳	2435
陳佩筠	2465 3001 7727 7862
陳叔敏	3563
陳妮昂	7270
陳孟麟	1402
陳季蔓	2782 5827 2724
陳宜伶	5678 7956
陳怜嫻	4698
陳幸蕙	0716 2932
陳忠本	4781 4761
陳忠信	7655 4450 4451
陳怡如	1187
陳怡君	1189
陳怡良	1602(5912) 2807(6145) 5911
陳昌明	1337 1589

陳明柔	7588				
陳明恩	2119(6221)	3387			
陳明福	1574(1575)				
陳明義	1094	6122			
陳明群	0788				
陳明緻	5505				
陳欣欣	0718(4930)	0720	(4271)	0721	
	(4613)				
陳秉貞	7741	7750			
陳　芳	2637				
陳芳汶	0523	0693			
陳金池	5046				
陳金現	2891				
陳青生	7450				
陳旻志	1590(8183)				
陳信元	0539(2973)	2951(7675)			
	7687(8066)	7535	3008		
陳俊揚	5756				
陳俊翰	6010				
陳冠甫	0380	1771(2494)	3262	5882	
	6520(7032)	7300	7776	7777	
陳勁榛	3260				
陳品君	8921				
陳品卿	4020				
陳姿妃	5633(7926)				
陳姿岑	6830	6831	6832	6833	
陳宣諭	6140	8053			
陳建忠	5616(7886)				
陳思璇	6834				
陳思穎	8324				
陳恆嵩	0424	1010	1011	1012	1017
	3127				
陳春旭	4071				
陳昭容	3240(3649)				
陳昭瑛	4174	5583(7871)			
陳昭銘	6254				
陳　星	2655				
陳炳良	4299				
陳盈君	7784(8752)				
陳盈宏	5684(7990)				
陳紀瀅	4216				
陳美玲	3524	5733			
陳美娟	5159	5161			
陳美桂	4499	4500			
陳美雪	0133(7174)	0144(7206)			
	0377(5642)	0431(7099)			
	2700(7167)	2731(7175)			
陳美琪	1933(7798)	3821			
陳美琴	7380				
陳美蘭	5496				
陳致宏	1217				
陳茂仁	2499	3942(4540)	4539	6518	
陳晉卿	2267				
陳英傑	7982				
陳虹霖	7769				
陳貞夙	2767				
陳郁夫	0411	4967	1533	0983	0987
	1352	2081	1338	1332(3210)	
	1973	1567			
陳重仁	0173(0290)	3424			
陳韋哲	0230	0232	0234	0237	0576
	0588				
陳　香	6413(8344)	8463			
陳姵君	4740(8734)				
陳　倉	2633				
陳家頎	6835				
陳振忠	8462				
陳書金	4010	6131			
陳桂昆	5047				
陳海雄	3868				

陳益源	0195(0623)　0389(3314)
	0592(0810)　0600　0617(3827)
	0624(5703)　0654(7284)　0682
	0685(5284)　0686(4347)　0687
	0688　0689(4965)　0784(2291)
	0879(5779)　0903　1761　1764
	1786(2337)　1907　2158(3319
	5706)　2307　2308　2309
	2311(5725)　2312　2313
	2314(7178)　2315　2316　2317
	2318　2320　2321　2322　2323
	2324(5580　5729)　2325(5730)
	2326　2327　2328　2331　2332
	2333　2335(5612)　2336　2461
	2462　2476　3252　3296　3297
	4297　4484　5514　5694　5695
	5708　5728　5732　5735　7121
	7197(7930)　7330　7331
	8809(8900)　8897　8898　8899
陳益裕	6266
陳祚龍	0543
陳素宜	7919(8129)　8132(8162)
陳素美	4698　5346
陳素英	4387
陳素素	4053(4806)　4054(4807)　4792
	8357　8358
陳素雲	4698　7560　7563
陳純純	1220(5956)
陳高志	0951(2752)
陳　偉	0227　2714
陳健星	6836　6837　6838　6839
陳國強	2294　2583(8868)
陳國鈞	5389
陳崑榮	7981
陳崑榮	4541
陳　強	6933
陳啟佑	0713(7551)　2121　2647　5076
	5083　5987　7606　7607
陳啟鵬(遙光)	2827　5875(7429)
陳晞如	8156
陳清俊	7423　7598(8108)
陳清香	1683(2228)
陳清彬	6303
陳淑宜	2722
陳淑芬	6966
陳淑娟	5618(7615)
陳逢源	0201(1319)　0419(1328)　0466
	3396
陳雪珠	3713
陳雪晴	4842
陳富雅	0769
陳剩勇	2698(3656)
陳勝吉	6213
陳勝崑	4985
陳惠青	6313
陳惠玲	1916(5914)
陳惠美	0009　0142(5758)　0321(0967)
	0438
陳惠鈴	7643
陳惠瑩	4699
陳惠操	2723
陳惠齡	4388　4389　4394　4923　5412
	5663(7883)　7881
陳智弘	4391　4404　4616　5035　5121
	5127　5131　5135　5136　5164
	5165　5262　5269　5336　5367
	5484　5537　5538
陳智超	3041
陳智德	0203
陳　詔	7257

陳貽鈺　2622

陳貴麟　4418　6472

陳雅莉　1594(8022)

陳雅琳　0865

陳雅菁　4431

陳雅慧　7921(8131)

陳雅齡　0773

陳靖如　4202(7436)

陳敬介　6998

陳　新　1928(3967)　2349(7228　8587)

　　　　4742　6526　8841　8895

陳新雄　1024(6081)　2656(6076)　3450

　　　　3764　3992　4514　6629　6630

　　　　6631　6632　6633　6634　6635

　　　　6636　6637　6638　6639　6640

　　　　6641　6642　6643　6644　6645

　　　　6646　6647　6648　6649　6650

　　　　6651　6652　6653　6654　6655

　　　　6656　6657　6658　6659　6660

　　　　6661　6662　6663　6664　6665

　　　　6666　6667　6668　6669　6670

　　　　6671　6672　6673　6674　6675

　　　　6676　6677　6678　6679　6680

　　　　6681　6682　6683　6684　6840

　　　　6841　7072　7073　7074

陳毓璞　0025　3950(4310)　8072

陳瑞秀　7215(7216)　7298

陳瑞庚　2229　4234

陳瑞貴　0022(1836)　0901　4152　4161

陳萬益　0751　3278(5572　7823)　4261

　　　　4623　4827

陳義棟　4303

陳葆文　2056(7816)

陳裕鑫　8262

陳　誠　7196

陳誠中　7168　7173

陳鼓應　1393

陳瑀軒　2345(7369)

陳廖安　0513　0514　0515　0517　0680

陳嘉宗　4640

陳嘉英　2264　4926　4955　5125　5142

　　　　5145　5157　5159　5161

　　　　5169(5168)　5179(5177)　5181

　　　　5370　5194　5262　5269　5502

　　　　5537　5538　5879　5934(6945)

　　　　6006　6044　7663　7758

陳嘉璟　0868

陳滿銘　0038　0076　0077　0082

　　　　0102(8757)　0103(8758)

　　　　0316(8704)　0807(4228)　1288

　　　　1289　1294　1296　1297　1298

　　　　1421　1503　2870(6910)　3342

　　　　3902　3905　4143　4312(4662)

　　　　4487　4562(8624)　4563(8625)

　　　　4565(8626)　4566(8627)

　　　　4573(8630)　4597　4603

　　　　4606(8640)　4681(8368)

　　　　4683(8639)　4687　4689　4690

　　　　4710(8672)　4712(8674)　4823

　　　　4839(8637)　4841(8638)

　　　　4900(8667)　4901(8668)　5022

　　　　5173(8296)　5192　5236(5529)

　　　　5244　5245　5256　5260　5272

　　　　5316　5394　5410　5417　5424

　　　　5817(8628)　5819(8629)

　　　　6021(8670)　6032(8710)

　　　　6070(8646)　6237(8648)

　　　　6842(7075)　6843　6893　6913

　　　　6916　6929(8650)　6930(8651)

　　　　6935　6937　6938　6994　7013

7033(8645)	7034(8647)			
7035(8649)	7036(8652)	7037		
7038(8655)	7039(8657)			
7040(8659)	7041(8660)			
7042(8662)	7043(8664)	7044		
7045	7046	7047	7048	7049
7050	7051	7052	7053	7054
7055	7056	7057	7058	7059
7060	7061	7062	7063	7076
8285	8290	8293	8295	8299
8300	8306	8311	8312	8314
8321	8322	8323	8325	8327
8328	8329	8331	8615	8616
8617	8618	8619	8620	8621
8622	8623	8634	8635	8636
8641	8642	8644	8653	8661
8663	8665	8666	8677	8686
8687	8696	8698	8699	8701
8703	8705	8707	8708	8709
8718	8721	8722	8723	8727
8737	8738	8749	8750	8756
8767	8770	8775	8776	8777

陳漱渝　2971　3036(3207)

陳碧月　5661(7872)　5664(7891)
　　　　5682(7969)　5686　5687(7993)
　　　　7834　7882

陳福康　3017　8867
陳維貞　0772
陳蒲清　3589　4396
陳儀玲　6050
陳儀深　3206
陳德和　2022
陳德述　1400
陳德富　1882　1912
陳慶容　6844　6845　6846

陳慶浩　0314(0882)　0362(5701)
陳慶煌　0458　0610　0651　0652　2281
　　　　2715　2716　3202　3249　3971
　　　　4125　4311　5310　5808　5809
　　　　5810　5828　6230　6236　6408
　　　　6456　6847　6848　6849　6850
　　　　6851　6852　6853　6854　7006
　　　　7010　7115　8850　8855

陳　璇　0352(6995)
陳慧文　2255　7198
陳慧珍　3549
陳慧英　4257　4258　4324　5377　5403
　　　　5411　5414　5421　5432　5436
　　　　5445　5458　5469　7827
陳慧鎂　8133(8163)
陳賢俊　4353　4163
陳賢俊　4346
陳憲仁　5065
陳曉江　2142　2601(4667)
陳曉怡　0394(3040)　1676　2157(3318)
　　　　2397
陳樹衡　6855　6856　6857
陳蕙文　0432(7189)
陳　遼　7332
陳霖慶　3799
陳靜宜　7858
陳靜瑋　0797
陳靜儀　8134(8164)
陳　龍　2033
陳薏安　4415(8538)
陳薏安　5139
陳薏帆　6858
陳瀅如　8122(8193)
陳瓊薇　4728(8712)
陳韻帆　1490

陳鵬翔　　　7569

陳　麗　　　3609

陳麗宇　　　1759

陳麗明　　　4589

陳麗紅　　　4558

陳麗卿　　　8858

陳麗桂　　　2444　4189　1522　4200
　　　　　　1909(2470)　1443

陳麗雲　　　4421(8573)

陳麗禎　　　5887

陳耀安　　　6859　6860　6861　7103

陳巍仁　　　7339

陳蘭行　　　1562(6992)

陳顥哲　　　0322(1347)

陳鶯萍　　　8829　8830　8831　8832　8833

陳讚華　　　1096(5941　6124)　1097　3371

陸

陸永品　　　3032

陸　華　　　0327

陸寶千　　　1200　1940　1936　1948

陶

陶立璠　　　1787(2338)

陶芳辰　　　4460

陶春軍　　　7949

陶　緯　　　3523

章

章正忠　　　1465

章益新　　　0067

章培恒　　　2401　0331(6365)　0105(0729)

章景明　　　2415

章綺霞　　　4417

鹿

鹿　玉　　　2011

鹿憶鹿　　　7404　2300　5741　3096　7307
　　　　　　0567

麥

麥　祥　　　4699

麥穗歧　　　2373

十二畫

傅

傅亦介　　　2634

傅光明　　　3067

傅含章　　　3859(8052)

傅佩榮　　　1363

傅武光　　　0039　0079　0086　0520　0568
　　　　　　0829　0887(1317)　1113　1250
　　　　　　1292　1316　1381(2091)　1408
　　　　　　1412　1413　1414　1415　1416
　　　　　　1417　1418　1419　1422　1423
　　　　　　1424　1425　1426　1428　1442
　　　　　　1446　1477　1482　1496　1498
　　　　　　1504　1506(1929)　1516　1949
　　　　　　2003　2079　2083　2129
　　　　　　2365(8012)　2506　2507　2508
　　　　　　2509　2641　2642　2758
　　　　　　2774(2856)　3310　3339　3831
　　　　　　4262　4605　4658　4888　4895
　　　　　　5871　5929　5944　6157　6501
　　　　　　8862

傅雪芬　　　4735(8729)

傅凱瑄　　　3148

傅　貴　　　2627　2660(6017)　2821　6470

傅　寧　　　0931　8554

傅鳳琴　　　8152(8173)

傅錫壬　　　0825(7393)　2352　3467　5300

	5896			
傅耀珍	3594	7435		
傅鐵虹	1586(2432)			

勞

| 勞思光 | 1340 |

博

| 博亨斯基 | 1574(1575) |

喻

| 喻復新 | 3714 |

喬

喬 之	3896
喬俊傑	8598
喬衍琯	0401	0760	4293	4987

彭

彭元岐	2240	4692	4845	4846	4849
	4854	4857	4863	4869(8643)	
	4894	5979	8487		
彭帆辰	1612(7799)
彭忠德	3527
彭昆侖	0415
彭金龍	4456
彭國翔	3375
彭淑玲	1300
彭菏成	8260
彭菏成	0172
彭瑞金	3272(5566)	5593(7880)
彭筱芸	0293(1348)
彭維杰	5606(5737)

惠

| 惠恩華 | 4074 |

普

| 普 光 | 4164 |

景

| 景 尼 | 4945 |
| 景 翔 | 8018 |

曾

曾士良	5344(5521)	5353	5361
曾子良	2285(8049)	3254(8906)	
	5610(8907)	5613(8908)	
	5614(8909)	5719	
曾心怡	7703(8494)
曾文樹	5637(7934)
曾文瓊	1660
曾月卿	7935(8564)
曾仕豪	6862
曾永義	0680	2413	2416	3686	3723
	4671	5718	6406	6409	7087
	7120				
曾玉明	0246
曾守正	5856
曾妙云	0551
曾秀雲	6320	7383	7386
曾秀華	7449
曾忠華	4544(4543)	4478(4989)	4787
	5818		
曾怡玲	7795
曾金金	4180	4193
曾恆源	5656(7833)
曾 春	4718
曾昭旭	1251(2749)	0198(0781)	1243
	2397		
曾家麒	1462	1470	1471	1473(8753)
	4412			
曾素珍	4731(8715)
曾淑芬	4978
曾棗莊	0328(6014)

曾進民　　1395

曾陽晴　　0716

曾榮汾　　3616　3700　3703　3706　3707
　　　　　3768　3770　3870　3986　5053

曾慶雨　　6590　6591　6592　6593　6594
　　　　　6596　6595　6597　6598　6599
　　　　　6600　6601　6602　6603　6604
　　　　　6605　6606　6607　6608　6609
　　　　　6610　6611　6612　6613　6614
　　　　　6615　6616　6617

曾潔明　　7649　7669

曾錦坤　　1385　3485　5020　5780

游

游志誠　　0989　8863

游坤峰　　6038

游珮芸　　0778

游國慶　　2226(3323)

游淑靜　　3171　3172

游勝冠　　1753(2652)　2296　2517　2868
　　　　　5615(7885)

游　喚　　8247

游福生　　5082

游適宏　　5376　5468　5473　5476　5480
　　　　　5483　5486　5487　5488　5494
　　　　　5499　5589(5939)

渡

渡　也　　7555

渡邊欣雄　1789(2340)

湯

湯一介　　1945　1946　1947　1948

湯廷池　　0681　8348

湯智君　　1499

焦

焦　桐　　0927(5576)

焦慧蘭　　8024

無

無名氏　　3007

琦

琦　君　　3915

程

程元敏　　0941(2788)　0950

程克雅　　0184　3130　3366

程美鐘　　4402　4527　4946

程國賦　　7337　7344

程培元　　8527

程啟坤　　2433

程毅中　　3090(6396)

童

童元方　　4557

童　心　　2635

童言伍　　1797

辜

辜麗珍　　8836

閔

閔宗述　　7012

閔秋英　　5178　7729

間

間野英二　0854

隋

隋嘉惠　　0767

陽

陽平南　　1221　2146

雲

雲藤義道　0840

項

項退結　1314(3211)

馮

馮珍芝　3301　5286

馮浩菲　0282(3962)

馮　聞　4316　4363

馮增銓　0614

馮曉庭　0131(0834　0954)　0178　0423
　　　　0443　0475　0891　1212　1214
　　　　3101　3149

黃

黃千修　1675

黃千葵　6863

黃士蔚　5435

黃　元　8429

黃心怡　5271

黃　文　6864

黃文吉　8869　3899(4808)　5842　4211
　　　　0478(6970)　5553　0055(0276)
　　　　0127(7017)　0599(5826)
　　　　0596(5823)　0598(5825)　6914
　　　　5822　4804　7018　3239(5850)
　　　　2571　0213(5867)　0430(7025)
　　　　0325(7005　8238)　6059　3403
　　　　6367

黃文榮　2579　7214

黃文錫　7159

黃水雲　0663　0664　5936

黃永年　0112(0736)

黃永武　1040(2623)　0157(2676　6182)
　　　　4215　5051　6174

黃玉青　2493

黃玉琴　7967(8042)

黃玉蘭　7900(8116)　8102

黃亦真　1033(6086)　2115

黃百合　8148(8209)

黃　克　7086

黃克東　3839

黃志民　2004　4031　4799　5288　5289
　　　　5696　7002　8859

黃志傑　2559(5962)　2560(5963)

黃沛勤　7639

黃沛榮　0003　0274(3650)　0545　0703
　　　　0970　0971　0972　0973　0974
　　　　0975　0976　0977　0978　0980
　　　　0985　0990　2000　2959　2961
　　　　3012　3013　3014　3247　3503
　　　　3759　3830　3840　3863　3977
　　　　4264　5857

黃居仁　8361(8822)

黃秀雲　4439

黃良瑩　1920(6172)

黃坤堯　2556(5960)

黃宗義　2177

黃忠天　1266　2360　2361　4256
　　　　4367(8917)　4778

黃忠慎　0254(8797)　0399(0643)　0554
　　　　0656　0900　1025(6082)
　　　　1229(3875)　1965(8056)

黃明理　1299　6194　8837

黃芬絹　3256(7628)　4542(5546)

黃金玉　5132　5133

黃信榮　8889

黃俊郎　1172　3877　4025

黃俊傑　2018　2019　2023　4985

黃思維　0919　3330(7544)　4609

黃冠人　4534

黃奕珍　6338

黃宣範	2062(3496)
黃宣穎	0789
黃恆秋	5605
黃春貴	1924　1927　2574(6019)
	2575(6020)　3539　4706　4707
	4897　4899　5906　5998　5999
	6000　6022　6023　6025　6054
	8504
黃秋芳	0065　0780　1811　2268　2270
	2719　3168　3170　3195　3388
	4220　5030　7077　7078　7079
	7901(8118)
黃秋香	0805
黃美娥	1055(1144)　5597　5598
黃美鈴	4822
黃英哲	3241(5574　7447)
黃英烈	3432　7442
黃郁文	4001
黃家家	7297
黃振郎	7220
黃　時	2237(2817)
黃浴沂	2846(6228)
黃益元	6336
黃素嬌	5954　7410
黃高憲	0999
黃　健	3603
黃偉豪	3146
黃基正	1006　1007(2604　2619)
	1020(6077)　1023(6080)　1224
	1807　2350　2354　2741　3458
	3729　6865　7308　8864
黃培青	5453
黃崇期	7347
黃康顯	0537
黃　強	1926(7224)　2911

黃啟方	0279　2866　2875
黃啟書	3383
黃　梁	6471　7469　7470　7471　7472
	7473　7474　7475　7476　7477
	7478　7479　7480　7481　7482
	7483　7484　7485　7486　7487
	7488　7489　7562　7565　7567
	7573
黃清順	6379(8883)
黃淑貞	5935(8307)　6029(8693)
	6301(8309)　8735
黃淑靜	7801(8604)
黃盛雄	2074　2810　4094　4801　6133
	6188　6251　6483
黃　博	0163
黃婷珊	0766
黃惠君	6030
黃惠禎	3283　3350
黃景進	2106　6134　6366　8480
黃智明	0101　0353(8277)　0368　0945
黃智信	0136(2737)　0446　1190
黃智陽	2262
黃絢親	4194(8913)
黃詠渝	6866
黃貴寅	5474
黃進德	6011
黃雅炘	7804(8606)
黃雅淳	6252
黃雅莉	6892　6934　6950　7766　7771
	7772　7773
黃意明	2533(5966)
黃敬欽	4572
黃瑞美	4697
黃　梁	7620
黃梓勇	0964(3141)

黃義郎　3743　3782　4084　4646(8350)
　　　　8398

黃資惠　0770

黃稔惠　0869　0871

黃　靖　3531

黃婪孌　3254(8906)

黃榮村　8048

黃睿弘　7730

黃碧珍　6428

黃碧端　7324

黃福鎮　4401　8835

黃維樑　0661　3039(7532)　5044

黃肇基　7728　7731

黃蓮英　4699

黃慶祥　6231　8922

黃慶萱　0247　0250　0511　0979　0994
　　　　1234　2184　3765　3800　3879
　　　　3997　4040　4126　4127　4560
　　　　4585　4636　4815　8346　8461
　　　　8364　8469　8473　8475　8806
　　　　8856

黃　賢　0414

黃翰祥　2051

黃錦珠　0479　2901

黃錦鋐　1295　4375

黃錦樹　7583　7849

黃斂柔　2179　5763

黃麗月　6927

黃麗貞　8488

黃麗娜　7704

黃嬿瑜　8149　8210

黃耀斌　2717

黃耀堃　0742　2172(5901)

黃騰德　1502(8599)

十三畫

賈
賈紹英　3738

甯
甯登國　5802

愷
愷　扉　4454　5069

搶
搶救國文教育聯盟　4276

敬
敬　賢　7888

新
新　　0897

楚
楚　戈　1887　3970

楊
楊子葳　0017(0291)

楊子霈　5505

楊小濱　7846

楊元忠　2377　3772　7009

楊允敬　0413

楊文振　1799

楊文璞　2953

楊月蓀　8008

楊丙玉　2232　7127

楊台山　4701

楊四平　6397　7658

楊永英　2742　4768　4963　5233

楊仲揆　0831(2369　8016)　7426

楊　光　0640

楊如雪　3506　4089(8401)　4095　4411

楊蕭衡	1608(6968)　7243
楊舒雅	4446
楊　菁	0860(1303　1353)　3364　3365
	3369
楊雅惠	2206　2209　2211　2213
楊雅貴	8754
楊雅儒	7781
楊愛娣	6534　6542　6543　6544　6545
	6546　6547　6548　6549　6550
	6551　6552　6553　6554　6555
	6556　6557　6558　6576　6577
	6578　6579　6580　6589　6618
	6619　6620　6621　6622　6623
	6624　6625　6626　6627　6628
楊新敏	4408
楊夢茹	5788
楊維仁	1845(7428)
楊遠岷	0993
楊儒宏	2760
楊樹清	0070
楊曉斌	1605(2668)
楊澤龍	0796
楊雅惠	2206　2209　2211　2213
楊雅貴	8754
楊雅儒	7781
楊新敏	4408
楊夢茹	5788
楊維仁	1845(7428)
楊遠岷	0993
楊儒宏	2760
楊樹清	0070
楊澤龍	0796
楊龍立	0487　2006　2066　2068　2071
	2441(8021)　2442　2917
楊鴻銘	3757　3760　4038　4171

	4339(4756)　4356　4360　4790
	4876　4878(8654)　4992　4993
	4994　4995　4996　4997　4998
	4999　5000　5001　5002　5003
	5004　5005　5006　5007　5008
	5009　5010　5011　5012　5013
	5014　5015　5016　5017　5018
	5073　5075　5077　5107　5110
	5112　5115　5219　5220(5408)
	5238　5239　5240　5241　5242
	5246　5248(5415)　5249
	5250(5420)　5252(5423)　5322
	5371(8524)　5405　5406　5407
	5428　5431　5510　5512　5517
	6001　7568(8656)　7571(8658)
	7579　7581　8096　8234
	8476(8632)　8477(8633)　8482
楊禮義	8866
楊麗玲	1288　1289
楊寶蓮	0317　2175　7201　7202
	7204(7205)
楊顯榮	3258　7619　7633　7648　7656

溝

溝上瑛	0839　0848

溥

溥　心	0904(2180)　1961　1966　5774
	7679
溥　瑛	0946

溫

溫光華	0402(6069)　4942　5456　5478
	5910　6028　8503
溫秀雯	5611(5742)
溫毓華	6322

溫德文　　　0259　4570

瑞

瑞　之　　　0593(0811)　0905　1963

萬

萬愛珍　　　3695　3699　3982

萬福曾　　　2937

萬麗鵑　　　2108　3213

稟

稟　真　　　4265

筧

筧文生　　　0833(5994)

聖

聖嚴法師　　1674

葉

葉大沛　　　2600

葉仁昌　　　1946

葉世景　　　0249

葉石濤　　　5586(7877)

葉依儂　　　5681(7968)7957　7966

葉昊謹　　　3346

葉欣欣　　　5722

葉品君　　　8150(8211)

葉秋枝　　　4346

葉政欣　　　0754　1207(5950)　1209　2563

葉洪生　　　2059(7817)　5555　5556　7829

葉　峰　　　6181　6191

葉海煙　　　2452

葉素吟　　　5199

葉純芳　　　0182　0228(0814　0936)　0875
　　　　　　3129　3135　3377　3399

葉高樹　　　3368

葉國良　　　1150(2554)　1152　1893　1896
　　　　　　1897　1898　1900　1901　2076
　　　　　　2128　2132　2304　2305　2447
　　　　　　2448　3787　4012　4086　4097
　　　　　　4208　6239　6473　6474　6475
　　　　　　6476　7340

葉程義　　　1132

葉經柱　　　2945(2994　7346)　7349　7350

葉嘉瑩　　　3052　6527　6528　6529　6530
　　　　　　6531　6532　6533　6534　6535
　　　　　　6536　6537　6538　6539　6540
　　　　　　6541　6542　6543　6544　6545
　　　　　　6546　6547　6548　6549　6550
　　　　　　6551　6552　6553　6554　6555
　　　　　　6556　6557　6558　6559　6560
　　　　　　6561　6562　6563　6564　6565
　　　　　　6566　6567　6568　6569　6570
　　　　　　6571　6572　6573　6574　6575
　　　　　　6576　6577　6578　6579　6580
　　　　　　6581　6582　6583　6584　6585
　　　　　　6586　6587　6588　6589　6590
　　　　　　6591　6592　6593　6594　6595
　　　　　　6596　6597　6598　6599　6600
　　　　　　6601　6602　6603　6604　6605
　　　　　　6606　6607　6608　6609　6611
　　　　　　6612　6613　6614　6615　6616
　　　　　　6617　6618　6619　6620　6621
　　　　　　6622　6623　6624　6625　6626
　　　　　　6627　6628　6882　6884　6898
　　　　　　6899　6900　7022(8256)
　　　　　　7023(8257)

葉維廉　　　7449

葉慶炳　　　7314

葉憶如　　　6925(8493)　6333

葉曉珍　　　0410

葉錦霞　　　1934(7980)

葉　繁　2358
葉瓊霞　3279(5573　7824)

葛

葛芳譚　4355　4758　4789　4791　4820
　　　　4821　4824　4962　5392
葛紹歐　2887
葛榮晉　1329　1330　1331　1406　1941
　　　　1942　1945

董

董文昭　4545
董妙津　5894
董治安　0108(0732)
董金裕　1157　2837　4065　4576　4635
　　　　4677　4717　4726　8417
董俊彥　1935
董家珮　5298　5299
董國炎　2920(7312)
董彬森　4776

虞

虞兩花　3952

解

解玉峰　3134
解靖仁　6920

詩

詩人大會秘書處　　0653

詹

詹小楠　8921
詹千慧　3408
詹文豪　5973　5785
詹宇錦　2939(7274)　7272　7275　7278
　　　　7285
詹秀惠　3791

詹芷琳　5388
詹宗祐　1911　2078
詹秋蕙　4407
詹海雲　0583　1351　1557　2921　3020
　　　　4050　4210　8227
詹琪芬　1952(2593)
詹雅筑　7416(8726)

賈

賈麥明　2696
賈順先　1946　1947　1945　2900(5820)
賈　寧　1955(2597　2906)
賈福相　1785　3416

游

遊適宏　5492

鄒

鄒依琳　4952(5667　7765)
鄒依霖　7938
鄒琬琳　0294(2539)
鄒濬智　4117

雷

雷家驥　2848
雷僑雲　1993　8081　8073
雷　頤　0533　3226
雷麗欽　7417

瘂

瘂　弦　7540

十四畫

實

實　之　2592(3264)

廖

廖大國　　　5148

廖文彬　　　8779　8780　8781　8782　8787
　　　　　　8790　8791　8792　8793　8794
　　　　　　8795　8796　8798　8799　8800
　　　　　　8801　8804　8805

廖玉蕙　　　2789　4326

廖冰凌　　　5665(7903)　5666(7905)

廖吉郎　　　4444

廖建智　　　2912　6048　6385　6386

廖彥博　　　0790

廖秋艾　　　6963

廖美玉　　　6495

廖振富　　　2621(2746)　3307　5595　5596
　　　　　　5699　8919

廖素琴　　　1500　7200　8113

廖國棟　　　5940

廖婉利　　　0768

廖淑卿　　　6969(8765)

廖隆盛　　　0938(1534)　1975　1976
　　　　　　1978(2087)　1979(2095)　2027
　　　　　　2531　2863　2915

廖運範　　　1921

廖輝英　　　0716

廖慶洲　　　0828　0830(1241)

廖學隆　　　2250(6348)

廖藤葉　　　1793(6310)

廖寶秀　　　2160(2409)

熊

熊明陶　　　6245

熊秉明　　　6326

熊　琬　　　1543(1681)

熊道麟　　　8824　5862

福

福田襄之介　　　0847

管

管仁健　　　6461　7283

管成學　　　1862　1864

管傑雄　　　3415

臧

臧克家　　　6012

臧志攀　　　6363

臧振華　　　2584(2690)

臺

臺靜農　　　2957

臺灣大學中研所　　　0744

蓉

蓉　子　　　2816

蒙

蒙培元　　　0991　1542　1936　1938　1939

蒲

蒲基維　　　4281　4928(8684)　4929(8685)
　　　　　　4936(8514)　4938(8515)　5266
　　　　　　5268(5386)　5446　5471

裴

裴　文　　　3577　3578

裴　偉　　　6960

裴普賢　　　3026　6277　6278

褚

褚斌杰　　　5902

趙

趙　颺　　　5278

趙仁珪　　　6905

趙允琳　　　6417

趙公正　　　4858　4916　5534　5601(7742)
　　　　　　7736

趙天行　3532　3533　3642

趙天儀　7536

趙文懷　6523

趙以武　6468

趙永康　2234

趙生群　0225

趙立寰　7976

趙　宏　1890(2425)

趙志遠　2794

趙其鈞　6232

趙制陽　1039

趙芳藝　3194

趙奎生　6492　6508　8534

趙彥芬　4699

趙威維　0444

趙原璧　0414

趙皖君　5885

趙瑞民　2388

趙路得　1606(6305)

趙筱梅　3236

趙鈺環　2353

趙爾宛　0804(5662)

趙福勇　3378

趙赫炎　0916　2569　3433　3876

趙銘豐　3128　7964

趙潤海　0121(3209)　2624(3215)

趙衛民　1596

趙燕客　8044

趙鴻中　6036(8275)

趙麗莎　6304

賓

賓玉玫　4722

遙

遙　光　5388

齊

齊婉先　0869　0871

齊衛國　2830(5988)　4354

齊聘邨　4024

蒯

蒯　亮　0677

十五畫

劉

劉乃慈　7879

劉千惠　0060　0309　0308　0341　0442
　　　　1310

劉小梅　2842　7996

劉子維　3365

劉天利　2504

劉天發　8784

劉文起　1236　1249　1368

劉文清　5811

劉　方　2500

劉正幸　4343　4247

劉正浩　2363　2371

劉玉才　0096　1664(2408)

劉玉菁　1497

劉　石　6342

劉兆祐　0161(0304)　0169　0258　0273
　　　　0279　0300　0301　0302
　　　　0303(2541)　0311　0363(5839)
　　　　0379　0383　0680　2183　2387
　　　　2418　2515　3164　3473　3727
　　　　3802　4141　5285　6065　7419

劉如仲　2218(2385)　2386　2422

劉有恒　7135

劉君祖　0018　2829　3613

	3439	3440	3442	3619	3623
	3733	4023	4079	7306	
劉　瑩	4434(5210)				
劉醇鑫	5351				
劉憲雄	5806				
劉操志	1252	4577			
劉澤友	3114	3117	3118	3121	
劉靜娟	0917				
劉靜敏	3584				
劉　濤	2246				
劉蕾蕾	3603				
劉還月	1754	1766			
劉謹華	1493				
劉鎮傳	5100				
劉瀚平	1248(1376)				
劉麗娟	4496(8492)				
劉寶珠	4380	5147(8700)			
劉媛蓉	4697				

厲

厲　揭	5528

樂

樂秀拔	6887

歐

歐子陵	1644(3313)			
歐宗智	3290(5638	5675)	5623(7897)	
	5629(7913)	5636	7906(8911)	
	7915	7962	7992	
歐陽宜璋	5243	5313	5535	5355
歐陽炯	0747	5297(6506)		

潘

潘正德	0240			
潘君言	4848			
潘亞暾	7504	7508	7509	7510
潘承玉	3914			
潘明富	3874	4632	4720	
潘洪鋼	1919	2580	2488	
潘玲玲	5751(7377)			
潘重規	0054	0557	2187	2938(7273)
	3162	3163	7244	8241
潘家宏	6867	6868		
潘富恩	1936			
潘銘基	0454	6168		
潘麗珠	0088	0712	2173(6454)	2292
	3328	3329	3330(7544)	3331
	4393	4395	4399	4400	4504
	4505	4520	4609	5170	5459
	6427	7145	7158	7161	7165
	7556	7627	8072		

編

編輯部	0021	0050(0307)	0053	0066
	0069	0075(0658)	0126(7140)	
	0190	0191	0192	0193	0194
	0205	0272	0287	0417	0418
	0526(7694)	0602	0603	0606	
	0608	0618	0621	0622	
	0625(1616)	0626	0627(1327	
	5832)	0628	0629(3643)	
	0630(3855)	0632(2692)		
	0634(3647)	0636	0637	
	0639(4239)	0665	0666	0667
	0671	0678	0679(5507)	0695
	0700	0705	0706	0707	0710
	0714(4268)	0787	1021(6079)	
	1673	1755	1814	1815	1816
	1817	1818	1819	1820	1821
	1822	1823	1824	1825	
	1866(2164)	1868(2165)		

蔡忠道　6256(7863)

蔡怡婷　4739(8733)

蔡怡儂　1222

蔡明富　2243

蔡明蓉　0210　0343(7379)

蔡明讚　2260

蔡欣欣　7134　7181

蔡芳定　0552(2941)　2620(7680)

蔡長林　0550　2021　2449　4497

蔡信發　0750　1203(2576)　2215(3315)

2227(3099)　2546(2773)　2549

2552　2785　2796　3673　3679

3687　3804　3805　3806　3808

3809　3810　3811　3812　3813

3814　3815

蔡俊生　3508(3654)

蔡美端　0607

蔡英俊　0946　4305　5762　5769　5771

5772　5773　6175　8468

蔡哲茂　2687(3639)　2688(3640)

蔡振豐　5429

蔡根祥　1013(4957)　1036(4036)

1038(3934)　2445　2502　3881

3921　4111　4146　4714　4795

4852　4864　4898　6061　6205

6339　6355(8892)

蔡　紡　1997　4224　4664　4679

蔡素芬　0888　1113　2507　7686　8862

蔡曼鈴　4567

蔡婉君　7954

蔡崇名　4037　4676　4830　5021　6197

蔡敏璿　1565

蔡淑錚　2536

蔡琇雀　0769

蔡琇瑩　6169

蔡惠芳　1550

蔡登山　2983　2984　2986　2987　2989

2990　2991　2992　2995　2996

2998　2999　3001　3068　3070

3071　3072　3073　3074　3075

3076　3077　3078　3079　3080

3081　3082　3253　8005　8025

蔡翔宇　0143(0874)　0345(8271)

0347(8273)　0861　2581

8274(0348)

蔡華同　6440

蔡雅如　0235

蔡雲雀　6052　7343　7357　7732　7752

7767　7870　7907　8110

蔡源煌　0001

蔡夢珍　3969

蔡榮章　2398

蔡維天　3479

蔡德良　3702

蔡霈瑀　4437　5685(7991)

蔡學海　2525

蔡澤興　1742(1846)

蔡蕙年　0197

蔡謀芳　8501　8512　8567　8578

蔡錦昌　0507　4985

蔡豐村　4459

蔡麗玲　4990

諸葛

諸葛妮妮　4435

諸葛俊元　7430

適

適　生　4571　6041　8349

鄭

鄭卜五　　0619

鄭于香　　3145

鄭子瑜　　0541

鄭中信　　7970

鄭月梅　　3132　3380　3382　3392

鄭生仁　　5027　8846

鄭石岩　　1684

鄭立中　　4903

鄭吉雄　　0585

鄭向恒　　2787(6135)　3044　5863

鄭如真　　7802(8605)

鄭如晴　　8123(8194)

鄭自立　　5710

鄭志明　　0605　0946　1360(1794　4476)
　　　　　1749　1751　4153　4752　5692

鄭育如　　0448

鄭良偉　　3499(7825)

鄭良樹　　1041(6087)　1042(6088)

鄭定國　　7003

鄭宛真　　7797

鄭明俊　　7499

鄭明嫻　　0168(7217)　0174　0251　0397
　　　　　0408　2208(3311)　7245　7684
　　　　　7692　7698　8228

鄭松維　　8786　8788　8789　8808　8810
　　　　　8811　8812　8814　8815　8817
　　　　　8818　8819　8820

鄭芳郁　　8495

鄭金川　　1372(1580)

鄭阿財　　3789　5697　7322

鄭柳燕　　5063(5526)　5084

鄭美俐　　4156

鄭　軍　　7916(8202)

鄭娟榕　　8272(8320)　8297　8298　8315
　　　　　8316　8317　8719　8720

鄭晃昇　　2820

鄭凰英　　4202(7436)

鄭淑君　　0242　0244(0449)　0338(2535)
　　　　　0342　0574(2738)　0890

鄭淑華　　4165　4699

鄭雪花　　8460

鄭雅心　　7299

鄭雅文　　0005(0243)

鄭雅霞　　8361(8822)

鄭雅馨　　8142(8172)

鄭圓鈴　　0381　2046　5329　5330　5331
　　　　　5332　5333　5334　5335　5375
　　　　　5381　5442　5452　5454　5460
　　　　　5467　5493　5498　5500　7080

鄭毓瑜　　8225

鄭源發　　4915　6163

鄭裕基　　1014(4335)

鄭靖時　　2857　5551　5552

鄭韶風　　8691

鄭慶君　　0723　1460

鄭誼惠　　0016(0453)

鄭誼慧　　0286　0433(7364)

鄭曉村　　1311

鄭頤壽　　0722(8294)　5040(8291)　5547
　　　　　6357(8308)　6872　7081　8286
　　　　　8287　8288　8289　8292　8313
　　　　　8319　8528

鄭聰明　　2223(4665)

鄭黛瓊　　7995

鄭麗娟　　3427

鄭鐵生　　7211

鄧

鄧孔昭　　2905

鄧仕樑　　5849　6212

鄧衍原　　2587

鄧郁生　　7392

鄧絜馨　　4733(8717)

鄧聲國　　3559　7387

魯

魯瑞菁　　5907

魯樞元　　2072

黎

黎　谷　　3175

黎俐均　　4729(8713)

黎建寰　　4064　4083　5294

黎活仁　　0470　0529(3221)　0757
　　　　　1309(8243)　6978　6979

黎馨平　　3136

黎　蘭　　8929

樋

樋　淳　　1790　2341

十六畫

橋

橋本秀美　0179

澹

澹臺惠敏　1988

遲

遲　玉　　0904(2180)　1963

盧

盧明瑜　　0467　1763　2159(3320)　2299
　　　　　7248

盧昭蓉　　1306

盧美貴　　1996

盧貞玲　　5811

盧貞穎　　8124(8195)

盧清青　　3374

盧雪玲　　6972

盧景商　　0464

盧錦堂　　0559　2301

興

興膳宏　　0851

蕃

蕃　衍　　4617

蕭

蕭千金　　1100(6126　8763)　5191

蕭水順　　4812　5631

蕭丹禪　　8921

蕭安佐　　1480(1551)　2161

蕭竹均　　6873

蕭秀琴　　4201

蕭佳琳　　6297(8741)

蕭振邦　　1336(1588)

蕭湘鳳　　4357　4359

蕭開元　　0427　0894

蕭愛蓉　　5760

蕭遙天　　2394

蕭嫻慈　　5449

蕭　蕭　　4447　4448　4495　4803　5106
　　　　　5516　7574

蕭靜怡　　3404

蕭麗華　　0002　3303(4345)　4162　4638
　　　　　6260(7406)

蕭繼宗　　0064　6178

融

融　武　　2217(2813)

賴

賴依玲　　6874

賴明德　3758　3769　3771　3803　4055
　　　　　4129　4142　8345

賴炎元　1513

賴芳伶　5705

賴金男　0681　4285

賴美惠　1005　3287(3355)　3288(3356)

賴哲信　4472　4922　5048　5326

賴悅珊　0672

賴惠娟　6962(8755)

賴貴三　1453　3263

賴甯麗　1532

賴溫如　6946　6954

賴嘉麒　7734

賴漢屏　7125

賴翠華　4698

賴橋本　1768　4832(7091)　6341　7014
　　　　　7088　7092　7114　7117　7124
　　　　　7151　7163

賴蕙芬　4697

賴麗蓉　3453(3454　4624　4627)　4270
　　　　　4581　4630(8340)

錢

錢玉蘭　6026

錢仲聯　2926　3028

錢　軍　0008(0340)　0012

錢　遜　1333

錢　穆　0508

錢錫生　3106

錢鴻鈞　5591

閻

閻以炤　2804

閻紀宇　1137

閻振益　2790(5958)

霍

霍四通　8302

霍晉明　2026

霍國玲　2939(7274)　7272　7275　7278
　　　　　7285

駱

駱　梵　0007　1237　3735　3742　3885
　　　　　3887　3888　3891　4154　4549
　　　　　4564　4639　8353　8471

鮑

鮑　欣　4398　7415

鮑延毅　1908　2030(7415)　2481　2736
　　　　　2801　3257　3544　4108　4110
　　　　　4145　4398　5880　7234　7235
　　　　　7237　7351　8115(8190)　8185
　　　　　8882

鮑國順　1367　1369　1431　1444　1517
　　　　　1935　1938　1947　1948　2103
　　　　　2916　4580

鮑鎮威　4306(4493)

龍

龍建春　6374

龍建國　4057

十七畫

儲

儲大泓　6480　6482

儲海雲　2427(8020)　2430(3775)　2436

應

應未遲　3237

應鳳凰　0044

戴

戴　玉	0726　0885　2178(4213)　3410
戴尚文	1075(6488)　6216
戴忞臻	4732(8716)
戴盛虞	1143(1568　2113)　2092　2372
戴景尼	3556(3939)　5619(7889)
	5620(7893　8910)　7896　7908
戴朝福	4866　5978
戴維揚	0929　3552(4226)　4212
戴璉璋	0981(2680)　1246(4250)　1391
	1407(2443)　3453(3454　4624
	4627)　4058　4132　4583
	4630(8340)　8333　8366
戴寶珠	6224

繆

繆天華	2853　8874
繆　鉞	7015

薛

薛平南	2231
薛良元	4882
薛柏成	1354

謎

謎　徒	3512(8903)

謝

謝一民	4046　4568　4760
謝大寧	1437　1483　4284　6875
謝文女	7382
謝正光	0170(3037)
謝永珍	6007(8764)
謝玉祺	5205
謝向榮	0961(3419)
謝伯陽	0335(7089)
謝秀麗	3306

謝育爭	5924
謝忻汝	8141(8171)
謝佳惠	6034(8565　8739)
謝佩芬	2755　5564(8232)
謝奇峰	7876　8557
謝奇懿	5339　5340
謝宛融	6876
謝承諭	6877
謝明輝	1001　2480　6275　6293
謝明勳	2520
謝春彥	2241(7281)
謝春聘	1457　2032　2034　2126　3779
	4090　4266(5087)　5086(6075)
謝若男	0922
謝素燕	4905
謝清俊	1837
謝淑年	4625
謝淑熙	3406　5217
謝智光	0346　0350(1346)　2739　3137
	3153　3160　3402
謝登旺	4328
謝蓮芬	5253(5536)
謝輝煌	4092
謝鵬雄	8006

鍾

鍾文宏	5187
鍾吉雄	1409(2013)　1520(2012)　4267
鍾名誠	3565　7465　7778　8157
鍾　年	2667(5881)　2732　2733　2735
	7186　7407
鍾玖英	8608
鍾來因	2689　5928
鍾怡彥	3285(3352)
鍾怡雯	0087　0655(4287)　0657(4320)

	3250	3333	3334	3335	3336
	3337	4375	4497	6062	7710
	7754	7792(8212)		7837	7839
鍾信昌	0367	0369	3291	3379	3389
鍾柏生	3199				
鍾桂英	4697				
鍾彩鈞	0638(1545)				
鍾　敏	3796				
鍾淑芬	6015				
鍾　華	6291(8724)				
鍾雲鶯	4436				
鍾榮富	3953				
鍾肇政	5585				
鍾龍珠	0771				
鍾　鍾	2463(5727	7236)	2795	2824	
	5726				
鍾瓊華	2134				
鍾鐵民	3284(3351)				

隱
| 隱　地 | 1937 | | | | |

韓
韓中慧	8236				
韓廷一	2761	2762	2763	2764	2765
	2798	2800	2825	2826	2849
	2850	2851	2852	2892	2893
	2894	2895	2947	2948	2949
	3000	3005	3255	8925	8926
	8927				
韓佩錦	5368	7735			
韓學宏	5466				
韓曉光	8502				

薀
| 薀　苑 | 7437 | | | | |

十八畫

叢
| 叢中笑 | 1878(2405) | | | | |

瞿
瞿海源	1620	1936	2082	2367	3216
	8014				
瞿　毅	3993				

簡
簡上仁	8091				
簡文爵	2162				
簡光明	0549	2127	7335		
簡宗梧	0746	4168	5938	7681(7808)	
	7688				
簡明勇	4530				
簡松興	6416				
簡彦姈	6878				
簡政珍	3312(7506)		7696		
簡恩定	2104(5837)		2124	2453	
	3243(6394)		3749	4644(6187)	
	5833	5847	6195	8847	8848
	8849	8854			
簡培如	7775				
簡婉姿	7768				
簡　媜	0716	1026(6083)			
簡蕙宜	5189	5263(5472)		5267	
簡錦松	2097	5872	5873	6142	6143
簡繡鈺	7353				
簡綉玉	4850				

聶
聶永華	1087(6117)		6300	7789	
聶　焱	3579(8544)		3582(8546)		3608
	8589	8591			

藍

藍吉富	3024
藍若天	1048(6090)　1049(6091)
	1051(6092)　1052(6093)
	1054(6094)　1057(6095)
	1058(6096)　1059(6097)
	1060(6098)　1064(6102)　1066
	4986

闕

闕世榴	8461

顏

顏子魁	0832(2138)
顏元叔	3198　3292　3459　8857
顏天佑	3746　2547　2550　7083
	7095(7180)
顏宗養	1675
顏美娟	0767
顏崑陽	1356(2176　5804)　3688　4669
	4796　4896　5287　6324　6411
	6423
顏荷郁(顏靄珠)	8036　8037　8213　8214
	8215　8216　8217　8218　8219
	8572
顏章炮	2924
顏智英	4332　5229　6361　7102
顏進雄	3664
顏瑞芳	0090　8204
顏瓊雯	4333

魏

魏子雲	0252　0553　0558　1050　1210
	1211(5952)　1925　2578　2768
	3340　3550(7227)　3819　4260
	4337　4338　4340　4511　4715
	5814　5918　6426(8631)　7154
	7169　7221　7222　7225　7226
魏月萍	0716
魏光霞	0648(0649　4204　4205)　5655
	5790
魏向東	3795
魏旭妍	6463
魏汝霖	1371(2685)
魏形峰	8326
魏　赤	7747　7749
魏　怡	4286
魏素足	5969
魏耕祥	1047
魏培泉	3886　4648
魏靖峰	3882　5513

鎌

鎌田正	0836

十九畫

羅

羅中琦	5670(7912)
羅文華	7194
羅任玲	7629
羅安琪	7665
羅宏益	7705
羅志慧	2347
羅秀美	6159　6344
羅宗濤	0565　2189　2355　4061　6404
	6405
羅　尚	6412
羅　門	6421(7492)　7549
羅郁華	1615(6317)
羅門郎	4051

羅哲文　2650

羅夏美　5621(7894)

羅家欣　6312

羅悅玲　4371　5765　6414

羅悅珠　5768

羅婉嫻　4697

羅彬榮　0409

羅斯著　1311

羅景文　3386

羅敬之　5792　6375

羅詩雲　5644(5680)　6398)　5647(7974)
　　　　6388

羅肇錦　0969　3447　3451　3455　3456
　　　　3457　3475　3482　3486　3492
　　　　3495　3590(3677)　3614　3945
　　　　3954　3981　4185　4188　4245
　　　　5604(5736)　7413(8472)　8334
　　　　8464　8465　8467　8470

羅鳳珠　0099　0421(6229)　0422(6233)
　　　　1838　3305　4243　4369(7266)

羅賢淑　6952　6993　7268

羅　蘭　2399　6883

藪

藪內清　0849

譚

譚志明　0963(3421　3683)

譚家健　1507　5982　5983

譚　琳　0723

譚達先　2310(5724)　5581(5731)

譚潤生　2566(5968)

譚蕙婷　4726

譚錦家　5869

關

關英偉　7943

關瑾華　0881

二十畫

嚴

嚴不臣　4067

嚴玉珊　7030

嚴光平　2498

嚴志雄　0481

嚴定暹　2118

嚴淑女　2267

嚴逢君　0765

嚴翠玉　6971

嚴慧寧　4983

嚴靈峰　1370(2679)

礪

礪波護　0846

蘇

蘇女真　4697

蘇子敬　2561(5964)　2562(5965)　4273

蘇心一　6879　6880

蘇　北　3120

蘇秀錦　3541(4176)　3542(4177)
　　　　3543(4178)　3551　4390
　　　　4409(8924)　4433　4435　5026
　　　　5109　5111　5137　5146　5206
　　　　5207　5323　5324　5325　5427
　　　　5439　5482　5485　8529

蘇尚耀　1989

蘇建洲　1076(6110)

蘇美鳳　2730　8828

蘇振明　2149　2150　2151　2152　2153
　　　　2154　2155

蘇偉貞　0919　6901

蘇曼如　6167　7987

蘇清守　5307

蘇淑芬　7031

蘇雪林　3238(5843　5897)

蘇愉婷　0197

蘇琬鈞　0152　3261

蘇　精　0167

鐘

鐘尹萱　8140(8170)

鐘玖英　3580　3600　3604　4422　8523
　　　　8527　8540

饒

饒少平　6259

廿一畫

顧

顧力仁　2301

顧大我　3951　4438(4618)

顧功銘　4953

顧　洪　2109

顧柔利　5931

顧敏耀　1918(5915)

顧歆藝　0096

顧頡剛　0513　0514　0515　0517　2109

顧　潮　2109

顧關元　0284　0298　0571　2469　2479
　　　　2484　2485　2617(6002)　2666
　　　　3587　6279　7193　7356　8884
　　　　8885　8888　8890

廿二畫

讀

讀　者　4248

龔

龔于芬　4115　6166

龔亞元　5081

龔彥士　6271

龔淑芬　4427

龔嘉英　6225　6246

龔嘉鎮　2490

龔韻蘅　2239(7553)

龔鵬程　0068　0382　0384　0581　1942
　　　　0946　1548　1549　1694　2058
　　　　2838　2861　3011　3449　3471
　　　　3731　4161　5688　5812　6179
　　　　6390　6401　6403　6881　7277
　　　　7425　7440

龔顯宗　2280(2631)　2931　2962(7443)
　　　　3016(7501)　7494　7691(7813)

廿三畫

欒

欒梅健　2657　3104　3108　3115
　　　　3122(7740)　3124(7743)
　　　　3125(7744)

R

Richard E. Palmer　5761

萬卷樓工具書 0100003

國文天地 300 期總目暨分類目錄

主　　編	林慶彰
責任編輯	張晏瑞　張琬瑩　陳韋哲
特約校稿	林秋芬　何宜懃　徐子珺

發 行 人	陳滿銘
總 經 理	梁錦興
總 編 輯	陳滿銘
副總編輯	張晏瑞
編 輯 所	萬卷樓圖書股份有限公司
排　　版	張琬瑩、陳韋哲
印　　刷	百通科技股份有限公司
封面設計	斐類設計工作室

發　　行	萬卷樓圖書股份有限公司
地址	臺北市羅斯福路二段 41 號 6 樓之 3
電話	(02)23216565
傳真	(02)23218698
電郵	SERVICE@WANJUAN.COM.TW
大陸經銷	廈門外圖臺灣書店有限公司
電郵	JKB188@188.COM

ISBN 978-957-739-757-7

2014 年 7 月初版一刷

定價：新臺幣 2000 元

如何購買本書：

1. 劃撥購書，請透過以下郵政劃撥帳號：
   帳號：15624015
   戶名：萬卷樓圖書股份有限公司
2. 轉帳購書，請透過以下帳戶
   合作金庫銀行 古亭分行
   戶名：萬卷樓圖書股份有限公司
   帳號：0877717092596
3. 網路購書，請透過萬卷樓網站
   網址 WWW.WANJUAN.COM.TW

大量購書，請直接聯繫我們，將有專人為您服務。客服：(02)23216565 分機 10

如有缺頁、破損或裝訂錯誤，請寄回更換

版權所有・翻印必究

Copyright©2014 by WanJuanLou Books CO., Ltd.

All Right Reserved　　　　Printed in Taiwan

國家圖書館出版品預行編目資料

國文天地 300 期總目暨分類目錄 /
林慶彰主編. -- 初版. –
臺北市：萬卷樓, 2012.07
　面；　公分
ISBN 978-957-739-757-7(平裝)
1.漢語 2.中國文學 3.目錄
016.802　　　　　　　　101012721